KB273604

CHARLOTTE BRONTË

Jane Eyre

옮긴이 김나연

서강대학교에서 영어영문학과 석사학위를 취득하였다. 현재 출판번역 에이전시 베네트랜스에서 전속 번역가로 활동 중이다.

옮긴 책으로는 『프랑켄슈타인』『캑터스』『제인 오스틴 소사이어티』『하피스, 잔혹한 소녀들』『혼자만의 시간을 탐닉하다』『사람은 어떻게 생각하고 배우고 기억하는가』『부의 해부학』『여자에게는 야망이 필요하다』 등이 있다.

일러두기

원서에서 프랑스어로 쓰인 부분은 이탤릭체로 표기하였습니다.

CHARLOTTE BRONTË

제인 에어는 누군가가 자신에게 결코 함부로 하도록 놔두지 않는다. 그건 스스로에 대한 진심 어린 믿음으로부터 비롯된 기개일 것이다. 그 마음가짐을 오래도록 기억하고 싶다. 주어진 세계를 자기만의 꼿꼿한 시선으로 바라보는 그의 영혼은 이토록 고귀하다. 자신에게 가치 있는 것이 무엇인지는 자신만이 알 것이다. 하지만 알아감에도 분명 여정이 따르는 법이다.

사실 제인 에어에게 주어진 길은 늘 그가 선택한 길보다 협소하며 많은 제약이 따랐다. 그러나 그의 여정을 따라가다 보면 그는 언제나 주어진 길과는 비교도 되지 않는 훨씬 더 대단한 선택을 하고 만다. 그렇게 제인 에어는 냉혹한 세계를 차근차근 자기만의 방식으로 돌파하며 살아나간다. 자신의 삶을 다부지게 실현하며 친밀한 관계를 형성하기도 한다. 이러한 성장 서사를 따라 읽어가다 보면 개인에게 주어진 선택지보다도 중요한 건 그 이상의 것을 선택하기 위한 안목과 의지일 수도 있다는 희망을 넌지시 품게 된다. 삶이 어떤 장벽에 가로막힌 것만 같은 순간에 이 책을 읽는다면 대단한 용기를 얻을 수 있을 것이다.

더군다나 제인 에어가 가진 힘이 지속적으로 사랑을 향하고 있다는 섬에서 이 작품은 시종일관 매력적이디. 제인 에어의 진솔하게 사랑하는 힘은 자신을 함부로 하지 않는 힘에서부터 나온다. 자신을 사랑하는 힘으로 상대를 사랑하는 그 다정하고 정의로운 방식을 어떻게 애정하지 않을 수 있을까. 자신을 아끼는 동시에 상대를 사랑하고자 했던 제인 에어의 삶을 응원하던 독자들은 어느새 자신의 사랑을 탐구하게 될 것이다. 그런 의미에서 제인 에어는 시대를 뛰어넘어 찾아온 우리의 영원한 친구이자 가정교사이다.

소설가 예소연

CONTENTS

Jane Eyre

제1권

Jane Eyre

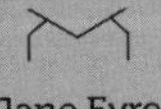

Jane Eyre

더 이상 산책할 수 없는 그런 날이었다. 우리는 아침부터 잎이 다 떨어진 관목 숲을 한 시간이나 쏘다니며 걸었다. 외숙모인 리드 부인은 저택을 방문하는 손님이 없으면 제법 이른 시간에도 식사를 하는 편이었다. 점심때가 지나며 싸늘한 겨울바람이 먹구름을 몰고 오더니 온몸을 흠뻑 적시는 비까지 내렸다. 도저히 바깥에 나갈 수 없는 날씨였다.

솔직히 말하면 다행이라고 생각했다. 오랜 시간 걷는 것을 원래 좋아하지 않았다. 특히 이런 쌀쌀한 오후에는 더욱 싫었다. 싸늘한 해 질 녘에 꽁꽁 얼어붙은 손과 발로 돌아오는 길은 너무나 끔찍하다. 유모 베시는 나를 보자마자 잔소리를 퍼부었고, 이종사촌인 일라이자와 존, 조지아나보다 체력이 약하다는 사실을 깨달을 때면 주눅이 들고 기운이 빠졌다.

응접실에 들어가니 일라이자와 존, 조지아나가 리드 부인 곁에 모여 있었다. 리드 부인은 벽난로 옆 소파에 편히 누운 채, 무척 만족스러운 표정으로 편안한 시간을 보내고 있었다. 웬일인지 아이들이 다투지도 않고, 울거나 보채지도 않고 얌전히 있었기 때문이다. 내가 쭈뼛거리며 다가가자 리드 부인은 나를 차갑게 밀어내며 매몰차게 말했다.

"나도 이러고 싶지는 않다만, 저리 가거라. 네가 지금보다 사근사근하게 굴고, 영악스럽지 않은 태도로 호감 가는 아이가 되고자 노력한다는 말을 베시에게 듣기 전까지는 너를 보지 않으련다. 밝고, 솔직하고, 꾸밈없는 아이가 되는 모습을 내 눈으로 확인하기 전까지 말이야. 나는 가진 것에 만족할 줄 알고 행복이 무엇인지 아는 아이들만 곁에 두고 싶다."

"베시가 저에 관해 뭐라고 했나요?" 내가 조심스럽게 물었다.

"제인, 나는 말대꾸하는 아이도, 시시콜콜 캐묻는 아이도 좋아하지 않아. 게다가 어린애가 어른에게 그토록 따지고 대드는 모습은 참으로 보기 싫구나. 그러니 내 눈에 보이지 않는 곳으로 가서 얌전히 반성이나 하렴. 어른들에게 예의 바르게 말하는 법과 입을 다물 줄 아는 법을 익혔다는 소리가 들리면, 그때 다시 부를 테니까."

나는 결국 응접실과 맞닿아 있는 조식용 식당*으로 슬그머니 자리를 옮겼다. 식당 한쪽에는 책장이 있었다. 책장에 꽂힌 책 중 삽화가 들어간 책을 하나 골랐다. 그리고 창턱 소파에 자리를 잡고 앉아 무릎을 끌어모았다. 터키인처럼 가부좌를 틀고 앉은 다음, 붉은색의 두툼한 겨울용 모직 커튼을 당겨 내 주변을 동그랗게 감쌌다. 그러자 누구도 찾을 수 없는 완벽한 은신처에 몸을 숨긴 기분이 들어 무거웠던 마음이 한결 편해졌다.

오른쪽은 붉은색 커튼이 겹겹이 시야를 막아주고, 왼쪽은 투명한 유리창이 비바람을 막아주었지만 11월의 어두컴컴하고 스산한 분위기까지 막을 수는 없었다. 책장을 넘기면서 늦은 오후의 겨울 풍경을 바라보았다. 저 멀리 아스라한 안개와 구름으로 뒤덮인 희뿌연 풍경이 드리웠고, 창문 가까이

---

* 주로 주방 옆에 붙어 있으며, 돌출 창이 난 작은 공간에 식탁을 두어 아침 식사만 해결하는 공간.

젖은 잔디와 폭풍우에 흔들리는 키 작은 나무들이 보였고. 비는 끊임없이 몰아치고 바람은 구슬프게 울부짖으며 유리창을 때렸다.

나는 다시 책으로 시선을 돌렸다. 토머스 뷰익이 쓴 『영국의 조류사』라는 책이었다. 솔직히 말해 삽화에 비해 활자는 별로 눈에 들어오지 않았다. 그러나 어린아이인 나조차도 서문은 그냥 지나칠 수 없었다. 책은 바닷새의 서식지나 바닷새가 사는 "외딴 암초와 곶", 최남단 린데스네스에서 최북단 노스케이프에 이르는, 작은 다도해로 점점이 이루어진 노르웨이의 해안을 설명하고 있었다.

거대한 소용돌이에 휩싸인 북해에,
고대인이 믿었던 세상의 북쪽 끝,
헐벗고 외로운 섬들 주위로,
폭풍우가 몰아치는 헤브리디스제도 사이,
대서양의 노도(怒濤)가 휘몰아치는 그곳.

라플란드, 시베리아, 스피츠베르겐, 노바 젬블라, 아이슬란드, 그린란드의 살을 에는 듯한 해안 부분은 도저히 읽지 않고는 버틸 재간이 없었다. "북극의 광활하고도 쓸쓸하고 황량한 땅, 수백 년의 겨울을 거치며 서리와 눈이 쌓은 얼음벌판, 알프스산맥처럼 높이 빛나는 광원이 극지를 둘러싸고, 혹독한 냉기가 한데 모여 몇 곱절은 더 추운 곳". 마치 죽음과도 같은 새하얀 북극을 떠올리며 내 나름으로 상상의 나래를 펼쳤다. 어린아이의 머릿속에 희미하게 떠다니는 모호한 생각이었지만, 이상하리만치 깊은 인상을 남겼다. 서문을 이루는 단어들은 파도와 물보라가 이어지는 바다에 홀로 서 있는 바위, 황량한 해안에 좌초된 난파선, 당장이라도 가라앉을 것 같은 부서진 배 위 구름 사이로 보이는 차갑고 창백한 달 삽화와 어우러져 짙은 여운을 남겼다.

다만 쓸쓸한 교회 묘지와 묘비, 묘지의 철문, 그곳의 나무 두 그루, 낮은 하늘과 맞닿은 지평선, 무너져 내리는 묘지 담장 그리고 초저녁 서쪽 하늘에 낮게 걸린 초승달 따위에 어떤 감정을 느껴야 하는지 깨닫기에 나는 너무 어렸다.

고요한 바다에 미동도 없이 떠 있는 두 척의 배는 바다를 헤매는 유령 같아 무서웠다.

등짐을 짊어 멘 도둑의 목덜미를 낚아채는 듯한 마귀의 그림도 빠르게 넘겼다. 내게는 너무 무서운 그림이었다.

바다 위 암초에 외따로이 앉아 있는 검은 뿔 달린 괴물이 저 멀리 교수대를 둘러싼 군중을 바라보는 그림도 마찬가지였다.

어느 삽화나 이야기가 담겨 있었다. 어리기만 한 이해력과 미성숙한 감정으로는 받아들이기 어려운 이야기도 있었지만, 하나하나가 모두 심오하고 흥미로웠다. 어느 겨울밤 베시가 들려주는 이야기만큼이나 재미있었다. 베시는 우리 방 난롯가에 다리미판을 놓고 우리를 주위에 나란히 앉혀놓은 다음, 리드 부인의 레이스 장식을 다리거나 나이트캡 모자의 가장자리에 주름을 잡으며 이야기가 듣고 싶어 열심히 귀를 기울이던 우리에게 옛날 동화나 전설 따위를 들려주었다. 훗날 알게 되었지만 때로 베시의 이야기에는 『파멜라』나 『모어랜드의 백작, 헨리』에서 나온 내용들도 있었다.

『영국의 조류사』를 무릎에 올려놓고, 나는 나름의 행복을 즐겼다. 누군가 이 행복을 깨트릴까 봐 불안한 것도 잠시, 내 불길한 예감은 너무 빨리 찾아왔고 곧장 식당 문이 열렸다.

"야! 청승 떨지 말고 나와." 우렁찬 존의 목소리가 멎었다. 아마 내가 보이지 않아 당황한 모양이었다.

"대체 요게 어딜 간 거야?" 존이 외쳐댔다. "리지!* 조지!** 조앤인지 제인인지가 여기에 없어. 비 오는데 또 뛰쳐나갔다고 빨리 엄마한테 일러!"

'커튼을 미리 쳐두길 정말 잘했어.' 그가 나의 은신처를 발견하지 못하기를 간절히 바랐다. 존은 눈썰미도 둔하고 총명하지 않아서 다행이었다. 그러나 그때 일라이자가 식당 문을 열고 고개를 빼꼼히 내밀더니 이렇게 말하는 게 아닌가.

"창턱 소파에 숨어 있을 거야."

나는 질질 끌려 나갈 바에는 차라리 내 발로 나가는 게 낫다고 여기며 소파에서 몸을 드러냈다.

"무슨 일인데?" 내가 쭈뼛거리며 물었다.

"'무슨 일이세요, 도련님?'이라고 말해야지. 너 당장 이리 와." 존은 안락의자에 앉아서 자기 앞에 서라는 듯 손을 까딱거렸다.

* 일라이자의 애칭.
** 조지아나의 애칭.

존은 학교에 다니고 있으며 올해 열네 살로 나보다 네 살이 많았다. 나이에 비해 몸집이 크고, 칙칙하고 건강하지 못한 안색을 가졌다. 멍청해 보이는 인상에 둔한 이목구비, 두꺼운 팔다리에 손발도 큼직했다. 식사할 때는 습관적으로 우걱우걱 먹었고, 성미는 괴팍하며 안광도 침침하고 뺨은 축축 처졌다. 원래는 학교에 있어야 했지만, 리드 부인이 '아들의 연약한 몸'을 걱정해 한 달에서 두 달은 집에서 요양해야 한다고 우겼다. 마일스 교장선생님은 집에서 보내는 케이크와 과자만 줄여도 건강이 좋아질 거라 말했지만 어머니의 마음은 그렇지 않은지, 리드 부인은 학교의 엄격한 충고에도 불구하고 존의 나쁜 안색이나 병약함은 지나친 학업과 집을 그리워하는 향수병에서 비롯되었다고 굳게 믿었다.

하지만 존은 어머니나 누이들에게 그리 큰 애정이 없었다. 오직 나를 향한 반감만 컸다. 존 리드는 나를 괴롭히고 손찌검했다. 일주일에 두세 번이나 하루에 한두 번이 아니라 시도 때도 없이 나를 괴롭혔다. 그가 옆에 오면 온몸이 떨리고 뼈와 살이 오그라들 정도로 두려웠다. 그의 존재감이 불러일으키는 공포심에 어찌할 줄을 모르고 당황할 때도 있었는데, 그의 횡포와 괴롭힘을 호소할 내 편이 없었기 때문이었다. 하인들은 감히 어린 도련님에게 맞서 내 편을 들어줄 엄두도 내지 못했다. 리드 부인 역시 그의 괴롭힘을 모른 척했다. 그녀의 아들이 나를 때리거나 욕을 퍼붓는 일 따위는 절대 일어나지도 않았고, 들리지도 않는다는 식이었다. 바로 눈앞에서 이런 일이 벌어져도 그랬다. 당연히 그녀가 보지 않는 곳에서는 훨씬 노골적이었다.

여느 때처럼 습관적 복종이 당연했던 나는 시키는 대로 그가 앉은 의자 쪽으로 다가갔다. 존은 혀가 아프지 않을 정도로 최대한 내밀고, 한참이나 나를 조롱했다. 그의 손이 언제든 나를 향할 것만 같았다. 그의 주먹이 얼마나 아플까 두려우면서도 동시에 나를 때릴 때의 그 역겹고 추악한 모습이 떠올랐다. 존이 내 표정을 읽은 걸까? 존은 아무런 예고도 없이 다짜고짜 나를 힘껏 때렸다. 그의 일격에 비틀거리던 나는 곧 균형을 잡고 한 걸음 두 걸음 뒤로 물러섰다.

"이건 아까 엄마에게 버릇없이 말대꾸한 벌이야. 그리고 커튼 뒤에 몰래 숨어 있던 것, 또 감히 그런 눈빛으로 나를 쳐다본 것도 포함이다, 이 계집애야!"

존 리드의 폭언에 익숙해져 있던 나는 똑같이 응수해야겠다는 생각도 하지 못했다. 그저 모욕 뒤에 따라올 체벌을 어떻게 견뎌내느냐를 걱정할 뿐이었다.

"커튼 뒤에서 뭐 하고 있었지?" 그가 물었다.

"책 읽었어."

"이리 내놔."

나는 창가에서 책을 가지고 왔다.

"감히 우리 책을 마음대로 읽어? 엄마가 넌 객식구랬어. 넌 무일푼이잖아. 돌아가신 네 아버지가 네게 남긴 게 없으니 구걸해야 할 처지라고! 우리 같은 상류층이랑 한집에 살면서 감히 우리랑 같이 식사하고 우리 엄마가 사준 옷을 입을 주제가 아니야! 빌어먹어야 한단 말이야. 그런 주제에 책을 읽어? 내가 독서하는 법을 가르쳐주지. 감히 내 책장의 책을 건드려? 이 집의 모든 건 내 거야. 몇 년 안에 전부 내 것이 될 거니까. 그러니까 잘 배워. 자, 거울과 창문에서 떨어져서 저기 문 옆에 서."

처음에는 그의 말을 이해하지 못해서 시키는 대로 했다. 그 순간, 존이 책을 들어 던지려고 하는 모습이 눈에 들어왔다. 본능적으로 위험을 감지한 나는 비명을 지르며 몸을 피했다. 하지만 찰나의 순간, 그의 손을 떠난 책이 나를 향해 날아왔다. 피할 새도 없이 책에 맞아 그대로 넘어지며 문에 머리를 부딪쳤다. 이마가 찢어져 피가 주르륵 흘러내렸고, 날카로운 통증이 두개골을 쪼갰다. 공포가 가라앉자, 또 다른 감정이 밀려들었다.

"넌 사악하고 잔인해!" 내가 외쳤다. "살인자! 노예를 부리는 감시자! 넌 로마의 폭군이야!"

당시 골드 스미스의 『로마사』를 읽고 있었기에 네로나 칼리굴라 같은 로마의 포악한 황제에 관한 내 나름의 감상평이 있었다. 존이 폭군과 비슷한 성정이라고 생각한 적은 있지만 그걸 입 밖에 내뱉게 될 줄이야.

"뭐? 너 지금 뭐라고 했어!" 존이 소리쳤다. "감히 나한테 그따위로 입을 놀려? 일라이자, 조지아나, 이게 방금 한 소리 들었어? 엄마에게 당장 이를 거야. 하지만 그전에."

존은 거침없었다. 우악스러운 손이 내 머리채와 어깨를 잡아챘고 필사적으로 나를 짓누르고 뭉개려고 했다. 그 순간 정말 로마의 폭군이, 살인자의 모습이 겹쳐 보였다. 찢어진 이마에서는 피가 흘러내리고 머리는 깨질 것처럼 아팠다. 하지만 오히려 통증이 두려움을 지워버렸다. 나는 미친 듯이 덤벼들었다. 어떻게 두 주먹을 휘둘렀는지는 기억나지 않지만 존이 "이게! 이거 놔!" 하고 소리를 질러댄 건 분명했다. 하지만 그에게는 구해줄 한편이 가까이 있었다. 일라이자와 조지아나가 헐레벌떡 위층으로 뛰어가 리드 부인을 데려왔고, 그 뒤로 베시와 리드 부인의 하녀 애벗도 뛰어왔다. 존과 나를 떼어놓고는 난장판을 본 하녀들이 호들갑을 떨었다.

"어머나, 세상에! 감히 도련님께 덤벼?"

"살다 살다 이런 꼴은 처음 보네!"

리드 부인이 싸늘한 목소리로 명령했다.

"당장 저 아이를 붉은 방에 가둬버려라."

곧바로 네 개의 손이 내 팔을 움켜잡았다. 나는 그대로 2층으로 질질 끌려갔다.

02

나는 필사적으로 저항했다. 살면서 이렇게까지 격렬하게 반항한 적은 한 번도 없었다. 내가 몸부림칠수록 베시와 애벗의 혐오감도 더해졌다. 애초에 나를 곱게 보지 않던 이들이었다. 솔직히 말해 그때는 제정신이 아니었다. 프랑스어 표현을 빌리자면 '정신이 아주 나가버린' 상태였다. 한순간의 반항으로 인해 지금까지와는 전혀 다른 처벌을 받게 되리라는 걸 본능적으로 깨달았고, 마치 포로가 된 반란군처럼 절박한 심정이 되어 무슨 짓이든 벌일 각오가 되어 있었다.

"팔을 꼭 붙잡아요, 애벗. 꼭 쥐약 먹은 고양이 같네!"

"세상에, 부끄럽고 창피한 줄 알아야지! 어떻게 아가씨를 거두어주신 마님의 아드님을 때릴 수 있어요? 세상에 이런 패악질이 또 어디 있어요? 작은 주인님을 때리다니요!" 애벗이 소리쳤다.

"주인이라니? 누가 내 주인이야! 내가 하인이라는 거야?"

"아가씨는 하인보다도 못해요! 무일푼 주제에 무슨 말이람! 저기 앉아서 아가씨가 얼마나 못된 짓을 했는지 반성이나 하세요!"

두 사람은 나를 질질 끌어다가 붉은 방으로 데려간 다음 의자에 내동댕이쳤다. 자리를 박차고 일어나려는 나를 두 명의 손이 우악스럽게 잡아 끌어 앉혔다.

"가만히 앉아 있지 않으면 묶어버릴 거예요!" 베시가 겁을 주었다. "애벗, 가터벨트*를 풀어줘요. 내 가터벨트는 바로 끊을 거예요."

정말로 나를 묶을 작정인지, 돌아선 애벗이 튼튼한 다리에서 가터벨트를 풀었다. 나를 옭아맬 생각이라는 사실을 뼈저리게 깨닫자 굴욕감이 몰려왔다. 격하게 날뛰던 감정이 서서히 가라앉았다.

"풀지 마. 얌전히 있을게!" 내가 외쳤다.

약속을 지키겠다는 듯 나는 의자를 두 손으로 꽉 붙잡았다.

---

* 스타킹이 흘러내리지 않도록 매어주는 띠.

"정말 얌전히 굴 거예요?" 베시가 나를 가만히 들여다보았다. 고분고분하게 구는 모습을 확인한 그녀가 나를 잡고 있던 손에서 스르르 힘을 풀었다. 애벗은 내가 진정했다는 걸 믿을 수 없다는 듯 팔짱을 끼고 서서 의심이 가득한 눈초리로 빤히 노려보았다.

"한 번도 이런 적이 없었는데." 베시가 나를 대신해 변명했다.

"성질을 숨기고 있던 게지." 그러나 상대는 차가웠다. "그간 누누이 마님께 말씀드렸다고. 이런 아이라고 말이야. 마님도 그리 생각하셨고. 정말이지, 이 나이대 여자애치고 이렇게 음침하고 속이 시커먼 아이는 처음이야!"

베시는 아무런 대꾸도 하지 않았다. 잠자코 있던 그녀가 내게 소곤거렸다.

"아가씨, 제 말 명심하세요. 아가씨는 마님의 은혜로 신세를 지고 있는 거예요. 마님이 거둬주시지 않는다면 아가씨는 구빈원(救貧院)으로 가야 해요."

나는 할 말이 없었다. 처음 듣는 소리도 아니었다. 내 첫 번째 기억도 이와 비슷한 말이었다. 객식구로 얹혀산다는 말은 막연한 노랫소리처럼 내 귀에 인이 박여 있었다. 고통스러운 데다가 희망이라고는 한 줌도 없는, 그럼에도 절반밖에 이해할 수 없는 그런 노랫소리처럼. 그때 애벗이 끼어들었다.

"마님께서 아가씨를 도련님이나 아가씨들과 함께 살게 해주셨다고 해서 아가씨가 사촌들과 동등한 처지라고 생각해서는 안 돼요. 그분들은 많은 재산을 물려받겠지만 에어 아가씨는 빈털터리라고요. 부디 겸손한 태도로 고분고분하게 그분들 마음을 거스르지 않도록 노력해야 한다고요.”

“이게 다 아가씨를 위해서 하는 말이에요. 쓸모 있고 착한 아이가 되려고 노력해 보세요. 그러면 이 집에서 계속 지낼 수 있어요. 하지만 지금처럼 성질을 부리고 버릇없이 굴면 마님이 아가씨를 내쫓을 거예요.” 베시가 다정다감한 목소리로 나를 달랬다.

“그뿐이게요? 주님이 아가씨에게 천벌을 내리신다고요! 아가씨가 심술을 부리면 지옥에서 번개가 내리쳐 아가씨를 데려갈 수도 있어요. 나쁜 아이는 죽어서 어디로 갈까요? 자, 베시, 우리는 이만 가요. 도무지 이 아가씨를 이해할 수가 없다니까. 에어 아가씨, 여기서 반성하세요. 회개하지 않으면 굴뚝으로 악마가 내려와 아가씨를 데려갈 거랍니다!”

애벗은 그 말을 남기고 돌아섰다.

두 사람은 나를 붉은 방에 버려둔 채 방문을 잠가버렸다.

붉은 방은 정사각형 모양이었다. 남는 방이었지만 어지간해서는 침실로도 쓰지 않았다. 게이츠헤드 저택에 손님이 갑자기 몰려와 모든 방을 내어주어야 하는 경우가 아니라면 이 방을 침실로 쓴 적은 단 한 번도 없었다. 하지만 붉은 방은 저택에서 가장 크고 위엄 있는 방이었다. 방 한가운데에는 마호가니로 만든 굵직한 기둥이 떠받치는 캐노피 침대가 자리하고 있었고, 어두운 붉은색 다마스크 커튼이 침대를 감싸 마치 신전처럼 보였다. 커다란 두 개의 창은 늘 덧문이 내려져 있었으며, 비슷한 직물로 만든 꽃술 장식이 달린 커튼이 반쯤 드리워져 있었다. 바닥에는 붉은색 카펫이 깔려 있었고, 침대 발치에 놓인 탁자 위에도 진홍색 천이 덮여 있었다. 벽지는 분홍빛이 은은하게 감도는 담갈색으로, 옷장과 화장대, 의자 역시 어두운 광택이 도는 마호가니로 만들어졌다. 어두운 색조로 둘러싸인 이 공간에서 유일하게 밝은 것은 높은 매트리스와 겹겹이 쌓아둔 베개를 덮고 있는 새하얀 마르세유풍 침대보뿐이었다. 그리고 침대보만큼이나 눈에 띄는, 침대맡에 놓인 새하얀 안락 의자와 발판이 있다. 그것들은 마치 어둠 속에서 솟아오른 것처럼 선명한 빛을 발하고 있었다. 나는 그 푹신한 안락의자가 창백한 왕좌 같다고 생각했다.

방은 벽난로를 거의 때지 않아 추웠다. 아이들 방이나 부엌에서도 멀리 떨어진 탓에 고요했으며, 좀처럼 사람들의 발길이 닿지 않는 방이라는 사실이 공간을 한층 더 장엄하게 만들었다. 매주 토요일, 가정부 혼자 이 방에 들어와 거울이나 가구에 쌓인 일주일 치 먼지를 털어내곤 했다. 리드 부인은 이따금 이 방에 들어와 옷장 속 비밀 서랍을 살펴보곤 했다. 그 안에는 각종 서류와 보석함, 죽은 남편의 초상화가 보관되어 있었다. '죽은 남편'이라는 말 속에 붉은 방의 비밀이 있었다. 그 웅장함에도 불구하고, 이 방을 이토록 쓸쓸하게 만든 마법 같은 힘이 그 단어에 깃들어 있었다.

외삼촌이 세상을 떠난 지도 9년이 지났다. 그는 이 방에서 숨을 거두었고, 시신은 이곳에 안치되었다가 장의사들이 관을 운구해 갔다. 그날 이후, 이 방은 주인의 임종을 지켜본 신성하면서도 스산한 공간이 되었고, 그 분위기 때문인지 좀처럼 사람들이 찾지 않는 곳이 되었다.

상냥한 베시와 가혹한 애벗은 나를 벽난로 앞 대리석 구들 가까이에 있는 오토만 의자에 억지로 앉히고 떠났다. 정면에는 침대가 우뚝 솟아 있었고, 오른편에는 어두운 색의 커다란 옷장이 있었다. 마호가니 옷장 위로 은은한 빛이 일렁이며, 나뭇결을 따라 비친 상이 일그러져 보였다. 내 왼쪽에 나란히 선 창문은 커튼에 가려져 있었고 그사이에 걸린 커다란 거울이 텅 빈 방의 위엄을 반사했다. 그들이 정말 문을 잠갔는지 확인하고 싶었다. 조심스럽게 몸을 일으켜 문으로 다가가 확인해 보았다. 아, 역시 잠겨 있었다. 이보다 더 철통같은 감옥이 또 있을까. 다시 의자에 앉으려면 거울 앞을 지나가야만 했다. 나도 모르게 거울 속 심연을 들여다보았다. 거울에 비친 방은 눈으로 보는 것보다 훨씬 더 춥고 어두워 보였다. 말간 얼굴의 작은 아이가 그 어두컴컴한 방 안에 서서 나를 바라보고 있었다. 사방이 고요한 가운데 공포에 질린 눈동자만이 불안하게 이리저리 굴러다녔다. 꼭 유령 같았다. 거울 속 아이의 모습은 베시가 밤마다 들려주던 이야기 속에서 나오는 반은 요정이고 반은 장난스러운 마귀 같은 유령과 닮아 있었다. 그 유령은 양치류가 우거진 적막한 황무지 동굴에서 여행자의 눈앞에 나타난다고 했다. 나는 다시 의자에 힘없이 주저앉았다.

그 순간, 기묘한 분위기에 사로잡혔다. 그러나 마음을 다잡았다. 내 피는 여전히 따뜻했고 반란을 일으킨 노예의 기세가 쓰디쓴 힘이 되어 나를 지탱해 주었다. 나는 암울한 상황에 움츠러들기 전에 내게 해일처럼 밀어닥치는 지난 일에 관한 기억을 막아내려 애썼다.

존 리드의 폭력, 그 누이의 거만한 무관심, 리드 부인의 혐오 그리고 하인들의 편애. 혼탁한 우물 바닥에 가라앉아 있던 침전물이 내 혼란스러운 마음으로 휘젓듯 떠올랐다. 왜 나는 늘 고통받고, 학대당하고, 비난받으며, 끝없이 단죄당해야 하는 걸까? 왜 나는 누구에게도 사랑받을 수 없는 걸까? 왜 아무리 애를 써도 그들에게 사랑받을 수 없는 걸까? 일라이자는 아무리 고집을 부리고 이기적으로 행동해도 모두에게 사랑받는다. 버릇없고 고약하고 남의 흠결을 찾는 오만한 조지아나도 누구나 비위를 맞춘다. 그녀의 어여쁜 얼굴과 분홍색 뺨, 황금빛 곱슬머리는 누구에게나 기쁨을 준다. 그 어떤 잘못을 해도 다들 그 아이를 용서한다. 존은 또 어떠한가. 비둘기의 목을 비틀고, 새끼 공작을 죽이고, 양 떼에게 개를 풀고, 온실 포도 넝쿨에서 포도송이를 다 따 먹고, 온실 화초의 새싹을 꺾어도 그 누구도 감히 존을 막을 수 없다. 무슨 짓을 해도 벌을 받지 않을뿐더러, 제 어머니를 "할멈"이라고 불러도 그랬다. 때로 어머니의 어두운 피부색을 닮았다고 책망하고, 어머니의 바람을 무시하고, 어머니의 비단옷을 갈기갈기 찢어버려도, 그는 언제나 '사랑스러운 아들'이었다. 반면 나는 그 어떤 잘못을 저지르지도 않고 내 의무를 다하려고 노력했음에도 불구하고, 아침부터 정오까지, 또 정오부터 밤까지 늘 버릇없고 성가시고 음침하며 엉큼한 아이라는 소리를 들었다.

존에게 맞아 넘어지는 바람에 이마가 찢어져 계속 욱신거렸고 피도 비쳤다. 존이 제멋대로 나를 때렸는데도 그를 나무라는 사람은 없었다. 불합리한 폭력에 맞서 반항했다는 이유로 나만 이런 비난과 굴욕을 감내해야 하는 것이다.

'이건 불공평해! 부당해!'

격렬한 괴로움에 떠밀려 열 살이라는 나이에 걸맞지 않은 갑작스러운 힘이 내 이성을 일깨우며 울부짖었다. 그만큼 격앙된 나의 결의가 이 견딜 수 없는 억압에서 벗어나기 위해 무엇이든 수를 내야 한다고 나를 부추겼다. 가령 이 집에서 도망치든지, 도망칠 수 없다면 차라리 아무것도 먹지도 마시지도 말고 죽어버리는 게 낫다고 말이다.

그 쓸쓸한 오후의 어느 날, 내 영혼은 경악을 금치 못했다. 머릿속은 아수라장이 되었고, 심장은 거대한 반란을 꿈꾸었다! 지독한 심연 어딘가를 헤매며 한 치 앞도 보이지 않는 완벽한 무지의 상태에서 끊임없이 자신과 싸웠다. '대체 왜 나만 이런 고통을 겪어야 하는 걸까?'라는 의문이 가슴속에서 솟구쳤지만 답을 얻지 못했다. 그날로부터 얼마의 시간이 흘렀는지는 말하고 싶지 않지만, 이제야 나는 그 답을 알게 되었다.

나는 게이츠헤드 저택에 어울리지 않는 존재였다. 이 저택의 그 누구와도 어울리지 않았다. 또 리드 부인이나 그 자녀들, 혹은 그녀를 섬기는 하인들과 전혀 조화를 이룰 수 없는 존재였다. 그들이 나를 좋아하지 않았던 것처럼 나도 그들을 좋아하지 않았다. 그들에게는 그 누구와도 마음이 통하지 않았던 나에게 당연한 애정을 줄 의무가 없었다. 나의 기질이나 능력, 성질은 그들과 정반대이며 그들에게 나는 완벽히 이질적인 존재였으리라. 그들에게 나는 쓸모없는 아이였고 아무런 위안도 되어주지 못하는 객식구였다. 불쾌한 존재이자 분란의 씨앗이었으며, 경멸을 불러일으키는 해로운 종자였다. 만일 내가 명랑하고 밝고 영특하며 예쁘고 쾌활한 아이였다면, 의지할 곳 없고 피붙이 하나 없는 고아라 할지라도 조금은 사랑받았을지 모른다. 하다못해 내 사촌들도 나를 조금 더 따뜻하게 대했을 것이며, 하인들도 지친 일과의 희생양으로 나를 괴롭히지는 않았을 것이다.

붉은 방에 드리워진 오후 햇살이 서서히 서쪽으로 넘어가고 있었다. 시간은 네 시가 지났고, 구름 낀 흐린 오후는 어느덧 음울한 황혼으로 접어들고 있었다. 비바람이 계단 쪽 창문을 두드리는 소리와 함께 바람이 언덕을 넘어 숲을 세차게 흔들었다. 내 몸은 점점 더 차갑게 식어갔다. 떨어지는 체온만큼 용기도 가라앉았다. 여느 때와 같은 굴욕감과 회의감, 우울함이 커지며 타다 만 분노의 잔불을 축축하게 꺼뜨렸다. 모든 사람이 나를 나쁜 아이라고 말했다. 그럴지도 모른다. 방금까지 나는 차라리 굶어죽겠다며 고집을 피우지 않았던가. 그런 생각을 한다는 것만으로 이미 죄악이다. 게다가 나는 죽을 준비가 되어 있긴 한 걸까? 게이츠헤드 교회 지하 납골당이 나를 반겨주기는 할까? 그 지하 납골당에 리드 외삼촌이 묻혀 있다는 말을 들은 적이 있다. 생각은 꼬리에 꼬리를 물고 마침내 외삼촌을 떠올렸다. 무서움이 점점 더 커지는 와중에 나는 외삼촌과의 기억에 몰두했다. 사실 외삼촌에 관한 기억은 별로 없다. 그는 내 어머니의 오빠였으며, 그래서 부모를 잃고 고아가 된 조카를 데려왔다는 게 나의 유일한 기억이었다. 외삼촌은 임종의 순간에 리드 부인에게 나를 친자식처럼 아끼면서 잘 키워달라고 부탁했다. 아마 리드 부인은 자신이 할 수 있는 한 최선을 다해 나를 키웠다고 여길 것이다. 그러나 피가 섞인 것도 아닌 조카딸을, 하물며 남편이 죽은 후 아무런 혈연도 남지 않은 아이를 어떻게 친자식처럼 애정을 갖고 키울 수 있을까. 리드 부인은 남편의 유언에 억지로 묶여 한 톨의 애정도 샘솟지 않는 남의 아이를 키워야 했다. 누구와도 어울리지 않는 아이를 가족이라는 이름으로 품어야 할 때마다 무척 골머리를 앓았을 것이다.

　그러자 이상한 생각이 들기 시작했다. 나는 지금껏 리드 외삼촌이 살아계셨다면 나를 자애롭게 대했을 것이라 믿어 의심치 않았다. 단 한순간도 의심하지 않았다. 그런데 지금 붉은 방에 홀로 앉아 저 하얀 침대와 어두운 벽을 바라보다가 이따금 희미한 빛을 머금은 거울을 호기심 어린 시선으로 힐끔거리다 보면, 망자의 이야기가 떠올랐다. 마지막 소원이 이루어지지 않은 망자는 무덤 속에서 괴로워하다가 약속을 지키지 않은 자를 벌하고, 억울한 자의 복수를 대신 해주기 위해 이 땅에 모습을 드러낸다고 했다. 어쩌면 리드 외삼촌의 영혼이 여동생의 딸이 받는 부당한 대우에 괴로워하다가 안식처—그곳이 교회의 무덤이든, 미지의 사후세계든 간에—를 떠나 내 앞에 나타날지도 모른다는 생각이 들었다. 나는 얼른 흐느낌을 삼켰다. 혹시라도 내 울음소리를 듣고 삼촌이 안식에서 깨어나 초자연적인 목소리로 나를 위로하려고 하거나 연민 어린 얼굴로 나타나 나를 내려다볼까 봐 두려웠다. 물론 누군가가 나를 돌봐준다는 생각이 이론적으로는 위안이 되었지만, 실제로 그런 일이 벌어진다면 그건 차마 감당할 수 없는 공포였다. 나는 필사적으로 생각을 떨쳐내고 다른 생각을 떠올렸다. 얼굴을 가리는 머리카락을 쓸어 올리며 고개를 들고 담대한 마음으로 방 안을 노려보았다. 바로 그 순간, 한 줄기 빛이 벽을 스쳤다. 덧문 틈새로 흘러든 달빛이라고 생각해 보았다. 아니다, 저건 달빛이 아니었다. 달빛이라면 흔들리지 않고 고요하게 빛나야 옳았다. 그러나 빛은 움직이고 있었다. 내가 바라보는 중에도, 그 빛은 천장을 타고 미끄러져 올라가더니 내 머리 위에서 흔들렸다. 돌이켜보면 그건 아마도 잔디밭을 가로지르던 누군가가 들고 있던 랜턴 불빛이었으리라. 하지만 당시 내 마음은 이미 공포로 잠식되어 있었고, 신경은 극도로 예민해져 있었다. 나는 그 빛이 다른 세계에서 온 환영의 도래를 알리는 신호라고 생각했다. 심장이 격렬하게 두근거리고 머리가 뜨거워졌다. 귓가에서 날갯짓 소리가 울려 퍼지는 듯했다. 무언가 내 곁으로 다가오는 기분이 들었다. 숨이 턱 막히고 금방이라도 가슴이 터질 것 같은 압박감이 밀려왔다. 견딜 수 없는 두려움에 필사적으로 내달려 문을 흔들었다. 복도에서 사람들이 황급히 달려오는 소리가 들렸다. 문고리가 돌아가고 베시와 애벗이 들어왔다.

"제인 아가씨, 어디 아프세요?" 베시가 물었다.

"세상에, 무슨 비명을 그렇게 내지른담! 얼마나 놀랐는지 알아요?" 애벗이 목청 높여 힐난했다.

"나 좀 나가게 해줘! 제발 우리 방으로 데리고 가줘!" 내가 울부짖었다.

"왜 그래요, 어디 다쳤어요? 헛것이라도 봤어요?" 베시가 나를 채근했다.

"맞아! 나 빛을 봤어! 유령이 찾아왔어!" 나는 베시의 손을 힘껏 잡아당겼다. 그녀는 내 손을 뿌리치지 않았다.

"일부러 소리 지른 게 분명해." 애벗이 얄밉다는 듯 눈을 흘겼다. "그렇지 않고서야 어떻게 그런 소리로 울부짖겠어! 어디가 아프다고 하든가, 일부러 사람을 부르려고 소리를 지른 거야. 영악하기도 하지, 참."

"이게 무슨 소란이야?" 그때 엄중한 목소리가 들려왔다. 나이트캡을 쓴 리드 부인이 가운을 휘날리며 달려와 복도에 나타난 것이다.

"애벗, 베시, 내가 분명 아침까지 제인을 붉은 방에 가두라고 했을 텐데."

"아가씨가 비명을 지르는 바람에요." 베시가 변명했다.

"그 손 놓고 다시 집어넣어." 리드 부인은 냉정했다. "아무리 잔꾀를 부려도 절대 방에서 나올 수 없다는 걸 이제 알겠지. 나이도 어린 것이 교활한 꼼수나 부리다니, 정말 신물이 나는구나. 나는 네게 그런 꼼수는 통하지 않는다는 걸 가르처야 할 의무가 있단다. 그러니 앞으로 한 시간 더 그 방에서 자숙하거라. 얌전하게 말이다. 그럼 한 시간 후에 방문을 열어주마."

"외숙모, 제발 부탁드려요. 용서해 주세요! 정말 못 견디겠어요. 차라리 다른 벌을 받을게요. 이 방에 조금이라도 더 있다간 전 죽고 말 거예요……."

"시끄러워! 정말이지 더는 못 봐주겠구나." 그래, 이게 그녀의 진심이었다. 그녀의 눈에 나는 잔꾀나 부리는 조숙한 계집애에 불과했다. 그녀는 나를 고집스럽고, 증오에 불타는, 천박하고 위험한 이중인격자로 여기고 있었다.

베시와 애벗이 한 걸음 물러섰다. 외숙모는 울부짖으며 발버둥 치는 나를 더는 참을 수 없다는 듯 아무 말 없이 방 안에 밀어 넣고 문을 잠가버렸다. 그러고는 성큼성큼 복도를 떠났다. 사람들이 떠나자마자 나는 그대로 정신을 잃고 말았다. 의식이 까무룩 잦아들며 그 후로는 기억이 나지 않았다.

03

그다음 기억은 무시무시한 악몽을 꾼 듯한 기분으로 깨어났다는 것이다. 눈앞에 붉은 섬광이 아른거렸고, 그 사이사이로 검은 창살 같은 그림자가 겹쳐 보였다. 맹렬하게 불어오는 바람 소리나 흐르는 물소리, 무언가에 짓눌려 신음하는 사람의 목소리도 들렸다. 마음의 동요와 불안감 그리고 모든 걸 압도하는 공포가 내 신체 기능을 혼란케 했다. 얼마 되지 않아 누군가가 내 몸을 안아 올려 등을 받치고 앉혀주는 것을 느꼈다. 그건 여태까지 경험한 적이 없는 부드러운 손길이었다. 베개인지 다른 사람의 손인지 알 수 없는 것에 머리를 기대자 조금 편해졌다.

그리고 5분 정도 시간이 지나자 몽롱했던 의식에 낀 구름이 걷혔다. 나는 내가 누워 있는 곳이 내 침대라는 걸 깨달았다. 붉은 불빛은 아이들 방 불빛이었다는 사실도 깨달았다. 한밤중이었다. 탁자 위에는 양초 한 자루가 켜져 있었다. 베시는 물그릇을 들고 침대 끝에 서 있었고, 신사 한 분이 베개 곁 의자에 앉아 나를 보고 있었다.

방 안에 모르는 사람, 게이츠헤드 저택에 살지 않는 사람, 리드 부인과 어떤 인척 관계도 아닌 사람이 있다는 걸 알고 나니 말할 수 없는 안도감이 느껴졌다. 내가 든든한 보호를 받고 있다는 안도감이었다. 게다가 베시가 곁에 있는 건 애벗이 있는 것보다 훨씬 좋았다. 나는 베시에게서 눈을 떼고 그 신사의 얼굴을 물끄러미 바라보았다. 정신을 차리고 보니 내가 익히 아는 얼굴이었다. 바로 약제사 로이드 씨였다. 리드 부인은 하인들이 아프면 약제사를 불렀고, 가족들이 아프면 의사에게 왕진을 부탁했다.

"내가 누군지 알아보겠니?" 로이드 씨가 물었다.

나는 그에게 손을 내밀며 그의 이름을 말했다. 그가 손을 잡아주며 웃었다.

"그래, 이제 나아질 거다."

내 손을 놓은 그는 베시에게 오늘 밤은 안정을 취하고 푹 자야 한다고 당부했다. 몇 마디 더 지시한 그는 내일 또 오겠다고 말하며 돌아갔다. 나는 슬펐다. 그가 내 머리맡에 앉아 있는 동안은 내 편이 있다는 안도감이 들었다. 그가 방을 나가고 문이 닫히자, 방 안이 다시 어두워졌고 가슴이 무너져 내렸다. 말로 형용할 수 없는 슬픔이 내 가슴을 무겁게 짓눌렀다.

"아가씨, 조금 더 주무셔야 해요." 베시가 다소 온화한 목소리로 말했다.

나는 대답할 수 없었다. 베시가 언제라도 퉁명스럽게 대꾸할지 모른다는 두려움이 들었기 때문이다.

"노력해 볼게."

"마실 것 좀 드릴까요? 아니면 먹을 것 좀 준비할까요?"

"아니야, 고마워. 베시."

"그럼 저도 자러 가볼게요. 벌써 두 시가 넘었어요. 하지만 필요한 게 있으면 언제든 부르세요."

이토록 상냥한 베시라니! 그래서 나는 용기를 내어 과감하게 물어보았다.

"베시, 무슨 일이 있었던 거야? 내가 아픈 거야?"

"붉은 방에서 울다가 병이 났어요. 하지만 곧 괜찮아질 거예요."

베시는 이웃한 하녀 방으로 돌아갔다. 벽 너머에서 그녀의 목소리가 들려왔다.

"사라, 나랑 아이들 방에 가서 같이 자자. 오늘 밤은 저 불쌍한 아이와 단둘이는 못 있겠어. 금방이라도 죽을 것 같아. 그런 발작을 일으키다니 정말 이상해. 뭔가 이상한 걸 본 게 아닐까. 마님이 너무 심하시긴 했지."

베시와 사라가 아이들 방으로 돌아왔다. 둘은 잠자리에 누워서도 잠들 때까지 30분가량을 소곤소곤 떠들었다. 말소리가 간간이 들렸으나, 두 사람 사이에 오가는 대화 내용을 짐작하기란 어려운 일이었다.

"온통 새하얀 옷을 입은 무언가가 눈앞을 휙 지나갔다가 사라졌대."

"그 뒤로 거대한 검은 개가 서 있었다며."

"주인님 무덤 너머 성당 앞마당에 불빛이 보였대."

마침내 두 사람도 잠들었다. 난롯불과 촛불도 꺼졌다. 그 긴긴밤, 나는 무시무시한 공포를 느끼며 뜬눈으로 밤을 지새웠다. 내 귀와 눈, 마음이 전부 팽팽한 긴장감에 휩싸여 있었다.

붉은 방 사건으로 내가 오래 앓았다거나 하지는 않았다. 하지만 그때 받은 정신적 충격이 너무나 강렬해서 지금까지도 생생히 느껴질 정도다. 그래, 리드 부인, 당신 덕분에 나는 그 끔찍한 정신적 고통을 평생 안고 살아가게 됐다. 하지만 당신을 용서할 수밖에 없겠지. 당신은 자신이 무슨 잘못을 저질렀는지조차 모르니까. 내 마음을 갈기갈기 찢어놓고도 그저 내 못된 성격을 바로잡았다고만 생각했겠지.

다음 날 점심 무렵 나는 기운을 차려 옷을 입고 아이들 방 난롯가에 숄을 두른 채 앉아 있었다. 어쩐지 몸이 축 처지고 힘이 없었다. 하지만 더 큰 문제는 이루 말할 수 없는 비참한 마음이었다. 조용히 눈물을 줄줄 흘렸다. 한 방울을 닦아내면 곧바로 또 한 방울이 흘렀다. 그럼에도 나는 행복해져야 한다고 생각했다. 리드가(家)의 가족들은 모두 마차를 타고 외출한 후였다. 애벗은 다른 방에서 바느질을 하고 있었다. 장난감을 치우고 서랍을 정리하며 분주하게 움직이던 베시가 가끔씩 다가와 어색하게 말을 걸었다. 늘 꾸중만 듣고, 고맙다는 밀 한마디 못 들으며 잔심부름이나 하던 생활에 익숙해져 있었기에 이런 상황은 분명 나에게 평화로워야만 했다. 하지만 이미 갈기갈기 찢긴 내 마음은 그 어떤 위로로도 달랠 수 없었고, 그 어떤 즐거움도 느낄 수 없었다.

아래층 부엌에 다녀온 베시가 밝게 칠한 특별한 접시 위에 타르트*를 담아왔다. 접시에는 메꽃과 장미꽃 봉오리로 이루어진 화환 속에 몸을 웅크린 극락조가 그려져 있었는데, 그 그림은 늘 내 마음속에 강한 동경심을 불러일으키곤 했다. 그 그림을 좀 더 가까이에서 보고 싶어 여러 번 만져보게 해달라고 애원했지만, 그럴 자격이 없다는 이유로 매번 거절 당했다. 그런데 지금 그 귀중한 접시가 내 무릎 위에 놓였고, 베시는 진심 어린 말투로 접시에 담긴 타르트를 먹으라고 권하고 있는 것이 아닌가. 하지만 부질없는 호의였다! 오랫동안 간절히 바라왔던 많은 호의가 그러하듯 베시의 호의도 너무 늦게 찾아온 것이었다. 나는 타르트를 한 입도 삼킬 수 없었다. 극락조의 깃털과 꽃의 색깔조차 이상하게 바래 보였

---

* 밀가루와 버터를 섞은 반죽을 그릇 모양으로 굽고 그 안에 과일과 크림을 가득 채운 프랑스식 파이.

다. 나는 접시와 타르트를 옆으로 밀어두었다. 그러자 베시가 책을 읽겠느냐고 물었다. '책'이라는 단어가 순간적으로 나를 자극했다. 나는 서재에서 『걸리버 여행기』를 가져다 달라고 부탁했다. 수도 없이 읽었고 좋아했던 책이었다. 나는 이 책이 단순한 이야기책이 아니라 실제 사실을 기록한 책이라고 믿었고, 다른 동화보다 훨씬 깊은 흥미를 느꼈다. 동화에 등장하는 요정들을 직접 찾겠다며 디기탈리스꽃 이파리와 종 모양의 꽃봉오리를 헤집고 다녔고, 버섯 밑동과 낡은 담벼락 구석을 덮은 덩굴광대수염 아래를 샅샅이 뒤졌다. 하지만 이미 요정들은 영국을 떠나 거칠고 울창한 숲이 펼쳐진 어느 야만적인 나라로 가버렸다는 슬픈 진실을 받아들일 수밖에 없었다. 반면에 『걸리버 여행기』에 나오는 소인국 릴리퍼트와 거인국 브롭딩낵은 지구상 어딘가에 실제로 존재하는 지역이라 믿었다. 언젠가 먼 항해를 하게 된다면 내 눈으로 그곳을 보게 되리라고 의심치 않았다. 소인국의 작디작은 들판과 집, 아주 작은 사람과 소, 양, 새를, 거인국에서는 숲처럼 드높이 자란 곡식밭과 거대한 맹견, 괴물 같은 고양이, 탑처럼 우뚝 솟은 남자와 여자를 보게 될 거라 생각했다. 그러나 그토록 소중하게 여기던 책이 내 손에 들려 있고, 책장을 넘기며 익숙한 삽화들을 보고 있음에도 불구하고 모든 것이 섬뜩하고 쓸쓸해 보였다. 거인은 마른 도깨비처럼 보였고 소인은 사악하고 불길한 요정 같아 보였다. 걸리버는 무섭고 위험한 지역을 헤매는 지독히 외로운 방랑자였다. 나는 더 이상 책을 읽을 용기가 나지 않아 책장을 덮었다. 그리고 맛도 보지 않은 채 탁자 위에 놓아둔 타르트 옆에 내려놓았다.

먼지 털기와 방 정리를 모두 마친 베시가 손을 씻고 나서 화사한 실크와 공단 조각들로 가득 찬 작은 서랍을 열었다. 그리고 조지아나의 인형에게 줄 새 보닛을 만들기 시작했다. 그러면서 그녀는 노래를 불렀다. 노래 내용은 이러했다.

멀고 먼 옛날 옛적,
집시처럼 방랑하던 그 시절.

이 노래는 예전에도 가끔 듣던 노래였다. 노래를 들을 때면 나는 늘 활기차고 즐거웠다. 베시의 목소리가 감미로웠기 때문이었다. 적어도 나는 그렇게 생각했다. 그녀의 목소리는 여전히 감미로웠지만 멜로디에서는 형용할 수 없는 슬픔이 느껴졌다. 바느질에 몰두해 있던 그녀는 가끔 후렴 부분을 아주 낮고 길게 불렀다. "멀고 먼 옛날 옛적"은 장송곡 중에서도 가장 슬픈 가락처럼 흘러나왔다. 그녀는 이어서 다른 노래를 불렀는데, 이번에는 정말 슬픈 노래였다.

발은 쑤시고 온몸이 괴롭다네,
길은 멀고 산은 험하고,
아, 가엾은 고아가 가는 길 위로
달도 없이 쓸쓸히 땅거미 지는구나.

황야가 펼쳐지고 잿빛 바위가 쌓인 곳,

이 멀고 쓸쓸한 길 왜 날 홀로 보냈는가?
사람들은 무정하고 정 많은 천사들만이
가엾은 고아의 발걸음을 지켜보네.

하지만 저 멀리 밤바람이 일고,
구름 없이 밝은 별들만 포근히 비추면,
자비로운 주님이 가리켜주시네.
아, 고아에게 위안과 희망을.

썩은 다리를 건너다 넘어지거나
요정 불빛 속에 늪지대를 헤맬 때,
자비로우신 주님 아버지, 약속과 은총으로 말미암아
아, 불쌍한 고아를 가슴으로 품어주시네.

보금자리 일가친척 하나 없지만,
나를 격려하는 그 생각 하나,
하늘은 나의 집, 안식이 나의 것.
주님의 가여운 고아.

"제인 아가씨, 왜 그러세요. 울지 마세요."
노래를 마친 베시가 말했다. 불을 향해 "타지 말아요!"라
고 외치는 꼴이었다. 그러나 나를 좀먹는 이 병적인 우울함
과 고통스러운 심정을 그녀가 어찌 헤아릴 수 있을까. 오전
중에 로이드 씨가 다시 찾아왔다.

“벌써 일어났구나.” 아이들 방으로 들어서며 그가 말했다. “그래, 유모. 제인 양은 상태가 어떤가?”

베시는 내 상태가 아주 좋다고 대답했다.

“그렇다면 기운을 차렸겠지. 제인, 이리 와보거라. 이름이 제인이라고 했지?”

“네, 선생님. 제인 에어라고 해요.”

“그래, 제인 에어 양. 울고 있던 모양인데 왜 울고 있었는지 내게 말해줄 수 있니? 혹시 어디 아프니?”

“아니요, 선생님.”

“마님과 함께 마차를 타고 외출하지 못해서 우는 거예요.” 베시가 끼어들었다.

“설마! 이런 숙녀가 그런 일로 울 리가 있나.”

나도 그렇게 생각했다. 베시의 잘못된 비난에 자존심이 상한 내가 재빨리 대답했다.

“저는 지금까지 그런 일로 운 적이 한 번도 없어요.”

“아가씨 또 거짓말을 하네요?” 베시가 힐난했다.

착한 약제사는 다소 당황하는 듯 보였다. 나는 그의 바로 앞에 서 있었다. 그는 나를 빤히 바라보았다. 그는 눈이 작았고 눈동자는 회색빛이었다. 그리 반짝이지는 않았지만 지금 생각해 보면 매우 통찰력 있는 눈이었을 것이다. 그는 다소 우락부락했지만 선한 인상이었다. 한참이나 나를 바라보던 그가 말했다.

“어제는 왜 아팠던 것 같니?”

“넘어지는 바람에 그랬어요.” 베시가 또 거들었다.

"넘어지다니, 이런 숙녀가 왜 넘어졌을까? 제대로 걷지 못할 리가 없을 텐데? 여덟 살, 아홉 살은 되어 보이는걸?"

"맞아서 넘어진 거예요." 다시 자존심이 상해 기분이 나빠진 내가 퉁명스럽게 대답했다. "하지만 그래서 아팠던 건 아니에요." 내가 덧붙였다. 그러는 동안 로이드 씨는 코담뱃갑에서 코담배를 한 점 집어 들어 냄새를 맡았다.

그가 조끼 주머니에 코담뱃갑을 넣는 사이, 하인들의 식사 시간을 알리는 종소리가 크게 울렸다. 그는 종소리가 무슨 의미인지 잘 알고 있었다.

"유모를 부르는 종소리 같군요." 그가 말했다. "내려가봐요. 돌아올 때까지 제인 양을 잘 타이를 테니까."

베시는 자리를 비우고 싶지 않은 눈치였다. 하지만 게이츠헤드 저택에서는 식사 시간을 정확히 엄수해야 하는 규칙이 있었으므로 베시는 식사하러 갈 수밖에 없었다.

"넘어져서 아팠던 게 아니라는 거지? 그렇다면 왜 아팠던 건지 말해줄래?" 베시가 사라지자 로이드 씨가 다시 물었다.

"유령이 나오는 방에 갇혀 있었어요. 사방이 깜깜해진 후에도요."

로이드 씨가 미소를 지으며 동시에 이마를 찌푸렸다.

"유령이라니! 역시 아직 아이로구나! 유령이 무서워?"

"리드 외삼촌의 유령이 무서운 거예요. 그 방에서 돌아가셨거든요. 그리고 시신도 그 방에 있었고요. 베시도 다른 하인들도 한밤중에는 그 방에 절대 들어가지 않아요. 그런데 촛불도 안 주고 저를 그 방에 가뒀어요, 다들 너무해요……."

너무 끔찍해서 영원히 잊을 수 없을 것 같아요."

"말도 안 되는 짓이군! 그래서 그렇게 무서웠구나? 해가 훤히 뜬 지금도 여전히 무섭니?"

"아니요, 하지만 곧 밤이 찾아오잖아요. 게다가…… 저는 불행해요. 다른 일로도 아주 불행한 사람이에요."

"다른 일이라니? 하나라도 좋으니 이야기해 줄래?"

이 질문에 자세히 답변할 수 있기를 얼마나 간절히 바랐는지! 어떤 대답이든, 대답을 생각해 낸다는 건 얼마나 어려운 일인지! 아이에게도 감정이라는 게 있다. 하지만 아이는 자신의 감정을 분석할 줄 모른다. 머릿속으로 그런 분석을 부분적으로 하더라도 아이들은 그 과정에서 나온 결과를 말로 표현하는 법을 모른다. 어쨌거나 남에게 말함으로써 슬픔을 조금이라도 덜 수 있는 처음이자 마지막 기회를 놓치는 것이 두려워서 잠시 망설이다가 부족하지만 최선을 다해 진심 어린 대답을 생각해 냈다.

"우선 저는 엄마도, 아빠도, 오빠도, 언니도 없어요."

"그렇지만 친절한 외숙모와 사촌들이 있지 않니."

나는 다시 한번 망설이다가 서툴게 설명을 이어나갔다.

"하지만 존 리드가 저를 때려서 넘어뜨렸어요. 그리고 외숙모는 저를 붉은 방에 가뒀고요."

로이드 씨가 다시 코담배를 꺼냈다.

"게이츠헤드가 정말 멋진 저택이라는 생각은 들지 않니?" 그가 물었다. "이런 멋진 저택에 사는 것이 감사하다는 생각은?"

"제 집이 아니잖아요. 선생님, 저는 이 집에 살 자격이 하인 보다도 없다고 애벗이 말해줬어요."

"저런! 이 멋진 저택을 떠나고 싶다고 생각한다면 그건 정말 바보 같은 생각이야."

"제게 갈 곳이 있었다면 벌써 떠났을 거예요. 하지만 어른이 될 때까지 게이츠헤드를 떠날 수 없겠죠."

"떠날 수 있을지도 모르지. 그야 알 수 없지 않니? 리드 부인 외에 다른 친척은 없니?"

"없는 것 같아요."

"아버지의 친척도 없니?"

"모르겠어요. 외숙모에게 물어본 적이 있는데, 에어라는 이름의 가난하고 비천한 친척들이 있을지도 모른다고는 하셨어요. 하지만 전혀 들어본 적은 없다고 하셨고요."

"그런 친척이라도 있다면 그들에게 가고 싶니?"

나는 곰곰이 생각에 잠겼다. 가난이란 어른에게도 달갑지 않은 일이지만, 아이에게는 더욱 그렇다. 아이는 열심히 일하고도 맞닥뜨리는 '고상한 가난' 따위는 알지 못한다. 아이에게 가난이란 누더기 옷, 부족한 음식, 불 꺼진 난로, 거친 태도, 품위 없는 말과 행동 같은 것과 연관된 단어일 뿐이다. 내게도 가난은 '낙오'와 같은 뜻이었다.

"아니요, 가난한 사람들과 살고 싶지는 않아요." 나는 대답했다.

"그 사람들이 네게 친절히 대해준다고 해도?"

나는 싫다는 의미로 고개를 저었다. 가난한 사람들이 대체 어떤 식으로 친절하게 대해줄 수 있다는 건지 알 수 없었다. 가난뱅이처럼 말하는 법을 배우고, 그들의 행동거지를 받아들이고, 무식해지는 게 싫었다. 가끔 게이츠헤드의 오두막집 문간 너머로 보았던 가난한 아낙네들처럼 살고 싶지 않았다. 제멋대로 구는 아이들을 돌보거나 맨손으로 빨래하는 모습이 어린 눈에도 비참해 보였다. 그건 죽어도 싫었다. 나는 내 신분을 희생해 자유를 사고 싶을 정도로 담대한 용기를 지닌 사람은 아니었다.

"네 친척들이 정말 그렇게 가난하니? 노동자들이니?"

"모르겠어요. 하지만 아버지 쪽 친척들이 있다면 분명 거지꼴일 거라고 했어요. 전 거지 노릇은 하기 싫어요."

"학교에 다니고 싶지는 않니?"

나는 다시 한번 생각에 잠겼다. 사실 나는 학교가 어떤 곳인지 거의 알지 못했다. 베시가 가끔 학교에 관해 이야기해준 적이 있기는 했다. 그녀의 말에 따르면, 학교는 어린 여학생들이 손가락 보정기와 척추 교정대를 착용한 채 극도로 얌전하게 행동하며 엄격한 규율을 따라야 하는 곳이었다. 존 리드도 학교를 싫어했고 선생님을 욕하곤 했다. 하지만 그의 취향이 내 기준이 될 수는 없었다. 베시가 설명한 학교의 규율은—사실 그녀가 게이츠헤드에 오기 전에 일했던 저택의 아가씨들에게 들은 이야기였지만—다소 두렵게 느껴졌지만 그곳에서 배우는 교양 교육의 일부는 두려움만큼이나 매력적으로 다가왔다. 베시는 학생들이 그리는 아름다운 풍경화와 정물화, 그들이 부르는 노래와 연주하는 음악, 바느질로 짜는 지갑 그리고 프랑스 책에 관해 자랑스럽게 이야기했다. 그녀의 이야기는 질투심이 느껴질 정도로 내게 깊은 인상을 남겼다. 무엇보다도 학교는 내 삶에 완전한 변화를 줄 수도 있는 곳이었다. 장거리 여행, 게이츠헤드와의 단절 그리고 새로운 삶의 시작. 그 모든 것이 학교로 가는 길에 놓여 있었다.

"학교에 가고 싶어요." 곰곰이 생각한 끝에 내가 대답했다.

"그래, 그래. 어떻게 될지 아무도 모르지 않니?" 자리에서 일어나며 로이드 씨가 말했다. 그러면서 그는 혼잣말을 덧붙였다. "이 아이에게는 환경을 바꿔주는 게 필요해. 심리 상태가 너무 불안한걸."

이때 베시가 돌아왔다. 그와 동시에 마당의 자갈길로 마차가 들어오는 소리가 들렸다.

"유모, 마님이 귀가하시는 건가?" 로이드 씨가 물었다. "가기 전에 드릴 말씀이 있는데."

베시는 그에게 조식용 식당으로 가자고 권하며 앞장서 걸었다. 나중에 일어난 일들로 미루어볼 때, 그가 리드 부인에게 나를 학교에 보내자고 권유했다는 걸 짐작할 수 있었다. 그리고 그 권유는 쉽게 받아들여졌음이 틀림없다. 어느 날 밤, 아이들 방에서 베시와 애벗이 바느질을 하다가 내가 잠들었다고 생각한 애벗이 이렇게 말한 것이다.

"마님은 늘 누군가를 감시하는 듯한 얼굴로 뒤에서 음모나 꾸미는 이런 성가시고 성질 못된 아이를 안 보게 되어 그저 기쁘시대."

애벗은 나를 가이 포크스* 같은 아이로 여기는 것 같았다.

그날 밤, 나는 애벗의 이야기를 통해 처음으로 부모님에 관한 진실을 알게 되었다. 내 아버지는 가난한 성직자였고, 어머니는 집안의 반대를 무릅쓰고 아버지와 결혼했다. 친척들은 두 사람의 신분이 어울리지 않는다고 했고, 외할아버지는 불효막심한 딸이라며 크게 분노했다. 결국 그는 어머니와의 인연을 끊고, 재산 한 푼 남겨주지 않았다. 아버지와 어머니는 가족의 축복 없이 결혼 생활을 시작했다. 결혼한 지 1년쯤 되었을 때 아버지는 자신의 교구이자 제조업으로 유명한 대도시의 빈민가를 방문했다. 그러나 그곳에서 당시 유행하던 티푸스 열병에 걸리고 말았다. 어머니에게도 병이 전염되었고, 결국 두 분 모두 한 달 만에 세상을 떠났다.

이야기를 듣던 베시가 한숨을 쉬며 말했다.

"에어 아가씨가 너무 불쌍해요, 애벗."

"그렇기는 하지." 애벗이 대답했다. "착하고 예쁘기만 하다면 의지할 곳 없는 그 처지를 누구나 안타까워했을 거야. 하지만 지금처럼 꼴 보기 싫게 구는 아이를 진심으로 좋아할 사람은 없을걸."

"분명히 많지는 않겠죠. 어쨌든 조지아나 아가씨만큼만 예뻤다면 같은 처지라도 틀림없이 동정심을 불러일으켰을 텐데." 베시가 동의했다.

"맞아, 조지아나 아가씨는 너무 예뻐!" 애벗이 흥분하며 말했다. "정말 귀엽다니까! 긴 곱슬머리와 파란 눈이라니!

* 제임스 1세가 즉위할 때 국회의사당을 폭파하려다가 잡힌 인물.

게다가 혈색은 또 얼마나 고운지, 꼭 색칠한 것 같아. 베시,
오늘 야식은 치즈 토스트였으면 좋겠다."

"저도요. 구운 양파도 곁들이고요. 그만 내려가볼까요?"
두 사람은 방을 나갔다.

04

로이드 씨와 나눈 대화 그리고 베시와 애벗의 대화를 통
해 나는 머지않아 변화가 찾아오리라는 희망을 품게 되었다.
그리고 그 희망은 내가 빨리 건강을 회복하고 싶어 할 만한
충분한 이유가 되었다. 변화가 가까이 다가온 듯했기에, 묵
묵히 그 순간을 기다렸다. 그러나 변화는 쉽게 찾아오지 않
았다. 하루가 지나고, 몇 주가 흘렀다. 나는 건강을 되찾았지
만, 간절히 바란 그 변화에 관해서는 어떤 말도 오가지 않았
다. 리드 부인은 때때로 나에게 차가운 눈길을 던졌지만, 거
의 말을 걸지 않았다. 병을 앓고 난 뒤, 그녀는 나와 자신의 자
녀들 사이의 경계를 그 어느 때보다도 분명하게 그었다. 나
는 작은 골방에서 혼자 잠을 자야 했고, 식사도 혼자 해야 했
으며, 사촌들이 응접실에서 시간을 보낼 때면 아이들 방에서
홀로 지내야 했다. 리드 부인은 나를 학교에 보내겠다는 암
시를 단 한 번도 내비치지 않았다. 그럼에도 불구하고 나는
그녀가 더 이상 나를 견디지 못할 거라는 걸 본능적으로 느
꼈다. 그녀의 시선이 나를 향할 때면, 전보다 훨씬 깊은 혐오

감이 그 눈에 서려 있었기 때문이다.

엄마의 지시를 곧이곧대로 따르는 일라이자와 조지아나는 되도록 나와 말을 섞지 않으려 했다. 반면 존은 나를 볼 때마다 경멸하듯 볼 안쪽에 혀를 밀어 넣어 볼록하게 만들었다. 어느 날에는 나를 때리려 들었다. 하지만 그 순간, 내 안에서 깊은 분노와 필사적인 반항심이 끓어올랐다. 이전에도 나를 타락으로 몰아넣었던 바로 그 감정이었다. 나는 즉시 맞섰고, 존은 그만두는 편이 낫겠다고 판단한 듯했다. 그는 욕설을 내뱉으며 도망가면서 내가 자기 코를 깨버렸다고 소리쳤다. 내가 주먹에 힘을 실어 녀석의 튀어나온 얼굴 한 부분을 정확히 때렸던 것이다. 내가 휘두른 주먹 때문이었는지, 아니면 얼굴에 서린 기세 때문이었는지 존이 움츠러든 것이 분명했다. 나는 이 기회를 놓치지 않고 그를 더 몰아붙이고 싶었다. 하지만 녀석은 어느새 리드 부인에게 달려갔다. 곧 울음 섞인 목소리가 들려왔다. "그 더러운 제인"이 미친 고양이처럼 달려들었다는 것이었다. 하지만 그의 하소연은 끝까지 이어지지 못했다. 그의 엄마는 다소 매정하게 말을 막았다.

"제인 이야기는 하지도 마! 존, 그 애에게 가까이 가지 말라고 했지! 관심 가질 만한 가치도 없어. 이 어미는 너도, 네 누이들도, 그 애랑 어울리는 걸 원치 않아."

계단 난간에 기대어 서 있던 나는 고함을 질렀다. 내가 무슨 말을 하는지 생각할 겨를도 없었다.

"개네들도 나랑 어울릴 자격이 없는 건 마찬가지라고요!"

리드 부인은 몸집이 제법 큰 편이었다. 하지만 내가 내뱉은 이 대담하고 상스러운 말을 듣자마자, 쏜살같이 계단을 뛰어 올라와 나를 낚아챈 뒤 아이들 방으로 데려갔다. 그리고 나를 침대 가장자리에 내동댕이치고 사지를 누르며 힘이 잔뜩 들어간 목소리로 협박했다. 어디 한 번 일어나보라고, 한마디라도 더 지껄여보라고 말이다.

"리드 외삼촌께서 살아계셨다면 외숙모에게 뭐라고 말씀하셨을까요?"

내 의지와 다른 질문이 나왔다. '의지와 다르다'라는 표현을 쓴 것은 내 의지가 그런 말을 해도 된다고 동의도 하기 전에 내 입이 불쑥 질문을 꺼냈다는 소리다. 내가 통제할 수 없는 어떤 존재가 제멋대로 내 입을 움직인 것 같았다.

"뭐라고?"

리드 부인이 목소리를 낮추었다. 차갑게 가라앉은 그녀의 회색빛 눈동자에 두려움 같은 것이 스치고 지나갔다. 그녀는 내 팔을 놓으며 도대체 이 아이가 어린애인지 악마인지 모르겠다는 듯한 표정으로 나를 뚫어져라 노려보았다. 이제 나는 어쩔 도리 없이 다시 덤벼들었다.

"리드 외삼촌은 하늘에 계시니 외숙모가 하는 모든 행동과 생각을 지켜보실 수 있어요. 아빠와 엄마도 마찬가지고요. 외숙모가 나를 어떻게 방에 가뒀는지, 내가 얼마나 죽기를 바라는지도 다 아신다고요."

리드 부인은 곧 정신을 가다듬었다. 그녀는 나를 거칠게 붙잡아 세차게 흔들더니, 양쪽 뺨을 사정없이 후려쳤다. 그러고는 단 한마디도 없이 방을 나가버렸다. 그녀가 사라진 자리는 곧 베시의 훈계로 채워졌다. 그녀는 무려 한 시간이나 나를 타일렀고, 마침내 내가 이 세상에서 가장 못된 아이라는 사실을 의심의 여지 없이 증명해 냈다. 나는 그녀의 말을 반쯤은 믿을 수밖에 없었다. 내 가슴속에서 끓어오르는 감정은 온통 거칠고 사나운 것들뿐이었으니까.

11월, 12월 그리고 1월의 절반이 지나갔다. 게이츠헤드에서는 평상시와 다름없이 크리스마스와 새해 행사가 성대히고 즐거운 분위기 속에 지나갔다. 선물이 오가고 만찬회며 저녁 파티도 여러 차례 열렸다. 물론 이 모든 즐거움에서 나는 예외였다. 내 몫으로 주어진 즐거움이란 그저 일라이자와 조지아나가 얇은 모슬린 드레스를 입고 장식용 띠를 걸치고 공들여 머리를 땋은 채 응접실로 내려가는 모습을 지켜보는 일뿐이었다. 그런 뒤에는 아래층에서 연주하는 피아노와 하프 선율에 귀를 기울이거나, 집사나 하인이 돌아다니는 모습을 지켜보았다. 다과가 운반될 때마다 유리그릇이나 사기그릇이 부딪치는 소리, 응접실의 문이 열리고 닫힐 때마다 흘러나오는 단편적인 대화를 엿듣는 일이 전부였다. 그러다가 싫증이 나면 계단 꼭대기에서 떨어져 쓸쓸하고 고요한 아이들 방으로 돌아가곤 했다. 조금 쓸쓸하긴 했지만, 그곳에 있으면 비참한 생각은 하지 않아도 되었다. 사실 나는 손님들 틈에 끼고 싶은 생각은 없었다. 그 자리에서 나에게 신경 쓰는 사람은 하나도 없을 테니 말이다. 베시가 다정하고 살가운 사람이었다면, 신사와 숙녀 틈에서 리드 부인의 매서운 눈총을 받으며 저녁을 보내는 것보다 그녀와 함께 시간을 보내는 게 훨씬 더 즐거웠을 것이다. 하지만 베시는 사촌들의 치장을 마치기가 무섭게 촛불을 들고 부엌이나 가정부 방으로 가 왁자한 분위기 속으로 사라지곤 했다. 그래서 나는 무릎에 인형을 올려놓은 채 난롯불이 점점 사그라지는 동안 어둑한 방 안에 나 말고 다른 무언가가 숨어 있지는 않은지 두리번거리며 앉아 있었다. 난로의 잔불이 희미한 붉은빛으로 가라앉으면, 나는 황급히 옷을 벗고 매듭과 끈을 닥치는 대로 풀어헤친 뒤 추위와 어둠으로부터 나를 지켜줄 은신처를 찾아 작은 침대 속으로 뛰어들었다. 침대로 갈 때면 언제나 인형을 품에 안았다. 인간은 누구나 무언가를 사랑해야만 하는 존재다. 그리고 나에게는 애정을 쏟을 만한 더 나은 대상이 없었기에 빛바래고 남루한 작은 허수아비 같은 인형을 아끼고 보살피는 것에서나마 기쁨을 찾으려 했다. 내가 그 조그만 장난감에 얼마나 바보스러울 정도로 애착을 가졌는지 떠올리면 스스로도 어리둥절할 따름이다. 그때 나는 그 인형이 살아 있고 감정도 느낄 수 있다고 반쯤 믿었던 것 같다. 인형을 잠옷으로 감싸 꼭 안지 않으면 잠도 제대로 잘 수 없었다. 인형이 내 품에서 따뜻하고 안전하게 누워 있으면 나름대로 안심이 되었다. 인형도 나와 같은 행복을 느낄 것이라고 굳게 믿으면서.

손님들이 모두 돌아가는 것을 기다리고, 베시가 올라오는 발소리에 귀를 기울이고 있노라면, 그 시간이 꽤 길게 느껴졌다. 베시는 가끔 골무와 가위를 가지러 올라오기도 했고,

또는 저녁 식사 대신 먹을 만한 과자나 치즈케이크 등을 가져다주는 일도 있었다. 그럴 때 베시는 내가 그걸 먹고 있는 동안 침대에 앉아 있다가 다 먹고 나면 이불을 덮어주고 두 번 입을 맞춰준 다음 "잘 자요, 제인 아가씨" 하고 속삭였다. 이렇게 상냥할 때면 베시는 내게 이 세상에서 가장 좋은 사람, 가장 아름다운 사람, 가장 친절한 사람이었다. 그래서 나는 베시가 언제나 이처럼 상냥하면 얼마나 좋을까, 나를 쿡 찌르거나 야단치거나 무리한 일을 시키지 않으면 얼마나 좋을까 하고 생각했다. 베시는 선천적으로 뛰어난 재주를 타고났음에 틀림없다. 무슨 일이든 잘 넘기고 화술에도 남다른 재능이 있었다. 적어도 나는 그녀가 해준 여러 가지 이야기에서 그런 인상을 받았다. 내 기억이 맞다면 그녀는 예뻤다. 그녀는 젊고 날씬했다. 검은 머리와 검은색 눈, 아주 예쁘게 생긴 얼굴 그리고 맑고 어여쁜 안색을 지니고 있었다. 하지만 그녀는 변덕스럽고 조급한 성미를 갖고 있었고, 원칙이라든가 공명정대 같은 것에는 줏대가 없었다. 그녀의 단점에도 불구하고 나는 게이츠헤드의 그 누구보다도 그녀를 좋아했다.

1월 15일 아침 아홉 시쯤이었다. 베시는 아침을 먹으러 아래층으로 내려가고 없었다. 사촌들은 아직 어머니에게 불려 가지 않았다. 일라이자는 자신이 키우는 닭에게 모이를 주기 위해 보닛을 쓰고 따뜻한 정원용 코트를 입고 있었다. 그녀는 닭을 돌보는 일을 좋아했다. 게다가 가정부에게 달걀을 팔고 그 돈을 모으는 것도 좋아했다. 일라이자는 장사에 재능이 있었으며, 특히 저축에 집착했다. 그녀는 달걀과 닭을 파는 데서 그치지 않고, 꽃 뿌리나 씨앗, 꺾꽂이용 가지를 팔면서도 정원사와 치열한 흥정을 벌였다. 정원사는 리드 부인에게서 일라이자가 팔고 싶어 하는 것은 뭐든 사주라는 지시를 받았기 때문에 어쩔 수 없이 그녀와 거래해야 했다. 아마 일라이자는 이득이 된다면 자기 머리카락까지도 팔았을 것이다. 그녀는 처음에는 낡은 헝겊 조각이나 머리를 말 때 쓰는 종이에 돈을 싸서 숨겨두었다. 그러나 하녀들이 일부를 발견한 후 혹시나 소중한 돈을 잃게 될까 봐 걱정해 결국 어머니에게 돈을 맡기기로 했다. 다만, 조건이 있었다. 그녀는 맡긴 돈에 대해 5할 내지는 6할의 이자를 요구했고, 이를 3개월마다 빠짐없이 받았다. 그리고 작은 장부에 수입과 이자를 꼼꼼하게 기록했다.

조지아나는 높은 의자에 앉아 거울을 보면서 다락방 서랍에서 발견한 조화와 빛바랜 깃털을 자신의 곱슬머리에 묶으며 머리를 매만지고 있었다. 나는 베시로부터 그녀가 돌아오기 전까지 침대를 정돈해 놓으라는 엄한 지시를 받았기 때문에 내 침대를 정돈하고 있었다. (그 무렵 베시는 방 청소나 의자의 먼지를 터는 일을 종종 내게 시켰고 마치 나를 보조 하녀처럼 부려먹기도 했다.) 침대보를 깔고 잠옷을 개고 난 후 나는 창턱 아래 긴 의자로 가서 널려 있던 그림책과 인형 집 가구들을 정돈했다. 갑자기 조지아나가 자기 장난감—작은 장난감 의자와 거울, 예쁜 접시와 컵—은 그냥 놔두라고 지시하는 바람에 나는 정돈하던 손길을 멈추었다. 그러자 딱히 할 일이 없어 창문 위에 어지럽게 끼어 있는 꽃 모양 성에에 입김을 불어 녹이기 시작했다. 거기서 보이는 마당은 서리 기둥으로 단단히 굳어 있는 것처럼 보였다.

창문에서는 문지기 오두막과 마찻길이 보였는데 유리창을 덮은 은빛 성에를 밖이 내다보일 만큼 녹였을 때, 정문이 열리며 마차 한 대가 들어왔다. 나는 마차가 차도를 올라오는 걸 무심히 바라보았다. 가끔 마차가 게이츠헤드에 오기는 했으나 내 흥미를 끌 만한 방문객을 태우고 온 적은 한 번도 없었다. 마차가 집 앞에 서자 현관에서 종소리가 요란스럽게 울렸고, 처음 보는 방문객이 안내를 받아 저택 안으로 들어왔다. 전혀 흥미를 느끼지 못한 나의 흐릿한 눈은 창틀 옆 벽에 붙은 벚나무 가지에 앉아 지저귀고 있는, 배가 고픈 것 같은 참새의 모습에 끌리고 있었다. 식탁에는 아침으로 먹고 남긴 빵 부스러기와 우유가 있었고, 나는 빵 부스러기를 가루로 부수어 그것을 창틀에 놓으려고 했다. 창문을 막 들어 올리려는 찰나, 베시가 아이들 방으로 뛰어왔다.

"제인 아가씨, 어서 앞치마를 벗으세요. 거기서 뭘 하세요? 세수는 했어요?"

나는 대답을 하기 전에 다시 한번 창틀을 세게 당겼다. 새가 빵 부스러기를 확실하게 먹을 수 있게 하고 싶었기 때문이었다. 마침내 창틀이 열렸다. 나는 빵 부스러기를 여기저기 뿌렸다. 일부는 돌 창턱 위에 뿌렸고, 일부는 나뭇가지 위에 뿌렸다. 그러고 나서야 창문을 닫으며 대답했다.

"아니, 안 했어, 베시. 이제 겨우 먼지 터는 일만 끝냈거든."

“정말 성가시고 태평스럽네요. 대체 방금은 뭘 한 거예요? 뭔가 못된 장난을 친 것처럼 얼굴이 붉은 것이, 창문은 왜 열었어요?”

나는 귀찮게 대답하는 수고를 덜었다. 베시가 설명을 들을 여유가 없어 보였기 때문이었다. 그녀는 세면대로 나를 끌고 간 다음 인정사정없이, 하지만 다행히도 간단하게 비누와 물, 거친 수건으로 내 얼굴과 손을 문질렀다. 그리고 억센 빗질로 내 머리를 빗기고 앞치마를 벗겼다. 그다음 서둘러 나를 계단으로 데려가 조식용 식당에서 나를 부르니 바로 아래층으로 내려가라고 지시했다.

나는 누가 나를 부르냐고 묻고 싶었다. 혹시 리드 부인이 그곳에 있는지도 궁금했다. 하지만 베시는 이미 자리를 떠난 후였다. 그리고 보란 듯 아이들 방문을 닫아버렸다. 나는 천천히 계단을 내려갔다. 거의 석 달간 나는 단 한 번도 리드 부인에게 불려 간 적이 없었다. 그동안 아이들 방에만 갇혀 사는 듯 지냈다. 조식용 식당, 정찬 식당, 응접실은 내게 무서운 곳이 되어버린 지 오래였다. 그런데 아침부터 그곳에 가야 한다니 덜컥 겁이 났다.

마침내 나는 텅 빈 복도에 홀로 서 있었다. 바로 앞은 조식용 식당이었다. 어찌나 겁이 나는지 몸이 부들부들 떨려 잠시 멈췄다. 그 모든 부당한 벌로 생긴 공포감이 그때의 나를 얼마나 비참한 꼬마로 만들었던가! 아이들 방으로 돌아가는 것도 무서웠다. 응접실도 무섭기는 마찬가지였다. 나는 혼란에 빠져 망설이며 서 있었다. 그때 조식용 식당에서 종이 세차게 울리며 나를 떠밀었다. 안으로 들어갈 수밖에 없었다.

'대체 누가 날 보자고 하는 걸까?' 나는 속으로 생각하며 단단한 손잡이를 돌렸으나 손잡이는 바로 돌아가지 않았다. '이 방에 외숙모 말고 또 누가 있을까? 남자일까? 여자일까?' 그제야 손잡이가 돌아가며 문이 열렸다. 방 안에 들어가 공손히 인사하고 고개를 들자, 거기에는 시커먼 기둥이 보였다! 얼핏 보기에 그렇게 보였다는 말이다. 양탄자 위에 검은색 담비 모피를 걸친 호리호리한 남자가 곧게 서 있었다. 남자의 엄숙한 얼굴은 마치 기둥에 얹어놓은 가면처럼 보였다.

리드 부인은 늘 앉는 난롯가 자리에 앉아 있었다. 나에게 가까이 오라며 손짓했다. 곁으로 다가가자 무표정한 사내를 향해 나를 소개했다.

"말씀드린 아이가 바로 이 아이예요."

그는 천천히 내가 있는 쪽으로 고개를 돌리더니 짙은 눈썹 밑에서 반짝이는 잿빛 눈으로 나를 훑어내렸다. 그리고 굵직한 목소리로 나지막이 말했다.

"키가 작군요. 몇 살입니까?"

"열 살 됐어요."

"그렇게나 많아요?" 그가 의심스러운 말투로 되물었다. 그리고 다시 몇 분간 나를 유심히 관찰하기만 했다. 그러고는 내게 말을 걸었다.

"꼬마 숙녀의 이름은요?"

"제인 에어입니다, 선생님."

나는 대답과 함께 그를 올려다보았다. 키가 큰 신사였다.

그때 나는 아주 작았다. 그의 얼굴은 큼지막했고 얼굴이나 전체적인 윤곽이 투박하고 깔끔해 보였다.

"그래, 제인 에어 양. 너는 착한 아이니?"

이 질문에 그렇다고 대답할 수가 없었다. (내 좁은 사회에서 나는 정반대의 평가를 받고 있었기 때문이다.) 나는 대답하지 않았다. 리드 부인이 의미심장하게 고개를 저으며 대화에 참여했다.

"그 점에 대해서는 아마 이야기하지 않는 게 더 좋을 거예요, 브로클허스트 씨."

"그런 말씀을 하다니 참으로 유감스럽군요! 아이하고 단둘이 이야기를 좀 해봐야겠습니다." 그러면서 그는 몸을 숙이며 리드 부인 건너편 안락의자에 몸을 맡겼다.

"이리 가까이 와보렴." 그가 내게 말했다.

나는 양탄자를 가로질러 그의 앞까지 다가갔다. 그는 나를 똑바로 세워 세심히 내려다보았다. 그의 얼굴이 내 눈높이에 있었는데, 솔직히 말해 몹시 못생겼다. 코는 왜 그렇게 크고, 입은 또 어찌나 넓으며, 앞니는 얼마나 쓸데없이 튀어나와 있는지!

"나는 버릇없는 아이를 보면 가슴이 아프단다." 그가 입을 열었다. "특히 버릇없는 여자아이가 그러하지. 버릇없는 사람이 죽으면 어디로 가는지 아니?"

"지옥으로 갑니다." 나는 쉽게 대답할 수 있었다.

"그렇다면 지옥은 어떤 곳인지 내게 설명할 수 있겠니?"

"불로 가득 찬 구덩이입니다."

"그렇다면 너는 그 구덩이에서 영원히 타고 싶니?"

"아니요."

"지옥 불에 떨어지지 않으려면 어떻게 해야 하지?"

나는 잠시 생각했다. 내가 떠올린 대답은 반박의 여지가 많은 허술한 답이었다. "건강을 잘 지켜서 죽지 않아야 합니다."

"어떻게 해야 몸을 건강히 할 수 있지? 너보다 더 어린아이들도 매일 죽고 있잖니. 바로 이틀 전에 다섯 살짜리 아이를 묻었단다. 심지어 착한 아이였지. 그 아이의 영혼은 지금 천국에 있겠구나. 혹시 네가 지금 죽는다면 너는 유감스럽게도 지옥에 가게 될 거란다."

그의 궁금증을 풀어주어야 할 상황이 아니기에 나는 눈을 아래로 내린 채 양탄자를 밟고 있는 커다란 두 다리를 바라보았다. 빨리 이 자리에서 벗어나고 싶어 깊은 한숨을 내쉬었다.

"지금 그 한숨은 마음에서 우러난 진심이지? 훌륭한 은인에게 폐를 끼쳤다는 것을 깨달은 후회의 한숨이니?"

'은인이라니, 은인이라니!' 나는 속으로 분개했다. '모두 리드 부인이 은인이라고 하지. 하지만 그게 맞다면 은인이란 그야말로 불쾌한 존재야.'

"아침저녁으로 기도드리니?" 그가 계속해서 캐물었다.

"네, 선생님."

"성경도 잘 읽고?"

"가끔 읽습니다."

"즐거운 마음으로 읽니? 성경을 좋아하니?"

"「요한계시록」,「다니엘서」,「창세기」,「사무엘서」는 좋아합니다.「출애굽기」는 조금,「열왕기」와「역대기」,「욥기」,「요나서」는 몇 부분만 좋아하고요."

"그러면「시편」은?「시편」도 좋아하겠지?"

"아니요."

"아니라고? 이런, 놀랍구나! 너보다 어린 남자아이 하나를 알고 있는데, 그 아이는「시편」여섯 편을 통째로 외운단다. 그 애에게 생강 과자 하나와「시편」한 구절을 배우는 일 중에서 고르라고 하면 이렇게 대답하겠지. '당연히「시편」한 구절이요! 천사들은「시편」을 노래하잖아요. 저도 이 세상의 작은 천사가 되고 싶어요!' 그러면 나는 그 아이의 신앙심이 기특해서 생강 과자 두 개를 주곤 한단다."

"하지만「시편」은 재미없어요." 내가 말했다.

"그게 바로 네 마음이 사악하다는 증거야. 그런 마음을 바꾸도록 하나님께 기도해야 한단다. 새롭고 깨끗한 마음을 달라고. 차갑고 단단한 마음을 거두시고 따뜻하고 자비로운 마음을 주십사 기도해야 해."

나는 내 마음을 변화시키는 일을 실천하는 방식과 관련하여 질문 하나를 던지고 싶었다. 그런데 외숙모가 끼어들어 내게 앉으라고 명령했다. 그다음 자신이 직접 대화를 이끌어 갔다.

"브로클허스트 씨, 3주 전 보낸 서신에서 저는 이 아이가 제가 바라는 성격과 기질을 전혀 갖추지 못했다고 말씀드렸습니다. 로우드 학교에 입학하면 교장선생님과 다른 선생님들이 엄히 감시해 주길 바라요. 이 아이의 가장 큰 결점이 바로 남을 속이는 버릇이니까요. 제인, 네가 직접 듣는 데서 이런 말까지 하고 싶지는 않았지만, 이건 네가 브로클허스트 씨에게 속임수를 쓰지 못하게 하기 위함이란다."

리드 부인이 두렵고도 미운 건 당연했다. 그녀는 본능적으로 내게 잔인한 상처를 주는 사람이었다. 그녀 앞에서 나는 단 한순간도 행복할 수 없었다. 아무리 조심스럽게 복종하고, 아무리 그녀를 기쁘게 하려고 해도 돌아오는 것은 거절과 날카로운 말뿐이었다. 특히 낯선 사람 앞에서 들은 그녀의 비난은 더욱 아프게 파고들었다. 이제 막 열린 새로운 삶의 문턱에서, 그녀는 내 희망을 꺾으려고만 했다. 어떻게 표현해야 할지 모르겠지만, 리드 부인은 내 앞길에 혐오감과 불쾌함을 가득 뿌려놓고 나를 떠밀었다. 브로클허스트 씨 앞에서 나는 교활하고 비열한 아이가 되어 있었다. 난도질당한 내 명예를 어떻게 해야 회복할 수 있을까?

'이제는 방법이 없어.' 나는 울음을 참으려 애쓰며 생각했다. 그리고 무기력한 고통의 증거물인 눈물을 황급히 닦아 냈다.

"벌써 남을 속이는 버릇이 있다니 안타깝군요." 브로클허스트 씨가 말했다. "그건 거짓말과 다를 바 없지요. 그리고 거짓말쟁이는 불과 유황이 타오르는 지옥의 호수에 떨어지는 운명을 맞이할 겁니다. 하지만 리드 부인, 저 아이는 우리가 감시하겠습니다. 템플 선생과 다른 선생들에게도 제가 말해 놓겠습니다."

"저 아이의 장래에 알맞은 방법으로 훈육했으면 합니다."
나의 은인이 말을 이어나갔다. "쓸모 있고 겸손한 사람으로
말이죠. 방학에도 로우드 학교에서 선생님들과 함께 지낼 수
있도록 해주세요."

"매우 현명한 생각입니다, 부인." 브로클허스트 씨가 말했
다. "겸손은 기독교인의 미덕입니다. 바로 로우드의 학생들
에게 어울리는 덕목이기도 합니다. 저는 학생들의 덕목을 기
르기 위해 각별히 지도합니다. 저는 학생들이 자만심이라는
감정을 어떻게 해야 억제할 수 있을까 최선의 방법을 연구해
왔습니다. 그리고 얼마 전 저는 성공을 거두었다는 기쁜 증
거를 얻게 되었습니다. 제 둘째 딸 어거스타가 아내와 함께
학교를 방문했지요. 그런데 돌아가는 길에 아이가 큰 소리로
이렇게 말하는 겁니다. '아빠! 로우드 학교 여학생들은 정말
이지 모두 너무 조용하고 수수해요! 머리는 단정히 빗어 넘
겼고, 치마는 길고, 프록코트 바깥쪽 작은 호주머니가 마치
가난한 집 아이들 같아요! 그 애들이 저와 엄마 옷을 쳐다봤
어요. 실크로 만든 옷을 한 번도 본 적 없다는 표정으로요.'"

"그게 바로 제가 원하는 덕목이에요." 리드 부인이 말했다.
"영국을 온통 뒤져도 제인 에어 같은 아이에게 로우드보다
알맞은 학교는 찾을 수 없을 거예요. 브로클허스트 씨, 저는
무엇보다도 견실한 것이 중요해요. 모든 면에서 견실해야 한
다고 믿어요."

"부인, 견실은 기독교인의 본분 중 가장 으뜸인 의무지요.
그리고 그건 로우드 학교 운영 방침에 반영되어 있습니다.

검소한 식사와 간소한 옷차림, 수수한 잠자리, 고난을 이겨
내는 활동적인 생활 습관, 이런 것들이 학교에서 학생들이
지켜야 하는 규칙입니다."

"정말 말씀하신 대로예요. 그럼 이 아이를 로우드 학교 학
생으로 받아들인다고 생각해도 좋을까요? 그리고 이 아이
의 처지와 장래에 어울리는 교육을 베풀어줄 거라고 생각해
도 되겠지요?"

"그럼요, 부인. 이 아이는 엄선된 식물이 자라는 땅에 심어,
더할 나위 없는 귀중한 특권을 부여받았음에 감사한 마음을
가지며 자랄 겁니다."

"그러면 될 수 있는 대로 빠른 시일 내에 아이를 보내겠습
니다. 브로클허스트 씨, 분명히 말씀드리지만 저는 제가 맡
은 성가신 책임으로부터 빨리 벗어나고 싶어요."

"아무렴, 그렇고말고요. 분명 그러실 겁니다. 오늘은 이만
물러가도록 하지요. 저는 한두 주쯤 후에 브로클허스트 장원
으로 돌아갑니다. 제 친구가 그보다 일찍은 저를 보내려고
하지 않아서요. 템플 선생에게는 새로운 학생이 갈 거라고
일러둘 테니 입학에는 전혀 지장이 없을 겁니다. 그럼 안녕
히 계십시오."

"조심히 돌아가세요, 브로클허스트 씨. 부인과 어거스타
양, 시어도어 양 그리고 브로튼 군에게도 안부 전해주세요."

"네, 부인. 그러겠습니다. 제인, 여기 『어린이의 지침서』라
는 책을 주마. 이걸 기도하는 마음으로 읽어라. 특히 「거짓말
쟁이 나쁜 아이 마사 G.의 갑작스러운 죽음」 부분은 주의해

서 읽도록 해라."

이 말과 함께 브로클허스트 씨는 커버를 씌운 얇은 책 한 권을 주었다. 그리고 종을 울려 불러두었던 마차를 타고 돌아갔다.

방에는 나와 리드 부인만 남았다. 정적 속에 몇 분이 흘러갔다. 리드 부인은 자수를 놓고 있었고, 나는 그런 그녀를 주의 깊게 바라보았다. 당시 리드 부인은 서른여섯 살이나 서른일곱 살쯤 되었을 것이다. 그녀는 건장한 체격에 딱 벌어진 어깨를 가졌다. 키는 그리 크지 않았고 살집이 있었지만 그렇다고 보기 싫게 뚱뚱하지 않았다. 넙데데한 얼굴에 턱이 다부져서 한눈에도 굳건한 인상이었다. 이마는 좁았으며 아래턱은 넓고 약간 튀어나왔다. 그러나 입과 코도 커서 조화로웠다. 옅은 눈썹 밑에는 동정심이라고는 전혀 없어 보이는 차가운 눈이 반짝였다. 그녀의 피부는 윤기 없이 까무잡잡했고, 머리카락은 황갈색이었다. 체질 자체가 원체 튼튼했다. 빈틈없고 머리가 좋은 가장으로 집안일이나 소작인에 관한 일도 야무지게 장악하고 있었다. 아이들만이 가끔 어머니의 권위에 반항하며 얕잡아볼 뿐이었다. 그녀는 옷도 잘 입었고 풍채나 몸매도 훌륭해 우아한 옷차림이 어울렸다.

나는 리드 부인이 앉아 있는 안락의자에서 몇 걸음 떨어진 낮은 의자에 걸터앉아 그녀의 얼굴을 유심히 살폈다. 손에는 책 한 권이 들려 있었다. 나에 대한 경고의 의미로 읽어보라는 뜻이었다. 조금 전 리드 부인이 브로클허스트 씨에게 한 말과 두 사람이 주고받은 대화가 여전히 생생하게 귓가에 맴돌았고, 그 의미가 내 마음을 깊이 찔렀다. 그들이 나에 대해 내뱉은 한마디 한마디가 분노로 쌓여 가슴속에서 부글부글 끓어올랐다. 리드 부인이 자수를 놓던 손을 멈추고 고개를 들었다. 그녀의 시선이 나를 향해 멈추는 순간, 손끝의 빠른 움직임도 뚝 끊겼다.

"그만 나가거라. 방으로 돌아가."

부인이 단호하게 명령했다. 내 표정이든 태도든 무엇인가가 그녀의 심기를 심하게 건드린 것이 분명했다. 애써 감정을 억누르는 듯한 목소리에는 짜증이 가득 배어 있었다. 나는 자리에서 일어나 문으로 향했다가 다시 돌아섰다. 그리고 방을 가로질러 창가에 앉아 있는 그녀에게 다가갔다.

말하지 않고는 견딜 수 없었다. 너무 호되게 짓밟혔으므로 보복하지 않을 수 없었다. 하지만 어떻게 한단 말인가? 적에게 보복할 힘이 내게 있단 말인가? 나는 모든 힘을 끌어모아 다음과 같은 짤막한 문장을 그녀에게 퍼부었다.

"나는 거짓말쟁이가 아니에요. 내가 거짓말쟁이였다면 외숙모를 좋아한다고 말했을 거예요. 하지만 나는 외숙모를 좋아하지 않아요. 존 리드를 빼면 세상에서 그 누구보다도 외숙모를 싫어해요. 거짓말쟁이에게 설교하는 이따위 책은 조지아나에게나 줘버려요. 거짓말을 하는 건 내가 아니라 조지아나니까요."

리드 부인의 손은 여전히 자수감 위에 놓인 채 움직이지 않았다. 얼음장 같은 눈길은 줄곧 나를 향해 있었다.

"더 할 말이 있니?" 리드 부인의 말투는 어린아이를 상대하고 있다기보다는 오히려 어른을 대하는 것 같았다.

그녀의 눈길과 그 목소리가 내 안의 혐오감을 더욱 부추겼다. 주체할 수 없는 흥분으로 머리끝부터 발끝까지 부들부들 떨며 나는 말을 이어나갔다.

"외숙모가 내 친 핏줄이 아니라서 정말 기뻐요. 이제 내가 살아 있는 한 다시는 외숙모라고 부르지도 않을 거예요. 어른이 되어서도 다시는 보러 오지 않을 거고요. 누군가 내게 외숙모를 얼마나 좋아했냐고 묻는다면, 나는 생각만 해도 진저리가 난다고 말할 거예요. 그리고 나를 비참할 정도로 잔인하게 학대했다고 말할 거예요."

"어떻게 감히 그런 말을 함부로 내뱉느냐?"

"어떻게 감히 이런 말을 하냐고요? 어떻게 함부로 구느냐고요? 이건 사실이니까요. 외숙모는 내가 아무런 감정도 없는 아이 취급하셨죠. 사랑이나 호의 같은 감정은 단 한 톨도 느끼지 못하는 아이로 대했어요. 하지만 전 그런 사람이 아니에요. 게다가 외숙모는 연민의 감정이라곤 하나도 없는 사람이에요. 외숙모가 나를 붉은 방에 어떻게 밀어 넣었는지, 얼마나 강압적이고 난폭하게 처박아 넣고 그곳에 나를 감금했는지 죽는 날까지 기억할 거예요. 너무 고통스럽고 숨이 막혀서 살려달라고, 살려달라고 울부짖었는데도. 외숙모가 내게 한 짓은 고작 외숙모의 못된 아들이 나를 때렸다는 이유였다는 것도 잊지 않을 거예요. 누군가 내게 물어보면 그가 누구건 간에 나는 사실대로 말할 거예요. 사람들은 외숙모를 착한 부인이라고 생각하지만 실은 아주 잔인하고 냉혹한 사람이라고요. 외숙모야말로 사람을 속이는 거짓말쟁이 예요!"

말을 채 마치기도 전에 나의 마음은 자유, 승리 같은 일찍이 맛보지 못한 감각에 도취되어 마냥 부풀어 올랐다. 눈에 보이지 않는 결박이 단박에 풀린 것 같았다. 당연한 일이었다. 리드 부인은 겁먹은 표정이었다. 자수천이 무릎에서 흘러내렸다. 두 손을 올리고 몸을 앞뒤로 흔드는 그녀의 얼굴은 당장이라도 울음을 터트릴 것처럼 일그러졌다.

"제인, 그건 오해야. 도대체 왜 그러니? 왜 그렇게 몸을 떨어? 물을 좀 마시겠니?"

"아니요!"

"그럼, 원하는 게 있니, 제인? 나는 정말 너와 사이좋게 지내고 싶었단다."

"그만두세요. 외숙모는 브로클허스트 씨에게 내가 아주 못된 거짓말쟁이라고 했어요. 나도 로우드 학교의 모든 사람에게 외숙모의 진짜 모습과 외숙모가 그동안 내게 한 짓을 다 말할 거예요."

"제인, 네가 아직 뭘 모르는구나. 아이의 결점은 어른이 고쳐줘야 하는 거야."

"내게는 남을 속이는 결점이 없다고요!" 나는 앙칼지게 외쳤다.

"게다가 넌 성질도 나쁘잖아. 그 점은 너도 인정해야지. 자, 방으로 돌아가거라. 착하게 굴어야지. 가서 좀 누워."

"난 외숙모의 착한 아이가 아니에요. 누워 있을 수도 없어요. 차라리 빨리 학교로 보내주세요. 단 한순간도 이곳에서 살 수 없으니까."

"정말 빨리 보내야겠어……." 나지막이 중얼거린 리드 부인은 자수감을 주워 모으고는 재빨리 방을 나가버렸다.

나는 전장의 승자가 되어 홀로 남겨졌다. 이것은 내가 치른 가장 힘든 싸움이었고, 처음으로 거둔 승리였다. 나는 브로클허스트 씨가 서 있던 카펫 위에 서서 잠시 승리의 고독을 만끽했다. 처음에는 미소를 지으며 벅찬 기쁨을 느꼈다. 하지만 내 심장이 빠르게 뛰었던 것처럼, 그 격렬한 희열도 순식간에 가라앉았다. 아이란 본디 어른과 다투고 격한 감정을 거침없이 쏟아낸 뒤에는 반드시 후회의 고통과 냉정한 반작용을 겪는 법이다. 리드 부인을 비난하고 위협하던 순간에 내 마음은 마치 모든 것을 집어삼키는 불붙은 황야의 능선과도 같았다. 그러나 불길이 꺼지고 난 뒤에는 새까맣게 타버린 능선만 남았다. 반 시간의 침묵과 반성은 내 행동이 얼마나 무모했는지 그리고 증오하면서도 동시에 증오받는 나의 처지가 얼마나 황량한지를 또렷이 일깨워주었다.

나는 생애 처음으로 복수의 쾌감을 맛보았다. 목으로 넘길 때는 포도주처럼 향기롭고 따뜻했으나, 삼키고 나니 부식된 금속 같은 뒷맛이 남아 마치 독을 마신 듯한 기분이 들었다. 당장이라도 리드 부인에게 달려가 용서를 구하고 싶었다. 그러나 경험상으로도 그리고 본능적으로도 알았다. 그렇게 하면 그녀는 지금까지보다 몇 배로 나를 비웃고 경멸할 것이고, 한 번 타오른 내 감정은 더욱 거센 불길로 번질 터였다.

나는 날카로운 말을 내뱉는 것보다 더 가치 있는 능력을 갖춘 사람이 되고 싶었다. 그리고 침울한 분노 대신 좀 더 온화한 감정을 길러낼 자양분을 찾고 싶었다. 『아라비안나이트』를 들고 자리에 앉아 읽으려 애썼다. 하지만 이야기가 도무지 머리에 들어오지 않았다. 수많은 잡념이 떠오르며 평소에는 흥미롭게 읽었던 책과 나 사이를 가로막았다. 나는 조식용 식당의 유리문을 열었다. 바깥의 관목 숲은 여전히 고요에 잠겨 있었다. 햇살과 바람에도 녹지 않은 검붉은 서리가 정원과 마당을 뒤덮었다. 나는 옷자락으로 머리와 팔을 감싸고 밖으로 나가 숲 한쪽까지 걸어갔다. 차가운 정적이 감도는 숲속에 가을의 흔적으로 남겨진 얼어붙은 전나무 솔방울, 세찬 바람에 한쪽으로 몰려 서로 엉겨 붙은 꽁꽁 언 낙엽 더미를 봐도 마음은 전혀 풀리지 않았다. 나는 문에 몸을 기댔다. 그리고 텅 빈 들판을 바라보았다. 짧고 마른 풀이 바짝 말라 하얗게 바래고 있었다. 음울한 날씨였다. 하늘은 탁한 회색빛이었고, 눈이 한 송이 두 송이 흩날리더니 얼어붙은 오솔길과 하얗게 바랜 목초지 위에 녹지도 않고 차곡차곡 쌓여갔다. 한없이 쓸쓸하고 비참한 기분이었다. 그곳에 멍하니 서서 낮게 중얼거렸다.

"이제 어떻게 하지? 어쩌면 좋지?"

그때 별안간 맑은 목소리가 들렸다. "제인 아가씨! 어디 있어요? 와서 점심 먹어야죠!"

베시의 목소리였다. 그러나 나는 움직일 수 없었다. 그녀의 날렵한 발걸음이 오솔길을 따라 빠르게 다가왔다.

"아이고, 말썽꾸러기 아가씨! 왜 불러도 답을 안 해요!" 베시가 말했다.

곰곰이 빠져 있던 상념과 비교하니 베시의 모습은 기분을 나아지게 해주었다. 물론 베시는 평상시처럼 내게 퉁명스러웠는데도 말이다. 사실 리드 부인과 싸워 승리를 거두고 난 터라 유모의 일시적인 성질 같은 건 크게 신경 쓰고 싶지 않은 마음이었다. 젊은 아가씨다운 그녀의 발랄하고 밝은 마음을 한껏 쐬고 싶었다. 나는 양팔을 벌려 그녀를 껴안으며 이렇게 말했다.

"제발 부탁이니 베시, 나를 혼내지 마."

내 행동은 예전에 내가 응석을 부리면서 했던 그 어떤 행동보다도 솔직하고 대담했다. 베시도 내 행동을 그다지 싫어하지 않는 것 같았다.

"제인 아가씨는 정말 이상한 아이예요." 나를 내려다보며 베시가 말했다. "혼자 쏘다니며 고독을 즐기는 아가씨라니. 곧 학교로 떠난다죠?"

나는 고개를 끄덕였다.

"그래, 이 가엾은 베시를 떠나는 게 아쉽지도 않아요?"

"언제 베시가 내게 신경을 쓰긴 했어? 늘 혼내기만 하면서."

"그거야 아가씨가 이상하게 겁도 잘 내고 수줍음도 많으니까 그렇죠. 아가씨는 조금 더 담대하게 행동해야 해요."

"뭐라고? 그럼 매를 더 맞으란 소리야?"

"무슨 그런 말도 안 되는 소리예요! 아가씨가 좀 심하게 당하는 건 사실이죠. 분명히요. 지난주에 저를 보러 왔던 우리 엄마 말씀이 자기 아이는 절대로 아가씨 같은 처지로 살게 하지는 않겠다고 하시던걸요. 자, 이제 돌아가요. 아가씨에게 좋은 소식이 있어요."

"내게 좋은 소식 따위가 있을 리 없어."

"저런! 그게 무슨 소리예요? 그렇게 슬픈 눈빛은 또 뭐람. 아무튼 마님과 아가씨, 도련님은 다과회에 초대받아 오후에는 외출하신대요. 그러니 저와 차를 마셔요. 요리사에게 아가씨를 위해 작은 케이크도 구워달라고 할게요. 그리고 아가씨 옷장 정리를 좀 도와주세요. 아가씨 짐을 꾸려야 하니까요. 마님께서 하루 이틀 안에 떠날 채비를 모두 마치라고 하셨어요. 그러니 가지고 갈 장난감도 골라봐요."

"베시, 내가 이 집을 나갈 때까지 나를 혼내지 않겠다고 약속해 줄 수 있어?"

"그럼요, 그렇게 할게요. 하지만 명심하세요. 늘 착하게 행동해야 해요. 그리고 저도 무서워하지 말고요. 혹시 제가 심하게 타일러도 움찔하지 말아요. 저는 그 모습이 참 싫어요."

"응, 앞으로 베시를 무서워할 일은 없을 거야. 나도 익숙하니까. 그리고 내가 무서워해야 할 사람들을 새롭게 만나겠지."

"그 사람들을 무서워하면 그들도 아가씨를 싫어할 거예요."

"베시처럼?"

"저는 아가씨를 싫어하지 않아요. 저는 사실 다른 아가씨들보다 제인 아가씨를 더 좋아하는걸요."

"그런데 왜 내색을 안 해?"

"아가씨는 어쩜 이렇게 총명할까? 말투가 아주 달라졌네. 어쩜 이렇게 용기 있고 똑똑하게 말하지?"

"글쎄, 곧 베시를 떠나게 되어서 그런 걸까? 게다가……."

나는 베시에게 리드 부인과의 일을 털어놓고 싶었지만 말하지 않는 게 더 나을 것 같았다.

"그런데 아가씨는 저와 헤어지게 되어 기뻐요?"

"전혀 안 기뻐. 지금은 조금 슬퍼."

"지금은 슬프다고요? 그것도 조금? 어린 아가씨 입에서 어쩜 이렇게 매정한 소리만 나온담! 아가씨에게 뽀뽀해 달라고 해도 지금은 그럴 기분이 아니라고 하겠네요!"

"기꺼이 해주고말고! 허리를 숙여줘!"

베시가 내게 키를 맞춰주었다. 우리는 서로를 꼭 끌어안았다. 그런 다음 나는 흡족한 기분으로 집 안으로 들어갔다. 그날 오후는 평화롭게 지나갔다. 밤이 되자 베시는 내게 아주 재미난 이야기를 해주었고, 감미로운 자장가도 불러주었다. 나 같은 아이에게도 삶은 따사로운 햇볕을 비춰주었다.

05

1월 19일 아침, 시계가 새벽 다섯 시를 막 알릴 무렵 베시가 촛불을 들고 내 방으로 들어왔다. 나는 이미 일어나 있었고, 옷도 거의 다 입은 상태였다. 그녀가 오기 반 시간 전에 일어나 침대 옆 좁은 창문으로 흘러드는 희미한 반달 빛에 의지해 세수하고 옷을 챙겨 입었다. 달은 막 지는 중이었다. 나는 그날 아침 여섯 시에 문지기의 집 앞을 지나가는 공용 역마차를 타고 게이츠헤드를 떠날 예정이었다. 그 시간에 깨어 있는 사람은 베시뿐이었다. 그녀는 방에 난롯불을 지핀 뒤 내 아침 식사를 준비했다. 하지만 긴 여행을 앞두고 들뜬 아이가 얌전히 식사할 리 없다. 나도 마찬가지였다. 베시는 내가 몇 숟가락이라도 먹기를 바라며 우유를 끓이고 빵을 준비했지만 도저히 목으로 넘길 수 없었다. 결국 그녀는 비스킷 몇 개를 종이에 싸서 내 여행 가방에 넣어주었다. 그리고 외투를 입혀주고 보닛을 씌워준 다음 자신도 숄을 두르고 방을 나섰다.

리드 부인의 침실 앞을 지나던 순간, 베시가 물었다.

"마님께 들러 작별 인사를 할까요?"

"아니야, 베시. 어젯밤에 베시가 저녁 먹으러 아래층에 내려갔을 때 외숙모가 내 침대에 와서 자기나 아이들을 방해하지 말고 떠나라고 했어. 그리고 자기는 늘 좋은 친구였다는 것도 잊지 말라고. 다른 사람에게도 그렇게 말하며 감사한 마음을 품고 살래."

"그래서 아가씨는 뭐라고 답했어요?"

"아무 말도 안 했어. 그냥 이불을 머리끝까지 뒤집어쓰고 벽 쪽으로 돌아누워 있었어."

"그러면 못써요."

"아니, 그래도 돼. 베시의 마님은 내 친구가 아니라 원수야."

"세상에, 아가씨! 말조심해요!"

"게이츠헤드여, 잘 있어!" 복도를 지나 현관으로 나가며 나는 소리를 질렀다.

달이 지고 밖은 칠흑같이 어두웠다. 베시가 들고 있는 랜턴 불빛이 눈이 녹아 흠뻑 젖은 계단과 자갈길을 비추었다. 겨울 아침이라 날씨가 꽤 으스스하고 오싹했다. 마당의 자갈길을 서둘러 걸어가는 동안 이가 딱딱 부딪칠 정도였다. 문지기의 집에서 어스름한 불빛이 새어 나왔다. 다가가 보니 문지기의 아내가 막 불을 지피고 있었다. 전날 밤 미리 가져다 놓은 내 여행 가방이 끈으로 꽁꽁 묶인 채 문 앞에 놓여 있었다. 여섯 시는 금방이었다. 마침내 정각이 되자, 저 멀리서 마차 바퀴가 굴러오는 소리가 들렸다. 나는 문가로 가서 어둠을 뚫고 빠르게 다가오는 마차를 지켜보았다.

"아가씨 혼자 가나요?" 문지기의 아내가 물었다.

"네."

"얼마나 멀리 가나요?"

"50마일이래요."

"아유, 멀기도 하지! 마님은 그 먼 곳까지 이 어린 아가씨를 혼자 보낸대요? 걱정도 안 되시나."

마차가 멈추었다. 네 필의 말이 끄는 마차가 문 앞에 섰다. 마차에는 이미 손님들이 가득했다. 차장과 마부가 큰 소리로 나를 재촉했다. 짐이 올라가고 베시의 목에 매달려 입맞춤하던 나도 마침내 마차에 실렸다.

　"부디 아가씨를 잘 보살펴주세요!" 안내인이 나를 마차 안으로 들어 올리자, 마차 밖에서 베시가 외쳤다.

　"알았소!" 안내인이 대꾸했다. 마차 문이 쾅 하고 닫히며 "출발이오!" 하는 소리가 들렸다. 그리고 마차가 달리기 시작했다. 그렇게 나는 베시와 게이츠헤드와 작별했다. 내 마음은 미지의 세계 속으로, 멀고 먼 수수께끼 같은 곳으로 휩쓸리듯 떨어지고 있었다.

　그날의 여행에 관해서는 기억나는 게 별로 없다. 그저 하루가 불가사의할 정도로 길게 느껴졌다는 것과 마차가 수백 마일도 더 되는 것 같은 길을 하염없이 달렸다는 것 정도만 기억난다. 마차는 몇몇 마을을 지난 후 엄청 커다란 마을에서 멈췄다. 차장은 나를 여관으로 데려갔고 나머지 손님들은 식사하러 갔다. 내게도 밥을 먹으라고 했지만 입맛이 없었다. 그러자 차장은 양쪽으로 벽난로가 있는 커다란 방에 나를 홀로 두었다. 천장에는 샹들리에가 드리워져 있었다. 높은 벽에는 자그마한 발코니 모양의 선반이 있었고, 여러 가지 악기가 진열되어 있었다. 묘한 기분으로 그 방을 거닐며 누가 들어와 나를 잡아가지는 않을까 무서워했다. 아이를 유괴하는 나쁜 사람들의 이야기가 베시의 이야기에서 여러 차례 등장했기에 그들의 존재를 알고 있었다. 마침내 안내인이 돌아왔다. 나는 다시 한번 마차에 태워졌다. 내 보호자 격인 안내인은 자리에 앉자마자 경적 피리를 불었다. 마차는 다시 L시의 자갈길을 덜거덕거리며 달리기 시작했다.

　오후에는 비가 오기 시작하며 안개가 조금 끼었다. 어둠이 드리우기 시작하자, 게이츠헤드에서 정말 멀리 왔다는 실감이 들었다. 이제 우리가 탄 마차는 도시를 지나가지 않았다. 근처의 풍경도 바뀌기 시작했다. 잿빛의 커다란 언덕이 지평선 근처에 둥글게 솟아 있었다. 해가 완전히 질 무렵 우리는 울창한 숲이 우거진 낮은 지대를 내려갔다. 이윽고 어둠이 주위를 둘러싸고 요란하게 숲을 흔드는 바람 소리만 가득했다.

그 소리를 자장가 삼아 나는 잠시 잠들었다가 마차가 갑자기 멈추는 바람에 눈을 떴다. 열린 마차 문 앞으로 하녀로 보이는 여인이 서 있었다. 램프의 불빛이 여자의 얼굴과 옷차림을 비추었다.

"여기 제인 에어라는 아이가 타고 있나요?" 그녀가 물었다.

"네, 저예요." 내가 대답하자, 누군가가 나를 안고 마차에서 내려주었다. 내 짐도 함께 내려졌고, 마차는 곧 떠났다.

오랫동안 앉아 있었던 탓에 몸은 뻣뻣했고 마차가 달리는 소음과 진동으로 머리는 멍했지만, 나는 기운을 차리고 주위를 둘러보았다. 비와 바람과 어둠뿐이었다. 눈앞에 담이 있고, 담에 딸린 문이 열려 있는 모습이 희미하게 보였다. 새로운 안내자의 뒤를 따라 그 문으로 들어갔다. 안내자는 문을 닫고 잠갔다. 건물이, 그것도 여러 채의 건물이 보였다. 그 건물은 앞으로 이어져 있었고, 창문이 많았는데 그중 몇 개는 불이 켜져 있었다. 넓은 자갈길의 물웅덩이에서 물을 튀기며 걸어갔다. 이윽고 어떤 문이 열렸고 우리는 건물 안으로 들어갔다. 안내자는 복도를 지나 난로가 켜져 있는 방에 나를 두고 나갔다.

나는 홀로 서서 추위에 곱은 손가락을 난롯불에 녹이며 주위를 둘러보았다. 촛불은 꺼져 있었고 흔들리는 벽난로의 불빛만이 벽지를 바른 벽과 양탄자, 커튼, 윤이 나는 마호가니 가구를 일렁이며 비추었다. 응접실 같은 곳이었지만, 게이츠헤드 저택의 응접실처럼 넓지도 않았고 훌륭하지도 않았다. 벽에 걸려 있는 그림은 도대체 무엇을 그런 것일까. 고개를 갸우뚱거리고 있는데, 문이 열리고 촛대를 든 사람이 들어왔다. 바로 그 뒤로 또 한 사람이 따라왔다.

앞에 선 사람은 검은 머리와 검은 눈을 가진 키가 큰 여성으로, 창백한 안색에 이마가 넓었다. 그녀는 숄로 몸을 가린 채 근엄한 표정으로 꼿꼿하게 서 있었다.

"혼자 보내기에는 너무 어린아이 아닌가요." 촛불을 탁자에 올려놓으며 그녀가 말했다. 1, 2분가량 나를 주의 깊게 살펴본 후 그녀가 덧붙였다.

"일단 재워야겠어요. 피곤해 보이네요. 고단하니?" 그녀가 내 어깨에 손을 얹으며 물었다.

"네, 약간이요."

"물론 배도 고프겠지. 밀러 선생님, 아이를 재우기 전에 저녁부터 먹여야겠어요. 부모님 곁을 떠나 학교에 온 게 이번이 처음인가요, 꼬마 아가씨?"

나는 그녀에게 부모님이 안 계신다고 설명했다. 그녀는 두 분이 돌아가신 지 얼마나 되었느냐고 물었다. 그리고 나이와 이름, 글은 읽고 쓸 줄 아는지, 바느질을 조금이라도 할 줄 아는지도 물었다. 그러고 나서 그녀는 검지 끝으로 내 뺨을 살며시 어루만지며 말했다.

"착한 아이가 되어야 한다." 그리고 밀러 선생님을 따라가라고 지시했다.

그녀는 스물아홉 살가량으로 보였다. 나와 함께 방을 나온 밀러 선생님은 그보다 몇 살 어려 보였다. 먼저 본 선생님은 목소리, 표정, 태도까지도 강한 인상을 남겼지만, 밀러 선생님은 평범했다. 피곤해 보이기는 했지만 혈색이 좋았고, 걸음걸이나 몸짓이 급해 보여서 할 일이 많은 사람처럼 보였다. 나중에야 알게 됐지만 밀러 선생님은 보조교사였다.

밀러 선생님의 안내를 받아 불규칙한 구조의 커다란 건물 안을 걸어갔다. 칸막이로 나뉜 작은 방을 지나 복도를 따라 계속 이동했다. 그러다 문득, 우리가 지나온 공간을 가득 채우던 완벽하고 음울한 정적이 사라지고, 낮은 웅얼거림이 공간을 메우는 곳에 도착했다. 우리는 넓고 긴 교실 안으로 들어섰다. 교실 양쪽 끝에는 커다란 전나무 책상이 놓여 있었고, 그 위에는 각각 양초 두 자루가 타오르고 있었다. 벤치가 길게 놓인 교실 안에는 아홉 살, 열 살쯤 되어 보이는 아이들부터 스무 살가량 된 학생들까지 다양한 연령대의 여학생들이 앉아 있었다. 희미한 촛불에 비친 아이들의 모습은 헤아리기 어려울 만큼 많아 보였지만, 실제로는 80명도 되지 않았다. 그들은 모두 같은 옷차림이었다. 저렴한 천으로 만든 기이한 모양의 프록코트를 입고, 긴 리넨 앞치마를 둘렀다. 자습 시간이었던 듯, 학생들은 내일 배울 내용을 암송하고 있었다. 내가 처음 들었던 웅얼거리는 소리는 그들이 낮은 목소리로 암송하는 소리였다.

밀러 선생님은 문 가까이 있는 의자에 앉으라고 손짓하고는 기다란 방 안쪽으로 가더니 큰 소리로 외쳤다.

"반장들! 교과서를 모아 치우세요!"

키 큰 네 명의 소녀들이 각자의 자리에서 일어나 주변을 돌며 교과서를 거두었다. 그러자 밀러 선생님이 다시 한번 큰 소리로 외쳤다.

"자, 이제 저녁 식사 쟁반을 가져오세요."

키 큰 소녀들이 나갔다가 곧 쟁반을 들고 돌아왔다. 뭔지 모를 음식이 쟁반 위에 가지런히 놓여 있었고, 쟁반 가운데에는 물 주전자와 동그란 물컵이 놓여 있었다. 저녁 식사가 돌아가며 배급되었다. 원하는 사람은 물을 따라 마시기도 했다. 머그잔은 모두가 사용하는 공용 컵이었다. 차례가 돌아오자, 나는 목이 말라 물부터 마셨다. 하지만 음식에는 손을 대지 않았다. 긴장과 피로 때문에 음식을 먹을 수가 없었다. 물을 마신 후에야 저녁으로 나온 것이 여러 조각으로 얇게 자른 귀리 빵이라는 걸 알았다.

식사가 끝난 뒤, 밀러 선생님이 기도를 낭송했다. 각 반의 학생들은 두 명씩 짝을 지어 위층으로 올라갔다. 나는 지칠 대로 지쳐서 침실이 어떻게 생겼는지 살펴볼 여력조차 없었다. 다만 교실처럼 길게 뻗은 공간이라는 것만 어렴풋이 알았다.

그날 밤, 나는 밀러 선생님과 함께 침대를 썼다. 선생님이 내 옷을 벗겨주었고, 나는 침대에 누운 채 길게 줄지어 놓인 침대들을 바라보았다. 각각의 침대에 두 명의 소녀가 재빨리 몸을 눕혔다. 10분쯤 지나자 방 안을 비추던 유일한 등불마저 꺼졌고, 적막과 어둠 속에서 나는 깊은 잠에 빠졌다.

밤은 순식간에 흘렀다. 나는 너무 피곤했던 나머지 꿈도 꾸지 않았다. 단 한 번, 사나운 바람과 세차게 퍼붓는 빗소리에 놀라 잠에서 깼다. 밀러 선생님은 여전히 내 곁에서 자고 있었다. 다시 눈을 떴을 때는 요란한 종소리가 울리고 있었다. 아직 해가 뜨기도 전이었지만, 학생들은 이미 자리에서 일어나 옷을 입고 있었다. 희미한 촛불이 몇 개 켜져 있을 뿐, 방 안은 어둑했고 공기는 차가웠다. 나는 몸을 일으키며 옷을 최대한 껴입었다. 하지만 추위로 몸이 덜덜 떨릴 지경이었다. 세수를 하기 위해서는 세면대에서 순서를 기다려야 했다. 방 한가운데 놓인 세면대에는 여섯 명에 하나꼴로 대야가 놓여 있었기에 쉽게 차례가 돌아오지 않았다. 그사이 다시 종이 울렸다. 소녀들은 두 줄로 나란히 서서 층계를 내려가 차갑고 희미한 불빛이 깜박이는 교실로 들어섰다. 그곳에서 밀러 선생님이 아침 기도를 올렸다. 기도가 끝나자, 선생님이 크게 외쳤다.

"각 반으로 정렬하세요!"

몇 분간 방 안이 시끄러워졌고, 밀러 선생님이 "조용! 질서!" 하고 몇 번이나 주의를 주었다. 소란스러움이 멎고 네 개의 책상과 의자 앞으로 모든 학생이 반원 모양으로 나뉘어 질서정연하게 정렬했다. 다들 손에는 책을 들고 있었다. 몇 분간 정적이 이어졌다. 학생들이 나지막이 두런거리는 소리가 들리자, 밀러 선생님이 이 반, 저 반을 돌아다니며 웅성거리는 소음을 자제시켰다.

멀리서 종소리가 울렸다. 바로 세 명의 선생님이 교실로 들어와 각각 자기 책상으로 걸어가 의자에 앉았다. 밀러 선생님은 네 번째 자리였다. 문에서 가장 가깝고 가장 작은 아이들이 모여 있는 반이었다. 나는 이 하급반에 배치되어 가장 끝자리를 배정받았다.

수업이 시작되었다. 그날의 기도를 반복해서 암송하고, 성경 몇 구절을 낭송했다. 뒤이어 또다시 성경 몇 장을 장황하게 낭독하며 한 시간이 지났다. 성경 낭송이 끝났을 때는 날이 환하게 밝았다. 지칠 줄 모르는 종소리가 네 번째로 울렸다. 학생들이 정렬하며 아침 식사를 위해 다른 방으로 행진했다. 이제야 뭔가 먹을 수 있게 되었다고 생각하니 솔직히 기뻤다. 전날 먹은 게 하나도 없어서 나는 굶주리다 못해 메스꺼울 지경이었다.

식당은 천장이 낮고 크고 우중충한 방이었다. 두 개의 긴 식탁에는 무언가 뜨끈한 것이 담긴 쟁반이 놓여 있었고 양푼 위로 모락모락 김이 피어올랐다. 그러나 그 냄새는 도저히 식욕을 돋울 만한 것이 아니었다. 음식 냄새가 학생들의 코를 찌르자 모두 일제히 얼굴을 찌푸렸다. 줄 맨 앞에 서 있던 상급반의 키 큰 학생들이 낮은 목소리로 속삭였다.

"지겨워! 죽이 또 탔어!"

"조용!" 갑자기 누군가 외쳤다. 밀러 선생님이 아닌 상급반 선생님 중 한 명의 목소리였다. 작고 가무잡잡한 용모에 단정하게 옷을 차려입었지만 어딘지 침울한 표정이었다. 그 선생님이 한쪽 식탁 제일 상석에 앉았고 그보다 조금 통통한 체격의 다른 선생님이 나머지 식탁 하나를 통솔했다. 전날 밤 내가 만난 선생님을 찾아봤지만 보이지 않았다. 밀러 선생님은 내가 앉아 있는 쪽 식탁 끝자리에 앉았고, 이상하게 생긴 외국인 선생님—나중에 알게 된 바에 따르면 나이 많은 프랑스인이었다—이 밀러 선생님 맞은편 식탁 끝자리에 앉았다. 긴 식사 기도가 끝나자 찬송가를 불렀다. 이어서 하녀가 선생님들을 위해 차를 내어오며 식사가 시작되었다.

나는 너무 배가 고파서 거의 기절 직전이었으므로 내 몫의 음식을 허겁지겁 숟가락으로 두어 번 퍼먹었다. 맛 따위를 생각할 겨를이 없었다. 그러나 처음 느낀 쓰린 허기가 조금 가시자, 그제야 앞에 놓인 음식이 구역질이 날 만큼 형편없고 지독하다는 걸 깨달았다. 타버린 귀리죽은 썩은 감자와 다를 바 없이 사람이 먹을 만한 것이 못 되었다. 이 죽을 보고 있자니 배고픔이 오히려 달아날 지경이었다. 나는 수저를 천천히 움직이기 시작했다. 다른 학생들도 억지로 죽을 먹었다. 하지만 노력은 허사로 돌아갔다. 아침 식사는 끝났지만, 제대로 식사한 사람은 없었다. 먹지도 않은 식사에 감사 기도를 낭송하고 두 번째 찬송가까지 제창한 후, 다들 식당을 나가 교실로 향했다. 나는 제일 마지막에 식당을 나간 학생 중 하나였는데, 식탁 옆을 지날 때 선생님 한 사람이 양푼을 들고 다시 죽을 맛보는 모습을 보았다. 그녀는 다른 선생님들을 바라보았다. 모든 선생님의 얼굴에 불만이 가득했다. 그중 통통한 편인 선생님이 속삭였다.

"이런 끔찍한 음식을 먹이다니. 창피해요, 정말!"

수업 시작까지 약 15분이 남아 있었다. 그동안 교실은 떠들썩했다. 이 시간만큼은 누구든 큰 소리로 자유롭게 이야기를 나눌 수 있는 듯했고, 학생들은 그 기회를 마음껏 누리고 있었다. 대화의 주제는 단연 아침 식사였다. 모두가 한결같이 음식에 대한 불만을 쏟아내고 있었고, 마치 그것만이 유일한 위안인 듯했다. 교실 안에는 밀러 선생님만 있었다. 키가 큰 여학생 몇 명이 선생님 주위로 모여들었다. 그들은 심각하고 화난 몸짓으로 불만을 토로했다. 대화 중 몇몇이 브로클허스트 씨의 이름을 언급하자, 밀러 선생님은 동의할 수 없다는 듯 고개를 저었다. 하지만 그녀 역시 학생들의 분노에 어느 정도 공감하는 듯 보였다.

교실 시계가 아홉 시를 알리는 순간, 밀러 선생님이 자신을 둘러싸고 있던 학생들 사이를 헤치고 교실 한가운데로 나갔다. 그리고 단호한 목소리로 외쳤다.

"조용! 조용! 다들 자리에 앉으세요!"

엄격한 분위기가 교실을 가득 채웠다. 소란스럽던 학생들도 차츰 질서를 되찾았다. 상급반 선생님들 역시 각자의 자리로 돌아갔지만, 묘하게도 모두 무언가를 기다리는 눈치였다.

교실 양쪽에 줄지어 앉은 80여 명의 학생들은 미동도 없이 꼿꼿이 등을 편 채 앉아 있었다. 그 모습은 어딘가 기이했다. 단정함을 넘어 지나치게 정돈된 차림새였다. 모두 머리카락 한 올 흐트러짐 없이 단단히 빗어 넘기고, 좁고 높은 깃이 목을 옥죄는 갈색 교복을 입고 있었다. 그 위에는 네덜란드산 리넨으로 만든 작은 앞치마를 둘렀다. 꼭 스코틀랜드 고지대 사람들이 지갑처럼 쓰는 주머니 같았다. 아마 바느질 도구를 넣는 용도로 사용하는 듯했다. 또한 학생들은 모두 두꺼운 털 스타킹을 신고 있었고, 놋쇠 버클로 잠그는 촌스러운 신발을 신고 있었다. 하지만 이 교복을 입고 있는 학생 중 스무 명 이상이 이미 몸이 다 자란 숙녀들이었다. 성숙한 그들에게는 전혀 어울리지 않는 차림새였다. 심지어 가장 예쁜 여학생조차도 이 옷을 입으면 어딘가 어색해 보였다.

　　나는 계속해서 학생들을 관찰했다. 그리고 틈틈이 선생님들에게도 시선을 돌렸다. 하지만 단번에 마음에 드는 사람은 없었다. 통통한 선생님은 다소 거칠어 보였고, 피부가 검게 그을린 선생님은 너무 사나워 보였다. 외국인 선생님은 까다로운 인상이었다. 그리고 밀러 선생님은 가엾게도 햇볕에 그을려 벌겋게 익은 얼굴이 피곤함으로 퍼렇게 질릴 정도였다. 나는 한 명씩 얼굴을 훑으며 시선을 옮겼다. 그런데 갑자기 학생 전원이 용수철처럼 자리에서 튀어 올랐다.

　　무슨 일일까? 나는 아무런 신호도 알아채지 못했는데, 학생들은 순식간에 일어나더니 이내 일제히 자리에 앉았다. 하지만 모두의 시선은 한곳으로 향해 있었다. 나도 자연스럽게 그들을 따라 고개를 돌렸다. 그곳에는 전날 밤 나를 맞이해 주었던 선생님이 서 있었다. 그녀는 교실 아래쪽 끝, 난롯가에 서 있었다. 교실 양쪽 끝에는 난로가 하나씩 놓여 있었다. 선생님은 말없이 근엄한 태도로 두 줄로 정렬해 앉은 학생들을 둘러보았다. 밀러 선생님이 그녀에게 다가가 무언가를 물었고, 답변을 들은 후 자리로 돌아와 큰 소리로 지시했다.

"1반 반장, 지구본을 가져오세요!"

반장이 지시에 따라 움직이는 동안, 그 선생님은 천천히 앞으로 걸어 나왔다. 그 순간, '존경심'이라는 감정이 내게도 있음을 깨달았다. 지금도 그녀를 바라보며 느꼈던 존경과 경외의 감정이 생생히 떠오른다. 환한 대낮에 마주한 그녀는 키가 꽤 컸고, 균형 잡힌 몸매를 갖고 있었다. 살색 빛이 감도는 온화한 눈동자와 섬세한 긴 눈썹이 넓고 희고 깨끗한 이마와 조화를 이루고 있었다. 짙은 갈색 머리는 당시 유행에 따라 길게 땋아 양쪽 관자놀이에 동그랗게 말아두었다. 부드럽게 풀어 내린 생머리나 긴 곱슬머리가 유행하지 않던 시절이었으니, 그녀의 머리 모양은 당시로서는 세련된 것이었다. 입고 있는 옷 역시 유행을 반영한 것이었다. 자주색 천으로 만든 드레스에는 스페인풍 검은 벨벳 장식이 덧대어져 있었다. 허리띠에는 금빛 시계가 반짝이고 있었다. (당시에는 지금처럼 시계가 흔한 장식품이 아니었다.) 만약 머릿속으로 그녀의 초상화를 그린다면, 창백하지만 맑고 깨끗한 안색, 당당한 태도, 우아한 몸가짐까지 더해주길 바란다. 그러면 말로 표현할 수 있는 범위 내에서나마 마리아 템플 선생님의 모습을 선명하게 떠올릴 수 있을 것이다. (그녀의 이름이 마리아라는 사실은 나중에 교회에서 빌려준 기도서를 보고 알게 되었다.)

로우드 학교의 교장선생님인 템플 선생님이 책상 위에 놓인 지구본과 천구의 앞에 앉았고, 상급반 학생들을 주위로 불러모아 지리 수업을 시작했다. 하급반 학생들은 각 선생님의 지도에 따라 역사와 문법 등을 한 시간쯤 배웠다. 뒤이어 글쓰기와 산수가 이어지는 동안, 템플 선생님은 나이 많은 학생들에게 음악 수업을 진행했다. 각 수업은 시계 소리로 구분했다. 마침내 시계가 열두 시를 알리자, 교장선생님이 자리에서 일어났다.

"학생 여러분에게 전할 말이 있습니다."

수업이 끝난 후라 이미 왁자지껄 떠드는 소리가 여기저기서 쏟아지고 있었다. 하지만 교장선생님의 목소리에 소음은 단박에 잦아들었다. 그녀가 말을 이어나갔다.

"오늘 아침, 여러분은 도저히 먹을 수 없는 음식을 받았지요. 틀림없이 허기가 질 겁니다. 그래서 여러분에게 점심으로 빵과 치즈를 나눠 주라고 지시했습니다."

다른 선생님들이 놀란 표정으로 그녀를 돌아보았다.

"내가 책임지고 지시한 사항입니다." 그녀가 교사들에게 설명하는 듯한 어조로 덧붙이고는 교실을 나갔다.

치즈와 빵이 모두에게 배급되었다. 다들 진심으로 기뻐했고, 우울하던 분위기도 바뀌었다. 식사를 마치자 "교정으로!"라는 명령이 들렸다. 학생들은 각자 물들인 캘리코 끈이 달린 조잡한 밀짚 보닛을 쓰고 회색 프리즈 외투를 걸쳐 입었다. 나도 그들을 따라 옷을 입고 바깥 공기를 마시기 위해 행렬 뒤를 따라갔다.

교정은 넓었으나 높은 벽에 둘러싸여 주위의 경치는 보이지 않았다. 한쪽에는 지붕이 달린 베란다가 있고 중앙에는 수십 개의 작은 화단이 나뉘어 있고, 넓은 보도가 둘러싸고 있었다. 화단은 화초를 기르도록 학생들에게 할당된 것으로 각기 담당자가 정해져 있었다. 여기에 꽃이 흐드러지게 피기 시작하면 아름다울 것이다. 그러나 지금은 1월 말, 어느 곳이나 서리로 시들어 갈색을 띠고 있었다. 나는 주변을 둘러보면서 몸을 떨었다. 밖에서 운동하기에는 썩 좋지 않은 날이었다. 당장이라도 서리가 내릴 것 같았고 척척하고 뿌연 안개가 침침하게 내려앉아 있었다. 어제 내린 비로 발밑은 아직도 질퍽했다. 튼튼한 학생들은 발랄하게 뛰어다녔으나, 얼굴빛이 나쁘고 여윈 학생들은 베란다 같은 안식처에서 추위를 피하고 있었다. 짙은 안개가 추위에 떨고 있는 소녀들의 몸에 스며들자 기침 소리가 들려왔다.

나는 아직 누구에게도 말을 걸지 않았고 나에게 눈을 돌리는 사람도 없었다. 나는 홀로 서 있었다. 그러나 이런 고독에 워낙 익숙해서 그런지 그다지 우울하지 않았다. 나는 베란다 기둥에 기대 회색 외투를 여미고, 살을 에는 추위와 나를 괴롭히는 채워지지 않는 굶주림을 잊기 위해 사람들을 관찰하거나 생각에 잠기기도 했다. 하지만 내가 생각한 일은 기억할 만한 가치가 없는 막연한 것들이었다. 나는 지금 내가 어디 있는지도 확실히 알 수 없었다. 게이츠헤드와 과거는 헤아릴 수 없이 멀리 흘러간 듯싶었다. 현재는 막연하고 기이할 뿐이었다. 미래에 대해서는 아무런 짐작도 할 수 없었다.

나는 수도원처럼 보이는 뜰을 둘러보고 커다란 건물을 올려다보았다. 반은 회색의 낡은 건물이었고, 나머지 반은 새 건물이었다. 교실과 기숙사가 있는 새 건물은 격자창이 끼워진 창으로 채광이 되어 마치 교회 같은 인상이었다. 출입문에 걸린 명판에는 다음과 같은 글이 적혀 있었다.

> 로우드 자선 학교. 이 건물은 서기----년, 브로클허스트 가의 나오미 브로클허스트가 재건하였다.
> 이같이 너희 빛을 사람 앞에 비추어 그들이 너희의 착한 행실을 보고 하늘에 계신 아버지를 찬양케 하리라.
>
> 「마태복음」 5장 16절

나는 몇 번이고 이 말을 읽었다. 이 말에는 무언가 뜻이 있을 테지만 그 뜻을 잘 알 수는 없었다. 나는 '자선 학교'란 말을 생각하고 그 말과 성경 구절 사이에 어떤 관계가 있는가를 생각했다. 그때 바로 뒤에서 기침 소리가 났다. 나는 뒤를 돌아보았다. 가까운 돌 벤치에 학생 한 명이 앉아 있었다. 그녀는 몸을 숙이고 열심히 책을 읽고 있는 것 같았다. 내가 서 있는 곳에서 책 제목이 보였다. 『라셀러스』*라는 책이었다. 처음 보는 책이라 흥미가 생겼다. 책장을 넘기던 학생이 무심코 고개를 들다가 나와 눈이 마주쳤다. 나는 용기 내어 물었다.

"그 책 재미있니?" 나는 언젠가 그 책을 빌려달라고 부탁

---

* 새뮤얼 존슨이 쓴 18세기 교훈 소설.

할 생각을 이미 하고 있었다.

"응, 재미있어." 그 애는 잠시 나를 물끄러미 살피고 나서 대답했다.

"그 책 무슨 내용이야?" 나는 다시 물었다. 모르는 아이에게 말을 걸 용기가 어디서 솟아났는지는 나도 몰랐다. 내 성격이나 습관과는 맞지 않는 일이었다. 아마 독서하고 있는 모습이 내 마음 어딘가에 공감을 불러일으켰기 때문이리라. 읽는 것은 대수롭지 않은 아이들 책이었다 해도, 진지하고 딱딱한 책을 읽는 것은 아직은 무리라 해도, 나는 독서를 매우 좋아했다.

"보고 싶으면 훑어봐." 그녀는 내게 책을 건넸다.

나는 책을 훑어보았다. 잠깐 본 바로 이 책의 내용은 제목만큼 그다지 흥미를 자아내는 것은 아닌 것 같았다. 나의 변변치 않은 생각에 이 책은 조금 지루해 보였다. 요정도, 정령도 나오지 않는 이야기라니. 촘촘히 인쇄된 책장에는 즐거운 취향은 찾아볼 수 없었다. 나는 책을 돌려주었다. 그 애는 조용히 책을 받아 들고 아무 말 없이 아까처럼 독서에 몰두했다. 나는 다시 한번 용기를 내어 그 애를 방해했다.

"문 위 돌에 적혀 있는 말은 무슨 뜻이야? 로우드 자선 학교가 무슨 말이야?"

"그건 네가 들어와 지내게 된 이 학교를 말하는 거야."

"하지만 왜 자선 학교야? 다른 학교와는 다른 거야?"

"여기는 자선을 베푸는 학교이기 때문이야. 너나 나나 다른 사람들도 모두 자선 구제 아동이야. 너는 고아지? 어머니나 아버지 중 어느 한 분이 돌아가신 것 아냐?”

“내가 철이 들기도 전에 두 분 다 돌아가셨어.”

“그래, 여기 학생들은 모두 아버지나 어머니를 여의거나 그렇지 않으면 양친을 다 잃은 아이들이야. 그래서 이 학교는 고아를 교육하는 자선 학교지.”

“우리는 돈을 안 내? 무료로 우리를 길러주는 거야?”

“우리가 내거나 아니면 우리를 도와주는 사람들이 1년에 1인당 15파운드를 내.”

“그럼, 왜 우리를 자선 학교 학생이라고 불러?”

“그건 기숙사비와 수업료가 15파운드로는 모자라서 부족한 금액을 기부금으로 채우기 때문이지.”

“누가 기부를 해?”

“이 근처와 런던에 사는 자비심 많은 숙녀와 신사들이지.”

“나오미 브로클허스트는 누구야?”

“저기 적혀 있는 것처럼 학교에 새 건물을 세운 부인이야. 그분 아드님이 학교 일은 무엇이든 감독하고 지휘하고 있어.”

“왜?”

“그분이 이 시설의 재무 책임자이자 관리자이기 때문이야.”

“그럼, 이 학교는 우리에게 빵과 치즈를 주겠다고 말씀하셨던, 시계를 차고 있던 숙녀분 소유가 아니야?”

“템플 선생님? 전혀 아니야. 그랬으면 얼마나 좋겠니. 그분은 브로클허스트 씨에게 자신이 한 일을 보고해야 해. 브로클허스트 씨가 우리의 양식과 의복을 사주는 거야."

"그분은 여기 살아?"

"아니, 2마일 떨어진 곳에 큰 저택이 있어."

"좋은 분이야?"

"목사님으로 좋은 일을 많이 한다고들 해."

"저 키 큰 선생님이 템플 선생님이라고 했지?"

"응."

"그럼 다른 선생님들은?"

"뺨이 붉은 선생님은 스미스 선생님이고 의복 재단과 재봉 담당이야. 우리가 지금 입은 옷, 프록코트며 전부 우리 손으로 만들어. 검은 머리에 키가 작은 분은 스캐처드 선생님이고 역사와 문법을 가르쳐. 그리고 2반 학생의 암기낭독을 감독하지. 숄을 두르고 허리에 노란색 리본이 달린 손수건을 걸고 있는 선생님은 마담 피에로 선생님이야. 프랑스 릴 출신이고, 당연히 프랑스어 담당이야."

"다른 선생님들은 마음에 드니?"

"그럭저럭."

"키가 작고 머리가 까만 선생님이랑 마담…… 뭐라고 했더라? 너처럼 발음할 수 없네."

"스캐처드 선생님은 성미가 급해. 그 선생님을 화나게 하지 않도록 조심해. 마담 피에로는 나쁜 분은 아냐."

"그럼 템플 선생님이 가장 좋은 분이구나, 그렇지?"

"그분은 아주 좋은 분이야. 그리고 현명하시지. 그분은 누구보다 똑똑하고 다른 선생님보다 아는 것도 훨씬 많아."

"넌 여기 오래 있었니?"

"2년."

"너도 고아야?"

"어머니가 안 계셔."

"넌 여기서 행복하니?"

"질문이 너무 많아. 당장 궁금한 건 다 해결하지 않았어? 이제 난 책을 읽을래."

그러나 그 순간 점심시간을 알리는 종소리가 울렸다. 모두 교사로 돌아갔다. 식당에 가득한 냄새는 아침 식사 때 우리 코를 찌른 그 냄새보다 별로 식욕을 돋울 정도는 아니었다. 점심은 두 개의 커다란 양은그릇에 담겨 나왔다. 기름 냄새를 풍기며 김이 솟아오르고 있는 음식은 맛없을 것 같은 감자와 썩은 것 같은 고기를 잘게 썰어 넣은 잡탕이었다. 이 요리는 각자의 접시에 듬뿍 배분되었다. 나는 어떻게든 참고 먹었지만, 매일 이런 것을 먹게 되는 것일까 하고 불안해졌다.

점심 식사가 끝나고 곧 교실로 갔다. 수업이 다시 시작되어 다섯 시까지 계속되었다.

그날 오후 단 하나 기억할 만한 사건은 교정에서 대화를 나눈 소녀가 역사 시간에 스캐처드 선생님의 화를 사서 수업에서 쫓겨나 넓은 교실 한복판에서 벌을 서게 된 일이었다. 이런 벌은 열세 살 아니면 그보다 조금 더 나이가 있는 학생에게는 너무나 굴욕적이었다. 분명히 슬퍼하고 부끄러워할 줄 알았는데, 그 학생은 놀랍게도 울지도 않고 얼굴도 붉히지 않았다. 진지하지만 태연한 태도로 모두의 주목을 받았다. 어쩜 저렇게 침착할 수 있을까? 어떻게 이토록 꿋꿋이 참아낼 수 있을까? 내가 만일 저 애라면 쥐구멍에라도 들어가고 싶었을 텐데. 그런데도 그 애는 마치 벌 같은 건 아랑곳하지 않고, 자기 처지 같은 건 아무렇지도 않은 듯 생각에 빠져 있는 것처럼 보였다. 백일몽이라는 말을 들은 적이 있다. 저 애가 지금 바로 백일몽을 꾸고 있는 것 아닐까? 그 학생의 눈길은 바닥에만 고정되어 있었다. 하지만 바닥을 보고 있는 게 아니라 자기 내면을 들여다보는 것만 같았다. 자기 마음속으로 침잠해 들어가는 것이다. 기억할 수 있는 과거의 일을 전부 들여다보는 것 같다. 저 애는 어떤 아이일까 궁금해졌다. 착한 아이일까, 나쁜 아이일까?

다섯 시가 지나고 얼마 안 돼서 우리는 간식을 먹었다. 이번에는 작은 물잔에 든 커피와 검은 빵 반쪽이었다. 나는 빵을 게걸스럽게 씹고 커피도 마셨다. 더 먹었으면 좋겠다. 나는 아직도 배가 고팠다. 쉬는 시간 30분 그리고 또 공부 그리고 한 잔의 물과 귀리 빵 한 조각, 기도 그리고 취침. 이렇게 로우드에서의 하루가 끝났다.

다음 날도 전날과 마찬가지로 촛불에 의지해 잠자리에서 일어나 서둘러 옷을 갈아입었다. 하지만 이번에는 세수도 하지 못했다. 세면대의 물이 얼어붙었기 때문이다. 전날 저녁부터 날씨가 급변했다. 밤새 살을 에는 북동풍이 침실 창문 틈새로 불어 들었고, 우리는 침대 속에서 몸을 잔뜩 웅크린 채 떨었다. 그 바람은 세면대의 물마저 얼려버렸다.

한 시간 반 동안 이어진 기도와 성경 낭독이 끝나기도 전에 나는 얼어 죽을 것만 같았다. 마침내 아침 식사 시간이 되었다. 다행히 오늘은 귀리죽이 타지 않아 먹을 만했지만, 양이 터무니없이 적었다. 내 몫이 얼마나 부족하던지! 적어도 두 배는 되었으면 싶었다.

그날 나는 4학년으로 편입되었고, 과제와 할 일이 주어졌다. 이제 막 합류한 세계에서 나는 더 이상 방관자가 아니었다. 그곳의 질서에 따라 움직여야 하는 무대 위 배우가 된 듯한 기분이었다. 그러나 암기에 익숙하지 않았던 탓에 수업 내용은 길고도 버거웠고, 한 과제에서 다른 과제로 쉴 새 없이 넘어가는 흐름에 정신을 차리기가 어려웠다. 그래서였을까, 오후 세 시 무렵에 스미스 선생님이 내 손에 2야드 길이의 모슬린 천과 바늘, 골무, 재봉 도구를 쥐여주며 교실 한쪽 조용한 자리에서 감침질을 하라고 시켰을 때는 묘한 안도감을 느꼈다. 같은 시간, 대부분의 학생들이 나처럼 재봉에 열중하고 있었지만, 한 반만은 여전히 스캐처드 선생님 주위에 둘러서서 낭독 수업을 받고 있었다. 교실 안은 고요했고, 덕분에 학생들의 또렷한 목소리와 그들의 실력 그리고 스캐처드 선생님의 질책과 칭찬이 생생하게 들려왔다. 수업 내용은 영국 역사였다. 낭독하는 학생들 사이에서 나는 교정에서 만난 아이를 발견했다. 처음에는 맨 앞자리에 서 있었지만, 발음을 틀렸다거나 구두점을 무시했다는 이유로 순식간에 마지막 줄로 밀려났다. 하지만 그녀가 아무리 뒤로 밀려나도 스캐처드 선생님의 시선은 끊임없이 그녀를 따라다녔다. 그리고 그 시선은 거듭 차가운 말을 쏟아냈다.

"번스."

그 아이의 성인 것 같았다. 이곳 여학생들은 다른 학교의 남학생들처럼 모두 성으로 불렸나.

"번스, 왜 신발을 옆으로 누이고 안짱다리로 서 있니? 즉시 신발 끝을 앞으로 해."

"번스, 그렇게 턱을 내밀면 보기 싫다. 턱을 당겨."

"번스, 머리를 들어라. 앞으로 내 앞에서 그런 자세는 용납할 수 없다."

그 외에도 이런저런 잔소리가 이어졌다.

처음부터 끝까지 한 장을 두 번 낭독하고 나서, 학생들은 책을 덮고 읽은 내용에 대해 질문을 받았다. 수업 내용은 찰스 1세 치하를 다루고 있었다. 선박 화물세와 수출입세, 선박세에 관한 여러 질문에 학생들 대부분이 제대로 대답할 수 없는 것 같았다. 그러나 질문이 번스를 향하자, 그 아이는 어떤 어려운 문제도 곧장 대답하며 수업 내용을 모두 기억하는 모습을 보였다. 무엇을 물어보든 대답이 돌아왔다. 스캐처드 선생님이 그 애의 집중력을 칭찬할 것이라 기대했지만, 선생님은 칭찬은커녕 별안간 소리를 지르는 게 아닌가.

"더럽고 불쾌한 것! 오늘 아침 손톱을 안 씻었구나!"

번스는 아무런 대답도 하지 않았다. 나는 그 애가 왜 침묵을 지키고 있는지 의아했다.

'왜 그럴까?' 나는 속으로 생각했다. '물이 꽁꽁 얼어붙어 손톱도, 얼굴도 씻을 수 없었다고 왜 말하지 않는 걸까?'

그때 스미스 선생님이 실타래를 잡아달라고 해서 그 아이에게서 시선을 돌려야 했다. 실을 감는 동안 스미스 선생님은 내게 그동안 학교에 다녀본 적이 있는지, 바느질로 수를 놓을 줄 아는지, 감침질이나 뜨개질을 할 줄 아는지 등을 물어보았다. 스미스 선생님이 가라고 할 때까지 나는 스캐처드 선생님을 볼 수가 없었다. 내 자리로 돌아왔을 때, 선생님이 번스에게 무언가 지시를 내리고 있었는데 그 내용은 들리지 않았다. 하지만 번스는 곧바로 교실을 나가 책을 보관하는 작은 내실로 걸어가더니, 한쪽 끝이 묶여 있는 잔가지 다발 회초리를 들고 돌아왔다. 무섭게 보이는 회초리를 공손하게 내밀고는 얌전하게 앞치마를 풀었다. 그러자 선생님은 느닷없이 그 회초리로 번스의 목덜미를 열두 번이나 내리쳤다. 번스의 눈에서는 눈물 한 방울도 나오지 않았다. 그 광경을 보고 덧없고 허전한 노여움이 복받치고 손끝이 떨려 바느질하던 손을 멈추고 말았다. 생각에 잠긴 듯한 번스의 표정은 여느 때와 다르지 않았다.

"독한 것!" 스캐처드 선생님이 소리쳤다. "칠칠치 못한 버릇은 아무리 해도 못 고치겠구나. 회초리를 다시 갖다 놔!"

번스는 고분고분하게 따랐다. 나는 내실에서 나온 그녀를 물끄러미 바라보았다. 번스는 손수건을 호주머니에 넣고 있었다. 한 방울의 눈물이 여윈 뺨에 흘러내렸다.

저녁때 잠깐 주어지는 휴식 시간이 로우드의 하루 중 가장 즐거웠다. 오후 다섯 시에 나오는 빵 한 조각과 커피 한 잔이 허기를 막아주지는 못하지만 어느 정도 생기를 회복시켜 주었다. 하루의 긴 긴장에서 잠시나마 해방되어 교실도 아침보다 조금 따뜻하게 느껴졌다. 아직 켜지지 않은 양초 대신 난로의 불을 조금 밝게 피우도록 허락되었기 때문이었다. 붉은 기를 띤 어둠, 자유롭게 떠드는 소리가 즐거운 해방감을 안겨주었다.

스캐처드 선생님이 번스를 때리는 걸 본 날 저녁, 나는 여느 때처럼 친구도 없이 의자와 탁자 그리고 깔깔대는 학생들 사이를 거닐었지만 쓸쓸하다고는 생각하지 않았다. 창가를 지날 때는 가끔 커튼을 올리고 밖을 내다보았다. 눈이 펑펑 쏟아지고 있었다. 들이친 눈이 벌써 유리창 아래에 절반 정도 쌓였다. 창문에 귀를 바싹 대고 있자니, 방 안의 즐거운 소란과 달리 울부짖는 바람 소리가 들렸다.

아마 내가 행복한 집과 인자한 부모님을 떠나온 처지였다면, 가슴 저리게 작별을 후회하고 가족들을 추억했으리라. 창밖에서 부는 바람 소리도 내 마음을 더욱 슬프게 만들었을 것이다. 아이들의 떠들썩한 소음 때문에 마음의 평화를 찾기 힘들었을 것이다. 그러나 집도 부모도 없었던 나는 이런 마음의 동요에서 벗어나 슬프건 시끄럽건 개의치 않고 바람이 더 세차게 불어대기를 열렬히 바랐고, 희미한 어둠이 더 짙은 어둠으로 가라앉기를 바랐다. 아이들의 소음이 더 커지기를 바랐다.

나는 의자를 넘고 책상 밑을 기어서 한쪽 난롯가로 나아갔다. 높이 쳐진 난로 철망 옆에 무릎을 꿇고 앉아 있던 나는 번스가 희미한 난롯불을 벗 삼아 조용히 독서하는 모습을 발견했다. 그녀는 희미한 난로 불빛에 의지해 책을 읽고 있었다.

"아직도 『라셀러스』야?" 그 애의 뒤편으로 다가가며 물었다.

"응, 이제 거의 다 읽었어." 그 애가 대답했다.

그러고는 5분가량 지난 뒤 책을 덮었다. 나는 그게 기뻤다.

'이제 저 아이랑 이야기를 나눌 수 있겠지?' 나는 속으로 생각하며 그 애 옆 교실 바닥에 앉았다.

"성은 번스고, 이름은 뭐야?"

"헬렌."

"여기서 멀리 떨어진 곳에서 왔니?"

"북쪽 아주 먼 곳에서 왔어. 스코틀랜드 접경지역이야."

"다시 집으로 돌아갈 거야?"

"그러길 바라지만 누구도 미래를 장담할 수 없어."

"로우드 학교를 떠나고 싶기는 한 거네?"

"아니, 내가 왜 그래야 해? 나는 교육을 받기 위해 로우드에 온 거야. 그러니 그 목표를 달성할 때까지는 이곳을 떠나 봤자 아무 소용 없는 일이야."

"하지만 그 선생님, 스캐처드 선생님이 네게 너무 모질게 구는 거 아니야?"

"모질다고? 전혀! 엄한 거지. 내 결점을 싫어하는 거고."

"내가 만약 너였다면 그 선생님이 싫을 거야. 반항도 할 거야. 만약 아까처럼 나를 때린다면 그걸 빼앗아버릴 거야. 그리고 부러뜨리겠지."

"그런 일을 정말로 하는 건 아니지? 정말 그렇게 행동하면 브로클허스트 씨가 너를 퇴학시켜 버릴걸. 그러면 가족들이 슬퍼하지 않겠어? 성급하게 행동해서 주위 사람들의 마음을 아프게 하느니, 나 혼자 견디고 참는 게 훨씬 나아. 게다가 성경에서도 우리에게 악을 행하는 자에게 선으로 보답하라고 가르치잖아."

"하지만 매를 맞거나 학생들이 가득 찬 교실 한가운데 서 있으라는 벌을 받는 건 너무 수치스러워. 게다가 넌 이미 다 큰 학생이잖아. 나는 너보다 훨씬 어리지만 그런 일은 못 참았을 거야."

"하지만 피할 길이 없다면 참는 게 네 의무야. 어쩔 수 없이 참는 게 네 운명인데도 '난 못 참아'라고 말한다면 그건 나약하고 어리석은 일이야."

그녀의 말에 놀라지 않을 수 없었다. 인내하고 견뎌야 한다는 원칙을 이해할 수 없었다. 하물며 자기를 때린 사람까지 관용해야 한다는 주장은 더더구나 공감할 수 없었다. 하지만 나는 헬렌 번스가 보이지 않는 빛에 비추어 상황을 파악한다고 생각했다. 그 애가 옳고 내가 틀린 게 아닌가 하는 생각마저 들었다. 나는 이 문제를 깊이 생각하고 싶지 않았다. 나는 성경 속 바울에게 겁을 먹어 계속 갇혀 있던 펠릭스처럼 이 문제를 '좋은 기회가 올 때까지' 미뤄야겠다고 생각했다.

"네게 결점이 있다고 했지? 헬렌, 그게 뭐야? 나는 네가 참 좋은 애로 보이는데."

"그렇다면 나를 보면서 사람을 겉으로 판단해서는 안 된다는 것을 배워. 나는 스캐처드 선생님 말씀대로 야무지지 못해. 그리고 물건을 깔끔하게 정리하지도 못해. 주의력은 산만하고 규칙은 잊어버리고 수업 중에는 다른 책을 읽고 계획성도 없어. 때로는 너처럼 규칙을 따르지 못하겠다고 반항할 때도 있지. 이런 점이 스캐처드 선생님의 비위를 거스르는 거야. 선생님은 깔끔하고 규칙적이고 꼼꼼하니까."

"그리고 화를 잘 내고 잔혹해." 내가 덧붙였으나 헬렌 번스는 그 말을 인정하지 않았다. 다만 말없이 가만히 있었다.

"템플 선생님도 스캐처드 선생님처럼 너를 심하게 대하니?"

템플 선생님의 이름이 나오자, 그녀의 진지한 얼굴에 부드러운 미소가 스쳤다.

"템플 선생님은 정말 상냥한 분이야. 누구에게나 엄하게 대하는 걸 힘들어하시지. 설령 내가 학교에서 가장 나쁜 학생이라 해도 선생님은 부드럽게 타이를 거야. 그리고 내가 가끔이라도 칭찬받을 만한 일을 하면 아낌 없이 칭찬하고. 내 성격에 어쩔 수 없는 결점이 있다는 걸 잘 알고 있지만, 선생님은 이해할 수 있도록 여러 가지 조언을 해주시거든. 하지만 아무리 그래도 난 내 결점을 고칠 수가 없어. 또 선생님이 아무리 칭찬해도 기쁘기는 하지만 '앞으로 조심해야겠다'거나 '사려 깊게 행동해야겠다'는 생각이 들지는 않아."

"그건 이상한데." 내가 말했다. "조심하는 게 그렇게 어려운 일은 아니잖아."

"너는 그렇게 생각할 거야. 오늘 아침 네가 공부하는 걸 봤어. 넌 집중력이 대단하더라. 밀러 선생님이 설명하거나 질문하는 동안 넌 조금도 한눈을 팔지 않았어. 그런데 나는 끊임없이 생각이 떠돌아다녀. 스캐처드 선생님 말씀을 잘 듣고 정신을 집중해야 하는데 선생님의 말이 귀에 들어오지 않아. 몽상의 세계로 들어가는 거야. 어떤 때는 북동부 노섬벌랜드 주에 가 있고, 주변에서 들리는 소음이 고향 집에서 가까운 딥든을 관통해 흐르는 시냇물의 졸졸거리는 소리라는 몽상에 빠져. 그러다 내가 대답할 차례가 되면 몽상에서 깨어나. 하지만 몽상 속의 시냇물 소리를 듣느라 수업 내용을 하나도 듣지 못했으니 대답할 준비가 전혀 안 되었지."

"하지만 오늘 오후에는 대답을 정말 잘했잖아."

"그건 우연일 뿐이야. 마침 읽고 있던 것에 흥미가 있었거든. 오늘은 딥든을 몽상하는 대신 이런 일을 생각했어. 찰스 1세처럼 선하고 옳은 일을 하려던 사람이 왜 그렇게 부당하고 현명하지 못한 행동을 했을까? 고결하고 양심적인 사람이 왜 국왕의 특권에만 집착했지. 그 이상을 보지 못했다는 게 너무 유감스러운 일이라고 생각했어 그가 멀리 내다볼 줄 알았더라면 얼마나 좋았을까! 어쨌든 난 찰스 1세가 좋아. 그를 존경하고 그가 불쌍해. 시해당한 그 가엾은 왕 말이야! 그래, 그의 적들이 더 나빠. 그들은 그럴 자격도 없으면서

왕이 피를 흘리게 했어. 어찌 감히 국왕을 시해할 수 있어?”

헬렌은 그때 자신에게 말하고 있었다. 그녀는 내가 자기 말을 잘 알아듣지 못한다는 사실을 잊어버리고 있었다. 자기가 말하는 주제에 대해 내가 무지하다거나 사실상 거의 무지에 가깝다는 사실을 망각하고 있었다. 나는 그녀에게 내 수준을 알려주었다.

“그런데 템플 선생님이 수업할 때도 잡념이 생기고 몽상 속을 헤매고 다녀?”

“아니, 자주 그러지는 않아. 템플 선생님의 수업은 대체로 내 잡념보다 훨씬 새로운 내용을 담고 있거든. 선생님이 구사하는 어휘는 이상하게 나하고 잘 맞아. 그리고 전달하는 정보도 종종 내가 얻고 싶어 하는 내용이야.”

“그래, 그러면 템플 선생님 앞에서는 착하게 행동하겠네?”

“응, 소극적인 방식이긴 하지만 말이야. 나는 아무 노력도 안 해. 그저 내 본능이 이끄는 대로 따라갈 뿐이야. 그런 식으로 착한 건 아무 가치도 없어.”

“엄청나게 중요한 일이야. 네게 잘해주는 사람에게는 똑같이 착하게 대한다는 거잖아. 그게 바로 내가 늘 바라는 바야. 만약 사람들이 자신을 모질고 부당하게 대하는 자들에게까지 친절하고 순종적으로만 군다면, 그런 악한 자들은 제멋대로 행동하려 들 거야. 그들은 절대 두려워하지 않을 테고, 결국 변하지도 않겠지. 오히려 점점 더 나빠질 거야. 누군가 이유 없이 우리를 때리면, 똑같이, 아니, 그 이상으로 되갚아 줘야 해. 다시는 그런 짓을 하지 못하도록 제대로 된 교훈을 주는 거지."

"네가 좀 더 크면 그런 마음을 바꾸게 되길 바라. 넌 아직 교육을 제대로 받지 못한 어린아이에 불과하니까."

"하지만 헬렌, 이건 알아줘. 마음에 들고 싶어서 아무리 애를 써도 집요하게 나를 싫어하는 사람은 나도 싫어할 수밖에 없어. 나는 부당하게 나를 벌주는 사람들에게는 반드시 반항할 거야. 그건 내게 애정을 보여주는 사람들을 마땅히 사랑해야 하는 것과 내가 벌을 받는 게 당연하다고 느낄 때는 순종해야 하는 일만큼이나 자연스러운 거야."

"이교도나 야만인이나 그런 주장을 할 거야. 하지만 기독교인들과 문명화된 나라 사람들이라면 그런 주장을 부인해야 해."

"왜? 이해 못 하겠어."

"증오심을 가장 잘 이겨내는 건 폭력이 아니야. 그리고 상처를 가장 확실히 치유해 주는 건 복수가 아니야."

"그럼, 뭐야?"

"신약 성경을 읽어봐. 예수님의 말씀을 배워. 예수님이 어떤 행동을 하셨는지도. 예수님의 말씀이 너를 지배할 수 있도록, 그를 따르는 사람이 되어봐."

"예수님이 뭐라고 하셨는데?"

"원수를 사랑하라. 너를 저주한 자에게 축복을 내려라 너를 미워하고 앙심을 품고 이용한 자에게 선을 행하라."

"그렇다면 리드 부인 같은 사람을 사랑하라는 소리인데 난 그렇게 못 해. 그리고 그 아들 존을 축복하라는 소리인데 말도 안 돼. 불가능한 일이야."

이번에는 헬렌에게 내 설명이 필요했다. 나는 괴로움과 원한에 찬 지난날을 내 나름대로 쏟아내기 시작했다. 너무 흥분한 나머지 감정이 내키는 대로 저주스럽고 통렬한 말을 퍼부었다.

헬렌은 내 말을 끝까지 참을성 있게 들어주었다. 한마디쯤 하리라고 생각했지만, 그녀는 아무 말도 하지 않았다.

참다못한 내가 물었다. "이래도 리드 부인이 인정도 없는 나쁜 여자가 아니란 말이야?"

"분명 그분은 네게 너무했어. 그건 네가 알다시피, 그 사람이 너의 성격 자체를 싫어하기 때문이야. 마치 스캐처드 선생님이 내 성격을 싫어하는 것처럼. 하지만 넌 리드 부인이 네게 한 행동이나 네게 했던 말을 어쩌면 그렇게 세세하게 기억하니? 그녀의 부당한 학대가 네 가슴에 너무 깊이 새겨져 있는 건 또 어떻고? 나는 어떤 학대를 당해도 감정에 흔적이 남지 않아. 차라리 그 부인의 가혹한 학대와 그로 인한 분노를 잊기 위해 노력하는 게 더 행복하지 않을까? 삶은 짧아. 남을 원망하거나 그들의 허물을 새기면서 낭비할 시간이 없어. 이 세상에서 완벽한 사람은 아무도 없어. 오히려 우리는 결점을 안고 살아가야 해. 하지만 언젠가 우리는 이 썩어 없어질 육신을 떠날 때가 올 거야. 그리고 그 순간, 결점도 함께 사라질 거라고 믿어. 그때가 되면 타락도, 죄도 씻겨나가고 우리에게 남는 건 영혼의 불꽃뿐이야. 그 불꽃은 눈에 보이지 않지만 우리 삶과 사고의 본질이고, 창조주께서 우리 안에 불어넣으신 순수한 존재야. 결국 그 불꽃은 우리가 떠나온 곳으로 되돌아가겠지. 그리고 더 높은 존재와 다시 소통하며, 인간의 영혼이 천사의 자리로 올라가기 위한 영광의 계단을 밟게 될 거야. 하지만 인간이 악마로 타락하는 일은 없을 거야. 그건 절대 믿을 수 없어. 난 다른 신념을 갖고 있어. 누구에게 배운 것도 아니고, 자주 입 밖에 내지도 않지만, 그 신념을 지키면 마음이 평온해져. 왜냐하면 그 신념은 모든 사람에게 희망을 주고, 죽음 이후의 세세를 공포와 불안이 아니라 강하고 따뜻한 안식처로 만들어주기 때문이야. 그리고 그 신념 덕분에 난 죄인과 죄를 분명하게 구분할 수 있어. 죄인은 용서할 수 있지만, 죄는 소름 끼치도록 싫어. 신념을 지키면 복수심에 사로잡혀 불안해할 일도 없고, 타락에 실망해 속이 메스꺼워질 일도 없으며, 부정과 불의 때문에 절망할 필요도 없어. 그래서 나는 생의 마지막 날을 바라보면서도 평온한 마음으로 살아갈 수 있는 거야."

늘 수그리고 있던 헬렌의 머리는 이 말을 마치자 더욱 어깨 밑으로 굽었다. 그 애의 표정으로 보아 나와 더 이상 이야기하고 싶지 않다는 것이, 그보다는 자기 생각에 빠지고 싶어 한다는 걸 알 수 있었다. 하지만 명상 시간은 그다지 남아 있지 않았다. 이윽고 몸집이 크고 거칠게 생긴 반장이 와서 억센 컴벌랜드 사투리로 소리쳤다.

"헬렌 번스, 당장 일어나서 서랍을 정리하고 일감을 치워. 그렇지 않으면 스캐처드 선생님께 이를 테야."

헬렌의 꿈은 날아가고, 그녀는 한숨을 짓더니 자리에서 일어나 아무 말도 없이 반장의 명령에 따랐다.

　로우드에서의 첫 학기는 마치 한 시대만큼이나 길게 느껴졌다. 하지만 그 시기는 결코 황금시대는 아니었다. 새로운 규칙과 낯선 과제에 적응하는 과정은 끝없는 싸움처럼 지루하고도 고단했다. 무엇보다 실패하지 않을까 하는 두려움이 나를 끊임없이 짓눌렀다. 그 불안은 때때로 육체적 고통보다 더 깊이 스며들어 나를 괴롭혔다. 물론 육체적인 고통 역시 가볍게 넘길 수 있는 수준은 아니었다.

　1월, 2월 그리고 3월 중순까지, 로우드에는 눈이 높이 쌓였고, 눈이 녹은 후에는 땅이 질척여서 발을 내디딜 수도 없었다. 결국 주말 아침 교회에 가는 일 외에는 교정 담 밖으로 나갈 기회가 거의 없었다. 그럼에도 불구하고, 우리는 매일 한 시간씩 야외에서 시간을 보내야 했다. 하지만 우리가 입고 있는 옷은 추위를 막기에는 너무나 허술했다. 장화가 없어 신발 속으로 눈이 스며들었고, 그대로 녹아 발을 얼렸다. 장갑이 없어 손은 감각을 잃고 동상에 걸렸다. 매일 밤이면 동상으로 곪아버린 발이 쑤셨고, 아침마다 붓고 껍질이 벗겨지고 뻣뻣해진 발을 그대로 신발 속에 욱여넣어야 했다. 그때의 참을 수 없던 통증이 지금도 생생하게 떠오른다. 부족한 음식도 또 다른 고통이었다. 한창 클 나이의 아이들에게 주어진 음식은 허약한 병자를 부양하기에도 빠듯할 정도였다. 이는 상급생들의 폭력으로 이어졌다. 굶주린 상급생들은 기회가 있을 때마다 어린아이들을 꾀거나 위협해 음식을 빼앗았다. 나 역시 차 마시는 시간에 배급받은 소중한 검은 빵한 조각을 두 명의 상급생에게 빼앗겼다. 세 번째 상급생에게는 내 커피의 절반을 주고, 나머지 반 잔을 마시며 허기를 참아보려 했지만, 결국 참을 수 없어 눈물을 머금고 삼켜야 했던 날이 한두 번이 아니었다.

이처럼 추운 계절의 일요일은 유난히 음산했다. 우리는 브로클브리지 교회까지 2마일이나 되는 길을 걸어가야 했다. 그 교회에서 목사가 예배를 올렸다. 차가운 몸으로 학교를 나서 더욱 차가워진 몸으로 교회에 도착했다.

아침 예배에서는 추위를 거의 느끼지 않았다. 점심때 돌아오는 길이 너무 멀었기에, 평일의 식사와 변함없이 인색한 양의 차가운 고기와 빵이 아침 예배와 오후 예배 사이에 배급되었다.

오후 예배가 끝나면 우리는 바람이 세찬 고갯길을 지나 돌아가는데, 눈 쌓인 산에서 불어오는 살을 에는 듯한 북풍으로 얼굴이 벗겨질 것만 같았다.

그럴 때면 템플 선생님은 축 처져 걷고 있던 우리 행렬 옆에서 매서운 바람 때문에 마구 펄럭이는 격자무늬 외투를 바싹 여미고, 우리에게 기운을 내서 똑바로 걸으라고 독려하고는 몸소 본을 보이며 경쾌하고 재빠른 발걸음으로 걸었다. 그 모습이 생생하다. 그러면서 그녀는 "건장한 병사처럼 걸어야지"라고 말했다. 가엾은 다른 선생님들은 모두 너무 기운이 빠져 있었던지라 학생들의 기운을 북돋아줄 엄두조차 내지 못했다.

학교로 돌아오며 활활 타오르는 난롯가 불빛과 열기를 얼마나 애타게 갈망했던가! 하지만 어린 하급반 학생들에게는 이런 난롯가 자리가 나지 않았다. 교실에 있던 각각의 난로들은 두 줄로 늘어선 상급반 학생들의 차지였다. 어린 학생들은 얼어붙은 양팔을 앞치마로 감싸고 그들 뒤에 무리를 지어 쪼그리고 앉았다.

일요일 오후 차 마시는 시간이 되면 위로가 찾아오곤 했다. 맛있는 버터를 얇게 바른, 평소보다 두 배나 되는 빵 배급이 있었다. 그것도 반 조각이 아니라 한 개 분량이었다. 그건 우리 모두가 안식일을 보내고 다음 안식일까지 기다리면서 고대하던 특식이었다. 나는 이 넉넉한 분량의 빵 절반을 나중에 먹기 위해 애써 남겼지만 늘 남겨놓은 빵의 절반을 빼앗기곤 했다.

일요일 저녁 시간은 교회에서 배운 교리문답과 「마태복음」 5장, 6장, 7장의 내용을 암기하는 일 그리고 밀러 선생님이 낭송하는 긴 설교문을 듣는 일로 보냈다. 설교문을 읽으며 참을 수 없이 하품을 하는 밀러 선생님 모습이 얼마나 피곤한지를 보여주었다. 연극 공연 같은 이런 상황에서 종종 막간극 같은 일이 일어나기도 했다. 대여섯 명의 어린 학생들이 마치 유두고* 역할을 맡기라도 한 듯 행동했던 것이다. 유

* 「사도행전」 20장 9절 중 밤새 이어진 바울의 설교를 듣다 졸아서 떨어져 죽었으나 부활한 청년.

두고처럼 3층에서 굴러떨어진 건 아니지만, 쏟아지는 잠에
압도된 그들은 네 번째 줄 의자에서 밑으로 굴러떨어져 거의
반쯤 죽은 상태로 끌어올려지곤 했다. 졸음에 대한 대비책은
그들을 교실 한가운데로 강제로 끌어내 설교가 끝날 때까지
서 있게 만드는 것이었다. 그랬는데도 그들은 몇 번이나 다
리에 힘이 빠져 한꺼번에 우르르 넘어졌다. 그러면 결국 그
들은 반장의 높은 의자에 몸을 기대고 서 있어야 했다.

　나는 아직 브로클허스드 씨가 학교를 방문했던 일을 말하
지 않았다. 사실 그 신사분은 내가 도착한 이후 첫 달 대부분
동안 집을 떠나 있었다. 아마 친구인 부주교님 댁 방문이 길
어지는 것 같았다. 그가 집을 비운 일이 내게는 다행이었다.
그의 학교 방문을 두려워할 내 나름의 이유가 있다는 점은
굳이 말할 필요가 없을 것이다. 하지만 마침내 그날이 찾아
왔다.

　어느 날 오후였다. 로우드 학교에 도착하고 나서 3주가 지
났을 무렵이었다. 손에 석판을 들고 나눗셈 문제의 답을 풀
다가 시선을 들어 창문 쪽을 멍하니 바라보았다. 그때 어떤
사람이 창문 앞을 막 지나가는 모습이 보였다. 나는 다소 말
라 보이는 그 사람의 윤곽을 본능적으로 알아보았다. 뒤이
어 2분쯤 지난 뒤 선생님들을 포함해서 학교의 모든 학생이
일제히 일어났다. 누구를 그런 식으로 맞이하는지 확인하려
고 눈길을 돌릴 필요조차 없었다. 그 사람은 긴 보폭으로 교
실로 걸어 들어왔다. 즉시 자리에서 일어선 템플 선생님 옆
에 선 남자는 게이츠헤드 저택의 난로 깔개 위에 서서 몹시

불길하고 험상궂은 표정을 보여주던 바로 그 남자였다. 나는 검은색 기둥 같은 그 사람을 곁눈질로 훔쳐보았다. 그렇다. 내 짐작이 옳았다. 바로 그 브로클허스트 씨가 긴 외투의 단추를 끝까지 다 채우고 전보다 훨씬 더 길고, 답답하고, 엄한 모습으로 그 자리에 서 있었다.

나는 그의 등장이 당혹스러웠다. 내 성향이나 결점에 대해 리드 부인이 비겁하게 그에게 일러바쳤던 말을 똑똑히 기억하고 있었던 까닭이다. 그리고 내 못된 성질을 템플 선생님이나 다른 선생님들에게 알리겠다던 브로클허스트 씨의 약속도 마찬가지였다. 그동안 내내 나는 그 약속이 실현될까 봐 전전긍긍하던 참이었다. 매일 '오리라 약속한 그 사람'이 오는지 경계했다. 내 지난 삶과 내가 했던 말을 그가 발설하면 나는 영원히 못된 아이로 낙인찍힐 터였다. 그런데 바로 그가 교실에 서 있는 것이다. 그는 템플 선생님 옆에 서서 낮은 목소리로 그녀의 귀에 무슨 말을 했다. 나는 내가 했던 나쁜 짓들을 그녀에게 이르고 있는 것이라고 확신했으며 고통스러운 불안감에 빠져 그녀의 눈을 주시했다. 그녀의 까만 눈이 나를 향해 혐오감과 경멸감으로 가득 찬 시선을 보이리라 예상하고 있었다. 나는 귀를 기울였다. 마침 내 자리가 제법 교실 앞쪽이었기 때문에 그가 말하는 내용을 대부분 알아들었다. 다행히 걱정을 덜어주는 내용이었다.

"템플 선생, 내가 로튼에서 사 온 실이 도움이 될 거라 생각합니다. 옥양목 속옷에 딱 맞는 품질일 거란 생각이 들었지요. 그리고 그 실에 어울리는 바늘들도 추려서 사 왔습니다.

스미스 선생에게 내가 감침용 바늘들을 적어놓는 걸 깜빡했다고 전하세요. 그리고 어떤 이유로든 한 학생당 한 번에 종이 한 장 이상은 절대로 주지 말라고 하세요. 종이를 많이 주면 주의가 산만해지고 잃어버리기도 쉽지요. 아, 템플 선생, 털 스타킹 관리에도 좀 더 신경을 써야겠습니다. 지난번 이곳에 왔을 때 주방 앞뜰에 나가서 빨랫줄에 널어놓은 옷가지들을 검사했습니다. 상태가 아주 불량한 것들이 많더군요. 구멍 크기로 봐서 제대로 꿰매어 신지 않고 있는 게 분명합니다."

그는 말을 멈추었다.

"지시 사항을 잘 이행하겠습니다." 템플 선생님이 대답했다.

"그리고 교장선생." 그가 계속해서 말했다. "세탁부 말이 지난주에 여학생 몇 명이 새 목깃 장식을 두 장씩이나 착용했다고 하더군요. 그건 너무 많아요. 교칙에 의하면 한 학생당 한 장으로 제한되어 있지요."

"어찌 된 건지 경위를 말씀드리겠습니다. 아그네스와 캐서린 존스턴 자매가 지난주 목요일 로튼의 몇몇 친척에게 차를 마시러 오라고 초대를 받았답니다. 그래서 그 아이들에게 그곳에 갈 때 깨끗한 목깃을 착용하라고 허락했던 것입니다."

브로클허스트 씨는 고개를 끄덕였다.

"이번에는 너그럽게 봐주겠지만 그런 경우가 너무 잦아지지 않도록 해주시오. 그리고 또 하나, 나를 깜짝 놀라게 하는 일이 있었습니다. 관리부와 경비 정산을 해보니 치즈와 빵 간식이 지난 2주 동안 두 번이나 지급되었더군요. 이건 어떻게 된 겁니까? 규칙을 살펴보았지만, 추가 간식에 관한 항목은 어디에서도 찾을 수 없었어요. 누가 어떤 권한으로 이와 같은 새로운 제도를 도입한 겁니까?"

"그 일은 제 권한으로 했습니다." 템플 선생님이 대답했다. "그날 아침 식사는 도저히 먹을 수가 없었습니다. 점심까지 학생들을 굶길 수가 없어서……."

"선생, 잠깐. 내가 이 학생들을 교육하는 방침은 잘 알고 계시지요? 학생들이 사치스러운 생활에 물들게 해서는 안 됩니다. 인내심이 강하고 견실한 인간으로 길러내는 것이 중요합니다. 음식이 어쩌다 탔다고 또는 설익었다고 해도 말입니다. 먹지 못하는 음식을 더 맛있는 음식으로 바꾸어주는 그런 보상이 주어져서는 안 되지요. 그렇게 육체적으로 좋은 걸 경험하는 것은 본교의 교육 목적에 어긋납니다. 일시적인 배고픔은 불굴의 정신으로 견디도록 학생들을 격려하고 정신적으로 깨달음을 얻는 계기로 삼아야 합니다. 차라리 짧은 훈화 같은 것을 했으면 좋았을 겁니다. 생각 있는 교사라면 그 기회를 초기 그리스도의 수난이나 순교자의 고난을 가르치는 기회로 삼았을 겁니다. '십자가를 짊어지고 제자들에게 자기를 따르라'*라는 말씀 또는 '사람은 빵으로만 사는 것이 아니오, 주님의 모든 말씀으로 살 것이니라'**라는 말씀

* 「마태복음」 16장 24절.
** 「마태복음」 4장 4절.

이나 또는 '만일 너희 중에 나를 위하여 굶주리고 목마른 자는 복이 있나니'*와 같은 말씀을 전했으면 좋았을 것입니다. 아아, 선생, 당신이 탄 죽 대신 치즈와 빵을 아이들의 입에 밀어 넣었을 때 당신은 그녀들의 사악한 몸을 살찌게 했을지 모르나 불멸의 영혼을 얼마만큼 굶주리게 했는가는 조금도 생각하지 않았던 겁니다."

브로클허스트 씨는 입을 다물었다. 아마 자기의 말에 감동했는지도 모른다. 템플 선생님은 그가 말하기 시작했을 때는 아래를 내려다보고 있었으나 지금은 똑바로 정면을 바라보고 있었다. 그녀의 얼굴은 대리석처럼 차갑고 단단했다. 특히 입술은 조각가가 억지로 벌리지 않으면 열 수 없을 정도로 굳게 다물어져 있고 이마도 차츰 굳어져갔다.

그 와중에 뒷짐을 지고 난롯가에 서 있던 브로클허스트 씨가 잔뜩 거드름을 피우며 교실을 이리저리 둘러보았다. 갑자기 그의 눈이 깜빡거렸다. 마치 충격적인 무언가를 본 것 같았다. 그는 돌아서서 지금까지보다 훨씬 빠른 말투로 물었다.

"템플 선생, 이보시오! 선생! 대체 저 아이, 저 곱슬머리를 한 저 아이는 누굽니까? 빨간색 머리에다, 세상에, 곱슬머리라니. 머리 전체가 다 곱슬머리 아닙니까?" 그러면서 그는 자신의 지팡이를 뻗어 그 끔찍한 학생을 가리켰다. 그의 손이 떨리고 있었다.

"줄리아 서번 양입니다." 템플 선생님은 매우 조용하게 대답했다.

"줄리아 서번! 그런데 어째서 저 애는, 저 애만이라고 말할 수는 없지만, 머리카락이 곱슬거리지? 이곳의 규율이나 규칙은 무시하고, 복음주의에 입각한 이 자선 기관에서 공공연하게 머리를 온통 곱슬머리 다발로 지지며 세속에 영합하고 있단 말입니까?"

"줄리아는 선천적으로 곱슬머리입니다." 보다 침착해진 말투로 템플 선생님이 대답했다.

"선천적이라! 좋습니다. 하지만 우리는 자연에 쉽게 순응해서는 안 됩니다. 나는 이곳 아이들이 주님의 은총을 받는 아이들이 되기를 바랍니다. 그런데 저런 방종한 모습을 방치하다니! 아이들 머리가 단정하고 수수하게 정돈돼 있기를 바란다고 내가 누차 말했을 텐데요. 템플 선생, 저 애의 머리카락을 모두 잘라야겠습니다. 내일 이발사를 보내겠소. 이제 보니 다른 학생들도 머리가 너무 길군요. 저기 저 학생, 뒤돌아서 보라고 하세요. 제일 앞쪽 의자에 앉은 학생들은 모두 일어나 벽 쪽으로 얼굴을 향하고 서보라고 하세요."

템플 선생님은 무의식적으로 번진 미소를 감추려는 듯 손수건으로 입술을 가렸다. 하지만 그녀는 지시를 내렸고, 상급반 학생들은 그 뜻을 이해하고 따랐다. 나는 의자에 몸을 살짝 기대고 앉아 그들의 표정과 몸짓을 지켜보았다. 브로클허스트 씨가 그 모습을 함께 보지 못한 게 유감이었다. '컵과 접시를 아무리 닦아도, 그 안까지 통제할 수는 없다'[*]는 사실

* 「마태복음」 23장 25절.

을 깨달았을지도 모르니까.

그는 5분 정도 이 살아 있는 메달 같은 여학생들의 머리 뒷면을 꼼꼼히 검사한 후 판결을 내렸다. 그 말이 마치 최후의 심판 날에 울리는 운명의 종소리처럼 들렸다.

"머리의 나비매듭 장식을 모두 다 잘라버리세요."

템플 선생님이 항의하려고 했다.

"이보시오, 선생." 그가 계속해서 말했다. "나는 섬겨야 할 주인이 있는 사람입니다. 그분의 왕국은 세속의 왕국이 아닙니다. 내 사명은 이 학생들 내부의 육체적 욕망을 억제하고 그들이 부끄러워할 줄 아는 마음과 절제하는 마음의 옷을 입도록 가르치는 것입니다. 머리를 땋거나 값비싼 옷을 입는 건 안 됩니다. 이 학생들에게 머리를 땋고 비싼 옷을 입는 법을 가르칠 게 아니라, 겸손과 절제를 가르쳐야지요. 그런데 죄다 머리카락을 꼬아서 땋은 머리를 하고 있으니, 원. 다시 말하지만, 이 땋은 머리들을 몽땅 다 잘라버리세요. 머리를 땋느라 낭비한 시간을 생각한다면……."

그의 말이 잠시 끊겼다. 세 명의 숙녀가 교실 안으로 들어왔기 때문이다. 이들은 마땅히 좀 더 일찍 와서 옷차림에 대한 그의 연설을 들었어야 했다. 그녀들은 하나같이 벨벳과 실크, 모피로 지어진 화려한 옷을 걸치고 있었다. 젊은 아가씨 두 명—열여섯 살과 열일곱 살쯤 되어 보이는 예쁜 소녀들—은 당시 유행하던 타조 깃털이 장식된 회색 비버 털모자를 쓰고 있었다. 모자 가장자리 아래로는 정교하게 땋은 밝은 머리칼이 풍성하게 흘러내렸다. 나이가 지긋한 숙녀는 가장자리가 흰 담비 털로 장식된 값비싼 벨벳 숄을 걸치고, 프랑스풍 곱슬머리 가발을 쓰고 있었다.

템플 선생님은 이 숙녀들을 브로클허스트 부인과 두 따님이라 부르며 공손히 맞이했고, 교실 맨 위 상석으로 안내했다. 존경하는 아버지와 마차를 타고 와서 브로클허스트 씨가 하녀장과 볼일을 보고 세탁부에게 질문하고 교장에게 훈시를 내리는 동안, 2층 방을 샅샅이 검사하고 온 것 같았다. 곧 이 숙녀들은 스미스 선생님에게도 이런저런 잔소리를 퍼부었다. 스미스 선생님은 우리의 속옷 관리와 기숙사 감독을 겸하는 분이었다. 하지만 그들이 무슨 대화를 나누는지는 들을 새가 없었다. 내 관심은 온통 다른 문제에 쏠려 있었다.

나는 브로클허스트 씨와 템플 선생님의 대화를 단편적으로 들으면서 동시에 나의 안전을 지키기 위해 극도로 조심하고 있었다. 그 사람의 눈을 잘 피하기만 하면 안전할 것이라고 믿고 있었다. 그래서 의자 뒤로 기대 석판으로 얼굴을 가리고 부지런히 계산하는 척을 했다. 만일 그 괘씸한 석판이 내 손에서 떨어지지만 않았다면 눈에 띄지 않았을 것이다. 하지만 석판은 요란한 소리를 내며 바닥에 떨어졌고, 교실의 모든 눈이 내게 향했다. 모든 게 끝났다는 생각이 들었다. 둘로 쪼개진 석판을 줍기 위해 몸을 숙이며 최악의 상황에 대비해 마음의 준비를 했다. 때가 온 것이다.

"조심성이 없군!" 브로클허스트 씨가 외치며 물었다. "새로 온 학생인가요?" 그리고 내가 미처 숨을 돌리기도 전에 "아, 저 학생에 관해 잊어버리기 전에 해야 할 말이 있었는데……"라고 중얼거렸다. 그리고 곧 이렇게 외쳤다. "석판을 깨뜨린 학생, 이리 앞으로 나오거라!" 정말이지 세상이 무너지는 기분이었다.

나는 온몸에 힘이 빠져 움직일 수 없었다. 양옆에 앉아 있던 상급생 두 명이 나를 억지로 일으켜 세워 무서운 재판관 쪽으로 떠밀었다. 템플 선생님이 조용히 나를 이끌며 그의 앞에 설 수 있게 도와주었다. 그녀는 작게 충고를 속삭였다.

"제인, 두려워할 것 없어. 그저 우연한 실수이니 벌은 받지 않을 거란다."

그 부드러운 속삭임은 칼날처럼 내 가슴에 꽂혔다.

'곧 선생님도 나를 거짓말쟁이라고 경멸하겠지.' 나는 생각했다. 그렇게 확신하자 리드나 브로클허스트에 대한 분노가 솟아나 가슴이 거칠게 뛰기 시작했다. 나는 헬렌 번스가 아니었으니까.

"저 의자를 가져오세요." 브로클허스트 씨가 반장이 막 일어난 높은 의자를 가리켰다. 빈 의자를 가져왔다.

"저 애를 그 위에 세우시오."

나는 누군가의 손에 이끌려 의자 위에 섰다. 자세히 주변을 살필 상태가 아니었다. 다만 그들이 나를 브로클허스트 씨의 코앞까지 끌어올렸다는 것, 그가 내게 아주 가까이 있다는 것, 내 발밑으로 오렌지빛과 보랏빛 비단 외투와 은빛 깃털이 물결처럼 일렁이며 아른거리는 것만 느낄 수 있었다.

브로클허스트 씨는 헛기침하며 목을 가다듬었다.

"부인 그리고 내 딸들아." 그가 자기 가족을 향해 말했다.

“그리고 템플 선생을 비롯한 모든 교사와 학생 여러분, 모두 이 학생이 보입니까?”

물론 그들에게는 내 모습이 아주 훤히 보였을 것이다. 모두의 시선이 마치 초점이 맞추어진 볼록렌즈처럼 내 가무잡잡한 피부 위에 집중되었기 때문이다.

“보다시피 이 아이는 아직 어립니다. 이 아이는 평범한 어린아이의 모습을 하고 있습니다. 주님께서는 자비롭게도 이 아이에게도 우리 모두에게 주신 것과 같은 형상을 주셨습니다. 이상한 모습은 찾아볼 수 없습니다. 그런데 악마는 일찌감치 이 아이가 자기 하수인이자 심부름꾼임을 알고 있었습니다. 누가 상상이나 했겠습니까? 이런 말을 하게 돼 유감이지만 내 말은 정확한 사실입니다.”

잠시 정적이 흘렀다. 그동안 나는 떨리는 마음을 진정시켰다. 이미 루비콘강을 건넌 셈이라고 생각했다. 그리고 이 고난의 시간을 더 이상 피할 것이 아니라 굳건하게 견뎌내자고 다짐했다.

“친애하는 학생 여러분.” 검은 대리석 기둥 같은 남자가 비장한 어조로 말을 이었다. “참으로 슬프고 애석합니다. 주님의 양 떼 중 한 마리일 수도 있었던 이 아이가 주님에게 버림받은 아이라는 사실을 여러분에게 경고하는 게 내 의무이기 때문입니다. 이 아이는 우리 양 떼의 한 마리가 아니라, 외부에서 굴러 들어온 침입자이며 이방인입니다. 여러분은 이 아이를 경계해야 합니다. 본받아서는 안 되며, 되도록 어울려서도 안 됩니다. 운동 시간에도 피하고, 말도 섞지 않는 것이 좋습니다. 선생님들은 이 아이를 철저히 감독해야 합니다. 행동을 면밀히 살펴, 그 영혼을 구하기 위해 온 힘을 다해야 합니다. 그렇게 해서라도 이 아이가 진정으로 구원받기를 바랍니다. 왜냐하면—이 말을 하자니 내 혀가 떨릴 지경이지만—기독교 국가에서 태어난 이 아이가 힌두교 신에게 기도하고 자간나타 앞에 무릎 꿇는 이교도 아이보다 훨씬 더 사악하기 때문입니다! 이 아이는 바로 '거짓말쟁이'입니다!"

이후 10분간 휴식 시간이 주어졌다. 이제 완전히 정신을 차린 나는 브로클허스트가의 여성들을 관찰했다. 그들은 각자 손수건을 꺼내 눈가에 갖다 대고 있었다. 연로한 부인은 몸을 앞뒤로 흔들었고, 젊은 두 여인은 작은 목소리로 "세상에, 정말 끔찍해!"라고 속삭였다. 브로클허스트 씨가 다시 말을 이었다.

"저 아이의 은인이 직접 제게 조언해 주셨습니다. 고아였던 저 아이를 거둬들여 친딸처럼 키워주신 신앙심 깊고 자애로운 부인의 말씀입니다. 그러나 그 부인의 한없는 친절과 너그러움을, 이 불행한 아이는 극도로 사악하고 끔찍한 배은망덕으로 되갚았습니다. 결국 그 훌륭한 후견인은 아이의 타고난 사악함을 더는 감당하지 못하고, 그 악영향이 자신의 순수한 자녀들에게 미칠 것을 염려해 아이를 격리할 수밖에 없었습니다. 그리고 그 본성을 바로잡고자 우리 학교에 보내기로 결심한 것입니다. 마치 옛 유대인들이 병든 자를 물결이는 베네스다못으로 데려갔듯이 말입니다. 그러니 교장선생님과 교사 여러분, 이 아이가 주위의 맑은 물을 흐리지 않도록 부디 힘써주기를 바랍니다."

제멋대로 숭고한 결론을 내린 브로클허스트 씨는 외투 단추를 채우고 일어나서 가족들에게 무엇인가 작은 목소리로 속삭였다. 그러자 부인과 두 딸도 자리에서 일어나 템플 선생님에게 가볍게 인사를 하고 지체 높은 귀부인처럼 당당한 태도로 교실에서 나갔다. 문을 앞두고 뒤돌아선 재판관은 이렇게 말했다.

"저 아이를 의자 위에 30분 더 세워두시오. 그리고 오늘 하루 아무도 저 아이에게 말을 걸어서는 안 됩니다."

나는 높은 의자 위에 남겨졌다. 교실 한가운데 서 있는 굴욕을 참을 수 없다고 말했던 내가 지금 굴욕의 발판 위에 서 있었다. 그때 내 마음이 어땠는지는 차마 말로 표현할 수 없다. 모두 일어나 교실을 나가고, 나 홀로 남아 숨이 막히고 목이 메던 그 순간, 한 학생이 가까이 다가와서 나를 올려다보았다. 그 눈빛이 어찌나 신비하던지! 그 눈빛이 내게 얼마나 특별하게 느껴졌는지! 그 새롭고 묘한 감정이 얼마나 기운을 북돋아주었는지! 마치 순교자나 영웅이 노예나 희생자 앞을 지나가면서 순간적으로 힘을 불어넣어 주는 것만 같았다. 나는 미칠 듯 치밀어오르는 흥분을 가라앉히고 머리를 똑바로 들고 당당하게 섰다. 내게 힘을 준 헬렌 번스는 스미스 선생님에게 가서 재봉 일에 대해 몇 가지 가벼운 질문을 했고, 하찮은 질문을 한다고 꾸중을 들은 후 다시 자리로 돌아갔다. 그녀는 내 곁을 지나면서 다시 한번 내게 미소를 지어 보였다. 그 얼마나 뭉클한 미소였는지! 지금도 그 미소가 생생히 기억날 정도다. 훌륭한 지성과 진정한 용기로부터 흘러나온 미소였다. 그 미소는 마치 천사의 얼굴에서 나오는 빛처럼, 뚜렷한 이목구비와 가냘픈 얼굴과 그 얼굴 깊숙이 박힌 회색빛 눈동자를 밝게 비추었다. 사실 그때 헬렌 번스도 팔에 '칠칠치 못한 학생'이라 적힌 이름표를 달고 있었다. 불과 한 시간쯤 전에 그녀가 연습 문제를 베끼다가 잉크로 종이를 더럽혔다는 이유로 스캐처드 선생님에게 점심을 굶으라는 벌을 받았다는 것도 알았다. 인간은 원래 불완전한 존재인 법이다! 가장 맑은 달의 표면에도 자그마한 얼룩은 있는 법이 아닌가. 스캐처드 선생 같은 사람의 눈에는 조그만 결점만 보이고 그 전체에 넘쳐흐르는 찬란한 빛은 보이지 않았다.

채 30분도 지나지 않아 시계가 다섯 시를 알려왔다. 쉬는 시간이 되어 모두 차를 마시러 식당으로 떠났다. 나는 이때 대담하게 의자에서 내려왔다. 주위는 어두웠다. 교실 한구석으로 가 주저앉았다. 여태껏 내 마음을 받쳐주던 주문이 풀리기 시작했다. 긴장이 풀리고 온몸에 힘이 다 빠졌다. 그리고 엄습해 오는 슬픔이 온몸을 압도하는 바람에 얼굴을 바닥에 대고 엎드렸다. 눈물을 흘리며 소리 없이 울었다. 헬렌 번스도 그곳에 없었다. 힘을 내라고 격려해 줄 사람이 아무도 없었다. 홀로 남겨진 나는 자포자기한 마음이었다. 눈물이 흘러내려 마루 널빤지를 적셨다. 나는 착한 아이가 되고 싶었고 로우드 학교에서 잘 지내고 싶었다. 또 친구도 많이 사귀고 관심도 받고 사랑도 받고 싶었다. 이미 나는 모든 면에서 눈에 띄는 성과를 내고 있었다. 그리고 그날 아침에는 드디어 우리 반 1등 자리에도 도달했다. 밀러 선생님은 나를 다정하게 칭찬해 주었고, 템플 선생님도 그 칭찬에 동의한다는 듯 내게 미소를 지어 보였다. 선생님은 내가 두 달만 더 지금 같은 성취를 보여준다면 그림도 가르쳐주고 프랑스어 수업도 받게 해주겠다고 약속했다. 게다가 친구들도 좋았다. 비슷한 나이의 친구들로부터는 동등한 학우로 대접받았고 누구에게도 괴롭힘을 당하지 않았다. 그런데 그 순간, 나는 다시 한번 철저히 뭉개지고 짓밟혀버린 것이다. 다시 일어서는 게 과연 가능하긴 할까?

'다시는 일어설 수 없을 거야'라는 생각이 들었다. 애타는 마음으로 차라리 죽어버리고 싶다는 생각이 들었다. 훌쩍훌쩍 흐느끼며 이런 생각을 중얼거리는데 누군가가 다가왔다. 나는 깜짝 놀라 일어났다. 다시 한번 헬렌 번스가 내게 다가오고 있었다. 꺼져가는 난롯불에 의지하며 그녀가 텅 빈 교실을 걸어오는 모습이 보였다. 내 몫의 커피와 빵을 들고 있었다.

"자, 뭘 좀 먹어." 그녀가 말했다. 하지만 나는 음식을 받지 않았다. 지금 같은 상황에서는 커피 한 모금이나 빵 한 조각만 먹어도 목이 멜 것 같았다. 헬렌은 나를 물끄러미 바라보았다. 아마 놀란 것 같았다. 그때까지도 나는 흐트러진 마음을 진정하지 못하고 있었다. 헬렌은 내 곁에 앉더니 두 팔로 무릎을 감싸고 그 위에 고개를 올렸다. 그런 자세로 잠자코 침묵을 지켰다. 먼저 말문을 연 건 나였다.

"헬렌, 넌 왜 모두가 거짓말쟁이라고 믿고 있는 나 같은 애랑 같이 있어?"

"모두라고? 제인, 네가 거짓말쟁이라는 소리를 들은 사람은 다 합쳐봐야 80명 정도밖에 안 돼. 그리고 세상에는 수억 명의 사람이 살고 있어."

"하지만 그 수억 명의 사람이 나랑 무슨 상관이야? 내가 아는 80명의 사람이 나를 미워하는데."

"제인, 네 생각은 틀렸어. 아마 이 학교의 그 누구도 너를 경멸하거나 싫어하지 않을걸. 장담하는데 오히려 많은 사람이 너를 매우 동정하고 있을 거야."

"브로클허스트 씨의 말을 듣고도 어떻게 나를 동정할 수 있어?"

"브로클허스트 씨는 신이 아니야. 위대하거나 존경받을 만한 인물은 더더욱 아니고. 그 사람을 좋아하는 사람은 손에 꼽을 정도로 드물어. 그는 사람들이 좋아할 만한 일을 하지 않거든. 만약 그가 너를 특별히 총애하는 학생이라고 칭찬했다면, 오히려 너를 적대하거나 은근히 견제하는 사람들이 생겼을 거야. 하지만 마음만 먹으면 네게 동정을 표하려는 사람도 많을걸. 선생님들도, 학생들도 하루 이틀 정도는 차가운 표정을 지을지 몰라. 하지만 그들의 마음속에는 친근함이 자리하고 있을 거야. 그러니 네가 조금만 참고 견뎌낸다면, 억눌려 있던 그 마음들이 더 강하고 분명하게 드러날 거야. 그리고 제인……."

그녀는 잠시 말을 멈추었다.

"뭐데 그래, 헬렌?" 나는 그녀의 손을 잡으며 물었다. 그녀가 내 손가락을 따듯하게 해주려는 듯 부드럽게 감싸며 말했다.

"세상 모든 사람이 너를 싫어하고, 네가 사악한 아이라고 믿는다 해도, 네 마음속 양심만은 너를 인정하고 네 죄를 용서해 줄 거야. 그렇다면 넌 결코 혼자가 아니야."

"나도 나를 좋게 생각해야 한다는 건 알아. 하지만 그걸로는 충분하지 않아. 다른 사람들이 나를 사랑해 주지 않는다면 차라리 사는 것보다 죽는 게 나아. 난 혼자가 되거나 미움받는 걸 견딜 수 없어. 헬렌, 너나 템플 선생님, 혹은 내가 진심으로 사랑하는 누군가의 마음을 얻을 수 있다면 팔이 부러져도 좋아. 황소 뿔에 들이받혀도, 말발굽에 가슴이 짓밟혀도 상관없어. 기꺼이 감수할 수 있어."

"그런 말 하지 마, 제인! 넌 인간의 사랑을 너무 절대적으로 생각하고 있어. 넌 너무 충동적이고 감정에 휩쓸려. 하지만 네 몸을 창조하시고 생명을 불어넣으신 분은, 네 안에 나약함만이 아니라 다른 자질도 심어두셨어. 보통 사람에게는 없는 자질들 말이야. 이 세상 너머에는 그리고 우리가 아는 이 인간들 너머에는 눈에 보이지 않는 세계가 있어. 영혼들의 왕국이 존재해. 그 세계는 우리 곁에, 사방에 있어. 그리고 그곳의 영혼들은 우리를 지켜보고 있어. 우리를 보호하는 임무를 부여받았기 때문이야. 고통스럽게, 치욕스럽게 죽어가거나 사방에서 경멸 어린 시선을 받아도, 증오 속에서 좌절해도 천사들은 우리의 고통을 지켜보며 우리가 아무 죄도 없다고 증언해 줄 거야. 물론 정말로 죄가 없다면 말이지. 제인, 나는 브로클허스트 씨가 거들먹거리며 리드 부인에게 들은 네 이야기를 반복할 때, 네가 그 비난에서 자유롭다는 걸 알았어. 네 진지한 눈빛과 맑은 이마를 보고 네 본성이 진실하다는 걸 깨달았어. 주님께서는 우리에게 충분한 보상을 내려 주시기 위해 우리의 영혼이 육신을 떠날 그 순간만을 기다리셔. 그러니 우리가 왜 이 고통에 짓눌려 절망해야 하겠니? 인생은 짧아. 죽음은 오히려 행복으로 가는 문이자, 영광으로 가는 길이야. 그러니 낙심하지 마.”

나는 잠자코 있었다. 헬렌은 나의 기분을 진정시켜 주었다. 하지만 그녀가 나누어 준 평온한 기분에는 말할 수 없는 슬픔이 섞여 있었다. 헬렌이 이야기하는 동안 나는 슬픈 마음이 들었으나 왜 그런 마음이 들었는지 알 수 없었다. 말을 마친 그녀가 잠시 숨이 가쁜 듯 가볍게 기침했으므로 순간 나는 슬픔도 잊고 어쩐지 그녀가 걱정되었다.

나는 헬렌의 어깨에 머리를 얹고 두 팔을 그녀의 허리에 감았다. 헬렌도 나를 끌어안아 주었다. 그렇게 아무 말 없이 우리는 서로에게 기대었다. 그러는 동안에 누군가가 교실로 들어왔다. 강한 바람이 하늘에서 두터운 구름을 몰아내 달이 완전히 모습을 드러냈다. 달빛은 가까운 창으로 스며들어 가까이 다가오는 이를 비추었다. 곧 그 사람이 템플 선생님이라는 걸 알았다.

"널 찾으러 왔단다, 제인 에어." 선생님이 말했다. "내 방으로 오거라. 헬렌, 너도 같이 와."

우리는 그녀의 방으로 갔다. 선생님이 가르쳐준 대로 우리는 복잡한 복도를 요리조리 헤쳤다. 방에 도착하기 전에는 계단도 올라가야 했다. 선생님 방에는 난롯불이 환히 지펴 있어 밝았다. 템플 선생님은 헬렌 번스에게 난로 한편에 놓인 낮은 안락의자에 앉아 있으라고 했다. 그리고 또 다른 안락의자에 앉으며 내게 다가오라 손짓했다.

"이제 다 울었니?" 그녀가 내 얼굴을 살피며 물었다. "실컷 울고 슬픔을 다 날려버렸냐는 말이란다."

"결코 그럴 수 없을 것 같아서 걱정이에요."

"왜 그렇지?"

"부당하게 비난을 당했기 때문이에요. 그리고 선생님과 다른 친구들은 저를 거짓말쟁이라고 생각하겠죠."

"우리는 앞으로 네가 보여주는 모습이 곧 너 자신이라고 생각할 거야. 그러니 계속 착한 학생답게 행동하렴. 그러면 선생님도 무척 기쁠 거야."

"제가 그럴 수 있을까요?"

"그렇고말고." 그녀가 나를 안아주며 말했다. "자, 이제 브로클허스트 씨가 네 은인이라고 말했던 그 부인이 누구인지 내게 말해줄래?"

"리드 부인 말씀이죠? 제 외숙모예요. 외삼촌이 돌아가시면서 부인에게 저를 맡겼어요."

"리드 부인이 자발적으로 너를 맡아 키운 게 아니라는 소리구나."

"전혀요. 오히려 부인은 저를 맡게 된 걸 못마땅하게 여겼어요. 그런데 하녀들 말로는 외삼촌이 돌아가시기 전에 리드 부인에게 언제까지나 저를 키우겠다는 약속을 받아내셨대요."

"제인, 알고 있겠지만 혹시 네가 모른다면 내가 알려주마. 죄인으로 기소되면 반드시 자신을 변호할 수 있도록 허용되는 법이야. 너는 거짓말쟁이라는 죄를 뒤집어썼지. 그렇다면 있는 힘껏 네가 그런 사람이 아니라는 걸 증명해야 해. 진실을 말해야 해. 조금도 숨기지 말고, 과장도 하지 말고."

나는 마음 깊이 다짐했다. 될 수 있는 한 온전하고 정확하게 이야기하리라, 올바른 말만 하리라. 해야 할 말을 조리 있게 정리하기 위해 잠시 생각한 뒤, 내 슬픈 어린 시절을 선생님께 모조리 털어놓았다. 이미 지쳐 있던 나는 그 이야기를 하면서도 평소보다 차분했다. 분노에 휩싸이지 말라는 헬렌의 조언을 떠올리며, 상처와 고통에 대한 표현을 의식적으로 줄였다. 그처럼 억누르고 정제된 이야기는 오히려 신빙성을 더해주었다. 이야기하는 동안, 템플 선생님이 내 말을 완전히 믿어준다는 확신이 들었다.

이야기하는 도중 나는 발작 사건이 일어난 후 약제사 로이드 씨가 나를 보러 왔었다고 말했다. 나는 너무나도 끔찍했던 붉은 방 사건을 절대 잊지 못했다. 붉은 방 사건을 세세하게 이야기하며 너무 흥분한 나머지 어느 한계선을 넘었던 것 같다. 용서해 달라고 미친 듯이 애원하던 나를 외면하고 리드 부인이 유령이 나올 것 같은 그 컴컴한 방에 나를 두 번째로 집어넣고 문을 잠갔을 때, 내 가슴을 휘젓던 발작적인 고통은 떠올리는 것만으로도 나를 흥분하게 했다.

나는 이야기를 마쳤다. 템플 선생님은 묵묵히 나를 바라보았다. 그러고 나서 입을 열었다.

"로이드 씨라는 분은 나도 조금 알아. 그분에게 편지를 보내마. 만약 그분의 답장이 네 말과 일치한다면 모든 사람 앞에서 네가 받았던 모든 비난이 거짓이라고 선언해 주마. 제인, 하지만 나는 이미 네가 결백하다는 걸 알아."

그녀는 내게 입맞춤을 해주었다. 그리고 계속해서 나를 곁에 두었다. (나는 그게 너무 좋았다. 선생님의 얼굴, 옷, 한두 개의 장식, 하얀 이마, 윤기 흐르는 곱슬머리 그리고 반짝이는 까만 눈을 바라보며 어린아이다운 기쁨을 느꼈다.) 선생님은 이제 헬렌 번스에게 말을 걸었다.

"오늘 밤은 몸이 좀 어떠니, 헬렌? 오늘도 기침을 많이 했니?"

"그렇게 많이 한 것 같지 않아요, 선생님."

"가슴 통증은?"

"조금 나아졌어요."

선생님은 자리에서 일어나 헬렌의 손을 잡고 맥을 짚어보고 다시 자리로 돌아가 앉았다. 자리에 다시 앉으며 나는 그녀가 낮게 한숨을 내쉬는 소리를 들었다. 얼마간 수심에 잠겨 있던 선생님이 몸을 일으키고는 밝은 어조로 말했다.

"어쨌든 너희는 오늘 밤 내 손님이니 그에 맞는 대접을 해야겠구나."

그녀가 벨을 울렸다.

"바버라." 선생님이 하녀를 불렀다. "아직 차를 안 마셨으니 차를 내어줘. 이 꼬마 아가씨들을 위한 컵도 같이 가져오고."

이내 쟁반이 들어왔다. 난로 옆 작고 둥근 탁자 위에 놓인 사기잔과 반짝이는 찻주전자가 내 눈에 얼마나 아름다웠는지 모른다. 차에서 모락모락 피어오르던 김은 또 얼마나 향기롭던지. 배가 너무 고팠지만 실망스럽게도 양은 얼마 되지 않았다. 선생님도 그걸 알아차린 듯했다.

"바버라." 그녀가 말했다. "빵과 버터를 좀 더 갖다줄 수 없어? 세 사람 몫으로는 모자라."

바버라는 나갔다가 돌아와 말했다.

"선생님, 하든 부인 말로는 여느 때와 같은 양을 드렸다고 해요."

하든 부인은 가정부로 브로클허스트 씨의 마음에 드는 고래 뼈 반, 쇠 반으로 만들어진 딱딱한 사람이었다.

"그래, 좋아." 템플 선생님이 대답했다. "어쩔 수 없이 이걸로 때워야겠네." 그리고 하녀가 나가자, 선생님은 웃으면서 덧붙였다. "다행히 이번만은 모자란 양을 보충할 힘이 내게 있단다."

선생님은 헬렌과 나를 탁자 가까이 오라고 부르고는 맛있어 보이기는 하지만 얇은 토스트 한 조각과 홍차 한 잔을 우리 앞에 놓았다. 그리고 의자에서 일어나 서랍을 열고 그 속에서 종이로 싼 꾸러미를 꺼냈다. 이윽고 우리 앞에 씨앗이 들어간 케이크가 모습을 드러냈다.

"원래는 너희들이 나갈 때 가져가라고 조금씩 줄 생각이었어." 그녀가 말했다. "하지만 토스트 양이 너무 적으니 지금 먹어야겠다." 그러면서 그녀는 넉넉한 손길로 케이크를 몇 조각 잘랐다.

그날 밤 우리는 마치 신들의 맛난 술과 음식을 먹듯 잔치를 벌였다. 잔치에서 가장 기뻤던 건 아낌없이 나눠 준 맛난 음식으로 허기진 식욕을 채우던 우리를 바라보며 선생님이 지어 보인 흡족한 미소였다. 차를 다 마시고 쟁반을 치우자, 선생님은 다시 우리를 난롯가로 불렀다. 우리는 그녀의 양쪽에 앉았다. 그 후로 선생님과 헬렌이 대화를 나누기 시작했다. 그런 대화를 들을 수 있는 건 정말이지 대단한 특권이었다.

템플 선생님은 언제나 부드럽고 조용했다. 행동에는 위엄이 넘쳤고, 말투는 단정하며 결코 격분하거나 흥분하는 일이 없었다. 선생님의 말을 듣는 사람들은 저도 모르게 기분이 고양되곤 했지만, 그녀가 자연스럽게 풍기는 권위와 경외심이 그 감정을 절제하게 해주었다. 그 순간, 내 마음도 그랬다. 하지만 헬렌 번스에 대해서는 전혀 다른 감정을 느꼈다. 나는 너무 놀라 충격을 받을 정도였다.

헬렌의 내면에 잠재해 있던 생기가 그날 밤 깨어나는 것 같았다. 맛있는 음식과 환하게 타오르는 난롯불, 사랑하는 선생님의 존재와 친절 때문이었을 수도 있고, 어쩌면 그보다 더 깊숙이 자리한 그녀만의 독특한 정신세계 때문이었을 수도 있다. 그 생기는 잠에서 깨어나 활활 타올랐다. 가장 먼저 늘 창백하고 핏기 없던 뺨이 화사한 빛으로 물들었다. 촉촉해진 눈은 더욱 빛을 발하며, 템플 선생님의 눈과는 다른 기묘하고 신비로운 아름다움을 자아냈다. 그것은 단순히 예쁜 색이나 긴 속눈썹, 단정한 눈썹이 만들어내는 아름다움이 아니라, 눈빛과 눈동자의 움직임, 그 깊은 광채가 만들어내는 아름다움이었다. 그 생기는 그녀의 입술에도 내려앉아 있었다. 마치 샘물처럼 맑고도 거침없이, 어디서부터 흘러나오는지 모를 말들이 그녀의 입술에서 쏟아져 나왔다. 어떻게 열네 살 소녀가 그토록 뜨거운 열정을 품을 수 있을까? 그녀의 영혼은 사람들이 평생 천천히 흘려보낼 말들을 단 한순간에 쏟아내려는 듯했다. 그날 밤, 내 기억에 남은 헬렌의 모습은 바로 그랬다.

두 사람은 내가 전혀 들어본 적이 없는 화제로 대화를 나누었다. 여러 나라와 지나간 시대, 머나먼 낯선 나라, 이미 발견되었거나 추측하는 자연의 여러 가지 비밀 같은 화제들이었다. 그들은 책에 관한 이야기도 나누었다. 두 사람의 독서량은 또 얼마나 방대했던가! 그들의 머릿속에 저장된 지식 창고 또한 얼마나 대단했던가! 그들은 프랑스 이름과 프랑스 작가에 대해 잘 알고 있는 것 같았다. 템플 선생님이 헬렌에게 틈틈이 짬을 내어 아버지가 가르쳐주던 라틴어를 복습하고 있느냐고 물어보면서, 서가에서 책 한 권을 꺼내어 베르길리우스*가 쓴 글을 해석하라고 시켰을 때는 내 놀라움도 극에 달했다. 헬렌은 선생님이 시키는 대로 그 글을 읽었고, 그녀가 한 줄 한 줄 소리 내어 읽을 때마다 내 존경심은 점점 더 팽창했다. 헬렌이 읽기를 마치자, 취침 시간을 알리는 종이 울렸다. 더 이상 꾸물거릴 시간이 없었다. 템플 선생님이 우리 둘을 안고 가슴 쪽으로 바짝 당기며 말했다.

"너희에게 주님의 가호가 있기를."

템플 선생님은 나보다 헬렌을 더 오래 안고 있다가 아쉬운 듯 그녀의 몸을 놓았다. 선생님의 눈이 문까지 따라온 것은 헬렌 때문이었다. 다시 한숨을 쉰 것도 헬렌을 위해서였다. 뺨에 흐르는 눈물을 닦은 것도 헬렌을 위해서였다.

침실에 이르렀을 때 스캐처드 선생님의 목소리가 들렸다. 선생님은 서랍을 살피는 중이었는데 마침 헬렌 번스의 서랍을 열던 참이었다. 우리가 들어서자마자 엄한 꾸지람이 헬렌에게 퍼부어졌다. 접는 방법이 서툴렀던 여섯 가지 물건을 내일 헬렌의 어깨에 꿰매어 달아야 한다는 명령을 내렸다.

"내 물건은 정말 창피할 정도로 흩어져 있어." 헬렌은 내게 속삭였다. "제대로 정리해 둔다는 걸 그새 까먹었네."

다음 날 아침, 스캐처드 선생님은 마분지 조각에 큼직하게 '칠칠치 못한 게으름뱅이'라고 적고, 그것을 헬렌의 널찍하고 부드러우며 지혜로워 보이는 이마에 마치 부적처럼 매달았다. 헬렌은 그 벌을 묵묵히 받아들였고, 원망 한마디 없이 저녁까지 그 마분지를 달고 있었다. 오후 수업이 끝나고 스

---

* 고대 로마의 시인.

캐처드 선생님이 교실을 나가자마자, 나는 헬렌에게 달려가 그 치욕스러운 부적을 찢어 불 속에 던졌다. 헬렌은 아무렇지도 않은 듯했지만, 나는 그녀를 대신해 종일 속을 태웠다. 헬렌에게서는 느껴지지 않는 노여움이 내 가슴을 사정없이 태우고 있었다. 뜨겁고 굵은 눈물이 내 뺨을 타고 흘러내렸다. 헬렌의 그 조용한 체념, 그 슬픈 순응이 내 가슴 깊숙이 참을 수 없는 슬픔을 남겼다.

그로부터 일주일쯤 지났을 무렵, 템플 선생님이 로이드 씨에게 보냈던 편지에 대한 답장을 받았다. 편지에는 내 말을 뒷받침하는 증거가 담겨 있는 듯했다. 선생님은 학교의 모든 사람을 강당에 모이게 했다. 그리고 내게 가해졌던 비난에 대해 공식적으로 조회해 본 결과, 다행스럽게도 내가 모든 혐의에서 완벽히 무죄임을 밝힐 수 있게 되었다고 선언했다. 그 순간, 선생님들은 내게 다가와 악수를 청하고 따뜻한 입맞춤을 해주었다. 학생들 사이에서는 기쁨의 웅성거림이 퍼져나갔다.

고통스러웠던 짐을 벗어 던진 나는 바로 그 시간부터 앞으로는 모든 난관을 개척자처럼 헤쳐나가리라 다짐했고, 새롭게 공부하기 시작했다. 나는 정말 열심히 공부했다. 성과는 노력을 배신하지 않았다. 내 기억력이 뛰어난 것은 타고난 것이 아니라 수련의 결과였다. 복습의 반복이 나의 머리를 연마시켰다. 몇 주일이 지나 나는 상급반으로 진급했다. 두 달이 안 되어 프랑스어와 그림 공부를 시작하라는 지시가 내려왔다. 처음으로 프랑스어 동사 에트르의 두 가지 시제를 배운 날, 처음으로 집을 스케치하기도 했다. (참고로 내가 그린 첫 오두막집 벽의 기울어진 모양은 피사의 사탑을 능가했다.) 그날 밤 잠자리에 들었을 때 나는 늘 마음속의 갈망을 충족하기 위해 상상하던 공상, 이를테면 뜨겁게 구운 감자, 하얀 빵, 신선한 우유 같은 '바미사이드의 만찬'*도 잊었다. 그 대신 어둠 속에 보이는 이상의 그림을 그렸다. 어느 것이나 내가 그린 것이었다. 집이나 숲이나 운치 있는 바위, 폐허 등의 평온한 스케치였다. 네덜란드 화가 코이프를 따라 그린 가축 무리, 채 피지 않은 장미꽃 위를 날아다니는 나비들, 무르익은 버찌를 쪼아대는 새의 그림, 파란 담쟁이덩굴 위에 진주 같은 알을 담은 굴뚝새 둥지. 그것은 모두 아름다운 그림이었다. 또 피에로 선생님이 그날 내게 보여준 자그마한 프랑스어 소설책을 언제 술술 번역할 수 있을까 상상하기도 했다. 만족할 만한 해답을 얻지 못한 채 나는 곤히 잠들었다.

솔로몬은 이렇게 말했다. "서로 미워하며 살찐 쇠고기를 먹는 것보다 서로 사랑하며 채소를 먹는 것이 낫다." 나는 이제 아무리 궁핍해도 로우드 학교와 일상적인 사치품이 넘쳐나던 게이츠헤드를 절대로 맞바꾸지 않으리라 다짐했다.

그러나 로우드의 궁핍, 아니 고난이라 할 만한 것들이 줄

* 『아라비안나이트』에 나오는 상상의 식탁.

어들고 있었다. 바야흐로 봄이었다. 봄이 땅을 녹이고 있었다. 겨울의 서리는 그치고, 눈은 녹고, 매서운 바람은 누그러들고 있었다. 1월의 매서운 찬바람에 꽁꽁 얼어붙고 퉁퉁 부어 시리던 발이 4월의 부드러운 숨결에 나아지고 있었다. 캐나다에서 불어닥치던 찬 기운에 아침저녁으로 얼어붙던 냉기도 사그라들었다. 이제는 교정에 나가는 시간도 견딜 만했다. 때로는 햇볕이 잘 들어 쾌적하고 상쾌한 기분이 들 정도였다. 거뭇하게 죽이 있던 길색 잔디 위로 푸릇푸릇한 새싹이 돋아났고, 날이 갈수록 청명해지는 초목 잎사귀에 밤이면 희망이 스쳐 갔으며, 아침이면 희망의 발자국이 더욱 밝게 남았다. 잎 사이로 꽃봉오리가 살며시 고개를 내밀었다. 아네모네, 크로커스, 보랏빛 앵초꽃이며 금빛 팬지꽃이 흐드러졌다. 반나절의 휴식 시간이 주어지는 목요일 오후면 우리는 산책을 갔고, 길가나 울타리 아래에서 훨씬 아름다운 꽃송이를 발견하곤 했다.

또한 나는 우리 교정의 높은 벽과 가시철사로 둘러싸인 울타리 밖으로 수평선이 끝없이 펼쳐져 있다는 커다란 즐거움도 발견했다. 푸르름과 그늘이 풍부한 높은 언덕, 그 주변을 둘러싸고 있는 웅장한 산봉우리 그리고 어두운 바위와 반짝이는 소용돌이로 가득한 맑은 시냇물이 내 기분을 한층 고양시켰다. 이 장관이 겨울의 철갑 하늘 아래에서 서리와 눈에 뒤덮여 있을 때는 얼마나 살풍경했던가! 죽음의 냉기처럼 차가운 안개가 보랏빛 봉우리를 따라 불어닥치는 동풍을 타고 초지까지 내려와 얼어붙은 안개와 서로 녹아내리던 그 순간! 물결은 그 자체로 거센 폭포수처럼 뿌옇게 쏟아지며 나무를 찢어발기고 이따금 진눈깨비처럼 요란스럽게 퍼부어 골짜기 근처 숲은 그야말로 해골 무덤처럼 황폐하기가 이루 말할 수 없었는데 말이다.

4월이 지나고 빠르게 5월로 접어들었다. 밝고 화창한 푸른 하늘, 잔잔한 햇볕, 따뜻한 서풍과 남풍이 5월 내내 불어왔다. 초목도 활기차게 무럭무럭 크기 시작했다. 로우드는 헝클어졌던 머리카락을 빗고, 온통 초록빛으로 물들었다. 여기저기 꽃이 흐드러졌다. 커다란 느릅나무, 물푸레나무, 참나무의 뼈대가 장엄한 생명력으로 말미암아 되살아나기 시작했다. 숲속의 식물들이 그 틈새에서 우후죽순 솟아났다. 풍성한 이끼가 땅과 나무의 움푹 팬 곳을 채웠고, 풍부한 야생초가 지상에 불가사의한 빛을 내뿜었다. 나는 그 희미한 황금빛이 어두운 그늘 여기저기에 아름다운 광채를 흩뿌리는 모습을 지켜보았다. 이 모든 광경을 나는 꽤 자주, 자유롭게, 누구의 방해도 받지 않고 즐길 수 있었다. 이 드문 자유와 즐거움에는 이유가 있었다. 그 이유를 여러분에게 알리는 것도 화자로서 나의 의무일 것이다.

숲과 언덕의 품에 안겨 시냇가에 자리 잡은 이 학교에 관해 설명하면 분명 살기 좋은 곳이라고 말하지 않았을까? 분명 즐거운 곳이었다. 그러나 이곳이 건강에 좋은 곳이었느냐고 묻는다면 내 대답은 달라질 것이다.

로우드가 있던 숲속 골짜기는 안개와 안개로 인한 질병의 요람이었다. 봄이 오면 점점 더 활발해지는 이 병은 학교 울타리를 너무도 쉽게 침범했고, 아이들로 붐비는 교실과 기숙사에 티푸스를 퍼트리며 5월이 오기도 전에 학교를 병동으로 만들었다.

반쯤 굶주린 상태에서 방치된 감기 때문에 학생들의 면역력이 약해졌고, 결국 대부분이 티푸스에 걸리기 쉬운 상태가 되었다. 80명의 학생 중 45명이 동시에 병을 앓았다. 수업은 중단됐고, 규율도 느슨해졌다. 의사는 건강을 위해 바깥에 니기 운동하라고 강력히 권고했고, 덕분에 아직 병에 걸리지 않은 소수의 학생들은 거의 무제한의 자유를 누렸다. 하지만 건강한 학생들을 감시하거나 통제할 여력은 없었다. 템플 선생님은 하루 종일 환자들을 돌보느라 지쳐갔다. 거의 병실에만 머물렀고, 밤에도 겨우 몇 시간을 쉬었다. 다른 선생님들은 친척이나 후견인이 있는 아이들을 학교에서 내보내는 데 집중했다. 아이들이 떠날 수 있도록 짐을 꾸리고 필요한 준비를 도왔다. 하지만 이미 병에 걸린 아이들 중 몇몇은 집으로 돌아간 뒤 끝내 숨을 거두었다. 일부는 학교에서 사망했고, 병의 특성상 사망 후에도 지체할 수 없어 장례는 조용하고 신속한 매장으로 대체됐다.

이처럼 질병은 로우드의 일부로 자리 잡았고, 죽음은 빈번한 방문객이 되었다. 학교는 점차 우울함과 두려움에 깊이 물들었고, 방과 복도는 병원 냄새로 가득 찼으며, 방향제로 죽음의 악취를 없애려고 필사적으로 싸웠지만 효과는 없었다. 한편, 저 눈부신 5월의 하늘은 구름 하나 없이 보기 좋은 언덕과 아름다운 숲을 환하게 비추고 있었다. 교정도 꽃으로 가득했다. 나무처럼 커다란 접시꽃이 자랐고 백합도 아름드리 꽃망울을 틔웠다. 튤립과 장미꽃은 한창이었다. 작은 화단 가장자리로 분홍색 아르메리아와 새빨간 데이지가 가득했다. 달콤한 향이 나는 덤불은 아침저녁으로 꽃향기와 사과향을 풍겼다. 그러나 이 향기로운 보물들도 로우드의 수용자 대부분에게는 무용지물이었다. 단지 관에 넣을 손바닥만 한 꽃다발과 풀만이 그 용도를 다했다.

그러나 나나 건강한 학생들은 이런 풍경도, 계절의 아름다움도 만끽했다. 집시처럼 아침부터 밤까지 숲속을 돌아다니는 것도 허용되었던 터라 우리는 하고 싶은 대로 하고, 가고 싶은 곳으로 갔다. 오히려 나름대로 훨씬 나은 나날이었다. 브로클허스트 씨나 그의 가족은 학교 근처에는 얼씬도 하지 않았다. 학교 경영에 대한 엄격한 감시도 없었다. 심술궂은 가정부들도 감염이 두려워 학교를 그만두었다. 후임자는 로튼 진료원의 수간호사였는데, 새로운 살림에 익숙하지 않아서인지 음식을 푸짐하게 내주었다. 입이 줄어든 데다가, 남은 환자들이 별로 먹지 못하는 것도 한몫해서, 아침 밥그릇에 담기는 식사량이 전에 비하면 훨씬 풍족했다. 저녁 식사를 준비할 시간이 없는 날이면, 그녀는 우리에게 커다란 냉동 파이 한 조각이나 두꺼운 빵에 치즈 한 조각을 내어주기도 했다. 그러면 도시락으로 챙겨 숲으로 가서 각자 좋아하는 자리를 골라 호화로이 식사하면 그만이었다.

내가 가장 좋아하는 자리는 물살 한가운데 솟아올라 하얗게 마른 넓고 매끄러운 바위였다. 시냇물을 맨발로 저벅저벅

가로질러 가야만 갈 수 있는 자리였다. 그 돌은 당시 내가 친하게 지낸 메리 앤 윌슨과 앉아도 충분할 만큼 넓었다. 그녀는 날카롭고 관찰력이 뛰어났고 함께 있으면 즐거웠다. 재치 있고 독창적인 성격이기도 했거니와 나를 편안하게 해주었기 때문이었다. 나보다 몇 살 더 많은 그녀는 세상에 대해 더 많이 알고 있었고 내가 듣고 싶어 했던 이야기도 많이 들려주었다. 그녀와 함께 있으면 호기심이 충족되었다. 내 단점에도 관대했고, 내가 하는 말에 걸고 토를 달거나 입을 막지 않았다. 그녀는 달변가였고 나는 분석에 능했다. 그녀는 정보를 전달하는 것을 좋아했고, 나는 반대로 질문을 좋아했다. 그래서 우리는 잘 어울렸고, 교류하며 많은 즐거움도 얻었다.

그렇다면 그동안 헬렌 번스는 어디 있었을까? 왜 나는 그토록 행복하고 자유로운 시간을 그녀와 함께 보내지 않았을까? 내가 그녀를 잊은 것일까? 아니면 그녀와의 순수한 교우에 싫증을 낼 만큼 내가 보잘것없는 인간이었던 걸까? 메리 앤 윌슨은 헬렌 번스와 비교하면 특별하지 않은 친구였다. 그녀는 재미있는 이야기를 들려주고 내 자극적이고 날카로운 농담을 받아치는 수준이었다. 반면 헬렌은, 솔직히 말하자면 그녀와 대화를 나누는 특권을 누리는 상대에게 훨씬 더 고상한 수준의 대화를 기꺼이 내어주는 존재였다.

독자여, 사실 나는 이 모든 걸 알고 느끼고 있었다. 나는 결점이 많고, 특별한 쓸모도 없는 존재였지만, 단 한 번도 헬렌 번스를 귀찮게 여긴 적은 없었다. 그녀를 향한 애정도 결코 사그라지지 않았다. 내 마음을 움직인 그 무엇보다 강렬하면서도 부드럽고, 존경할 만한 친구였으니 말이다. 헬렌은 언제 어떤 상황에서나 나에게 고요하고도 변함없는 우정을 가르쳐주었다. 그녀의 건강은 날이 갈수록 악화되었다. 몇 주 전, 그녀는 내가 알지 못하는 방으로 옮겨져 내 눈에서 사라졌다. 고열에 시달리는 환자들을 수용하는 곳으로 갔다는 소문만이 떠돌았다. 하지만 그녀의 병은 티푸스가 아니라 폐결핵이었다. 무지했던 나는 시간이 지나면 충분히 나을 수 있는 병이라고 생각했다.

날씨가 따뜻하고 화창한 오후면, 헬렌이 한두 번씩 템플 선생님의 부축을 받고 아래층으로 내려와 교정에 머문다는 사실을 확인하자, 내 믿음은 확신이 되었다. 그러나 헬렌과 이야기를 나눌 수는 없었다. 나는 교실 창문 너머로 그녀를 볼 뿐, 가까이에서 상태를 확인할 수는 없었다. 온몸을 둘둘 감싸고 있는 데다가, 먼 베란다 아래에 앉아 있었기 때문이었다.

6월 초 어느 저녁, 나는 메리 앤과 함께 숲에서 꽤 오래 머물렀다. 우리는 늘 그렇듯 다른 아이들과 떨어져 숲 안쪽까지 거닐었다. 너무 멀리 떨어지는 바람에 길을 잃었고, 숲속의 외딴집을 두드려 학교로 돌아가는 길을 물었다. 그 집에는 너도밤나무 열매를 먹이로 반야생 돼지를 치는 부부가 살고 있었다. 학교로 돌아왔을 때는 이미 달이 밝았다. 학교에 드나드는 의사 선생님의 망아지가 교정 문앞에 서 있었다. 메리 앤은 베이츠 씨의 방문이 분명 학교 내 누군가가 심각한 상황임을 암시한다고 떠들었다. 그녀는 기숙사로 돌아갔고, 나는 숲에서 캐온 한 움큼의 나무뿌리를 내 화단에 심기 위해 잠시 남았다. 지금 심지 않으면 밤새 시들어버릴 것이 분명했기 때문이었다. 나무뿌리를 화단에 심고 난 후로도 조금 더 교정에 머물렀다. 이슬을 맞은 꽃에서 나는 향기가 너무 달콤했고, 밤공기가 쾌적하고 고요하고 따뜻했다. 붉은 해가 내려간 서쪽 하늘은 내일도 좋은 날이 올 것임을 알렸고, 달은 동쪽 언덕 위로 밝게 떠 있었디. 고즈넉힌 밤을 이런 아이처럼 홀로 누리고 있는데 문득 지금껏 한 번도 떠올리지 못했던 생각이 들었다.

'지금 이 순간 병석에 누워 죽어가고 있다니, 너무 슬픈 일이야! 세상이 이토록 행복한데 이곳을 떠나 어디로 가야 할지 모르는 운명이라면 얼마나 허망할까?'

그러고 나서 나는 천국이니 지옥이니, 지금껏 들었던 것들을 제대로 이해해 보고자 노력했다. 처음으로 더 이상 생각하고 싶지 않다는 두려움이 몰려왔다. 내가 서 있는 공간 뒤로, 양옆으로 그리고 앞으로, 헤아릴 수 없는 심연이 펼쳐졌다. 그 모든 공허가 내가 서 있는 현실을 가리켰다. 모든 곳이 형태 없는 공허이자 심연이었고, 그 혼란 속에 거꾸로 처박혀 하염없이 곤두박질치며 몸서리쳤다. 새로이 떠오른 생각을 고민하고 있을 때, 현관문 열리는 소리가 들렸다. 베이츠 씨가 간호사 한 명과 나오고 있었다. 의사 선생님이 말에 올라타는 걸 확인하고 문을 닫으려는 찰나, 나는 간호사를 막아 세우며 그녀에게 달려갔다.

"헬렌 번스는 어때요?"

"몹시 위독하단다." 그녀가 말했다.

"베이츠 선생님은 헬렌을 진찰하러 오신 거예요?"

"그렇단다."

"헬렌이 어떤 상태라고 하시던가요?"

"오래 머물지 못할 거라고 하셨어."

이 말을 어제 들었더라면, 나는 아마 헬렌이 노섬벌랜드로, 헬렌의 고향으로 돌아간다고 생각했을 것이다. 그녀가 죽어간다고 의심하지 못했을 테다. 하지만 지금은 간호사의 말뜻을 단박에 알아차릴 수 있었다! 헬렌 번스가 이 세상의 마지막 나날을 손으로 세고 있다, 그녀가 영혼의 세계로 돌아갈 날을 기다리고 있다니. 나는 공포와 슬픔에 휩싸였다. 그녀를 만나고 싶다는 욕망, 필연적인 감정이 나를 옭아맸다. 나는 그녀가 어느 방에 누워 있는지를 물었다.

"헬렌은 지금 템플 선생님 방에 있어." 간호사가 말해주었다.

"잠깐 올라가서 이야기를 나눠도 될까요?"

"오, 안 된다, 얘야! 절대 안 돼. 그리고 너도 이제 들어가야해. 이슬이 내릴 때 밖에 있으면 금방 열병을 앓게 될 거야."

간호사는 현관문을 닫았고, 나는 교실로 통하는 옆문으로 들어갔다. 때마침 저녁 점호시간이었다. 시계가 아홉 시를 알렸고, 밀러 선생님은 학생들에게 잠자리에 들라고 했다.

좀처럼 잠들지 못하고 뒤척이기를 두 시간 정도, 고요한 정적이 흐르는 가운데 친구들이 모두 잠에 빠진 밤 열한 시

무렵, 나는 잠옷 위에 가운을 걸치고 신발도 신지 않은 채 기숙사에서 나와 템플 선생님의 방을 찾아 나섰다. 기숙사 반대편 끝 방이었지만 길은 익숙했다. 환한 달빛이 복도 창문을 통해 여기저기를 밝게 비추고 있었기에 길 찾기는 더더욱 어렵지 않았다. 열병 환자가 모여 있는 병실 옆을 지날 때는 장뇌*와 소독약을 태우는 냄새가 진동했다. 나는 그 문을 재빨리 지나갔다. 병실을 지키는 간호사가 내 인기척을 느낄까 봐 두려웠나. 이대로 들켜서 다시 기숙사로 돌아가게 될까 봐 두려웠다. 나는 오늘 밤 무조건 헬렌을 만나야 했다. 그녀가 죽기 전에 그녀를 꼭 안아주고, 마지막으로 입맞춤을 해주고, 이야기를 나눠야 했다.

계단을 내려가 아래층 방을 지나 조심스럽게 두어 개의 문을 열고 닫는 것까지 성공한 나는 또 다른 계단 앞에 섰다. 이 계단만 오르면 템플 선생님의 방이었다. 열쇠 구멍과 방문 아래 틈으로 희미한 빛이 새어 나오고, 주변은 깊은 정적에 휩싸여 있었다. 다가가 보니 문이 살짝 열려 있었다. 아마도 밀폐된 공간에 신선한 공기를 들여보내려는 의도였을 것이다. 더는 망설일 시간이 없었다. 가슴이 조여오고 온 신경이 긴장 속에 떨리는 가운데, 나는 충동적으로 문을 열고 안을 들여다보았다. 그리고 헬렌을 찾았다. 혹시 그녀가 벌써 세상을 떠난 건 아닐까 두려움이 엄습했다.

템플 선생님의 침대 곁에는 하얀 커튼이 절반쯤 드리워진 작은 침대가 놓여 있었다. 커튼 사이로 희미하게 누운 사람

* 의약품, 비닐 제조, 좀약 등에 쓰이는 하얀 물질.

의 윤곽이 보였지만, 얼굴은 가려져 있었다. 교정에서 마주쳤던 간호사가 안락의자에 앉아 꾸벅꾸벅 졸고 있었고, 템플 선생님은 보이지 않았다. 나중에야 알게 된 사실이지만, 그때 선생님은 병동에서 열에 들떠 헛소리를 중얼거리는 환자를 돌보고 있었다. 나는 조심스럽게 방 안으로 들어갔다. 침대 곁에 멈춰 서서 손끝으로 커튼 자락을 살짝 매만지며 우선 말을 걸어야겠다고 생각했다. 혹여 커튼 너머 누워 있는 것이 이미 숨을 거둔 시신이 아닐까 두려웠기 때문이다.

"헬렌, 일어나 볼래?" 내가 나지막이 속삭였다.

헬렌이 몸을 일으키며 커튼을 젖혔다. 창백하고 쇠약하지만 침착한 얼굴이었다. 내가 알고 있던 헬렌을 보니 언제 그랬냐는 듯 두려움이 사라졌다.

"제인, 정말 제인이 맞아?" 헬렌이 다정한 목소리로 물었다.

'아니야, 헬렌은 죽지 않을 거야. 누군가 실수를 한 거야. 헬렌이 죽어간다면 이렇게 침착하게 나와 대화할 수 없잖아?' 나는 속으로 생각했다.

나는 그녀의 침대로 걸어가 그녀에게 입을 맞추었다. 이마는 차가웠고, 뺨은 핼쑥했으며 손과 손목은 너무도 가냘팠다. 그러나 헬렌은 예전처럼 다정한 미소를 지어 보였다.

"대체 어떻게 여길 온 거야? 벌써 열한 시가 지났잖아. 몇 분 전에 분명 종소리를 들었는데."

"널 만나러 왔어, 헬렌. 네가 몹시 아프다는 이야기를 들어서 너와 이야기를 나누기 전까지는 잠을 잘 수가 없었어."

"내게 작별 인사를 하러 온 거구나. 어쩜 이렇게 딱 맞게 왔을까."

"헬렌, 어디 가? 집으로 돌아가는 거야?"

"내가 떠나온 머나먼 곳으로 돌아가. 진정한 품으로."

"아니, 안 돼! 헬렌!" 도저히 목소리가 나오지 않았다. 내가 말을 멈추고 눈물을 닦으려는 순간, 헬렌이 기침을 터트렸다. 그러나 간호사는 깨지 않았다. 기침이 멈추고 헬렌이 얼마간 지친 듯 누워 있다가 다시 속삭였다.

"세상에, 제인. 신발도 신지 않고 맨발로 온 거야? 내 옆에 누워 이불 좀 덮어."

나는 헬렌의 말을 따랐다. 그녀의 가냘픈 팔이 내 몸을 안아주었고, 나는 헬렌의 품에 안겼다. 긴 침묵이 흐른 뒤, 헬렌이 나지막한 목소리로 속삭였다.

"나는 지금 정말 행복해, 제인. 내가 죽었다는 소식을 들어도 정신 차리고 절대 슬퍼하지 마. 슬퍼할 이유가 전혀 없으니까. 사람은 누구나 죽어. 지금 나를 괴롭히는 병은 하나도 괴롭지 않아. 그저 고요하게 조금씩 나를 앗아갈 뿐이야. 내 마음도 평온해. 두고 가는 사람이 있어서 괴로운 것도 아니잖아. 하나뿐인 아버지는 재혼하셨고 나를 금방 잊으실 거야. 이렇게 어린 나이에 떠나면 삶의 고통을 겪지 않아도 되잖아. 나는 세상을 잘 살아갈 수 있는 재능도, 자질도 없어. 늘 실수만 하지."

"하지만 어디로 가는 건데, 헬렌? 넌 어디로 가는지 알아? 눈에 보이니?"

"나는 믿어, 믿고 있어. 주님께 가는 거야."

"그 주님은 어디 계시는데? 주님은 어떤 분인데?"

"그분은 나의 창조주이자 너의 창조주이지. 주님은 자신이 만드신 것을 절대 파괴하지 않으실 거야. 나는 주님의 능력에 전적으로 의지하고, 그분의 선함을 믿어. 나를 그분 곁으로 데려가시고, 주님 품에서 내가 온전해지기를, 그 중요한 순간이 오길 손꼽아 기다리고 있어."

"천국이라는 곳이 존재하고 우리가 죽으면 우리의 영혼이 그곳으로 간다고 믿는 거야, 헬렌?"

"그럼, 믿고말고. 천국은 있어. 주님은 선한 분이시니 나는 그분께 내 영혼을 맡길 거야. 주님은 내 아버지이자, 친구야. 나는 그분을 사랑해. 그분도 날 사랑하실 거야."

"헬렌, 내가 죽으면 그때 우리 다시 만날 수 있어?"

"그때 너도 나와 같이 행복의 나라로 가게 될 거야. 나의 전능하신 분, 온 세상을 만드신 주님의 품으로 돌아갈 거야. 난 진심으로 그렇게 믿어, 제인."

나는 다시 궁금증이 생겼다. 하지만 이번에는 속으로만 생각했다. '그곳은 어디일까? 정말 존재하긴 하는 걸까?' 대신 나는 팔을 뻗어 헬렌을 더욱 세게 끌어안았다. 그 어느 때보다도 헬렌이 소중했다. 그녀를 절대 놓아주고 싶지 않았다. 나는 헬렌의 목에 고개를 파묻고 누워 있었다. 잠시 후, 헬렌이 세상에서 가장 다정한 목소리로 말했다.

"어쩜 이렇게 편안한지 모르겠어! 방금 기침은 견디기가 힘들었지만, 잠이 쏟아지네. 제인, 그래도 가면 안 돼. 네가 이렇게 있는 게 너무 좋아."

"절대 안 갈게. 사랑하는 헬렌. 누구도 날 쫓아낼 수 없어."

"이불은 따뜻하니?"

"응, 따뜻해."

"그래, 잘 자, 제인."

"응, 너도 잘 자, 헬렌."

헬렌이 내 이마에, 나는 헬렌에게 입을 맞추었고, 우리는 곧 잠들었다.

눈을 떴을 때는 이미 주변이 환했다. 이상하게 몸이 흔들려 고개를 들어보니 누군가의 품이었다. 간호사가 나를 안고 복도를 지나 기숙사로 데려가는 중이었다. 밤새 침대를 비웠는데 누구도 나를 혼내지 않았다. 어른들은 다른 일로 바빴고, 내 수많은 질문에 답해줄 여력이 없었다. 이틀 정도 지나고 나서야 나는 템플 선생님께 사정을 들었다. 그날 새벽, 환자를 돌보고 방으로 돌아온 템플 선생님은 헬렌의 침대에 비집고 누워, 헬렌의 목을 꼭 끌어안은 채 어깨에 고개를 파묻고 잠들어 있던 나를 발견했다. 그리고 그 곁의 헬렌은 이미 싸늘하게 식어 있었다.

헬렌의 묘지는 브로클브리지 교회에 마련되었다. 그녀가 죽고 난 후로 15년 동안 초라하게 풀만 무성했던 무덤은 이제 그녀의 이름과 '나 부활하리라'라는 뜻의 라틴어가 새겨진 대리석 묘비가 세워져 있다.

10

지금까지 나는 내 인생에서 중요하다고 생각하는 사건들을 상세하게 기록했다. 근 10년간의 기억에 그만큼의 장을 할애한 셈이다. 그러나 이 책을 자서전으로 쓰고 싶은 생각은 없다. 단지 흥미를 일으킬 만큼의 기억만 불러오면 되는 것이다. 따라서 그 후 8년간의 기억은 그저 공백으로 두고자 한다. 다만 이야기의 연결고리를 위해 몇 줄을 적어본다.

로우드에서 티푸스가 전염병으로의 역할을 톡톡히 해낸 후, 병세는 점차 수그러졌다. 그러나 심한 감염력과 수많은 희생자로 인해 학교는 세간의 주목을 끌었다. 전염성의 원인을 알아내고자 조사가 이루어지면서, 다양한 사실이 세상에 드러나고 대중의 분노를 불러일으켰다. 건강에 해로울 수밖에 없는 학교 내 시설과 빈곤하고 부실한 식사, 음식에 사용되는 악취 나는 물, 학생들의 형편없는 의복과 열악한 기숙사 환경 등이 모두 드러났고, 브로클허스트 씨는 평판을 잃었지만 결과적으로 학교에는 좋은 일이었다.

지역 내 몇몇 부유하고 자애로운 후원자들이 나타나, 환경이 좋은 땅에 더 나은 시설을 갖춘 건물을 세울 수 있도록 막대한 후원금을 기부했다. 새로운 규칙이 제정되었고, 옷과 식사도 개선되었다. 학교 운영 기금 관리는 위원회가 맡았다. 브로클허스트 씨는 여전히 지역 유지로서 그 위세를 무시할 수 없기에 회계 담당자 자리를 유지했지만, 그의 직무를 돕는 이들은 좀 더 개방적이고 자애로운 신사들이었다.

브로클허스트 씨는 이성과 엄격함, 안락함과 절약, 연민과 정직함을 잘 결합할 수 있는 사람들과 함께 학교를 운영했다. 로우드 학교는 시간이 지나며 진정으로 유용하고 훌륭한 기관으로 발전했다. 나는 학교가 재건된 후 8년간 더 학교에 머물렀다. 6년은 학생으로, 그다음 2년은 교사로서 말이다. 두 가지 역할을 모두 거치며, 나는 로우드 학교의 존립 가치와 중요성을 확고히 보증할 사람이 되었다.

그 8년 동안 내 삶은 그다지 변하지 않았다. 딱히 불행하지도 않았다. 오히려 평탄했다고 봐야 할 것이다. 훌륭한 교육 기관에서 수학했고, 일부 과목을 사랑했으며, 모든 과목에서 우등생이 되겠다는 열망을 품고, 특히 내가 가장 좋아하는 선생님을 기쁘게 하고자 하는 마음으로 더 열심히 노력했다. 나는 내가 받은 혜택을 최대한으로 활용했다. 시간이 지나, 상급반 최우등생이 되었고, 이후 교사가 되어 2년간 열의를 쏟았다. 그러나 그해가 지날 무렵 변화가 생겼다.

그 모든 일을 겪으면서도 템플 선생님은 학교 교장으로 머물렀다. 그녀의 가르침으로 나는 많은 것을 배울 수 있었다. 선생님과의 우정도 내게 끊임없는 위안이 되었다. 선생님은 내게 어머니이자, 가정교사였고 그 후에는 일종의 반려자 역할까지 해주었다. 이 시기 선생님은 훌륭한 아내에게 어울릴 만한 훌륭한 성직자를 만나 결혼했고, 그리하여 먼 지역으로 이주하며 내 곁에서 떠났다.

템플 선생님이 떠난 이후, 나는 예전의 삶을 이어가지 못했다. 그녀와 함께하던 시간 동안 느꼈던 안정감과 로우드에 대한 유대감이 사라졌기 때문이다. 나는 선생님의 태도와 습관을 조금씩 받아들여 내 것으로 만들었고, 그로 인해 내 마음속에 적절한 사고와 감정이 자리 잡았다. 이제 나는 의무와 질서에 충실하고, 온건한 성격을 가진 사람이 되었다. 다른 사람의 눈에도, 내 눈에도 나는 자제력 있고 온화한 성격의 소유자였다.

그러나 운명은 네이스미스라는 이름의 목사로 등장해, 나와 템플 선생님을 갈라놓았다. 결혼식 직후, 템플 선생님은 여행용 드레스로 갈아입고 마차에 올라탔다. 그녀가 탄 마차가 언덕을 올라 저 너머로 사라졌다. 나는 방으로 돌아와 선생님의 결혼을 기념하며 주어진 반나절의 휴가 대부분을 고독 속에서 보냈다.

나는 방 안에서 서성이며 시간을 보냈다. 내 곁을 떠난 사람을 생각하며 그 사람의 공백을 어떻게 하면 채울 수 있을까 고민했다. 생각이 끝날 무렵 정신을 차리고 보니, 이미 오후도 지나고 저녁 무렵이었다. 순간 나는 새로운 깨달음을 얻었다. 템플 선생님이 떠나며, 그녀가 내게 내어주었던 것들도 함께 떠나갔다는 사실이었다. 아니, 내가 그녀에게 빌린 셈이었던, 선생님 곁에서 숨 쉬고 있던 그 따스한 일상이 함께 떠나갔다. 이제 나는 원래의 나로 돌아와 케케묵은 감정의 동요를 다시금 느끼고 있었다. 내 일상의 한 부분이 사라진 것이 아니라, 나를 지탱하던 동기가 사라진 기분이었다. 평온한 마음을 유지하는 힘이 없어진 게 아니라, 더 이상 평온함을 유지할 이유가 사라진 것이다. 여러 해 동안 나의 세계는 로우드였다. 나의 경험은 이곳의 규칙과 체계 속에서 만들어졌다. 이제 나는 더 넓은 세상 속으로 나아가고 싶었다. 희망과 불안, 감동과 흥분으로 점철된 다양한 세상으로, 삶의 참다운 지식을 구하기 위해 위험이 득실거리는 광야로 나아간 이들과 발걸음을 맞춰야 할 때가 왔다는 걸 깨달았다.

나는 창가로 가서 창문을 활짝 열고 밖으로 고개를 내밀었다. 건물 두 동이 옆으로 나란히 서 있었고, 정원이 보였다. 마치 치마폭처럼 널따란 정원 너머로 언덕과 지평선이 보였다. 내 눈은 다른 모든 사물을 지나 가장 먼 곳에 떨어진 푸른 봉우리에 머물렀다. 내가 오르고 싶던 언덕이었다. 바위와 황야로 이루어진 그 경계 안쪽은 그저 감옥과 같고, 세상으로부터 추방된 사람들이 넘을 수 없는 경계 같았다. 산기슭을 빙 두르며 굽이굽이 하얀 오솔길이 이어지다가 두 산 사이 협곡으로 사라졌다. 나는 얼마나 그 길을 따라가고 싶었던가! 마차를 타고 그 길을 지나왔던 때를 떠올렸다. 황혼 무렵 언덕을 내려오던 그날을 떠올렸다. 로우드에 처음 온 그날 이후로 한 세대가 지난 것 같은 기분이 들었다. 그날 이후로 나는 단 한 번도 로우드를 떠난 적이 없었다. 나는 방학도 늘 학교에서 보냈다. 리드 부인이 게이츠헤드로 나를 부른 적도 없었다. 리드 부인도, 사촌들도, 나를 찾아오지 않았다. 외부 세계와 편지나 전보로 소통한 적도 없었다. 학교의 규칙과 의무, 여기서 만난 이들의 목소리, 얼굴, 옷차림을 익혔고 학교가 선호하는 것과 싫어하는 것을 배웠다. 이것이 내가 아는 전부였다. 내가 아는 삶의 전부였다. 그리고 지금 나는 이것으로는 충분치 못하다는 걸 깨달았다. 나는 단 하루 만에 지난 8년간의 일상이 지루해졌다. 나는 자유롭고 싶었다. 자유를 위해 숨을 헐떡이고 자유를 위해 기도했다. 그러나 자유는 잔잔한 바람에 실려 희미하게 불어올 뿐이었다. 나는 조금 더 겸손하게 변화를, 자극을 주십사 간청했다. 그 겸손한 태도마저도 바람에 실려 흩어지는 것 같았다. 나는 절망에 가까운 목소리로 기도했다. '그렇다면 부디, 새로운 노예의 삶이라도 허락하소서!'

마침 저녁 식사를 알리는 종소리가 나를 불렀고, 나는 아래층으로 내려갔다.

그러나 나의 고민과 기도는 이어지지 않았다. 나와 같은 방을 쓰는 동료 선생이 쓸데없는 잡담을 늘어놓으며 다시 생각에 잠기는 걸 방해했기 때문이다. 나는 그녀가 어서 잠에 빠지기를 바랐다. 창가에 서 있을 때 마지막으로 간청하던 것을 다시 빌기만 하면, 나를 이곳에서 구해줄 획기적인 방법이 떠오를 것만 같았기 때문이다.

마침내 그라이스 선생이 코를 골기 시작했다. 그녀는 웨일스 출신의 풍채가 좋은 여성으로, 전날까지만 해도 그녀의 코 고는 소리가 견디기 어려웠으나 오늘 밤 처음으로 그 소리가 반가울 지경이었다. 방해하는 이가 없으니 마음이 편해졌고, 흐릿했던 생각이 되살아났다.

'새로운 노역에 그 답이 있을 거야!' 나는 혼자 떠들었다. 물론 머릿속으로 떠들었지, 입 밖으로 소리를 냈다는 뜻은 아니다. '틀림없이 있을 거야. 일자리라는 건 그렇게 달콤하게 들리지 않아. 자유, 흥분, 즐거움 같은 건 내게는 그저 공허한 말일 뿐이지. 그런 말은 누구에게나 기분 좋은 소리겠지만, 내게는 아무런 의미가 없어. 하지만 노역이라니! 그건 다르지. 내게는 현실적인 문제야. 누구나 봉사할 수 있어. 나도 로우드에서 8년 동안 봉사했잖아. 이제 나는 다른 곳에서, 새롭게 다른 일을 섬길 거야. 그 정도는 내 의지대로 할 수 있지 않을까? 불가능한 일도 아니잖아. 그리 힘든 일노 아니니까. 그 목적을 이루는 방법만 찾으면 되겠지.'

나는 머리를 짜내기 위해 침대에서 몸을 일으켰다. 쌀쌀한 밤이었다. 어깨에 숄을 두르고, 다시 온 힘을 다해 생각에 몰두했다.

'내가 원하는 게 뭐지? 새로운 장소, 새로운 집, 새로운 사람들로 가득한 새로운 환경이야. 더 바라는 것도 없어. 이거면 충분해. 사람들은 어떻게 새로운 장소를 찾지? 아마 친구에게 부탁하지 않을까. 하지만 난 친구가 없어. 친구가 없는 사람은 많아. 그런 사람들은 스스로 노력할 거야. 그럼 어떻게 노력하면 되지?'

도무지 답을 찾아낼 수 없었다. 아무런 답도 떠오르지 않았다. 그래서 머릿속으로 답을 찾아내라고 나를 재촉했다. 과연 머리는 점차 빠르게 돌아가기 시작했다. 양쪽 관자놀이가 두근거리는 게 느껴졌다. 거의 한 시간 동안 부지런히 생각을 움직였지만, 노력의 결과는 허사였고 결론이 나지 않았다. 헛된 노동에 열이 치솟고, 나는 침대를 박차고 일어나 방을 한 바퀴 돌았다. 커튼을 열고 드문드문 반짝이는 별을 바라보며 추위에 떨다가 다시 침대로 기어들어 갔다.

내가 자리를 비운 사이에 친절한 요정이 베개 위로 내가 바라던 것을 놓고 간 모양이다. 다시 침대에 눕는 순간, 내가 찾던 답이 자연스럽게 내 머릿속에 떠올랐다. '무언가를 원하는 사람들은 신문에 광고를 내. 나도 ○○주(州) 지역신문에 광고를 내자.'

'하지만 어떻게? 난 광고를 내본 적이 없는데.'

또다시 부드럽고 빠르게 답이 떠올랐다.

'광고 내용과 광고비를 동봉해 신문 편집인에게 보내자. 가능한 한 빨리 로튼 우체국에서 편지를 보내자. 답장은 로튼 우체국에 내 이름으로 된 사서함으로 받는 거야. 편지를 보내고 일주일쯤 후에 답장이 왔는지 우체국에 가서 알아보자. 답장이 왔다면 그에 따라 행동하면 되잖아.'

이 계획을 두 번 세 번 검토한 후 정리했다. 내 계획은 명확하고 실용적으로 재정립되었다. 만족스러웠고 그제야 잠이 쏟아졌다.

다음 날 아침 일찍 일어난 나는 학교 종이 울리기 전 미리 광고문구를 작성하여 봉투에 넣고 받을 사람의 이름과 주소를 썼다. 광고문은 이랬다.

교원 경력이 있는 젊은 여성. (나는 2년이나 교사로 재직한 경험이 있다.) 열네 살 미만의 어린아이가 있는 가정집 입주 교사 희망. (나도 이제 갓 열여덟 살이므로 내 나이 또래 학생을 맡는 건 부담스러웠다.) 영국의 정규 교육과정에 포함된 일반 학문 및 프랑스어, 그림, 음악 등 지도 가능. (지금 보니 정말 빈약하기 짝이 없지만, 당시에는 제법 두루 가르칠 능력이 된다고 믿었다.)

○○주 로튼 우체국 사서함 J. E. (제인 에어) 앞으로 회신 요망

이 편지는 하루 종일 서랍에 들어 있었다. 차 마시는 시간이 지나고 새로 부임한 교장선생님께 사소한 일 몇 가지와 동료 선생들이 시킨 사무를 처리할 요량으로 로튼 시내 외출을 청했고, 이내 허락이 떨어졌다. 나는 2마일을 걸었다. 저녁 공기는 습했지만 해는 길었다. 가게 한두 군데를 들렀고, 우체국에서 편지를 보낸 뒤 빗줄기가 세찬 가운데 옷을 흠뻑 적시며 돌아왔다. 그러나 마음은 한결 가벼웠다.

돌아오는 주는 유난히 길게 느껴졌다. 이런저런 일과를 마치고 마침내 선선한 가을날이 저물어가는 가운데, 나는 기꺼운 마음으로 로튼으로 향하는 길을 걸었다. 그 길은 마치 한 폭의 그림 같았다. 계곡 옆에서 달콤한 곡선을 그리며 흐르는 물길을 따라 걸으면서 나를 기다리고 있을지도 모를 편지들을 떠올렸다. 내가 향하는 작은 마을의 우체국에서 나를 기다리고 있을지도 모를, 혹은 그 반대일지도 모를 결과들.

이번에는 구두 치수를 재겠다는 구실로 허락을 받아 먼저 그 용무를 처리하고, 구둣방 앞의 조용한 거리를 지나 우체국으로 향했다. 창구에는 검은 뿔테 안경을 쓴 노파가 손에 검은 장갑을 낀 채 앉아 있었다.

"제인 에어 앞으로 온 편지가 있나요?" 내가 물었다.

그녀는 안경 너머로 나를 물끄러미 바라보더니, 서랍을 열고 그 안의 내용물을 오래도록 뒤적였다. 너무나 오래도록 뒤적이는 손길에 내 희망이 꺾이기 시작했다. 안경 너머로 한참이나 봉투를 읽던 노파가 마침내 편지 한 통을 접수대 위로 내밀었다. 편지를 건네주는 시선 끝에 호기심과 불신이 걸려 있었다. 편지의 수신인은 제인 에어가 분명했다.

"이 한 통이 전부인가요?" 내가 물었다.

"그게 다요." 노파가 말했다. 나는 편지를 주머니에 넣고 다시 학교를 향해 걸었다. 받자마자 열 수는 없었다. 규칙상 여덟 시까지는 학교에 돌아가야 했고, 이미 일곱 시 반이 지나고 있었다. 학교에 도착하고 나서도 여러 업무가 나를 기다리고 있었다. 자습 중인 학생들 곁을 지켜야 했고, 그다음에는 기도문을 읽어야 했다. 아이들을 재우고, 다른 선생님들과 저녁을 먹었다. 촛불이 얼마 남지 않았는데, 초가 다 타도록 수다를 떨까 봐 초조했다. 다행히 저녁 식사로 인한 식곤증이 효과가 있었다. 내가 옷을 갈아입기도 전에 그라이스 선생은 이미 코를 골고 있었다. 초도 조금 남아 있었다. 나는 그제야 편지를 꺼냈다. 봉투의 봉인에는 'F'로 시작하는 이름이 적혀 있었다. 봉투를 뜯었고, 편지의 내용은 예상외로 짧았다.

지난 목요일 자 신문 광고의 당사자 J. E. 양에게.
서술한 자격과 성품, 능력을 보증할 추천서를 제출하는 조건으로 열 살 미만의 어린 여자아이를 가르치는 가정교사로 채용을 희망함. 보수는 1년에 30파운드. J. E. 양은 추천서, 이름, 주소, 그 외 상세한 사항을 다음 주소로 송부하길 바람.

○○주 밀코트, 손필드 장원에서 페어팩스 부인

나는 편지를 한동안 들여다보았다. 고풍스러운 글씨체에 연로한 부인이 보낸 듯 서툴지만 정성 어린 편지였다. 제시된 조건은 충분히 만족스러웠다. 그럼에도 불구하고 마음 한구석에서는 님모를 두려움이 계속해서 나를 괴롭혔다. 혹시 내가 직접 결정하고 행동한다면, 예상치 못한 곤경에 빠지게 되는 건 아닐까? 이런 불안감이 머릿속을 떠나지 않았다. 무엇보다도 이렇게 애써 내린 결정의 결과가 올바른 길로 이어지길 간절히 바랐다.

페어팩스 부인과 마주해야 한다는 사실은 오히려 마음에 걸리지 않았다. 페어팩스 부인이라니! 검은 드레스를 입고 망사가 드리워진 미망인 모자를 쓴, 차갑지도 무례하지도 않은 품격 있는 영국 귀부인이 떠올랐다. 그리고 손필드! 아마도 영지의 이름인 것 같았다. 머릿속에는 깨끗하고 잘 손질된 저택이 자연스럽게 그려졌다. 하지만 그 이상 구체적으로 상상하기에는 부족했다. ○○주 밀코트라니. 영국 지리를 떠올리며 주와 시(市)의 위치를 가늠했다. ○○주는 내가 지금 살고 있는 이 외딴 마을에 비해 런던과 무려 70마일이나 더 가까운 곳이다. 그보다 더 좋을 수는 없었다. 나는 사람이 많고 활기찬 곳으로 가고 싶었다. 밀코트는 A 강변을 끼고 있는 공업도시였다. 틀림없이 번화한 곳이리라 생각하니 흡족했다. 적어도 내게는 완벽한 변화를 불러올 만한 곳이었다. 긴 굴뚝이나 매캐한 연기가 자욱한 풍경이 만족스러운 건 아니지만, 나는 이렇게 합리화했다. '손필드는 그런 도시 중심지에서는 멀리 떨어진 영지일 거야.'

때마침 초의 심지가 전부 타 불이 꺼졌다.

다음 날, 나는 다음 행동에 착수했다. 내 계획은 더 이상 머릿속에만 갇혀 있을 수 없었다. 목표한 바를 이루려면 이제 주위에도 알려야 했다. 점심시간에 교장선생님께 면담을 요청했고, 그녀에게 지금 받는 연봉의 두 배를 받을 수 있는 새 일자리를 얻었다고 말씀드렸다. (로우드 학교 교사의 연봉은 15파운드였다.) 그리고 이 안건을 브로클허스트 씨와 이사회 위원에게 알리고, 그들에게 추천장을 받을 수 있을지도 알려달라고 요청했다. 교장선생님은 기꺼이 나를 위해 중재자가 되어주겠노라 말했다. 다음 날, 교장선생님이 내 사안을 브로클허스트 씨에게 알렸다. 그는 리드 부인에게 편지를 써야 한다고 말했다. 리드 부인은 여전히 내 후견인이었으니 말이다. 그 말에 따라 나는 리드 부인에게 편지를 썼고, 내 후견인은 "네가 하고 싶은 대로 해라. 나는 네 문제에 간섭하지 않은 지 오래다"라는 답장을 받았다. 리드 부인의 회신이 위원회 회람을 거쳤다. 내게는 너무나도 지루한 절차였다. 마침내 위원회는 내게 더 나은 조건의 일자리가 있다면 이직해도 좋다는 승인을 내어주었다. 그리고 위원회는 내가 로우드에서 교사로서 또 학생으로서 늘 훌륭한 성과를 보였으므로, 신원과 능력을 보증할 감독관의 서명이 담긴 추천장도 내어주겠노라 확약해 주었다.

그렇게 약 한 달 만에 추천장을 받았고, 사본을 페어팩스 부인에게 보냈다. 부인은 만족한다는 답과 함께 2주 후부터 가정교사로 일을 시작해 달라고 제안했다.

새로운 일자리와 이주 준비로 눈코 뜰 새가 없어졌다. 2주는 쏜살같이 흘렀다. 옷이 그리 많지 않아 옷 가방을 꾸리기에도 넉넉했다. (참고로 가방은 8년 전 게이츠헤드에서 올 때 가져온 가방이나.) 짐을 챙기는 섯노 떠나기 전날 하루면 충분했다.

가방을 끈으로 두르고 꼬리표를 붙였다. 30분 후, 마차가 와 내 짐을 로튼까지 운반해 주었다. 내일 아침 일찍 합승 마차를 타러 로튼에 가야 했다. 나는 검은색 모직 여행복의 먼지를 털고, 보닛과 장갑, 토시도 마련했다. 서랍을 모두 뒤져 빠뜨린 물건이 없는지 확인한 후에야 더 이상 할 일이 없어서 의자에 앉았다. 잠시 쉬고 싶었다. 하루 종일 걸어서 피곤했지만, 너무 흥분되어서인지 쉽게 마음이 놓이지 않았다. 내 인생의 한 시기가 오늘 밤 끝나고, 내일이면 새로운 시기가 열린다. 도저히 잠이 올 리 없었다. 그런 변화가 일어나고 있는 그 시간을 숨죽인 채 지켜보고 싶었다.

"에어 양, 아래층에서 손님이 접객을 요청했어요." 신경이 곤두서서 넓은 복도를 서성이는데 하인이 내게 말을 걸어왔다.

'배달부겠지'라고 생각한 나는 더 묻지도 않고 아래층으로 내려갔다. 부엌으로 가기 위해 뒷방과 교사 휴게실을 지나가던 중 반쯤 열린 문으로 누군가 뛰쳐나왔다.

"여기 계시네! 이렇게 멀리서 봐도 한눈에 알아보겠어요!"라고 외친 상대가 내 앞을 가로막으며 손을 왈칵 잡았다.

내 눈에 비친 그녀는 단정하게 차려입은 하녀처럼 보였다. 한창인 나이는 지났지만 그래도 여전히 젊었다. 아리따운 외모에 검은색 머리카락과 눈동자 그리고 밝은 안색이었다.

"세상에, 이게 누구람! 저를 완전히 잊어버린 건 아니죠, 제인 아가씨?" 기억에 희미하지만 익숙한 목소리와 미소였다. 동시에 나는 그녀를 껴안고 입을 맞추었다.

"베시, 베시, 베시!"

내 입에서는 그 이름밖에 나오지 않았다. 그녀는 반쯤 울고 반쯤 웃으며 나를 반겼다. 우리는 함께 응접실로 들어갔다. 벽난로 옆에는 격자무늬 프록코트와 바지를 입은 세 살 정도로 보이는 꼬마 아이가 서 있었다.

"제 아들이랍니다." 베시가 말했다.

"베시, 결혼한 거야?"

"그럼요. 마부였던 로버트 리븐과 결혼한 지 벌써 5년도 넘었는걸요. 게다가 여기 바비 말고 둘째 딸도 있어요. 그 아이 이름은 제인이라고 지었어요."

"게이츠헤드에 살지 않아?"

"그전에 살던 문지기가 떠나서 이제 그 사람이 살던 오두막에 산답니다."

"그 댁 사람들은 어찌 지내? 전부 다 말해줘. 아, 우선 앉자. 바비, 이리 와서 내 무릎에 앉을래?"

하지만 바비는 제 엄마 곁으로 쪼르르 걸어가 달라붙었다.

"아가씨, 어쩜 이리 키가 안 자랐어요. 몸도 호리호리하고." 베시가, 아니, 이제 리븐 부인이 말했다. "학교에서 아가씨를 그리 잘 보살피지 못했나 봐요. 리드 양이 아가씨보다 머리 하나는 더 크겠어요. 조지아나 아가씨도 제인 아가씨보다 몸집이 두 배는 될 거예요."

"조지아나는 여전히 예쁘겠지?"

"정말 아름다우세요. 지난겨울 마님과 런던에 갔다가 글쎄, 런던 사교계가 온통 조지아나 아가씨가 예쁘다고 난리였대요. 결국 거기서 젊은 신사와 사랑에 빠졌고요. 하지만 신사 쪽 친척들이 결혼을 반대했대요. 그러니 어떻게 됐겠어요? 신사분과 아가씨는 야반도주를 결심했죠. 그런데 결국 꼬리가 밟혀서 시도는 못 했대요. 그걸 누가 잡았는지 아세요? 글쎄, 일라이자 아가씨가 잡은 거 있죠. 제 생각에는 질투가 나서 그런 것 같아요. 이제 두 아가씨는 개와 고양이처럼 원수지간이 돼서 매일같이 싸워요."

"그렇구나. 존 리드는 어떻게 됐어?"

"도련님은 주인마님 욕심만큼 잘 크지는 못했어요. 대학은 갔는데, 뭐라고 하더라? 아, 낙제라고 하던가, 아무튼 낙제했대요. 외가댁 삼촌들이 존 도련님에게 변호사가 되어야 한다고 해서 지금은 법 공부를 하고 있어요. 영 방탕해서 제 생각에는 변호사도 힘들 것 같지만요."

"생긴 건 어때?"

"일단 키는 정말 커요. 다른 사람들은 잘생겼다고 하는데 입술이 너무 두툼해요."

"리드 부인은?"

"마님은 잘 지내셔요. 아직 건강하고 혈색도 좋으시죠. 그런데 속이 속이겠어요? 존 도련님 행실이 마음에 안 드시나 봐요. 도련님 씀씀이도 워낙 크고요."

"리드 부인이 널 보낸 거니?"

"아니요, 그건 아니고…… 실은 아주 오랫동안 아가씨가 보고 싶었어요. 마님께 편지를 보내셨다면서요. 다른 지역으로 떠난다고요. 그 소식을 듣고 아가씨가 떠나기 전에 꼭 한 번 보고 싶어서 찾아왔어요."

"내 모습에 실망한 건 아닌지 모르겠다." 내가 웃으며 말했다. 베시의 눈빛에 나를 우러러보는 감정은 있었지만 결코 감탄이 배어 있지는 않았던 탓이다.

"아니에요, 아가씨. 무슨 그런 말씀을 해요. 충분히 우아하고 숙녀 같아요. 제가 기대했던 것보다 훨씬 더요. 어릴 때는 미모가 있지는 않았잖아요."

나는 베시의 솔직한 대답에 미소를 지었다. 맞는 말이라고 느꼈지만, 그 말에 아무렇지 않게 답할 수는 없었다. 열여덟 살 숙녀는 대부분 다른 이의 호감을 사고 싶어 한다. 그런데 외모가 그 욕망을 뒷받침하지 못한다는 확언은 결코 반가운 평가는 아니다.

"그래도 어쩜 그리 총명했는지." 베시가 위로를 담아 말했다. "무엇을 배우셨어요? 피아노는요?"

"응, 조금 칠 줄 알아."

마침 응접실에 피아노가 있었다. 베시가 자리에서 일어나 피아노 뚜껑을 열고 내게 연주를 청했다. 나는 왈츠곡을 한두 곡쯤 연주했고, 베시는 감탄을 금치 못했다.

"리드 부인 댁 아가씨들보다 훨씬 뛰어난걸요!" 베시가 기뻐하며 말했다. "저는 늘 아가씨가 그 댁 자제분들보다 뛰어난 어른이 될 거라 믿었어요. 그림은요?"

"저 벽난로 위에 걸려 있는 게 내 그림이야." 수채로 그린 풍경화였다. 나를 위해 운영회에서 중재자 역할을 해준 새 교장 선생님에게 드린 감사 선물이었다. 그녀가 그 위에 유약을 바르고 액자에 넣어 걸어둔 것이다.

"세상에, 너무도 아름다워요. 제인 아가씨, 리드 부인 댁 아가씨들을 가르치는 화가 선생님도 저 그림의 절반만치도 못 그릴 거예요. 물론 아가씨 두 분은 감히 따라갈 수도 없고요! 아가씨, 프랑스어는요?"

"응, 이제 읽고 말할 줄 알아."

"모슬린이나 무명천에 수를 놓는 건요?"

"그것도 할 줄 알아."

"이제 어엿한 숙녀가 되었군요, 그리될 줄 알았어요. 아가씨의 친척분들이 아가씨를 돌보지 않아도 아가씨는 잘될 줄 알았어요. 참, 여쭤보고 싶었던 게 있어요. 혹시 아버님 쪽 친척인 에어가에서 연락이 온 적은 없어요?"

"단 한 번도 없어."

"리드 부인은 항상 에어가 사람들이 가난하고 비열하다고 그랬잖아요. 정말 그럴지도 모르죠. 하지만 전 에어가가 리드가만큼 고귀한 상류층이라고 생각해요. 7년 전쯤이었나,

에어 씨라는 신사분이 아가씨를 만나러 게이츠헤드로 찾아 온 적이 있거든요. 리드 부인은 아가씨가 50마일 떨어진 학교에 머물고 있다고 했어요. 그 신사분이 어찌나 실망하던지, 자신이 오래 머물 수 없다고 하시면서요. 배를 타고 외국으로 떠날 예정이었는데, 하루인지 이틀인지 후에 배가 런던에서 출발하기로 되어 있었대요. 성품도 온화해 보이는 게, 아마 아가씨 아버님의 형제 같았어요."

"외국 어디로 가는지 말해주었니?"

"수천 마일 떨어진 섬에서 포도주를 만든다고 집사가 그러더라고요."

"마데이라*?" 내가 물었다.

"맞아요. 그래, 거기였어요."

"그리고 떠났어?"

"네, 오래 머물지도 못했어요. 마님이 어찌나 쌀쌀맞게 대했는지. 나중에는 '천박한 장사치'라고 하시더라고요. 남편은 그분이 아마 포도주 상인일 거라고 하더라고요."

"아마 그렇겠지." 내가 대답했다. "아니면 포도주 상인의 서기나 대리인일 수도 있고."

옛날이야기를 한 시간가량 더 하고 난 후 베시가 돌아갔다. 이튿날 아침 로튼에서 마차를 기다리며 베시를 다시 만나 짧은 작별 인사를 했다. 우리는 브로클허스트가의 문장이 새겨진 건물 앞에서 헤어졌다. 그녀는 게이츠헤드로 돌아갈 마차를 타기 위해 로우드 언덕 위로 향했고, 나는 밀코트 근

---

* 대서양의 군도로 포르투갈령.

방에 있다는 미지의 영지를 향해, 새로운 임무와 새로운 삶
으로 가는 마차에 탔다.

11

소설의 새로운 장은 연극의 새로운 장면과 같다. 그리고
새로운 막이 오르는 지금, 밀코트의 조지 여관을 상상해 주
길 바란다. 이 방은 여느 여관처럼 벽에 커다란 무늬의 벽지
가 발려 있다. 여관 특유의 카펫과 가구, 벽난로 위의 장식품,
비슷한 그림들이 즐비하다. 그중에는 조지 3세와 황태자의
초상화도 걸려 있고, 울프 장군의 죽음을 그린 그림*도 걸려
있다. 이 모든 것이 천장에 매달린 기름 램프 불빛과 활활 타
오르는 벽난로 불빛을 받으며 찬란히 빛나고 있다. 나는 망
토를 걸치고 난로 곁에 앉았고 토시와 우산을 탁자 위에 놓
았다. 10월의 추운 날씨에 열여섯 시간이나 마차를 타고 왔
기에 오한에 시달리며 뻣뻣해진 몸을 따뜻한 난롯불에 녹이
고 있다. 새벽 네 시에 출발했는데, 밀코트의 마을 시계는 지
금 막 저녁 여덟 시를 지났다고 알려주었다.

독자들이여, 내가 지금 편안한 상태로 여관에서 휴식을
취하는 것처럼 보이는가. 그러나 내 마음은 조금도 편안하
지 않았다. 나는 마차가 밀코트에 멈추면 누군가가 나를 마

---

* 7년 전쟁의 북미 전장이었던 프렌치 인디언 전쟁 중 1759년에 발발한 아브라함 평원 전투에서 전
  사한 영국 장군 제임스 울프의 죽음을 묘사한 그림.

중 나올 거라고 생각했다. 그러나 여관 하인이 마차에 대어준 나무 계단을 내려가며 나는 불안한 시선으로 주위를 둘러볼 수밖에 없었다. 누군가 내 이름을 부르거나 아니면 나를 손필드 저택으로 데려가기 위해 대기 중인 마차가 있다는 팻말을 볼 수 있을 거라 생각했다. 하지만 전혀 보이지 않았다. 여관 직원에게 혹시 에어 양의 마중을 부탁받지 않았냐고 물었다. 하지만 돌아오는 답변은 비관적이었다. 결국 나는 숙박용 일인실을 부탁할 수밖에 없었다. 온갖 의심과 두려움이 내 마음을 어지럽히고 있었다.

세상 경험이라곤 없는 젊은이가 느끼는 불안감은 깊다. 마치 혼자 세상과 동떨어진 듯한 기분에 휩싸여, 목표하던 항구에 닿을 수 있을지 확신하지 못하고 표류하는 기분이다. 여정 중에 만난 수많은 장애물은 내가 떠나온 곳으로도 되돌아가지 못할 것이라는 두려움을 주었다. 이런 감정이 한꺼번에 몰려와 가슴을 짓눌렀다. 처음에는 모험이 주는 설렘과 자부심이 따뜻한 위안을 주었지만, 불안감의 무게는 곧 그 불씨를 꺼뜨렸다. 30분이 지나도록 혼자 남아 있던 나는 끝내 두려움에 휩싸였다. 결국 종을 울리기로 결심했다.

"혹시 이 근방에 손필드라고 하는 영지가 있나요?" 종소리를 듣고 온 하인에게 물었다.

"손필드요? 저는 잘 모르겠습니다. 지배인에게 물어보고 오겠습니다." 대답과 함께 사라졌던 그가 다시 올라와 물었다.

"혹시 아가씨 성함이 에어 양 맞습니까?"

“네.”

“아가씨를 기다리는 분이 있습니다.”

나는 기다렸다는 듯 자리에서 일어나 목도리와 우산을 챙기고 복도로 나갔다. 열린 현관문 너머로 한 남자가 서 있었다. 등불이 켜진 거리 사이에 어슴푸레하게 마차가 보였다.

“짐은 이게 전부요?” 남자는 나를 보자마자 통로에 덩그러니 놓아둔 내 짐을 가리키며 퉁명스럽게 물었다.

“네.”

그는 마차에 짐을 실었고, 나도 올라탔다. 마부가 문을 닫기 전에 나는 저택까지 얼마나 걸리느냐고 물었다.

“대략 6마일쯤 됩니다.”

“그럼, 얼마나 걸리는 건가요?”

“한 시간 반쯤 걸릴 겁니다.”

그는 마차 문을 닫고 마부석에 올라탔다. 그리고 출발했다. 느긋한 속도로 나아가는 마차에서 나는 생각에 잠겼다. 마침내 여행의 끝에 가까워진 것이 만족스러웠다. 편안하지는 않지만 그럭저럭 우아한 마차에 기대앉으며 한층 여유로운 마음으로 이것저것 생각했다.

‘하인이나 마차의 상태를 보아하니, 페어팩스 부인은 그리 사치스러운 분은 아닌 것 같아. 오히려 잘됐어. 한 번도 호화스러운 사람들과 살아본 적은 없잖아. 오히려 그런 사람들을 상대할수록 불행하기만 했지. 내가 가르칠 어린 소녀를 제외하면 혼자 사는 부인임이 틀림없어. 그렇다면 부인이 어느 정도 호감 가는 분이기만 해도 우리는 잘 지낼 수 있을 거야.

최선을 다해야지. 물론 최선을 다하는 게 늘 정답은 아니지만 말이야. 로우드에서도 나는 최선을 다했고 사람들이 나를 좋아해 주었잖아. 물론 리드 부인은 내가 최선을 다해도 언제나 경멸의 눈초리만 보냈지만. 부디 페어팩스 부인이 리드 부인과 비슷하지 않기를 바라. 그런 사람이라면 나는 손필드에 머무를 이유가 없어! 최악의 상황이 오면 이번처럼 다시 광고를 내면 돼. 그나저나 여기는 어디쯤일까?'

나는 창을 열고 밖을 내다보았다. 어느새 밀코트의 전경이 저 멀리 물러나 있었다. 불빛의 수로 보아, 로튼보다 훨씬 큰 시가지였다. 내 눈에 들어오는 주변 풍경은 어느덧 황무지처럼 황폐했다. 근방으로 띄엄띄엄 집들이 자리 잡고 있었다. 로우드와는 판이했다. 사람은 더 많이 살지만 그림 같은 아름다움은 적고, 활기는 넘치지만 낭만은 덜했다.

도로 상태는 거칠고, 밤은 안개가 자욱했다. 마부는 좀처럼 속력을 내지 않았고, 약속했던 한 시간 반이 두 시간으로 늘어났다. 얼마 후에야 마부가 몸을 틀어 내게 말했다.

"손필드 영지 근처요."

나는 다시 밖을 내다보았다. 마차는 교회를 지나고 있었다. 하늘을 배경으로 낮고 뚱뚱한 종탑이 보였다. 마침 매 시간 15분을 알리는 종이 울리고 있었다. 언덕을 따라 옹기종기 불빛이 모여 있는 모습을 보니 마을이거나 작은 촌 같았다. 10분 정도 더 지나자, 마부가 마차에서 내리더니 정문을 열었다. 우리는 문을 통과했고, 우리 뒤로 문이 닫혔다. 마차가 천천히 진입로를 따라 올라가며, 마침내 저택의 긴 전면

부를 맞닥뜨렸다. 커튼이 드리워진 활 모양의 창문으로 촛불이 일렁이며 반짝였고, 모든 건 칠흑 같은 어둠 속에 파묻혀 있었다. 마차가 현관 앞에 서자 하녀가 문을 열어주었다. 나는 마차에서 내려 건물 안으로 들어갔다.

"이쪽으로 가실까요, 선생님?" 어린 하녀가 말했다. 나는 하녀를 따라 사방으로 높은 문이 둘러싼 정방형 홀을 가로질렀다. 그녀는 불빛과 촛불이 어우러진 방으로 안내했다. 처음에는 조명이 너무 눈부셨다. 지난 두 시간 동안 이둠에 익숙해진 탓이었다. 시야가 조금씩 빛에 적응하니, 아늑하고 포근한 방 안이 눈에 들어왔다.

작지만 안락한 방이었다. 따스한 벽난로 옆으로 동그란 탁자가 놓여 있었다. 등받이가 높고 고풍스러운 의자에는 누가 보아도 단정하면서도 체구가 작은 노부인이 앉아 있었다. 망사가 달린 미망인 모자를 쓰고 검은 실크 드레스를 입은 노부인은 눈처럼 하얀 모슬린 앞치마를 두른 차림새였다. 내가 상상했던 페어팩스 부인과 닮았지만, 그보다 더 단정하고 온화한 모습이었다. 부인은 뜨개질을 하고 있었고, 커다란 고양이가 그녀의 발치를 조용히 지키고 있었다. 누구나 상상할 수 있는 이상적인 모습이자 안락한 풍경이었다. 새로운 가정교사에게 그보다 마음이 놓이는 상황은 없을 정도였다. 압도할 만한 위엄도, 당황스러울 정도로 고압적인 분위기도 없었다. 내가 방에 들어서자 노부인이 자리에서 일어나 친절하게 나를 맞이해 주었다.

"오는 길은 편안했나요? 마부 존이 말을 너무 느리게 몰지요. 추울 테니, 이리 난로 곁으로 와요."

"페어팩스 부인이신가요?" 내가 물었다.

"네, 그렇답니다. 이리, 어서 들어와요."

그녀는 자신이 앉아 있던 의자로 나를 안내한 다음, 내 목도리를 벗기고 보닛 끈을 풀기 시작했다. 예의 있게 손길을 물리자 그녀가 나를 안심시켰다.

"오, 아니에요. 추워서 손가락이 굳었을 텐데, 내가 하리다. 레아, 가서 니거스주*와 샌드위치를 좀 만들어오렴. 여기 창고 열쇠를 주마."

부인은 알뜰한 주부처럼 주머니에서 열쇠 꾸러미를 꺼내 내밀었다.

"자, 어서 난롯가로 와요." 부인이 재차 물었다. "짐은 전부 가지고 왔지요?"

"네, 부인."

"방으로 옮기라고 할 테니 잠시만 기다리세요." 그리고 부인은 잠시 자리를 비웠다.

나는 조금 놀란 마음으로 생각했다. '내가 손님이라도 되는 것처럼 극진히 대접해 주시네. 차갑거나 딱딱할 거라 생각했는데. 그동안 들었던 가정교사는 이런 게 아니었잖아. 아니야, 벌써부터 너무 좋아하지는 말자.'

이내 부인이 돌아왔고, 그녀는 뜨개질 도구와 책을 탁자에서 치우며 레아가 가져온 쟁반을 올릴 공간을 만들었다. 그리고 직접 나에게 다과를 건넸다. 지금껏 살면서 받은 그 어

---

* 끓인 포도주에 물, 설탕, 레몬즙을 넣어 만든 음료.

떤 대접보다 융숭한 접대에 너무도 당황스러웠다. 그것도 내 고용주이자 상사의 이런 호의적인 태도라니. 그러나 페어팩스 부인은 내게 보이는 호의가 아무렇지도 않다는 듯 당연해 보였다. 그래서 나도 차분히 예의를 차리는 게 좋겠다고 결심했다.

"오늘 밤에 페어팩스 양도 만날 수 있나요?" 나는 그녀가 권하는 음식을 한 입 먹고 물었다.

"뭐라고 했지요, 선생님? 내가 귀가 살 안 들려서요." 친절하기 그지없는 부인이 되물으며 내 입가에 귀를 댔다.

나는 또박또박 다시 한번 물었다.

"페어팩스 양? 아, 바렝 양을 말하는 게로군! 선생님께서 앞으로 맡을 아이는 바렝 양이랍니다."

"아, 그렇군요. 그 아이는 부인의 딸이 아닌가 봐요."

"오, 나는 다른 가족이 없어요."

이어서 바렝 양과 페어팩스 부인이 어떤 관계인지 묻고 싶었지만 처음부터 너무 많은 질문을 하는 건 예의가 아니라는 생각이 나를 가로막았다. 게다가 때가 되면 전부 알려줄 거란 확신도 들었다.

"너무 기쁘네요." 부인이 맞은편에 앉아 고양이를 무릎에 앉히고 대화를 이끌었다. "선생님이 와서 기쁘다는 말이랍니다. 말벗이 생겼으니, 이 저택의 생활이 더욱 윤택해지겠어요. 물론 이 저택에 산다는 건 어느 때건 행복한 일이랍니다. 손필드는 유서 깊은 곳이에요. 최근 몇 년은 관리가 그리 잘되었다고 할 수 없지만, 여전히 훌륭한 저택이랍니다. 하지만 겨울에 큰 저택에 홀로 있으면 역시 조금 울적해져요. 혼자 산다는 게 과연 맞는 표현이랍니다. 레아는 착한 하녀이고 존과 그의 아내도 예의 바른 사용인이지만요. 선생님도 잘 알겠지만, 그래도 그들과 대등하게 담소를 나누며 가까이 지낼 수는 없어요. 권위를 잃지 않으려면 적당한 거리를 유지해야 해요. 지난겨울에, 선생도 기억하겠지만 11월부터 2월까지는 눈은 내리지 않아도 바람이 어찌나 혹독하게 부는지 저택에 방문객이라고는 정육점 주인과 우체부가 전부였어요. 매일 밤 혼자 앉아 책만 읽자니 어찌나 울적하던지요. 때로는 레아가 와서 책을 읽어주기도 했지만, 레아도 그게 썩 기꺼운 일은 아니었을 거예요. 답답하기도 했겠지요. 봄과 여름에는 제법 잘 지냈어요. 확실히 해가 길어지면 생활도 달라져요. 그리고 가을이 막 시작될 무렵, 아델 바렝 양이 유모와 함께 찾아왔답니다. 아이가 오니 집에도 활기가 생기더군요. 이제 선생까지 왔으니 나는 정말이지 이보다 기쁠 수 없어요."

인자한 부인의 말을 경청하며, 나 역시 마음이 따뜻해졌다. 나는 부인에게 조금 더 가까이 다가가, 그녀가 기대했던 것만큼 내 존재가 즐거운 일이 되기를 진심으로 바란다며 내 마음을 전했다.

"오, 물론 오늘은 선생을 늦게까지 잡아두지는 않을게요." 부인이 덧붙였다. "벌써 자정이 다 되어가네요. 하루 종일 긴 여행을 했으니 얼마나 피곤하겠어요. 몸이 좀 녹았다면 이제 침실로 안내할게요. 내 옆방이랍니다. 작지만 모든 게 갖춰

졌으니, 저택의 큰 방보다 더 마음에 들 거예요. 물론 가구는 저택의 큰 방이 더 좋지만, 솔직히 너무 차분하고 우울하답니다. 나조차도 그 방에서 묵는 일이 별로 없어요."

　나는 부인의 배려심에 깊은 감사를 표하며, 긴 일정으로 지친 몸을 쉬어야겠다고 전했다. 페어팩스 부인은 촛대를 들고 나를 안내해 주었다. 그녀는 먼저 현관문이 잘 잠겼는지 확인했다. 자물쇠에서 열쇠를 뽑은 후 앞장서서 위층으로 올라갔다. 계단과 난간은 묵직한 침나무로 만들어졌고, 높은 격자형 창문이 계단을 따라 이어졌다. 창문의 모양새와 복도는 저택이라기보다는 마치 오래된 교회를 연상시켰다. 계단과 복도에 흐르는 차가운 공기는 꼭 지하 납골당 같은 분위기를 자아내 텅 빈 저택이 주는 고독감이 강하게 마음에 새겨졌다. 마침내 내 방에 도착했다. 방은 작고 단출했지만, 현대식 가구로 깔끔하게 꾸며져 있어 마음에 들었다.

　페어팩스 부인은 따뜻한 밤 인사를 건네고 떠났다. 홀로 남은 나는 주변을 살펴보며 복도와 계단이 자아냈던 섬뜩한 인상을 차츰 떨쳐냈다. 아담한 방이 주는 아늑함 속에서 하루 동안 쌓였던 육체적 피로와 정신적 불안을 서서히 덜어내며 안도감을 느꼈다. 감사한 마음이 가슴을 가득 채웠다. 침대 옆에 무릎을 꿇고 감사의 기도를 드렸다. 앞으로의 여정에 필요한 도움을 구하며, 주님의 선의를 받을 자격이 있는 사람이 되기를 간절히 기도했다. 그날 밤, 침대는 폭신했고 고요한 방 안은 따스함으로 가득 찼다. 피로에 지쳤지만 마음은 평안했다. 나는 곧 깊은 잠에 빠져들었고, 아침이 되자 방 안에는 밝은 햇살이 가득 들어찼다.

창문과 파란 무명천 커튼 사이로 햇빛이 새어 들어왔다. 아침 햇빛에 비친 방은 아주 밝고 소박했다. 벽지와 카펫 깔린 바닥이 눈에 들어왔다. 얼룩지고 지저분했던 로우드의 회반죽 벽이나 널빤지 마룻바닥과는 완전히 달라서 기분이 한결 좋아졌다. 환경은 과연 젊은이에게 큰 영향을 미친다. 나는 보다 아름다운 삶의 시기가 내 앞에 펼쳐졌다고 생각했다. 고난과 역경만이 아니라, 풍성한 꽃봉오리를 틔우고 유쾌한 일이 잔뜩 기다리는 삶의 새로운 장이었다. 새로운 환경과 희망에 자극받아 내 몸도 한층 활력이 가득했다. 무엇이 기다리고 있을지 모르지만, 어쨌거나 그것마저 즐거웠다. 당장 오늘, 이번 달이 아니더라도, 불확실한 미래의 어느 날 찾아올 그 모든 것이 기꺼웠다.

자리에서 일어나 옷을 입었다. 세심하게 신경 써서 입은 옷이었다. 내게는 수수하지 않은 옷이 없었지만 나도 단정한 옷을 좋아했다. 차림새로 무시당하거나 남에게 보이는 인상에 무신경한 성격이 아니었기 때문이다. 나는 늘 근사해 보이는데 집착했고, 내 미모가 최대한으로 아름다워 보이기를 바랐다. 때로는 내가 아름답지 못하다는 게 슬펐다. 뺨도 붉고 콧대도 날렵하고 입도 자그마하고 오밀조밀한 외모이길 꿈꿨다. 키도 크고 몸매도 좋았으면 하고 바랐다. 하지만 나는 너무 작고, 창백하고, 이리저리 튀어나온 곳이 많았다. 솔직히 내 몸이 싫었다. 나는 왜 이런 열등감에 시달리는 걸까? 그때는 명확한 이유를 댈 수 없었지만, 분명 그럴 만한 사정이 있었고, 논리적이고 자연스러운 근거도 있었다. 어쨌거나 머리를 부드럽게 빗고, 검은색 프록코트를 차려입고 흰색 목깃 천까지 매만졌다. (그 모습이 꼭 퀘이커 교도처럼 보이기도 했지만, 내게 잘 어울리기도 했다.) 이 정도면 페어팩스 부인 앞에서도 충분히 예의를 갖춘 차림새일 것이다. 새로 맞이할 제자도 나에게 반감을 품고 등을 돌리지 않으리라 여겼다. 방 창문을 열어 환기하고, 화장대 위의 모든 물건이 똑바로 정돈되어 있는지 확인한 뒤 마음을 다잡고 모험을 나섰다.

카펫이 깔린 긴 복도를 지나, 참나무 계단을 내려갔다. 그러자 홀이 보였다. 나는 잠시 멈춰 벽에 걸린 그림 몇 점(그중 하나는 갑옷 차림의 무서운 기사, 다른 하나는 흰 가루를 뿌린 머리에 진주 목걸이를 찬 여자였다), 천장에 매달린 청동 램프, 시간이 흐르며 바늘이 문대고 문대느라 검게 갈변한 웅장한 케이스에 담긴 시계를 구경했다. 모든 게 위엄 있고 인상적이었지만, 내게는 익숙하지 않은 웅장함이었다. 절반이 유리로 이루어진 육중한 복도 문이 열려 있었고, 나는 그 문턱을 넘었다. 가을의 맑은 아침, 붉게 물든 숲과 아직 푸른 들판이 이른 아침 햇살에 고요하게 반짝였다. 잔디밭으로 나가 고개를 들어 저택 정면을 바라보았다. 저택은 3층 높이로, 거대하지는 않아도 상당히 위풍당당했다. 귀족의 저택이라기보다는 지방 영주의 저택 같았다. 꼭대기에는 총안(銃眼)이 나 있는 흉벽*이 그림 같은 모습을 자아냈다. 회색빛 건물의 정면은 그 뒤편과 위쪽으로 보이는 까마귀 둥지와 대조되어 눈에 띄었다. 마침 까마귀

---

* 성벽 위에 설치하는 낮은 담장으로 적에게 몸을 보호하고 효과적으로 공격할 수 있는 구조물.

한 마리가 잔디밭과 들판을 날다가 초원 위로 내려앉았다. 저택의 잔디밭과 정원은 땅을 파서 묻은 울타리로 목초지 들판과 나뉘어 있었다. 그 들판에는 거대하고 오래된 가시 관목과 굵고 튼튼한 참나무가 줄지어 서 있었다. 가시나무로 뒤덮인 들판과 숲에서 '손필드'*라는 이름의 유래를 알 수 있었다. 들판 저 멀리 언덕이 펼쳐져 있었다. 로우드 주변을 둘러싼 언덕과 달리, 그 언덕은 높거나 험하지 않았다. 로우드의 언덕과 숲처럼 세상을 단절시키는 장벽처럼 느껴지지도 않았다. 온화하고 고요한 분위기를 풍기며 손필드를 감싸안고 있었다. 숲속 나무 사이에는 언덕을 따라 작은 마을이 자리 잡고 있었고, 지역 교회도 눈에 들어왔다. 오래된 교회 탑이 저택과 마을 입구 사이의 언덕 위로 높이 솟아 있었다.

나는 한동안 고즈넉하고 그림 같은 풍경과 신선한 공기를 만끽했다. 까마귀 울음소리를 배경 삼아 예스럽고 웅장한 저택을 감상했다. 페어팩스 부인처럼 외로운 여성이 홀로 살기에 얼마나 좋은 곳일까 생각하는데 그 주인공이 모습을 드러냈다.

"벌써 일어났어요?" 페어팩스 부인이 말했다. "일찍 일어나는 습관이 있나 보군요!" 나는 그녀에게 다가가 상냥한 입맞춤과 함께 악수를 나누었다.

"손필드가 마음에 드나요, 선생님?" 그녀가 물었다.

나는 아주 마음에 든다고 답했다.

"그렇지요, 정말 아름다운 곳이지요. 그러나 로체스터 씨

---

* 가시나무 숲.

가 아예 이곳으로 와서 살거나 지금보다 자주 방문하지 않으면 영지는 점점 더 엉망이 되고 말 거랍니다. 이렇게 커다란 저택과 넓은 영지는 주인의 손길을 필요로 하니까요."

"로체스터 씨요? 그분이 누구신가요?" 내가 물었다.

"손필드의 주인이지요." 부인이 갸웃거리며 대답했다. "혹시 주인님의 성함이 로체스터 씨라는 걸 몰랐나요?"

당연히 몰랐다. 들어본 적도 없었으니 말이다. 그러나 페어팩스 부인은 마치 모두가 그의 존재를 알고 있는 것처럼 굴었다.

나는 나지막이 고백했다. "저는…… 부인이 이 저택의 주인이신 줄 알았어요."

"내가요? 세상에, 이런 순진한 아가씨를 보았나! 내가 주인이라니! 나는 그저 이 집 관리를 도맡은 관리인에 불과해요. 정확히 따지자면 내 친정이 로체스터 가문과 먼 친척이기는 하지만요. 아니, 차라리 남편 쪽이 더 가깝겠네요. 남편은 저 언덕 너머 헤이라는 작은 마을 성문 근처에 있는 교구 목사였어요. 로체스터 씨의 어머님이 결혼 전 페어팩스 양이었고, 남편이 그분과 육촌지간이었지요. 물론 나는 그런 친인척 관계를 내세우는 사람은 아니에요. 그게 뭐 그리 중요하겠어요. 중요한 건 내가 이 저택을 관리하는 평범한 관리인이라는 점이지요. 로체스터 씨도 나를 정중하게 대해주시니 그보다 더 바랄 게 뭐 있겠어요."

"그렇다면 제가 맡을 아이는요?"

"바렝 양의 후견인이 바로 로체스터 씨예요. 아이를 위한 가정교사를 찾아달라고 제게 부탁하셨죠. 이 영지에서 아이를 양육하실 모양이에요. 어쨌거나, 바렝 양은 이 저택에서 유모와 함께 지내고 있답니다."

수수께끼는 간단히 풀렸다. 그녀는 이 대단한 저택의 주인이 아니라, 나처럼 사용인이었다. 하지만 내 평가는 달라지지 않았다. 오히려 더욱 호의적으로 변했다. 이제 그녀와 나 사이에는 더 큰 평등이 자리했다. 그것은 그녀가 과도하게 겸손해서가 아니라, 진심으로 편안하게 대화를 나눌 수 있는 상대였기 때문이다.

페어팩스 부인에 관한 생각에 잠겨 있는데, 한 소녀가 유모와 함께 잔디밭을 달려왔다. 아직 그 소녀는 내가 누군지 눈치채지 못했지만, 그 아이가 내가 곧 가르치게 될 아이였다. 일곱 살에서 여덟 살쯤 되어 보이는 아주 어린 소녀였다. 약간 마른 체형에 창백한 안색, 작은 얼굴에 곱슬곱슬한 머리카락이 풍성했다.

"좋은 아침이에요, 아델 양." 페어팩스 부인이 인사했다.

"이리 와서 인사해요, 앞으로 아델 양을 현숙한 숙녀로 만들어주실 선생님이에요."

그러자 아이가 내게 다가왔다. "이분이 선생님이세요?" 아이가 나를 가리키며 유모에게 말했다. 아이의 유모가 대답했다.

"네, 그렇다네요."

"두 분 다 외국에서 오셨나요?" 프랑스어를 듣고 놀란 내가 페어팩스 부인에게 물었다.

"유모는 프랑스인이고, 아델 양은 유럽에서 태어났답니다. 반년 전까지는 대륙을 떠난 적이 없었을 거예요. 처음 왔을 때는 영어를 전혀 하지 못했지만, 지금은 조금씩 해요. 그래도 나는 이 아이가 하는 말을 잘 이해할 수가 없어요. 프랑스어를 섞어서 말하더라고요. 물론 선생님은 이해하겠지만요."

다행히도 나는 로우드에서 프랑스인 선생님에게 프랑스어를 배웠다. 마담 피에로와 가능한 한 사주 대화를 나누려고 노력했고, 지난 7년간 매일 프랑스어를 외우며, 억양도 신경 쓰고 발음도 최대한 따라 하려고 노력했다. 덕분에 내 프랑스어 실력은 원어민에 가까웠고, 정확한 어휘 구사 능력도 갖춘 상태였다. 아델 양과의 대화도 크게 곤란하지는 않을 것 같았다. 새로운 가정교사를 소개받은 아이가 먼저 다가와 악수를 청했다. 아이를 아침 식사 장소로 안내하며, 프랑스어로 몇 마디 건네보았다. 처음에는 아이가 짧게 대답했지만 식탁에 앉아 커다란 갈색 눈을 바라보며 마음을 열려고 노력하자 10분이 지나기가 무섭게 종알종알 떠들기 시작했다.

"우와! 선생님은 로체스터 님만큼 프랑스어를 잘해요! 로체스터 님이나 소피와 대화하는 거랑 하나도 다를 바가 없어요! 소피는 좋겠다! 이곳에는 소피의 말을 이해할 수 있는 어른이 없거든요. 페어팩스 부인은 영어만 쓰시니까요." 아이가 프랑스어로 말했다.

"소피는 제 유모예요. 저랑 같이 커다란 배를 타고 바다를 건넜어요. 굴뚝에서 연기가 폴폴 났어요. 정말 엄청 많이요!

저는 아팠고, 소피도 아팠고, 로체스터 님도 어지럽다고 했어요. 로체스터 님은 살롱이라고 부르는 엄청 예쁜 방에서 소파에만 누워 계셨고, 저랑 소피는 다른 방에 있는 작은 침대에 같이 누워서 왔어요. 침대에서 굴러떨어질 뻔했어요! 침대가 엄청 좁아서 꼭 선반에 누운 기분이었어요. 참, 선생님은 이름이 뭐예요?"

"에어, 제인 에어라고 해."

"아흐? 저는 아직 발음은 잘 못 해요. 아무튼 배는 아침이 되어서야 멈췄어요. 해가 뜨기 전이었는데 엄청나게 큰 도시였어요. 깜깜한 집이 줄지어 있고 연기가 자욱한 큰 도시였어요. 제가 살던 도시랑은 정말 달랐어요. 로체스터 님이 저를 안고 판자를 건너 육지에 내려주셨고요. 소피는 뒤따라왔어요. 그리고 다 같이 마차를 타고 여기보다 훨씬 크고 더 좋은 집으로 갔어요. 호텔이라고 부른대요. 아무튼 거기서 일주일 정도 머물렀어요. 저랑 소피는 매일 나무가 무성한 공원이란 곳을 걸었어요. 거기는 저 말고도 아이들이 정말 많았어요. 아름다운 새들이 사는 연못도 있었는데, 거기서 먹이도 줬어요!"

"아니, 저렇게 숨도 안 쉬고 말하는 걸 다 알아들어요?" 페어팩스 부인이 놀라 물었다.

물론이었다. 피에로 부인의 속도에 익숙해져 있던 덕분이었다.

"혹시 저 아이에게 질문 몇 개만 해주겠어요? 부모님을 기억하는지 궁금해서요." 페어팩스 부인이 조심스럽게 물었다.

"아델, 아까 말한 그 예쁜 마을에 살 때는 누구와 함께 살았
니?" 내가 물어보았다.

"예전에는 엄마랑 살았는데, 엄마는 성모 마리아님의 품
으로 떠나셨어요. 엄마는 노래하고 춤추는 법을 알려주셨어
요. 신사 숙녀 손님들이 엄마를 보러 매일매일 왔고, 나는 그
분들 앞에서 춤을 추거나 무릎에 앉아 노래를 불렀어요. 엄
청 좋았어요. 노래 들려드릴까요?"

아델의 아침 식사가 거의 끝나가고 있었기에 나는 노래 실
력을 뽐내보라고 허락했다. 아이는 의자에서 일어나 내 무릎
에 앉았다. 그리고 조용히 두 손을 모은 다음, 곱슬머리를 등
뒤로 넘기고 하늘을 바라보며 오페라 한 곡을 부르기 시작했
다. 버림받은 여인의 슬픔을 담은 곡이었다. 연인의 배신에
울부짖던 주인공은 곧 자존심 하나로 마음을 추스르고 하녀
의 도움을 받아 가장 화려한 보석을 달고, 가장 화려한 의상
을 입고, 그날 밤 무도회에 간다. 그녀를 배신한 남자 앞에 당
당히 서서 그가 자신을 버렸어도 절대 상처받지 않았다고,
당당히 마주하겠다고 다짐하는 내용이었다.

어린아이가 부르기에는 노래의 주제가 적절하지 않았다.
혀 짧은 말투로 사랑과 질투를 담은 어른의 노래를 부르는
모습이 귀여운 것인지도 모르겠다. 그러나 정말이지 적절치
않은 무대였다. 적어도 나는 그렇게 생각했다.

아델은 어린아이답게 천진난만한 태도와 목소리로 노래
했다. 공연을 끝마친 아이가 내 무릎에서 내려와 이렇게 말

했다. "아가씨, 이제 시를 낭송해 드릴게요."

그러더니 이번에는 자세를 고치고 라퐁텐의 우화「쥐들의 싸움」을 읊기 시작했다. 아이는 문장부호와 강조, 억양에 주의를 기울이고, 낭랑한 목소리로 몸짓에 신경 쓰며 시를 읊었다. 어린 나이에 이 정도로 낭독할 수 있다니, 분명 철저한 훈련을 받은 게 분명했다.

"엄마가 네게 시를 가르쳐주셨니?" 내가 물었다.

"네, 그러고는 이렇게 말하곤 하셨어요. '무슨 일이람? 한 무리의 쥐 중 한 마리가 말했어요. 이렇게 해야지!' 이 부분에서는 팔을 이렇게 높이 들어 올리라고요. 목소리도 함께 올려야 한다는 걸 잊지 말라고도요. 선생님, 그러면 이제 춤을 보여드릴까요?"

"아니, 오늘은 이만 괜찮아. 그럼 성모 마리아님이 엄마를 데려가신 후에는 누구와 함께 살았니?"

"프레더릭 부인이랑 부인의 남편이요. 친척은 아니지만 절 돌봐주셨어요. 그분은 조금 가난했던 것 같아요. 엄마랑 살던 집보다 좋은 집은 아니었거든요. 그곳에 오래 있지는 않았어요. 금방 로체스터 씨가 나타나 제게 영국에 가서 함께 살지 않겠느냐고 물어보셨고, 저는 그러겠다고 했어요. 프레더릭 부인을 만나기 전부터 로체스터 씨를 알고 있었고, 그분은 늘 제게 친절하고 예쁜 옷이며 장난감도 사주셨거든요. 하지만 약속을 지키지는 않으셨어요. 영국으로 데려와 주시고는 가버리셨으니까요. 그 후로 로체스터 씨를 못 봤어요."

아침 식사를 마치고 아델과 함께 서재로 갔다. 로체스터 씨가 아이의 교실로 사용하라고 지시한 방이었다. 책 대부분은 유리문 뒤에 보관하고 잠가둔 채였다. 열려 있는 책장이 하나 있었는데, 초등 교육에 필요한 책과 쉬운 문학 작품, 시, 전기, 여행, 몇 권의 소설이 들어 있었다. 아마 이 정도면 가정교사가 여가로 독서를 즐기기에 충분하다고 생각한 모양이었다. 실제로 나는 그 정도에 만족했다. 로우드에서 얻어 읽던 책에 비하면, 책장의 책들은 풍부한 재미와 정보를 얻을 수 있는 것들이었다. 이 방에는 우수한 음색을 자랑하는 신형 피아노도 있었고, 그림을 그릴 수 있는 이젤과 지구본도 있었다.

내가 가르칠 학생은 매우 순한 아이였지만 만만하지는 않았다. 아델은 그 어떤 규칙도 익힌 적이 없었다. 첫날부터 아이를 오래 붙잡고 있는 건 전혀 도움이 되지 않을 것 같았다. 그래서 되도록 많은 이야기를 나누고, 조금씩 진도를 나갔고 점심시간이 되자마자 유모에게 돌려보냈다. 그런 다음 저녁 식사 때까지 아이에게 교재로 사용할 작은 그림을 그려야겠다고 마음먹었다.

화첩과 연필을 가지러 위층으로 올라가는데 페어팩스 부인이 말을 걸었다.

"오전 수업이 끝났나 보군요."

그녀는 접이식 문이 열려 있는 방에 있었다. 부인에게 다가갔다. 보라색 의자와 터키산 카펫, 호두나무 패널로 된 벽, 비스듬히 유리를 세워 만든 큰 창문, 고상한 몰딩을 덧댄 고풍스럽고 높은 천장이 있는 방이었다. 페어팩스 부인은 찬장에 놓여 있던 고운 보라색 꽃병의 먼지를 털어내던 중이었다.

"어쩜 방이 이렇게 예뻐요?" 내가 주위를 둘러보며 감탄했다. 살면서 이토록 아름답게 꾸민 방은 처음 보았다.

"그렇지요, 이곳이 식당이에요. 사람이 거의 머물지 않는 곳이라 이렇게라도 환기를 시키고 빛도 좀 들어오게 하려고요. 저쪽 응접실은 무슨 지하 금고 같다니까요."

페어팩스 부인이 넓은 아치 모양의 문을 가리켰다. 고대 로마의 자줏빛 커튼이 위로 말려 올라가 있었다. 나는 널따란 계단을 두 칸 올라가 그녀가 가리키는 방을 구경했다. 눈앞에 펼쳐진 아름다운 모습은 마치 요정의 나라를 엿본 것 같았다. 물론 정말 요정의 나라는 아니고, 그저 식당과 응접실 그리고 하나로 이어지는 객실이 있었다. 두 공간에 모두 하얀 카펫이 깔려 있었다. 그 위로 화려한 꽃다발이 놓여 있는 것 같았다. 천장에는 하얀 포도송이가 주렁주렁 매달린 나무와 덩굴을 조각해 놓았고, 그 아래로 진홍색 소파와 발받침대가 화려한 대비를 이루며 빛나고 있었다. 파로스 대리석으로 만든 벽난로 선반 위에는 짙은 빨간색의 보헤미안 유리 세공 장식품이 놓여 있었다. 창문과 창문 사이에 커다란 거울이 방 안의 새하얗고 붉은 분위기를 반사했다.

나는 깜짝 놀라 감탄했다. "정말 방을 세심하게 관리하시네요. 먼지도 하나 없고, 덮개도 없어요. 너무 멋져요! 공기는 좀 쌀쌀하지만, 사람이 드나드는 방처럼 근사해요!"

"로체스터 씨가 영지를 방문하시는 일은 드물지만 언제나 느닷없이 오신답니다. 모든 가구에 덮개를 씌워놓았다가 로체스터 씨가 오시면 정돈한다고 야단법석을 부리니 아무래도 언짢은 눈치더군요. 그래서 평소에도 늘 방을 정돈해 놓곤 한답니다."

"로체스터 씨는 엄격하신 분인가요?"

"특별히 그렇지는 않아요. 하지만 신사다운 취향과 습관을 지닌 분이지요. 그래서 늘 그분의 취향과 습관에 맞춰 모든 걸 정리정돈해 놓기를 바라신답니다."

"로체스터 씨는 좋은 분이세요? 다른 분들도 좋아하시나요?"

"그럼요, 마을 사람들은 다들 그분을 존경해요. 이 근방에 눈길이 닿는 거의 모든 땅이 예로부터 로체스터 가문의 소유였지요."

"그렇군요. 하지만 땅을 소유한다는 점을 빼고요, 부인께서는 로체스터 씨가 좋은 분이라고 생각하시나요? 인품이 훌륭한 분이세요?"

"그분을 좋아하지 않을 이유가 없지요. 소작인들도 그분을 공정하고 너그러운 지주라고 생각해요. 하지만 소작인들과 많은 시간을 보내는 영주는 아니죠."

"특이한 기질은 없으세요? 성격은 어떠세요?"

"아! 성격은 나무랄 데가 없지요. 좀 특이한 편이기는 하지만. 여행을 워낙 자주 다니시니 아마 세상 곳곳 안 가본 곳이 없으실 거예요. 감히 똑똑하다고 말씀드리고 싶지만, 저도 그분과 그리 길게 이야기를 나누지는 못했답니다.”

“어떤 식으로 특이하신데요?”

“글쎄요, 설명하기가 쉽지 않네요. 딱 이렇다 설명할 수는 없지만, 대화를 하다 보면 느껴져요. 농담인지, 진담인지, 기쁜 건지 아닌 건지 늘 헷갈리게 하시거든요. 쉽게 말해서 완벽히 이해할 수 없는 분이랄까요. 적어도 나는 그래요. 그래도 정말 좋은 주인님이랍니다.”

이것이 내가 페어팩스 부인에게 나의 고용주에 관해 알아낸 전부였다. 사람의 성격을 묘사하거나 사물을 관찰하는 습관이 아예 없는 사람도 있다. 페어팩스 부인이 바로 그런 사람이었다. 내가 질문했지만, 상대는 제대로 된 대답을 주지 못했다. 그녀의 눈에 로체스터 씨는 그냥 로체스터 씨였다. 신사, 지주, 그 이상도 이하도 아니었다. 그녀는 그 이상의 무언가를 알려고 하지 않았고, 오히려 로체스터 씨가 어떤 개성을 가진 사람인지 알고 싶어 하는 나를 이상하게 여기는 것 같았다.

식당을 나오며, 페어팩스 부인은 집의 다른 부분을 설명해 주겠다고 했고, 나는 그녀를 따라 위아래로 다니며 내내 감탄했다. 어디나 깨끗하게 정돈되어 있었고, 눈부셨다. 특히 저택 정면으로 나 있는 방은 웅장했고, 3층 방 중 일부는 어둡고 층고도 낮았지만 고풍스러운 분위기를 풍겼다. 한때 아래층에서 사용하던 가구들이었지만 세월에 따라 유행이 변하면서 이곳으로 옮긴 것 같았다. 좁은 창문으로 들어오는 희미한 빛은 수백 년 된 낡은 침대를 비추고, 참나무나 호두

나무로 만든 서랍장에는 종려나무 가지와 천사의 머리가 묘하게 조각되어, 마치 옛 유대인들의 성궤처럼 보이기도 했다. 등이 높고 폭이 좁은 유서 깊은 의자들도 줄지어 있었는데, 몇몇 의자 위에는 관 속의 먼지로 변한 지 200년은 족히 지났을 고인의 손때가 묻고 해진 자수 쿠션이 놓여 있었다. 이 모든 유물이 손필드 저택 3층에 과거와 기억의 성소를 만들고 있었다. 깊게 숨겨두었던 곳이 자아내는 고요함과 음침한, 기괴함이 마음에 들었지만, 그건 낮이라 그랬을 뿐, 넓고 묵직한 침대에서 밤을 보내고 싶지는 않았다. 어떤 방은 참나무 문이 굳게 닫혀 있었고, 어떤 방은 해가 아예 들지 않았으며, 어떤 방은 이국풍의 꽃과 새 그리고 기이한 사람의 형상을 수놓은 영국식 휘장으로 장식되어 있었다. 만일 이 모든 걸 창백한 달빛 아래에서 발견했다면 참으로 기이했을 것이다.

"혹시 하인들이 이런 방에 기거하나요?" 내가 물었다.

"아니요, 하인들은 전부 저택 뒤쪽을 향한 방에 묵어요. 아무도 이 방들을 쓰지 않죠. 손필드 저택에 유령이 있다면, 이 방들이 유령의 소굴이라 해도 과언이 아닐 거예요."

"저도 그런 생각이 드네요. 그럼, 이 저택에 유령은 없는 건가요?"

"내가 아는 한 유령은 없답니다." 페어팩스 부인이 씩 웃으며 대꾸했다.

"그런 전통이나 전설, 아니면 괴담도 없나요?"

"없어요. 그런데 로체스터 집안 사람들이 대대로 얌전하진 않았지요. 오히려 사나운 성미를 지녔다나 봐요. 생전에 그랬으니 오히려 지금은 평화롭게 쉬고 있는 건 아닐까요."

"그렇군요. 발작 같은 인생의 열병이 끝나면 남은 건 편안히 잠드는 거죠."* 나는 중얼거렸다. "페어팩스 부인, 이제 어디로 가나요?" 나를 두고 떠나는 그녀를 따라가며 황급히 물었다.

"지붕 위로 올라가서 경치를 구경하지 않겠어요?"

나는 말없이 부인을 따라갔다. 좁고 가파른 계단을 오르자 지붕 밑 다락방이었고, 거기서 또 사다리를 타고 지붕 들창을 넘자 지붕 위였다. 나는 이제 까마귀 떼와 같은 높이가 되어 둥지 안을 들여다볼 수 있었다. 흉벽에 기대 멀리 내다 보니 마치 지도를 펼친 것처럼 사방이 한눈에 보였다. 저택의 회색 토대 둘레를 빽빽하게 둘러싼 부드러운 잔디며, 공원처럼 넓은 들판에는 고목이 여기저기 뻗어 있었다. 칙칙하고 메마른 나무 사이로 이끼가 무성히 낀 오솔길이 눈에 띄었다. 이끼가 자란 길은 잎사귀로 덮인 나무보다도 푸르렀다. 마을 어귀 교회와 마차가 다니는 길, 완만한 언덕, 이 모든 것이 가을 햇살을 받으며 고즈넉하게 자리하고 있었다. 지평선과 경계를 이루는 하늘에는 진줏빛 하얀 구름이 대리석 무늬처럼 이어졌다. 그 풍경 속 어느 것도 특별한 건 없었으나 그 모든 것이 내 마음에 쏙 들었다. 풍경을 뒤로하고 다시 들창을 지나자, 사다리 근처는 온통 암흑이었다. 다락방은 방금까지 올려다보던 청명한 하늘이나 햇볕이 내리쬐는 숲, 저택

* 셰익스피어 『맥베스』 3막 대사를 인용.

을 중심으로 펼쳐진 들판, 푸른 언덕에 비하면 지하실처럼 어두컴컴했다.

페어팩스 부인은 지붕 들창을 닫느라 조금 늦었다. 나는 손으로 주변을 더듬으며 다락방의 출구를 찾아 좁은 계단을 내려왔다. 3층의 앞쪽 방과 뒤쪽 방 사이의 긴 복도로 나온 나는 잠시 걸음을 멈추었다. 좁고, 낮고, 어두운 복도 끝에는 작은 창문만이 하나 나 있었고, 두 줄로 늘어선 검은 문은 모두 닫혀 있어 마치『푸른 수염의 성』에 나오는 복도 같았다.

천천히 발걸음을 옮기려는 순간, 이렇게 적막한 곳에서 들려서는 안 되는 사람의 웃음소리가 들렸다. 기묘한 웃음소리였다. 또렷하고 음침하며 감정이 실리지 않은 소리였다. 나는 우뚝 멈췄다. 웃음소리도 뚝 그쳤다가, 이내 다시 시작되었다. 이번에는 더 큰 소리였다. 처음의 웃음소리는 분명 낮은 소리였다. 이번 웃음소리는 적막한 3층에 메아리를 일으킬 정도로 시끄럽게 울려 퍼지며 사라졌다. 분명 한 군데에서 새어 나온 소음이었고, 나는 그 방이 어디라고 정확히 꼽을 수도 있을 것 같았다.

"페어팩스 부인!" 계단을 내려오는 그녀의 발걸음 소리를 듣고, 나는 있는 힘껏 소리를 쥐어짰다.

"누군가 큰 소리로 웃는 소리가 났어요, 들으셨어요? 누구죠?"

"아마 하인이겠죠. 그레이스 풀이 웃었나 봐요."

"들으셨어요?" 내가 재차 물었다.

"네, 나도 들었어요. 가끔 그렇게 웃어요. 여기 어디서 바느질하곤 하더라고요. 때로는 레아도 같이요. 둘이 있으면 그렇게 시끄럽게 떠들어요."

그때 웃음소리가 또 새어 나왔다. 나지막하게 음절을 끊는 것처럼 반복하다가 소름이 끼치게 중얼거리듯 사라졌다.

"그레이스!" 페어팩스 부인이 외쳤다.

나는 그레이스가 대답할 거라고 기대하지 않았다. 그 웃음은 지금껏 들어본 그 어떤 웃음소리보다 비극적이고 애처로웠다. 한낮이었고, 기괴한 웃음소리가 들릴 것 같은 음산한 분위기도 아니었으며, 장소도, 계절도, 두려움을 자아내기에 어울리지 않는 시기였다. 그게 아니었다면 나는 당장이라도 미신에 사로잡혀 공포에 떨었을 것이다. 그러나 내가 겁을 먹은 게 얼마나 바보 같은 일이었는지 곧바로 깨달을 수밖에 없었다.

바로 옆방 문이 열리더니 하녀가 모습을 드러낸 것이다. 어깨가 넓고 튼튼한 몸집에, 붉은 머리에 무뚝뚝하고 호감 가지 않는 인상을 지닌 서른에서 마흔 살 정도의 하녀였다. 이보다 더 현실적이고, 유령 같아 보이지 않는 유령도 없을 것이다.

"너무 시끄럽구나, 그레이스." 페어팩스 부인이 말했다. "내가 그간 누누이 강조했건만!"

그레이스는 얌전히 왼발을 뒤로 빼고 무릎을 굽혀 절을 하더니 다시 방으로 들어갔다.

"바느질도 하고 레아의 업무를 돕기 위해 고용한 사람이에요." 부인이 말했다. "몇 가지 못마땅한 게 없는 건 아니지만 손이 야무져요. 그건 그렇고, 오늘 아침 수업은 어땠나요?"

이야기는 아델로 옮겨갔고, 밝고 아늑한 아래층으로 내려와서도 이어졌다. 아델은 우리를 발견하고 복도를 내달리며 외쳤다.

"선생님, 부인, 저녁 식사 시간이에요!" 아이가 외쳤다. "어서요, 배고파요!"

페어팩스 부인의 방에서 지녁 식사가 우리를 기다리고 있었다.

12

손필드 저택에 처음 도착했을 때 느꼈던 차분한 첫인상과 이곳에서 기대했던 순탄한 경력은 시간이 지나며 모두 사실임이 드러났다. 페어팩스 부인은 겉모습 그대로 온화하고 친절했으며, 교육 수준도 높고 영민한 분이었다. 내가 맡은 학생은 활달하고, 많은 사랑과 관심을 받고 자라 제멋대로 행동할 때가 있었다. 하지만 아이의 교육은 전적으로 내 책임이었고, 저택 사람 중 누구도 내 교육 방침에 간섭하지 않았다. 그 덕분에 아델은 점차 변덕스러움을 버리고, 성실하고 가르침을 잘 따르는 아이로 변해갔다. 아델은 뛰어난 재능이나 개성을 가진 아이는 아니었지만, 그렇다고 해서 수준 이하의 결점이나 습관이 있는 것도 아니었다. 그녀는 여러 면에서 발전했고, 활기차고 사랑스러운 태도로 나름의 애정을 표현하기도 했다. 아델의 순수함과 명랑함, 그리고 내 가르침을 받아들이려는 노력은 내게도 큰 동기와 영감을 주었다. 그 결과, 우리는 서로 존중하고 사랑하며, 함께 조화롭게 지낼 수 있다는 믿음을 갖게 되었다.

내 교육 방침은 아이를 천사처럼 선하게 보고, 어른은 오직 헌신으로 아이를 가르쳐야 한다고 믿는 이들에게는 다소 냉담하게 느껴질지도 모른다. 하지만 나는 부모의 자만에 아부하거나, 위선적인 교육 방식을 겉으로만 찬성하고 싶지 않았다. 단지 진실을 말하고 싶었다. 나는 아델의 행복과 성장을 바랐고, 그녀의 작은 자아를 조용히 감싸주고 싶었다. 페어팩스 부인의 친절에 감사하며 그녀의 온화한 성품과 온건한 호의 그리고 그에 따른 소통의 즐거움을 진심으로 느꼈던 것처럼, 아델에게도 비슷한 감정을 품었다.

다음 일화를 읽고 나를 비난하고 싶다면 비난해도 좋다. 이따금 나는 혼자 산책하기 위해 길을 따라 내려가 정원을 바라보았다. 아델이 유모와 놀고 있고 페어팩스 부인이 저장실에서 잼을 만들고 있는 사이에 계단을 올라가 다락방의 들창을 넘어 지붕으로 올라가기도 했다. 그곳에서 저 멀리 들이나 언덕을, 혹은 아련한 지평선을 바라보면서 나의 한계를 뛰어넘을 수 있는 눈부신 미래의 힘을 꿈꿨다. 들어본 적은 있지만 한 번도 가본 적이 없는 바쁜 세상과 도시, 생명이 넘치는 곳으로 가는 힘을 꿈꿨다. 지금보다 훨씬 다양한 경험을 꿈꿨고, 이곳에서 얻을 수 있는 것보다 더 많은 사람을 만나고 싶었고, 다양한 분야의 방대한 지식을 얻고 싶었다. 페어팩스 부인과 아델의 좋은 점을 알지만, 그보다 더 생생한 경험이 분명 세상 어딘가에 있을 거라 믿었다. 나는 내 믿음이 현실이 되기를 바랐다.

이런 생각이 비난받아야 할까? 아마 많은 이가 내게 손가락질할 수도 있다. 그러나 어쩔 수 없는 일이다. 불안은 타고난 나의 본성이고, 때로는 그 불안으로 고통스러웠다. 그때 나의 유일한 위안은 3층 복도를 걷는 것이있다. 고요하고 고독한 복도를 홀로 거닐며 마음의 눈으로 떠오르는 밝은 환상을 바라보았다. 내가 꿈꾸는 환상은 가히 방대하고 눈부셨다. 나의 마음을 고민으로 가득 채우기도 했지만, 내 마음은 활력으로 가득 차 풍선처럼 부풀었다. 무엇보다 내 안의 귀를 열고, 끝없이 이어지는 상상력과 계속해서 증폭되는 이야기를 들었다. 그토록 바랐음에도 내 삶에서는 끝내 일어나지 않은 사건과 삶, 열정과 감정이 가득한 이야기에 귀를 기울였다.

그저 평탄한 삶에 만족하며 안주하는 것은 헛되다. 인간은 스스로 행동해야 하며, 그럴 수 없다면 새로운 기회를 만들어야 한다. 많은 이가 평온한 삶 속에서 스스로의 운명에 조용히 저항한다. 정치적 반란뿐 아니라, 사람들의 삶 깊은 곳에서 끓어오르는 수많은 반란은 아무도 알지 못한다, 대부분은 여성이 조신하고 얌전해야 한다고 믿는다. 하지만 여성도 남성 같은 감정을 지니고 있다. 여성 역시 능력을 발휘하고 노력할 수 있는 기회가 필요하다. 단지 집안일을 하거나 바느질을 하며 일생을 보내야 한다는 건 더 많은 특권을 누리는 남성의 좁고 편협한 사고방식에 불과하다. 관습적으로 정해진 성별의 역할에 얽매이지 않고, 더 많은 것을 배우려고 시도하는 여성을 비난하거나 조롱하는 것은 그야말로 무지한 태도다.

이렇게 혼자 거닐고 있으면 종종 그레이스 풀의 웃음소리가 들렸다. 언제나 똑같은 울림으로, 낮고 느리게 "하하!" 하고 웃던 그 소리. 처음 들었던 순간, 나를 소름 끼치게 했던 바로 그 웃음소리! 게다가 가끔은 웃음소리보다 더 낯설고 기이한 중얼거림도 들렸다. 가끔은 아주 조용한 날도 있었고, 가끔은 형언할 수 없는 소음을 낼 때도 있었다. 저택 안에서 그녀와 마주칠 때면 대야나 접시, 쟁반을 손에 들고 방에서 나와 부엌으로 내려갔다가 잠시 후 다시 돌아오곤 했다. 상상력이 풍부한 독자들에게 이토록 시시한 사유를 설명하는 것이 미안하지만, 그때 그녀의 손에 들린 건 주로 흑맥주가 담긴 잔이었다. 그 모습을 보면 소름 끼치던 소음에 생긴 궁금증이 무색해진다. 무뚝뚝하고 단조로운 표정의 그녀는 흥미를 끌 만한 점이 전혀 없었다. 몇 번은 대화를 시도했지만, 말수가 워낙 적은 이였다. 짧게만 대답하기에 이내 포기하고 말았다.

이 집의 또 다른 사용인인 마부 존과 그의 아내, 하녀 레아와 프랑스인 유모 소피는 모두 좋은 사람이었지만 다들 평범했다. 나는 소피와 프랑스어로 대화했고, 때로는 그녀에게 프랑스에 대해 질문하기도 했다. 그러나 소피는 설명이나 묘사에 능숙한 편이 아니었고, 무슨 말을 하는지 이해하기 어려울 정도로 단조롭거나 장황한 설명을 하는 바람에 더 이상 대화할 마음이 생기지 않았다.

그렇게 10월, 11월, 12월이 지나갔다. 1월의 어느 날 오후, 페어팩스 부인이 아델이 감기에 걸려 휴식이 필요하다고 했다. 아델의 간절한 요청에 나도 어릴 적에 이따금 생긴 휴식이 얼마나 소중했는지가 떠올라 방학을 허락했다. 융통성 있는 대치라는 생각에 나름 뿌듯했다. 날은 추웠지만 하늘은 맑고 고요했다. 아침 내내 서재에 앉아 있자니 답답한 마음이 들었다. 페어팩스 부인이 편지를 부치려던 참이라, 보닛과 외투를 입으며 내가 마을까지 다녀오겠다고 자청했다. 2마일이면 겨울 오후 산책에 딱 알맞은 거리였다. 아델이 페어팩스 부인의 거실 난로 옆 작은 의자에 앉아 있는 모습을 확인하고 그 애가 가장 좋아하지만 평소에는 은색 종이에 싸서 서랍에 보관해 두곤 하는 밀랍 인형과 동화책을 안겨주었다.

"빨리 오세요, 제가 좋아하는 제인 선생님."

아이는 인사하며 입을 맞춰주었고, 나는 산책에 나섰다.

땅은 꽁꽁 얼었지만 바람은 불지 않는 고독한 길이었다. 나는 몸에 열기가 돌 때까지 빠르게 걷다가 조금씩 속도를 늦추었다. 동시에 이 시간과 이 길 위에서 피어나는 상상을 곱씹었다. 오후 세 시였다. 종탑 아래를 지나자, 종이 울렸다. 이 시간이 주는 매력은 조금씩 어스름해지며 기우는 해가 선사한다. 나는 손필드에서 1마일 떨어진 오솔길을 걷고 있었다. 여름에는 야생 장미, 가을에는 견과류나 블랙베리가 피는 곳이지만 지금은 들장미와 산사나무 열매만이 맺혀 에메랄드빛으로 메말라 있었다. 겨울이 주는 최고의 즐거움은 뭐니 뭐니 해도 완전한 고독과 낙엽조차 없는 메마른 숲길이었다. 바람 한 점 불지 않는 이곳은 혹여 바람이 불어도 소리조차 들리지 않았다. 잎이 살랑이는 물푸레나무도, 상록수도 없었고, 벌거벗은 산사나무와 개암나무 덤불은 길 한가운데 깔린 닳고 닳은 흰 자갈만큼 미동도 없었다. 오솔길 양옆으로 펼쳐진 들판에서는 소도 풀을 뜯지 않았다. 울타리 위에 앉아 몸을 흔드는 갈색의 작은 새는 아직 떨어지지 않은 마른 잎처럼 보였다.

이 오솔길은 계속해서 언덕으로 향하며 헤이 마을까지 닿아 있었다. 중간쯤 도달한 나는 들판으로 이어지는 울타리에 세워둔 나무 계단에 앉았다. 외투를 여미고 손을 머프*로 감싸 날카롭게 얼어붙은 둑길을 덮고 있는 얼음과 추위도 문제가 되지 않았다. 옆을 흐르는 작은 개울은 지금은 얼어 있지만, 며칠 전 갑자기 날이 따뜻해지면서 넘쳐흐른 적이 있었다. 내가 앉은 곳에서 손필드가 한눈에 보였다. 회색 벽을 두른 저택은 눈 아래로 보이는 골짜기에서 더욱 눈에 띄었다. 나는 나무 사이로 지는 해를 바라보며, 붉고 맑은 노을이 사라질 때까지 그 자리에 머물렀다. 사방이 어두워지고 나서야 겨우 자리에서 일어나 동쪽으로 향했다.

언덕 위로 달이 떠올랐다. 창백한 달은 구름처럼 희미했지

* 손을 따뜻하게 하는 모피로 만든 외짝의 토시 같은 것.

만, 시간이 지나며 조금씩 밝아졌다. 달빛이 나무에 반쯤 가려진 헤이 마을을 비추었다. 마을의 굴뚝 몇 개에서 푸른 연기가 피어오르기 시작했다. 아직도 1마일은 더 걸어야 했지만, 이미 희미한 소음이 들렸다. 어느 골짜기인지, 어느 산골인지는 모르겠지만, 마을 저쪽의 줄지어 있는 산맥 사이로 계곡물이 고개를 넘어 흐르고 있었다. 그날 저녁, 석양에 내려앉은 고요는 바로 옆의 시냇물 소리도, 저 먼 계곡의 물소리도 싣고 왔다.

고요한 잔물결과 바람의 속삭임을 찢으며 소음이 들려왔다. 멀리 있지만 분명 또렷했다. 금속이 땅을 울리는 말발굽 소리가 고요한 소음을 밀어냈다. 그림으로 비유하면, 어둡고 강한 붓질로 그린 거대한 바위나 참나무의 거친 질감이 푸른 언덕과 해가 지는 수평선, 푸른 색감과 붉은 색감이 서로 녹아드는 구름을 순식간에 지워버리는 느낌이었다.

말이 나를 향해 달리고 있다. 굽이치는 길이라 아직 내 시야에서 보이지 않지만, 분명 가까이 다가오고 있었다. 나는 급히 울타리 계단에서 벗어나려 했지만, 길이 좁아 차라리 말을 먼저 보내는 게 낫다고 생각했다. 그 당시 나는 젊었고, 밝고 어두운 온갖 종류의 공상에 사로잡혀 있었다. 여러 가지 이야기 중에는 어린 시절에 들었던 동화도 섞여 있었다. 그 기억이 되살아나며 성숙해지는 마음과 만나자, 오히려 어린 시절에는 생각지 못했던 활력의 생생함이 더해졌다. 말이 다가오고, 황혼 속에서 모습을 드러내길 기다리며 나는 베시가 해주었던 이야기를 떠올렸다. 북잉글랜드의 어느 곳에서 전해 내려온다는 가이트래시라는 괴물의 이야기였다. 말이나 노새, 혹은 커다란 개의 모습을 하고 인기척이 없는 길을 홀로 배회하며 때로는 지금처럼 날이 저문 날 혼자 있는 여행자를 습격한다는 내용이었다.

이제 내 코앞까지 다가온 것 같은데도 말이 보이지 않았다. 말발굽 소리에 더해 산울타리 아래를 무언가 달려가는 소리가 들리는가 싶더니, 개암나무 줄기 아래에서 큰 개 한 마리가 미끄러지듯 지나갔다. 검고 흰 무늬가 나무 사이로 또렷이 보였다. 과연 베시가 말한 가이트래시의 모습이었다. 긴 털과 커다란 머리를 가진 사자 같은 동물이었다. 그러나 그것은 나를 조용히 지나쳤다. 나는 그것이 기이한 눈빛으로 나를 노려볼 줄 알았지만 그런 일은 일어나지 않았다. 곧이어 말이 뒤따랐다. 한 남자가 키가 큰 군마를 타고 있었다. 그 남자의 모습을 보자 내 공상도 깨져버렸다. 가이트래시를 타고 달릴 인간이 어디 있겠는가. 그 괴물은 늘 혼자 다닌다고 했다. 악령이 말 못 하는 짐승의 몸을 빌릴 수는 있어도, 평범한 인간의 몸을 빌릴 일은 없다. 이건 가이트래시가 아니다. 밀코트로 가는 지름길을 택한 여행자일 뿐이다. 그는 순식간에 나를 지나쳤고, 나는 계속 걸었다. 몇 걸음 내딛는 순간, 나는 뒤를 돌아보았다. 쿵 하고 무언가 미끄러지며 넘어지는 소리와 함께 "쯧, 이 일을 어떻게 하지?" 하고 짜증 섞인 중얼거림이 들렸다. 돌아보니 남자와 말이 쓰러져 있었다. 둑길을 덮은 얼음 위에서 말이 미끄러지며 넘어진 것 같았다. 먼저 가던 개가 풀쩍 뛰며 돌아왔고, 곤경에 처한 주인과 신음하는 말을 보고 고요한 저녁 언덕 위에서 천지가 흔들리도록 짖어댔다. 개가 짖는 소리는 몸집처럼 낮고 묵직했다. 넘어 진 주인과 말 옆을 빙빙 돌던 개가 나를 향해 달려왔다. 개가 도움을 청할 이가 나밖에 없던 탓이다. 나는 개를 따라 남자 가 누워 있는 곳으로 갔다. 남자는 말을 일으켜 세우려고 안 간힘을 쓰고 있었다. 크게 다치지는 않은 것 같았다. 그러나 예의껏 그에게 물었다.

"어디 다치셨나요?"

그가 욕지거리를 내뱉는 것 같았지만 정확히 뭐라고 하는 지 들리지 않았다. 아무래도 내게 답을 줄 만한 상황은 아닌 것 같았다.

"좀 도와드릴까요?" 나는 재차 물었다.

"한쪽으로 비켜서요"라고 답하며 그는 무릎으로 땅을 딛 고, 발에 힘을 주며 일어섰다. 나는 그의 말대로 한쪽으로 물 러섰다. 얼마 지나지 않아 말이 푸르릉거리며 힘겹게 일어서 더니 땅을 힘껏 굴렀다. 동시에 개도 낮게 으르렁거리며 짖 었다. 나는 조금 더 뒤로 물러섰지만, 상황이 정리될 때까지 자리를 떠날 수는 없었다. 마침내 말이 제대로 힘을 받으며 일어섰다.

"파일럿, 앉아!"

남자가 명령하자 개도 더 이상 짖지 않았다. 남자는 이제 허리를 숙여 발과 다리를 만지며 다리가 부러진 건 아닌지 확인했다. 부러지지는 않아도 어딘가 불편해 보였다. 남자 는 내가 노을을 구경하던 산울타리 나무 계단에 털썩 주저앉왔다.

그에게 도움이 되고 싶었다. 아니 최소한 호의라도 베풀고 싶었다. 그래서 그의 곁으로 조심스럽게 다가가 물었다.

"혹시 다치셨거나 도움이 필요하다면, 제가 손필드 저택이나 헤이 마을로 가서 사람을 불러올게요."

"제안은 고맙지만 괜찮소. 뼈가 부러진 건 아니고, 발목을 접질린 모양입니다." 그는 다시 일어서서 발목을 이리저리 돌렸지만, 자신도 모르게 "윽!" 하고 신음을 터트렸다.

해가 완전히 진 건 아니었지만 달빛이 점점 더 밝아지고 있었다. 그의 모습을 자세히 볼 수 있었다는 뜻이다. 그는 모피 깃이 달린 승마용 망토를 걸치고 있었는데 가슴팍 가운데 금속 버클로 옷을 단단히 여몄다. 자세히 관찰할 수는 없었지만, 평균적인 키에 상체가 떡 벌어진 체격이었다. 까무잡잡한 피부에 냉철한 인상이었는데, 짙은 눈썹을 한껏 찡그린 게 아무래도 화가 머리끝까지 났거나 초조해 보였다. 나와 비슷한 나이대는 아니지만 그렇다고 중년이라고 보기는 어려웠다. 30대 중반 정도라면 적당할 것이다. 나는 그가 두렵다기보다는 조금 부끄러웠다. 잘생기고 씩씩한 젊은 신사였다면 오히려 상대방의 의사를 무시하며 이렇게 자리를 지키고 원치도 않는 도움을 재차 청하지 않았을 것이다. 나는 여태껏 살면서 잘생긴 청년을 본 적이 거의 없었고 말을 건네 본 적도 없었다. 아름다움, 우아함, 정중함, 매력에 환상을 품었고 그런 만남을 꿈꾸었다. 하지만 만약 그런 자질을 가진 남성이 내 눈앞에 나타난다고 해도 나는 본능적으로 그와 어떤 공감이나 연결고리도 나눌 수 없음을 느끼며, 불이나 번개, 혹은 눈이 부시게 밝은 빛을 피하듯 자연스레 외면했을 것이다.

또 하나, 내가 말을 걸었을 때 이 낯선 남자가 미소를 보이며 상냥하게 대답했더라면 그리고 내 제안에 감사함을 표하면서도 능수능란하게 사양했더라면 아마 나는 그대로 자리를 떠나 그에게 더 이상 신경 쓰지 않았을 것이다. 그러나 남자의 찌푸린 얼굴과 거친 말투가 오히려 나를 편안히게 만들었다. 그가 내게 가도 괜찮다며 손을 내저었지만, 나는 땅에 발을 붙이고 서서 이렇게 말했다.

"이렇게 늦은 시간에, 이렇게 외딴 길에 혼자 두고 갈 수는 없어요. 하다못해 말에 오르는 모습이라도 봐야겠어요."

내가 고집부리자, 남자가 나를 바라보았다. 우연히 마주치고 거의 처음으로 나를 똑바로 바라본 것이었다.

"아가씨도 집에 돌아가야 하지 않겠습니까? 이 근처가 집이라면 말입니다. 어디 사십니까?"

"언덕 바로 밑이에요. 달빛이 이렇게 환하니 저는 혼자 있어도 별로 무섭지 않아요. 원하신다면 제가 마을까지 다녀오겠어요. 어차피 편지를 부치러 가는 길이었거든요."

"언덕 바로 밑에 사신다고 했습니까? 흉벽을 두른 저 저택 말입니까?" 남자가 손필드를 가리켰다. 서쪽 하늘에서 내려오는 달빛이 흉벽을 희미하게 비추며 숲과 대비를 이루고 있었다.

"네, 맞아요."

"저택의 주인이 누구지요?"

"로체스터 씨예요."

"로체스터 씨를 아십니까?"

"저는 한 번도 뵌 적이 없어요."

"그럼, 주인이 거주하지 않는군요."

"네, 맞아요."

"지금 어디 계시는지 아십니까?"

"저는 몰라요."

"당신은 그 댁 하인은 아니군요. 그렇다면……." 남자는 말 끝을 흐리며 평소처럼 수수한 내 옷차림을 훑어내렸다. 나는 검은 메리노 천으로 만든 외투와 검은 비버 보닛 차림새였다. 어느 것 하나 하녀가 입기에도 보잘것없었다. 내가 누구인지 좀처럼 종잡을 수 없다는 듯 그가 고민하는 기색이 역력하기에 먼저 내 신분을 밝혔다.

"저는 입주 가정교사예요."

"아, 가정교사로군!" 남자가 되뇌며 덧붙였다. "미안합니다. 전혀 생각지도 못했군. 가정교사!"

그러더니 내 옷차림을 다시 살폈다. 몇 분 후, 그가 앉아 있던 계단에서 엉덩이를 털고 일어섰다. 어떻게든 움직이려던 그가 미간을 찌푸렸다.

"사람을 불러달라고 할 수는 없고, 괜찮다면 나를 조금 도와줄 수 있겠습니까?"

"물론이에요."

"내가 지팡이로 쓸 만한 우산이 있을까요?"

"우산은 없어요."

"말고삐를 잡아 내게 넘겨줄 수 있겠소? 무섭지 않겠어요?"

혼자였다면 말이 무서웠겠지만, 그의 부탁이라면 기꺼이 따르고 싶었다. 머프를 나무 계단에 올려놓고, 커다란 말에게 조금씩 다가갔다. 고삐를 붙잡아보려 애썼지만, 잔뜩 흥분한 말은 내가 가까이 가기만 해도 난리였다. 몇 번이나 시도했지만 좀처럼 고삐를 잡을 수 없었다. 말이 앞발로 나를 걷어찰까 봐 무서웠다. 남자는 한동안 기다리다가 결국 웃음을 터트리고 말았다.

"그만해요. 산이 마호메트에게 올 수 없다면 마호메트가 산으로 가야지. 이리 와서 나를 좀 도와줘요."

나는 그에게 다가갔다.

"미안하지만 어깨를 좀 빌려야겠군." 그가 묵직한 손을 내 어깨에 얹고 조금 힘을 실었다. 그는 발을 절뚝거리며 말에게 다가갔다. 단박에 고삐를 잡은 남자가 말을 진정시키고는 휙 하고 몸을 놀려 안장에 올라탔다. 덕분에 발목에 힘이 실린 듯 그가 얼굴을 일그러뜨렸다.

"이제 저 채찍을 좀 주워주겠소? 울타리 밑에 떨궜는데."

나는 그가 가리키는 곳에서 채찍을 발견하고, 그에게 건넸다.

"고맙소. 이제 서둘러 편지를 보내고 돌아가요."

그 말을 끝으로 남자는 떠났다. 말발굽이 땅을 강하게 구르며 내달리기 시작했다. 개도 그 뒤를 따라 질주했다. 셋은 그렇게 사라졌다.

　황야에 무성한 히스 관목처럼,
　거친 바람이 휘몰아치는구나.

　나는 머프를 들고 걷기 시작했다. 예기치 못한 사건이 일
어났고 순식간에 끝났다. 어떤 면에서도 특별하지 않으며,
낭만도, 흥미도 없는 일이었다. 단조로웠던 일상에서 단 한
시간에 불과했지만, 의미 있던 변화였다. 내 도움이 필요했
고, 내 도움을 요청했고, 기꺼이 그를 도와주었다. 무언가를
해냈다는 사실이 기뻤다. 수동적인 태도로 일관하던 내 삶
이 싫었다. 새로운 얼굴은 기억의 화첩에 새로운 그림이 되
어 걸렸다. 지금껏 걸렸던 그림과는 전혀 다른 종류였다. 우
선 그는 남자였다. 그리고 거무스름하고 강인하며 엄중한 인
상의 남자였다. 마을로 접어들고 나서도 그 얼굴을 잊을 수
없었고 우체국에서 편지를 보내면서도 그 얼굴을 떠올렸다.
집으로 돌아가는 길에 그 언덕을 오르면서도 내내 그 얼굴을
떠올렸다. 그를 만났던 울타리 나무 계단에 이르자 나는 잠
시 걸음을 멈추고 사방을 돌아보며 귀를 기울였다. 말발굽
소리가 다시 자갈길을 울리지 않을까, 망토를 입고 말을 타
던 남자와 가이트래시 같았던 뉴펀들랜드 개가 나타나지 않
을까 생각했다. 나는 울타리와 곧게 뻗은 버드나무 숲을 바
라보았다. 나무는 밝은 달빛 아래 꼿꼿이 서 있었다. 1마일
떨어진 손필드 주변 나무 사이로 부유하는 미세한 바람 소리

만 귀를 간질였다. 소리가 들려오는 방향을 바라보다가 눈길이 저택 정면을 스치며 창가에서 빛나는 등불을 발견했다. 그 순간, 너무 늦었구나 하는 생각이 들어 발걸음을 재촉했다.

그럼에도 나는 손필드로 돌아가고 싶지 않았다. 저택의 문을 넘는 순간, 다시 정체된 삶으로 돌아가는 기분이 들었기 때문이다. 조용한 홀을 지나 어두운 계단을 오르고, 나 혼자만의 작은 방으로 들어가 온화한 성격의 페어팩스 부인과 마주하며, 그 기나긴 겨울밤을 오직 그녀와 함께 보내야 할 앞날을 생각하니 오늘 산책이 불러온 설렘이 완전히 사라지는 듯했다. 단조롭고 평온한 생활 속에서 감사함마저 무뎌지고, 편안함과 안락함의 특권조차도 더 이상 즐기지 못한 채 내 모든 능력과 삶이 굳어버리는 것 같았다. 지금은 이 평온함에 불만을 품고 있지만, 만약 불안하고 거칠고 쓰라린 삶을 경험하게 된다면, 나는 다시 이 고요하고 평온한 삶을 간절히 갈망하게 되겠지. 그렇다. 지나치게 편안한 의자에 앉아 있는 삶에 싫증이 난 인간이 산책의 즐거움을 알아버린 것이다. 나와 같은 상황에 놓인 사람이라면 누구든 자리에서 일어나 움직이고 싶다는 욕구를 느끼게 될 것이다.

나는 문 앞을 서성이다가 잔디밭을 한참이나 배회하고 현관 앞 돌길을 어슬렁거렸다. 내 눈과 정신은 무채색 감옥으로 가득 찬 음산한 저택을 벗어나, 마치 내 앞에 펼쳐진 듯한 청명하고 맑은 하늘, 푸른 바다와 같은 하늘을 향해 이끌리듯 나아갔다. 달이 하늘 위로 휘영청 밝게 떠올랐다. 언덕 꼭대기를 지나 멀리 저 멀리, 헤아릴 수 없는 깊이와 멀고 먼 칠

흑 같은 우주로 오르고 있었다. 달을 따라 궤도를 그리며 반짝이는 별이 보였다. 하늘을 바라보며 내 심장은 하염없이 두근거렸고, 얼굴은 달아올랐다. 그때 사소한 현실이 나를 불러 세웠다. 저택에서 울리는 시계 소리였다. 그것으로 충분했다. 나는 달과 별을 뒤로하고 옆문을 열고 집 안으로 들어갔다.

그러나 생각과 달리 저택은 어둡지 않았다. 높은 천장에 달린 청동 램프가 빛을 밝히고 있었다. 램프와 참나무 계단 아래로 따뜻한 빛이 흘러넘쳤다. 불그스름한 빛이 양쪽 문이 활짝 열린 식당에서 흘러나오고 있었는데, 따뜻하게 일렁이는 불빛이 대리석 난로와 놋쇠로 만든 부지깽이를 비추고, 보라색 커튼과 광택이 흐르는 가구를 따스하게 감쌌다. 벽난로 근처에 모여 있는 사람들이 보였다. 왁자지껄하게 떠드는 사람들의 얼굴을 눈에 담기도 전에 문이 닫혔지만, 아델의 목소리가 들린 것 같았다.

나는 서둘러 페어팩스 부인의 방으로 갔다. 그 방에도 불이 피워져 있었으나, 촛대도, 사람도 없었다. 대신 난로 깔개 위에 얌전히 앉아 난롯불을 가만히 바라보고 있는 검고 흰 무늬의 개를 발견했다. 오솔길에서 만난 가이트래시와 닮은 개였다. 아까 마주친 그 개와 너무 닮았기에 조심스럽게 다가가 "파일럿?" 하고 이름을 불러보았다. 이름을 알아들은 듯, 개는 자리에서 일어나 다가오며 촉촉한 코를 킁킁거렸다. 머리를 쓰다듬자 개가 커다란 꼬리를 힘차게 흔들었다. 하지만 느닷없이 나타난 커다란 개를 보자 조금 두려웠고 이

개가 어디서 나타났는지 짐작도 할 수 없었다. 촛대도 필요
하고 설명도 듣고 싶었던 나는 종을 울렸다. 곧 레아가 달려
왔다.

"어디서 온 개니?"

"주인님과 함께 왔어요."

"누구?"

"주인님이요. 로체스터 씨요. 방금 도착하셨어요."

"그래? 그럼, 페어팩스 부인은 주인님과 함께 계시니?"

"네, 아델 아가씨도요. 지금 식당에 계세요. 존은 의사를 부
르러 갔어요. 글쎄, 주인님이 오다가 사고를 당하신 거 있죠.
말이 미끄러지면서 넘어져서 발목을 삐끗하셨대요."

"혹시 헤이 마을로 가는 오솔길에서 말이 넘어졌다고 하
시던?"

"네, 언덕 내리막길에서요. 길이 얼어 있었나 봐요."

"그렇구나. 레아, 촛불 좀 가져다줄래?"

레아는 촛대를 들고 돌아왔다. 그녀 뒤로 페어팩스 부인이
따라와 같은 소식을 전해주었다. 의사인 카터 선생이 도착해
로체스터 씨를 진찰 중이라고 했다. 그리고 그녀는 차를 준
비하기 위해 서둘러 나갔다. 나도 방으로 가서 옷을 갈아입
었다.

로체스터 씨는 의사의 지시에 따라 그날 밤 일찍 잠자리에 들었고, 다음 날에도 일찍 일어나지 않았다. 그는 겨우 침대를 벗어나 몇 가지 일을 처리하기 위해 아래층으로 내려왔다. 대리인과 몇몇 소작인이 저택을 방문해 그와의 면담을 기다렸다.

아델과 나는 이제 서재를 비워야 했다. 매일 찾아오는 손님들을 위해 서재를 응접실로 사용해야 했다. 위층 방에 난롯불을 피우고, 교과서를 옮겨 교실로 꾸몄다. 아침 내내 손필드 저택이 얼마나 달라졌는지를 구경했다. 저택은 더 이상 교회처럼 적막하지도 않았고, 매시간 문을 두드리는 소리나 종소리가 울려 퍼졌다. 홀을 가로지르는 발걸음 소리도 자주 들렸고, 아래층에서는 새로운 목소리가 들려왔다. 바깥세상이 저택 안으로 흘러 들어왔다. 저택의 주인이 돌아왔다. 나는 그게 훨씬 마음에 들었다.

그날은 아델을 가르치는 것도 쉽지 않았다. 아델이 좀처럼 공부에 집중하지 못했던 것이다. 아델은 계속 문으로 달려가며 난간 너머로 몸을 내밀어 로체스터 씨를 찾았다. 어떻게든 아래층으로 내려가기 위해 갖은 핑계를 댔다. 진작부터 짐작했지만, 아이는 서재에 가고 싶어 안달이었다. 조금화가 나서 아이를 억지로 앉혀놓았는데도, 아델은 틈만 나면 "친애하는 에두아르 페르팩스 드 로체스터 씨"에 관해 떠들었다. (그의 이름을 제대로 들은 건 처음이었다.) 그리고 그가 어떤 선물을 가져왔을까 궁금해했다. 전날 밤 그가 밀코트에서 짐이 도착하면 그 안에 아델을 즐겁게 해줄 작은 상자가 있을 거라고 넌지시 알려주었기 때문이었다. 아델은 프랑스어로 말했다.

"분명 선물이 있을 거예요. 아마 선생님을 위한 것도요. 아저씨는 선생님에 대해서도 이야기하셨어요. 이름은 무엇인지, 몸집이 작은지, 마르고 창백한 인상은 아닌지요. 전부 선생님이 맞다고 제가 대답했어요. 저 잘했죠, 선생님?"

나와 아델은 평소와 같이 페어팩스 부인의 응접실에서 저녁을 먹었다. 오후부터 눈이 내리며 날씨가 거칠어져서 교실에서 시간을 보냈다. 날이 어두워지고, 나는 아델에게 책과 숙제를 치우고 아래층으로 내려가라고 했다. 아래층은 비교적 조용했고, 초인종을 누르는 소리도 잠잠해진 것으로 보아 로체스터 씨에게도 여유가 생긴 것 같았다. 혼자 남겨진 나는 창문으로 걸어갔다. 그러나 창문 밖으로 보이는 건 아무것도 없었다. 땅거미와 떨어지는 눈송이가 공기를 무겁게 짓눌렀고, 잔디밭의 관목조차 뿌연 안개 속으로 사라졌다. 나는 커튼을 닫고 난롯가로 돌아갔다.

빨갛게 타는 숯불이 마치 언젠가 본 적 있는 라인강의 하이델베르크성 그림을 떠올리게 했다. 그 순간, 페어팩스 부인이 나를 방해했다. 불타는 숯 위로 모자이크처럼 드리워졌던 그림과 고독 속에 피어오르기 시작한 무겁고 불길한 생각이 순식간에 흩어졌다.

"로체스터 씨가 오늘 저녁에는 선생님과 아델과 함께 응접실에서 차를 마셨으면 하시네요. 하루 종일 정신이 없어 만날 시간이 없으셨다고요." 그녀가 말했다.

"차는 언제 마시나요?" 내가 물었다.

"오, 저녁 여섯 시요. 영지로 내려오면 뭐든 일찍 하시는 편이죠. 지금 옷을 갈아입는 게 좋겠어요. 내가 단추를 채워줄게요. 촛대는 여기 있어요."

"옷을 꼭 갈아입어야 하나요?"

"아무래도 그게 좋겠죠. 로체스터 씨가 오시면 나도 저녁 식사에 맞춰 늘 옷을 갖춰 입는답니다."

이렇게 격식을 차리는 행위가 굉장히 품격 있었다. 방으로 돌아가 페어팩스 부인의 도움을 받아 검은색 실크 드레스를 입었다. 내가 갖고 있는 옷 중 가장 좋은 옷이자, 유일하게 좋은 옷이었다. 로우드의 관점으로 보면 너무 고급이라 무척 격식 있는 자리가 아니면 입을 수 없는 옷이었다.

"브로치를 다는 게 좋겠어요." 페어팩스 부인이 제안했다. 마침 템플 선생님이 작별 선물로 주신 작은 진주 브로치를 하나 갖고 있었다. 브로치를 달고 아래층으로 내려갔다. 낯선 이와 마주하는 게 영 어색해서 로체스터 씨 앞에 서는 게 어쩐지 재판장에 나서는 것처럼 부담스러웠다. 나는 페어팩스 부인을 앞세우고, 그녀 뒤에 숨어 응접실로 들어갔다. 지금은 커튼이 쳐진 아치를 지나 우아한 안쪽 방으로 들어섰다.

탁자 위로 두 개의 촛불이 빛나고, 벽난로 위에도 촛대 위에 양초 두 개가 켜져 있었다. 촛불과 따스한 벽난로 불빛을 쬐며 기분 좋게 누워 있는 건 로체스터 씨의 개, 파일럿이었고, 아델은 그 옆에 무릎을 꿇고 있었다. 긴 안락의자에 반쯤 기대 누운 로체스터 씨는 쿠션 위에 한쪽 다리를 올려놓고 아델과 개를 바라보고 있었다. 난로의 붉은빛이 그의 얼굴을 비추고 있었다. 두껍고 짙은 눈썹, 옆으로 빗어 넘긴 검은 머리에 이마가 도드라졌다. 나는 그의 높은 코를 알아보았다. 미학적으로 예쁜 코라기보다는 오만한 성격에 어울리는 코였고, 까다로운 성격을 드러내는 콧구멍도 눈에 띄었다. 살짝 일그러진 입매와 단단한 턱선까지, 그의 이목구비는 하나같이 그가 얼마나 위엄 있고 고귀한 사람인지를 그리고 실수 따위는 하지 않는 사람임을 보여주었다. 망토를 벗은 그의 체격은 그런 인상과 조화를 이루며 탄탄하고 균형 잡혀 있었다. 키가 아주 크거나 우아하지는 않았지만, 넓은 가슴과 잘록한 허리를 보니 운동선수라 해도 손색없을 몸이었다.

내가 페어팩스 부인과 함께 들어오는 걸 알면서도 로체스터 씨는 우리의 인기척을 전혀 느끼지 못했다는 듯 고개도 들지 않았다.

"에어 양입니다." 페어팩스 부인이 조용히 고했다. 그는 개와 아이에게 시선을 떼지 않은 채로 끄덕였다.

"에어 양에게 의자를 내어줘요." 그가 말했다. 그의 몸짓은 딱딱했고, 말투는 격식이 가득해서 "에어 양이 오든 말든 그게 나랑 무슨 상관이지? 지금은 그녀와 대화하고 싶은 마음이 들지 않는데"라고 말하는 것 같았다.

나는 차라리 마음이 놓였다. 만약 그가 예의 바르게 나를 맞이했다면 오히려 더 당황했을 것 같았다. 나도 그에게 우아한 태도로 대답해야 했을 텐데, 그게 가능할지 장담할 수 없었다. 무뚝뚝하고 변덕스러운 태도가 오히려 거북하지 않은 편안한 상황으로 다가왔다. 이런 변덕스러운 상대에게는 오히려 더 대범하게 나가는 게 유리하다. 게다가 그가 보여준 색다른 응대가 흥미로웠다. 앞으로 그가 어떻게 나올까 궁금해졌다.

그는 조각상처럼 앉아 말을 걸지도, 움직이지도 않았다. 페어팩스 부인은 예의를 차려 상대를 대해야 한다고 여기는 사람인지라, 먼저 나서서 대화를 이끌었다. 여느 때처럼 다정하고, 평소처럼 진부하게 그가 하루 종일 겪은 부침이 얼마나 힘들었을지, 게다가 발목의 통증이 버거웠을 거라며 말했다. 그녀는 마지막으로 로체스터 씨가 인내심을 가지고 끈기 있게 하루를 보냈다며 칭송했다.

"부인, 차를 좀 마셔야겠습니다."

페어팩스 부인의 긴 공감에 내놓은 그의 답변은 간결하기 그지없었다. 부인은 서둘러 종을 울렸다. 차를 담은 쟁반이 도착하자 그녀는 잔과 수저 등을 빠르게 차려냈다. 나와 아델은 탁자로 갔지만, 로체스터 씨는 소파에서 움직이지 않았다.

"선생님, 주인님께 잔을 건네주시겠어요? 아델은 가다가 쏟을 것 같아요." 페어팩스 부인이 물었다.

내가 조심스럽게 잔을 가져다주었고, 그는 내가 내민 찻잔을 받았다. 그때, 아델이 지금이 적당한 시기라는 듯 외쳤다.

"로체스터 씨, 아저씨의 조그만 상자 속에 에어 선생님을
위한 선물도 있지요?"

"누가 선물 이야기를 하지?" 그가 퉁명스럽게 물었다. "선
물을 기대했소, 에어 양? 선물을 좋아합니까?" 그는 화가 난
듯 무뚝뚝하고 날카로운 눈으로 내 얼굴을 빤히 바라보았다.

"글쎄요. 저는 선물을 받은 기억이 별로 없어서요. 흔히 선
물은 기쁜 것이라 생각하는 것 같지만요."

"흔히? 그렇다면 선생은 어떻게 생각하길래."

"생각할 시간이 좀 필요한걸요. 선물도 여러 가지 종류가
있잖아요? 선물에 대한 제 의견을 말씀드리기 전에 다양한
측면을 충분히 고려해야 하지 않을까요."

"아, 겸손이 지나치군! 아델을 쭉 지켜보니 그동안 큰 노력
을 기울였다는 게 느껴졌소. 똑똑하지도 않고 재능도 없는
아이가 짧은 시간 동안 많이 발전했더군."

"그것이야말로 제가 받고 싶었던 선물입니다, 로체스터
씨. 제가 맡은 학생이 발전했다는 말이야말로 모든 교사가
듣고 싶은 칭찬이니까요."

"흠!" 로체스터 씨는 코웃음을 치더니 차를 마셨다.

쟁반을 치우고 페어팩스 부인이 뜨갯감을 챙겨 구석에 자
리를 잡자, 로체스터 씨가 내게 "난로 곁으로 와요" 하고 제
안했다. 아델이 내 손을 잡고 방을 구석구석 다니며 콘솔이
나 옷장 위에 장식한 예쁜 책이나 장식품을 보여주고 있던
참이었다. 우리는 로체스터 씨의 말에 따랐다. 아델은 내 무
릎에 앉고 싶어 했지만, 파일럿과 놀아주라는 명령이 뒤따

랐다.

"저택에 온 지 석 달이라고 했습니까?"

"네, 맞아요."

"그럼, 그전에는 어디서?"

"○○주의 로우드 학교에서 근무했습니다."

"아, 자선 학교로군. 거기서 얼마나 지냈습니까?"

"8년이요."

"8년이나? 인내심을 가지고 살아왔군요. 그런 곳에서 반나절만 지내도 성격이 망가질 텐데요. 그러니 다른 세계 사람처럼 보이는 게 당연했던 거군. 어디서 그런 면모를 얻었을까 궁금했는데. 어젯밤 오솔길에서 당신이 내게 달려왔을 때, 나도 모르게 동화가 떠오르더군. 당신이 내 말(馬)을 홀렸냐고 물어보고 싶을 정도였지. 아직도 신기해. 그렇다면 부모님은?"

"안 계세요."

"원래부터 안 계셨던 건가? 혹시 기억나는 게 있소?"

"없어요."

"그렇군. 그래서 그 나무 계단에 앉아 사람들을 기다리고 있었던 거로군?"

"제가 누구를요?"

"녹색 옷을 입은 요정 말이오. 요정이 나타나기 딱 좋은 저녁 달빛이었거든. 마법을 걸어서 그대가 쳐놓은 올가미에 내가 들어가도록 빌어먹을 얼음을 길가에 깔아놓은 것 아니겠소?"

나는 고개를 저었다. "녹색 요정은 이미 100년 전에 영국을 떠났어요." 나도 그를 따라 진지한 말투였다. "그리고 마을로 가는 길이나 그 주변 들판에도 이제 그들의 흔적을 찾을 수 없죠. 여름에도, 추수철에도, 겨울의 달빛도, 초록빛 요정의 향연을 더 이상 비추지 않는답니다."

페어팩스 부인이 뜨개질을 멈추고 미간을 찌푸리며, 대체 우리가 무슨 이야기를 하는지 의아하다는 눈빛을 보냈다.

"음, 양친이 없다고는 해도, 삼촌이나 이모 같은 친척은 있지 않겠습니까?"

"아니요, 없어요."

"그럼, 고향은?"

"고향도 없어요."

"형제자매는 어디 살고 있습니까?"

"전 형제자매가 없어요."

"누가 손필드를 추천했습니까?"

"제가 먼저 신문에 광고를 냈고, 페어팩스 부인이 광고를 보고 연락을 주셨어요."

"그랬지요." 페어팩스 부인이 끼어들었다. "주님의 섭리에 따라 에어 양을 만나게 된 것에 매일 감사한 마음이랍니다. 제게 얼마나 소중한 분인지 몰라요. 아델에게도 친절하고 세심하답니다."

"굳이 좋은 말을 해줄 필요는 없어요, 부인." 로체스터 씨가 싸늘한 목소리로 말했다. "아무리 칭찬을 늘어놓아도 입에 발린 소리에 넘어가지 않을 거요. 나는 스스로 판단하는 편이지. 게다가 이 여인은 내 말을 쓰러뜨렸어.”

“네?” 페어팩스 부인이 되물었다.

“발목을 접질린 것도 선생 덕택이라고 해야 할까.”

부인이 아연실색하며 우리를 바라보았다.

“에어 양, 도시에서 살아본 적 있습니까?”

“없습니다.”

“사람들은 많이 만났습니까?”

“로우드 학교의 학생과 동료 교사들 그리고 이 저택에서
만난 사용인들이 전부입니다.”

“독서는 많이 해요?”

“그저 제 손에 들어오는 책만, 조금이요. 방대하지도 않고,
그리 어려운 책도 아니었습니다.”

“수녀 같은 삶을 살았군. 예배나 교리는 잘 배웠겠소. 내가
알기로 로우드는 브로클허스트 목사의 교구였던 것 같은데,
맞소?”

“네, 맞아요.”

“그렇다면 수녀원 모두가 수녀원장을 따르듯 로우드의 학
생들도 그를 찬미했겠군.”

“오, 그건 아니었어요.”

“아니라니, 꽤 당돌하군! 왜 그렇지? 수녀가 사제를 우러
러보지 않는다니, 그야말로 신성모독이오.”

“전 브로클허스트 씨를 싫어했어요. 저만 그런 것도 아니
었고요. 그 사람은 심술궂고 참견도 심했어요. 학생의 머리
카락을 마음대로 잘라버리기도 했고, 검소함을 핑계로 질이

낮은 바늘과 실을 배급했어요. 바느질도 제대로 할 수 없는 물건들이었죠.”

“그건 검소라고 할 수도 없네요.” 우리의 이야기에 잠자코 귀를 기울이던 페어팩스 부인이 말했다.

“그게 다요?”

“위원회가 조직되기 전까지 그분은 학교의 보급품을 관리하는 유일한 책임자였고, 우리를 굶기기가 다반사였어요. 일주일에 한 번씩 찾아와 긴 설교를 늘어놓았고, 저녁 낭독 시간이면 자기가 쓴 책에서 죽음과 심판에 관한 부분을 읽어대는 통에 어린 우리는 잠들기가 무서웠어요.”

“몇 살에 로우드에 입학했습니까?”

“열 살이요.”

“그리고 8년을 보냈다고 했으니, 지금 열여덟 살인가?”

나는 고개를 끄덕였다.

“과연, 산수는 이렇게 유용하지. 산수 실력이 없었다면 그대의 나이를 추측하기 어려웠을 거요. 그대의 생김새나 표정으로는 나이를 짐작하기가 여간 헷갈리는 게 아니어서. 그래요, 로우드에서는 무얼 배웠습니까? 피아노는 연주합니까?”

“조금 칠 줄은 알아요.”

“당연하겠지, 다들 그런 대답이 미덕이라고 여기니. 그럼, 서재로 가봐. 아니, 미안합니다. 보통 ‘이렇게 해’라고 말하면 다들 그대로 따르는 게 습관이 되어서. 선생이 내 집에 들어왔다고 내 말투가 하루아침에 바뀌는 건 아니잖소. 그럼, 서재로 가보겠소? 촛대는 여기 있소. 문을 열어놓고 곡을 연주해 보겠소?"

나는 그의 명령에 따라 피아노를 조금 연주했다.

"충분하오!" 몇 분 후, 그가 멀리서 외쳤다. "정말 조금 칠 줄 아는 수준이야. 다른 여학교 출신보다는 잘 치지만 훌륭한 실력이라고 볼 순 없군."

나는 피아노를 닫고 그에게 돌아갔다. 로체스터 씨는 계속해서 말했다. "아델이 오늘 아침에 그대가 그린 그림이라며 스케치 몇 장을 보여주던데. 정말 그대가 그린 그림인지 확인이 필요해. 다른 이가 도와준 게 아니오?"

"아니요, 아닙니다!" 내가 발끈했다.

"아, 자존심이 상한 모양이로군. 그렇다면 당신이 그린 그림을 가져와 봐요. 확실하게 확인하기 전까지는 혼자 그렸다고 주장해도 소용없습니다. 나도 남의 손길이 닿은 그림을 알아보는 눈은 갖고 있으니."

"그렇다면 전 아무 말씀도 드리지 않겠습니다. 직접 판단하세요."

나는 서재에서 화첩을 가져왔다.

"탁자를 가져와요." 그의 지시에 따라 탁자를 끌고 갔다. 아델과 페어팩스 부인이 그림을 구경하려는 듯 다가왔다.

"나중에 보도록 해. 내가 그림을 다 확인할 때까지 방해하지 말고."

그는 그림을 한 장씩 살피기 시작했다. 그중 세 장은 따로 분류하고 나머지는 천천히 관찰하고 치웠다.

"페어팩스 부인, 이건 다른 탁자로 옮겨요. 가서 아델과 함게 구경해요"라고 말하고는 로체스터 씨가 내게 고개를 돌렸다. "잠깐 앉아서 내 질문에 대답을 해주겠소? 여기 있는 그림은 한 사람이 그린 것으로 보이는데, 정말 그대가 그린 그림이오?"

"네."

"언제 이런 그림을 그렸습니까? 상당히 오랜 시간이 걸렸을 것 같은데."

"로우드에서 마지막 두 번의 방학 때 그렸어요. 별로 할 일이 없었거든요."

"대상은 어디서?"

"제 상상으로요."

"그대의 그 어깨 위에 얹어놓은 머리로 떠올렸다?"

"네, 맞아요."

"이 그림 말고도, 그대 머릿속에는 이런 상상이 또 있소?"

"있을 겁니다. 아니, 있기를 바라요. 좀 더 나은 것들이 더 많았으면 좋겠어요."

그는 눈앞에 펼쳐진 그림을 다시 살피기 시작했다.

독자들이여, 로체스터 씨가 이렇게 푹 빠져서 보는 그림이 어떤 그림인지 설명할 필요가 있을 것이다. 우선 그림의 주제는 그리 특별하지 않았다. 그저 내 마음속에 생생하게 떠오른 어떤 것들이었다. 내 마음의 눈으로 본 인상 깊은 무언가였다. 내 손은 상상력을 따라가지 못해서 그저 내가 상상한 것을 희미하게나마 따라 그렸을 뿐이었다.

그림은 모두 수채화였다. 첫 번째 그림은 잔잔하게 물결치

는 바다 위로 낮게 드리운 검푸른 구름을 담고 있었다. 전경
과 원근감은 모두 희미하고 흐릿했다. 육지는 보이지 않고,
그림에서 가장 가까운 것은 파도였다. 한 줄기 빛이 반쯤 잠
긴 돛대를 뚜렷이 비추고 있고, 검정색의 커다란 가마우지
가 날개에 거품 이는 파도를 맞으며 앉아 있었다. 가마우지
의 부리에는 내가 팔레트에서 얻을 수 있는 가장 밝은 색감
과 내 붓이 그릴 수 있는 한 가장 선명한 빛으로 그린 금팔찌
가 걸려 있었다. 새와 돛대 아래, 녹색 파도 속에 가라앉아 있
는 것은 익사한 시신이었다. 허연 팔뚝만이 선명하게 드러나
있었고, 그 팔에서 팔찌가 벗겨졌거나 뜯긴 듯한 모습이 암
시되고 있었다.

두 번째 그림은 희미한 산봉우리가 보이는 풍경이었다. 잔
디와 나뭇잎이 바람에 나부끼고 있었고, 그 너머 하늘은 황
혼처럼 어두운 남색으로 물들어 있었다. 창공에는 한 여성의
몸체가 황혼과 비슷한 색조로, 내 붓이 허락하는 한 가장 부
드럽게 표현되어 있었다. 어두운 이마에는 별이 반짝였고,
그 아래는 안개가 낀 듯 희미하고 흐릿했다. 그녀의 눈은 검
고 사납게 빛났으며, 머리카락은 폭풍이나 번개에 찢긴 구름
처럼 검게 뻗쳐 흩날렸다. 목에는 달빛처럼 창백하고 은은한
빛이 드리워져 있었고, 그 희미한 빛은 가느다란 구름 떼를
부드럽게 비추고 있었다. 그 위로 샛별이 떠올라 모든 것을
굽어보고 있었다.

세 번째 그림은 극지방의 겨울 하늘을 꿰뚫는 빙산의 꼭대
기를 담고 있었다. 북극광이 수평선을 따라 빽빽하게 솟아올

라 마치 창살처럼 보였다. 전면에는 거대한 얼굴이 빙산 쪽으로 기울어져 있었다. 그 얼굴을 받치고 있는 두 개의 가느다란 팔이 이마 아래를 가리며 검은 베일을 드리우고 있었다. 얼굴은 핏기 하나 없이 백골처럼 창백했고, 절망 외에는 아무것도 담겨 있지 않은 공허하고 움푹 팬 눈만이 드러나 있었다. 관자놀이 위로는 구름처럼 얇고 어두운 두건이 걸쳐져 있었고, 두건의 주름 사이로는 마치 보석처럼 눈부신 하얀 불꽃의 고리가 아로새겨져 희미하면서도 선명하게 빛나고 있었다. 그러한 고리들이 모여 초승달의 형상을 이루었고, 그 초승달은 '왕관과 비슷한 모습'이었다. 그 왕관을 쓴 대상은 '아무 형상 없는 형상'*이었다.

"이 그림을 그리면서 행복했습니까?" 로체스터 씨가 물었다.

"완전히 몰입해 있었거든요. 네, 행복했어요. 그림을 그리면서 지금껏 몰랐던 행복을 맛보았으니까요."

"그건 별로 설명이 되지 않는데. 그대가 말하는 행복이 말투에서는 전혀 느껴지지 않으니 말이오. 그렇지만 이상한 색조의 물감을 섞어 그리면서 흔히 말하는 예술가의 환상 속에 젖어 지낸 건 맞는 것 같군. 하루 중 그림을 그리며 보내는 시간이 길었소?"

"말씀드렸다시피 방학에는 할 일이 그리 많지 않았거든요. 아침부터 점심까지 그리고 낮부터 밤까지 그림 앞을 지켰죠. 한여름에는 해가 길어서 그림을 그리기 더 좋았어요."

* 존 밀턴의 『실낙원』에서 인용.

"그렇게 심혈을 기울였는데, 결과물에 만족합니까?"

"전혀요. 제 생각과 제가 그린 결과물 사이의 괴리가 느껴져 괴로움이 컸어요. 어떤 건 제가 상상했던 걸 조금도 담아내지 못했고요."

"꼭 그런 건 아닐 거요. 그대의 그림은 상상의 그림자를 확실히 드러내니까. 단지 예술가가 갖춰야 할 기술과 능력이 아직 미숙해서 그런 거요. 그럼에도 여학생이 그렸다기에는 특별한 구석이 있군. 현실적이지 않은 요정 같은 구상이야. 이 샛별 같은 눈은 분명 꿈에서 보았겠지. 대체 어떻게 이렇게도 선명하면서 투명하게 그릴 수 있었을까? 아마 높이 뜬 달이 그 빛을 지우고 있기 때문이겠지. 이 깊이 있는 눈동자 기저에 어린 건 어떤 의미가 있지? 게다가 바람을 그리는 법은 누구에게 배웠습니까? 하늘에도, 언덕에도 세찬 바람이 부는 게 느껴집니다. 라트모스산은 어디서 보았소? 그림의 이 산이 바로 라트모스산이오. 자, 이제 됐습니다. 그림을 정리하시오!"

화첩의 끈을 다 묶기도 전에 그는 시계를 확인하곤 외쳤다.

"벌써 아홉 시요, 선생. 아델을 이렇게 늦게까지 놀게 할 작정입니까? 어서 아이를 잠자리에 들게 해요." 방을 나서기 전, 아델이 그에게 입맞춤하기 위해 달려갔다. 그는 애써 아델의 입맞춤을 견디는 것 같았다. 분명 아이의 애정 표현이 파일럿의 애정 표현보다 달갑지 않은 눈치였다. 아니, 파일럿보다 견디기 힘든 게 분명했다.

"이제 다들 돌아가 쉬어요." 그가 손으로 우리를 물렸죠. 우리와 함께하는 게 지쳤다는 투였다. 페어팩스 부인은 뜨개질을 정리하고 나는 화첩을 챙겼다. 그에게 고개를 숙이며 인사하자, 그는 무뚝뚝한 고갯짓으로 답했다. 우리는 방을 나섰다.

"로체스터 씨가 그리 특이한 분은 아니라고 하셨잖아요, 부인?" 아델을 침대에 눕히고 부인의 방에 함께 들어간 내가 기다렸다는 듯 물었다.

"그랬지요, 특이하신가요?"

"네, 굉장히 변덕스럽고 충동적이시던걸요."

"맞아요. 처음 본 사람에게는 그렇게 보일 수도 있지요. 나야 워낙 익숙해져서 그런지 그렇게 생각해 본 적은 없지만요. 게다가 주인님이 특이한 분이라고 해도 이해해 드릴 만하지요."

"어째서요?"

"천성적으로 그런 분이니까요. 사람은 누구나 자기 천성을 바꿀 수 없는 법 아니겠어요? 한편으로는 마음을 괴롭히는 걱정거리가 있어 늘 괴롭고 불안정하기 때문이랍니다."

"어떤 걱정거리요?"

"가족 문제가 있어요."

"하지만 가족이 없으시잖아요."

"지금은 없지만 예전에 있었어요. 아니, 친인척이 있었죠. 몇 년 전 큰 형님이 돌아가셨거든요."

"형님이요?"

"그렇답니다. 로체스터 씨가 집안의 유산을 상속받은 게 겨우 9년 전이에요."

"하지만 9년이면 꽤 예전인걸요. 돌아가신 형님 때문에 아직도 상심한 걸 보면 두 분 사이가 무척 좋았나 봐요?"

"아니, 아마도 그건 아닐 거예요. 두 사람 사이에 오해가 깊었던 것 같아요. 돌아가신 롤런드 로체스터 씨는 주인님께 퍽 부당하게 굴었답니다. 그래서 선대 로체스터 님도 편견을 갖고 작은아들을 대하셨죠. 부친은 재산을 귀히 여기셨어요. 그래서 집안의 재산을 여기저기 나누지 않고 하나로 모아두는 데 온 힘을 쏟으셨죠. 재산을 분배하는 걸 좋아하지 않으셨어요. 물론 에드워드 주인님에게도 이름과 명예를 유지할 만큼의 재산은 상속해 주어야 한다고 생각하셨지만요. 그런데 주인님이 성인이 되고 나서 불공평한 일이 몇 번 일어났나 봐요. 그게 나쁜 결과를 빚었죠. 부친과 큰아들이 합세해 주인님을 힘든 처지로 몰았답니다. 정확하게 얼마나 열악한 처지였는지는 모르지만. 어쨌거나 주인님은 그걸 견디지 못했어요. 그리 너그러운 성품은 아니니까요. 결국 그렇게 가족과 절연했고, 수년간 불안정한 삶을 살았대요. 형님이 유언도 남기지 못하고 돌아가시고 나서야 이 저택과 모든 재산을 상속받았지만, 그 후로 손필드에서는 2주 이상 머물지 않으세요. 이 오래된 저택을 피하는 게 어찌 보면 당연하지요."

"왜 그토록 회피하시는 건데요?"

"생각만으로도 우울한 것 아니겠어요?"

페어팩스 부인의 말은 애매모호했다. 나는 조금 더 명확한 설명을 기대했지만, 페어팩스 부인은 주인이 겪은 고생의 원인이나 내력을 정확히 모르는 건지, 아니면 알면서도 말해줄 의사가 없는 건지, 시원하지 않은 대답만 남겼다. 본인도 그 사건이 수수께끼라며, 자기가 알고 있는 것도 추측에 불과하다고 못 박았다. 아무래도 이 주제를 더 이상 언급하기를 꺼리는 것 같아서 나도 입을 다물었다.

그 후로 며칠 동안 로체스터 씨를 거의 보지 못했다. 오전에는 일이 바쁜 듯했고, 오후에는 밀코트나 주변 지역의 신사들이 그를 찾아왔으며 이따금 그들과 저녁 식사까지 함께할 때도 있었다. 접질린 발목이 나아지고 말을 탈 수 있게 되자 그는 자주 외출했다. 아마 저택에 찾아온 신사들을 만나러 갔을 것이다. 밤이 늦도록 돌아오지 않는 날이 왕왕 있었다.

아델도 그를 자주 볼 수 없었으니, 내가 그와 마주치는 경우라곤 현관의 홀이나 계단, 복도에서 스쳐 지나가는 정도였다. 때로는 거만하고 차가운 태도로 나를 지나치기도 했고, 멀리서 묵례만 하거나 차갑게 쏘아보기도 했다. 어떤 때에는 신사답게 인사를 건네고 미소를 던지기도 했다. 제멋대로인 기분은 나 때문이 아니라는 걸 알아서인지 화가 나지는 않았다. 그의 변화무쌍한 기분은 나와 무관했기 때문이었다.

어느 날, 만찬에 초대받은 손님들이 가득했던 저녁이었다. 내 화첩을 가져오라고 사람이 왔다. 그 안에 든 그림을 손님들에게 보여주기 위함이었다. 페어팩스 부인의 말에 따르면, 손님들은 밀코트에서 열리는 어느 공적인 모임에 참석하기 위해 일찍 떠났지만, 습하고 궂은 날씨를 핑계로 로체스터 씨는 저택에 남았다. 손님들이 떠난 직후, 로체스터 씨가 종을 울려 나와 아델을 아래층으로 내려오라고 지시했다. 나는 아델의 머리를 빗겨주고 옷차림을 단정하게 매만졌다. 그리고 평소처럼 수수하고 어두침침한 내 옷이 깨끗한지 확인했다. 땋은 머리를 바싹 틀어 올린 모습을 다시 한번 확인하고 아래층으로 내려갔다. 아델은 저를 위한 '작은 상자'가 드디어 도착한 게 아닐까 궁금해했다. 지금껏 여러 문제로 선물이 늦어진 까닭이었다. 아델은 다소 상기된 표정으로 쉬지 않고 떠들었다. 식당에 들어서니, 식탁 위에 작은 상자가 놓여 있었다. 아델은 본능적으로 그것이 저를 위한 것임을 알았다.

"내 상자! 내 선물이야!" 아이가 외치며 상자를 향해 달려갔다.

"그래, 네 '상자'가 드디어 왔군. 부디 그걸 가지고 저쪽 구석으로 사라지렴. 파리에서 온 꼬마야, 네 멋대로 뱃속을 갈라 뜯어버리렴." 로체스터 씨의 낮고 조롱기 가득한 목소리가 벽난로 옆 커다란 안락의자 너머에서 들렸다. "그리고 부디 바라건대, 해부학적으로 자세히 설명하려 든다거나 내장의 상태가 좋고 나쁘다는 소리로 나를 귀찮게 하지 마라. 그런 건 조용히 해야 하는 거야, 내 말 알아듣니?"

굳이 주의를 줄 필요도 없이, 아델은 이미 제 보물을 힘껏 껴안은 채, 소파에 누워 상자의 끈을 푸느라 여념이 없었다. 온갖 장애물을 헤치고 포장지를 뜯은 아델이 감탄사를 내뱉었다.

"세상에! 너무 예뻐요!" 그리고 눈이 먼 듯 선물에 푹 빠져 바라보았다.

"에어 양도 함께 왔나?" 로체스터 씨가 의자에서 몸을 조금 일으키고, 문 쪽을 바라보며 말했다. 그때까지도 나는 문 옆에 조용히 서 있었다.

"아! 왔군. 이리 가까이 와서 앉아요." 그는 자기 곁에 의자를 끌어오며 말했다. "나는 아이들의 시끄러운 소리를 썩 좋아하지 않아. 내 나이의 독신 남성에게 아이들이 떠드는 소리만큼 불쾌한 것도 없지. 아이와 단둘이 저녁 내내 시간을 보내는 건 정말 견딜 수 없거든. 에어 양, 부디 의자를 뒤로 밀지 말아요. 내가 둔 그 자리에 앉으라고. 저런, 부탁한다는 말투가 입에 안 붙어 큰일이군. 예의를 지켜야 하는데 말이오. 왜 이렇게 계속 잊어버리는지 모르겠군. 아무래도 착한 노부인 흉내는 체질에 맞질 않아서 그렇습니다. 그런 부인이 우리 집에도 하나 있긴 하지. 그녀를 소홀히 하는 건 아니오, 그래도 페어팩스 집안사람이니까. 아니, 페어팩스 집안에 시집온 사람이지. 괜히 피는 물보다 진하다고 하는 게 아닙니다."

그가 종을 울려 페어팩스 부인을 불렀다. 얼마 후, 그녀가 뜨개 바구니를 들고 나타났다.

"부인, 자선을 베풀어주십사 불렀소. 아델에게 선물 이야기는 절대 입에 담지도 말라고 일렀는데 벌써 신나서 떠드는군. 가서 아델의 말을 들어주고 말동무도 되어주시오. 그보다 좋은 자선은 없을 거요."

과연 아델은 페어팩스 부인을 보자마자 그녀를 소파로 불렀고, 제 선물 상자 속 도자기며, 상아, 밀랍으로 만든 장난감을 무릎에 잔뜩 늘어놓으며 서툰 영어로 열심히 설명했다.

"이로써 좋은 후견인 역할은 한 것 같고." 로체스터 씨가 말했다. "손님들이 각자 재미있는 시간을 보낼 수 있게 주선했으니, 이제 나도 좀 즐겨야겠군. 에어 양, 의자를 조금 더 앞으로 당기지. 아직도 너무 멀지 않습니까. 이 푹신한 의자에서 자세를 바꾸지 않고는 얼굴을 볼 수가 없는데, 나는 굳이 그러고 싶지 않거든."

조금 더 구석진 곳에 앉고 싶었지만, 로체스터 씨는 단도직입적으로 명령을 내리는 편이었고, 이상하게도 그의 말에 순종하는 건 당연한 일처럼 여겨졌다.

우리는 앞서 말한 것처럼 식당에 있었다. 저녁 식사를 위해 켜놓았던 촛불이 방 안을 환하게 비추고 있었다. 커다란 벽난로에서 불이 활활 타올랐다. 보랏빛 커튼은 웅장하고 넉넉하게 솟은 창문과 더 높은 아치 앞에 드리워져 있었고, 아델의 나지막한 수다 소리—아델도 차마 큰 소리로 떠들 수는 없었다—외에는 사방이 고요했다. 아델이 잠시 말을 멈출 때면 겨울비가 창문에 부딪치는 소리만 고요함을 일깨웠다.

로체스터 씨는 다마스크 천을 덮은 의자에 앉아 있었다.

지금까지 본 모습과는 사뭇 달라 보였다. 그리 냉철하지도, 우울해 보이지도 않았다. 입가에는 잔잔한 미소가 걸려 있었고, 눈은 반짝거렸다. 포도주를 조금 마신 듯, 저녁 식사를 마치고 난 편안한 기분에 젖어 있었다. 오전의 차갑고 무뚝뚝한 기분보다는 관대하고 친절하고 느긋해 보였다. 물론 그 커다란 머리를 안락의자에 기댄 채, 화강암 조각 같은 얼굴과 크고 어두운 눈동자로 난로 불빛을 바라보는 옆모습은 여전히 엄격한 분위기를 자아냈다. 그의 눈은 아주 크고, 검고, 또 지나치게 잘생겼다. 가끔은 눈동자 깊은 곳에서 변화가 일 때도 있었다. 부드러운 눈빛은 아니어도, 다정한 느낌 정도는 담긴 눈빛으로 말이다.

　그는 2분 정도 말없이 난롯불을 응시하고 나는 그런 그를 바라보았다. 그때 불현듯 고개를 돌린 그가 내 시선을 알아채곤 픽 웃으며 물었다.

　"왜 사람을 그렇게 쳐다봅니까, 에어 양? 내가 잘생겼습니까?"

　"아니요."

　답을 조금만 고심했더라면, 남들처럼 실례가 되지 않는 선에서 정중한 맞장구를 쳐주었을 것이다. 그러나 나도 모르게 답이 먼저 튀어 나가고 말았다.

　"이런, 너무한걸? 그대에게 뭔가 특별한 점이 있는 줄로는 알았지만. 소녀 같은 점도 있고, 묘하고, 조용하고, 진지하고 조금은 색다른 사람이긴 하지. 지금처럼 두 손을 가지런히 모으고 앉아서 눈은 카펫만 응시하고 있지만. 아 물론, 지금처럼 나를 똑바로 꿰뚫어볼 때도 있지. 하지만 다른 사람의 질문에 꼭 대답해야 할 때면 그대는 그렇게 있는 그대로 솔직하게 말해버리곤 하지. 무례하지는 않지만, 꽤 차가운 편이야. 방금 그건 진심으로 한 대답입니까?"

"제가 너무 직설적으로 답했네요, 죄송합니다. 외모에 관한 질문에는 '바로 답하기 어렵습니다'라든가, '사람마다 보는 눈은 다르지요'라든가, '아름다운 외모는 별로 중요하지 않습니다'라고 답했어야 했는데."

"그건 더욱 해서는 안 될 말이요. 외모는 별로 중요하지 않다니! 그런 식으로 조금 전의 무례를 사과하는 척 나를 달래며 내 목덜미에 칼을 꽂는군! 자, 계속해 봐요, 내게 모자란 것이 무엇이오? 응? 나도 다른 사람들과 마찬가지로 팔, 다리와 눈, 코, 입을 모두 갖추었다고 생각하는데."

"부디 제 대답을 취소하게 해주세요. 비꼬려던 게 아니라 말실수였어요."

"그렇소? 나도 그리 생각합니다. 그러나 자신이 한 말에 책임은 져야 하지 않겠소? 자, 내 얼굴을 평가해 봐요. 내 이마가 마음에 들지 않소?"

로체스터 씨는 이마를 덮고 있던 검은 머리카락을 쓸어 올리며, 지적인 듯 보이는 단단한 이마를 훤히 드러냈다. 관대함과 자비로움을 나타낸다고 알려진 부위는 눈에 띄게 꺼져 있었다.

"어떻소? 바보 같소?"

"전혀요. 대신 주인님께 박애주의자냐고 여쭤보면, 그것대로 무례하다고 생각하실 건가요?"

"또 이러는군! 내 머리를 쓰다듬는 척하며 내 목에 칼을 겨눴어. 내가 아이나 늙은이하고는 어울리기 싫다고 말해서 그러는 거요? (아, 이건 너무 천박했군.) 그래요, 젊은 아가씨, 나는 박애주의자가 아닙니다."

그는 흔히 양심이나 덕성을 상징한다고 여겨지는 부위를 손으로 가리켰다. 다행히도 그 부분은 볼록했고, 그로 인해 넓고 환한 인상을 더했다.

"나도 한때는 지금처럼 무뚝뚝하지 않고 부드러웠지. 내가 그대 나이였을 때만 해도 말이오. 감정이 풍부했고, 미숙하기도 했지. 특히 불행한 이들을 동정할 줄 아는 사람이었소. 하지만 운명은 나를 배신했지. 나를 무참히 짓밟고 반죽처럼 주물렀소. 지금은 인도산 고무공처럼 단단하고 튼튼해졌다고 자랑스럽게 말할 수 있겠지. 하지만 아직도 한두 군데쯤은 빈틈이 있어. 감성적이기도 하고, 딱딱하게 뭉친 공 한가운데 연약한 부분도 있고. 자, 그렇다면 내게 희망이 있겠습니까?"

"무슨 희망이요?"

"인도산 고무공에 다시 피와 살이 돋아날 수 있을까?"

'이 남자, 포도주를 너무 많이 마신 게 분명해.' 나는 생각했다. 그가 던진 이상한 질문에 어떻게 답해야 할지 몰랐다. 그가 다시 변화할 수 있을지, 내가 어떻게 알겠는가?

"상당히 혼란스러워 보이는군, 에어 양. 나와 비슷하게 외모가 뛰어난 건 아니지만, 당황한 얼굴이 꽤 잘 어울리긴 해.

게다가 그런 표정으로 나를 보지 않고 카펫의 꽃무늬나 바라 보는 게 훨씬 편하긴 하지. 계속 그렇게 당혹스러워해도 괜 찮소. 오늘 밤은 당신과 이야기를 나누고 싶으니까."

그 말과 함께 그는 자리에서 일어나 대리석 벽난로에 팔을 기대고 섰다. 그 자세가 그의 모습과 얼굴을 더욱 선명히 드 러냈다. 가슴은 키에 맞지 않게 넓고 두툼했다. 사람들은 그 를 못생겼다고 생각할지도 모르겠다. 그러나 그의 모습에는 무의식적인 자부심이 가득했고, 태도에는 여유로움이 넘쳤 으며, 자기 외모는 신경 쓰지 않는 듯 굴었다. 내면과 외면의 자질을 너무 당당하게 드러낸 덕분에 부족한 외모가 가려졌 다. 그를 보고 있으면 필연적으로 그의 말도 안 되는 주장을 맹목적으로 따르고 싶어졌다.

"오늘 밤은 많은 이야기를 하고 싶소. 그래서 그대를 오라 고 한 거요." 로체스터 씨가 또다시 강조했다. "벽난로나 샹 들리에만으로는 만족할 수 없어. 파일럿도 충분하지 않아. 말을 못 하니까. 아델은 좀 낫지만 대화 상대로는 부족하고, 페어팩스 부인도 마찬가지요. 당신이라면 내 친구가 되어줄 수 있을 것 같았습니다. 물론 당신이 원한다면 말이오. 그대 를 식당으로 부른 첫날 저녁에는 혼란스러웠소. 그다음에는 그대를 거의 잊었지. 다른 생각이 그대의 기억을 내 머리에 서 몰아냈소. 하지만 오늘 밤은 달라. 성가신 건 다 잊고 즐겁 게 보내고 싶거든. 그대를 더 알고 싶고, 그대가 보고 싶었지. 그러니 이야기를 해봐요."

이야기하는 대신 나는 웃기만 했다. 자만심도, 비굴한 미소도 아니었다.

"에어 양, 말을 해보라고."

"무슨 말을 해드릴까요?"

"뭐든 하고 싶은 말을 해봐요. 주제도, 방식도 전적으로 그대 마음대로."

그래서 나는 의자에 앉아 아무 말도 하지 않았다. '그저 말하고 과시하기 위한 상대로 나를 고른 거라면 사람을 잘못 골랐다는 걸 깨닫겠지.' 나는 그렇게 생각했다.

"왜 아무 말도 안 하지?"

나는 입을 열지 않았다. 그는 내게 고개를 슬쩍 숙이고는 다급하게 내 시선을 쫓았다.

"고집이 센 편인가? 짜증이 나는 건가. 아! 소신이군. 내가 말도 안 되는 태도로 무례하게 굴었기 때문이군. 에어 양, 미안합니다. 그대를 아랫사람으로 대하고 싶지 않습니다." 그가 말투를 고치며 계속 대화를 이어나갔다. "내가 그대보다 우위에 있는 건 고작 20년의 나이 차나, 100년 치의 경험 같은 것뿐이니. 이건 옳은 주장 아닙니까. 아델이라면 '맞는 말씀이에요'라고 하겠지. 그래서 내가 이 나이에 맞지 않게 조금이라도 이야기를 해보라고 조르는 겁니다, 녹슨 못처럼 썩어가는 내 생각에 얽매이지 않게 부디 내 마음을 다른 곳으로 돌려달라고 부탁하는 겁니다."

그의 설명은 마치 사과처럼 들리기도 했다. 그의 겸손한 말투를 알아차리지 못할 수도 없었고 그에게 내가 알아들었다고 표현하고 싶기도 했다.

"할 수만 있다면 저도 주인님을 즐겁게 해드리고 싶어요. 정말로요. 하지만 어떤 주제로 말을 꺼내야 할지 정말 모르겠어요. 어떤 일에 흥미를 느끼시는지 제가 어떻게 알겠어요? 차라리 질문을 주시면 최선을 다해 대답해 볼게요."

"그렇다면 그대는 한곳에서 한 무리의 사람들과 조용히 살아온 게 전부지만, 나는 그대보다 나이가 훨씬 많기도 하고 여러 나라의 많은 사람을 만나 다양하게 경험했고 지구의 절반을 돌아다녔으니, 가끔은 독단적이고 갑작스럽고 또 까다로워도 괜찮다고 인정해 주겠소?"

"원하는 대로 하세요."

"그건 답이 아니야, 오히려 짜증만 돋우지. 왜냐하면 그건 내 질문에 회피하는 것이니까. 명확하게 대답해 봐요."

"아니요, 저는 주인님이 저보다 단지 나이가 많거나, 저보다 더 많은 세상을 보았다는 이유만으로 제게 제멋대로 행동해도 된다는 권리를 얻는다고 생각하지 않습니다. 저보다 우월하다는 주장은 본인의 시간과 경험을 어떻게 쓰셨는지에 따라 달라지는 거죠."

"아하! 옳은 대답이오. 하지만 난 인정할 수 없소. 나는 시간도 경험도 나쁘게 사용하지 않았으니 그 말에 부합하지 않아요. 우월성의 문제는 둘째치고 내 말투에 화를 내거나 상처받지 않고, 때로 내 명령에 따른다고 동의해 달라는 겁니다. 어떻소?"

나는 미소를 지었다. 로체스터 씨는 과연 특이했다. 내가 그의 명령에 따르는 대가로 1년에 30파운드를 받는다는 사실은 잊은 듯했다.

"웃는 건 좋아." 그가 내 표정을 단박에 알아차리고 말했다. "하지만 대화도 좋지."

"저는 생각 중이었어요. 돈을 받고 일하는 사용인이 주인의 명령에 화를 내지 않는지, 기분이 상하지 않았는지 고민하고 물어보는 주인은 아마 없을 거라고요."

"돈을 받고 일하는 사용인? 그래? 그대는 돈을 받고 일하는 사람인가? 아, 그렇지. 내가 돈을 주지, 그걸 잊었군. 그렇다면 그대는 고용인이니 내가 함부로 굴어도 되는 건가?"

"아니요, 그런 이유로는 안 되죠. 하지만 돈을 주고 고용한 사람이라는 점을 잊으신 상태라면 사용인이 주인 밑에서 편안히 지내는지 확인하고 신경 쓰시는 부분은 좋은 점이라고 생각해요."

"그렇다면 그대는 관습과 예의, 미사여구 같은 어휘를 생략하는 게 무례하다고 생각하오?"

"격식을 차리지 않는 것과 무례하게 구는 것을 착각해서는 안 된다고 생각해요. 저는 오히려 격식을 차리지 않는 걸 선호해요. 반면 무례함은 돈을 받고 일해도 자유를 갖고 태어난 사람이라면 누구도 겪어서는 안 되는 일이라고 생각해요."

"말도 안 되는군! 대부분은 돈만 주면 뭐든 해. 아무리 자유의 몸으로 태어났어도 돈을 받으면 어떤 일이든 복종하는 거요. 그런 말은 생각으로만 둬요. 제대로 알지 못하는 세상사를 아는 척하지 말란 말입니다. 그대의 대답이 부정확하기는 해도 사실 나도 동의하는 바지. 말투도, 내용도 모두. 솔직하고 진지해. 이런 상대를 쉽게 만날 수는 없는데. 오히려 허심탄회하게 솔직히 말해도 상대는 잘난 체나 냉철함으로 받아들이거나 어리석고 무지한 머리로 잘못 이해하곤 하니까. 아마 여학교 출신 가정교사 3천 명이 있어도, 개중 세 명 정도나 그대와 같이 말하려나. 참고로 이건 칭찬이 아니오. 그대가 다른 사람과 다르다고 해도, 그건 그대의 장점이 아니라 자연이 그렇게 만든 거니까. 아무래도 나는 성급한 결론을 내린 것 같군. 어쩌면 그대도 다른 사람처럼 평범할 수도 있고, 얼마 안 되는 장점을 상쇄할 만큼 큰 결점이 있을 수도 있고.”

‘그건 당신도 마찬가지 아닌가요.’ 나는 속으로 생각했다. 그러나 그 생각을 하는 순간, 그와 눈이 마주쳤다. 그는 마치 내 마음을 읽은 사람처럼, 내 생각을 직접 들은 사람처럼 말했다.

“그래요, 그래. 그대 말도 맞아. 나도 결점이 많은 사람이지. 나도 알아요. 감추고 싶은 생각도 없어. 나는 타인에게 너무 엄격할 필요는 없다는 걸 알지. 나는 과거의 존재, 일련의 행동, 내 가슴속에서 숙고해야 할 삶의 다양함을 지니고 살지. 이것 때문에 주변으로부터 비웃음과 비난을 살지도 몰라. 스물한 살에 잘못된 길에 들어선 이래로, 아니 그 길 위에 던져진 이래로 올바른 길로 돌아오지 못하고 있지. 다른 사람처럼 나도 불운과 역경에 절반 정도 책임이 있어. 나도 달랐을 수도 있지. 그대만큼이나 훌륭하고 더 현명하고, 더 순수했을 수도 있지. 그대의 평온한 마음과 깨끗한 양심, 오염되지 않은 기억이 부러워. 티 없이 맑고 얼룩 없는 기억은 과연 보물이오. 끝없이 순수할 수 있는 원천이 되어줄 거야. 안 그렇소?"

"열여덟 살 때는 어떠셨는데요?"

"그때는 나도 좋았지. 맑고 깨끗했지. 썩은 물이 섞여 냄새 나는 웅덩이도 없었지. 열여덟에는 나도 그대와 같았어. 아주 비슷했지. 나도 그때는 좋은 사람이었지. 지금은 보다시피 그렇지 않지만. 그대도 내가 착한 사람이라고 말할 수는 없을 겁니다. 그대의 눈을 보면 나도 그 정도는 알아챌 수 있어요.―조심해요, 나는 그대가 그 눈으로 표현하는 모든 생각이며 말을 다 알아들을 수 있으니까.―그래도 나를 악한 사람이라고 여기진 말아요. 그렇게 나쁜 사람이라고 생각하지 말아줘요. 내게 그렇게 나쁜 평판을 새기지 말아요. 타고난 성향보다는 환경이 사람에게 큰 영향을 미친다고 믿소. 나는 부유하든 쓸모없든, 누구나 한 번은 해보고 싶어 하는 하찮은 방탕함에 빠져버린 죄인이오. 이런 일을 그대에게 고백하니 이상합니까? 분명 그렇게 생각하겠지. 하지만 앞으로 인생을 살아가다 보면, 그대는 그대가 요구하지 않아도 상대가 자진해서 비밀을 털어놓는 좋은 친구가 될 겁니다. 자기 이야기를 하는 건 서툴지만 남의 이야기에는 진지하게 귀를 기울일 줄 아는 사람이니까. 그게 큰 장점이라는 걸 분명 깨달을 날이 올 거요. 내가 언젠가 알아차렸듯. 그리고 상대의 무분별을 비웃으며 귀를 기울이는 게 아니라, 타고난

동정심으로 경청하는 사람이라는 것도 깨닫겠지. 동정을 나
타내는 방식이 아주 소극적이라고 해도, 그게 위로나 격려가
되지 않으리라는 법은 없으니까.”

“그걸 어떻게 아세요? 그런 건 어떻게 알 수 있는데요?”

“나는 알 수 있지. 그래서 마치 일기를 쓰는 것처럼 마음껏
말할 수 있어. 그대는 이렇게 말하겠지, 환경을 이겨내려고
노력했어야만 한다고. 물론 그래야 했소. 하지만 보는 바와
같이 난 실패했지. 운명에 농락당했을 때, 내게는 침착함을
유지할 지혜가 없었소. 나는 절망했고, 그 결과 무참히 망가
졌지. 이제 어떤 멍청한 놈이 내 혐오감을 자극하는 천박한
농담을 해도, 내가 그 사람보다 낫다고 자만할 수 없어. 내가
그 사람과 같은 수준이라고 인정하는 수밖에. 단호하게 맞서
야 했는데, 정말 그렇게 생각합니다. 잘못을 저지르고 싶은
유혹을 느낄 때도 후회를 두려워하는 인간이지, 내가. 에어
양, 잊지 말아요, 후회는 인생의 독이오.”

“회개가 답이라고 하던걸요.”

“회개는 답이 될 수 없소. 개혁이라면 모르지만. 나도 변할
수 있었지. 아직 그럴 힘도 있어. 하지만 지금처럼 자유를 빼
앗기고 무거운 짐이 지워지고, 저주받은 몸이라면 변화가 무
슨 소용이 있겠습니까? 게다가 내게 행복은 영원히 허락되
지 않을 것이므로 나는 그저 일상의 쾌락을 좇을 권리만 주
어진 거요. 그러니 나는 그 쾌락을 얻을 겁니다. 어떤 대가를
치르더라도 말이지.”

“그럴수록 더욱 타락할 거예요.”

"아마도. 하지만 달콤하고 신선한 쾌락을 얻을 수 있는걸? 이 황야에서 벌이 모아둔 꿀처럼 감미롭고 강렬한 쾌락을 얻을 수 있는데?"

"벌에게 쏘이면 아프죠, 게다가 그 맛은 쓰고요."

"그걸 어찌 알 수 있소? 한 번도 쾌락을 추구해 본 적도 없으면서. 아하! 참으로 진지하고 엄숙한 표정이군." 그가 벽난로의 장식품을 집어 들며 덧붙였다. "여기, 이 장식만큼 무지하군. 내게 설교할 생각은 말아요. 이제 겨우 발을 들인 초보주제에. 인생의 문은 통과하지도 못했고 인생의 신비는 아무것도 모르면서."

"저는 그저 주인님의 말을 상기시켜 드렸을 뿐이에요. 실수는 후회를 불러온다고 하셨고, 인생의 독이라고 분명 말씀하셨잖아요."

"누가 실수에 관해 이야기했소? 내 머리에 떠오른 생각이 실수라고 생각하지 않소. 유혹이라기보다는 하나의 영감이지. 정말 포근하고 아늑한 것이지. 참으로 그렇소. 확실히. 아, 유혹이 또다시 시작되는군! 이건 악마가 아니야. 설령 악마라고 해도 빛나는 천사의 옷을 입고 있지. 내 마음을 두드리는 아름다운 손님은 받아들여야 하지 않겠소?"

"믿지 마세요, 주인님. 그건 진정한 천사가 아니에요."

"다시 한번 묻지, 그걸 그대가 어떻게 아냐 이 말이야. 어떤 직감으로 지옥에 빠진 천사와 주님이 보낸 사자를 구분할 수 있지? 나를 인도하는 자와 유혹하는 자를 어떻게 구별할 수 있지?"

"주인님의 표정으로요. 다시 유혹이 시작되었다고 했을 때 주인님의 혼란스러운 표정으로 알 수 있었어요. 그것에 귀를 기울이면 더 비참하고 커다란 고통을 겪을 거예요."

"그렇지 않아. 오히려 이 세상에서 가장 자비로운 소식이 담겨 있지. 내 양심은 내가 알아서 지키겠소. 자, 어서 이리 와라, 아름다운 방랑자여!"

그는 마치 자기에게만 보이는 환영과 이야기하듯 외쳤다. 반쯤 벌렸던 두 팔을 가슴에 얹으며 보이지 않는 존재를 품에 안은 듯한 모습이었다.

그가 다시 말했다. "이제 나는 순례자를 받아들였소. 초라하게 변장한 신이라고 믿고 있지. 벌써 내게 좋은 영향을 미치고 있어. 납골당 같았던 내 마음이 이제 신전이 되는 거요."

"솔직히 말씀드리자면, 저는 무슨 말씀을 하시는지 하나도 이해하지 못하겠어요. 제가 이해할 수준을 넘어서서 더 이상 대화를 이어나갈 수도 없고요. 오직 제가 이해하는 건, 주인님이 바라시는 만큼 선한 사람이 될 수 없다는 거예요. 그리고 불완전한 삶을 후회한다는 것도 알겠어요. 주인님께서는 더럽혀진 기억을 가지고 사는 게 영원한 파멸이라고 여기시는 것 같아요. 하지만 열심히 노력하신다면, 언젠가 주인님이 스스로 만족하실 만한 분이 되실 거라 생각해요. 그리고 바로 오늘부터 주인님께서 생각과 행동을 고치겠노라 결심하신다면, 몇 년 안에 분명 새롭고 오점 없는 추억을 쌓아가게 되실 거예요. 그리고 그런 추억을 기꺼이 회상하실 수도 있고요."

"올바른 생각이고, 올바른 대답이군, 에어 양. 지금 이 순간
나는 '지옥으로 가는 길에 자갈을 깔고' 있는 거요."*

"그게 무슨 뜻인가요?"

"견고한 부싯돌처럼 오래도록 단단한 선한 의도를 내 앞
길에 잔뜩 깔아두겠다는 뜻이오. 앞으로는 친구도, 취향도,
이제까지와는 다른 것을 추구하겠다는 뜻이지."

"더 나은 것으로요."

"응, 더 나은 것으로. 제련을 마친 광석이 더러운 찌꺼기보
다 훨씬 나은 것처럼. 그대는 나를 의심하겠지만, 나는 나 자
신을 의심하지 않아. 내 목표가 무엇인지, 내 동기가 무엇인
지 나는 잘 알고 있으니까. 그리고 지금 이 순간, 그 두 가지가
다 옳다는 걸 마치 메디아나 페르시아의 율법처럼 절대 변하
지 않는 법으로 통과시키겠소."

"그 두 가지에 합법적인 지위를 부여하기 위해 새로운 법
을 제정할 수는 없어요, 옳지 않아요."

"아니야, 옳아. 비록 새로운 법률이 필요하다고 해도 전례
없는 상황에는 전례 없는 규칙이 필요한 법이니까."

"그 말씀은 위험한 격언처럼 들립니다. 남용될 가능성이
많다는 걸 단박에 알 수 있으니까요."

"현혹되는 말을 늘어놓는 철학자 같군! 물론이지. 하지만
나는 가문의 수호신을 걸고 맹세하오. 남용하는 일은 결코
없을 거요."

---

* 지옥으로 가는 길은 선의로 깔려 있다는 속담에 비유한 말. 마음은 쉽게 먹지만 실천은 어렵다는
  뜻이다.

"인간은 누구나 실수해요."

"물론 그렇소. 하지만 그건 그대도 마찬가지지. 그래서 어쩌자는 말이오?"

"실수를 범할 가능성이 있는 인간이라면 오직 주님처럼 완전한 존재에게만 안전하게 믿고 맡길 수 있는 권력을 함부로 탐해선 안 돼요."

"무슨 권력?"

"인정받은 적 없는 이상한 행동을 결정하는 권력 말이죠. 이를테면 '옳게 행동하라'라고 명령하는 힘이요."

"'옳게 행동하라'라는 명령이라. 그건 그대가 방금 내게 한 명령인데."

"그럼 최대한 옳은 쪽으로 행동하시라, 그렇게 당부드릴 게요."

이렇게 말하며 나는 의자에서 일어났다. 내가 전혀 이해하지 못하는 대화를 계속 이어나가는 건 무의미하다고 생각했기 때문이었다. 게다가 상대의 성격도 나의 통찰력으로는 따라갈 수 없었다. 적어도 지금은 버거웠다. 내가 무지하다는 확신에 이어 자신감도 없어지고, 이유 모를 막연한 불안감도 느껴졌다.

"어디 가는 거지?"

"아델을 재워야 해요. 이미 잘 시간이 지났어요."

"내가 두렵소? 스핑크스처럼 아리송한 이야기만 해서?"

"주인님의 말씀은 수수께끼 같아요. 물론 당황스럽지만 두렵지는 않아요."

“아니, 두려워하고 있잖소. 자존심 때문에 말실수를 하지 않을까 두려워하고 있지.”

“그런 뜻이라면 저는 걱정하는 거예요. 어리석은 말은 하고 싶지 않으니까요.”

“혹 말실수를 한다 해도, 그대는 아주 엄숙하고 조용하게 하겠지. 의미가 잔뜩 담겨 있다고 내가 착각할 만큼. 그건 그렇고, 그대는 원래 잘 웃지 않나? 아, 대답할 필요는 없어. 좀처럼 웃지 않는 사람일 수도 있지. 하지만 분명 즐겁게 웃는 날도 올 거야. 천성적으로 냉정한 사람은 아닐 테니까. 나처럼 태어나길 사악하지도 않지. 로우드가 여전히 그대를 옭아매고 있을 뿐이야. 성격을 통제하고, 목소리를 낮추고, 움직임을 제한했겠지. 그대는 남자나 형제가 있는 앞에서, 또는 아버지나 주인 앞에서, 누가 되었든 그 앞에서 밝게 웃거나 마음 편히 이야기하거나 민첩하게 움직이는 걸 두려워할 뿐이야. 하지만 시간이 지나면 내 앞에서도 자연스럽게 행동할 수 있을 거야. 내가 지금 그대에게 평범하게 굴 수 없는 것처럼. 그때가 되면 그대의 표정과 몸짓도 지금보다는 훨씬 더 발랄하고 다양해지겠지. 가끔 그대는 새장 안 작은 새처럼 호기심에 가득 찬 눈으로 밖을 구경하는 것 같아. 하지만 그 새는 활기차. 평생 새장에 갇혀 있을 수 없을 정도로 의지가 굳지. 자유의 몸이 되면 이곳을 벗어나 구름 높이 날아가겠지. 꼭 그래야만 할까?”

“벌써 아홉 시인걸요.”

“그건 신경 쓰지 마시오. 아델은 아직 잠잘 준비가 안 됐어.

내 자리는 불을 등지고 방을 바라보는 위치라, 관찰에 유리하지. 이따금 그대와 이야기하면서 아델을 살폈소. 내가 저 아이를 흥미로운 연구 대상으로 생각하는 데는 나만의 이유가 있소. 언젠가 그대에게 알려줄 수도 있지. 아니, 언젠가 꼭 알려주겠소. 아무튼 아델은 10분 전 상자에서 분홍색 실크 드레스를 꺼냈지. 어찌나 기뻐하는지. 저 아이의 피에는 어른의 교태가 흐르고 있어. 저 아이의 연약한 뼈에도, 머릿속에도 온통 교태가 흐르지. '나 입어볼래!' 아델이 외치며 방을 뛰쳐나갔소. 아마 지금쯤 소피에게 달려가 옷을 입어보고 있을 거요. 조금 있으면 다시 돌아오겠지. 그 애가 무엇을 보여줄지 알고 있소. 막이 올라가고 무대에 오른 셀린 바렝의 축소판처럼 굴겠지. 그건 아무래도 상관없소. 하지만 내 연약한 마음이 그걸 감당할 수 있을지 모르겠군. 그런 예감이 들어. 제발 내 곁에 머물며 내 예감이 현실이 될지 확인해 봐요."

이윽고 아델의 자그마한 발이 복도를 가로지르는 소리가 들렸다. 아이는 후견인이 예상한 모습 그대로였다. 조금 전까지 입고 있던 갈색 실내복 치마 대신, 넉넉하고 풍성한 주름이 가득한 짧은 장밋빛 새틴 드레스를 입고, 장미꽃 화환을 쓰고, 비단 양말에 하얀 새틴 신발을 신고 있었다.

"잘 어울려요? 구두랑 스타킹도요? 잠깐 춤을 출래요!"

아이는 풍성한 드레스 자락을 펼치고, 발레 보법을 따라하며 로체스터 씨에게 다가갔다. 그의 앞에서 아이는 발끝으로 가볍게 빙그르르 한 바퀴를 돌고, 그의 발밑에 한쪽 무릎을 꿇고 고개를 숙이며 큰 소리로 말했다.

"보여주신 친절에 감사드려요." 그리고 허리를 세워 일어 난 아이가 이렇게 덧붙였다. "엄마도 이렇게 말하곤 했는데, 맞지요?"

"정말 그렇게 말하곤 했지!" 그가 말했다. "그러고는 내 영국제 바지 주머니에서 영국 금화를 샅샅이 긁어갔지. 에어 양, 나도 푸르렀던 적이 있었소. 풀잎처럼 푸르렀지. 예전의 나를 풋풋하게 만든 봄날 같은 색조에 비하면 지금 그대를 푸르게 하는 색조는 비교도 할 수 없소. 하지만 이제 내 봄날 은 가버렸어요. 나의 손에 프랑스에서 태어난 조그마한 꽃 한 송이만 남기고 말이지. 미련 없이 없애버리고 싶을 때도 있어. 꽃을 틔운 뿌리는 별로 소중하지 않으니까. 저 꽃이 금 가루를 먹고 자란다는 걸 안 이상, 꽃을 사랑할 마음도 그다 지 생기지 않아. 특히 지금처럼 가식적인 모습을 보일 때면 더더욱 그렇소. 내가 꽃을 간직하고 키우는 건 차라리 로마 가톨릭의 원칙대로 크고 작은 무수한 죄를 하나의 선행으로 속죄한다는 원칙에 따르기로 마음먹었기 때문이오. 언젠가 모든 걸 설명할 날이 오겠지. 그럼, 좋은 밤 되시오."

시간이 흘러 로체스터 씨는 그 사연을 시원하게 털어놓았 다. 어느 날 오후, 우연히 그를 정원에서 만났다. 아델이 던진 셔틀콕을 파일럿이 가지고 놀고 있는 동안, 로체스터 씨는 내게 아델이 보이는 곳에 있는 긴 너도밤나무 숲길을 걷자고 했다.

로체스터 씨는 아델이 프랑스 오페라 무용수 셀린 바렝의 딸이라고 했다. 그리고 그녀와 그는 한때 '열렬한 사랑'을 했다고 말이다. 그녀에 비하면 자신은 너무도 평범하기 그지없는 사내였다고, 그래서 더욱더 그녀를 우상처럼 떠받들었다고 했다. 그녀가 바티칸 궁전 미술관에 전시된 아폴로의 우아한 아름다움보다, 자신의 '늠름하고 다부진 몸'을 더 사랑한다고 믿었다.

"에어 양, 프랑스의 아름다운 요정이 영국 출신 난쟁이를 사랑하다니, 내가 얼마나 기뻤겠습니까. 셀린을 위해 호텔을 내주었고, 하인과 마차, 캐시미어 드레스와 보석, 값진 레이스 따위를 사다 바쳤습니다. 애정결핍에 걸린 사람처럼 나를 망가뜨리는 길을 걷기 시작한 겁니다. 굴욕과 파멸로 향하는 새로운 길을 개척할 노력도 하지 않고, 멍청하기 짝이 없게 남들 다 걷는 어리석은 길을 향해 뚜벅뚜벅 걸어간 거요. 그리고 남들과 같은 결말을 맞이했지. 어느 날 밤, 연락 없이 셀린을 찾아갔더니 그녀는 외출하고 없더군. 무더운 밤이었소. 파리를 돌아다니다 지친 몸으로 그녀의 침대에 앉아 그녀의 존재를 머금었던 신성한 공기를 마시며 행복해했습니다. 아니, 이건 과장이오. 셀린이 신성한 존재라고는 꿈에도 생각하지 않았으니까. 그녀가 남긴 건 짙은 향수 냄새였소. 신성하다기보다는 사향과 호박 향이 짙었지. 나는 온실의 꽃향기와 향수 냄새에 숨이 막혀 창문을 열고 발코니로 나갔습니다. 달빛도 가스등 불빛도 밝았고, 주변은 그야말로 고요했소. 발코니에는 의자를 한두 개 둬서 그 의자에 걸터앉아 시가를 입에 물었소. 아, 괜찮으면 지금 한 대 피우고 싶소만."

그는 잠시 말을 멈추고 주머니에서 시가를 꺼내 입에 물었다. 햇빛도 들지 않는 어두운 날, 얼어붙은 공기를 헤치며 짙은 시가의 향을 피워 올리던 그가 계속해서 이야기를 이어나 갔다.

"그 시절에도 나는 봉봉*을 참 좋아했습니다. 그야말로 천박하게 씹어댔지. 시가를 피우기도 하면서 근처 오페라 극장을 향해 눈부신 거리를 달리는 마차를 지켜봤소. 그때 우아한 마차를 끄는 아름다운 영국산 말 한 쌍이 눈에 들어왔지. 화려한 도시의 밤을 가르는 말 한 쌍. 내가 셀린에게 선물한 마차였어. 그녀가 호텔로 돌아오고 있는 거였소. 발코니 난간에 기대 두근거리는 마음을 진정시켰지. 마차는 예상대로 호텔 앞에 멈췄소. 이윽고, 나의 정부—오페라 무용수인 연인에게 참으로 잘 어울리는 호칭 아니오?—가 마차에서 내렸지. 무더운 6월 밤에 어울리지 않는 외투로 몸을 감쌌지만, 마차 발판을 향해 내딛는 치맛자락 아래 드러난 자그마한 발만 봐도 셀린이라는 걸 알았소. 발코니 너머로 몸을 내밀고 '나의 천사'라고 속삭이려는 찰나였어. 그녀에게만 들릴 정도로 작게. 그런데 그 순간, 그녀를 따라 마차에서 누군가가

* 작은 크기의 초콜릿으로 안에 가나슈, 마지팬, 캐러멜, 크림, 과일퓌레 같은 다양한 필링이 들어간다. 단순히 달콤한 걸 좋아한다기보다는 세련되고 고급스러운 걸 좋아하는 로체스터의 취향을 드러낸다.

내렸소. 그 사람도 외투를 두르고 있었어. 포장도로를 울리는 구둣발 소리가 들리고 그가 모자를 쓰고 호텔 정문을 통과하더군.

살면서 질투를 해본 적이 있소, 에어 양? 물론 없겠지. 그대는 사랑 같은 건 해본 적이 없을 테니, 내가 괜한 것을 물었군. 살다 보면 사랑과 질투를 맛보게 될 거요. 그대의 영혼은 아직 잠들어 있고, 영혼을 깨울 충격도 없었을 뿐이야. 그대의 청춘이 이제까지 아무 일도 없이 지나온 것처럼, 삶도 조용한 흐름 속에 사라진다고 여기겠지. 눈을 감고 귀를 막고 떠내려가는 청춘이라는 배 위에서 멀지 않은 곳에 바위가 솟아난 것도, 그 밑으로 부서지는 파도 소리도 듣지 못한 채 말이지. 그러나 장담하건대, 언젠가 그대도 험준한 해협과 협곡에 다다를 거요. 소용돌이와 파도, 물보라와 거센 소리에 휘말릴 거요. 험준한 바위에 부딪쳐 산산조각 나거나 지금 나처럼 거대한 파도에 휩쓸려 잔잔한 대양으로 나아갈 수도 있지.

나는 지금이 좋소. 강철 같은 저 하늘이 좋소. 얼어붙은 하늘 아래의 이 고요함과 황폐함이 마음에 드오. 손필드의 고풍스러움과 외진 은둔처 같은 모습이 좋소. 까마귀가 모이는 오래된 숲과 산사나무, 회색 벽과 강철 같은 하늘을 비추는 창문이 좋습니다. 아, 나는 상당히 오랜 시간 이곳을 혐오했소. 전염병이라도 걸린 것처럼 이곳을 외면했지. 실은 아직도, 아직도 여기가 너무 싫어."

그는 이를 갈며 입을 다물었다. 발걸음을 멈춘 그는 단단하게 얼어붙은 땅에 뒤꿈치를 내리쳤다. 마치 어떤 생각에 사로잡혀 앞으로 나아가지 못하는 사람 같았다.

그가 발걸음을 멈출 무렵, 우리는 언덕길을 오르고 있었다. 정면으로 저택이 보이는 길이었다. 그는 저 흉벽을 올려다보며 그곳을 향해 내가 지금껏 본 적 없는 분노와 혐오의 시선을 쏟아냈다. 고통, 수치심, 분노, 조바심, 혐오, 증오, 그 모든 소용돌이치는 감정을 그의 검은 눈썹 밑으로 커다랗게 팽창한 검은 동공을 통해 쏟아냈다. 삼성이 몸부림치며 서로 싸우는 듯한 파동이었다. 어느 쪽이 승리를 거둘지 모를 격렬한 몸부림이었고, 곧 다른 감정이 솟아오르며 승리의 깃발을 꽂았다. 단단하고 냉소적인 무언가였다. 고집 센 결단력이 그의 분노를 가라앉혔다. 얼굴에 감정이 사라졌다. 이내 그는 다시 걸음을 내디뎠다.

"에어 양, 내가 침묵한 순간, 나는 내 운명과 맞서 싸웠습니다. 운명의 여신은 너도밤나무 옆에 서서 마치 포레스의 황야에 나타난 『맥베스』의 마녀처럼 서 있었소. '네가 정녕 손필드를 사랑한다고?' 그녀가 손가락질하며 내게 물었지. 그리고 허공에 경고의 문자를 적었소. 그러자 저택 정면 2층과 아래층 창문 사이로 끔찍한 상형문자가 가득 채워졌습니다. '감히 네가 손필드를? 그래, 어디 좋아하려면 마음껏 좋아해 봐. 이래도?'라고 외치는 것처럼 말이오.

나는 마녀에게 이렇게 대답했습니다. '좋아하고말고. 감히 내가 손필드를 사랑하겠다!'라고."

그는 미간을 찡그리며 대화를 이어나갔다.

CHARLOTTE BRONTË

“나는 약속을 지킬 것이다, 행복과 선함을 가로막는 장애물은 깨뜨릴 테다. 선을 향해 나아갈 것이다. 지금까지의 나보다 더 좋은 사람이 되기 위해, 그리하여 「욥기」의 리바이어던*이 창도, 화살도, 갑옷도 부순 것처럼, 강철만큼, 놋만큼 두껍고 강한 장애물도 지푸라기와 썩은 나무처럼 쉽게 부러뜨리고 넘어가겠다.”

그때 아델이 셔틀콕을 집어 들고 그에게 달려왔다. “저리 가!” 로체스터 씨가 거칠게 뿌리쳤다. “가까이 오지 마라! 소피에게 가!” 그는 계속해서 걸음을 옮기며 갑자기 방향을 틀었던 곳으로 오라고 재촉했다.

“그래서 바렝 양이 돌아온 걸 보고, 발코니를 떠나셨나요?” 내가 그에게 물었다.

맥락 없이 물어보았기에 당연히 답이 돌아올 거라고는 생각지 않았다. 그러나 그는 찡그린 눈으로 나를 바라보더니, 언제 그랬냐는 듯 밝게 외쳤다.

“아, 그래. 셀린 이야기를 하고 있었지! 다시 이야기로 돌아가지. 매력적인 나의 요정이 기사 같은 남자와 호텔로 들어오는 걸 지켜보자니, 마치 질투의 녹색 뱀이 달빛이 비치는 발코니에서 쉭쉭 소리를 내며 똬리를 트는 기분이었소. 그 뱀이 대가리를 처들고 내 조끼 안으로 미끄러져 들어와 찰나의 순간, 내 심장을 모두 파먹었지. 그런데 참으로 이상하군!”

그는 별안간 말을 멈추고, 또다시 다른 화제로 빠져들

* 바다의 괴물로, 인간의 힘을 넘는 매우 강한 동물을 뜻한다.

었다.

"내가 모든 걸 털어놓을 수 있는 사람이 당신이라는 게 참으로 이상해. 그대가 조용히 내 말을 들어주는 게 참으로 기이해. 나 같은 남자가 그대같이 특이하고 세상 경험 없는 소녀에게 오페라 무용수에 관한 이야기를 하는 것이 참 자연스럽게 느껴져! 하지만 일전에도 말했듯, 나 같은 남자가 비밀을 털어놓을 수 있는 비결은 그대가 특이한 사람이기 때문이야. 그대는 진지하고 진중하고 신중하니까 비밀을 덜어놓기 참 좋거든. 게다가 나와 마음이 통하는 상대니까. 그대는 쉽사리 악에 물들지 않는 마음을 지니고 있어. 그것까지 해칠 마음은 없소. 설령 내가 그대의 마음에 상처를 입혀도, 그대는 상처받을 사람이 아니지. 그대와 이야기하면 할수록 좋아. 그대를 해치지 않으면서도 그대는 나를 새로운 사람으로 만들어주거든."

그가 다시 원래의 이야기로 돌아갔다.

"나는 발코니에 계속 있었소. 두 사람이 분명 침실로 들어올 거라 생각했지. 그래서 몸을 숨겼소. 열린 창 안쪽으로 손을 뻗어 커튼을 조금 닫아 내 몸을 숨기고 안을 들여다볼 만큼만 틈새를 만들었지. 문을 닫아도 두 사람이 속삭이는 사랑놀이를 들어야 하니까. 그리고 다시 의자에 앉았소. 의자에 앉자마자 두 사람이 방으로 들어오더군. 나는 재빨리 틈새로 안을 훔쳐봤고, 셀린의 하녀가 들어와 램프에 불을 켜서 탁자 위에 올려놓고 사라지더군. 두 남녀가 잘 보였소. 두 사람 다 외투를 벗었지. 새틴 드레스와 보석으로 치장한 바렝 양이 보이더군. 물론 전부 다 내 돈으로 치장한 거지. 함께 온 남자는 장교 제복을 입고 있었는데, 그는 젊고 방탕한 자작이었소. 오며 가며 사교장에서 마주쳐 안면이 있는 사내였지. 워낙 경멸하던 자라 미움이라는 감정조차 들지 않았소. 그가 내 정부의 또 다른 연인이라는 걸 깨닫고 나니 질투의 독이 순식간에 깨지더군. 왜냐하면 그 순간, 셀린을 향한 내 사랑의 불꽃도 찬물을 끼얹은 듯 사그라졌거든. 저런 놈 때문에 나를 배신한 여자를 굳이 쟁취할 필요도 없다는 걸 깨달았으니까. 경멸받아 마땅한 여자였소. 저런 여자에게 속은 나도 천박하지만.

두 사람은 대화를 시작했고, 그들의 대화는 내 마음을 훨씬 편안하게 만들었소. 경박하고, 이기적이고, 무의미한 대화였지만, 오히려 나는 화가 나는 게 아니라 그냥 피곤해졌소. 탁자 위에 놓여 있던 내 명함을 발견했는지, 두 사람의 대화 주제로 내가 올랐소. 두 사람 모두 나를 대놓고 깎아내릴 힘도, 지능도 없었지. 그저 자기들만의 방식으로 나를 모욕했소. 특히 셀린은 내 외모를 깎아내리고, 추하다고 욕하며 헐뜯었지. 나와 있을 땐 내 남성미가 얼마나 훌륭한지 떠들어댔지. 내가 잘생기지 않았다고 솔직하게 말하던 그대와는 완전히 달라. 두 번째 만났을 때 내가 미남이 아니라고 분명히 짚어주던 그대가 셀린과 어찌나 비교되고 놀라웠는지.”

그때 아델이 또 우리에게 달려왔다.

“방금 대리인이 와서 아저씨를 뵈어야 한다고 했대요. 존이 전해달라고 했어요.”

"아, 이야기를 빨리 정리해야겠군. 나는 발코니 문을 열고 방 안으로 들어갔소. 마침내 셀린을 놓아주기로 한 겁니다. 호텔을 당장 비워달라 통보했지. 그들을 빠르게 치우기 위해 현금을 던졌소. 비명을 내지르고 히스테리를 부리듯 발작하는 여자를 무시했어요. 내게 부당하다고 항의하고, 미친 사람처럼 웃어젖히는 것도. 그리고 다음 날 볼로뉴 숲에서 그 자작과 결투를 벌이기로 했소. 다음 날 아침, 그와 결투의 영광을 나누었고, 병든 병아리처럼 히약히고 기냘프고 얇디얇은 팔뚝에 총알을 박아주었소. 그걸로 모든 게 끝났다고 생각했어. 그러나 불행하게도 그로부터 반년 전, 바렝 양이 내게 저 아이를 낳아주었지. 아델이 내 딸이라면서. 내 딸일 수도 있다고 봐요. 그런데 저 아이는 나와 닮은 곳이 하나도 없소. 차라리 파일럿이 나를 더 닮았으면 모를까. 그 일로 셀린과의 관계를 정리했지만, 몇 년이 지나 갑자기 나타난 그 여자는 제 딸을 내게 버리듯 떠맡기고 음악가인지 가수인지 하는 자와 이탈리아로 도망갔소. 그리고 난 아직도 아델을 부양해야 할 의무를 느끼지 못해. 나는 그 어떤 책임도 인정할 수 없소. 왜냐하면 나는 저 아이의 아버지가 아니니까. 그러나 저 아이가 처한 상황을 눈으로 확인하니 저 불쌍한 아이를 진창에서 건져 영국의 시골에서, 건전한 토양에서 기를 수밖에 없더군. 그래서 페어팩스 부인이 아이를 가르칠 선생을 찾은 겁니다. 저 아이가 프랑스 오페라 가수의 사생아라는 걸 알았으니, 그대도 그대의 지위와 저 아이에 대한 생각이 달라졌을지도 모르겠군. 언젠간 다른 일자리를 구하고 싶을 수도 있고 새로운 가정교사를 찾으라고 내게 부탁할 수도 있겠지.”

“아니요, 아델의 친모나 주인님의 잘못은 아델과는 전혀 상관없어요. 전 저 아이를 잘 가르치고 싶어요. 어떤 의미에서는 아델이 부모가 없는 아이라는 걸, 어머니에게 버림받고 주인님께도 인정받지 못하는 아이라는 걸 알았으니 전보다 더 아끼고 잘 가르칠 거예요. 가정교사를 귀찮게 여기고 싫어하는 부잣집 응석받이보다는 가정교사를 친구처럼 의지하는 고아를 더 사랑할 수밖에 없잖아요.”

“아, 그대는 그렇게 생각하는군! 자, 이제 안으로 들어가야겠소. 그대도 들어갑시다. 날이 어두워지는군.”

하지만 나는 아델, 파일럿과 함께 좀 더 밖에 머물렀다. 아델과 뛰기도 하고, 셔틀콕을 던지며 놀았다. 집 안으로 들어가서도 아델의 모자와 외투를 벗기고 무릎에 앉힌 다음 제멋대로 떠들게 두었다. 아델은 누군가가 예뻐해 주면 신이 나서 점점 더 떠드는 경향이 있었다. 하지만 오늘은 그것도 야단치지 않았다. 영국인의 기질과는 맞지 않았으나—아마도 어머니로부터 물려받은 면이겠지만—그래도 아델에게는 아델만의 장점이 있고, 나는 아이에게 좋은 점을 최대한 찾아보려고 노력했다. 아이의 얼굴에서 로체스터 씨와 닮은 구석을 찾아보았지만, 안타깝게도 없었다. 어떤 표정을 지어도 로체스터 씨와는 부녀 사이로 보이지 않았다. 안타까웠다. 로체스터 씨와 조금이라도 닮은 구석이 있었다면, 그도 아이를 지금처럼 무시하지는 않았을 텐데.

그날 밤, 방으로 돌아간 나는 로체스터 씨가 털어놓은 이야기를 차근차근 곱씹었다. 그가 말한 대로, 이야기의 내용은 특별할 게 없었다. 부유한 영국인과 프랑스 무용수 그리고 그녀의 배신은 사교계에서는 매일 일어나는 스캔들이었다. 그러나 그가 지금 느끼는 배부른 행복에 대해 털어놓으며 오래된 저택과 그 주위 풍경을 향한 새삼스러운 애정을 토로하다가 불현듯 휘몰아치는 발작 같은 격정은 확실히 이상한 섬이 있었다. 곰곰이 생각해 보았지만 아무래도 설명할 길이 없어 고민을 그만두고 나에 대한 로체스터 씨의 태도를 떠올렸다. 그는 나의 사려 깊은 성격 때문에 나를 굳게 믿는다고 했다. 나도 그 말에 일정 부분 동감하는 바가 있어 그의 말을 곧이곧대로 믿었다. 나를 대하는 그의 태도는 처음 만났을 때와 비교하면 최근 몇 주 동안 눈에 띄게 달라졌다. 내가 그를 가로막는 일도 없었고, 그 사람도 내게 냉랭한 태도를 보이지 않았다. 오히려 우연히 마주치면 반가워하기도 했다. 항상 나를 보면 한마디라도 건네려 했고, 때로는 미소를 보여주기도 했다. 정식으로 대화를 나눌 때면 따뜻하게 맞아주었다. 그를 즐겁게 해줄 힘이 내게 있다고 믿게 되었다. 함께 저녁 시간을 보내다 보면, 로체스터 씨만 즐거운 게 아니라 나도 그 시간을 즐기고 있었다.

나는 말이 많은 편은 아니었지만, 그는 퍽 즐거운 눈치였다. 타고나길 대화를 좋아하는 성향이었다. 세상 물정을 모르는 나에게 이 세상의 여러 풍경과 생활상을 귀동냥으로나마 알려주고 싶어 하는 눈치였다. 타락한 모습이나 혐오스러운 풍습이 아니라, 광활한 풍경이나 신기하고 이국적인 모습을 설명해 주는 정도였다. 나는 그가 알려주는 새로운 사고방식을 받아들이고, 그가 그려내는 새로운 풍경을 상상하고, 그가 제시하는 새로운 영역으로 그를 따라 들어가며 큰 기쁨을 맛보았다. 불쾌하고 해로운 이야기를 들어도 놀라거나 불안하지 않았다.

그의 든든한 태도와 말투를 믿고 따르면서, 나를 구속하고 압박하던 자제심에도 조금씩 빗장이 풀렸다. 나를 대하는 그의 친근하고 솔직한 태도에는 따뜻함과 절도가 있었다. 주인이라기보다 가족처럼 느껴질 때도 있었다. 그럼에도 그는 위엄을 잃지 않았다. 사실 우리의 신분은 별로 신경 쓰이지 않았다. 그게 그 사람 자체라는 걸 알았기 때문이었다. 삶에 새로운 흥밋거리가 생기면서 나도 조금씩 행복을 만끽했다. 가족을 그리워하던 마음도 조금씩 줄어들었다. 얇고 희미하던 초승달 같은 나의 운명이 차츰 보름달처럼 크게 부풀어 오르는 느낌이었다. 부재로 인한 공백은 채워졌고, 훨씬 건강해졌다. 살도 조금 오르고 힘도 생겼다.

여전히 내 눈에 로체스터 씨가 못생겨 보였을까? 아니다, 감사한 마음과 즐겁고 따스하고 유쾌한 모습이 가득한 그의 얼굴은 내 눈에 너무도 근사해 보였다. 그의 존재는 세상의 가장 밝은 불빛보다도 나를 기분 좋게 만들었다. 그러나 나는 그의 결점을 잊지 않았다. 사실 잊을 수가 없었다. 그는 자주 그 결점을 드러냈기 때문이다. 그는 오만하고 냉소적이었으며, 모든 종류의 열등한 이들에게 가혹했다. 내 마음속 깊은 곳에서는 그가 내게 베푼 친절로 얻은 점수를 다른 사람에게 보이는 부당한 태도로 깎아버리기도 했다. 그는 이따금 우울해졌다. 책을 읽어달라는 요청을 듣고 서재로 가보면, 그가 홀로 팔짱을 낀 채 고개를 숙이고 가만히 앉아 있는 날도 왕왕 있었다. 고개를 들면 적의에 찬 표정이 그의 얼굴에 어두운 그늘을 만들었다. 그러나 그의 침울함도, 냉혹함도, 과거의 잘못된 도덕적 결점도 (그렇다, 과거다. 지금은 고쳐진 것 같으니) 모두 잔인한 운명의 심사가에서 비롯된 것이라 믿었다. 그의 성품, 환경과 교육, 운명이 만들어낸 성향보다 선천적으로 가진 성품과 원칙, 순수한 취향이 더 나은 것이라 믿었다. 그에게 훌륭한 자질이 있다고 생각했다. 비록 지금은 엉망진창으로 망가지고 엉겨 있지만 말이다. 나는 그의 슬픔이 무엇이든 간에 그의 슬픔을 나의 슬픔이라고 여기고, 그의 슬픔을 달래주기 위해 내 많은 걸 바치겠노라 생각했다. 안타깝지만 사실이었다.

촛불을 끄고 침대에 누웠다. 하지만 오솔길 위에 잠시 멈춰 서서 자신의 운명이 눈앞에 떠올랐다고 말하며, 손필드에서 감히 행복해지겠노라 다짐하던 그의 표정을 떠올리니 쉽사리 잠들 수 없었다.

나는 생각했다. '왜, 무엇 때문에, 집으로 돌아오길 꺼렸을까? 그렇다면 조만간 이 저택을 떠나는 걸까? 페어팩스 부인 말로는 한 번 내려오면 2주 이상 머무는 일은 없다고 했는데, 벌써 8주나 됐잖아. 그가 떠나면 이 저택이 얼마나 황량할까? 그 사람이 봄, 여름, 가을에도 집을 비운다면, 해가 좋은

날에도 얼마나 쓸쓸할까?'

이런 생각에 잠겨 나는 겨우 선잠에 빠졌다. 희미한 잠결에 헤매던 순간, 머리 바로 위에서 들리는 음산하고 희미한 소음에 정신이 번쩍 들었다. 촛불을 켜놓을걸 하고 생각했다. 밤은 어딘지 모르게 어둡고 으스스했다. 나도 덩달아 울적해졌다. 나는 자리에서 일어나 소리에 귀를 기울였다. 그러나 사방이 잠잠했다.

다시 잠을 청하려 애썼지만, 불안한 심장은 하릴없이 두근거렸다. 내면의 평온함이 와장창 깨져버렸다. 그때 아래층 시계가 두 시를 알렸다. 그리고 내 방문에 무언가 닿는 소리가 들렸다. 마치 누군가 복도를 걸으면서 손으로 벽을 더듬는 듯, 벽 장식이나 문을 건드리는 느낌이었다.

"누구세요?"

내가 조용히 물었다. 하지만 아무런 대답도 들리지 않았다. 몸이 바르르 떨리기 시작했다.

순간 파일럿인가 하는 생각이 들었다. 이따금 부엌문이 열려 있으면 파일럿이 로체스터 씨의 방까지 올라가는 일이 있었다. 아침이면 그의 방 밖에 누워 있는 모습을 본 적도 있었다. 그런 생각이 들자 마음이 조금 진정되었다. 나는 다시 침대에 누웠다. 고요한 정적에 곤두섰던 신경이 가라앉았다. 집 안이 조용해지자, 다시 선잠에 빠져들었다. 그러나 그날 밤에는 결국 한숨도 잘 수 없었다. 꿈에 빠지기가 무섭게 뒷덜미를 곤두서게 할 만큼 무서운 사건이 벌어졌고, 겁을 잔뜩 먹은 나는 바로 꿈에서 깨어나 도망쳤기 때문이다.

　　마치 내 방문 열쇠 구멍에서 뿜어져 나온 듯한 낮고 억눌린, 깊은 악마의 웃음소리가 들렸다. 침대 머리맡으로 문이 나 있었는데, 처음에는 침대 옆에서 유령이 웃는 줄로만 알았다. 아니면 내 베개 옆에 웅크리고 있거나. 벌떡 일어나 사방을 둘러봐도 아무것도 보이지 않았다. 눈을 부릅뜨고 사방을 경계하는데, 다시 기괴한 소리가 들렸다. 문 반대편이었다. 나는 재빨리 침대에서 내려와 문을 잠갔다.

"밖에 누구예요?"

바르르 떨리는 목소리로 물었다.

　　그때 문밖에서 무언가 삐걱거리며 신음했다. 이윽고 계단을 올라 3층으로 향하는 발걸음 소리가 들렸다. 얼마 전, 그 계단을 막는 문을 만들었는데, 발걸음 소리 뒤로 문이 열리고 닫히는 소리가 들렸다. 다시 모든 게 정적이었다.

　　'그레이스 풀인가? 혹시 유령에 씐 걸까?' 나는 생각했다. 더 이상 방에 혼자 있을 수 없었다. 페어팩스 부인에게 가야겠다고 마음먹었다. 서둘러 옷을 입고 숄을 걸쳤다. 떨리는 손으로 잠금쇠를 풀고 문을 열었다. 방문 밖, 복도 카펫 위에 촛대가 하나 놓여 있었다. 눈앞의 광경에 깜짝 놀라기도 잠시, 사방에는 연기가 자욱했다. 푸르고 창백한 연기가 어디서 새어 나오는지 확인하려고 좌우를 두리번거리는데, 매캐한 냄새가 코를 찔렀다.

　　삐걱거리는 소리가 청각을 일깨웠다. 문이 조금 열리는 소리였다. 바로 로체스터 씨의 방문이었다. 그 문틈으로 연기가 뭉게뭉게 새어 나오고 있었다. 페어팩스 부인은 더 이상 내게 안중에 없었다. 그레이스 풀도, 기괴한 웃음소리도 마찬가지였다. 순식간에 나는 그의 방으로 달려갔다. 불꽃이 침대 주위를 감싸고 있었다. 캐노피 침대 커튼에 불이 붙은 것이다. 불꽃과 연기가 매섭게 피어오르는 가운데, 로체스터 씨는 깊은 잠에 빠져 미동도 없이 누워 있었다.

"일어나요, 어서요!" 내가 소리쳤다. 그를 흔들어 깨웠지만, 그는 잠에 빠져 웅얼거리며 돌아누웠다. 연기 때문에 정신이 몽롱해진 모양이었다. 한순간도 지체할 수 없었다. 이불에도 불이 붙기 시작했다. 나는 서둘러 대야와 물동이로 달려갔다. 다행히 하나는 넓고 하나는 깊었으며 둘 다 물이 가득 차 있었다. 대야와 물동이를 들고 침대에 힘껏 뿌렸다. 내 방으로 달려가 내 물동이도 가져와 소파에 뿌렸다. 다행히 불길이 잡혔다.

취익 하고 불이 꺼지는 소리와 내동댕이친 물동이가 바닥에 떨어져 깨지는 소리에 그리고 무엇보다 내가 퍼부은 물벼락을 맞은 덕분에 로체스터 씨가 잠에서 깨어났다. 사방이 어두워도 그가 잠에서 깼다는 건 알 수 있었다. 물웅덩이에 누워 있는 자신을 발견하고는 욕지거리를 내뱉는 소리가 들렸기 때문이었다.

"홍수가 난 건가?" 그가 중얼거렸다.

"아니요, 불이 났었어요. 일어나셔야 해요. 불은 제가 껐어요. 촛대를 좀 가져올게요."

"감히 기독교의 나라를 헤매는 요정의 이름을 걸고 묻는다! 그대는 정녕 제인 에어인가? 마녀나 마법사가 내게 해괴한 짓을 한 게 분명하군. 날 물에 빠뜨려 죽일 작정이었어?"

"촛불을 가져올게요. 제발 정신 좀 차리세요. 누군가 일부러 불을 질렀어요. 그게 누군지, 무슨 일이 일어났는지 파악하려면……."

"일어났소……. 촛불은 조금 후에 가져와요. 아직 위험하니까. 일단 마른 옷으로 갈아입어야겠소. 마른 옷이 남아 있는지 모르겠군. 그렇지, 여기 가운이 있군. 그럼 가요!"

나는 그의 말대로 서둘러 나갔다. 복도에 있던 촛불을 하나 가져왔다. 그는 내 손에서 촛대를 건네받고, 높이 들어 올렸다. 검게 그을린 침대와 젖은 침대 시트 그리고 물에 젖은 카펫을 둘러보았다.

"이게 다 뭐야, 누가 한 짓이지?" 그가 내게 물었다. 나는 그에게 간략하게 설명해 주었다. 복도에서 들린 이상한 웃음소리와 3층 계단을 오르는 발걸음, 연기와 매캐한 냄새 그리고 그의 방으로 달려온 일까지. 방에서 대야와 물동이를 발견했고, 손에 잡히는 대로 뭐든 물이 담긴 건 다 뿌렸다고.

그는 진지한 표정으로 내 이야기에 귀를 기울였다. 놀라움보다는 걱정스러운 표정이었다. 내가 이야기를 끝냈지만, 그는 더 이상 말이 없었다.

"가서 페어팩스 부인을 불러올까요?" 내가 물었다.

"페어팩스 부인을? 그녀는 왜 부르려는 거요? 그녀가 뭘 할 수 있다고. 그냥 자게 둬요."

"그러면 레아를 불러올게요. 존과 그의 아내도 깨우고요."

"그럴 필요 없소. 고작 숄만 두르고 있군. 추우면 저기 내 외투를 걸치고 안락의자에 앉아요. 아니, 내가 걸쳐주겠소. 발도 의자에 올려요. 젖지 않게. 잠깐 있어봐요. 촛불은 내가 가져가요. 3층에 가봐야겠어. 아무 데도 가지 말고. 기억해요. 아무도 불러서는 안 되오."

그는 그렇게 말하고 방을 나갔다. 희미하게 사라지는 빛을 바라보았다. 그는 조용히 복도를 지나 최대한 소음을 줄이며 계단 문을 닫고 사라졌다. 나는 완전한 어둠 속에 남겨졌다. 무슨 소리가 들릴까 싶어서 귀를 기울였지만, 아무 소리도 들리지 않았다. 그 후로 몇 분이 흘렀다. 피곤함이 몰려왔다. 그의 외투를 입고 있었지만 너무 추웠다. 이 집 사람들을 깨우지 않을 거라면 굳이 그의 방에 있을 필요가 없다는 생각이 들었다. 로체스터 씨의 명령을 어기고 그의 기분을 상하게 하려는 찰나, 다시 한번 복도 벽으로 희미한 불빛이 보였고, 맨발 소리가 마룻바닥을 두드렸다.

'제발 그의 발소리였으면 좋겠어, 더 무서운 건 견딜 수 없어.' 나는 속으로 간절히 빌었다.

창백한 안색의 로체스터 씨였다. "무슨 일이 있었는지 알겠소." 그가 촛불을 세면대에 내려놓으며 말했다. "내가 생각했던 대로군."

"무슨 일이에요?"

그는 대답 없이 팔짱만 꼈다. 가만히 바닥만 바라보며 곰곰이 생각에 잠겨 있던 그가 조금 묘한 말투로 물었다. "혹시 방문을 열었을 때 뭘 봤나? 아까 스쳐 가며 들어서 기억이 잘……."

"아니요, 그냥 바닥에 촛대가 놓여 있었어요."

"이상한 웃음소리를 들었다고? 전에도 그런 웃음소리나 비슷한 소리를 들은 적이 있지 않소?"

"네, 저택에 그레이스 풀이라는 하녀가 있어요. 주로 바느질을 하는데, 아무튼 그 여자가 그렇게 웃는대요. 좀 특이해요."

"그렇군, 그레이스 풀이라. 그래, 그대 말이 맞아. 정말 특이한 여자이긴 해. 아무튼 나도 조금 더 생각해 보겠소. 오늘 밤에 있었던 일을 우리 둘만 알고 있다니 참 다행이군. 우선은 아무에게도 말하지 말아요. 이 일은 내가 알아서 핑계를 대야겠군." 그가 침대를 돌아보며 덧붙였다.

"이제 방으로 돌아가요. 나는 서재 소파에서 눈을 붙여야겠소. 벌써 네 시가 지났어요. 두 시간만 있으면 하인들이 깰 거요."

"그럼, 주무세요"라고 말하며 나는 걸음을 돌렸다.

그러나 내게 가보라던 말과 달리, 그는 눈을 동그랗게 뜨며 다른 반응을 보였다.

"뭐라고? 그렇게 가버리겠다고?"

"이만 가보라고 하셨잖아요."

"하지만 작별 인사도 없이! 하다못해 잘 자라는 말도 듣지 않고 그렇게 무미건조하게 떠나려 하다니! 그대는 오늘 내 목숨을 구했다고! 끔찍한 죽음에서 나를 구해주었잖아! 그런데 마치 모르는 사이인 것처럼 그렇게 나를 지나쳐 가다니! 최소한 악수는 하고 가야지!"

그가 내게 손을 내밀었다. 그가 내민 손을 가만히 잡아보았다. 그는 한 손으로 내 손을 감싸고, 다른 손으로 내 손등을 덮었다.

"그대가 내 목숨을 구했소. 엄청난 빚을 졌어. 그래서 기뻐. 더 이상 표현할 길이 없을 만큼. 내게 이런 빚을 지우고도 기분을 좋게 만드는 채무자는 그대가 유일해. 그대로부터 받은 은혜가 무겁지 않아, 제인."

그는 잠시 멈추고, 나를 바라보았다. 입술 끝이 바르르 떨렸지만, 이상하게도 목소리에는 흔들림이 없었다.

"그럼, 안녕히 주무세요. 빚이나 은혜나 짐, 의무 같은 건 생각하지 마시고요."

"나는 알고 있었지. 그대가 내게 어떤 방식으로든 도움을 주리라는 걸 말이야. 그대를 처음 봤을 때부터 그대의 눈에 깃든 선함을 보았거든. 처음 본 순간 이후로 그대가 보인 표정과 미소가……."

그가 잠깐 말을 멈추었다가 다급하게 덧붙였다. "그걸 본 순간, 내가 이유도 없이 기쁨을 느낀 게 아니었어. 흔히 사람 사이에는 자연스러운 교감이 있다고 하잖소. 수호신도 있다고 하고. 황당한 소리 같지만, 진실인가 보오. 나의 소중한 수호신. 그럼, 좋은 밤 되시오."

그의 목소리에는 이상한 힘이 실려 있었고, 표정에는 묘한 열기가 일었다.

"제가 깨어 있었으니 다행이죠." 나는 그렇게 말하고 방을 나가려고 했다.

"잠깐! 진짜 갈 거요?"

"추워요."

"춥다고? 아, 그래. 물웅덩이에 서 있지. 그럼 가시오, 제인. 어서."

그렇게 말하면서도 그는 내 손을 잡고 놓아주지 않았고 나도 손을 뺄 수 없었다. 결국 재치를 발휘해야 했다.

"페어팩스 부인이 일어났나 봐요."

"어쩔 수 없이 보내줘야겠군." 그가 손가락에 힘을 풀었고, 나는 내 방으로 몸을 숨겼다.

다시 침대로 돌아왔지만 잠은 잘 수 없었다. 아침 해가 밝아올 때까지, 나는 설레고 불안한 바다 위를 둥둥 떠다녔다. 기쁨의 파도 아래에서, 걱정의 파도가 밀려왔다. 때로는 그 거친 물살 너머로 달콤한 해안가가 있는 것 같았다. 때로는 희망이 상쾌한 바람을 불러내며, 내 영혼을 승리의 땅으로 실어다 줄 것만 같았다. 그러나 상상 속에서도 육지에 다다를 수는 없었다. 육지에서 불어오는 바람이 나를 영원히 바다로 밀어내는 것이다. 이성이 상상을 밀어냈고, 판단력이 열정에 경고했다. 열에 들떠 시달리던 나는 날이 밝자마자 침대에서 일어났다.

잠 못 이룬 밤이 지난 아침, 나는 로체스터 씨를 만나고 싶기도 했고 동시에 그를 만나는 게 두렵기도 했다. 그의 목소리를 다시 듣고 싶기도 했지만, 그와 눈을 마주치는 게 두려웠다. 이른 아침, 그가 어쩌면 잠시 나를 찾아오지 않을까 기대했다. 공부방에 자주 오는 건 아니었지만, 드물게 찾아오는 날도 있었으므로.

하지만 아침이 다 지나도록 평범한 하루에 불과했다. 아델의 조용한 공부 시간을 방해할 만한 일은 없었다. 다만 아침 식사 직후, 로체스터 씨의 방 근처에서 소란스러운 소리가 들렸고, 곧 페어팩스 부인의 목소리와 레아의 소곤거림, 요리사인 존의 아내가 무언가 중얼거리는 소리, 거기에 존의 굵고 거친 목소리가 더해졌다. "불행 중 다행이야, 주인님이 화마에 돌아가시지 않았다니!", "밤중에 초를 켜놓는 건 늘 위험하다고요!", "물동이를 떠올릴 정신이 있었다니, 얼마나 다행입니까!", "왜 아무도 깨우지 않으셨지?", "서재 소파에서 주무시다가 감기라도 걸리시면 어쩌려고" 등등 다양한 반응이었다.

이런저런 반응 끝에 그을음을 닦고 정리하는 소리가 들렸고, 오후가 지나 저녁 식사를 위해 아래층으로 내려가는 길에 열려 있던 문틈으로 모든 것이 다시 완벽하게 정리되어 있는 모습을 발견했다. 오직 침대 커버만 벗겨져 있었다. 레아는 창가에 서서 검은 연기로 까맣게 탄 창문을 닦고 있었다. 나는 다들 이 일을 어떻게 생각하는지 궁금해 그녀에게 다가갔다. 그러나 방 안으로 들어가자, 레아 말고 또 다른 사람이 함께 있다는 걸 발견했다. 침대 옆 의자에 앉아 새 커튼에 고리를 달고 있는 사람은 다름 아닌 그레이스 풀이었다.

평소와 다름없이 침착하고 무뚝뚝한 표정으로, 언제나처럼 갈색 생활복에 체크무늬 앞치마와 흰색 수건을 두르고 테 없는 모자를 쓴 모습이었다. 일에 몰두한 사람답게 온 신경이 커튼에 쏠려 있었다. 단단한 이마나 평범한 표정에는 살인을 시도한 여자에게서 볼 수 있는 창백함이나 절망감은 보이지 않았다. 어젯밤, 그녀가 노린 상대는 그녀의 잠자리까지 쫓아 올라가 그녀가 저지르려고 했던 범죄에 관하어 온당한 벌을 내렸을 것이다, 적어도 나는 그렇게 믿고 싶었다. 하지만 나는 그녀가 이 방에 다시 들어와 아무렇지 않게 일을 하고 있다는 사실에 퍽 놀라고 당황했다. 그레이스는 고개를 들어 나와 시선을 맞추었다. 그 어떤 놀란 기색도, 동요도, 얼굴빛의 변화도, 죄의식도 없었다. 그녀의 얼굴에는 두려움이 없었다. 그녀는 "안녕하세요"라며 평소와 같이 담담하고 무뚝뚝하게 물었다. 그러고 나서 새로운 고리와 끈을 집어 들고 바느질을 이어나갔다.

'저 여자를 시험해 봐야겠어. 저렇게 시치미를 뚝 떼다니, 정말 이해할 수 없어.'

"지난밤에 잘 잤나요, 그레이스?" 내가 물었다. "어제 무슨 일 있었어요? 아까 하인들이 모여 이야기 나누는 소리를 들은 것 같아서요."

"주인님께서 어젯밤 침대에서 책을 읽다가 초를 켜놓고 잠드셨는데, 밤새 커튼에 불이 붙었나 봐요. 다행히 침대보나 기둥이 타기 전에 깨어나셔서 물동이에 담긴 물로 불을 끄셨답니다."

"세상에, 기이한 일이네요!" 내가 나지막이 외쳤다. "로체스터 씨가 아무도 깨우지 않았던 건가요? 다들 주인님이 움직이는 소리를 못 들었고요?"

그녀는 다시 고개를 들어 나를 바라보았다. 그 표정에는 무언가 깨달음이 언뜻 스치고 지나갔다. 그녀가 나를 빤히 바라보더니 천천히 대답했다.

"하인들은 여기서 멀리 떨어진 방에 묵고 있잖아요. 소리가 나도 듣기 힘들지요. 페어팩스 부인도 아무 소리도 못 들었다고 하고요. 나이가 들면 잠귀가 어두운 법이지요." 그녀는 잠깐 말을 고르더니 무뚝뚝한 말투로 느릿느릿 덧붙였다. "하지만 선생님은 젊고 잠귀도 밝을 텐데요. 혹시 무슨 소리 못 들으셨어요?"

"저는 들었어요."

나는 소곤거리는 목소리로 대답했다. 유리창을 닦고 있는 레아에게는 들리지 않는 아주 나지막한 목소리였다.

"처음에는 파일럿이 돌아다니는 줄 알았어요. 그런데 파일럿은 웃을 수가 없잖아요? 분명 웃음소리였어요. 그것도 아주 소름 끼치는……."

새 바늘에 실을 꿰고, 적당하게 실을 자른 후 다시 촘촘한 박음질을 시작한 그레이스가 침착한 표정으로 말했다.

"주인님이 그런 위험에 처했는데 웃을 리는 없고, 아무래도 선생님이 잘못 들은 것 같군요. 꿈을 꾸고 계셨던 게 분명해요."

"꿈이 아니었어요." 내가 조금 흥분하며 말했다. 그녀의 뻔뻔한 말에 자극을 받았던 까닭이다. 그러자 그레이스가 다시 나를 빤히 바라보았다. 그녀 역시 상대를 관찰하듯 날카로운 눈빛이었다.

"웃음소리를 들었다고 주인님께도 말씀드렸나요?"

"오늘 아침에는 말씀드릴 기회가 없었어요."

"방문을 열고 복도를 확인할 생각은 안 하셨어요?" 그녀가 재차 정곡을 찔렀다.

마치 내가 알고 있는 걸 넌지시 알아내려는 듯 심문하는 태도였다. 하지만 그녀가 저지른 죄를 내가 알고 있고, 그녀를 의심하고 있다는 걸 들킨다면 오히려 내게 악의적인 함정을 파지 않을까 하는 생각이 들어 조심하는 편을 택했다.

"오히려 전 문을 잠갔어요." 내가 대답했다.

"매일 밤 잘 때 문을 안 잠그고 잠들었다는 건가요?"

이럴 수가, 악마 같은 여자다! 그녀가 내 습관을 캐내려고 한다. 내 습관에 맞춰 다시 계획을 짜려는 걸까? 신중함보다 분노가 더 우세해졌다. 나는 날카롭게 쏘아붙였다.

"지금까지는 종종 잊고 잘 때도 있었죠. 그럴 필요가 없다고 생각했으니까요. 손필드 저택에서 위험하거나 난처한 일이 있을 리가 없잖아요. 하지만 앞으로는 (다음 말을 강조했다) 잠자리에 들기 전에 방문을 꼭 잠그고 안전을 신경 써야겠어요."

내 말에 그레이스는 이렇게 대답했다. "그게 좋겠어요. 저택 주변은 그 어느 마을보다 조용하고 강도가 침입한 일도 없지만 말이죠. 하지만 누구나 알다시피, 저택 식기장에 수백 파운드에 달하는 그릇이 있어요. 저택 크기에 비해 하인이 적은 이유는 주인님께서 저택에 오래 머무시는 일이 적고 안주인도 안 계시니 시중을 들 일이 없는 탓도 있지요. 하지만 안전을 생각한다면 모두가 조금 더 신중하게 행동하는 게 낫다고 난 늘 주장했어요. 문은 될 수 있으면 언제나 잘 잠그고 근처를 돌아다니는 위험한 인물이 함부로 집 안에 들어올 수 없게 해야 해요. 세상 사람들은 늘 모든 걸 주님의 뜻에 맡기지만, 주님이 재앙을 막아낼 방도까지 알려주시지는 않으니까요. 미천한 인간이 신중하게 수단을 강구하면, 축복을 내리시는 정도이지 않겠어요." 평소 그레이스의 말주변을 생각하면 가히 길고도 장황한 연설이었다. 과연 퀘이커교도 같은 설교였다.

나는 우뚝 선 채, 그녀가 보여준 기적적인 자제력과 헤아릴 수 없는 위선에 허탈해했다. 그때 요리사가 방으로 들어왔다.

"풀 부인, 하인들 저녁 식사가 곧 준비될 거예요. 내려오겠어요?"

"아니요, 맥주와 푸딩만 좀 담아줘요. 난 위층으로 가지고 올라가겠어요."

"고기도 담을까요?"

"조금만. 치즈도 조금 잘라줘요. 그거면 충분해요."

"사고*는요?"

---

* 녹말과 사고 야자열매를 넣어 만든 과자.

"지금은 괜찮아요. 이따가 차 마시는 시간 전에 내려가서 내가 만들게요."

용건을 마친 요리사는 페어팩스 부인이 아래층에서 나를 기다리고 있다고 전했다. 나는 자리를 뜰 수밖에 없었다.

저녁 식사 중 페어팩스 부인에게 로체스터 씨 방에서 불이 났다는 이야기는 듣지 못했다. 그레이스 풀의 수수께끼 같은 성격을 곱씹었고, 그녀가 손필드 저택에서 어떤 지위를 가졌는지, 왜 오늘 아침 당장 구금되지 않은 건지 고심했다. 아니, 적어도 해고 정도는 당할 줄 알았다. 어젯밤 로체스터 씨는 그레이스 풀을 범인으로 확신하는 듯했다. 대체 왜 그레이스의 행동을 질책하지 않는 걸까? 왜 나에게 아무 말도 하지 말라고 명령했던 걸까? 대담하고, 고집 세고, 오만한 그가 자기 사용인 중에서도 가장 비열한 여자의 손에 놀아나고 있다는 생각이 들었다. 그녀가 자기 목숨을 노렸는데도 처벌도 없을뿐더러 그는 아무런 질책도, 공개적인 비난도 하지 않았다.

만약 그레이스가 젊고 아름다운 여자였다면 사사로운 애정으로 인해 분별력이나 두려움을 이겨낸 로체스터 씨가 그녀를 옹호하고 싶어 한다고 추측했을지도 모른다. 하지만 뻔뻔하고 무뚝뚝한 표정의 그녀를 떠올리면 그런 일은 도저히 상상할 수 없다.

'그렇지만 그레이스도 젊은 시절이 있었을 거야. 두 사람은 비슷한 나이이니, 주인님이 젊었을 때는 그레이스도 젊었겠지. 페어팩스 부인의 말에 따르면 그녀는 오랫동안 이 저택에 있었다고 했어. 그 여자가 젊은 시절에 미인이었다고 생각할 수는 없지만, 모자란 미모가 독특한 개성이나 매력으로 상쇄되었을 수도 있잖아. 아름다웠으리라고는 생각하지 않지만, 미모를 보충할 만한 성격이나 독창성, 강인함을 갖고 있었을지 몰라. 분명 로체스터 씨는 단호하고 특이한 것을 좋아해. 그리고 그레이스 풀도 특이해. 주인님처럼 고집 세고, 감정 기복이 심한 사람이라면 얼마든지 그럴 수 있잖아? 가령 그분이 젊은 시절에 자초한 어떤 실수 때문에 지금껏 그녀의 손에 놀아나고 있다면 어떡하지? 그레이스가 은밀하게 아직도 영향력을 행사하고 있는 거라면? 떨쳐낼 수도 없고, 감히 무시할 수도 없이 과거의 일에 발목이 잡혀버린 거라면…….'

생각은 가지를 치고 나아갔다. 생각이 이 지경에 이르자, 풀 부인의 네모나고 납작한 체형과 보기 싫게 흉하고 거친 얼굴이 머릿속에 떠올랐다. '아니, 그건 있을 수 없는 일이야. 이런 상상은 옳지 않아. 하지만…….' 그러나 마음속에서 나만 들을 수 있는 비밀스러운 목소리가 들려왔다. '나도 그리 아름다운 건 아니야. 하지만 로체스터 씨는 마치 날 마음에 두고 있는 것처럼 행동해. 어젯밤 그분이 한 말을 떠올려봐. 그분의 표정을 기억해. 그분의 목소리를 기억해 봐.'

나는 모든 걸 기억하고 있었다. 그가 한 말과 그가 던진 시선, 어조까지 모든 게 생생하게 되살아나는 기분이었다. 안 돼, 나는 교실에 있고, 아델이 내 곁에서 그림을 그리는 중이다. 아델이 깜짝 놀란 듯 고개를 들었다.

"무슨 일 있으세요? 손가락이 나뭇잎처럼 떨리고, 뺨이 빨개요. 꼭 체리처럼 붉어요!"

"조금 더워서 그래, 아델. 계속 허리를 숙이고 있었잖니."
내 변명에 아이는 아무렇지도 않게 다시 그림을 그렸고, 나
는 계속 생각했다.

그레이스 풀을 향한 혐오스러운 생각을 떨치기 위해, 계속
생각에 몰두했다. 역겨운 억측이었다. 나와 그레이스는 여러
모로 다르다. 베시는 내가 꽤 숙녀답게 자랐다고 해주었다.
나는 숙녀였다. 지금은 베시를 만났을 때보다도 훨씬 더 나
아졌다. 옷도 다양해졌고, 살도 오르고, 생명력도 넘쳐나며,
활력이 넘쳤다. 밝은 희망과 강렬한 즐거움을 품고 살지 않
는가.

'이제 곧 해가 지겠구나.' 나는 창밖을 바라보며 생각했다.
'오늘은 로체스터 씨의 목소리도, 발소리도 듣지 못했어. 밤
이 오기 전에 만날 수 있으려나. 아침에는 왠지 무서웠는데,
이제 만나고 싶어. 너무 오래 기다렸더니 참을 수가 없어.'

해가 지고, 아델은 소피와 놀겠다며 교실을 떠났다. 그를
만나고 싶다는 생각이 더욱 간절해졌다. 아래층에서 종이 울
리지 않을까 귀가 쫑긋거렸다. 레아가 그의 말을 전하러 오
지 않을까 기다리기도 했고, 로체스터 씨의 발걸음 소리가
들리는 듯해서 문을 향해 수차례 고개를 돌리기도 했다. 그
러나 문은 굳게 닫힌 채였고, 창문 밖으로 어둠이 깔리기 시
작했다. 그래도 시간이 아주 늦은 건 아니었다. 그는 종종 일
곱 시고 여덟 시고 내키면 나를 불렀고, 아직 여섯 시밖에 되
지 않았다. 그에게 할 말이 너무 많았다. 오늘 밤 무조건 그에

게 궁금한 건 전부 물어볼 작정이었다! 그레이스 풀에 관한 이야기부터 시작해서, 그가 어떤 대답을 할지 궁금했다. 그에게 어젯밤 끔찍한 방화가 과연 그녀가 저지른 일이 맞는지, 그렇게 믿고 있는 건지, 그렇다면 왜 그녀의 악행을 감추는지 전부 묻고 싶었다. 나의 호기심이 그를 귀찮게 하더라도 말이다. 그를 화나게 하거나 달래는 즐거움이 쏠쏠했다. 그것이 주는 재미가 있었고, 선을 넘지 않는 법도 알고 있었다. 늘 도발의 경계선을 지키려 노력하는 편이었다. 그가 어디까지 나를 봐주는지 알아보는 것도 꽤 즐거운 일이었다. 나는 매 순간 상대를 존중하고 모든 예의를 다 갖추면서도, 두려움이나 불안한 마음 없이 그와 논쟁을 벌이는 위치까지 올라가 있었다. 나도, 로체스터 씨도, 그런 말싸움을 퍽 즐기곤 했으니까.

마침내 누군가 계단을 올라왔다. 레아였다. 그러나 그녀는 페어팩스 부인의 방에 차가 준비되었다고만 알렸다. 그래도 기쁜 마음으로 달려 내려갔다. 아래층으로 내려가면 로체스터 씨와 한층 더 가까워지기 때문이었다.

내가 자리에 앉자, 다정한 페어팩스 부인이 내게 "차를 들겠어요?" 하고 물었다. "식사도 거의 안 하고, 얼굴이 붉은 게 몸이 좋지 않아 보이네요."

"아, 아니요! 건강한걸요."

"그럼 어서 차를 들어요. 나는 뜨개질을 할 테니 선생님이 찻주전자를 채워주시겠어요?"

부인은 뜨개질을 끝내고, 노을이 지는 창문의 커튼을 활짝 열었다. 본격적으로 해가 떨어지고 있었으므로, 마지막 햇빛을 충분히 받고 싶은 모양이었다.

"오늘은 밤 날씨가 좋네요." 그녀가 창문을 통해 밖을 내다보며 말했다. "별빛은 어두워도 주인님이 여행하기에는 좋겠어요."

"여행이요? 로체스터 씨가 출타하셨나요? 나가시는 소리를 못 들었는데요."

"아침을 드시고 바로 출발하셨어요! 밀코트에서 100마일 정도 떨어진 애슈턴 씨의 리스 저택에 가셨답니다. 굉장한 파티가 열린다고 하더라고요. 잉그램 경과 조지 린 경, 덴트 대령 등 여러 손님들이 모인다고요."

"오늘 밤에 돌아오실까요?"

"아이고, 그럴 리가요. 아마 내일도 안 오실 거예요. 한 번 가시면 일주일 정도, 그보다 오래 묵고 오시니까요. 그렇게 훌륭한 상류사회 일원이 한자리에 모이니 얼마나 화려하고 우아하겠어요. 즐거운 행사가 가득하니 다들 헤어지려고 서두르지 않는답니다. 그런 자리에는 특히 신사분들이 필요하니까요. 로체스터 씨도 아주 재치 있고 사교성도 뛰어나서 사교계의 모든 분이 주인님을 좋아해요. 숙녀분들은 말할 것도 없고요. 숙녀의 눈길을 끌 만한 외모는 아니더라도, 교양이나 능력, 부의 유서 깊은 가문을 갖췄잖아요."

"리스 저택에 숙녀분들도 계시나요?"

"애슈턴 경의 부인과 세 따님이 계시죠. 다들 우아하기가 이루 말할 데 없어요. 블랑슈 잉그램 양과 메리 잉그램 양도 정말 아름답고요. 6, 7년 전쯤 당시 열여덟이던 블랑슈 양을 본 적이 있답니다. 로체스터 씨가 손필드에서 주최한 크리스마스 무도회와 파티에 참석했지요. 선생님이 그날 식당을 보셨어야 해요. 풍성한 장식이며 찬란한 불빛이며! 귀부인과 신사분들이 못해도 50명은 참석했을 거예요. 다들 대단한 집안 분들이었어요. 블랑슈 아가씨는 과연 그날의 주인공이었고요!"

"그런 근사한 아가씨를 보셨군요. 어떤 분이셨어요?"

"네, 봤지요. 식당 문이 열려 있었고, 크리스마스 연휴에 하인들이 복도에 모여 몇몇 숙녀들이 노래를 부르거나 피아노를 연주하는 소리를 엿듣곤 했지요. 로체스터 님이 저를 식당 안으로 불러주셔서 저는 조용히 구석에 자리를 잡고 구경할 수 있었답니다. 그렇게 멋진 광경은 본 적이 없어요. 다들 화려하게 차려입은 데다가 어쩜 그리 곱던지. 그중에서도 잉그램 양은 마치 여왕님 같았지요."

"정확히 어떻게 생기셨는데요?"

"키도 크고 몸매도 풍만한 데다가 어깨는 동그랗고 목은 길고 우아해요. 올리브색의 맑고 건강한 피부며 고귀한 얼굴이며, 로체스터 씨와 비슷하게 검은 눈동자를 지녔는데 꼭 보석처럼 반짝였어요. 머리카락 장식도 정말 훌륭했고요. 흑단처럼 검은 머리카락을 멋지게 틀어 올렸더랬죠. 머리 뒤쪽은 굵게 땋아 올리고, 앞은 윤이 나는 비단결 같은 머리카락을 길게 늘어뜨렸어요. 새하얀 드레스에 호박색 스카프를 어깨에서 가슴으로 두른 다음 허리를 묶었는데 긴 술이 달린 장식 부분이 무릎 아래로 떨어지더군요. 머리에는 호박색 꽃을 꽂고 있었는데 검은 머리칼과 어찌나 잘 어울리던지!”

“설명만 들어도 엄청난 찬사를 받았겠어요.”

“그럼요, 그렇고 말고요. 아름다움뿐만 아니라 교양은 또 어찌나 훌륭하신지. 그분도 노래를 불렀답니다. 어떤 신사분의 피아노 반주에 맞춰서요. 잉그램 양과 우리 주인님이 이중창을 불렀지요.”

“로체스터 씨요? 그분이 노래도 부르실 줄 아세요?”

“아! 주인님은 낮은 목소리가 훌륭하죠. 음악을 꽤 즐기는 분이랍니다.”

“잉그램 양은요? 어떤 목소리인가요?”

“아주 풍부하고 힘찬 목소리였어요. 어찌나 아름다운지, 귀가 황홀했지요. 노래를 부른 다음에는 직접 연주도 했어요. 저는 음악을 잘 모릅니다만, 로체스터 님은 취향이 훌륭하시죠. 아가씨의 연주가 참 훌륭했다고 칭찬하는 걸 들었답니다.”

“그토록 예쁘고 재주 많은 숙녀가 아직 미혼이라고요?”

“아직 미혼이랍니다. 위로 언니도 있는데, 재산이 그리 많지는 않은가 봐요. 선대 잉그램 백작도 상속으로 재산을 유지한 정도고, 그마저도 장남이 거의 모든 걸 물려받았다지요.”

“하지만 부유한 귀족이나 신사라면 잉그램 양을 눈여겨보지 않았을까요? 로체스터 씨라든가. 로체스터 씨도 부유하잖아요.”

"그렇긴 하지만, 두 사람은 나이 차이가 좀 나잖아요. 로체스터 님은 곧 마흔을 바라보지만, 잉그램 양은 이제 겨우 스물다섯이에요."

"그게 어때서요? 그보다 더 나이 차이가 나는 결혼도 흔한 세상이잖아요."

"맞는 말이에요. 하지만 주인님은 그렇게 생각하지 않으시는 것 같아요. 아, 선생님, 차를 드시러 와놓고 어쩜 이렇게 다과는 드시지 않아요?"

"목이 말라서 그런지 다과가 들어가질 않네요. 차를 한 잔 더 마셔도 될까요?"

내가 로체스터 씨와 아름다운 블랑슈 양의 결혼 가능성을 고민하는 찰나, 아델이 들어와 대화의 주제가 다른 방향으로 흘렀다.

다시 혼자 남은 나는 지금껏 들은 정보를 종합해 보았다. 내 마음을 들여다보고, 내 생각과 감정을 살펴보며, 하루 종일 헤매던 상상의 끝없는 황무지에서 벗어나 다시 안전한 상식의 세상으로 돌아오고자 노력했다.

나를 나만의 법정에 세우고, 어젯밤부터 내가 품은 희망과 소망, 감정 그리고 지난 2주간 빠져 있던 마음을 증거로 제시했다. 이성이 먼저 재판장 앞에 나아가 침착한 어조로 지난날의 내가 어떻게 현실을 거부하고 맹목적인 이상을 탐닉했는지 토로했다. 그리고 나는 다음과 같은 판결을 내렸다.

이제까지 제인 에어만큼 바보 같은 자는 세상에 없었다. 나는 달콤한 거짓말에 빠져 그것을 탐닉하고 독을 달게 삼킨 바보였다.

'감히 너 따위가 로체스터 씨의 애정을 받아? 그분을 기쁘게 할 힘이 네게 있다고 믿은 거야? 그분이 감정에 취해 보여 준 호의에, 그것도 명문가의 신사이자 상류층 남자가 철없고 어린 사용인에게 보여준 호의 한 자락에 그토록 우쭐해져 있었다니, 창피한 줄 알아야지! 딱하구나! 네 처지를 생각해서 조금 더 똑똑하게 굴 수는 없어? 오늘 아침에도 지난밤의 감정에 빠져 허우적거렸지. 정말이지 창피해서 얼굴을 들 수가 없어. 그 사람이 네 눈을 칭찬했다고 해서, 그게 뭐? 제발 눈을 떠! 멍청하고 흐린 눈을 똑바로 뜨고 멍청한 너 자신을 돌아보란 말이야! 결혼할 마음도 없는 상류층의 남자가 칭찬 몇 마디 했다고, 그게 뭐라도 되는 양 믿지 말란 말이야. 그런 이에게 남몰래 마음을 주면 결말은 뻔해. 미친 짓이야. 누구에게도 털어놓을 수 없는 마음을 홀로 품고 살면 스스로를 좀먹는 것밖에 안 된다고. 그게 밖으로 알려지면, 그 사람이 네 마음을 알게 되면, 결국 불꽃처럼 타오르며 빠져나올 수 없는 늪에 떨어질 거야.

그러니 잘 들어, 제인 에어. 판결문이야. 내일 네 앞에 거울을 놓고 네 얼굴을 직접 그려봐. 단 하나의 결점도 빠뜨리지 말고, 거친 선 하나도 생략하지 말고, 보기 싫게 불균형한 얼굴을 있는 그대로 그려. 그리고 그 밑에 이렇게 적는 거야. 의지할 곳 하나 없고, 가난하고, 평범한 가정교사의 초상화라고.

그다음에 매끈한 상아색 고급 종이를 한 장 꺼내. 도구 상자에 한 장 있는 거 알잖아. 그리고 물감 팔레트에서 가장 선명하고, 아름다운 색조를 꺼내 섞어. 그리고 섬세한 낙타털 붓을 골라서 네가 상상할 수 있는 가장 아름다운 얼굴을 정성껏 그리는 거야. 페어팩스 부인이 묘사한 대로 블랑슈 잉그램을 부드러운 음영과 아름다운 색조로 그려내는 거야. 새까만 곱슬머리와 동양인처럼 까만 눈동자까지, 전부 다. 아니, 지금 무슨 생각을 하는 거야? 또 로체스터 씨의 눈을 떠올린 거지? 정신 차려! 울지도 마! 감상에 빠지지 마! 후회하지 마! 오직 분별력을 가지고 마음을 굳게 먹으란 말이야. 기품 있고 조화로운 이목구비며 고대 그리스 조각 같은 목덜미와 가슴, 낭창한 팔과 섬세한 손가락을 그리는 거야. 다이아몬드 반지며 황금 팔찌도 잊지 마. 아름다운 드레스여야 해. 가벼운 레이스와 반짝이는 새틴 드레스야. 우아한 스카프, 황금빛 장미꽃도 공들여 그려. 그 밑에 제목은 이렇게 적어. 명문가의 교양 있는 블랑슈 잉그램 양.

앞으로 로체스터 씨가 너에게 빠진 것 같은 눈길을 보내면, 이 두 초상화를 꺼내봐. 그리고 너 자신에게 이렇게 되뇌어봐. 로체스터 씨가 이 고귀한 숙녀의 마음을 얻고자 하면 그렇게 될 거야. 그는 가난하고 하찮은 여자를 진지하게 여기지 않으라고 말이야.'

'응. 그렇게 할 거야.' 나는 결심했다. 결심을 굳히자, 소란하던 마음도 가라앉았고, 곧 잠에 들었다.

나는 내 결심을 실천에 옮겼다. 색분필로 내 초상화를 스케치했다. 한두 시간이면 충분했다. 그다음 2주 정도 지나 상아색 고급 종이에 상상하던 블랑슈 잉그램의 초상화를 완성했다. 충분히 아름다웠고 색분필로 그린 내 자화상과 비교해 보니 그 차이는 내가 바랐던 만큼, 내 자제력이 원했던 만큼 컸다. 가치 있는 작업이었다. 나의 머리와 손을 끊임없이 움직이면서, 내 마음에 새기고 싶은 새로운 인상을 강하게 만들고 공고히 했다.

이윽고 나는 내 감정을 엄격하게 억누를 수 있도록 도와준 판결에 감사하고 뿌듯한 순간을 맞이했다. 그 덕분에 그 후 일어난 사건을 차분하게 맞이할 수 있었던 것이다. 만약 아무런 준비도 없이 그 일을 겪었더라면, 아마 나는 안과 밖으로 급격히 무너져 내렸을 것이다.

17

그날 이후로 일주일이 지났지만, 로체스터 씨는 돌아오지 않았다. 열흘이 흐른 후에도 그는 돌아오지 않았다. 페어팩스 부인은 그가 리스 저택에서 곧바로 런던으로 떠나, 거기서 다시 대륙으로 건너가 앞으로 1년간 손필드에 모습을 드러내지 않는다고 해도 이상하지 않을 거라 했다. 예전에도 이렇게 훌쩍 저택을 떠나버리곤 했기 때문이었다. 그녀의 말을 듣자 차가운 소름과 함께 심장이 멎는 기분이 들었다. 역겨울 정도로 실망스러운 감정이었다. 하지만 내 원칙을 떠올리며, 즉시 마음을 가다듬었다. 일시적인 망상에서 벗어나야 한다. 로체스터 씨의 발걸음이 어디로 향하든 그건 내가 신경 쓰고 관심을 가질 만한 일이 아니다. 내가 그보다 열등하다는 자괴감에 나를 비하한 게 아니라, 오히려 이런 마음이었다.

'너는 손필드 저택의 주인과 아무 사이도 아니야. 그는 네가 가르치는 아이의 후견인이고 너에게 봉급을 주는 사람일 뿐이야. 그저 네 의무를 다해. 그에게 기대할 수 있는 건 존중과 친절한 대우일 뿐이고, 넌 그것에 그저 감사하기만 하면 돼. 그것만이 그 사람과 너 사이의 진지하고 유일한 유대 관계임을 잊지 마. 그러니 그를 너의 미묘한 감정이나 흥분, 괴로움의 대상으로 여기지 마. 그 사람과 넌 계층부터 달라. 분수를 알아야지. 그는 네가 온 마음과 영혼의 힘을 쏟아부을 상대가 아니야. 그 사람은 너의 그런 애절한 마음을 원하지도 않아. 오히려 알아차리면 경멸할 거야.'

나는 대신 하루하루를 열심히 그리고 성실히 살아냈다. 그러나 이따금 솜털 같은 생각이 머릿속을 스쳐 지나갔다. 어쩌면 손필드의 가정교사를 그만두어야 할지도 모른다는 생각. 그리고 나는 무의식적으로 새로운 신문 광고를 기획하고, 새로운 상황을 상상하기 시작했다. 굳이 그런 생각을 막을 필요는 없다고 생각했다. 싹을 틔우고 열매를 맺을 수만 있다면, 그것도 나쁘지 않은 현실이 될 테니 말이다.

로체스터 씨가 돌아오지 않은 지 2주가 지났을 무렵, 우체부가 페어팩스 부인에게 편지를 배달했다.

"주인님이세요. 곧 돌아오실 건지 아닌지, 이걸로 확인할 수 있겠군요." 페어팩스 부인이 말했다.

페어팩스 부인이 편지를 살펴보는 동안, 나는 커피를 마셨다. (참고로 우리는 아침 식사 중이었다.) 커피가 뜨거워서 갑자기 얼굴에 열이 오르는 기분이었다. 왜 손이 이토록 떨리는지, 왜 머그잔의 커피를 절반이나 접시에 쏟았는지는 나도 모르겠다.

"아, 그래. 생각해 보면 저택은 참으로 조용한 편이지요. 이제부터 조금 바빠지겠네요. 잠깐이기는 해도." 돋보기를 쓰고 편지를 읽어내리던 그녀가 말했다.

자세히 설명해 달라는 말을 하기 전, 헐겁게 풀린 아델의 앞치마 끈을 다시 매어주었다. 끈을 매어주고, 빵을 하나 더 준 다음, 머그잔에 우유까지 채워주고 나서야 나는 퍽 자연스럽게 물어볼 수 있었다.

"로체스터 씨가 금방 돌아오시지 않는다는 내용인가 보네요?"

"아니요, 돌아오신대요. 사흘 안에요. 내일모레 목요일에요. 그것도 혼자가 아니라 손님을 이끌고 말이지요. 리스 저택에 머물던 훌륭한 손님을 몇 명이나 모시고 온다는 건지, 원. 저택 최고의 침실 중 어디를 준비해야 할지 알려주셨어요. 서재와 응접실도 말끔히 정리하라고 하시네요. 밀코트 조지 여관이나 다른 곳을 돌며 주방일을 도와줄 하인들을 모집해야겠어요. 숙녀분들은 하녀를, 신사분들은 하인을 데리고 오시겠지요. 그러면 저택이 그들로 가득 찰 테니 어서 준비해야겠어요." 서둘러 말을 마친 페어팩스 부인이 아침 식사를 마치고 황급히 나섰다.

부인의 말처럼 그로부터 사흘은 정말 눈코 뜰 새 없이 바빴다. 손필드의 모든 방이 깨끗하고 잘 정돈되어 있다고 생각했지만 큰 착각이었다. 세 명의 하녀가 우리에게 도움을 주었다. 바닥을 닦고 먼지를 털고, 벽을 다시 칠하고, 카펫을 털고, 그림을 내렸다가 걸었다가 난리도 아니었다. 거울과 촛대에 광을 내고, 침실 난로에 불을 피우고, 이불을 모두 꺼내 말렸다. 이런 야단법석은 처음이었다. 그 와중에도 아델은 온 집 안을 마구잡이로 뛰어다녔다. 손님을 모실 준비며, 곧 손님들이 도착한다는 기대감에 지나치게 흥분한 모양이었다. 아이는 소피에게 의상을 점검하라고 지시하고, 촌스러운 것들은 모두 수선하라고 했다. 새 옷은 바람에 말려 언제든 입을 수 있게 준비해 놓으라 야단이었다. 반면 본인은 저택의 방을 쏘다니거나 침대 위에서 방방 뛰기도 했고, 불길이 솟구치는 벽난로 앞에 쌓여 있는 이불이나 방석, 베개 위에 누워 있는 것을 제외하면, 정작 아무것도 하지 않았다. 수업도 더 이상 진행할 수 없었다. 페어팩스 부인이 나를 반강제로 부엌에 배치했기 때문에, 나는 하루 종일 주방에서 그녀와 요리사들을 돕거나 방해했다. 커스터드 크림과 치즈 케이크, 프랑스식 페이스트리 만드는 법을 배우고, 요리용 새의 다리를 묶는 법이나 디저트를 장식하는 법을 익혔다.

로체스터 씨 일행은 목요일 저녁 만찬 시간인 여섯 시에 맞춰 도착할 예정이었다. 그러므로 망상에 잠길 시간도 부족했다. 나는 아델을 제외한 모두와 마찬가지로 부지런히 일했다. 그래도 가끔은 그토록 들뜬 마음에 찬물을 끼얹는 기분이 들었고, 나도 모르는 사이 의심과 추궁, 억측을 펼칠 때도 있었다. 그러다가 우연히 3층 계단 문이 열려 있는 모습을 발견했다. 계단은 최근까지 늘 잠겨 있었다. 문이 천천히 열리고 그 너머 계단에서 우아한 모자와 흰 앞치마, 손수건을 두른 그레이스 풀이 내려오고 있었다. 그녀는 천으로 만든 슬리퍼를 신고 있어서 발소리조차 내지 않고 복도를 걸어 온 집 안을 뒤집어엎으며 야단법석을 부리고 침실을 하나하나 살피기도 했다. 아마 임시로 고용한 청소부에게 창살이나 대리석 벽난로, 벽에 묻은 얼룩을 제거하는 방법 등을 가르치는 모양이었다. 그렇게 하루에 한 번 주방으로 내려가 점심을 먹고, 난롯가에서 파이프 담배를 피운 후, 흑맥주를 안고 다시 음울한 자기만의 다락방으로 돌아가 혼자만의 시간을 즐기는 사람이었다. 그녀는 하루 24시간 중 단 한 시간만 하인들과 함께 아래층에서 시간을 보냈고, 나머지 시간은 천장이 낮은 3층의 참나무 다락방에서 보냈다. 거기 앉아 바느질하고, 감옥의 죄수처럼 이야기할 상대도 없이 구슬프고 소름 끼치게 웃고 마는 것이다.

무엇보다 이상한 건, 나를 제외하고 그 누구도 그녀의 이상한 습관을 알아차리지 못했을뿐더러, 수상하게 여기는 사람이 없었다는 점이다. 그녀의 신분이나 본분에 관해 이러쿵저러쿵 말을 없는 사람도, 그녀가 혼자 있는 것을 가엾게 여기는 사람도 없었다. 한번은 레아와 청소부 사이의 대화를 엿들은 적이 있었다. 주제는 그레이스였다. 레아가 한 말은 못 들었지만, 청소부의 말은 들을 수 있었다. 그녀는 이렇게 말했다.

"월급을 꽤 받겠지?"

"그럼요. 나도 그만큼만 받았으면 좋겠네. 물론 불평하는 건 아니에요, 손필드가 사용인에게 인색하게 굴지는 않으니까. 하지만 내 월급은 그레이스가 받는 돈의 5분의 1도 안 된다고요. 저축도 엄청 열심히 하나 봐요. 석 달에 한 번은 밀코트 은행에 가거든요. 이 일을 그만둬도 혼자 살 수 있을 만큼 벌었다나 봐요. 하기야, 아직 마흔도 안 됐고 몸도 건강하니까, 뭐든 못 하겠어요? 은퇴하기에는 이르죠."

"야무진 사람이잖아." 청소부가 말했다.

"아, 맞아요. 일머리가 워낙 좋아요. 누구보다 잘하죠." 레아가 의미심장한 목소리로 대꾸했다. "그리고 누구도 그레이스를 대신할 수 없잖아요. 그만큼 월급을 준다고 해도요."

"그렇고 말고! 대체 이 댁 주인 나리는 무슨 생각으로……."

그때 레아가 뒤를 돌아보고 나를 발견했다. 그녀가 청소부의 허리를 쿡 찔렀다.

"아, 저 선생은 몰라?" 청소부가 속삭였다.

레아는 황급히 머리를 저었다. 당연하게도 대화는 그렇게 끝나버렸다. 두 사람의 대화로 내가 알아낸 건, 손필드에 숨겨진 비밀이 있다는 것뿐이었다. 그리고 나는 그 비밀을 모르는 유일한 사람 같았다.

그렇게 목요일이 되었다. 모든 준비는 전날 밤 깔끔하게 끝났다. 카펫을 새로 깔고, 침대 커튼을 달고, 눈부시게 하얀 침대보를 깔고, 화장대와 협탁을 깨끗이 닦고, 꽃병에는 꽃이 가득 채워졌다. 방과 응접실 모두 더할 나위 없이 깨끗했다. 커다란 시계와 계단, 난간이 유리처럼 반짝이고 광이 났다. 식당 찬장에서 금은의 식기가 화려하게 빛났고, 접견실과 내실에도 온통 이국적인 꽃병이 가득했다.

오후가 되자, 페어팩스 부인은 가장 좋은 검정 새틴 드레스에 장갑을 끼고 금시계까지 착용했다. 손님을 맞이하고 각자의 방으로 안내하는 것까지 전부 그녀의 몫이었다. 아델도 좋은 옷으로 갈아입겠다고 고집을 부렸다. 당장 오늘부터 손님들에게 소개될 것 같지는 않았지만 아이의 기대를 꺾고 싶지 않았으므로 소피에게 부탁해 풍성하고 짧은 모슬린 드레스를 입혔다. 나는 굳이 옷을 차려입지 않았다. 교실이라는 성역에서 불려 나갈 일은 없을 것 같았기 때문이었다. 교실은 곤란한 시기에 매우 적당하고 편안한 나만의 피난처였다.

화창한 봄이자, 3월 말에서 4월 초로 넘어가는 초여름의 해가 쨍쨍한 날이었다. 화창한 하루가 거의 끝나갈 무렵이었지만, 아직 따뜻한 기운이 남아 있었다. 나는 창문을 열어둔 채 교실에 홀로 남아 일을 하고 있었다.

"어째 늦게 오시는군요." 페어팩스 부인이 안절부절못하는 모습으로 등장했다. "로체스터 씨가 말씀하신 시간보다 한 시간 늦게 저녁을 준비해서 얼마나 다행인지. 벌써 여섯 시가 넘었잖아요. 존을 대문까지 내보내서 오는 길에 무슨 일이 일어난 건 아닌지 살펴보라고 했어요. 밀코트를 오가는 길이 잘 보이니 말이에요." 그녀는 다급히 창가로 나아갔다.

"존, 여기요!" 부인이 창문 너머로 외쳤다. "존!" 하고 부르더니 아예 상체가 밖으로 기울었다. "어때요?"

"거의 도착하셨습니다!" 존이 말했다. "10분 안에 도착하십니다."

아델이 창문으로 달려갔다. 나도 그녀의 뒤를 따라갔다. 커튼으로 절반쯤 가려진 구석에 몸을 숨기는 것도 잊지 않았다.

존이 말한 10분은 길게만 느껴졌다. 마침내 바퀴 소리가 들리기 시작했다. 네 명의 기사가 길 위를 질주하고, 그 뒤로 두 대의 짐마차가 따라왔다. 펄럭이는 베일이며 흔들리는 깃털이 가득했다. 그중 기사 둘은 젊고 멋진 남자였고, 세 번째는 검은 말을 몰고 있는 로체스터 씨였다. 파일럿이 그의 옆을 따라 달리고 있었다. 로체스터 씨 옆에는 한 여성이 나란히 말을 타고 있었다. 로체스터 씨와 여자가 일행의 선두였다. 그녀의 보라색 승마복은 거의 땅에 닿을 듯 끌렸고, 베일은 바람에 길게 휘날렸다. 투명하게 주름진 베일 자락과 서로 어우러지는 풍성한 흑단 머릿결이 반짝였다.

"잉그램 양이군요!" 페어팩스 부인이 외치며 서둘러 아래층으로 내려갔다.

행렬은 진입로를 따라 달리며 저택 모퉁이로 접어들어 더 이상 보이지 않았다. 아델도 아래층으로 내려가고 싶다며 성화였다. 나는 아이를 무릎에 앉히고, 로체스터 씨가 부르기 전에는 절대 먼저 나설 생각을 해서는 안 된다고 단단히 일렀다. 멋대로 굴면 로체스터 씨가 무척 화를 낼 거라고 엄히 타일렀다. 엄한 경고에 아이의 눈망울에 눈물이 가득 차올랐지만, 내가 표정을 풀지 않자 마침내 눈물을 닦고 고개를 끄덕였다.

얼마 후, 현관홀에서 즐거운 말소리가 울렸다. 신사들의 낮은 음성과 부인들의 은은한 목소리가 조화롭게 어우러졌다. 무엇보다도, 조곤조곤 울리는 손필드 저택 주인의 목소리가 분명히 귓가에 들렸다. 아름답고 씩씩하게, 손님을 맞이하는 그의 목소리였다. 이윽고 가벼운 발소리가 계단을 올라왔다. 복도를 지나고, 정쾌한 빌소리와 즐겁고 유쾌한 웃음소리가 들리더니 문을 여닫는 소리가 이어졌고, 다시 사방이 조용해졌다.

"내실에서 옷을 갈아입나 봐요." 귀를 기울이며 움직임을 쫓던 아델이 한숨 쉬며 소곤거렸다.

"엄마와 살 때는 손님이 찾아오면 응접실이든 침실이든 늘 따라다녔어요. 하녀들이 숙녀분들의 머리를 손질하거나 옷을 입히는 것도 구경했는데 정말 재미있었어요. 그렇게 하나씩 배우는 거랬는데."

"아델, 배가 고프지는 않니?"

"배고파요, 선생님. 식사한 지 벌써 대여섯 시간은 되었는걸요."

"그러면 숙녀분들이 방에 잠시 머무는 동안 선생님이 내려가서 먹을 것을 좀 가져다줄게."

나는 조심스럽게 피난처를 나와 부엌으로 통하는 뒤쪽 계단을 내려갔다. 부엌은 벌건 불이 타올랐고 소란스럽고 분주했다. 수프와 생선으로 이루어진 전채 요리를 마무리하는 중이었고, 요리사들은 몸과 마음이 다급해져 벌겋게 달아오른 얼굴로 냄비에 달라붙어 있었다. 아마 이게 연금술이라면 곧 냄비 속 수프가 황금으로 변하는 순간일 것이다. 하인들이 대기하는 방에는 마부 두 사람과 하인 세 사람이 서거나 앉아서 불을 쬐고 있었다. 하녀들은 각자의 주인과 함께 위층에 있는 듯했고, 밀코트에서 불러온 사용인들은 여기저기를 다급하게 돌아다녔다. 이 혼란을 헤치고, 나는 마침내 식료품 저장실에 도착했다. 거기서 차가운 닭고기와 빵 한 덩어리, 타르트 파이 몇 개, 접시 한두 개 그리고 나이프와 포크를 챙겼다. 전리품을 품에 꼭 껴안고, 나는 다급히 물러났다. 다시 복도로 돌아와 뒷문을 닫는데 시끄러운 인기척이 울려퍼졌다. 귀부인들이 각자의 방을 나오는 듯했다. 교실로 돌아가려면 그들이 묵고 있는 방 앞을 지나야 했고, 내 품에는 음식이 한가득이었다. 그래서 나는 복도 한쪽 끝에서 그들이 지나가길 기다리기로 했다. 이 근처는 창이 없어 어두웠다. 이미 해가 넘어가고 어둠이 내려앉는 시간이라 그런지 유독 더 캄캄했다.

　이윽고 각 방에서 아름다운 숙녀들이 하나씩 모습을 드러냈다. 다들 노을 진 저녁에 어울리는 반짝이는 드레스를 입고 유쾌하고 발랄한 걸음으로 방을 나섰다. 잠시 복도 반대편에 모인 그녀들이 달콤하고 부드러우며 활기찬 목소리로 대화를 나누었다. 그러고는 밝은 안개가 언덕을 타고 미끄러져 내려가듯 조용히 계단을 내려갔다. 전체적인 모습이 이제까지 내가 본 적 없는 우아한 인상이었다.

교실 문을 살짝 열고 그 틈새로 훔쳐보던 아델을 발견했다. "너무 아름다워요!" 아이가 영어로 외쳤다. "오, 저도 저렇게 되고 싶어요! 혹시 로체스터 씨가 저녁 식사 후에 우리를 부르지 않을까요?"

"아니, 그러지 않을 거야. 로체스터 씨는 오늘 밤에 다른 일이 있으셔. 오늘 저녁은 손님들 앞에 나갈 생각은 하지 않는 게 좋을 거야, 아델. 내일이나 뵙게 될 거란다. 자, 저녁을 들도록 해."

아이는 정말 허기가 졌던 모양인지, 닭고기와 타르트에 잠깐 정신이 팔렸다. 먹을 걸 가져와서 참 다행이었다. 그렇지 않았더라면 아델, 소피 그리고 나는 저녁 식사는 구경도 못 했을 것이다. 아래층의 하인들도 너무 바쁜 나머지, 우리까지 신경 쓸 겨를이 없었다. 디저트는 아홉 시가 넘어서 나왔고, 열 명의 하인이 쟁반과 커피잔을 들고 오고 갔다. 나는 아델에게 평소보다 조금 늦게 잠자리에 들어도 좋다고 허락했다. 아래층에서 계속 문이 열리고 닫히면서 사람들이 바쁘게 움직이는 바람에 도저히 잠들 수 없다고 칭얼댔기 때문이다. 게다가 잠옷으로 갈아입었다가 로체스터 씨가 부르면 어떡하느냐며 헛된 바람을 품기도 했다.

나는 아델에게 옛날이야기를 몇 개 들려주며 달랬다. 그리고 잠깐 복도로 데리고 나갔다. 현관에는 램프가 밝게 켜져 있었다. 아델은 난간 너머로 하인들이 오고 가는 모습을 구경했다. 밤이 깊어지자 피아노를 옮겨놓은 응접실에서 음악 소리가 들렸다. 아델과 나는 계단 꼭대기에 앉아 음악에 귀를 기울였다. 악기의 풍부한 음색에 어우러지는 노랫소리가 들려왔다. 달콤한 독창이 끝나자, 이중창이 그리고 삼중창이 이어졌다. 노래 사이로 즐거운 대화 소리도 채워졌다. 나는 오래도록 귀를 기울였다. 그때 문득, 내 귀가 사람들의 목소리를 분석하고, 여러 목소리 중에서도 로체스터 씨의 목소리를 구별하려 애쓰고 있다는 사실을 깨달았다. 그의 목소리를 파악한 나는 이제 웅얼거리는 소음을 구별하며 그가 무슨 말을 하는지에 온 신경을 집중했다.

시계가 열한 시를 알렸다. 아델은 내 어깨에 고개를 기대고 있었다. 잠이 쏟아지는 눈망울을 발견하고, 나는 아이를 안아 침대로 데려갔다. 손님들이 자신의 방으로 흩어지기까지는 두 시간이 더 걸렸다.

이튿날도 화창했다. 손님들은 인근 어느 언덕으로 소풍을 떠났다. 아침 일찍부터 어떤 이들은 말을 타고, 나머지 사람들은 마차를 타고 출발했다. 나는 그들이 출발하는 모습과 돌아오는 모습을 전부 훔쳐보았다. 잉그램 양은 전날처럼 여자 중에서는 유일하게 말을 탔고, 로체스터 씨도 그녀의 곁에서 말을 몰았다. 두 사람은 다른 일행과 약간 떨어져서 움직였다. 그 모습을 보던 내가 곁에 있던 페어팩스 부인에게 물었다.

"부인, 분명 저 두 사람이 결혼을 생각하는 사이는 아니라고 하지 않으셨나요? 그런데 로체스터 씨는 잉그램 양을 특별하게 더 아끼시는 것 같아요."

"맞아요, 나도 그렇게 생각한답니다. 특별히 아끼시죠."

"잉그램 양도 마찬가지고요. 둘만의 이야기를 나누는 것처럼 로체스터 씨에게 고개를 기울이잖아요. 저도 잉그램 양을 한번 보고 싶네요. 아직 얼굴을 본 적이 없거든요."

"오늘 저녁에 보겠네요." 페어팩스 부인이 대답했다. "아델이 숙녀분들을 만나고 싶다고 졸라서, 저녁 식사 후에 응접실로 내려오라는 허락이 떨어졌거든요. 그리고 에어 양이 동행했으면 하세요."

"네, 아마 예의상 그렇게 말씀하셨겠죠. 저는 굳이 함께 갈 필요는 없을 것 같아요."

"글쎄요. 선생님이 많은 사람과 교류하는 걸 영 어색해하니, 저도 그렇게 말씀을 드렸어요. 그런데 주인님이 이렇게 말씀하셨답니다. '말도 안 돼. 그녀가 거부하거든 내 특별한 소원이라고 꼭 전해주시오. 만약 이래도 함께 내려오지 않는다면 내가 직접 올라가 모셔오겠소'라고요."

"그런 수고를 하시게 할 수는 없죠." 내가 덧붙였다. "더 좋은 핑계가 없다면 저도 내려갈게요. 하지만 별로 내키지는 않아요. 부인도 함께 계실 거죠?"

"아니요, 저는 극구 사양했고, 다행히 허락받았답니다. 표정과 몸가짐에 신경 쓰며 그런 자리에 참석하는 것도 여간 번거로운 일이 아니니, 몸을 숨길 좋은 방법을 가르쳐드릴게요. 일단 부인들이 식당에서 일어나기 전에 응접실이 비어 있을 때 먼저 들어가요. 아무 데나 앉아 있어도 좋지만, 가급적 구석에 조용한 곳으로요. 마음이 내키지 않는다면 신사분들이 입장한 다음에는 오래 머물지 않아도 괜찮아요. 로체스터 님이 오신 걸 봤다면, 그 후에는 살짝 빠져나와요. 어차피 아무도 모를 테니."

"손님들이 오래 머무르실까요?"

"아무래도 2, 3주는 묵다 가실 거랍니다. 부활절 휴가가 끝나면 최근 밀코트에서 의원으로 선출된 조지 린 경은 런던에서 의회에 참석해야 할 테니까요. 그때는 로체스터 씨도 동행하시겠죠. 주인님이 손필드에 이렇게 오래 머무르신다는 게 놀라울 따름이에요."

아델과 함께 응접실로 나가야 할 시간이 다가오자 마음이 조금 불안해졌다. 아델은 저녁 식사 후 숙녀들 앞에 소개될 거란 소식을 전해 듣고 하루 종일 황홀한 상태였다. 소피가 옷을 입히기 시작할 때까지만 해도 도통 마음을 가라앉히지 못하다가, 치장이 시작되자 그 과정이 얼마나 중요한지 깨달은 듯 차분해졌다. 아이는 검은 머리카락을 열심히 빗고, 분홍색 새틴 프록코트에 긴 허리띠, 레이스 장갑을 꼈다. 그러자 표정도 덩달아 진중해졌다. 옷을 구기지 말라고 잔소리할 필요도 없었다. 옷을 다 입은 아이는 새틴 드레스가 구겨질까 봐 조심스럽게 끝자락을 잡고 얌전한 얼굴을 하며 작은 의자에 앉았다. 그대로 내가 준비를 마칠 때까지 미동도 하지 않을 정도였다. 반면 나는 재빨리 옷을 갈아입었다. 내가 가진 옷 중에 가장 좋은 드레스—템플 선생님의 결혼식을 위해 샀던 은회색 드레스였다. 실제 한 번밖에 입지 않았다—를 입고, 머리를 곱게 빗은 다음 유일한 장식인 진주 브로치를 착용했다. 준비를 마친 우리는 천천히 아래층으로 내려졌다.

　다행히 손님들이 있는 식당을 지나지 않고 응접실로 들어가는 문이 하나 더 있었다. 그곳에는 아직 아무도 없었다. 대리석 벽난로에서는 소리 없이 불빛이 타오르고 있었고, 탁자를 장식한 훌륭한 꽃 사이로 촛불이 홀로 타오르고 있었다. 아치 앞에는 짙붉은 커튼이 드리워져 있었다. 식당을 가리는 용도로 내려놓은 커튼이었는데도, 사람들의 대화 소리가 낮고 조용해서 웅성거리는 소리만 들릴 뿐 내용은 알아들을 수 없었다.

　아델은 한껏 격식을 차린 공간에 압도당했는지 칭얼거리지도 않고 내가 지시한 대로 의자에 앉았다. 나는 창가의 의자로 물러나, 가까운 탁자의 책을 꺼내 들었다. 그때 아델이 내 발치로 의자를 가져왔고, 얼마 지나지 않아 내 무릎을 찔렀다.

　"어디 불편하니? 아델?"

　"예쁜 꽃을 하나만 가져오면 안 돼요? 옷에 꽂으려고요."

　"글쎄, 선생님이 보기에 네 옷은 딱 적당하고 예쁜걸. 하지만 꽃은 가져도 돼." 그렇게 말하며 나는 꽃병에서 장미를 한 송이 꺼내 아이의 치마에 꽂아주었다. 아이는 그 자체로 충분했는지 배부른 한숨을 내쉬었다. 마치 행복의 컵이 이제야 가득 찼다는 투였다. 나는 미소를 감추려고 얼른 고개를 돌렸다. 옷차림에 과도하게 집착하는 이 자그마한 파리지앵의 진지하고도 타고난 애착이 퍽 귀엽기도 하고, 조금 안쓰럽기도 했다.

이때 의자에서 일어나는 소리가 들렸다. 아치를 덮은 커튼이 열리고, 그 사이로 식당이 눈에 들어왔다. 긴 식탁을 뒤덮은 화려한 식기와 유리잔이 반짝였다. 숙녀들이 들어오자 커튼이 다시 닫혔다.

모두 여덟 명이었지만, 다 함께 모이자 그 수가 훨씬 많아 보였다. 몇몇은 키가 정말 컸고, 대부분 하얀 옷을 입고 있었다. 다들 풍성한 치맛자락을 휘날려서 마치 흰 안개가 달 주위로 커다랗게 피어오른 듯했다. 나는 자리에서 일어나 무릎을 접고 인사했다. 두 사람 정도가 내게 응답하듯 고개를 숙였고, 다른 이들은 그저 물끄러미 나를 바라보았다.

그렇게 부인들이 방 안 여기저기에 자리 잡았다. 그 동작은 무척 가볍고 부드러워서 마치 흰 깃털을 품은 새 떼를 연상시켰다. 몇몇은 소파나 긴 의자에 몸을 반쯤 기댔고, 몇몇은 탁자 위의 꽃이나 책을 유심히 살폈으며, 나머지는 난롯가에 모였다. 누구나 나지막하지만 또렷한 목소리로 이야기를 나눴는데, 아무래도 그게 습관 같았다. 나는 그녀들의 이름을 나중에야 알았지만 소개하자면 이러했다.

우선 애슈턴 경의 아내인 애슈턴 부인과 그녀의 두 딸이었다. 부인은 젊은 시절의 미모를 아직도 간직하고 있었다. 큰딸 에이미는 몸집이 좀 작았고 얼굴이나 태도도 아직 미숙했다. 하얀 모슬린 드레스와 푸른 장식 띠가 잘 어울렸다. 동생 루이자는 언니보다 키도 크고 우아했다. 프랑스식 표현으로 말하자면 '오밀조밀하게 귀여운 인상'이라고 불러야 할 것 같았다. 두 자매 모두 백합처럼 아름다웠다.

린 부인은 40대 정도로 보였고 덩치가 큰 뚱뚱한 여성이었다. 뾰족한 코와 거만한 표정, 광택이 도는 풍성한 새틴 드레스를 입고 있었다. 푸른 깃털을 꽂고 보석으로 만든 머리 장식을 쓴 검은 머리카락이 윤기 있게 빛났다.

덴트 대령의 부인은 화려하지는 않지만, 훨씬 숙녀 같았다. 늘씬한 체구에 창백하고 부드러운 얼굴과 금빛 머리카락을 갖고 있었다. 검은색 새틴 드레스에 외국산 레이스로 짠 스카프와 진주 귀걸이는 화려하게 치장한 그 어떤 숙녀보다 고아했다.

그러나 그중 가장 눈에 띄는 사람들은—물론 가장 키가 커서 눈에 띄기도 했지만—미망인이 된 잉그램 부인과 두 딸인 블랑슈와 메리였다. 세 사람 모두 위엄이 넘쳐흘렀다. 잉그램 부인은 40대로 보였지만 여전히 미인이었고, 촛불 아래에서도 머리카락이 검고 치아도 가지런했다. 누구든 그녀를 보면 그 나이에 걸맞은 훌륭한 숙녀라 칭했을 것이다. 외모만 놓고 보면 과연 그랬다. 그러나 그녀의 몸짓과 표정은 지나치게 거만해 보였다. 로마인을 닮은 이목구비와 갈라진 턱 끝이 길고 두툼한 목과 일자로 떨어졌다. 교만하고 까다로운 성미를 드러낼 뿐만 아니라, 자존심도 강할 것 같은 인상을 주었다. 마찬가지로 눈도 험하고 날카로워서 리드 부인을 연상시켰다. 이야기하는 태도노 비슷했는데, 말을 툭툭 내뱉었다. 목소리는 깊고, 억양도 거만하고 거칠었다. 그게 참을 수 없이 거슬렸다. 진홍색 벨벳 가운과 금실로 수놓은 인도산 직물 터번을 쓴 그녀는 여왕처럼 권위적이었다. (라고 아마 본인은 생각했을 것이다.)

두 딸인 블랑슈와 메리는 키가 똑같았다. 두 사람은 포플러 나무처럼 곧았다. 메리는 키에 비해 지나치게 말랐지만 블랑슈는 달의 여신처럼 늘씬하고 풍만했다. 나는 그녀를 특히 주목했다. 우선 그녀의 외모가 페어팩스 부인의 묘사와 일치하는지를 살폈다. 그리고 내가 그린 그녀의 초상화와 닮았는지 확인하고 싶었다. 마지막으로 비밀이지만, 그녀가 로체스터 씨의 취향에 어울리는지도 확인했다.

모습에 관해서는 내 그림이나 페어팩스 부인의 묘사가 거의 일치했다. 보기 좋게 풍만한 가슴이나 갸름한 어깨, 우아한 목과 검은 눈동자, 머리카락까지. 그러나 그녀는 어머니보다 젊고 주름만 없을 뿐 똑같이 좁은 이마와 똑같이 뚜렷한 이목구비 그리고 자존심이 대단히 세어 보이는 인상을 갖고 있었다. 하지만 그리 까다로워 보이지는 않았다! 그녀는 계속해서 웃었다. 비꼬는 것처럼 피식거리는 웃음이었다. 활처럼 구부러진 입술로는 항상 교만한 표정을 지었다.

천재는 자의식이 강하다고 하던가. 잉그램 양이 천재인지 아닌지는 몰라도, 그녀는 자의식이 강했다. 아니, 지나칠 정도였다. 그녀는 다정다감한 덴트 부인과 식물학에 관한 대화를 나누었다. 덴트 부인은 식물학을 배우지는 않았지만, 본인의 말에 따르면 꽃을 좋아한다고 했다. 특히 야생화를 좋아한다고. 잉그램 양은 식물에 조예가 깊어서인지 혼자 들떠 전문 용어를 줄줄이 읊조렸다. 얼마간 두 사람의 대화를 엿듣던 나는 이내 잉그램 양이 덴트 부인을 조롱하고 있다는 걸 알았다. 그녀의 무지를 이용해 똑똑한 척을 하고 싶었을 뿐이다. 음침하고 악의가 넘치는 사람이었다. 잉그램 양은 피아노도 연주했는데, 실력은 훌륭했다. 노래를 부르니 목소리가 꾀꼬리 같았다. 그녀는 일부러 어머니와 프랑스어로 대화하기도 했다. 정확한 억양과 유창한 말투였다.

메리는 블랑슈보다는 온순하고 너그러운 인상이었다. 살결이 정말 희었다. (오히려 블랑슈는 에스파냐 사람처럼 짙은 올리브색 피부였다.) 그래서인지 생기가 부족했다. 표정도 약하고 눈에는 광채가 없었다. 누군가와 이야기를 나누지 않았고, 자리에 앉아 벽에 장식된 조각상처럼 움직이지 않았다. 두 자매 모두 흰 드레스를 입고 있었다.

로체스터 씨의 취향이 블랑슈 잉그램이라고 생각한 이유는 무엇이었을까? 사실 나는 그가 어떤 여자를 좋아하는지도 몰랐다. 당당한 여성을 좋아하는 거라면 잉그램 양에게는 그럴 만한 위엄이 있었다. 게다가 교양도 있고 활기도 넘쳤다. 신사라면 누구나 그런 숙녀를 칭송할 것이다. 실제로 로체스터 씨도 그녀를 칭송하지 않는가. 증거는 이미 확실했다. 마지막으로 남은 의심을 지우기 위해서는 두 사람이 함께 있는 모습만 관찰하면 됐다.

그러나 독자들이여, 지금까지 아델이 내 발치에 얌전히 앉아 있었다고 생각한다면 그건 큰 오산이다. 아델은 숙녀들이 입장하자마자 자리에서 벌떡 일어나 그들을 맞이하고는 예의를 갖춰 인사를 올리고, 진지한 표정으로 말했다.

"안녕하세요, 숙녀분들."

그러자 잉그램 양은 비웃는 듯한 태도로 아델을 바라보며 말했다.

"어쩜, 참으로 앙증맞은 인형 같네!"

린 부인은 아이를 알아본 듯 이렇게 말했다. "로체스터 씨의 피후견인 아이구나. 그분이 말한 프랑스 태생의 작은 꼬마 아가씨."

덴트 부인은 아델의 고사리 같은 손등에 입을 맞춰주었다. 에이미와 루이자 애슈턴은 동시에 소리쳤다. "어머, 너무 귀여운 아이잖아!"

숙녀들은 아델을 소파로 불렀다. 아델은 지금 두 사람 사이에 앉아 프랑스어와 서툰 영어를 번갈아 하며 떠들고 있었다. 젊은 아가씨뿐만 아니라, 애슈턴 부인과 린 부인의 주의를 끌며 마음껏 귀여움을 받는 중이다.

마침내 커피가 들어오고, 신사분들이 입장했다. 나는 어두운 구석에 앉아 있었다. 이토록 눈부시게 밝은 응접실에 그늘이 있을 리 만무하지만, 창문의 커튼이 나를 절반쯤 가려주었다. 아치의 커튼이 활짝 열리며 신사들이 들어섰다. 남자들이 다 같이 들어오는 모습은 숙녀들처럼 위풍당당했다. 모두가 검은 옷차림이었고 대부분은 키가 컸으며, 청년들도 보였다. 헨리와 프레더릭 린 형제는 그야말로 기사 같았다. 덴트 대령은 정말 군인이었고, 애슈턴 씨는 지방 치안판사답게 신사다웠다. 머리카락이 절반 넘게 세었지만, 눈썹과 수염은 여전히 검은색이어서 마치 연극에 나오는 귀족 같았다. 잉그램 남작은 그의 두 누이처럼 무표정했고, 손발이 너무 길어 혈기나 활력은 떨어졌다.

그렇다면 로체스터 씨는 어디 있을까?

그는 제일 마지막에 등장했다. 내 눈은 그를 향하지 않았지만, 그가 등장하는 건 곁눈질로도 알 수 있었다. 나는 손에 들고 있던 뜨개질바늘과 뜨고 있는 주머니에 집중하려 애썼다. 내 손에 든 작업물에만 집중하며, 무릎에 놓인 은색 구슬과 명주실만 바라보려 했다. 그런데도 나는 분명 그의 모습을 보았고, 자연스럽게 그를 마지막으로 만났던 순간이 떠올랐다. 그의 말대로 그의 목숨을 살려주고 난 뒤, 그는 내 손을 잡고 내 얼굴을 물끄러미 바라보며 당장이라도 넘쳐흐를 것 같은 마음을 듬뿍 담아 시선을 맞추었다. 그 사건에는 내 탓도 아예 없다고 할 수는 없는 게, 나 또한 얼마나 그에게 가까이 다가갔던가! 그 이후로 무슨 일이 일어났기에, 그와 나의 관계가 이토록 달라진 걸까? 지금 우리는 얼마나 멀리 떨어져 있는 걸까? 너무 멀어져 버려서, 그가 내 곁으로 와서 말을 걸어줄 거라고는 상상도 하지 않았다. 나를 쳐다보지도 않고 방 반대편에 앉아 몇몇 여성들과 대화를 나누는 그를 보며, 나는 그가 무슨 대화를 나누는지 궁금한 마음도 들지 않았다.

그의 시선이 숙녀들에게 쏠리고, 그가 눈치채지 않는 선에서 그를 훔쳐볼 수 있나는 계산이 들자마자 나는 무의식적으로 그를 향해 시선을 던졌다. 나도 내 시선을 통제할 수 없었다. 눈꺼풀이 마음대로 움직이며, 내 눈이 그를 빤히 바라보았다. 그리고 그것만으로도 너무 즐거웠다. 날카로운 순금

혹은 강철 창이 가슴 한가운데 콱 박히는 것 같은 달콤하면서 쌉싸름한 기쁨이랄까. 목이 말라 죽을 것 같은 사람이 물을 찾아 기어간 우물에 독이 있다는 걸 알면서도 기꺼이 허리를 숙여 그 물을 마시는 것 같은 즐거움이랄까.

"아름다움은 보는 이의 눈 속에 있다"라는 말이 옳았다. 로체스터 씨의 무색무취한 올리브색 얼굴과 넓고 반듯한 이마, 짙은 눈썹, 깊은 눈, 강인한 인상, 단단하고 삐딱한 입매, 에너지와 단호함, 그는 전형적인 미남은 아니었지만 내게는 그 누구보다 아름다운 피조물이었다. 그는 나를 완전히 지배하는 영향력과 흥미로움으로, 나의 감정을 빼앗아 자기 손으로 똘똘 움켜쥐었다. 나는 그를 사랑할 생각이 없었다. 오히려 영혼에서 찾아낸 사랑의 싹을 뿌리째 뽑고 싶었다는 걸 독자들은 알고 있을 것이다. 그런데 지금 그를 다시 본 순간, 내 감정의 싹은 알아서 뿌리를 내리고, 싹을 틔우고 무럭무럭 자랐다! 그는 나를 쳐다보지도 않으면서 내가 그를 사랑하게 만들었다.

나는 그를 다른 손님들과 비교해 보았다. 린 형제의 기품과 우아함, 잉그램 경의 나른하고 여유 있는 모습, 덴트 대령의 군인다운 면모까지도 그와 견주었다. 그의 원초적인 모습과 힘은 진정 어디에서 비롯된 것일까? 참석자 대부분의 외모와 표정이 내게는 지루했다. 다들 매력적이고 수려한데 반해 로체스터 씨는 험상궂고 무뚝뚝해 보였다. 나는 그들이 미소 짓고 웃음을 터트리는 모습을 관찰했다. 전부 공허했다. 그들의 웃음은 촛불 정도의 밝기밖에 되지 않는다. 그들의 웃음소리는 종소리 정도에 불과하다. 그러나 로체스터 씨가 웃는 모습을 보라. 그 매서운 얼굴이 일그러지며 눈은 더욱 밝게 빛나고 눈빛은 불타듯 뜨겁고 다정하다. 그는 지금 애슈턴 자매와 이야기하고 있다. 나를 움츠러들게 만드는 저 눈동자를, 그녀들은 침착하고 담담하게 받아들인다. 그의 시선을 받으면 분명 그녀들도 뺨을 붉힐 것이다. 그러나 그 누구도 감정의 동요를 보이지 않는다는 게 내게는 큰 위안이 되었다. '저들을 대하는 로체스터 씨와 나를 대하는 로체스터 씨는 다른 사람이야'라는 생각이 들었다.

'그는 저들과 동류가 아니야. 나와 같은 사람이야. 분명 그래. 우리는 비슷한 점이 많아. 그의 표정과 태도가 하는 말을 나는 이해해. 신분이나 재산이 우리를 멀리 떨어뜨렸지만, 우리의 머리와 마음속에, 우리의 피와 신경에 담긴 무언가가 우리를 동등한 사람으로 만들어주는 거야. 하지만 불과 며칠 전만 해도 나는 그저 돈을 받고 일하는 사용인 이상도 그 이하도 아니라고 다짐했는데. 그를 고용주라고만 생각하자고, 결코 그 마음이 변하면 안 된다고 다짐했는데! 하지만 내 감정을 거부하는 건 자연에 대한 모독이야! 내가 가진 선하고 진지하고 발랄한 감정이 그의 주변에 모여들어. 아, 나는 감정을 숨겨야만 해. 희망을 억눌러야 해. 그가 나를 조금도 신경 쓰지 않는다는 걸 잊지 마. 나와 그가 동류라는 게, 그가 갖고 있는 영향력이 내게도 있다는 뜻이 아니야. 그가 갖고 있는 매력이 내게도 있다는 걸 의미하지는 않아. 다만 그와 내가 같은 걸 좋아하고, 같은 것을 선호한다는 걸 의미할 뿐이야. 우리는 영원히 지금처럼 거리를 유지해야 해. 하지만 내가 숨 쉬고 생각을 하며 사는 동안에, 그를 사랑하지 않을 수는 없을 거야.'

커피가 나왔다. 부인들은 신사들이 온 후로 내내 종달새처럼 활기차게 떠들었다. 대화는 활발하고 즐겁게 이어졌다. 덴트 대령과 애슈턴 씨는 정치에 관한 논쟁을 벌였고, 두 사람의 아내는 그 모습을 지켜보았다. 린 부인과 잉그램 부인은 사이좋게 이야기했다. 조지 경—그러고 보니 조지 경을 설명하는 걸 잊었다—은 지방에 넓은 저택을 소유한 신사로 몸집부터 다부지고 씩씩한 느낌이었다. 그는 한 손에 커피잔을 들고 부인들의 소파 앞을 지키며 이따금 대화에 끼어들었다. 프레더릭 린 씨는 메리 잉그램 양 곁에 앉아, 화려한 판화를 보여주고 있었다. 메리 양은 가끔 미소를 지었지만 말수는 많지 않았다. 키가 크고 무기력해 보이는 잉그램 경은 의자에 팔짱을 끼고 기댄 채 주변을 관망했다. 에이미 양은 잉그램 경을 흘끗거리며 참새처럼 조잘댔다. 아무래도 그녀는 로체스터 씨보다는 잉그램 경을 좋아하는 눈치였다. 헨리 린 씨는 루이자의 발치에 있는 긴 소파를 차지했다. 아델이 그와 나란히 앉았다. 헨리 경의 서투른 프랑스어에 루이자가 웃음을 터트렸다. 그런데 블랑슈 잉그램의 상대는 누구일까? 그녀는 혼자 탁자 앞에 서서 앨범을 가만히 들여다보는 중이었다. 누가 그녀에게 말을 걸기를 기다리고 있는 눈치였다. 그러나 그녀의 기다림은 그리 오래 걸리지 않았다. 그녀는 스스로 짝을 찾았다.

애슈턴 자매를 떠난 로체스터 씨가 탁자 옆에 서 있던 잉그램 양과 마찬가지로 벽난로에 홀로 서 있었다. 그녀는 벽난로 선반 끝에 자리를 잡고 그와 마주 보았다.

"로체스터 씨는 어린아이를 썩 좋아하지 않으시잖아요?"

"그렇습니다."

"그런데 어째서 저런 앙증맞은 인형을 거두셨나요?" 그녀가 아델을 가리켰다. "어디서 주워 오신 건가요?"

"내가 주운 게 아니라, 내 손에 맡겨졌소."

"그럼 학교에 보내셨어야죠."

"그럴 형편은 안 됩니다. 학교는 꽤 비용이 들어서요."

"어머, 그래서 저 아이를 위해 가정교사를 두시는 건가요? 방금 저 아이와 함께 있던 숙녀를 보았는데, 어디로 갔지? 벌써 자리를 떠났나요? 그럴 리 없죠. 저기, 아직도 저 커튼 뒤에 몸을 숨기고 있네요. 가정교사에게 봉급을 주면 학교에 보내는 것만큼 큰 비용이 들 텐데요. 오히려 그 이상 들지요. 두 사람을 먹여야 하는 셈이니까요."

내가 화두에 오르는 순간, 나는 혹시라도 그가 나를 발견하는 건 아닐까 걱정했다. 아니 어쩌면 그런 희망을 품었는지도 모르겠다. 나는 무의식적으로 커튼 뒤에 몸을 더 숨겼다. 하지만 그는 절대 눈을 돌리지 않았다.

"그 부분은 생각해 본 적이 없군요." 그는 정면만 바라본 채로 큰 관심이 없다는 듯 대답했다.

"왜 남자들은 집안의 경제나 일반적인 상식을 고려하지 않을까요? 가정교사라면 우리 어머니에게 여쭤보세요. 메리와 저도 어린 시절에 가정교사가 있었답니다. 열몇 명이나 있었지만 그중 절반은 쓸모가 없고, 나머지는 그저 우스웠어요. 정말 악몽 같았어요, 안 그래요, 어머니?”

“내 이야기를 하는 게야?”

미망인의 특별한 소유물 같은 젊은 아가씨는 자신의 주장을 되풀이했다.

“얘, 가정교사 이야기는 꺼내지도 말아. 그 단어만 들어도 난 몸이 뻣뻣해진다. 그 무능하고 변덕스러운 종자들 때문에 피가 바싹 마르는 기분이었어. 이제 더 이상 가정교사를 집에 들이지 않아도 된다는 게 어찌나 감사한 일인지!”

덴트 부인이 몸을 숙여, 이 고귀한 마나님의 귀에 무언가를 속삭였다. 대답으로 보아 저주받아 마땅한 ‘가정교사’가 아직 이 방에 있음을 알려준 모양이었다.

“저런, 거북하기 짝이 없네! 들렸다면 그이에게도 좋은 약이 되는 말이 아니겠어요?” 마나님이 큰 소리로 말했다. 그리고 덧붙이는 소리는 나지막했지만, 꼭 나에게 들으라는 듯 또렷했다. “아까 들어오며 알아봤지. 나는 사람 얼굴만 봐도 알아맞혀요. 얼굴만 봐도 저 계층의 인간이 갖고 있는 결점이 한눈에 딱 들어오거든.”

“그 결점이 무엇입니까, 부인?” 그때 로체스터 씨가 큰 소리로 물었다.

“나중에 그대에게만 알려드리죠.” 부인은 터번을 쓴 머리를 절레절레 흔들며 밉살스럽게 속삭였다.

“하지만 호기심이 생기는군요. 지금 당장 알고 싶습니다.”

"블랑슈에게 물어보세요. 그 아이가 저보다 경에게 더 가까이 있지 않나요?"

"오, 어머니, 제게 떠넘기시려고요? 저는 가정교사라는 종족에 관해 딱 한마디만 하겠어요. 가정교사는 전부 성가셔요. 물론 크게 혼이 나지는 않았지만요. 오히려 내가 그들을 이용했지요. 시어도어와 나는 윌슨 선생과 그레이스 선생, 주베르 선생을 곧잘 놀리곤 했답니다! 메리는 언제나 소심해서 우리를 거들지 않았지만요. 그중 제일 재미있던 건 주베르 부인이었어요. 윌슨 선생은 연약하고 눈물이 많은 데다가 우울해서 놀리는 재미도 없었어요. 그레이스 부인은 신경이 둔해서 아무리 놀려도 효과가 없었고요. 하지만 불쌍한 우리 주베르 부인! 그녀가 궁지에 몰려 불같이 화를 내던 모습이 아직도 생생해요. 찻잔을 뒤엎고, 버터 바른 빵을 찢고, 책을 집어 던지고, 자로 책상을 내리치고, 부지깽이로 난로를 들쑤시는 게 어찌나 소란스럽던지! 시어도어, 기억나? 정말 재미있었는데."

"그랬지, 기억하고말고." 잉그램 경이 차분한 말투로 대꾸했다. "그 불쌍한 말라깽이가 뭐라고 했는지도 기억하고 있어. '이 악마 같은 놈들!' 그러고 나면 우리는 그녀에게 설교를 늘어놓곤 했지. 당신같이 무식한 사람이 우리처럼 똑똑한 아이들을 감히 가르치려 드냐고 말이야."

"맞아, 그랬어. 그리고 오빠 가정교사였던 바이닝 선생도 있었는데. 얼굴이 핼쑥한 사람 말이야. 우리가 '짜증 나는 목사'라고 불렀던 거 알지. 오빠가 그 사람을 놀릴 때 내가 도와준 적도 있잖아. 그 사람이 나중에 월슨 선생이랑 사귀었잖아. 적어도 나와 시어도어는 그렇게 생각했어요. 두 사람이 시선을 교환하거나 한숨을 지으면 '아름다운 사랑'의 징표라고 여겨 일부러 놀라게 할 때도 있었고요. 우리가 알아챈 증거들이 결국 온 집에 소문이 나서 귀찮은 두 사람을 쫓아낼 수 있었어요. 어머니가 이 사실을 알아차리고 풍기를 문란하게 만든다고 화를 내셨잖아요, 안 그래요?"

"그렇고말고. 내 선택이 옳았어. 여자 가정교사와 남자 가정교사의 관계는 점잖은 가정에서는 절대 허용할 수 없는 일이지. 우선……."

"오, 어머니. 제발 자세히 설명하지 말아주세요. 우리 모두 이제 어른이라고요. 천진난만한 아이들에게 나쁜 본보기를 보이고, 주의력은 산만해지는 데다가, 일을 소홀히 하게 되고, 서로가 서로에게 결탁해 대담해지고, 또 교만해지고 등등. 그러다가 반란을 일으켜서 마지막에는 전쟁이 발발하죠. 어때요, 어머니?"

"사랑스러운 나의 백합, 네 말이 언제나 옳고말고."

"그럼, 더 이상 할 말이 없네요. 주제를 바꾸죠."

에이미 애슈턴이 마지막 말을 듣지 못한 것처럼, 혹은 듣고도 못 들은 척하는 것처럼 천진난만하고 부드럽게 끼어들었다. "루이자와 나도 가정교사를 늘 놀리곤 했어요. 그래도 그 선생은 정말 좋은 분이었어요. 무슨 짓을 해도 참아주고, 결코 화를 낸 적이 없답니다. 안 그래, 루이자?"

"맞아, 한 번도 화를 내지 않았어. 우리가 멋대로 굴거나 놀아도 절대로. 선생 책상이나 작업 상자를 뒤엎고, 서랍을 뒤져도 말이야. 너무 착해서 우리가 원하는 건 뭐든 들어주었지."

"아무래도 이런 식으로 대화하다 보면 이 시대 현존하는 모든 가정교사의 기억을 담은 회고록이 한 권 나올 것 같은데, 그런 불쾌한 책이 존재해서는 안 되지요. 그러지 말고 우리 다른 주제로 넘어가는 게 어때요? 로체스터 씨, 제 생각에 동의하시나요?" 잉그램 양이 한쪽 입꼬리를 끌어 올리며 비웃듯 말했다.

"그대의 제안이라면, 그게 무엇이든 나는 언제나 찬성이오."

"그렇다면 부디 하해와 같은 은혜로 제게 노래를 한 곡 불러주세요."

"숙녀의 분부라면, 내 기꺼이."

"그렇다면 경, 그대의 폐와 발성 기관을 잘 가다듬어 저의 뜻에 따라주시길."

"그토록 거룩한 스코틀랜드의 메리 여왕이 총애했다던 리치오가 될 수 있다면, 내 어찌 마다하겠습니까."

"감히 리치오라니!" 잉그램 양이 새침하게 돌아서서 피아노 앞으로 갔다. "내 생각에 바이올린이나 켜던 데이비드 리치오는 분명 재미없는 사람이었을 거예요! 나는 차라리 자기 손으로 정적을 제거한 보스웰 백작이 좋아요. 악마다운 자질이 조금도 없는 남자는 지루해요. 보스웰 백작이 어떤 인물인지는 역사가나 떠들라고 해요. 역사가들이 그를 어떻게 평가하든 내 눈에 그는 용맹한 악당이자 해적 같은 영웅이라고요. 나는 그런 남자를 남편으로 맞고 싶답니다."

"신사 여러분, 들으셨습니까? 그렇다면 과연 누가 그 해적과 가장 닮았습니까?" 로체스터 씨가 외쳤다.

"아무래도 경이 가장 닮지 않았겠소!" 덴트 대령이 받아쳤다.

"아, 그렇다면 저 역시 감사한 마음으로." 로체스터 씨의 대답이 이어졌다.

잉그램 양은 피아노 앞에 우아하게 앉아 눈처럼 하얀 드레스를 여왕처럼 펄럭이며 화려한 전주곡을 연주했다. 연주를 하면서 그녀는 이야기를 이어나갔다. 아무래도 오늘 저녁에 그녀는 더욱 고고한 척하기로 마음먹은 모양이었다. 그녀의 태도와 말투는 청중의 감탄뿐만 아니라, 칭찬까지도 전부 이끌어내고 받아내려고 작정한 듯했다. 무언가 과감하고 대담한 존재라는 인상을 심어주고 싶어 했다.

"오, 요즘 젊은이들은 너무 싫증 나요!" 그녀가 악기를 두드리며 외쳤다. "불쌍하고, 나약해요. 아버지의 후광 아래에서 한 걸음도 내딛지 못하는 연약한 자들. 어머니의 허락 없이는 멀리 외출도 못 하는 겁쟁이들. 예쁘장한 얼굴과 고운 손, 조그마한 손발을 다듬느라 여념 없는 작자들! 마치 남자에게도 아름다움이 필수라는 듯! 아름다움이 여성들의 특권이자 여성들이 정당하게 세습받는 재산이 아니라는 듯 말이죠. 추한 여자는 주님이 보내신 아름다움의 얼룩이지만 무릇 신사에게는 그저 힘과 용기만 있으면 돼요. 남자의 좌우명은 사냥과 사격, 격투 정도면 충분하다고요. 나머지는 필요 없어요. 내가 남자라면 이 세 가지를 좌우명으로 삼겠어요."

"내가 결혼한다면." 그녀는 잠시 말을 멈추었지만, 아무도 참견하지 않자 다시 말을 이어나갔다. "내 남편이 될 사람은 나의 경쟁자가 아니라 나를 돋보이게 해줄 빛이어야 해요. 전적으로 서로를 위해야지 경쟁해서는 안 돼요. 서로에게 변함없이 충성하면서요. 그럼, 로체스터 씨, 노래를 해주세요. 그대를 위해 연주하겠어요."

"따르겠습니다."

"해적의 노래 어때요? 제가 해적을 좋아한다는 걸 아시죠? 진심을 담아 불러주셔요."

"잉그램 양의 명령이라면 썩은 물과 우유도 신선해질 겁니다."

"그러니 조심하세요. 만약 경의 노래가 마음에 들지 않는다면, 저는 어떻게 노래해야 하는지 모범을 보여 경에게 큰 망신을 드릴 거예요."

"저의 무능함에 상을 주시다니. 그렇다면 노래를 망치기 위해 노력해야겠군요."

"조심하세요! 일부러 노래를 망치면 제가 호된 벌을 내리겠어요."

"잉그램 양에게 관대함을 간청해야겠군요. 이분은 보통 인간이 견딜 수 없는 벌을 내릴 권능을 가진 분이시니."

"어머! 그게 무슨 뜻이죠?" 잉그램 양이 외쳤다.

"죄송합니다만, 무슨 설명이 더 필요할까요. 잉그램 양의 고운 미간에 주름이 잡히는 것만으로도 사형에 해당하는 벌이 내려질 수 있다는 걸 그대 스스로 잘 알고 계시지 않습니까?"

"노래를 시작해요!" 그녀가 외치며 다시 피아노 건반을 힘차게 두드렸다.

나는 지금이 도망칠 기회라고 생각했다. 그때 공기를 가르며 너무도 아름다운 음색이 내 발목을 붙잡았다. 페어팩스 부인은 로체스터 씨가 훌륭한 목소리를 가지고 있다고 말했다. 부드러우면서도 힘 있는 저음이었다. 그는 노래에 자신만의 감정과 힘을 쏟아부었다. 귀를 통해 마음을 자극하고, 이상하리만치 감각을 일깨웠다. 나는 완전한 파동이 사라질 때까지, 마지막 한 소절까지 기다렸다. 노래가 끝나고 다시 대화의 흐름이 시작될 때까지 움직일 수 없었다. 그리고 겨우 나만의 구역에서 벗어나 가까이 있는 옆문으로 빠져나왔다. 좁은 통로가 현관홀까지 이어졌다. 그 통로를 지나며 나는 신발 끈이 느슨해졌다는 걸 깨달았다. 신발 끈을 조이기 위해 잠깐 멈춰 서서 계단 밑에 깔린 카펫에 무릎을 꿇었다. 그때 식당 문이 열리며 한 남자가 모습을 드러냈다. 나는 서둘러 일어서 그와 마주 섰다. 로체스터 씨였다.

"잘 지냈습니까?" 그가 물었다.

"네, 잘 지냈어요."

"아까는 왜 내게 말을 걸지 않았습니까?"

같은 질문을 되돌려줄 수만 있다면 참 좋을 것 같았다. 하지만 내게는 그럴 자유가 없다. 그래서 나는 이렇게 대답했다.

"다른 분들과 대화 나누시는 데 방해가 될 것 같아서요."

"내가 없는 동안 무엇을 하며 지냈습니까?"

"특별한 일은 없었어요. 그저 평소처럼 아델을 가르쳤어요."

"그런데 처음 봤을 때보다도 훨씬 안색이 창백해졌군. 무슨 일이 있었나?"

"전혀요."

"혹시 나를 익사시킬 뻔했던 날 밤에 감기라도 걸린 거 아니고?"

"그럴 리가요."

"그렇다면 응접실로 돌아가요. 이렇게 빨리 자리를 뜨려고 하다니."

"조금 피곤해요."

그는 나를 한참이나 바라보았다.

"조금 울적한 것 같은데." 그가 말했다. "무슨 일이요? 내게 말해봐요."

"아무것도, 아무렇지 않아요. 울적하지 않아요."

"아니, 분명 울적해 보이는걸. 너무 슬퍼 보여서 몇 마디만 더 하면 울 것 같은 얼굴이야. 봐요, 지금도 눈에 눈물이 맺혀 있잖아. 속눈썹 끝에 매달렸던 눈물방울이 방금 바닥에 떨어졌는걸. 잠깐 시간이 있다면, 여기를 서성이는 하인들만 없다면 당장 그 이유를 캐냈을 텐데. 하…… 좋소, 오늘 밤은 넘어가지. 하지만 손님들이 이 저택에 머무르는 동안에는 매일 밤 응접실에 내려와요. 부탁하지. 절대 가볍게 넘기지 말고, 꼭 내려와야 합니다. 그럼, 이제 올라가요. 소피에게 아델을 데려가라고 전해주고. 잘 자요, 나의……."

그는 다급히 입을 다물었다. 그러고는 아랫입술을 지그시 깨물더니 황급하게 돌아섰다.

18

손필드 저택에서는 하루하루가 즐거웠고 눈코 뜰 새 없이 바쁘기도 했다. 고요하고 단조롭고 고독했던 첫 3개월과는 너무 다른 날들이었다. 슬픈 감정은 집 밖으로 몰아냈고 우울한 기억은 잊었다. 사방에 생명력이 가득했고, 하루 종일 사람들이 들어오고 나갔다. 세련된 하녀나 멋 부린 하인들을 마주치지 않고는 조용했던 복도를 지나갈 수도 없었고, 아무도 묵지 않았던 저택 전면 방에 멋대로 들어갈 수도 없었다.

부엌과 식료품 저장실, 하인들이 이용하는 응접실, 현관도 마찬가지로 활기가 넘쳤다. 봄날의 화창한 하늘과 평화로운 햇볕으로 정원이 북적이는 대낮에는 저택이 텅 비었다. 날씨가 궂어지면서 며칠 동안 비가 내렸지만 즐거움이 눅눅해질 틈은 없었다. 야외에서 즐길 수 있던 오락은 멈췄지만, 덕분에 실내는 더욱 활기차고 풍성한 놀거리로 가득했다.

다양한 오락거리를 시도해 보자는 이야기가 나온 첫날 저녁, 나는 그들이 무엇을 하고 놀지 궁금했다. 누군가 '단어 맞추기 놀이'를 하자고 제안했지만, 솔직히 그게 뭔지 알지 못했다. 하인들이 들어와 식탁을 치우고, 필요 없는 등불을 내어갔고, 아치 맞은편에 반원형으로 의자가 깔렸다. 로체스터 씨와 다른 신사들이 하인을 시켜 방 안을 정리하는 동안, 숙녀들은 계단을 오르내리며 애타게 하녀들을 불렀다. 페어팩스 부인이 불려 가 숄이나 의상, 여러 종류의 커튼에 관하여 의견을 제시했다. 하녀들은 3층에 있는 옷장을 샅샅이 뒤지며 양단*, 풍성한 틀을 단 페티코트**, 새딘 드레스, 레이스 베일과 같은 낡은 의상들을 잔뜩 가지고 내려왔다. 선별이 이루어진 후 선택된 것들은 응접실에 있는 작은 내실로 옮겨졌다.

그사이 로체스터 씨는 다시 한번 숙녀들을 모으고 자기편을 정했다.

"잉그램 양은 당연히 우리 편이고." 그가 말했다. 그리고 애슈턴 자매와 덴트 대령의 부인을 골랐다. 그다음으로 나를 바라보았다. 우연히 내가 그의 곁에서 느슨해진 덴트 부인의 팔찌를 잠그고 있었기 때문이었다.

"선생도 해보겠소?" 그가 물었다. 나는 고개를 저었다. 그는 내게 강요하지 않았다. 억지로 게임을 시킬까 봐 두려웠던 나는 아무 말도 하지 않고 내가 늘 앉는 자리로 물러났다.

로체스터 씨와 그의 편 숙녀들이 커튼 뒤로 들어갔다. 덴트 대령의 편은 반원형으로 배치된 의자에 모여 앉았다. 애

---

* 금색, 은색 명주실로 두껍게 짠 비단.
** 치마 아래에 장착하는 여성용 속옷.

슈턴 씨가 나를 발견하고는 자기편 사람들에게 나를 끼워주자고 제안한 듯했지만 잉그램 부인이 바로 반대 의견을 피력했다.

"오, 안 돼요. 게임을 하기에 그리 총명해 보이지 않는걸요."

얼마 지나지 않아 종소리가 울리며 커튼이 걷혔다. 아치 안쪽에서 로체스터 씨가 선택한 조지 린 경이 커다란 몸에 이불보를 두르고 서 있었다. 그의 앞에 놓인 탁자 위에는 커다란 책 한 권이 펼쳐져 있었다. 그의 곁에서 에이미 애슈턴 양이 로체스터 씨의 망토를 두르고 한 손에는 책을 들고 서 있었다. 보이지 않는 누군가가 뒤에서 열심히 종을 울렸다. 로체스터 씨에게 한참이나 조르고 졸라 겨우 참여하게 된 아델이 꽃바구니를 팔에 끼고 나타나 두 사람 주변으로 신나게 꽃을 뿌렸다. 다음에는 흰 의상을 걸친 잉그램 양이 위풍당당하게 모습을 드러냈다. 머리에는 긴 베일을, 이마에는 장미 화관까지 쓰고 있었다. 그녀 곁에는 로체스터 씨가 있었다. 두 사람은 탁자까지 걸어왔다. 그리고 무릎을 꿇었다. 마찬가지로 흰 옷을 입은 덴트 부인과 루이자 애슈턴이 두 사람 뒤에 섰다. 결혼식의 한 장면이 무언극처럼 계속됐다. 결혼식이 끝나고 덴트 대령과 일행은 2분 정도 소곤거리며 의논했다. 이윽고 덴트 대령이 우렁차게 외쳤다.

"결혼식의 신부!"

로체스터 씨가 천천히 허리를 숙여 인사하고 커튼이 닫혔다.

다시 막이 오르기까지는 한참이 걸렸다. 두 번째로 막이

올랐고, 아까보다는 조금 더 정교하게 꾸며진 장면이었다. 응접실은 식당보다 두 계단 높았고, 안쪽으로 1, 2야드 정도 들어간 위치에, 그 끝에는 커다란 대리석 물독이 놓여 있었다. 온실의 장식물처럼 보이는 물독이었다. 평소라면 그 안에 금붕어를 풀어놓고 주변으로 이국적인 식물을 둘렀을 것이다. 그 크기나 무게로 보아 여기까지 운반하는 데 제법 힘이 들었을 것이다.

이 물독 옆 카펫에 앉아 있는 사람은 숄을 두르고 머리에 터번을 감은 로체스터 씨였다. 그의 검은 눈과 까무잡잡한 피부, 중동 사람처럼 뚜렷하게 생긴 외모가 의상과 잘 어울렸다. 이슬람 왕족 같기도 했고, 활시위를 당기는 용맹한 궁수 같기도 했고, 화살에 맞은 사람처럼 처연해 보이기도 했다. 그리고 잉그램 양이 모습을 드러냈다. 그녀 역시 동양의 옷차림을 흉내 냈다. 붉은 스카프를 허리에 둘러 띠처럼 묶고, 머리에는 수놓은 손수건을 덮었으며, 낭창한 한 팔은 그대로 드러내고 다른 팔은 머리에 올려 우아하게 머리에 인 물동이를 받치고 있었다. 그 몸매와 용모, 피부색, 전반적인 태도로 미루어보아 과거 이스라엘의 공주가 떠올랐다. 분명 자기가 그 역할을 하겠다고 자청했을 것이다.

그녀는 물독에 다가가 마치 물동이에 물을 담으려는 듯 몸을 숙였다. 그리고 다시 물동이를 머리에 올렸다. 우물가에서 기다리던 남자가 그녀에게 말을 걸었다. 마치 어떤 요청을 하는 듯한 몸짓이었다. 그녀는 잠깐 머뭇거리다가 서둘러 물동이를 내려놓고 그에게 물을 건넸다. 그는 옷자락 안에서 상자를 꺼내고 그 안에서 화려한 팔찌와 귀걸이를 꺼내 보여주었다. 그녀는 놀라움과 감탄을 금치 못했다. 그는 무릎을 꿇고 보물을 그녀의 발치에 늘어놓았다. 잉그램 양의 표정과 몸짓은 믿을 수 없다는 듯 기쁘고 황홀했다. 남자는 그녀의 팔에 팔찌를 끼우고 귀걸이도 걸어주었다. 두 사람이 표현한 건 「창세기」 24장에 나오는 엘리자와 리브가였다. 없는 건 오직 낙타뿐이었다.

덴트 대령의 편은 다시 머리를 맞대고 의논했다. 왠지 장면이 묘사하는 단어나 음절에 관해 의견이 좁혀지지 않는 듯했다. 리더 격인 덴트 대령이 '전체적인 장면'을 요구했고 다시 막이 내려갔다.

세 번째 막이 오르자 응접실의 일부가 드러났다. 나머지는 어두운 장막이 드리워져 있었다. 대리석 물독은 치워져 있었다. 그 대신 널빤지로 만든 탁자와 부엌 의자가 놓여 있었다. 촛불이 모두 꺼졌고, 뿔로 된 등불 하나가 주위를 희미하게 비추었다.

침침한 장면 속에 한 남자가 주먹을 꽉 쥐고 무릎을 꿇고 앉아 시선을 땅에 고정했다. 나는 로체스터 씨를 알아보았다. 검댕으로 더럽힌 얼굴, 지저분한 옷차림(한쪽 소매는 마치 격투라도 치른 사람처럼 찢어져 있었다), 절망으로 찌푸린 얼굴과 거칠고 헝클어진 머리가 대단한 분장이긴 했다. 그가 움직일 때마다 쇠사슬이 짤랑거렸고, 손에는 족쇄가 채워져 있었다.

"브라이드웰 감옥!" 덴트 대령이 소리쳤다. 정답이었다.*

참여자들이 다시 옷을 갈아입느라 휴식 시간이 주어졌고, 이윽고 다 같이 식당으로 돌아왔다. 로체스터 씨는 잉그램 양의 손을 잡아 안내했다. 그녀가 로체스터 씨의 연기를 칭찬했다.

"당신이 연기한 세 역할 중 마지막이 가장 훌륭했다는 거 알아요? 만약 당신이 몇 년만 일찍 태어났다면 틀림없이 훌륭한 신사이자 노상강도가 되었을 거예요!"

"내 얼굴에 칠한 검댕은 다 지워졌습니까?" 그가 잉그램 양에게 얼굴을 돌리며 물었다.

"아아! 지워졌어요. 그게 더 아쉬워요! 악한처럼 분장했던 붉은색이 당신 얼굴에 참 잘 어울렸는데."

"노상강도가 그렇게 좋아요?"

"영국의 노상강도는 이탈리아의 산적 다음으로 좋아요. 하지만 레반트**의 해적에는 비할 수 없죠."

"그렇습니까. 하지만 내가 무엇이든 그대가 내 아내라는 건 잊지 말아요. 한 시간 전에 사람들 앞에서 우리가 결혼식을 올렸잖습니까?"

잉그램 양이 얼굴을 붉히며 까르르 웃음을 터트렸다.

"자, 덴트 경." 로체스터가 씨가 말을 돌렸다. "이제 시작하시지요."

덴트 경 일행이 아치 너머로 사라졌고, 빈 의자에 로체스

---

* 1막의 신부는 영어로 브라이드, 2막의 물독은 영어로 웰을 뜻한다. 이를 모두 합쳐 '브라이드웰'이라는 답을 추론한 것.
** 서아시아에서 동지중해까지 이르는 지역.

터 씨의 일행들이 앉았다. 잉그램 양이 로체스터 씨의 오른쪽에 앉았고, 다른 이들이 두 사람의 좌우에 앉았다. 나는 더 이상 무대를 바라보지 않았다. 막이 오르는 것 자체에 흥미가 식었다. 대신 내 관심은 관객에게 쏠렸다. 눈은 아치에 고정되어 있었지만, 시야에 걸리는 반원형 의자로 온 신경이 집중되었다. 덴트 대령과 그 일행이 어떤 연기를 펼치는지, 어떤 단어를 골랐는지, 어떻게 정답을 연출했는지 하나도 기억에 남지 않았다. 막이 끝날 때마다 이어지는 토론만이 중요했다. 로체스터 씨가 잉그램 양을 바라볼 때도 있었고, 반대로 그녀가 로체스터 씨를 바라볼 때도 있었다. 그녀가 로체스터 씨를 향해 고개를 숙여 어깨에 닿을 듯 가까이 다가가면 로체스터 씨의 뺨에 흑단 같은 그녀의 머리카락이 스쳤다. 두 사람은 서로의 귓가에 무언가를 속삭이기도 했다. 그렇게 두 사람이 주고받는 시선은 지금도 또렷하다. 그 광경을 눈앞에서 목격하며 내가 느낀 감정도 생생하게 되살아난다.

독자들이여, 내가 로체스터 씨를 사랑하게 되었다는 이야기를 기억하는가. 이제 그를 사랑하지 않는다는 건 불가능하다. 아무리 내가 그의 곁에 머물러도 그는 내게 시선 한 포기 주지 않는다. 그러나 그가 제대로 나를 보지 않는다고 해도, 그의 모든 관심이 저 훌륭한 여자에게 닿아 있어도, 게다가 그 여자는 내 곁을 지나갈 때마다 옷자락 하나 닿는 것도 경멸하고, 오만한 시선이 나와 마주치면 더러운 걸 봤다는 듯 차갑게 시선을 돌린다고 해도, 그리고 그런 여자에게 내 사랑을 빼앗긴다고 해도, 나는 그를 사랑한다. 두 사람은 곧 결혼할 것이다. 매일 마주치는 그녀의 태도에서, 그가 그녀를 위한다는 사실에서 비롯한 자부심이 느껴지기 때문이다. 매 순간 그는 그녀에게 구애한다. 물론 그의 구애가 영 무관심한 태도로, 오히려 구애하는 것보다 구애당하는 것 같은 태도로 이루어진다고 할지라도. 그 무관심 때문에 나는 그에게 끌리고, 그 자존심 때문에 그를 거부할 수 없다.

이 상황에서 내 사랑이 식거나 내 사랑을 포기할 방법을 찾기는 미지수였다. 그렇다고 해서 내가 절망하지 않았느냐 하면 그건 아니었다. 여러분 역시 내가 질투심을 느낄 거라 생각할 것이다. 그리고 내가 질투심을 느낀다면, 그건 잉그램 양을 향한 질투라고 짐작할 것이다. 그러나 나는 질투하지 않았다. 내가 겪은 고통은 고작 '질투'라는 단어로 표현할 수 없다. 잉그램 양은 질투의 대상이 될 수 있는 사람이 아니었다. 그녀는 그런 감정을 느낄 만한 가치가 없는 대상이었다. 모순적으로 들릴지는 모르지만 나는 진심이다. 그녀는 화려하지만 진실되지 않았고, 훌륭한 인격과 뛰어난 자질을 가졌지만 마음은 가난했다. 본질적으로 메마른 사람이었다. 그 마음의 흙에서는 아무것도 자라지 않았고, 그 흙에서 싹을 틔우고 열매를 맺을 과실은 세상 어디에도 없다. 선하지도, 독창적이지도 않다. 그녀는 책에서 본 말을 되풀이하며 앵무새처럼 외울 뿐, 자신의 의견은 하나도 없다. 풍부한 감정을 높이 사는 사람처럼 행동하지만, 동정이나 연민은 느끼지 못했다. 상냥함도, 진실함도 없는 사람이었다. 그녀는 어린 아델에게 악의적인 반감을 과도하게 표출했다. 아델이 귀여움을 받고 싶은 마음에 다가가면 예의 그 모욕적인 애칭을 부르며 방에서 쫓아냈고 늘 차갑고 냉정했다. 나 말고 다른 이들도 그녀의 이런 태도를 목격했다. 예리하고, 날카롭게, 면밀하게 관찰했다. 그렇다. 미래의 남편 로체스터 씨마저도 그런 그녀의 태도를 관찰했다. 그 엄격함과 신중함으로 아름다운 그녀의 결점을 분명 자각한 것이다. 그리고 그녀를 묵과하는 그의 태도를 보며 나는 끊임없이 괴로웠다.

로체스터 씨가 잉그램 양과 결혼하리라는 건 확실했다. 아마도 집안끼리 걸맞다거나, 그녀의 지위와 인맥이 그에게 어울리는 한 쌍이 되어주리란 확신 때문이었을 것이다. 그러나 나는 그가 그녀에게 애정을 주지 않는다고 생각했고, 그녀는 그의 사랑을 얻을 자격이 없다고 믿었다. 그게 문제였다. 그게 내 신경에 거슬렸고, 내 신경을 자극했다. 그런 이유로 내 사랑은 점점 커지고 깊어졌다. 그녀는 로체스터 씨의 마음까지 사로잡지는 못했다.

만일 잉그램 양이 당장에 승리를 거둬 그의 마음까지 얻었더라면, 그래서 로체스터 씨가 그녀의 발치에 진심까지 갖다 바쳤다면 나는 아마 그 자리에서 벽에 머리를 처박고 죽었을 것이다. 그렇게 두 사람의 곁을 떠났을 것이다. 만일 잉그램 양이 선하고 기품 있고, 활기 넘치고 상냥하며, 분별력까지 갖추었더라면, 그렇다면 나는 질투와 절망이라는 두 마리 호랑이와 죽을 때까지 싸워야 했을 것이다. 내 심장은 갈기갈기 찢기고 모두 잡아먹혔을 것이다. 그럼에도 나는 그녀를 높이 평가했을 것이다. 그녀의 아름다움을 인정하고 남은 내 감정마저 삭이고 감췄을 것이다. 그러나 현실은 달랐다. 로체스터 씨를 유혹하는 잉그램 양의 노력을 지켜보며 매일 반복되는 실패를 목격했다. 그녀는 자신의 실패를 알지도 못했다. 자신이 쏘아 올린 화살이 모두 명중했다는 헛된 망상으로 성공을 향한 열망에 사로잡혀 있었지만, 그녀의 자만심과 이기심은 성공에서 점점 더 멀어졌다. 이 모든 걸 지켜보고 있노라면 끊임없는 흥분에 도취되면서도 안간힘을 쓰며 자제심을 발휘해야 했다.

왜냐하면 그녀가 실패할 때마다 나는 어떻게 해야 성공하는지 알 수 있었기 때문이다. 로체스터 씨의 심장에서 빗나가 발밑으로 우수수 떨어지는 화살을 보며, 내가 쏘았더라면 그의 자부심 넘치는 가슴에 날카롭게 명중했을지도 모른다고 생각했다. 그의 냉철한 눈에 사랑이 담기고 냉소적인 얼굴에 자상함이 떠오를지도 모른다고. 나라면 더 좋은 방법으로, 무기를 사용하지 않고도 조용히 그의 마음을 정복했을 거라고.

'왜 잉그램 양은 그의 마음을 움직이지 못할까? 저렇게 매일 붙어 있는 특권을 누리면서도 말이야.' 나는 속으로 생각했다. '잉그램 양이 로체스터 씨를 진심으로 좋아하지 않는 건 아닐까? 진심으로 사랑하지 않아서 그런 거야. 만일 좋아했다면 저렇게 시도 때도 없이 웃음을 흘리고, 시선을 던지고, 자기를 포장하고, 우아한 척 연기하지 않을 거야. 차라리 그의 곁에 조용히 앉아 말수를 줄이고, 어떻게든 시선을 맞

추려고 하지 않는 것만으로도 그의 마음을 조금은 더 얻을

수 있을 테니까. 지금처럼 어떻게든 한마디라도 더 건네려고

노력하면 할수록 그의 표정이 점점 굳어지잖아. 하지만 저건

자연스러운 반응이야. 노골적인 술책이나 계산적인 책략으

로 얻을 수 있는 마음이 아니야. 있는 그대로 저 사람을 받아

들이면 되는데. 그의 물음에 가식 없이 대답하고 꼭 대화해

야 한다면 있는 그대로 솔직하게 말하면 되는데. 그럼 로체

스터 씨는 점점 더 친절해지고, 자상해지고, 따뜻한 햇살처

럼 사람들을 다정하게 대해주는데. 저렇게 결혼해 버린다면

잉그램 양은 어떻게 로체스터 씨를 기쁘게 해줄 수 있지? 잉

그램 양이 해낼 수 있을지 모르겠어. 그래도 그를 기쁘게 해

주었으면 좋겠어. 그의 아내가 되는 사람은 이 세상에서 가

장 행복한 여자가 될 거야.'

　나는 로체스터 씨의 이해관계와 인맥을 위한 결혼을 비난

하지 않았다. 처음에는 그의 결혼관을 알고 놀랐다. 그가 고

작 그런 이유로 아내를 선택하는 사람은 아닐 거라고 생각했

기 때문이었다. 그러나 그들의 계급이나 지위, 지금까지 받

은 교육을 생각해 보면, 어린 시절부터 주입된 생각이나 원

칙에 따라 행동하는 로체스터 씨를, 또는 잉그램 양을 판단

하고 비난하는 것이 공평하지 않다는 생각이 들었다. 아마

그런 지위를 가진 사람이라면 누구나 비슷한 원칙을 갖고 사

는 모양이다. 아마 나는 모르는 이유로 그런 원칙을 고수하

지 않을까. 하지만 내가 로체스터 씨와 같은 신사라면, 사랑

할 수 있는 사람을 아내로 맞을 것이다. 사랑하는 이를 아내

로 맞이하면, 남편으로서 내가 얻을 수 있는 행복이 얼마나 클까. 하지만 로체스터 씨가 내 생각대로 행동하지 않는 건 분명 그럴 만한 이유가 있을 것이다. 그게 아니라면 세상 사람들 모두 사랑하는 이를 배우자로 얻었을 테니 말이다.

다른 관점에서 보더라도 나는 로체스터 씨에게 썩 관대한 편이다. 한때는 예리하게 관찰했던 그의 결점은 다 잊어버렸다. 예전에는 그의 모든 성격을 관찰하느라 애썼다. 좋은 점과 나쁜 점을 모두 고려하며 공정한 판단을 내리려고 노력했다. 그러나 이제 내 눈에 나쁜 점은 보이지 않았다. 한때 나를 놀라게 했던 냉소적인 말투나 거친 태도는 이제 요리에 친 매콤한 양념에 불과했다. 매콤한 맛이 없으면 음식은 싱거워지니까. 그리고 정체를 알 수 없는 표정. 사악하고, 처연하고, 비열하고, 실의를 나타내는 그 묘한 표정. 가끔 그의 눈에 떠오르는 그 묘한 표정이 그를 지독하게 관찰하는 내게는 보인다. 그러나 때때로 엿보이는 불가사의한 심연은 그 의미를 파악하기도 전에 사라지곤 했다. 마치 분화구가 있는 산을 오르는 도중 갑자기 대지가 진동하며 발아래 땅이 갈라지는 느낌이다. 그의 묘한 눈을 볼 때면 나는 두려움에 뒷걸음치고 싶다. 정체를 알 수 없는 표정을 지켜보고 있노라면, 두근거리는 마음으로 멍하니 바라보고 있노라면, 피하고 싶다는 생각이 들면서도 반대로 감히 그 감정의 기저를 추측하고 싶었다. 언젠가 그의 심연을 들여다보고, 그 비밀을 탐구하고, 그 본질을 분석할 수 있을지 모른다고 생각하니, 나는 잉그램 양이 진심으로 행복한 사람이라는 생각이 들었다.

한편 내가 나의 주인과 그의 예비 신부만 바라보고, 두 사람에게만 귀 기울이고, 두 사람의 행동에만 주목하는 사이, 다른 사람들은 제각기 관심사와 오락거리에 몰두했다. 린 부인과 잉그램 부인은 두 사람의 역할에 푹 빠져 있었다. 둘 다 터번을 쓴 고개를 끄덕이고, 꼭두각시 인형처럼 이야기 주제에 맞춰 같은 동작을 취하기도 했다. 때로는 무언가에 놀랐고 때로는 신비롭다는 투였고 또 무섭다는 투였다. 자애로운 덴트 부인은 자상한 애슈턴 부인과 이야기를 나누었고, 두 사람은 가끔 내게 친절한 말 한마디나 미소를 건네었다. 조지 린 경과 덴트 대령, 애슈턴 씨는 정치, 마을 문제, 재판 등을 논의했다. 잉그램 경은 에이미 양과 장난쳤다. 루이자 양은 린 형제 중 하나와 피아노를 연주하며 장난치거나 노래를 불렀다. 메리 잉그램은 나른한 눈으로 누군가의 이야기에 참여했다. 때로 모두가 한마음으로 나의 주인공들을 관찰하고, 느긋한 자세로 두 사람의 이야기에 귀를 기울였다. 왜냐하면 결국 로체스터 씨 그리고 그와 친밀한 사이인 잉그램 양이 이 파티의 생명이자 영혼이기 때문이었다. 그가 한 시간 정도 자리를 비우면, 손님들의 기운도 사그라들었다. 그리고 그가 다시 돌아오면 대화가 새롭게 피어났다.

그의 활력 넘치는 존재감이 손님들에게 얼마나 큰 영향을 미치는지를 강하게 깨달은 날이 있었다. 로체스터 씨가 사업차 볼일이 있어 밀코트에서 늦게까지 돌아오지 못한 날이었다. 습한 오후였다. 마을 저편 공유지에 최근 천막을 친 집시 야영지를 보러 가자던 산책이 연기되었다. 몇몇 신사들은 마구간으로 갔다. 젊은 신사들과 숙녀들은 당구를 쳤다. 잉그램 부인과 린 부인은 조용히 카드 게임을 즐겼다. 블랑슈 잉그램 양은 덴트 부인과 애슈턴 부인의 대화를 무시하는 태도로 일관하며 피아노에 앉아 감성적인 곡조와 선율을 연주하다가 서재에서 소설책을 한 권 가져와서는 귀찮다는 듯 소파에 누워 로체스터 씨의 부재로 인한 지루한 시간을 견디려 했다. 응접실도, 저택도 조용했다. 이따금 당구를 치는 사람들의 환호성이 위층에서 들려올 뿐이었다.

뉘엿뉘엿 해가 넘어가고 저녁 식사를 위해 의상을 갈아입을 시간을 알리듯 시계가 울리던 그때, 응접실 창가 소파에 무릎을 꿇고 바깥을 바라보던 아델이 외쳤다.

"저기 봐요! 로체스터 님이 오고 계셔요!"

내가 고개를 돌리는 사이, 잉그램 양이 소파에서 잽싸게 몸을 일으켰다. 다른 사람들도 각자 하던 일을 멈추고 고개를 들었다. 젖은 자갈 위로 바퀴가 튀는 소리와 말발굽 구르는 소리가 들렸다. 마차 소리였다.

"왜 마차를 타고 돌아오시는 거지?" 잉그램 양이 궁금하다는 듯 중얼거렸다. "분명 나갈 때는 메스루어(검은 말)를 타고 나가지 않으셨어? 게다가 파일럿도 데려가셨잖아. 대체 그 짐승은 어디에 두고?"

이렇게 말하며 그녀의 큰 키와 풍성한 옷이 창가로 바싹 다가섰다. 그 바람에 나는 허리가 뒤로 꺾일 정도로 몸을 젖혀야만 했다. 창가에 온 신경을 집중한 그녀가 처음에는 내 존재를 눈치채지 못하다가, 이내 내가 있다는 걸 깨닫고 입을 샐쭉하며 다른 창가로 갔다. 역마차가 멈추고 마부가 현관 종을 울렸다. 여행복을 입은 신사가 마차에서 내렸다. 하지만 그는 로체스터 씨가 아니었다. 키가 크고 멋진 풍채의 낯선 사람이었다.

"뭐야?" 잉그램 양이 외쳤다. "이 귀찮은 원숭이가! (아델을 향한 지칭이었다.) 누가 너더러 창문 소파에 올라가 그런 거짓말을 하라고 하든?" 그녀는 마치 내가 거짓말이라도 시킨 듯 비난의 눈초리를 보냈다.

이윽고 현관홀에서 대화하는 소리가 들렸고, 곧 손님이 들어왔다. 그는 그 자리에서 가장 연장자처럼 보이는 잉그램 부인에게 다가가 예의를 갖춰 인사했다.

"제가 부적절한 방문을 한 모양입니다, 부인." 그가 말했다. "제 친구인 로체스터 씨가 부재중이라고 하더군요. 그러나 저는 긴 여정을 마치고 돌아온 데다가, 저택의 주인이 돌아올 때까지 이곳에 머물 수 있을 만큼 오래 알고 지낸 사이이니 괘념치 마십시오."

그는 공손했다. 말투며, 말하는 방식이며, 어딘가 이국적인 면이 있었다. 영어를 쓰긴 했지만, 억양이 묘했다. 나이는 로체스터 씨와 비슷한 30대에서 40대 언저리로, 얼굴빛이 어두웠지만 한눈에 보아도 잘생긴 외모였다. 그러나 자세히 살펴보면 어딘가 모자란 구석이 있었다. 감탄보다는 의아함을 자아내는 얼굴이었다. 균형은 잡혔지만 뚜렷하지 않은 이목구비며, 크지만 조금 찢어진 눈매는 차분하고 공허했다. 적어도 내게는 그랬다.

환복을 위한 종이 울려 사람들이 제각기 방으로 떠났다. 저녁 식사 후 다시 그를 보았을 때는 그도 조금 긴장이 풀린 듯 보였다. 하지만 생김새는 처음보다 더 마음에 들지 않았다. 불안정하고 활기가 없는 느낌이랄까. 불안하게 이리저리 돌리는 눈동자가 공허했다. 그는 처음 보는 불안한 표정을 짓고 있었다. 잘생겼다는 첫인상 대신 태어나 본 적 없는 상당히 기묘한 표정이었다. 얼굴 생김새도 괜찮았고 동그란 얼굴에 매끄러운 피부였지만, 이상하게 활기가 없었다. 매부리코와 앵두 같은 작은 입은 다부진 맛이 없었다. 낮고 평평한 이마는 소심해 보였고, 텅 빈 갈색 눈에는 패기가 없었다.

나는 늘 앉아 있던 구석 자리에 앉아 벽난로 위의 촛불에 비친 그의 모습을 관찰했다. 그는 벽난로 가까이에 있는 안락의자에 앉아서도 계속 추운 모양인지 점점 더 벽난로에 붙었다. 나는 무의식중에 그를 로체스터 씨와 비교했다. 실례가 안 되는 선에서 비교하자면, 두 사람은 말쑥한 기러기와 날렵한 매처럼 달랐다. 온순한 양과 그 양을 지키는 날카로운 눈의 거친 털을 가진 개와 비슷하다고 해도 좋을 것이다.

그는 로체스터 씨의 오랜 친구라고 했다. 과연 기이한 우정이 아닐까 싶었다. "극과 극은 통한다"라는 옛 속담처럼 말이다.

두세 명의 신사가 그 남자 근처에 앉아 있었다. 나는 이따금 나에게 닿는 그들의 대화를 엿들었다. 처음 들은 내용은 좀처럼 이해하기 어려웠다. 내 곁에 앉아 있던 루이자 애슈턴과 메리 잉그램의 대화가 간헐적으로 들려오는 대화를 더욱 혼란스럽게 만들었기 때문이었다. 그녀들은 새 손님을 "잘생긴 남자"라고 불렀다. 루이자는 그를 "귀여운 사람"이라고도 하고, "훌륭하다"라고 하기도 했다. 메리는 그의 "아름다운 작은 입과 멋진 코"를 칭찬했다.

"게다가 저 시원한 이마를 좀 봐요!" 루이자가 속삭였다. "아무리 찡그려도 어쩜 저렇게 근사한 이마인지 모르겠어요. 다정한 눈과 미소는 어떻고요!"

그때 너무나 감사하게도, 헨리 린 경이 숙녀들을 모두 방 반대편으로 부르며 미루었던 마을 산책에 관해 상의했다.

이제 나는 난롯가 옆에 앉은 신사들의 이야기에 온전히 집중할 수 있었다. 손님의 이름은 메이슨 씨로, 영국에 막 도착했고 더운 나라에서 왔다는 것도 알아냈다. 그래서 얼굴이 그렇게 창백했구나, 그래서 추위를 많이 타고, 그래서 집에서도 이렇게 옷을 껴입었구나. 자메이카, 킹스턴, 스패니시타운 같은 지명을 말하는 것으로 보아, 서인도제도에서 온 게 분명했다. 얼마 지나지 않아 그곳에서 로체스터 씨를 처음 만났고 금세 친해졌다는 사실도 알게 되어 깜짝 놀랐다. 그는 로체스터 씨가 그 지역의 높은 온도와 허리케인, 우기를 싫어한다고 말했다. 로체스터 씨가 여행을 많이 다녔다는 사실은 페어팩스 부인에게 들어 알고 있었으나, 나는 그게 유럽 대륙에 국한되었다고 생각했었다. 그토록 먼 곳을 여행했다는 이야기는 들어본 적이 없었기 때문이었다.

이런 생각에 잠겨 있는데, 예상치 못한 어떤 사건이 내 생각을 방해했다. 누군가 응접실 문을 열었고 메이슨 씨는 불이 꺼져가는 벽난로에 땔감을 더 넣어달라고 요청했다. 남은 석탄이 아직 뜨겁게 타는 중이었는데도 말이다. 석탄을 가져온 하인은 방을 나가며 애슈턴 씨의 곁에 걸음을 멈추고는 낮은 목소리로 무언가 속삭였다. 그중 "노파"라는 단어와 "아주 성가시게 군다"라는 말을 엿들었다.

"만일 당장 떠나지 않으면 사람을 시켜 끌어낸다고 으름장을 놓아버려." 마을의 치안판사가 차갑게 응수했다.

"아니, 잠깐!" 덴트 대령이 끼어들었다. "쉽게 보내지 마시오, 애슈턴 경. 어쩌면 시간을 좀 보낼 수도 있겠소. 숙녀들과 상의를 해보지요." 그리고 그는 큰 소리로 주변의 이목을 집중시켰다. "숙녀 여러분, 헤이 마을에 집시들이 머무는 공유지로 산책을 가고 싶다고 하지 않았습니까? 그런데 샘이 말하기를, 지금 하녀들 응접실에 늙은 집시가 방문해서는 귀부인들의 운세를 봐줄 테니 저택 안으로 들어가게 해달라고 버티는 모양입니다. 어떻게, 만나보시겠소?"

"대령님, 설마 그 천한 사기꾼을 부추겨 이 집에 들일 생각은 아니지요? 당장 쫓아버리세요!"

"하지만 제가 아무리 설득해도 쉽게 가려고 하지 않습니다, 부인." 하인이 말했다. "하인들로는 해결이 되지 않아 지금 페어팩스 부인이 그 노파에게 당장 돌아가라고 빌다시피 하는 모양입니다만, 난롯가에 의자를 가져다 놓고 앉아서 저택에 들어올 수 있게 허락을 받을 때까지는 꼼짝도 하지 않겠다며 난리입니다."

"원하는 게 뭐래요?" 애슈턴 부인이 물었다.

"귀족 나리 앞에서 점을 치고 싶답니다. 반드시 그래야만 한다고요."

"어떻게 생겼어요?" 애슈턴 자매가 동시에 물었다.

"아주 추하게 늙은 집시일 뿐입니다. 검댕처럼 까맣고요."

"아, 그러면 진짜 마녀일지도 모르겠어!" 프레더릭 린이 말했다. "당장 그녀를 만나봅시다."

"그렇게 해요. 이렇게 재미있는 기회를 놓치면 후회할 거예요!" 그의 동생이 거들었다.

"세상에, 너희 무슨 생각인 게냐!" 린 부인이 만류했다.

"나는 그런 몰상식한 일에 끼어들고 싶지 않아요." 잉그램 부인이 말했다.

"맞아요, 어머니. 하지만 곧 만나게 되실 거예요." 거만한 목소리의 블랑슈 잉그램이 피아노 의자에 앉아 이쪽으로 고개를 돌리며 외쳤다. 지금껏 그녀는 조용히 피아노를 지키며 이것저것 악보를 뒤적이던 참이었다. "난 내 운명을 보고 싶어요. 그러니 샘, 그 노파를 이리 불러와."

"블랑슈! 얘, 다시 한번 생각……."

"네, 네. 어머니, 어머니 말씀은 잘 알았다고요. 하지만 난 꼭 만나보고 싶은걸요? 샘, 뭐 해! 어서!"

"좋아! 좋아! 좋아!" 방 안의 젊은 신사, 숙녀가 한뜻으로 외쳤다. "어서 집시를 데려와! 정말 재미있을 거 같아!"

하인은 여전히 머뭇거렸다. "꽤 거친 인사입니다." 그가 말했다.

"당장 데려오래도!" 잉그램 양이 성질을 부리고 나서야 하인이 방을 나섰다.

방 안 전체에 기이한 흥분감이 맴돌았다. 샘이 돌아왔을 때는 농담과 장난이 난무했다.

"외람되오나, 응접실로는 안 들어오겠답니다. 그녀의 말에 따르면 본인은 '천한 무리' 앞에 모습을 드러내지 않는 것을 사명으로 여긴다고 합니다. 그래서 한 사람씩 노파가 있는 방으로 모시겠습니다. 노파를 만나고 싶은 나리가 계시면 제가 안내해 드리겠습니다." "자, 이제 알아들었겠구나, 블랑슈." 잉그램 부인이 조소했다. "저 노파가 얼마나 우쭐해하느냐. 어미 말을 들어."

"물론 서재로 안내해야지. 속물들 앞에서 내 점괘를 들을 생각은 나도 없어요. 나 혼자 그 여자를 만나고 싶어. 서재에 난로는 피웠니?"

"네, 아가씨. 하지만 노파가 영 못 믿을 종자라……."

"그 입은 다물고, 당장 시키는 대로 해!"

샘이 다시 사라졌다. 호기심과 흥분, 기대감이 다시 한번 방 안을 가득 채웠다.

"준비가 다 되었습니다." 다시 나타난 하인이 말했다. "첫 번째 손님으로 어떤 분이 오실지 알려달라고 합니다."

"그럼, 숙녀분들보다는 내가 먼저 가서 확인해 보는 것이 좋겠군." 덴트 대령이 앞장섰다. "샘, 가서 신사가 먼저 가겠다고 전하게."

방을 떠났던 샘이 돌아와 말했다.

"노파가 말하기를 신사분들의 점괘는 볼 필요가 없다고

합니다. 굳이 자기 근처에 오는 노고를 쓰지 마시라고요." 샘이 애써 웃음을 감추며 덧붙였다. "미혼 여성이 아니라면 부인들도 마찬가지라고 전했습니다."

"거참, 까다롭기도 하지!" 헨리 린 경이 짜증을 터트렸다.

그제야 잉그램 양이 단호하게 일어섰다. "내가 먼저 가겠어요." 그녀는 마치 부하들을 부리는 장군처럼 의기양양했다.

"세상에! 애야, 내 소중한 딸아! 다시 한번 생각해 보렴!" 그녀의 어머니가 간절하게 외쳤지만, 잉그램 양은 입을 다물고 보란 듯 방을 나섰다. 덴트 대령이 잡아주는 문을 통과한 그녀가 곧 서재로 들어가는 소리가 들렸다.

침묵이 무겁게 내려앉았다. 잉그램 부인은 두 손을 비비며 "어쩜 좋아"라고 중얼거렸다. 메리 양은 감히 도전할 엄두가 나지 않는다며 중얼거렸다. 에이미와 루이자 애슈턴 자매는 깔깔거리면서도 약간 겁먹은 표정이었다.

시간은 억겁과도 같이 흘렀다. 15분이 지나고 나서야, 서재 문이 다시 열렸다. 잉그램 양이 아치를 통과해 모습을 드러냈다.

웃음을 터트릴까? 농담을 내뱉을까? 호기심 가득한 모두의 눈이 그녀에게 쏠렸다. 그러나 잉그램 양은 모든 시선을 차갑게 반사했다. 서두르지도, 기쁘지도 않은 몸짓과 표정으로 뻣뻣하게 돌아온 그녀가 차분히 제자리에 앉았다.

"음, 블랑슈?" 잉그램 경이 말문을 열었다.

"뭐라고 해?" 메리도 곁들였다.

"어땠어? 정말 점을 칠 줄 알아?" 애슈턴 자매가 꼬치꼬치 캐물었다.

"자, 자, 여러분. 그렇게 캐묻지 말아요. 여러분의 경이롭고 순진한 두뇌가 어쩜 이렇게 쉽게 달아오른답니까? 여러분과 나의 훌륭하신 어머니를 포함하여 모두가 저 점쟁이를 너무 심각하게 믿고 계시는 것 같네요. 이 저택에 악마와 결탁한 마녀라도 찾아왔다고 믿는 건가요? 제가 만난 사람은 그저 집시에 불과해요. 예전에 유행하던 손금 읽는 법을 지금 익힌 노파일 뿐이에요. 그런 사람들이 흔히 말하는 소리나 지껄이더라고요. 내 호기심은 이걸로 충분히 충족되었어요. 그러니 내일 아침에는 애슈턴 씨의 경고대로 저 노파를 나무에 칭칭 묶어버리면 그만이라고요." 잉그램 양이 응수했다.

그리고 잉그램 양은 책을 집어 들고 의자에 기대앉아 더 이상의 대화를 거부했다. 나는 거의 30분간 그녀를 지켜보았다. 그녀는 30분 내내 책을 한 장도 넘기지 못했다. 안색은 점점 어두워지고 불편해졌으며, 실망은 시간이 갈수록 점점 더 짙어졌다. 분명 노파는 그녀에게 듣고 싶은 말을 해주지 않은 게 분명했다. 오랜 시간 침묵을 지키며 우울함에 빠진 모습으로 보아 아무리 안 믿는다고 해도 노파가 한 말을 심각하게 받아들이고 있는 듯했다.

한편, 메리 잉그램과 에이미, 루이자 애슈턴은 혼자 가기에는 너무 무섭다고 난리였다. 다 같이 들어가면 안 되겠냐는 간청에 중재자인 샘이 나서서 협상에 들어갔다. 몇 번이나 왔다 갔다 하며 말을 전하는 수고 끝에 샘의 종아리가 터지기 직전에야, 세 사람은 단호했던 집시한테서 같이 와도 좋다는 허락을 받을 수 있었다.

서재로 들어간 세 사람은 잉그램 양처럼 조용하지 않았다. 서재에서는 높은 웃음소리와 자그마한 비명 소리가 이어졌다..20분 정도 지나고 나서야 세 사람이 서재 문을 활짝 열고 복도를 가로질러 달려왔다. 다들 겁에 질린 모양새였다.

"이건 정말 뭔가 잘못됐어!" 세 사람이 한목소리로 외쳤다. "정말 별의별 이야기를 다 해줬어! 우리에 관해 모르는 게 없어!" 세 사람이 숨을 헐떡이며 소파에 몸을 던지듯 무너졌다. 방 안의 남자들이 쓰러지는 숙녀들을 지탱하기 위해 몸을 날렸다.

조금 더 설명해 달라는 요구에, 그들은 서재 안의 노파가 아주 어린 시절의 언행부터 집 안의 책과 장식품, 여러 친척이 보내준 기념품을 마치 두 눈으로 본 것처럼 알아맞혔다고 떠들었다. 노파는 그녀들의 마음을 점치고, 각자의 귀에 그들이 세상에서 가장 좋아하는 사람의 이름을 속삭였으며, 가장 원하는 것이 무엇인지도 알아맞혔다고 했다.

남자들은 마지막 두 가지가 무엇이었냐며 끈질기게 물었다. 그러나 세 숙녀는 그저 얼굴을 붉히고 헛기침을 할 뿐 답은 주지 않았다. 그저 몸을 잘게 떨며 깔깔거릴 뿐이었다. 한편 부인들은 마음을 안정시키는 데 도움이 되는 약을 주기도 하고, 부채로 바람을 부쳐주기도 하며 소란을 피웠다. 그렇게나 주의를 주었는데도 어른들의 말을 듣지 않았다고 채근하기도 했다.

나이 많은 신사들은 젊은 숙녀들의 소란에 피식거릴 뿐이었다. 젊은이들은 여전히 그녀들에게 마지막 질문의 답이 무엇이었냐며 물었다.

소란이 계속되는 동안, 나는 그들을 구경하며 대화에 귀를 기울였다. 그때 작고 예의 바른 기침 소리가 들렸다. 돌아보니 샘이 서 있었다.

"실례지만, 집시가 이 방에 아직 자신을 만나지 않은 젊은 미혼 여성이 한 명 더 있다고 하는군요. 모두를 만나기 전까지는 떠나지 않겠다고 고집을 부립니다. 선생님을 말하는 것 같습니다. 다른 숙녀분들이 안 계시니 말입니다. 뭐라고 전할까요?"

"아, 그렇다면 저도 가겠어요." 내 호기심을 충족시킬 수 있는 뜻밖의 기회에 기뻤으므로 나는 얼른 대답했다. 아무도 눈치채지 못하게 조용히 응접실을 빠져나왔다. 모두들 세 숙녀에게 시선을 빼앗긴 게 도움이 되었다. 나는 조용히 문을 닫았다.

"선생님, 제가 복도에서 기다리겠습니다. 혹시 너무 무서우면 저를 부르세요." 샘이 내게 말했다.

"아니에요, 샘. 부엌에 가 있어도 괜찮아요. 나는 하나도 무섭지 않거든요." 정말 나는 무섭지 않았다. 그저 호기심에 가슴이 설렜다.

19

서재는 고요했다. 그 점쟁이는, 그러니까 그녀가 정말 점쟁이가 맞다는 가정하에, 벽난로 옆 안락의자에 편안하게 앉아 있었다. 점쟁이는 빨간 망토에 검은 모자를 쓰고 있었는데, 보닛은 아니고 넓은 챙이 달린 모자였다. 거기에 줄무늬 손수건을 둘러 턱 끝에 매듭을 지었다. 불이 꺼진 촛불이 탁자 위에 놓여 있었다. 그녀는 난롯불 옆에 몸을 숙인 채 작고 검은 기도서 같은 것을 읽고 있었다. 흔한 노파처럼 중얼거리며 소리 내 읽었다. 그녀는 내가 서재에 들어온 걸 알면서도 멈추지 않았다. 한 문단을 다 읽고 책을 덮으려는 듯했다.

나는 난로 옆 러그 위에 서서 차가운 손을 녹였다. 응접실에서도 벽난로에서 멀리 떨어져 있던 탓에 손이 조금 시리던 참이었다. 나는 내 인생의 그 어느 때보다 차분했다. 집시 노인은 생각보다 진지했고, 나의 침착함을 해칠 만큼 무서운 구석도 없었다. 그녀가 책을 덮고 천천히 고개를 들었다. 넓은 모자챙이 얼굴에 그늘을 드리웠는데, 고개를 드니 얼굴이 온전히 드러났다. 조금 특이한 생김새였다. 얼굴은 까무잡잡하고 기미와 주근깨가 가득했다. 턱 아래로 두른 희고 가는 천 아래 헝클어진 머리카락이 삐쭉 나왔고, 대담하고 솔직한 눈으로 나를 빤히 바라보았다.

"그래, 점을 보고 싶은 게요?" 그녀가 눈빛만큼이나 단호한 목소리로 물었다. 목소리는 얼굴만큼 거칠었다.

"아무래도 좋아요. 하고 싶은 대로 하세요. 하지만 미리 말씀드리는데, 저는 점 같은 건 믿지 않아요."

"참으로 뻔뻔하군요. 하지만 아가씨는 그럴 줄 알았지. 문지방을 넘을 때 그런 발걸음 소리가 들렸거든."

"그래요? 귀가 밝으시네요."

"그렇지, 귀도 밝고 머리도 잘 돌아간다오."

"이런 일을 하시려면 그래야겠죠."

"그렇고말고, 게다가 댁 같은 아가씨를 상대하려면 더더욱. 아가씨는 왜 떨지 않으시오?"

"춥지 않으니까요."

"혈색도 좋고."

"아프지 않으니까요."

"점괘를 불신하는 이유는?"

"바보가 아니니까요."

노파는 얼굴을 일그러뜨리며 우는 듯 웃었다. 그리고 뭉툭한 검은 파이프를 꺼내 불을 붙이고 담배를 피웠다. 잠시 담배에 취했던 그녀가 구부정한 몸을 일으켜 파이프를 떼고, 난롯불을 응시하며 아주 천천히 입을 열었다.

"아가씨는 아무리 봐도 춥고, 아프고, 어리석은데 말이지."

"증명해 보세요." 내가 대답했다.

"간단히 말해, 아가씨가 추운 건 혈혈단신이기 때문이야. 누구와도 교류하지 않으니 아가씨 내면의 열정이 꺼질 수밖에. 아가씨가 아픈 건 아가씨가 느낄 수 있는 최고의 감정이, 가장 숭고하고 달콤한 감정이 손아귀에서 제법 멀기 때문이야. 아가씨는 어리석기도 해. 왜냐하면 아무리 고통스러워도 그에게 다가오라 손짓도 못 하고, 제자리에서 계속 기다리기만 하며 한 발짝도 가까이 가지 못하기 때문이야."

집시는 다시 뭉툭한 검은 파이프를 입에 물고 힘껏 빨아들였다.

"거대한 저택에 고용된 몸으로 홀로 살아가는 사람에게는 보통 그런 식으로 말씀하시나 봐요."

"일반적으로는 그런 편이지. 그러나 누구에게나 진실은 아니지 않겠수?"

"저와 같은 상황이라면 진실이라고 여기겠지요."

"그래요, 아가씨 같은 상황이라면. 하지만 아가씨와 똑같은 상황에서 점괘를 봐주는 나 같은 이가 몇이나 될까?"

"아마 손에 꼽을 수도 없이 많을걸요."

"아니, 나 같은 이를 찾긴 힘들 거외다. 아직도 모르는 모양이야. 아가씨는 특이한 처지야. 행복이 바로 옆에 있어. 행복이 손에 닿을 듯이 가까이 있잖수. 모든 건 다 준비되어 있는데, 그저 용기를 내 움켜쥐기만 하면 되는데 말이야. 일단 노력해 봐요, 그럼 행복이 찾아올 테니."

"그런 수수께끼는 못 풀어요. 풀어본 적도 없어요."

"조금 더 단도직입적으로 답해달라, 이거구먼. 그럼, 손바닥을 좀 내밀어봐요."

"은화를 달라는 거지요?"

"그러면 더 좋고."

나는 집시에게 1실링을 건넸다. 노파는 그걸 호주머니에서 꺼낸 헌 양말에 넣어 묶은 다음 손바닥을 내밀라고 했다.

나는 손을 내밀었다. 그녀는 손바닥에 코를 묻듯 고개를 숙였다. 손을 만지지는 않고 그저 자세히 보기만 했다.

"너무 가늘구먼. 이런 손으로는 아무것도 읽을 수가 없어. 손금이 하나도 없는데, 이런 손바닥에서 뭘 읽어낼 수 있겠소? 아가씨의 운명은 손바닥에 적혀 있지 않아."

"말해보세요, 믿을게요." 내가 피식거리며 말했다.

"대신 관상이 말해주는군. 이마와 눈, 입매가 환해. 자, 무릎을 꿇고 고개를 높이 들어봐요."

"아! 이제야 좀 눈이 맑아지세요?" 내가 그녀의 말에 따라 무릎을 꿇으며 비웃었다. "그럼, 제게 믿을 만한 이야기를 해주세요."

그녀에게서 반 야드 정도 떨어진 자리에 무릎을 꿇었다. 그녀가 난롯불을 뒤적거리자, 부지깽이에 채는 석탄이 밝게 타올랐다. 노파가 다시 의자에 앉았다. 내 얼굴은 빛을 받아 뜨거울 정도였지만, 반대로 노파의 얼굴에는 그림자가 완전히 드리웠다.

"아가씨는 오늘 밤 어떤 마음으로 내게 온 걸까." 노파가 내 얼굴을 유심히 바라보며 속삭였다. "도대체 어떤 생각이 아가씨의 마음속에 마법의 등불처럼 스쳐 갔을까? 저토록 고귀한 사람들 틈에 앉아 있으면서 아가씨 마음에 무슨 생각이 피어났을까? 아가씨는 저들과 조금의 교감도, 공감도 나눌 수 없는데 말이지. 아가씨에게 저들은 실체가 아니라 인간의 탈을 쓴 그림자에 지나지 않을 텐데."

"가끔은 피곤했고, 잠이 쏟아질 때도 있었지만, 슬프지는 않았는걸요."

"그러면 아가씨를 위로하고 미래를 속삭이고, 아가씨를 기쁘게 하는 비밀스러운 희망이 있소?"

"아니요, 제가 바라는 거라고는 언젠가 나만의 집을 빌리고 학교를 설립할 수 있을 만큼 돈을 버는 것뿐이에요."

"아가씨의 영혼을 지탱하는 자그마한 자양분이지. 저 창가 의자에 늘 앉아서⋯⋯. 그래요, 나는 아가씨의 습관도 알고 있지."

"하인들에게 들었겠죠."

"아! 날카로운 척하기는. 글쎄, 아마 그럴지도 모르지. 솔직히 말해서, 나는 풀 부인과 안면이 있거든."

그 이름을 듣는 순간 나는 벌떡 일어서고 말았다.

'그, 그 여자를 알아?' 나는 속으로 생각했다. '역시 점을 보려면 악마와 결탁해야겠지!'

"놀라지 마시오." 그 이상한 집시가 계속해서 말했다. "풀 부인은 믿을 수 있는 사람이니까. 친절하고 조용하고, 누구에게나 신뢰를 주는 이지. 하지만 아가씨는? 정말 저 창가에 앉아 미래에 세울 학교를 공상하는 게 맞수? 떠오르는 얼굴이 정말 하나도 없어? 일거수일투족이 궁금해서 줄곧 시선이 따라가는 이가 없다, 이거요?"

"저는 모두의 얼굴을, 모두를 관찰해요."

"하지만 그들 중에서도 단 한 사람만을 관찰하지는 않는다? 아, 어쩌면 두 명일 수도 있겠군."

"가끔은 맞아요. 두 사람의 몸짓이나 표정이 무슨 이야기를 하는 것처럼 보일 때도 있으니까요. 지켜보는 게 재미있어요."

"어떤 이야기에 가장 흥미를 느끼는지?"

"오, 제게 선택의 여지가 있는 건 아니에요! 두 사람은 대체로 같은 주제에 관해 이야기하죠. 구애 그리고 결혼이라는 비극적 결말에 대한 약속이요."

"아가씨는 그 지루한 주제가 마음에 들고?"

"제법이요. 물론 제가 신경을 쓰는 거 아니에요. 저하고는 상관없는 이야기니까요."

"상관이 없다? 젊고 생기 있고 건강하고, 누가 봐도 반할 정도로 아름다운 외모로 태어나 지위와 재산까지 넘치는 한 여인이 다른 신사 앞에 앉아 미소를 짓고 있을 때, 아가씨는 그 신사에게 정녕……."

"제가 그분에게 뭐요?"

"아가씨가 더 잘 알지 않소. 내가 무슨 생각을 하는지."

"저는 이 댁의 손님들은 잘 몰라요. 어느 분하고도 제대로 이야기를 나눈 적이 없으니까요. 그리고 말씀하시는 호감도요. 물론 훌륭하고 존경할 만하고, 위엄 있는 중년의 신사들이나 호기롭고 잘생긴 젊은 신사들도 있어요. 하지만 그분들이 호감 있는 상대와 미소를 주고받는 건 그분들의 자유지, 그게 저하고 무슨 상관이 있겠어요."

"잘 모른다고 했소? 이 저택의 신사들과는 이야기도 나눠 본 적이 없다? 이 댁 주인하고도 말이오?"

"그분은 지금 부재중이세요."

"아하, 그럴듯한 핑계로군! 과연 머리가 좋은 아가씨야! 이 댁 주인은 오늘 아침 밀코트에 갔고, 오늘 밤 늦게나 내일 아침에나 돌아올 거요. 그러니 주인은 제외하고 신사들을 논하는 게 옳다? 아예 존재하지 않았던 사람처럼 말이지?"

"아니요, 그런 뜻은 아니지만 로체스터 씨가 방금까지 그쪽이 말하는 주제와 무슨 관련이 있는지 잘 모르겠어요."

"난 남자들 앞에서 웃고 있는 숙녀들에 관한 이야기를 했지. 그리고 최근 로체스터 씨에게 유독 한 숙녀의 미소가 어른거린다오. 그 미소로 말할 것 같으면 마치 잔이 넘칠 정도로 찰랑거려. 아가씨는 정말 그걸 모른다, 이 말이오?"

"로체스터 씨는 손님들과 어울리고 즐길 권리가 있어요."

"그야 당연한 권리지. 그러나 아가씨는 정말 눈치채지 못했수? 최근 사람들 사이에 단연 화제는 그의 결혼 소식이라는 걸?"

"듣는 귀가 열심일수록, 말하는 혀는 더 바빠지는 법이래요."

집시가 아니라, 그녀의 기괴한 말투와 목소리에 몽롱하게 빠져드는 나에게 하는 말이었다. 그녀의 입에서 예상치 못한 문장이 연이어 흘러나오자, 나는 신비로운 그물에 휘말렸다. 눈에 보이지 않는 정령이 내 심장 곁에서 몇 주 동안 내 마음을 지켜보며 내 두근거림에 일조했던 건 아닐까.

"듣는 귀가 열심이라니!" 그녀가 내 말을 되뇌었다. "그래, 로체스터 씨는 몇 시간이고 자리를 지키며 마음을 얻으려고 부단히 노력하는 매혹적인 입술에 귀를 기울였지. 그녀의 속삭임에 기꺼이 맞장구도 치고 즐기기도 했어. 그녀에게 고마운 마음도 들었지. 하지만 아가씨는? 아가씨는 정녕 몰랐소?"

"그가 고마워했다고요? 저는 그분에게 그런 태도는 전혀 읽지 못했어요."

"아, 읽지 못했다! 그를 관찰했다는 거지. 그러면 고마움 말고 무얼 느꼈소?"

나는 아무런 대답도 하지 않았다. "사랑, 아니었나? 그렇지? 그리고 그의 앞날을 내다보며, 그의 결혼과 새 신부의 행복한 모습도 보았겠지."

"흠! 전혀 아니에요. 오히려 점괘가 점점 틀리는 것 같군요."

"그러면 대체 아가씨는 무얼 봤는데?"

"신경 쓰지 마세요. 저는 제 마음을 털어놓으려고 온 게 아니라 물어보러 온 거니까요. 로체스터 씨가 결혼한다는 거지요?"

"그렇지. 아름다운 잉그램 양과."

"조만간 하시나요?"

"아무래도 곧 결론이 나겠지. 틀림없이. 아, 물론 아가씨가 내 말을 조금도 믿지 않는다는 건 알아요. 하지만 그런 반항심은 접어두는 게 좋아요. 두 사람은 의심할 여지 없이 가장 행복한 부부가 될 거요. 그렇게 아름답고, 고상하고, 재치 있고, 총명한 여인을 어찌 사랑하지 않을 수 있겠어. 그 여인도 그를 사랑하겠지. 그의 인품이 아니라면 적어도 그의 재산은 사랑할 거요. 로체스터가의 재산이야말로 가장 합당한 장점이니까. 오, 신이시여, 나를 용서하소서! 한 시간 전 그 점에 관해 잉그램 양에게 무언가 귀띔을 해주었더니 그 아가씨가 아연실색하더군. 입꼬리가 반 인치는 축 늘어지더라니까. 잉그램 양의 까무잡잡한 구혼자에게 경고라도 해주고 싶은 마음이오. 만약 로체스터보다 재산이 더 많은 이라도 나타난다면, 이 혼사는 망한 거야.”

“잠깐만요, 저는 로체스터 씨의 점괘를 물어보러 온 게 아니에요. 제 미래를 알고 싶다고요. 그런데 제 이야기는 하나도 하지 않으시네요.”

“아가씨의 운명은 아직 불확실하니까. 아가씨의 관상을 보니, 한 가지 특징이 다른 특징과 어울리지 않아. 우연은 아가씨에게 자그마한 행복을 주었소. 그건 사실이야. 오늘 저녁, 이 저택에 방문하기 전부터 알고 있었지. 운명의 여신이 아가씨에게 한쪽 팔을 내어주신 게야. 그러니 손을 뻗어 그걸 잡을지 말지는 아가씨의 선택이지. 자, 그러면 아가씨가 그 운명을 움켜줄지 다시 한번 읽어볼까? 여기 러그 위에 무릎을 꿇고 앉아봐요.”

“오래 붙잡지는 마세요. 불이 뜨거워요.”

나는 다시 무릎을 꿇었다. 그러나 노파는 허리를 숙이지 않고, 의자에 등을 편하게 기대고 앉아 나를 빤히 응시할 뿐이었다. 이윽고 그녀가 중얼거렸다.

“불꽃이 일렁이는 눈이라. 과연 눈에서 이슬이 빛나는구나. 부드럽고 감정이 충만한 눈이군. 내 알 수 없는 말에도 미소를 짓는구나. 아가씨의 눈에는 다정다감하고 맑은 것들이 떠올라. 웃음이 사라지면 처연해 보이기도 하고. 무의식의 권태로움이 눈꺼풀을 짓누르는구나. 외로움에 찬 우수로다. 아, 시선을 피하는군. 더 이상 파헤치지 말라는 뜻이야. 내가 깨달은 진실을 비웃으며 부정하고 싶은 게지. 감수성도, 우수도 전부 부정하고 외면하고 싶어? 아가씨의 자부심과 내면의 힘이 오히려 내 말에 무게를 싣는데도? 흠, 잘 어울리는 눈이로다.

아가씨의 입은 때로 즐거운 듯 웃음을 터트리는군. 생각하는 걸 그대로 입 밖으로 내뱉는 경향이 있어 보이지만, 사실 속으로 생각하는 건 말하지 않으려고 해. 매끄럽고 유려하게 말하는 입이라, 고독 속에서 영원히 침묵하고 끝내 굳게 닫힐 입은 아니야. 많이 말하고 자주 웃으며 상대에게 따뜻한 애정을 품는 입이지. 입도 아가씨와 잘 어울려.

모든 게 적당히 어울리는데, 문제는 이마야. 나는 혼자 살 수 있어, 자존심을 지키고 상황이 그렇게 흘러간다면 홀로 살아도 괜찮아. 그리 말하는 이마야. 아가씨는 행복을 사기 위해 영혼까지 팔 생각은 없어. 나는 태어날 때부터 내게 주어진 마음의 보물이 있어. 삶이 힘들고 내가 감당할 수 없는 대가를 치러야 한다고 해도, 내 마음이 나를 살아가게 할 거야. 그리 말하는군. 아가씨의 이마는 이성이 고삐를 단단히 쥐고 있으니, 감정이 난동을 부려도 벼랑 끝으로 떨어지지 않을 거라고 말해. 열정은 진정한 이교도처럼 마구 날뛰고 욕망은 온갖 헛된 것을 상상하지. 그러나 판단력이 흐려지지는 않아. 모든 논쟁의 마지막에 판단력이 굳게 서서 결정하지. 강한 바람이며 지진, 커다란 불길 앞에서도 의연하고, 고요하고 양심에 따라 나지막한 소리를 따라갈 것이야.

과연 대단한 이마로다. 머리가 선언하는 대로 따르겠군. 아가씨는 자신이 옳다고 생각하는 계획을 따라. 그리고 그 계획 안에서 양심의 요구나 이성의 조언에도 귀를 기울이지. 행복을 주는 잔에 부끄러움의 찌꺼기나 후회의 맛이 조금이라도 섞인다면, 젊음은 금방 사라지고 꽃은 시들어……. 나는 희생, 슬픔, 헤어짐을 원하지 않아. 그건 내 취향이 아니야. 나는 시드는 것보다는 내 손으로 키울 수 있는 걸 원해. 피눈물을 짜내기보다는 감사함을 얻고 싶어. 아니, 소금물도 아니야. 나의 수확은 웃음과 애정, 달콤한 보상으로 이루어져야만 해. 그걸로 충분하다고 생각해. 나는 절묘한 망상에 열광해. 지금, 이 순간을 무한히 누리고 싶지만 언감생심 어떻게 용기를 내겠어. 지금까지 나는 철저히 나를 통제하고 다스렸어. 마음속으로 맹세한 것을 행동으로 표현하며 절제했어. 하지만 앞으로는 나의 힘이 미치지 않는 시련이 찾아올지도 몰라……. 자, 이제 일어나요, 에어 양. 나가도 좋습니다. 연극은 끝났어요.”

도대체 여기가 어디지? 나는 깨어 있던 걸까, 잠들었던 걸까, 꿈을 꾸고 있었던 걸까? 아직도 꿈을 꾸고 있는 걸까? 노파의 목소리가 단박에 바뀌었다. 억양, 몸짓, 모든 게 거울에 비친 내 얼굴처럼, 마치 내 입에서 나오는 말처럼 편안하고 익숙했다. 나는 무릎을 펴고 일어섰지만 서재를 나서지는 못했다. 나는 불씨를 뒤적이고 다시 노파를 바라보았다. 그러나 노파는 모자와 흰 천을 깊게 눌러써 얼굴을 가리고 내게 어서 나가라는 듯 손짓했다. 뻗은 그 손을 난롯불이 비추고 있었다. 정신을 차린 나는 또렷한 시야로 그녀를 바라보았다. 그 손은 노파의 손이 아니었다. 말라빠진 노파의 거무죽죽한 손이 아니라 오히려 내 손과 비슷했다. 부드럽고 매끈한 손, 길고 가느다란 손가락까지도. 새끼손가락에 반지가 반짝거렸다. 허리를 숙여 손가락을 다시 바라보았다. 지금껏 수도 없이 본 보석이었다. 나는 다시 노파의 얼굴을 바라보았다. 이제 노파는 내 시선을 피하지 않았다. 아니, 오히려 모자를 벗고 흰 천을 풀고, 고개를 들어 올렸다.

"제인, 이제 알아보겠습니까?" 익숙하고도 친밀한 목소리였다.

"당장 그 빨간 망토부터 벗어봐요. 그리고……."

"끈이 엉켜서 풀리지 않아. 좀 도와주겠소?"

"끊어버리세요."

"그렇다면, 자. 빚진 물건 따위 저리 썩 사라져라!" 그리고 로체스터 씨가 변장을 모두 벗었다.

"정말, 정말 별 이상한 장난을 다 치시네요!"

"썩 잘하지 않았습니까? 어땠어요?"

"숙녀분들을 잘도 속이셨겠죠."

"하지만 그대는? 그대는 속지 않았소?"

"제게는 집시 역할을 하지 않으셨잖아요."

"그럼 내가 어떤 연기를 했지? 나를 연기했나?"

"아니요. 전혀 믿을 수 없는 존재요. 제 마음에서 이야기를 끌어내려고 애쓰셨죠. 아니, 이야기에 저를 심어 넣으려 하셨어요. 터무니없는 말을 하게 만들려고 온갖 말도 안 되는 이야기를 늘어놓았잖아요. 그건 공정하지 못해요."

"용서해 주겠소, 제인?"

"고민을 해봐야겠어요. 생각 좀 해보고, 제가 영 말도 안 되는 행동을 한 게 아니라는 결론이 나오면 그때 용서하려고 노력해 보겠어요. 하지만 오늘 일은 정말이지, 이런 짓은 하면 안 돼요!"

"아, 그대는 내내 진지하고 신중하고 현명했는걸?"

나는 대화 내용을 곰곰이 곱씹어보고, 내가 사리 분별은 했다고 생각했다. 참 다행이었다. 사실 집시와 이야기를 나누기 시작하면서부터 어딘가 의아한 점이 있었다. 마치 가면을 쓴 사람 같았달까. 나이 많은 집시와 점쟁이는 저런 식으로 행동하지 않는다. 목소리와 얼굴을 열심히 가리려는 태도도 수상했다. 그러나 내 마음은 온통 그레이스 풀에게 쏠려 있었다. 내게 그녀는 그야말로 살아 있는 수수께끼 그 자체였다. 그렇다고 해도 설마 이 노파가 로체스터 씨일 줄이야.

"음, 무슨 생각을 하길래 그리 좋아하지? 대체 그 의미심장한 웃음은 뭐지?"

"놀라움 그리고 분별력을 잊지 않은 저를 칭찬하는 마음이요. 그럼 이만 물러가도 되겠죠?"

"잠깐, 조금만 더 있다가 가요. 응접실의 손님들이 무슨 이야기를 했는지 말해줘요."

"아마 지금도 접시 이야기를 하고 있을걸요."

"앉아봐요! 저들이 뭐라고 했는지 당장 들어야겠습니다."

"제가 여기 오래 있는 건 그리 좋은 생각이 아니에요. 벌써 열한 시가 다 되어가는걸요. 아, 그건 그렇고 오늘 아침 집을 비우신 다음 낯선 손님이 찾아왔어요. 알고 계세요?"

"낯선 손님? 그게 누구지. 나를 찾아올 손님이 없는데. 그 사람은 떠났소?"

"아니요, 주인님을 오래 알고 지낸 사이라고 하던걸요. 주인님이 오실 때까지 머무르겠다고 했어요."

"그랬단 말이지! 혹시 이름을 들었소?"

"메이슨 씨라고 했어요. 서인도제도에서 온 것 같았어요. 자메이카의 스패니시 타운이요."

로체스터 씨는 내 곁에 바싹 붙어 나를 의자로 안내하려는 듯 내 손을 부드럽게 맞잡았다. 그러나 내가 손님의 신상을 이야기하는 순간, 그는 내 손목을 힘껏 낚아챘다. 부드럽게 머물던 입가의 미소가 차갑게 식었고, 마치 경련이라도 일으킨 것처럼 숨을 들이켰다.

"아, 메이슨! 서인도제도!" 그는 마치 인형이 말하듯 단어 하나하나 또박또박 되풀이했다. "메이슨! 서인도제도!" 그리고 또 반복했다. 세 번이나 더 되뇌는 사이, 얼굴은 창백하게 질렸고 자기가 무슨 말을 하고 있는지조차 알지 못하는 사람처럼 멍해졌다.

"몸이 안 좋으세요?" 내가 놀라서 물었다.

"제인, 올 것이 왔군. 결국 오고야 말았어." 그가 비틀거렸다.

"제게 기대세요."

"제인, 언젠가 내게 그 어깨를 빌려준 적이 있지. 한 번 더 어깨를 빌릴 수 있을까."

"그럼요, 제 팔도 내어드릴게요."

그는 비틀거리며 의자에 주저앉고는, 그 곁에 나를 앉혔다. 내 손을 두 손으로 부여잡고 문지르며 나를 바라보았다. 한 번도 본 적 없는 곤란하고도 침통한 표정이었다.

"나의 자그마한 벗!" 그가 내게 말했다. "그대와 단둘이 조용한 섬으로 가서 살고 싶어. 이 모든 괴로움과 위험, 끔찍한 기억은 모두 지워버리고 말이야."

"제가 무엇을 도와드릴까요? 제 목숨을 바쳐서라도 섬기겠어요."

"제인, 도움이 필요하면 그대에게 청하겠소. 약속하오."

"제발요. 제가 어떻게 하면 좋을지 알려주세요. 노력해 볼게요."

"지금은 식당으로 가서 포도주 한잔을 부탁해야겠는걸. 다들 모여 밤참을 즐길 시간이니까. 가서 메이슨이 아직 있는지, 무엇을 하고 있는지 보고 와주시오."

그의 말을 따랐다. 로체스터 씨의 말대로, 다들 식당에 모여 밤참을 즐기고 있었다. 식탁에 격식을 차려 앉아 있는 대신, 다들 식기장 탁자에 차려진 음식을 가져다가 먹었다. 각자 원하는 것을 가져다가 여기저기 흩어져서 접시와 잔을 손에 들고 있었다. 모두들 매우 즐거워 보였고, 웃음과 대화가 끊이지 않았다. 메이슨 씨는 난롯가 근처에 서서 덴트 대령

부부와 이야기를 나누고 있었는데, 유독 즐거워 보였다. 나는 조용히 다가가 잔을 채웠다. (내 행동을 눈여겨보던 잉그램 양이 눈살을 찌푸렸다. 분명 내가 주제넘은 행동을 한다고 여기는 듯했다.) 나는 잔을 들고 서재로 돌아왔다.

파리했던 안색이 사라지자, 로체스터 씨의 얼굴에 특유의 무뚝뚝한 표정이 되살아났다. 그는 내게 잔을 받아 들었다.

"그대의 건강을 위하여. 성직자다운 면모를 잃지 말길!" 그가 나를 위해 건배하고는 포도주를 전부 들이켰다. 내게 잔을 돌려준 그가 물었다. "다들 어떻게 있소?"

"웃고 떠들어요."

"이상한 이야기를 들은 것처럼 심각하거나 놀라운 표정을 짓는 사람은 없고?"

"전혀요. 다들 농담하고 웃고 떠드는 분위기인걸요."

"메이슨은?"

"그 사람도요."

"만약 저들이 모두 모여 내게 침을 뱉는다면, 그대는 어찌하겠소, 제인?"

"할 수만 있다면 모두 쫓아낼 거예요."

로체스터 씨가 희미한 미소를 지으며 물었다. "만일 저들이 나를 비웃고, 냉정하게 판단하고, 뒤에서 이야기를 속삭이다가 한 사람씩 떠나버리면, 어찌하겠소? 그들과 함께할 거요?"

"그럴 리 없어요. 저는 당신과 함께하는 게 더 즐거울 거예요."

"나를 위로하기 위해서?"

"네, 당신을 위로하기 위해서요. 제 힘이 닿는 한 최선을 다할 거예요."

"그들이 나를 따랐다는 이유로 그대를 비난하고 배척한다면?"

"그렇다면 귀 기울이지 않을 거예요. 그런 일이 일어난다고 해도 신경 쓰지 않을 거고요."

"정녕 나를 위해 세상의 비난에 맞서겠다는 거요?"

"저의 충성을 바칠 친구를 위해서라면 기꺼이요. 그건 당신도 마찬가지일 테니까요."

"제인, 이제 응접실로 돌아가 메이슨에게 다가가요. 그의 귓가에 로체스터 씨가 귀가했고 그를 만나고 싶어 한다고 조용히 전해줘요. 그를 이리 안내하고, 그대는 물러가요."

"네."

나는 그가 시키는 대로 했다. 내가 그들 사이를 뚫고 지나가자, 모두가 의아한 눈으로 나를 바라보았다. 나는 메이슨 씨를 찾아가 전갈을 전했고, 메이슨 씨를 서재로 안내한 다음 위층으로 올라갔다.

늦은 시간, 침대에 누운 지 얼마 지나지 않아 손님들이 각자의 방으로 물러나는 소리가 들렸다. 얼마 후, 로체스터 씨의 목소리가 들렸다. "이쪽으로, 메이슨. 여기 묵게"라고 말하는 목소리였다.

그의 목소리는 밝고 쾌활했다. 그의 목소리를 듣고 나서 나는 안심하고 잠들었다.

20

평소에는 커튼을 모두 닫고 자는데 오늘 밤은 잊고 말았다. 결국 맑은 밤 환한 보름달이 창문으로 쏟아져 내렸고, 그 결과 가려지지 않은 창문을 통해 바라보던 달의 찬란한 빛이 나를 깨웠다. 한밤중에 일어난 나는 은백색의 맑고 투명한 달을 바라보았다. 아름답고도 찬란했다. 나는 몸을 반쯤 일으켜 커튼을 낟으려고 팔을 뻗었다.

그 순간을 가르는 고통스러운 절규!

밤의 정적도, 참으로 고요하던 평온함도 손필드 저택 끝에서 끝까지 울려 퍼진 날카로운 절규로 인해 절반으로 찢어졌다.

맥박이 멈추고 심장이 굳었다. 뻗은 팔은 그대로 얼어붙었다. 비명을 내지른 존재는 두 번 다시 소리 내지 못했다. 안데스산맥에서 가장 넓은 날개를 펼친 콘도르*도, 보금자리를 덮은 구름 아래 그런 비명을 두 번 연속 내지를 수는 없었으리라. 그런 비명을 다시 한번 지르려면 무엇이든 잠시 숨을 골라야 할 것이다.

절규는 3층에서 들려왔다. 머리 위에서 내리꽂히는 비명이었다. 그리고 내 방 천장 바로 위에 있는 방에서—내 머리 위로—한바탕 몸싸움이 벌어졌다. 소음으로 보아 치명적인 결투를 벌이는 듯했다. 반쯤 숨이 막힌 목소리가 온몸으로 외쳐댔다.

* 아메리카 대륙에서 서식하는 맹금류.

"도와줘요! 도와주세요! 제발!" 세 번이나 내지르는 다급한 간청이었다.

"아무도 없어요?" 그가 외쳤다. 비틀거리며 발을 구르는 소리가 거칠게 이어지는 사이, 나무와 회반죽 벽 너머로 외치는 소리가 내 귓가를 때렸다.

"로체스터! 로체스터! 제발, 여기라고!"

어딘가에서 침실 문이 열렸다. 누군가 복도를 내달렸다. 머리 위로 바닥을 거칠게 구르는 소리가 들리더니 무엇인가 넘어지는 소리가 들렸다. 그리고 이내 다시 침묵이었다.

나는 두려움으로 덜덜 떨리는 손을 고쳐 쥐며 아무 옷이나 걸쳐 입고 방문을 열었다. 자고 있던 모두가 깨버렸다. 여기 저기서 문을 열고 밖을 내다보았다. 복도가 가득 찼다. 신사, 숙녀 모두 침대에서 일어났다.

"무슨 일이야?", "누가 다친 거야?", "무슨 일이죠?", "불을 켜!", "불이 났어요?", "강도가 들었어?", "어디로 대피해야 하는 거야?" 같은 소리가 여기저기서 쏟아졌다. 그들은 이리 저리 뛰어다니고, 서로에게 뒤엉기고, 우왕좌왕하며 흐느끼고, 비틀거렸다. 혼란은 걷잡을 수 없이 커졌다.

"도대체 로체스터는 어디 있지?" 덴트 대령이 소리쳤다. "침대에도 없군."

"여기 있소! 여기!" 로체스터 씨가 고함치듯 대답했다. "다들 진정하시오. 지금 갑니다!"

복도 끝 문이 열리며 로체스터 씨가 촛대를 들고 나타났다. 3층에서 내려오는 것 같았다. 숙녀 하나가 곧장 그에게 달려가 그의 팔을 부여잡았다. 잉그램 양이었다.

"무슨 끔찍한 사고라도 있었나요? 당장 말해주세요! 최악의 상황이라도 상관없다고요!"

"이러면 내가 뒤로 넘어가겠소, 목도 졸리는 것 같고." 그가 겨우 대답했다. 애슈턴 자매도 달려와 그를 붙잡고 있었기 때문이었다. 두 미망인도 커다란 천으로 몸을 감싸고 전속력으로 향하는 배처럼 그에게 달려들었다.

"괜찮아요. 별일 아닙니다!" 그가 외쳤다. "별거 아닌 일에 너무 큰 소란이 났군요. 숙녀분들, 뒤로 물러서요, 이러다가 내가 위험해지겠소."

그는 진정 위험해 보였다. 검은 눈에서 불꽃이 일었다. 간신히 진정한 그가 덧붙였다.

"하인 하나가 악몽에 시달렸어요. 그게 전부입니다. 자주 흥분하고 신경질적인 자예요. 그녀가 꿈을 꾸다가 헛것을 본 모양인데 겁에 질려 발작을 일으켰소. 이제 여러분 모두 방으로 돌아가요. 여러분부터 진정하셔야 그녀를 돌보지 않겠습니까. 신사분들, 모범이 되어주시오. 잉그램 양, 이런 소동에도 초연함을 잃지 않아야 하지 않겠소? 에이미, 루이자, 비둘기처럼 둥지로 날아가요. 부인도요, 이 추운 복도에 오래 계시면 분명 감기에 걸릴 겁니다."

설득과 명령을 번갈아 가며 연설한 끝에, 그는 손님들을 각자의 방으로 보내는 데 성공했다. 나는 돌아가라는 명령을 기다리지 않고, 조용히 내 방으로 들어왔다. 나왔을 때처럼, 물러날 때도 다른 사람들의 눈에 띄지 않았다.

그러나 나는 침대로 들어가지 않았다. 오히려 반대였다. 나는 옷을 꼼꼼히 갖춰 입었다. 비명 후 들린 소리는 아마도 나만 들은 모양이다. 그 소리가 내 방 바로 위층에서 들렸기 때문이리라. 저택을 공포에 떨게 한 그 비명은 하인의 꿈 따위가 아니었다. 로체스터 씨는 단지 손님들을 달래기 위해 핑곗거리를 만든 게 분명했다. 나는 비상 상황에 대비해 옷을 입고, 창가에 앉아 조용한 영지와 은빛 들판을 바라보며 무엇을 기다리는 줄도 모르고 기다렸다. 이상한 소리와 몸부림 그리고 울부짖음에 이어 분명 어떤 일이 벌어질 것만 같았다.

그러나 정적은 빠르게 내려앉았다. 모든 소리와 움직임이 점차 사그라졌고, 약 한 시간이 지나자 손필드 저택은 다시 황무지처럼 조용해졌다. 마치 모두의 잠과 모두의 밤이 제자리를 찾은 것 같았다. 그러는 동안 달은 점점 지고 있었다. 차갑고 어두운 곳에 앉아 있는 게 썩 편하지 않아서, 나는 창가를 떠나 조용히 카펫 위를 걸어 침대로 갔다. 신발을 벗으려고 몸을 숙이는 데 누군가 조용히 문을 두드렸다.

“제가 필요하세요?” 내가 차분하게 물었다.

“일어나 있었소?” 문밖에서 내가 기다리던 그 목소리, 내 주인의 목소리가 들렸다.

“네.”

“옷도 입었고?”

“네.”

“그럼 조용히 나와요.”

나는 그의 말을 따랐다. 로체스터 씨가 촛대를 들고 복도
에 서 있었다.

"그대가 필요해요. 이쪽으로 와요, 천천히. 소리는 내면 안
돼요."

내 신발은 밑창이 얇아 반질반질한 바닥을 고양이처럼 아
무 소리도 내지 않고 걸을 수 있었다. 그는 복도를 지나 계단
을 올라가서 어두운 3층 복도에 멈췄다. 나는 그를 따라 곁에
섰다.

"아, 혹시 방에 해면 스펀지가 있소?" 그가 소리를 죽이고
물었다.

"네."

"후각 각성제는?"

"있어요."

"그럼 가서 둘 다 가져와요."

나는 방으로 돌아가 세면대에서 해면 스펀지와 각성제 약
병을 들고 되돌아갔다. 그는 가만히 나를 기다리고 있었다.
열쇠를 들고 있던 그가 조그만 검은 문으로 다가가 열쇠를
자물쇠 구멍에 꽂았다. 열쇠를 돌리려다 말고, 그가 나를 돌
아보며 물었다.

"피를 봐도 괜찮아요? 속이 안 좋다거나."

"괜찮을 것 같아요. 물론 그런 광경을 본 적은 없지만요."

그에게 대답하는 동안 온몸에 소름이 끼쳤다. 하지만 이대
로 숨이 멎거나 쓰러질 것 같지는 않았다.

"잠깐 손을 줘요. 혹시 기절할지도 모르니."

나는 그의 손가락 사이에 내 손가락을 끼웠다. "따뜻하고 또 차분하군." 그가 말했다. 그리고 열쇠를 돌려 문을 열었다.

이전에도 와본 적이 있는 방이었다. 처음 저택을 구경하며, 페어팩스 부인이 보여주었던 방이었다. 태피스트리로 벽을 장식한 방이었는데, 그중 일부 장막이 위로 말려 걷혀 있었고, 그 뒤로 감춰두었던 문이 보였다. 문은 열려 있었고 방 안에서 빛이 새어 나왔다. 마치 개들이 싸우는 듯 으르렁거리는 소리가 들렸다. 로체스터 씨가 촛대를 내려놓으며 말했다.

"잠깐 기다려요."

그리고 그는 안쪽으로 들어갔다. 입구에서부터 요란스러운 웃음소리가 그를 맞이했다. 처음에는 시끄러웠고, 마지막에는 그레이스 풀의 악마 같은 웃음—하! 하! 하!—으로 끝났다. 그 여자가 저기 있다. 낮은 목소리의 누군가가 로체스터 씨에게 말을 걸었지만, 그는 대꾸도 하지 않고 상황을 정리했다. 방 밖으로 나온 그가 등 뒤로 문을 닫았다.

"제인, 이리로!" 그가 내게 말했다. 나는 그를 따라 방의 대부분을 차지한 커다란 침대를 빙 둘러 걸었다. 침대 커튼이 모두 드리워져 있었고, 머리맡에는 안락의자가 놓여 있었다. 한 남자가 의자에 앉아 있었는데, 코트를 제외한 모든 옷을 갖춰 입은 상태였다. 가만히 미동도 없이 앉은 남자는 고개를 뒤로 완전히 젖힌 채 눈을 감고 있었다. 로체스터 씨가 그의 얼굴 위로 촛불을 비추었다. 창백하고 핏기 없는 얼굴은 메이슨 씨였다. 그의 상체 왼편과 한쪽 팔이 피에 흠뻑 젖어 있었다.

"초를 들어요." 로체스터 씨가 말했고, 나는 그의 말을 따랐다. 우선 로체스터 씨는 세면대에서 물 한 대야를 떠왔다. 내게 대야를 잡으라고 시킨 후, 그는 내 손에서 해면 스펀지를 받아 물을 적시고, 죽은 사람처럼 창백한 메이슨 씨의 얼굴을 닦았다. 그리고 내게 각성제를 달라고 한 다음, 그 병을 메이슨 씨의 코에 갖다 댔다. 메이슨 씨가 순간 눈을 번쩍 떴다. 신음을 터트리는 그의 셔츠를 벗긴 로체스터 씨가 팔과 어깨에 감은 붕대 위로 흐르는 피를 닦아냈다.

"이렇게 끝나는 건가?" 메이슨 씨가 고통스러운 목소리로 중얼거렸다.

"천혀! 그저 긁힌 것뿐이야. 그런 소리는 하지 마. 정신 차려! 내가 나가서 의사를 데려올 거야. 아침이면 금방 낫는다고. 제인?" 로체스터 씨가 다급하게 말했다.

"네."

"앞으로 한 시간, 아니 어쩌면 두 시간 정도 이 방에 머물며 이 자를 지켜줘요. 내가 했던 것처럼 피가 흐르면 닦아주기만 해요. 기절한 것 같으면 물을 떠다가 먹이고 코에 각성제를 대서 깨워요. 무슨 일이 있어도 대화를 나눠서는 안 됩니다. 그리고 리처드, 자네도 이 여자와 한마디라도 하면 자네 목숨은 장담 못 해. 자네가 입을 열고 떠들면, 그 결과가 어떻든 나는 책임질 수 없어."

다시 한번 저 불쌍한 남자가 신음을 토해내며 도저히 움직일 엄두도 내지 못한다는 듯한 표정을 지었다. 죽음에 대한 두려움인지 아니면 위협에 대한 두려움인지 모르겠으나, 그의 표정은 그대로 굳어졌다. 로체스터 씨가 피투성이가 된 스펀지를 내게 주었고, 나는 그가 했던 것처럼 피를 닦아냈다. 그는 잠시 나를 지켜보다가 "잊지 말아요. 절대 이야기해서는 안 됩니다" 하고 나갔다. 열쇠로 문을 잠그는 소리가 들리자, 기분이 조금 묘했다. 이윽고 로체스터 씨의 발걸음 소리도 멀어졌다.

이제 나는 비밀로 가득한 3층에 갇힌 채였다. 내 주변은 온통 어둠뿐이었고, 내 눈과 손 아래에는 창백하고 피투성이인 남자가 쓰러져 있었다. 살인범이 문 하나를 사이에 두고 나와 붙어 있는 형국이었다. 그야말로 끔찍한 일이었다. 다른 건 모두 견딜 수 있지만 저 문을 열고 그레이스 풀이 달려든다고 상상하면 온몸에 전율이 흘렀다.

하지만 나는 내 자리를 지켜야 한다. 창백하고 굳은 얼굴로 파랗게 질려 옴짝달싹 못 하는 입술과 꼭 감았던 눈을 뜨고 방을 둘러보고, 나를 바라보고, 공포로 질려가는 이 남자를 지켜봐야 한다. 나는 피와 물이 섞인 분홍색 대야에 손을 담그고, 흘러내리는 피를 닦아내야 한다. 타버린 심지가 길어지는 촛대의 일렁이는 불빛에 의존해야 한다. 낡고 고풍스러운 태피스트리 그림자가 어두워지고, 터무니없이 커다랗고 낡은 침대에 드리워진 휘장 아래로 어둠이 번지며, 맞은편에 놓인 커다란 옷장 문에 비치는 그림자를 바라봐야 한다. 옷장 전면에는 열두 장의 패널이 붙어 있었는데, 열두 제자의 암울한 머리가 각각 분리된 패널 안에 장식되어 있었고, 그 위로 흑단 십자가와 죽어가는 그리스도상이 양각으로 조각되어 있었다.

주변으로 짙게 내려앉는 어둠과 여기저기 흔들리는 불빛 사이에서, 턱수염을 기른 의사 누가가 몸을 숙였고, 성 요한의 긴 수염이 물결쳤으며, 패널 밖으로 튀어나온 유다의 사악한 얼굴이 번들거렸다. 악마는 배신자 유다의 얼굴을 하고 계시를 내릴 것처럼 위협적인 몸짓으로 주변을 압도했다.

이 가운데에서 나는 모든 걸 듣고 또 지켜보아야만 했다. 저 동굴 같은 문 안쪽에서 들리는 야수나 악마의 움직임에 귀를 기울였다. 그러나 로체스터 씨가 들어갔다 나온 이후로는 마치 마법에 걸린 것처럼 고요하기만 했다. 밤새 긴 간격으로 세 번의 소리가 들렸다. 삐걱거리며 마룻바닥을 밟는 소리, 순간적으로 으르렁거리던 야수의 울음소리 그리고 인간의 고통스러운 탄식뿐이었다.

이윽고 떠오른 갖가지 생각이 나를 고뇌에 빠뜨렸다. 외딴 저택에 살며 주인에게 쫓겨나지도 않고, 주인에게 굴복하지도 않는 저 범죄자는 대체 누구일까? 오밤중에 불이 나고, 피가 낭자한 이 비밀스러운 현장은 어떻게 설명해야 할까? 평범한 여성의 얼굴과 몸이었는데, 목소리는 악마의 조롱과도 같았고, 또 어떤 때는 썩은 고기를 찾는 맹금류 같기도 했다.

그리고 내가 허리를 숙이며 돌봐야 하는 이 평범하고 조용한 낯선 이는 어떤 이유로 공포의 그물에 휘말린 걸까? 분노의 화신은 왜 그에게 날아든 걸까? 모두가 잠든 시간, 왜 이 남자는 저택의 비밀스러운 구역에 발을 들인 걸까? 로체스터 씨는 분명 어젯밤 이자에게 아래층 손님용 방을 내어주었다. 그런데 무슨 이유로 3층에 올라온 걸까? 왜 자신에게 가해진 폭력에 순순히 당했을까? 로체스터 씨가 강요한 침묵에 왜 그토록 조용히 복종했을까? 왜 로체스터 씨는 함구하라 종용했을까? 그의 손님이 습격당한 일이다. 그도 얼마 전에 잔인한 계획에 휘말려 하마터면 목숨을 잃을 뻔했다. 이런 흉흉한 일을 겪고도 로체스터 씨는 두 번이나 묵살했다. 메이슨 씨는 이런 상처를 입고도, 로체스터 씨가 시키는 대로 입을 다물었다. 로체스터 씨의 강력한 의지가 메이슨 씨를 지배하고, 소극적인 태도로 일관케 했다. 두 사람 사이에 오간 몇 마디 대화만으로도 충분히 느낄 수 있었다. 예전부터 두 사람은 분명 이와 비슷한 태도로 교류했다는 게 확실했다. 로체스터 씨는 왜 메이슨 씨가 찾아왔다는 소식에 그토록 당황했을까? 그저 이름만 불러도 어린아이 다루듯 통제할 수 있는 자, 이 온순한 자의 이름을 듣고 왜 마치 참나무에 벼락이라도 떨어진 것처럼 충격을 받은 걸까?

아! 창백한 얼굴로 속삭이던 그 표정을 어찌 잊을 수 있을까. "제인, 올 게 왔어. 결국 오고야 말았어." 내 어깨에 기대고 있던 그의 팔이 사정없이 떨리던 것도 잊을 수 없다. 에드워드 페어팩스 로체스터의 꺾이지 않던 영혼을 짓누르고 건장한 몸을 떨게 한 건 결코 가벼운 문제는 아니었다.

'언제 오실까? 언제 돌아오실까?' 밤이 깊어질수록, 피를 흘리며 앓고 있는 환자가 신음하며 고통스러워하는 동안, 나는 속으로 하염없이 기도했다. 하지만 아침도, 도움의 손길도 요원했다. 나는 계속 메이슨의 하얀 입술을 물로 적시고 각성제로 그를 깨웠다. 그러나 나의 노력은 효과가 떨어지고 있었다. 신체적 고통과 정신적 고통, 출혈, 세 가지가 모두 합쳐져서 그는 빠르게 쇠약해지고 있었다. 신음은 처음보다 약해졌고, 호흡은 거칠었으며, 길을 잃은 영혼은 점점 죽어갔다. 그가 정말 죽을까 봐 무서워진 나는 차마 그에게 말을 걸 수도 없었다.

촛불이 마침내 모두 타버리고 꺼졌다. 초가 꺼지자, 창문 커튼 언저리로 옅은 회색빛이 비치기 시작했다. 새벽이 다가오고 있다는 신호였다. 잠시 후, 멀리 안뜰에 있는 개집에서 파일럿이 짖는 소리가 들렸다. 희망이 다시 피어나는 순간이었다. 그리고 그 희망은 근거 없는 희망이 아니었다. 5분 후 삐걱거리는 자물쇠 소리와 함께 문이 열렸다. 내 감금도 끝났다는 뜻이었다. 사실 이 방에 머무른 건 고작 두 시간 남짓이었다. 그러나 내게는 일주일도 넘는 것처럼 길기만 했다.

로체스터 씨가 의사와 함께 방으로 들어왔다.

"카터, 빨리 처치부터 해주게." 로체스터 씨가 부탁했다. "상처를 치료하고 붕대를 감고 환자를 아래층으로 옮기는 데 30분 이상 걸리면 안 되네."

"하지만 환자가 움직일 수 있습니까?"

"당연하지. 그리 심각하지 않아. 그저 긴장해서 그래. 기운을 차리게 하면 돼. 어서 치료부터 하게."

로체스터 씨는 두꺼운 커튼을 열고 삼베 차양을 걷어, 최대한 방 안을 밝게 만들었다. 동이 터오는 모습에 나도 모르게 기쁘고 감사한 마음이 들었다. 동쪽 하늘이 붉게 물들고 있었다. 이미 처치를 시작한 의사 곁으로 다가간 로체스터 씨가 메이슨에게 물었다.

"이보게, 친구. 좀 어때?"

"아무래도 나는 이제 더 이상 안 되겠어. 그녀는 내게 없는 이야." 희미한 목소리로 메이슨 씨가 대꾸했다.

"아니야, 그런 소리 말게! 기운 내야지! 한 2주만 지나면 멀쩡해질 거야. 출혈은 조금 있었지만 괜찮아. 카터, 생명에는 아무런 위험이 없다고 말해주게."

"맹세컨대 생명에는 지장이 없는 상처입니다." 붕대를 풀어본 카터가 말했다. "제가 조금만 빨리 왔더라면 이렇게 피를 많이 흘리지 않았을 텐데요. 그런데 이게 다 무슨…… 어깨는 찢어지고 베인 데다가, 이 상처는 자상(刺傷)이 아니군요! 여기 이빨 자국이!"

"그녀가 나를 물었어." 메이슨 씨가 중얼거렸다. "로체스터가 칼을 빼앗자 호랑이처럼 달려들었지."

"그러게, 물러서지 말았어야지. 단박에 제압했어야지." 로체스터 씨가 말했다.

"하지만 그런 상황에서 어떻게 대처할 수 있겠어?" 메이슨 씨가 말했다. "정말 무서웠다고!" 그의 목소리가 바르르 떨렸다. "처음에는 얌전해서 생각지도 못한 일격이었어."

"내가 경고했잖아. 내가 말했잖아. 가까이 갈 때는 늘 조심해야 한다고. 하루만 기다렸다가 나랑 같이 갔으면 좋았잖나. 혼자 만나러 가다니, 어리석었어." 로체스터 씨가 쏘아붙였다.

"내 나름대로는 도움이 되고 싶었던 거야."

"자네 나름! 그래, 자네 나름대로는 그랬겠지. 난 이제 그 소리만 들어도 신물이 나. 어쨌든 대가를 치렀고, 내 충고를 듣지 않은 벌로 충분히 고통스러운 것 같으니 더 이상 말하지 않겠네. 카터, 서두르게! 곧 해가 떠. 그전에 나가야 해."

"네, 거의 다 됐습니다. 어깨는 붕대를 다 감았습니다. 팔에 상처가 있어요. 여기도 이빨 자국이 남은 것 같군요."

"내 피를 빨았어. 내 심장까지 모두 말려버리겠다고 했어." 메이슨이 중얼거렸다.

로체스터 씨의 몸이 떨렸다. 혐오감, 공포, 증오가 뚜렷이 드러나며 얼굴이 잔뜩 일그러졌다. 그러나 그는 말을 줄였다.

"리처드, 입 다물게. 그런 헛소리는 신경 쓰지도 마. 더 이상 말하지 말게."

"나도 잊을 수 있다면 잊고 싶군." 상대는 힘없이 고개를 저었다.

"해외로 나가면 금방 잊을 거야. 스패니시 타운으로 돌아가면, 그녀를 죽은 사람으로 대하고, 묻어버려. 아예 떠올리지도 않으면 더 좋고."

"오늘 밤을 어찌 잊겠나!"

"그렇지 않아! 기운을 차려. 두 시간 전만 해도 죽은 생선

CHARLOTTE BRONTË

처럼 축 처져 있었는데, 이제는 살아 숨 쉬며 나와 이야기하고 있잖아. 이거 보게, 카터가 자네를 거의 고쳤어. 내가 금방 자네를 멀쩡하게 만들 거야. 제인, —그가 다시 돌아온 후 처음으로 내게 말을 걸었다—이 열쇠를 가지고 내 침실로 내려가 옷방으로 곧장 들어가요. 옷장 맨 위 서랍을 열고 깨끗한 셔츠와 목수건을 꺼내 가져와요. 빨리요."

나는 그의 지시에 따라 내려갔고, 그가 말한 것을 챙겨 돌아왔다.

"이제 침대 반대편으로 가요. 내가 이 자의 옷을 갈아입히는 동안. 하지만 아직 방을 떠나지는 말아요. 그대가 다시 필요할 수도 있으니까."

나는 지시에 따라 시선을 돌렸다.

"제인, 아래층은 별일 없고?" 로체스터 씨가 내게 물었다.

"네, 아주 조용했어요."

"아무도 모르게 데려다주지, 리처드. 그게 자네와 저기 불쌍한 영혼을 위해서도 좋은 일이야. 지금껏 아무도 모르게 감춰왔고, 이제 와 드러나는 건 원하지 않아. 자, 카터, 조끼 입히는 것 좀 도와주게. 모피 망토는 어디 있지? 춥고 싸늘한 날씨에 망토 없이는 한 발짝도 움직이지 못해. 방에 있나? 제인, 메이슨 씨 방에 다녀와줘요, 빨리. 내 방 옆방이오. 거기 가면 망토가 있을 겁니다."

나는 재빨리 달렸고, 그가 말한 모피 망토를 들고 돌아왔다.

"또 다른 부탁이 있소." 지칠 줄 모르는 나의 주인이 말했다. "다시 내 방으로 가요, 제인. 그대가 벨벳 실내화를 신고 있어서 얼마나 다행인지 모르겠군. 이 상황에 발이 무거운 하인은 필요 없으니까. 가서 화장대 가운데 서랍을 열고 작은 약병과 작은 유리잔을 가져와요, 빨리!"

나는 달려가 그가 말한 서랍을 뒤져 물건을 챙겨왔다.

"완벽하군! 의사 양반, 내가 직접 약을 투약할 수 있게 허락해 주시오. 결과는 전적으로 내가 책임지겠소. 이건 이탈리아 로마의 의사가 제조한 거요. 카터, 당신이라면 기들떠보지도 않을 돌팔이지. 아무 때나 무분별하게 쓰는 흥분제는 아니지만 지금 같은 경우라면 괜찮아. 제인, 물 좀."

그는 작은 유리잔을 내밀었고, 나는 세면대에서 그 유리잔에 절반 정도 물을 채웠다.

"그 정도면 충분해. 약병 입구에 물을 적셔요."

나는 그의 지시에 따랐다. 그는 진홍색 액체 열두 방울을 측정해 따르고 메이슨에게 건넸다.

"마시게, 리처드. 한 시간 정도는 정신이 맑을 거야."

"몸에 해롭지는 않아? 염증을 일으키면?"

"어서 마셔! 들이켜라고, 어서!"

메이슨 씨는 저항이 무의미하다는 걸 깨닫고 순순히 따랐다. 그리고 옷을 마저 입었다. 여전히 창백한 안색이었지만, 더 이상 피투성이는 아니었다. 메이슨 씨가 약을 마시자, 로체스터 씨는 그를 3분 정도 앉혀놓은 다음 팔을 잡고 부축했다.

"이제 일어설 수 있을 거야. 일어나 보게."

환자가 일어섰다.

"카터, 다른 쪽 팔을 부축해 주게. 힘내, 리처드. 한 걸음 내디뎌봐. 그렇지!"

"기분이 한결 나아." 메이슨 씨가 말했다.

"그렇지, 내가 뭐랬어. 제인, 이제 우리보다 먼저 뒷문으로 나가 옆 통로 문을 열고, 마당에 있을 마부에게 준비하라 일러요. 어쩌면 문밖에 있을지도 모릅니다. 진입로에서 소리 내어 달리지 말라고 신신당부해 놓았거든. 아무튼 지금 내려가니 준비해 두라고 일러요. 그리고 제인, 혹시 누가 깨어 있거든 계단 밑에서 기침으로 신호를 보내요."

시간은 이미 다섯 시 반을 지나고 있었고, 일출 직전이었다. 부엌은 여전히 어둡고 조용했다. 옆쪽 통로 문은 잠겨 있었고, 나는 최대한 조용히 숨죽여 문을 열었다. 마당은 조용했지만 문은 활짝 열려 있었고, 마차가 준비를 마친 채였다. 마부는 마부석 옆에 서 있었다. 나는 그에게 다가가 손님이 곧 내려올 거라 전했다. 그는 고개를 끄덕였다. 나는 조심스럽게 주위를 살피고 귀를 기울였다. 새벽의 고요함이 사방에 가득했고, 하인 방 창문의 커튼은 아직 닫혀 있었다. 작은 새가 꽃이 만발한 과수원 나뭇가지 위에서 지저귀고 있었고, 나뭇가지는 안뜰을 가로지르는 담 위에 하얀 화관처럼 드리워져 있었다. 문이 닫힌 마구간 안에서는 좁은 마구간이 불편한 듯 고삐 채운 말이 이따금 발굽을 구르며 쿵쿵거렸지만, 그 외에 모든 것이 고요했다.

이윽고 남자들이 모습을 드러냈다. 로체스터 씨와 의사의 부축을 받은 메이슨 씨는 상당히 편안한 발걸음으로 나타났다. 두 사람이 메이슨 씨를 마차에 태웠고 카터가 환자의 뒤를 따라 올랐다.

"부디 잘 부탁하오. 완전히 회복될 때까지는 의원에서 돌봐주시오. 나도 하루나 이틀 후에 방문할 거요. 얼마나 회복되었는지 확인할 겸. 리처드, 그래도 괜찮지?" 로체스터 씨가 말했다.

"신선한 공기를 맡으니 좀 살 것 같아, 페어팩스."

"창문을 열어두게, 카터. 바람도 안 불어. 그럼 조심히 가게, 리처드."

"이봐, 페어팩스."

"왜? 뭐 잊은 게 있어?"

"그녀를 잘 돌봐주게. 부디 부드럽게 대해줘, 그녀를……." 그가 말을 채 맺지 못하고 눈물을 터트렸다.

"최선을 다하겠네. 이제까지 그래왔고, 앞으로도 그럴 거야." 로체스터 씨의 대답이었다. 그가 마차 문을 닫았고, 마차는 이내 떠나갔다.

"이대로 모든 게 정리된다면 좋겠군." 로체스터 씨가 묵직한 마당 문을 닫고 잠그며 조용히 덧붙였다.

그렇게 그는 느릿느릿한 걸음으로 과수원 경계에 있는 벽에 난 문으로 향했다. 내가 할 일은 다 끝났다고 생각한 나는 집을 향해 걸었다. 그러나 그가 곧 "제인!" 하고 나를 불러 세웠다. 그는 과수원 경계의 문을 연 채 나를 기다리고 있었다.

"우리 잠깐 신선한 바람을 좀 맞을까?" 그가 내게 물었다.

"저 집은 꼭 감옥 같아. 그렇지 않소?"

"제 눈에는 꽤 근사한 저택인걸요."

"경험하지 못한 눈에 드리운 마법의 장막이 그대를 무지하게 만드는군." 그가 대꾸했다. "마법이 걸린 눈으로 보니까 진흙은 금박처럼, 거미줄은 비단 휘장처럼 보이는 거야. 더러운 슬레이트가 대리석으로 보이고, 쓰레기 조각과 비늘 덮인 나무 껍질이 광택이 흐르는 나무처럼 보이는 거지. 여기가—우리 앞에 펼쳐진 푸르른 과수원을 가리키며—훨씬 현실적이고, 달콤하고, 순수해."

그는 양쪽으로 풍성한 화단이 있는 산책로를 따라 내려갔다. 한쪽으로는 사과나무, 배나무, 벚나무가 자라는 과수원이, 반대쪽으로는 온갖 고풍스러운 꽃과 아메리카패랭이꽃, 앵초, 팬지 따위가 피어 있었고, 향쑥과 들장미가 여러 향초 사이에 섞여 피어 있었다. 4월의 소나기가 지나가고 맑게 갠 햇살과 빛줄기 그리고 아름다운 봄날 아침이 싱그러운 하루를 알리고 있었다. 태양이 구름으로 얼룩진 동쪽 하늘에 떠오르고 있었고, 그 빛이 이슬 맺힌 꽃봉오리와 나무, 그 아래로 고즈넉한 산책로를 비추고 있었다.

"제인, 꽃 한 송이 줄까요?"

그가 막 피어나는 장미를 꺾어 내게 내밀었다.

"감사합니다."

"제인, 이런 날의 일출을 좋아합니까? 저 하늘에 높이 떠 있는 옅은 구름은 날이 따뜻해지면 곧 사라질 거고, 날은 포근하고 고요하지. 이런 분위기는 어때요?"

“네, 마음에 들어요.”

“간밤이, 이상한 밤이었겠지.”

“네, 정말로요.”

“안색이 창백하군. 내가 메이슨과 그대만 남겨두고 떠나서 무서웠습니까?”

“안쪽 방에서 누가 나올까 봐 무서웠어요.”

“하지만 나는 문을 잠갔고 열쇠는 내 주머니에 있었소. 나의 어린 양을, 감히 소중한 양을 늑대 소굴 가까이에 무방비 상태로 방치했다면 나 역시 부주의한 목동이라는 소리를 들어 마땅하지. 하지만 그대는 무사해.”

“그레이스 풀은 계속 이 집에 사는 건가요?”

“아, 그럼! 그 여자 생각으로 머리를 어지럽히지 마시오. 그런 생각은 그냥 쫓아버려요.”

“그 여자가 있는 동안 당신 삶이 위협받잖아요.”

“두려워 마시오, 내 일은 내가 알아서 처리할 테니.”

“어젯밤의 위험은 이제 사라진 건가요?”

“메이슨이 영국을 떠날 때까지는 확신할 수 없지. 물론 떠나고 난 후에도 마찬가지고. 제인, 내게 삶이란 언제든 갈라지고 불길이 솟을지 모르는 분화구 위에 서 있는 것과 다르지 않소.”

“하지만 메이슨 씨는 당신의 말을 다 따르던걸요. 당신이 분명 그에게 큰 영향을 미치는 거예요. 결코 당신을 무시하거나 고의로 해칠 사람이 아니에요.”

“아, 물론이지. 메이슨은 나를 무시할 수 없소. 그러나 의도

치 않게, 한순간에 생각 없이 던진 말 한마디가 나의 생명이
나 내 행복을 영원히 빼앗을 수도 있지.”

“메이슨 씨에게 조심하라고 꼭 경고하세요. 당신이 깊이
우려하고 있다는 걸 알려드리고, 위험에서 벗어날 방법도 알
려주시고요.”

로체스터 씨는 씁쓸한 미소와 함께 내 손을 잡았다가 얼른
놓아주었다.

“그렇게만 할 수 있다면 세상에 위험한 일 따위는 없겠지,
이 어리석은 아가씨야. 내 행복은 순식간에 사라지는 거요.
메이슨을 알고 난 후로, 그자에게 ‘이렇게 해’라고 말하면 모
든 일은 그렇게 이루어졌지. 하지만 이번 일은 달라요. 그에
게 명령을 내릴 수도 없지. ‘리처드, 나에게 해를 끼치지 않도
록 조심해’라고 말할 수 없습니다. 왜냐하면 그자가 나를 해
칠 수 있다는 걸, 절대 그자가 깨우쳐서는 안 되거든. 무슨 소
리인지 하나도 모르겠다는 표정이군. 자, 이제 그대를 훨씬
더 당황하게 만들어야겠습니다. 그대는 나의 자그마한 벗이
지, 안 그렇소?”

“저는 당신을 섬기고, 당신을 따르고 싶어요. 그게 옳은 일
이라면 무엇이든.”

“맞아, 나도 압니다. 당신이 나를 도와주거나 나를 기쁘게
할 때면 그 행동이나 태도, 눈과 얼굴에 정말로 만족한 빛이
떠오르거든. 나를 위해, 나와 함께, 당신의 말처럼 ‘옳은 일이
라면 무엇이든’ 해줄 때마다 그래. 만약 내가 그대에게 잘못
된 일이라고 여겨지는 행동을 요구하면, 가벼운 발놀림도,

깔끔한 손놀림도, 생기 있는 눈빛이나 안색도 사라지겠지. 나의 벗은 희게 질린 얼굴로 '안 돼요. 그건 불가능해요. 잘못된 일은 따를 수 없어요'라고 말하며 저 하늘에 움직이지 않는 항성처럼 제자리에 서 있을 거야. 그래, 그대도 내게 권세를 행사해. 그대로 인해 나 역시 상처 입을지도 몰라. 그대처럼 신실하고 친절한 사람이라도, 나를 해치지 않으리란 보장이 없으니. 아직은 나의 가장 연약한 부분을 드러내고 싶지 않소."

"저를 두려워하실 필요가 없으니, 메이슨 씨도 두려워하지 마세요. 그럼 당신은 안전해요."

"부디 그러길 바라오! 자, 제인, 정자에 잠깐 앉아봐요."

아치 모양의 정자에는 담쟁이덩굴이 늘어진 벽 아래에 통나무로 된 소박한 의자가 놓여 있었다. 로체스터 씨는 나를 위해 자리를 비웠지만, 나는 그의 앞에 섰다.

"앉지 않고." 그가 말했다. "의자는 두 사람이 앉을 수 있을 만큼 길잖소. 주저 말고 내 곁에 앉아요. 나란히 앉는 게 그렇게 잘못된 일입니까, 제인?"

나는 대답 대신 그의 곁에 앉았다. 거절하는 건 어리석은 일이라는 생각이 들었다.

"나의 자그마한 벗. 태양이 이슬을 마시고, 이 오래된 정원에 모든 꽃을 깨워 틔우고, 새들이 아침 먹이를 물어오고, 이른 벌이 첫 꿀을 따는 동안, 나는 그대에게 사건 하나를 맡기겠소. 그대 스스로 생각하고 답해야 합니다. 하지만 먼저 나를 보면서, 그대 마음이 편안한지, 내가 그대를 이렇게 잡고 있는 일이나 나와 이곳에 있는 게 잘못된 일이라고 여기는지, 그게 아니라면 지금 어떤지, 내게 솔직히 말해주지 않겠어?"

"저는 지금 만족스러워요."

"그렇다면 제인, 상상력을 최대한 키워봐요. 그대는 더 이상 좋은 기관에서 다양한 교육과 인내심을 기르는 법을 깨우친 소녀가 아니라 어린 시절부터 이곳저곳 떠돌아다니며 산 소년이야. 먼 이국땅에서 자랐지. 그곳에서 그대는 크나큰 실수를 했어. 그게 어떤 실수든, 어떤 동기에서 비롯된 일이든, 그 결과가 평생을 따라다니고 당신 삶을 더럽히지. 물론 범죄는 아니야. 유혈 사태나 그밖에 다른 범죄도 아니고, 법적으로 재판을 받아야 할 일도 아니지. 그건 정말 실수였어. 그 한 번의 실수가 시간이 지나면서 이제는 돌이킬 수 없는 결과가 되었지. 마음을 구제하기 위해 비정상적인 조처를 했지만, 이건 불법도 아니고 문책을 당할 일도 아니오. 그래도 비참하기는 마찬가지요. 왜냐하면 삶의 출발부터 희망에게 버려졌고 한낮의 태양이 일식으로 어두워지며 해가 질 때까지 계속될 테니까. 쓰디쓰고 가벼운 만남만이 당신 기억의 유일한 안식처요. 이곳저곳을 방황하며 유배지를 거치고 그곳에서 짧은 안식을 찾은 거야. 쾌락의 행복만이, 무자비하고 관능적인 쾌락만이 지성을 둔화시키고 감정을 마비시키는 거야. 지치고 시든 영혼은 수년간 이어지던 자발적인 유배를 마치고 집으로 돌아왔지. 거기서 새로운 누군가를 만났소. 어디서 어떻게 만났는지는 중요하지 않아. 그저 낯선 사람에게서 지난 20년간 추구했지만, 한 번도 만난 적 없는 선하고 밝은 자질을 발견하게 되었어. 상쾌하고 건강하며 더러움도 추함도 없어. 그런 만남 속에 영혼은 치유받고, 더 좋은 날이 이어지고, 더 높은 소망과 순수한 감정을 느끼고, 삶을 다시 시작하고, 남겨진 나날을 인간답게 지내고 싶다는 소망을 품게 되었어. 이를 위해서, 양심도, 남들의 인정도 받을 수 없는 사회적 관습도 모두 뛰어넘고 싶은 이 마음이 과연 옳은 일일까?"

그는 잠시 말을 멈추고 대답을 기다렸다. 내가 뭐라고 하면 좋을까? 아, 현명하고 만족스러운 대답을 알려줄 착한 정령은 어디 갔을까? 헛된 열망이야! 서풍이 담쟁이덩굴을 헤치며 속삭였지만, 그 숨결 속에도 나의 정령은 없었다. 새들은 나무 꼭대기에서 노래했지만, 노랫소리가 아무리 달콤해도 내게 줄 답은 없었다.

다시 한번 로체스터 씨가 질문을 던졌다.

"평생 방황하고 죄를 지었지만, 이제 안식을 추구하고 회개하고 싶은 그대가 온유하고 은혜롭고 자애로운 이방인을 옭아매고, 자기 마음의 평화와 새로운 치유를 추구하며 세상의 관습을 과감히 거스르고자 한다면, 과연 그게 옳은 선택일까?"

"방랑자의 영원한 안식도, 죄인의 회개도 결코 타인에게 의존해서는 안 된다고 생각해요. 인간은 모두 유한한 삶을 살아요. 철학자의 지혜도, 그리스도를 믿는 자의 선함도 한번은 돌부리에 흔들리고 유혹에 넘어가요. 당신이 아는 사람

중에 잘못을 저지르고 고통받는 자가 있다면, 회개를 위한 힘이나 치유를 위한 위로는 같은 인간이 아니라 더 높은 곳을 우러러 구해야 한다고 생각합니다." 나는 대답했다.

"하지만 방법이, 방법이! 일을 행하시는 주님이 그 방법을 정하시는 법이니. 나는,—그래요, 그러니까 이건 나의 이야기야—나는 그간 세속적이고 더럽고 불안한 인간이었어. 그리고 나는 이제 내 상처를 치유해 줄 방법을 발견했다고 믿어. 그건……."

그가 입을 다물었다. 새들은 계속 지저귀고 나뭇잎은 바람에 바스락거렸다. 한참이나 말이 없는 그의 이야기를 위해, 새도, 나뭇잎도 함께 숨을 죽여야 하는 건 아닐까 싶을 정도로 침묵은 길었다. 마침내 나는 입을 다문 상대를 빤히 올려다보았다. 그는 애타는 눈빛으로 나를 바라보고 있었다.

"나의 소중한 벗." 그는 상당히 거칠고 냉소적인 표정으로 나를 바라보았다. 부드러움도, 차분함도 모두 잃은 지 오래였다. "내가 잉그램 양에게 호의를 표한다는 걸 그대도 알고 있을 거요. 내가 그녀와 결혼하면, 그녀가 정녕 내게 다시 생명을 불어넣어 줄 거라 믿어요?"

그는 말을 마치기가 무섭게 자리에서 벌떡 일어나 산책로 반대편 끝까지 걸어갔다. 그리고 다시 돌아왔을 때는 콧노래를 흥얼거렸다.

"제인, 제인." 그가 내 앞에 걸음을 멈추고 말했다. "밤을 새워서 그런지 얼굴이 창백하군. 그대의 휴식을 방해한 나를 저주하지는 않겠지?"

"저주라니요, 전혀요."

"확실하다면 내 악수에 답해줘요. 손이 정말 차갑군! 어젯밤 비밀의 방 입구에서 잡았을 때만 해도 따뜻했는데. 제인, 언제 또 나와 밤을 지새주겠소?"

"언제든. 제가 도움이 된다면요."

"예를 들어, 내 결혼 전날 밤이라면? 잠을 이루지 못할 것 같아서 말이야. 나와 함께 앉아 밤을 새워주겠다고 약속하겠소? 그대에게라면 나는 내 사랑스러운 동반자 이야기도 할 수 있을 거야. 그대도 그 사람을 만나보았고, 또 잘 알고 있으니까."

"물론입니다."

"참으로 드문 여자야, 안 그렇소?"

"그래요."

"말 그대로 여장부야, 대단한 여자지. 큰 키에 가무잡잡한 피부며, 풍만한 몸매와 옛 카르타고 여인이 가졌을 법한 풍성한 머리칼까지! 맙소사, 마구간에 덴트 대령과 린 경이 왔군! 저쪽 문을 통해 관목 옆길로 돌아가시오."

그렇게 우리는 다른 방향으로 걷기 시작했다. 안뜰로 입장한 그가 쾌활한 목소리로 말했다.

"여러분, 메이슨이 오늘 아침 먼저 떠났습니다. 배웅을 위해 무려 새벽 네 시에 일어났지 뭡니까."

21

예감이란 참으로 신기하다! 교감도, 징후도 마찬가지다. 이 세 가지를 합치면 인류가 아직 그 열쇠를 찾지 못한 미스터리가 만들어진다. 나는 평생 예감을 무시하거나 조롱한 적이 없다. 예감으로 몇 가지 기이한 경험을 한 적이 있었기 때문이다. 나는 인간의 교감 능력을 믿는다. 가령 멀리 떨어져 오랫동안 서신조차 주고받지 못한 친척 간에도, 그 뿌리를 타고 오르면 단 하나의 근원으로부터 시작되었다는 동질감을 가지는 것처럼 말이다. 그리고 사건이 일어나기 전의 징후는 우리가 인식하지 못하는 인간과 자연 사이 일종의 공감일 수도 있다.

내가 어린아이였던 시절, 그러니까 여섯 살 무렵이었다. 어느 날 밤, 베시가 애벗에게 어린아이의 꿈을 꾸었다고 말했다. 그리고 그런 꿈을 꾸면 기필코 자기나 집안 어른 중 누군가에게 안 좋은 일이 일어난다고 이야기했다. 이 말을 하고 어떤 사건이 일어났고, 그 놀라운 사건이 내 기억에 고스란히 박제되는 바람에 나는 그녀의 말을 영원히 기억할 수밖에 없었다. 다음 날, 어린 여동생이 죽었다는 소식을 듣고 베시가 고향 집으로 달려갔기 때문이다.

요즘 들어, 나는 베시의 말과 그 사건이 자주 떠오른다. 왜냐하면 지난 일주일 동안, 밤마다 어린아이의 꿈을 꾸었기 때문이다. 꿈속에 나타난 그 아이를 품에 안고 어르거나 때로는 무릎에 앉히기도 했고, 때로는 잔디밭에서 들국화를 보며 뛰어노는 모습을 지켜볼 때도 있었다. 언젠가는 시냇물에 손을 담그며 장난치는 아이를 지켜보았다. 어떤 날 밤에는 울부짖는 아이를 바라보기도 했고, 또 다음 날 밤에는 까르르 웃기도 했다. 나에게 가까이 다가오는 밤이 있는가 하면 또 어떤 날은 도망치는 아이의 뒷모습을 바라보기도 했다. 꿈속의 아이가 어떤 모습으로 찾아오든 나는 일주일 내내 그 아이의 꿈을 꾸었다.

같은 꿈을 되풀이해서 꾸는 것, 같은 아이를 매일 밤 보는 건 썩 유쾌하지 않은 일이었고, 잠자리에 들 시간이 다가오고 꿈이 나를 기다리고 있는 것 같은 기분이 들수록 나는 점점 불안해졌다. 달빛이 환했던 밤, 누군가 울부짖는 소리를 듣고 잠에서 깼을 때도 나는 그 아이의 꿈을 꾸고 있었다. 다음 날 오후, 페어팩스 부인의 방에서 누군가 나를 기다리고 있다는 전갈을 받았다. 그곳에는 하인으로 보이는 남자가 나를 기다리고 있었다. 짙은 상복을 입었고 손에 든 모자에도 검은 리본이 감겨 있었다.

"아마 저를 기억하지 못하실 겁니다, 아가씨." 내가 방에 들어서자, 그가 자리에서 일어나며 말했다. "저는 리븐입니다. 예전에 리드 부인의 게이츠헤드에서 마부로 일했습니다. 벌써 8, 9년 전이지요. 아직 그 댁의 하인입니다."

"오, 로버트로군요! 어떻게 지냈어요? 당연히 기억나요. 어린 시절에 조지아나의 작은 망아지를 태워주곤 했잖아요. 베시는 잘 지내나요? 베시와 결혼했다는 이야기는 들었어요."

"네, 아가씨. 아내는 잘 지냅니다. 감사합니다. 두 달 전에 해산해서 벌써 아이가 셋입니다. 산모와 아기 모두 건강합니다."

"다른 가족들도 잘 지내지요?"

"유감스럽지만 비보를 전해드리러 왔습니다. 요즘 집안에 안 좋은 일들이 연달아 일어나는 통에. 아무튼 여러 사건이 있었습니다."

"누가 돌아가신 건 아니겠지요?" 나는 그가 입은 상복을 살피며 물었다. 로버트 리븐 역시 모자에 달린 검은 리본을 만지작거렸다.

"존 도련님이 기거하시던 런던의 하숙집에서 돌아가신 지가 어제로 일주일 됐습니다."

"존 도련님?"

"네."

"리드 부인은 괜찮으신가요?"

"에어 아가씨, 때 이른 불행에 슬픔을 감추지 못하십니다. 도련님은 생전에 참으로 난잡하게 사셨습니다. 지난 3년간 썩 건전하지 못한 생활을 하셨지요. 그럼에도 충격적인 소식이었습니다."

"베시에게 그 건전하지 않은 생활을 들은 적이 있어요."

"말 그대로요, 그보다 더 난잡할 수도 없을 겁니다. 최악의 신사와 최악의 요부 사이에서 건강과 재산을 모두 탕진했지요. 빚을 지고 감옥에도 들어갔습니다. 리드 부인이 두 번이나 구제를 해주셨지만, 출소하면 곧장 예전의 친구들과 어울리며 그 세계로 돌아가셨습니다. 총명하지 못해서인지 주변 사람들이 휘두르는 대로 휘둘리셨어요. 3주 전쯤 존 도련님께서 게이츠헤드로 오셔서 마님의 재산을 전부 물려달라고 횡포를 부리셨습니다. 물론 부인은 거절하셨지요. 도련님의 사치로 집안의 재산을 탕진한 지 오래였거든요. 결국 존 도련님은 빈손으로 돌아가셨고, 그 후 들린 소식이 사망이었습니다. 어떻게 돌아가셨는지도 모른답니다. 자살이라고 하기는 합니다만."

나는 뭐라 할 말이 없었다. 그야말로 끔찍한 소식이었다. 로버트 리븐이 다시 설명을 이어나갔다.

"마님께서는 한동안 건강이 안 좋으셨습니다. 강인한 분이지만, 세월을 이겨내지 못하셨지요. 재산이 계속 줄어드는 상황이다 보니 금전적으로 빈곤한 처지에 놓일까 봐 전전긍긍하셨습니다. 더구나 존 도련님의 임종 소식이 전해지면서 너무 갑작스럽고 놀라 그만 뇌졸중으로 쓰러지고 마셨어요. 사흘이나 말씀을 못 하셨어요. 지난 화요일에는 좀 나아진 모양인데, 자꾸만 무슨 말씀을 하고 싶어 하시더랍니다. 아내에게도 계속 무슨 단어를 중얼거렸다는데, 어제 아침에야 그게 아가씨의 이름이라는 걸 알아차렸답니다. '제인을 데려와라. 제인 에어를 데려와. 그 아이와 이야기해야겠다'라고 하셨답니다. 아내가 제대로 들은 게 맞는지, 무슨 의미인지를 몰라 리드 아가씨와 조지아나 아가씨께 전했고, 아무래도 에어 아가씨를 모셔 와야 할 것 같다고 말씀드렸답니다. 두 아가씨 모두 처음에는 무시하려 했지만, 리드 부인이

초조하고 끈질기게 제인 아가씨를 찾으니 어쩔 수 없이 승낙
했지요. 그래서 제가 어제 출발한 겁니다. 혹 아가씨도 준비
를 마치면, 내일 아침 일찍 저와 게이츠헤드로 갈 수 있으십
니까?"

"그럼요, 로버트. 채비할게요. 가야 할 것 같네요."

"네, 실은 상황이 썩 좋지 않습니다. 아내도 아가씨께서 거
절하시지 않을 거라고 했고요. 그런데 출발하기 전에 주인
댁에 미리 양해를 구하셔야 하지 않을까요?"

"맞아요, 그래야겠네요. 바로 여쭐게요."

그리고 나는 로버트를 데리고 하인들이 묵는 숙소로 갔다.
마부 존의 아내에게 그를 부탁하고 존에게도 잘 돌봐주라 부
탁한 다음 로체스터 씨를 찾아 나섰다.

그는 아래층 어디에도 없었다. 안뜰과 마구간, 정원에도
없었다. 페어팩스 부인에게 그를 보았냐고 물었더니, 잉그
램 양과 당구를 치고 있을 거란 답이 돌아왔다. 나는 당구장
으로 달려갔다. 공이 부딪치는 소리와 담소를 나누는 소리
가 바깥으로 새어 나오고 있었다. 로체스터 씨와 잉그램 양,
애슈턴 자매와 그를 좋아하는 손님들이 모두 모여 시간을 보
내고 있었다. 그들의 오락 시간을 방해할 용기가 나지 않았
지만 이대로 피할 수도 없는 노릇이었다. 나는 잉그램 양 곁
에 서 있는 그에게 다가갔다. 내가 다가가자 잉그램 양은 고
개를 돌리며 나를 빤히 바라보았다. 마치 '이 천한 것이 감히
우리를 방해해?' 같은 눈빛이었다. 내가 나지막이 "로체스터
씨" 하고 부르자 그녀는 내게 나가라는 손짓을 하려 했다. 그

모습이 지금도 생생하다. 그녀는 하늘색 크레이프 천으로 만든 우아한 아침 드레스에, 담청색의 얇고 투명한 스카프를 두르고 있었다. 당구에 푹 빠져 있을 때 나타난 방해꾼 때문에 화가 하늘을 찔렀고, 얼굴에는 거만함이 가득했다.

"저 여자가 왜 당신을 부르는 거죠?" 그녀가 로체스터 씨에게 물었다. 로체스터 씨는 몸을 틀어 '저 여자'가 누구인지 확인하더니, 얼굴을 사뭇 찡그렸다. 의미를 알 수 없는 묘한 표정이었다. 그는 곧장 당구 큐를 내려놓고 나를 따라 방을 나섰다.

"제인, 무슨 일 있소?" 그가 굳게 닫힌 문에 등을 기대며 물었다.

"괜찮으시다면 한두 주 정도 자리를 비워야 할 것 같습니다."

"무슨 일로? 어디를 가는데?"

"아픈 부인이 저를 보고 싶어 하신대요."

"아픈 부인이 누군데? 어디 사는?"

"게이츠헤드 장원입니다. ○○주에 있는."

"○○주라면, 여기서 100마일이나 떨어진 곳인데? 그렇게 먼 곳에서 당신을 데리러 사람이 왔다니, 대체 누굽니까?"

"리드가입니다. 리드 부인께서 저를 찾으세요."

"게이츠헤드 장원의 리드가? 거기 같은 성을 가진 치안판사가 있었는데."

"네, 돌아가신 그분의 부인 되십니다."

“그 부인과 그대가 무슨 관계이기에? 그 부인을 어찌 압니까?”

“리드 씨께서 제 외삼촌 되십니다. 제 어머니의 오빠요.”

“그건 무슨 소리요! 내게 항상 그랬잖아. 일가친척이라곤 하나도 없다고.”

“물론 제게는 친척이랄 게 없어요. 외삼촌은 돌아가셨고, 그 부인은 저를 내쫓았으니까요.”

“어째서?”

“제가 가난하고, 버거운 존재가 된 데다가, 저를 싫어하셨거든요.”

“리드 집안에도 자제들이 있을 것 아닙니까? 그대에게 사촌이 되겠군? 바로 어제 조지 린 경이 게이츠헤드의 리드 이야기를 했어요. 존 리드라는 자가 런던에서 악명 높은 한량이라고. 잉그램은 조지아나 리드 양이 한두 시즌 정도 런던 사교계에서 아름답다는 찬사를 받았다고 하더군.”

“그 존 리드가 죽었대요. 가족의 재산을 거의 다 탕진하고 타락한 삶을 살다가 결국 제 손으로 생을 마감한 것 같대요. 아들의 소식을 들은 부인은 충격으로 인해 졸도하셨고, 뇌졸중이래요.”

“그런데도 거기를 가겠다고, 제인? 부질없는 일이요. 도착하기도 전에 죽을지 모를 노파를 보겠다고 100마일을 달려가? 더구나 그 부인은 그대를 내쫓았다며!”

“네, 하지만 아주 오래전 일이에요. 지금은 상황이 달라졌어요. 마지막 부탁까지 거절할 수는 없잖아요.”

"대체 얼마나 머물다 올 예정인데."

"최대한 서둘러 다녀오겠습니다."

"무조건 일주일 안에 돌아오겠다고 약속해요."

"약속은 지키지 못할 수도 있으니, 확답을 드리지는 않을 게요."

"무슨 일이 있어도 꼭 돌아오는 거요. 그 부인이 어떤 구실을 대며 보내주지 않는다고 고집을 부려도."

"그럼요! 상황이 정리되면 반드시 돌아올 거예요."

"누구와 함께 갑니까? 혼자 100마일을 여행하는 건 쉽지 않을 텐데."

"그 댁에서 마부를 보내주었어요."

"믿을 만한 자요?"

"네, 10년 넘게 그 댁을 모신 사람이에요."

로체스터 씨가 잠시 생각에 잠겼다.

"그럼 언제 가려고?"

"내일 아침 일찍 떠나려고요."

"가려면 여비가 좀 있어야 할 것 아니오. 돈도 없이 여행을 갈 수는 없어. 분명 여유가 없을 텐데, 아직 봉급도 나가지 않았고. 지금 얼마나 갖고 있소?" 그가 다정한 미소를 띠며 물었다.

나는 그의 물음에 지갑을 꺼내보았다. 지갑은 얄팍했다. "5실링이요." 그가 내 지갑을 가져다가 손바닥에 탈탈 털어보고는 마치 그 빈약함이 귀엽다는 듯 조금 소리 내어 웃었다. 그리고 수표책을 꺼내고는 말했다.

“받아요.”

수표였다. 무려 50파운드였다. 그러나 그가 내게 지급해야 할 봉급은 15파운드에 불과했다. 나는 그에게 거슬러 줄 잔돈이 부족하다고 사양했다.

“거스름돈은 필요 없어요. 그냥 받아요, 봉급이니까.”

나는 내가 마땅히 받아야 할 몫 이상을 받고 싶지 않아 거절했다. 이맛살을 구긴 그가 잠깐 고민하다가 말했다.

“그래, 그대 말이 맞아! 한꺼번에 다 주면 안 되겠군. 50파운드면 3개월은 족히 머무르다 올 수도 있겠어. 아, 10파운드짜리가 있군. 그런데 이걸로는 모자라지 않겠소?”

“충분해요. 하지만 5파운드는 빚지신 거예요.”

“그럼 돌아와요. 그때 나머지 40파운드를 줄 테니까.”

“로체스터 씨, 기회가 있을 때 업무와 관련된 다른 말씀도 청하고 싶어요.”

“업무와 관련된? 그게 뭘까? 몹시 궁금한데.”

“제게 곧 결혼할 거라고 말씀하셨지요?”

“그랬지, 그런데?”

“그렇게 되면 아델은 기숙학교에 보내지겠네요. 분명 그럴 필요가 있다고 인지하고 계시겠죠.”

“아델과 신부를 떼어놓으려면 그래야겠지. 안 그러면 아델이 짓밟힐 테니까. 그대의 제안에 일리가 있어. 아델은 학교에 보내고…… 그리고 그대는 뒤도 돌아보지 않고 차갑게 날 떠날 테고?”

“그러지 않기를 바라요. 물론 다른 가문을 찾아보긴 해야겠지만요."

"하, 어쨌든 떠나긴 한다는 거군!" 그는 기분이 상했다는 듯 얼굴을 찡그리다가 묘한 웃음을 지었다. 그리고 한참이나 나를 빤히 응시했다.

"리드 부인이나 그 딸들에게 일자리를 부탁할 모양이지?"

"아니요, 그 댁 사람들과는 그런 관계가 아니에요. 무언가를 부탁할 만한 처지도 아니고요. 하지만 광고는 내야겠지요."

"그대는 이집트의 피라미드 꼭대기를 정복할 셈이군!" 로체스터 씨가 낮은 목소리로 조소를 터트렸다. "감히 광고를 내겠다? 10파운드가 아니라 1파운드를 내어줬어야 했는데. 아니지. 제인, 당장 9파운드를 거슬러줘야겠소. 그 돈을 쓸 데가 생겼어."

"저도 이 돈을 쓸 데가 있는걸요." 두 손으로 지갑을 꼭 쥐고 등 뒤로 감추며 내가 외쳤다. "어떤 이유로든 받은 돈을 돌려드릴 수는 없어요!"

"이렇게 인색하게 굴 거요? 금전적으로 부족하다는 내 간청을 거절하고 싶어? 5파운드만 줘요, 제인."

"5실링도 안 돼요. 5페니도 못 드려요."

"그럼, 잠깐 보기만 할게."

"안 돼요, 그 말을 어찌 믿어요!"

"제인!"

"네!"

"그럼 하나만 약속해."

“제가 할 수 있는 일이라면 무엇이든지요.”

“광고는 안 돼. 차라리 내게 맡겨. 때가 되면 내가 좋은 자리를 찾아볼 테니.”

“그렇게 해주신다면 저야 감사하지요. 그럼 새 신부가 저택에 입성하기 전에 저와 아델이 안전하게 저택 밖으로 나갈 수 있도록 약속해 주시는 거죠?”

“그래, 그래요! 약속하지. 그러면 내일 출발할 겁니까?”

“네, 아침 일찍이요.”

“저녁 식사 후에 응접실로 내려오겠소?”

“아니요, 짐을 꾸려야 해요.”

“이렇게 한동안 이별해야 하는 건가?”

“그렇겠죠.”

“보통 사람들은 어떻게 이별하지, 제인? 가르쳐줘요. 난 이별하는 법을 몰라.”

“보통은 ‘안녕히’라고 말하거나, 비슷한 표현을 쓰죠.”

“그럼, 그렇게 말해봐요.”

“안녕히, 로체스터 씨. 한동안이지만.”

“나는 무슨 말을 해야 하지?”

“원하시는 대로. 똑같이 말씀하셔도 돼요.”

“그럼, 한동안 안녕히, 에어 양. 이렇게?”

“네.”

“어쩐지 건조한 데다가 허전한데. 나는 좀 다르게 하고 싶어. 예를 들면, 인사와 함께 악수를 청한다거나. 아니, 그걸로도 부족해. 하지만 제인은 인사 한마디면 충분한가 보군.”

"저는 충분하다고 생각해요. 온 마음을 담아 말하면 그 안에 담긴 뜻으로도 충분하니까요."

"그래, 하지만 여전히 공허하고 차가워. '안녕히'라는 말은……."

그가 원하는 게 뭔지 몰라 가만히 그를 바라보며 생각했다. '대체 언제까지 저 문에 기대서 있을 참일까? 이제 슬슬 짐을 꾸려야 하는데.' 그때 저녁 식사를 위한 환복을 알리는 종이 울렸고, 그는 한마디 말도 없이 돌아서서 나갔다. 그날 오후부터 로체스터 씨를 보지 못했고, 이튿날 아침, 나는 그가 일어나기 전에 저택을 나섰다.

5월 1일 오후 다섯 시 무렵, 나는 게이츠헤드의 문지기 집에 도착했다. 저택으로 들어가기 전 먼저 들른 집은 깨끗하고 깔끔했다. 화려한 장식용 창문에는 조그만 흰 커튼이 드리워져 있었고, 마루는 얼룩 하나 없이 광이 났으며, 난로며 부지깽이도 반짝였다. 집 안은 불을 피워 따스했다. 베시는 난롯가에 앉아 막 태어난 아이를 돌보고 있었고, 장남 로버트와 둘째 딸은 구석에서 얌전히 놀고 있었다.

"어서 오세요, 오실 줄 알았어요!" 베시가 나를 보자마자 외쳤다.

"응, 베시." 그녀에게 입을 맞추며 말했다. "내가 너무 늦게 온 건 아니지? 리드 부인은 어떠셔? 아직 살아계셔?"

"네, 그럼요. 의식도 전보다 또렷해지셨고, 마음도 나아지셨고요. 의사가 한두 주는 더 버티실 거래요. 장담은 못 한다고요."

“내 이야기를 또 하셨어?”

“아침에 아가씨 이야기를 했더니 기다리시더라고요. 10분 전쯤 제가 다녀왔는데, 주무시고 계셨어요. 오후에는 보통 까무룩 잠이 들었다가 여섯 시나 일곱 시쯤에 깨어나세요. 그러니 이리 와서 한 시간쯤 쉬세요. 이따가 저랑 같이 가요.”

이때 로버트가 들어왔고, 베시는 잠든 아기를 요람에 눕히고 남편을 맞이했다. 그러고 나서 모자를 벗고 차를 마시자고 내게 거듭 권했다. 얼굴이 영 피곤해 보인다고 했다. 나는 그녀의 친절을 기쁘게 받아들였고, 어린 시절 그녀가 내 옷을 벗겨주었을 때처럼 무의식중에 그녀에게 어깨를 맡겼다.

부지런히 움직이는 베시를 보고 있자니 예전이 떠올랐다. 가장 좋은 그릇을 쟁반 위에 놓고, 빵을 자르고, 건포도가 든 과자를 굽고, 그 옛날 나를 돌봐주었듯 베시는 어린 로버트나 제인을 가볍게 톡톡 건드리거나 밀어내곤 했다. 베시는 예나 지금이나 급한 성격과 가벼운 발걸음 그리고 미모를 지녔다.

차가 준비되어 나는 탁자로 갔다. 그러나 베시는 예의 그 단호한 말투로 내게 가만히 앉아 기다리라고 했다. 벽난로 옆에서 대접받아야 한다며 말이다. 그리고 내 앞에 작고 동그란 탁자를 놓아주고 그 위에 찻잔과 빵 접시를 놓았다. 어린 시절, 그녀가 남몰래 맛있는 걸 가져와 아이들 방 의자에 앉아 내게 주던 때처럼 말이다. 나는 미소를 지으며, 어린 시절처럼 그녀가 하라는 대로 따랐다.

베시는 손필드 저택에서 행복하게 지내는지, 안주인이 어떤 사람인지 물었다. 내가 손필드에는 안주인이 없다고 했더니, 그가 좋은 신사인지, 내가 그를 어떻게 생각하는지 물었다. 나는 베시에게 로체스터 씨가 썩 잘생기진 않았지만, 꽤 신사적이라고 말했다. 친절한 편이고 그 정도면 만족스럽다고 말이다. 그리고 최근 겪은 화려한 손님들의 이야기도 자세히 들려주었다. 베시는 이런 이야기를 좋아했다. 그래서인지 진심으로 흥미로워하는 게 느껴졌다.

이런 이야기를 나누는 동안, 한 시간이 쏜살같이 지나갔다. 베시가 내 모자를 돌려주었고, 나는 그녀와 함께 문지기 오두막을 떠나 저택으로 향했다. 지금 그녀와 함께 오르는 이 길은 9년 전에 마지막으로 함께 걸어 내려온 길이기도 하다. 어둡고 안개가 자욱했던 1월의 아침, 나는 내게 적대적이었지만 또 유일했던 지붕을 떠나야 했다. 절망적이고 외로운 마음을 안고 방랑자처럼 저 멀리 미지의 땅 로우드의 차가운 안식처로 떠났다. 그때의 그 적대적이었던 지붕이 다시금 눈앞에 버티고 있다. 나의 앞날은 아직도 불투명하고 가슴은 여전히 미어졌다. 아직도 나는 이 땅의 방랑자였다. 그러나 이제 나는 나와 내 능력에 확고한 믿음이 생겼다. 억압에 대한 두려움도 줄어들었다. 부당한 취급에 받았던 커다란 마음의 상처도 이제는 아물었고, 노여움의 불꽃도 사그라든 지 오래였다.

"우선 조식용 식당으로 가세요. 두 아가씨가 거기 계시니까요"라고 말하며 베시가 복도를 따라 앞장섰다.

얼마 후, 나는 저택에 들어섰다. 브로클허스트 씨를 처음 만났던 아침과 똑같은 모습의 조식용 식당도 여전했다. 그가 밟고 섰던 그 러그가 여전히 난로 앞에 깔려 있었다. 책장을 힐끗 보니 세 번째 선반에 아직도 뷰익의 『영국의 조류사』두 권이 나란히 꽂혀 있었고, 『걸리버 여행기』니 『아라비안나이트』니 하는 책도 똑같이 그 윗단에 꽂혀 있었다. 생명이 없는 것은 변함이 없었고, 생명이 깃든 것은 예전과 달라졌다.

두 사촌이 내 앞에 모습을 드러냈다. 하나는 키가 엄청 컸는데, 거의 잉그램 양만 했다. 마른 몸에 얼굴은 창백하고 표정은 심각했다. 외모에는 금욕적인 면이 깃들어 있었는데, 지나치게 수수한 검은 무명 드레스와 빳빳한 리넨 목깃, 관자놀이까지 싹 빗어 넘긴 머리, 수녀처럼 목에 건 묵주로 그런 모습이 극대화되었다. 이 사람이 일라이자라고 확신했다. 비록 무채색의 긴 얼굴에서 옛 모습은 하나도 찾을 수 없었지만 말이다.

그렇다면 곁에 선 사람이 조지아나일 것이다. 조지아나는 내가 기억하는 열한 살의 날씬하고 요정 같은 소녀가 아니었다. 통통하고 성숙하고 풍만한 몸매에 밀랍 인형처럼 하얬고, 균형미 넘치는 이목구비에 푸른 눈동자가 흐릿하게 빛났다. 곱슬곱슬한 금발 머리도 어여뻤다. 드레스 역시 언니와 마찬가지로 검은색이었지만, 맵시가 언니와는 달랐고 느슨하게 흘러내린 모양이 유독 매력적이었다. 아마 언니의 청교도적 차림새와 비교되어 더욱 그랬을 것이다.

그들 자매에게는 제각기 어머니에게서 물려받은 특징이 엿보였다. 그것도 딱 하나씩 사이좋게 나눠 가졌달까. 첫째는 너무 마르고 창백했으며 제 어머니의 검은 눈동자를 받았고, 생기 있는 둘째는 턱을 빼다 박았다. 어머니보다는 조금 부드러웠으나, 그럼에도 형언할 수 없는 단호한 인상을 풍겨서 그런 턱이 아니었다면 더욱 통통하고 귀여운 인상이었을 거란 생각이 들었다.

내가 몇 걸음 그들에게 나아가자 두 자매가 동시에 일어나 나를 맞이했고, "에어 양"이라고 불렀다. 일라이자는 무뚝뚝하게 인사하며 미소조차 보이지 않았다. 다시 벽난로 옆에 앉아 불을 응시하며 나를 외면했다. 조지아나는 "잘 지냈어?" 하고 인사하더니, 오는 길은 어땠는지, 날씨는 괜찮았는지 따위를 조금 물어보며 예의를 차렸다. 그리고 내 머리부터 발끝까지 몇 번을 훑어보았다. 주름 잡힌 갈색 메리노 울코트며, 수수한 보닛의 평범한 장식까지 힐끗거렸다. 젊은 숙녀는 상대방을 두고 '별나다'라고 생각해도 절대 입 밖으로 내뱉지 않는다. 그저 눈빛으로만 이야기하는 능력을 지니는 법이다. 남을 얕잡아 보는 표정과 태도, 차가운 말투 등으로 그런 감정이 더욱 부각되어 전달되었다.

그러나 은밀하거나 대놓고 드러내는 멸시와 조롱도 더 이상 내 기분을 상하게 할 수 없었다. 사촌들 사이에 앉아, 한 사람은 나를 완전히 무시하고 한 사람은 반쯤 비꼬는 눈초리를 보냈지만, 나는 내가 그토록 초연할 수 있다는 사실에 놀랐다. 일라이자에게 굴욕을 느끼지도 않았고 조지아나에게 화가 나지도 않았다. 사실 나는 그런 것과는 차원이 다른 감정을 이미 많이 느끼며 살았다. 특히 지난 몇 달 동안 내 안의 그 어떤 감정보다 훨씬 더 강력한 감정들을 싹틔운 채 나를 단련시킨 셈이다. 고통과 환희가 그 어떤 것보다 강렬하고 절묘하게 나를 고취시켰다. 두 사촌의 태도 같은 건, 그게 좋든 나쁘든 아무래도 상관없었다.

"리드 부인은 좀 어떠신지?" 내가 조지아나를 차분히 바라보며 물었다. 그녀는 내 말투에서 묻어나는, 내가 이 가족의 품에서 완전히 자유로워졌다는 분위기가 마음에 들지 않는 눈치였다.

"리드 부인? 아, 엄마 말이구나. 안 좋으시지. 오늘 면회를 할 수 있을지 모르겠네."

"2층에 올라가면, 제가 왔다는 소식을 전해드리는 게 어떨까요."

조지아나는 눈물이 차오른 파란 눈으로 나를 똑바로 노려보았다.

"부인께서 저를 보고 싶어 하신다는 소식을 들었어요. 그렇다면 하루라도 빨리 찾아뵙는 게 도리니까요."

"엄마는 저녁에 누가 방해하는 걸 싫어하셔서." 일라이자가 차갑게 말했다. 그녀의 말에 나는 조용히 자리에서 일어나 보닛과 장갑을 챙겼다. 그리고 베시를 찾아가 오늘 밤 리드 부인을 만날 수 있는지 물어보겠다고 통보만 하고 자리를 떴다. 그대로 베시를 찾아간 나는 그녀에게 리드 부인이 나를 만날 수 있을 만한 상태인지 알아봐달라고 부탁한 다음 필요한 것들을 저택 사람들에게 요구했다. 지금까지는 사촌들의 오만한 태도에 지레 겁먹고 뒤로 물러서기만 했다. 오늘과 같은 일이 1년 전 벌어졌더라면, 아마 다음 날 아침 게이츠헤드를 떠나야겠다고 마음먹었을 것이다. 그러나 이제는 그게 얼마나 어리석은 짓인지 안다. 나는 임종을 앞둔 외숙모를 만나러 100마일이나 되는 거리를 달려왔고, 외숙모의 병세가 나아지거나 돌아가실 때까지 곁을 지켜야 한다. 사촌의 자존심이나 무지함은 한쪽으로 치워두고 오로지 나만 생각해야 한다. 나는 하녀에게 손님방을 내어달라 요구했고 앞으로 한두 주 정도 머물 예정이라 말하며 내 짐도 함께 옮겨달라고 지시했다. 그리고 하녀의 뒤를 따라가던 참에, 계단에서 베시와 마주쳤다.

"마님께서 일어나셨어요. 아가씨가 왔다고 말씀도 드렸고요. 같이 올라가서 아가씨를 알아보시는지 확인해 봐요."

너무도 익숙한 길이라 굳이 안내받을 필요도 없었다. 어린 시절 툭하면 불려 가 혼나고 꾸중을 들었던 외숙모의 침실이었다. 나는 베시보다 먼저 올라가 살며시 문을 열었다. 어두운 방에 갓을 씌운 촛대가 탁자 위에 홀로 올려져 있었다. 네 기둥의 커다란 침대에는 호박색 커튼이 달려 있었다. 옛날 그대로였다. 그 곁에 화장대와 의자, 발판이 놓여 있었다. 어렸을 때는 시두 때도 없이 불려 가 무릎을 꿇었고, 내가 잘못하지 않거나 저지르지 않은 일로도 용서를 빌어야 했던 곳이다. 그토록 무서웠던 회초리가 아직도 이 방에 있나 싶은 마음에 방 안 구석구석을 살폈다. 그 회초리는 언제나 구석에 몰래 숨어 있다가 벌벌 떨고 있는 내 손바닥이나 자라처럼 움츠러든 목덜미에 힘껏 내리쳐지곤 했다. 나는 침대로 가 커튼을 젖히고, 높이 쌓아 올린 베개 위로 허리를 숙였다.

리드 부인의 얼굴이 아직도 눈에 훤했으므로, 내가 기억하던 모습을 열심히 찾아보았다. 세월이 흐르며 복수심과 분노, 혐오가 잠잠해진 게 얼마나 다행인지 모른다. 그 옛날, 나는 괴로움과 증오를 품고 이 집을 떠났다. 그리고 지금 나는 그녀가 겪은 커다란 고통에 대한 연민과 모든 상처를 잊고 용서하고자 하는 강한 열망, 다정하게 손을 부여잡고 싶은 결심만 품은 채 돌아왔다.

너무나 잘 아는 그 얼굴이 침대에 누워 있었다. 여전히 엄하고 차가운 얼굴, 그 무엇도 녹일 수 없는 얼음장 같은 눈이 그 자리에 빳빳이 누워 있었다. 약간 치켜 올라가 교만하고 위협적인 눈썹, 나를 위협하고 증오하던 그 눈초리! 어렸을 때 느낀 두려움과 슬픔이 어찌나 생생하게 떠오르는지. 그래도 나는 몸을 숙여 그녀에게 입을 맞추었다. 상대가 천천히 나에게 초점을 맞추며 물었다.

"제인 에어가 왔느냐?"

"네, 외숙모. 저예요, 잘 지내셨어요?"

나는 언젠가 두 번 다시 그녀를 외숙모라고 부르지 않겠노라 다짐했다. 그러나 그 다짐을 깨뜨리는 게 죄를 짓는 일이라고 생각하지 않았다. 내 손가락은 시트 밖으로 드러난 그녀의 손을 부여잡았다. 만약 상대 역시 내 손을 다정히 맞잡았더라면, 그 순간 진심으로 기뻤을지 모른다. 하지만 감수성 없는 성격은 그리 쉽게 부드러워지지 않았고, 우리 사이의 자연스러운 반목도 그리 쉽게 사라질 수 없는 모양이다. 리드 부인은 내게서 손을 빼고 고개를 반대로 틀었다. 그녀는 "밤이 따뜻하네"라고 중얼거렸다. 마주친 두 눈은 차가웠다. 나를 향한 감정이 하나도 변하지 않았다는 걸, 절대 변할 수 없다는 걸 단박에 깨달았다. 나는 그녀의 차가운 눈빛을 읽으며—상냥함도 통하지 않고 눈물로도 녹일 수 없는 그 얼음장 같은 눈빛을 보며—그녀가 끝까지 나를 나쁜 사람이라 여긴다는 걸 알 수 있었다. 내가 선한 사람이라고 해도, 그녀는 자신의 판단이 틀렸다는 걸 인정하고 마음이 따뜻해지는 화해를 경험할 수 없는 사람이다. 나에 대한 마음을 바꾸는 건 그녀에게는 그저 굴욕일 뿐이다.

나는 미어지는 마음으로 분노했다. 어떻게든 그녀를 억압하고, 그녀의 본성과 의지가 어떻든, 내가 하라는 대로 하게 만들겠다, 내게 굴복시키겠다고 결심했다. 어린 시절처럼 눈물이 차올랐지만 억눌렀다. 침대 머리맡에 의자를 끌어와 앉았고, 리드 부인에게 몸을 숙였다.

"부르셔서 왔어요. 제가 왔다고요. 그리고 외숙모가 쾌차하실 때까지 머무를 거예요."

"그래, 내 딸들은 만났느냐?"

"네."

"그래, 내가 너에게 이야기하고 싶은 것들을 편안히 이야기할 수 있을 때까지 머물러주면 좋겠구나. 일단 오늘 밤은 너무 늦었고, 머리가 멍해서 기억하기가 쉽지 않아. 내가 분

CHARLOTTE BRONTË

명 너에게 하고 싶은 말이 있었는데. 그게 그러니까⋯⋯."

불안정한 눈빛과 어눌한 말투는 건강하던 그녀의 몸이 얼마나 쇠약해졌는지를 단적으로 드러냈다. 그녀는 안절부절못하면서 이불을 끌어당겼다. 이불 모퉁이가 내 팔꿈치 밑에걸렸다. 그녀는 대뜸 짜증을 부렸다.

"일어서! 감히 이불보를 끌어당겨 내 화를 돋워? 너, 제인에어냐?"

"네, 제가 제인 에어예요."

"아, 그 아이 때문에 상상할 수도 없을 만큼 애를 먹었다. 그런 짐짝이 내 손에 맡겨지다니, 부담감이 어찌나 심했는지 몰라. 성격은 얼마나 유별나고 예민한지. 게다가 일거수일투족 내 눈치를 빤히 보면서 하루 종일 전전긍긍하는 게얼마나 짜증이 났는지 몰라. 그 애가 미친 사람처럼, 아니 무슨 악마가 들린 것처럼 고래고래 소리를 질러댄 적도 있었다고. 세상에, 어떤 아이가 그런 식으로 말하고 그런 눈빛으로 어른을 쏘아보겠어! 그래서 그 아이를 내 집에서 치웠을때 얼마나 속이 시원했는지 모른다. 로우드가 그 애를 고쳐놨을까? 분명 열병이 번졌다고 했는데, 그래서 많은 아이가죽었다고 했는데, 그때도 그 아이는 살아남았어. 하지만 나는 그 애가 죽었다고 생각했지. 차라리 죽어버렸으면 좋았을텐데!"

"참으로 이상한 소원이네요, 리드 부인. 대체 그 아이를 왜그렇게 미워하셨나요?"

"난 그 애의 엄마가 늘 미웠어. 남편의 하나뿐인 누이였거든. 남편이 시누이를 얼마나 예뻐했는지 몰라. 신분이 낮은 남자랑 결혼하겠다고 해서 가족들이 다 반대하고 나섰지. 그러다가 시누이가 죽었다는 소식이 들렸을 때, 남편은 어린아이처럼 울더구나. 그리고 시누이가 낳은 아이를 데려와 키우겠다는 거야. 나는 그 아이를 남의 손에 맡기고 양육비나 지불하는 편이 나을 거라고 간청했지. 그러니 처음 봤을 때부터 그 아이가 얼마나 미웠겠니. 병약하고 징징대고, 또 사람 손을 얼마나 타던지! 밤새 요람에서 우는 거야. 그것도 다른 아이처럼 활기차게 우는 것도 아니야. 징징거리고 칭얼거리고. 그런데도 남편은 그 애를 불쌍히 여겼어. 마치 친자식처럼 돌봤지. 심지어 내가 낳은 자기 자식도 그렇게 돌봐준 적이 없는데 말이야. 남편은 우리 애들에게 그 천한 아이를 친동기처럼 대하라고 했어. 아이들이 그걸 참을 수 있겠어? 당연히 싫어했지. 그랬더니 불같이 화를 내더구나. 병으로 임종이 얼마 남지 않았을 때도 그 아이를 불렀고, 죽기 한 시간 전에도 그 아이를 잘 돌봐주라고 내게 부탁했지. 나는 차라리 구빈원에서 데려온 가난한 아이를 키우는 게 나을 것 같았어. 하지만 남편은 마음이 약한 사람이었어. 원래 그런 사람이었지. 다행히 내 아들은 남편을 하나도 닮지 않았고, 난 그게 너무 기뻐. 존은 나와 제 외삼촌들을 닮았지. 리드가 아니라 깁슨의 핏줄이야. 하지만…… 돈 달라는 편지는 그만 보냈으면 좋겠구나. 더 이상 그 아이에게 줄 돈도 없어. 우리 가문이 이렇게 쪼들리게 될 줄은 몰랐어. 하인은 절반이나 내보냈고, 저택도 절반은 운영할 수 없는 지경이지. 도저히 눈 뜨고 볼 수가 없어. 앞으로 어떻게 살아야 하나? 소득의 3분의 2가 이자로 나가는데, 존은 도박에 빠져 돈을 퍼 나르지 않나. 가엾은 아이! 사기꾼에게 홀딱 속아서 구렁텅이에 빠져버렸어. 타락했어. 그 녀석을 볼 때마다 너무나 무서워, 너무 부끄러워."

그녀의 말투가 점점 거칠어졌다. 침대 반대편에 서 있던 베시에게 "그만 쉬시게 두고 나가자"라고 말했다.

"그러는 게 좋겠어요. 밤이 되면 이런 증세가 더 심해지시거든요. 아침이 되면 조금 차분해지세요."

나는 의자에서 일어났다. 그때 리드 부인이 외쳤다.

"잠깐! 하고 싶은 말이 아직 남았어. 내 아들이 나를 위협해. 계속 죽겠다는 둥, 나를 죽이겠다는 둥, 무서워 죽겠어. 가끔 그 애의 목에 커다란 상처가 나 있거나 얼굴이 퉁퉁 붓고 검게 변한 모습으로 꿈에 나와. 정말 기이한 꼴로 말이야. 정말 큰 문제야. 대체 나는 어떡하면 좋지? 이 빚은 어떻게 다 갚냔 말이야."

베시는 어떻게든 그녀를 달래서 진정제를 먹이려 애썼다. 간신히 진정제를 마신 리드 부인이 조금 침착해졌고, 얼마 지나지 않아 꾸벅꾸벅 졸기 시작했다. 그제야 우리는 방을 떠났다.

다시 리드 부인과 대화를 나눈 건 10일이 지난 후였다. 리드 부인은 계속해서 정신이 혼미하거나 무기력한 상태였고 의사는 그녀가 무조건 안정을 취해야 한다고 경고했다. 그동안 나는 조지아나, 일라이자와 최대한 부딪히지 않고 지냈다. 두 사람도 처음에는 쌀쌀맞았다. 일라이자는 하루에 반나절을 바느질이나 독서, 글쓰기에 할애했고, 나나 조지아나에게도 말을 걸지 않았다. 조지아나는 몇 시간 동안 그녀가 키우는 카나리아에게 쓸데없는 말이나 걸며 보냈고 나에게는 눈길도 주지 않았다. 나는 할 일 없는 사람처럼 보이지 않으려 노력했다. 다행히 화첩을 챙겨왔으므로, 그림을 그리며 지루하지 않게 시간을 보냈다.

연필 한 타와 종이 몇 장을 챙긴 나는 창문 근처에 앉아 자리를 잡고, 머릿속을 스치는 장면을 상상하며 스케치하곤 했다. 두 바위 사이로 보이는 바다, 떠오르는 달, 지나가는 한 척의 배, 우거진 갈대와 붓꽃 그리고 그 사이로 연꽃 화환을 쓴 물의 요정이 고개를 내밀고, 산사나무 꽃다발 아래로 바위종다리 둥지 속에 앉아 있는 작은 요정을 그렸다.

어느 날 아침, 나는 무심코 누군가의 얼굴을 그리기 시작했다. 그게 누구의 얼굴인지, 어떤 생김새인지는 신경 쓰지도 않았고, 알지도 못했다. 부드러운 검은 연필을 들고 튀어나온 이마와 이목구비를 그렸다. 그 윤곽이 마음에 들어서 손가락을 부지런히 움직여 윤곽 속에 눈과 귀, 코와 입을 그려 넣었다. 넓은 이마 아래로 짙은 눈썹을 표현했고, 그 아래로 곧은 콧날과 크고 높은 코를 그렸다. 시원한 입매, 뚜렷하게 갈라진 단단한 아래턱도 그렸다. 관자놀이를 타고 빽빽하게 자란 칠흑같이 검은 수염, 이마 위를 따라 곱실거리며 풍성하게 이어지는 머리카락도 그렸다. 마지막으로 눈만 남았다. 눈은 신중하게 작업해야 해서 마지막에 남겨두었다. 커다란 눈을 스케치하고, 길고 거무스름한 속눈썹을 채우고, 크고 빛나는 눈동자를 심었다. '괜찮은걸? 하지만 아직 부족해'라고 생각했다. '힘과 기백을 더 표현해야 해.' 그래서 음영을 조금 주고, 환한 부분은 더 환하게 표현했다. 조금 손을 보았더니 한결 나아졌다. 다 그리고 나니 내가 익히 아는 얼굴이 드러났다. 외사촌들이 나를 무시한다고 해도 그게 무슨 상관이란 말인가? 나는 내 그림을 바라보았다. 입가에 미소가 떠올랐다. 완전히 마음을 빼앗겼고, 내 작업물이 마음에 들었다.

"아는 사람의 초상화야?" 눈치 없이 다가온 일라이자가 불쑥 물었다. 나는 그냥 상상해서 그린 그림이라고 얼버무리며 종이를 다른 그림으로 가렸다. 물론 거짓말이었다. 내가 그린 건 로체스터 씨의 초상화였다. 하지만 일라이자에게 그리고 나를 제외한 세상 누구에게, 그게 무슨 상관일까? 조지아나도 다가왔다. 내가 그린 다른 그림들을 구경한 그녀는 다 마음에 든다면서도, 유독 로체스터 씨의 초상화를 보고는 "못생겼다"라고 평가했다. 두 사람 모두 내 실력에 퍽 놀란 눈치였다. 나는 두 사람의 초상화를 그려주겠다고 제안했고, 두 사람의 얼굴을 차례차례 그려갔다. 그러자 조지아나는 자신의 화첩을 가져왔다. 나는 그녀에게 수채화를 약속했다. 그 말을 들은 조지아나의 기분이 좋아졌다. 조지아나는 내게 정원을 산책하자고 제안했다. 두 시간 정도 산책한 후, 우리의 대화는 조금 더 진솔해졌다. 그녀는 2년 전 런던에서 보낸 화려했던 겨울 시즌을 이야기했다. 런던에서는 누구나 그녀를 칭찬했고 감탄이 쏟아졌다고 했다. 많은 신사가 그녀에게 관심을 보였고, 어느 귀족이 그녀에게 열정적으로 구애했다고 했다. 오후와 저녁이 다 지나도록 이야기는 계속되었다. 몇 번의 달콤했던 대화와 장면이 낭만적으로 포장되었다. 조지아나가 나를 위해 한 편의 소설을 쓴 것 같았다. 날이 지나도 대화는 같은 주제로 이어졌다. 그녀 자신과 그녀의 사랑 그리고 슬픔이었다. 어머니의 병세와 오빠의 죽음, 가족의 우울한 현실에 대해서는 한 번도 언급하지 않았다는 게 조금 이상했다. 그녀의 마음은 과거의 즐거움에 대한 회상과 앞으로 펼쳐질 화려한 삶에 대한 열망으로 가득 차 있는 듯했다. 조지아나가 하루 종일 어머니 곁에서 보내는 시간은 채 5분을 넘기지 않았다.

한편 일라이자는 별로 말이 없었다. 이야기할 시간이 없는 것 같았다. 집에서 그녀만큼 바쁜 사람도 없어 보였다. 그러나 무슨 일을 하는지는 알 수 없었다. 부지런 떠는 것에 비해 눈에 보이는 결과는 없다고 해야 했다. 그녀는 시계 소리를 들으며 아침 일찍 일어났다. 아침 시간 전에는 어떻게 시간을 보내는지 모르겠지만, 아침 식사 후에는 규칙적으로 일과를 쪼개고, 시간마다 자기만의 일과를 수행했다. 하루 세 번 작은 책을 읽었는데, 자세히 살펴보니 기도서였다. 한 번은 내가 그 기도서에서 어떤 부분이 제일 좋으냐고 물었더니 그녀는 교회의 예배 규정이라고 답했다. 하루 세 시간은 카펫이라고 해도 좋을 만큼 커다랗고 네모난 진홍색 천 가장자리에 금실을 꿰맸다. 이 천의 용도가 무엇이냐고 묻자, 그녀는 게이츠헤드 근처에 새로 세워진 교회의 제단을 덮는 천이라고 말했다. 두 시간은 일기를 썼고, 나머지 한 시간은 가계부를 정리했다. 친구도, 대화 상대도 필요 없어 보였다. 그녀는 나름대로 행복해 보였다. 자로 잰 듯한 일과에 퍽 만족했고, 시계태엽처럼 규칙적인 일상을 깨뜨리는 것만큼 그녀를 짜증 나게 하는 것도 없어 보였다.

어느 날 밤, 일라이자는 평소보다 유독 말이 많았다. 존의 실수나 집안을 덮친 재정 문제가 큰 고민거리라고 털어놓았다. 하지만 이제는 마음을 다잡았고, 결심이 섰다고 덧붙였다. 그녀는 자기 재산을 잘 관리해 두었다. 그리고 어머니가 돌아가시면—그녀는 외숙모가 회복하거나 오래 사실 거란 희망을 품지 않았다—오랫동안 계획했던 일을 실천에 옮길 거라고 했다. 규칙적인 습관이 영원히 방해받지 않을 은신처를 찾고, 경박한 이 세상과 연을 끊고 안전한 장벽 뒤로 숨겠다는 것이었다. 나는 조지아나도 같이 가냐고 물었다.

"당연히 아니지. 조지아나와 나는 통하는 게 하나도 없어. 원래도 없었지. 어떤 이유로든 나는 조지아나와 함께 살 생각이 없어. 조지아나는 자기 길을 가고, 나 역시 나의 길을 가면 되는 거야."

조지아나는 내게 속마음을 털어놓지 않을 때는 대부분 소파에 누워 심심해하거나, 런던에 사는 이모에게 초대장이 오지 않을까 기다리며 보냈다.

"그게 훨씬 낫지. 모든 게 끝날 때까지 한두 달이라도 집을 떠나 있고 싶어"라고 그녀는 말했다. 나는 모든 게 끝난다는 게 무슨 뜻인지 묻지 않았지만, 아마도 외숙모의 임종과 장례식으로 이어지는 우울한 상황을 말하는 것 같았다. 일라이자는 동생의 나태함과 불평은 신경도 쓰지 않았다. 마치 그런 건 눈에 들어오지도 않는다는 투였다. 그러던 어느 날, 일라이자가 가계부를 치우고 자수를 펼치며 갑자기 이렇게 말했다.

"조지아나, 허영심 많고 어리석은 동물은 이 땅에 살아갈 자리가 없어. 너 같은 건 태어나서는 안 됐어. 삶을 그렇게 허비하면 안 돼. 합리적인 인간이라면 자신을 위하며, 자신을 의지하며 살아가야 하는데, 너는 너의 잘못은 아랑곳하지 않고 다른 사람의 힘에 기대어 살아갈 생각이잖아. 너처럼 뚱뚱하고, 나약하고, 허풍이 심한 데다가 쓸모없는 것을 기꺼이 짊어지려는 사람이 나타나지 않으면, 넌 냉대받았다, 무시당했다, 비참하다고 징징거리지. 네게 삶은 끊임없는 변화와 흥분의 연속이어야 하는 거지? 그렇지 않으면 이 세상은 감옥이라고 떠들지. 게다가 너는 언제나 칭송받고, 구애받고, 아첨받아야 하는 사람이야. 음악과 춤, 사교 활동도 빼놓을 수 없지. 그런 유흥거리가 없으면 활기도 잃고 죽어가. 자기 노력과 의지로 자립할 생각은 없는 거야? 하루에 해치워야 할 일과를 하나씩 정하고 실천해 봐. 하루를 시간으로 나누고 일과를 정해봐. 1시간, 10분, 5분, 헛되이 버리는 시간이 없게 말이야. 모든 시간을 알차게 쓰라고. 모든 업무를 차례대로, 규칙적으로, 체계적으로 정리해. 하루가 얼마나 빨리 지나가는지 몰라. 누구의 손을 빌리지 않고도 한순간도 헛되지 않게 보낼 수 있어. 함께 있거나 이야기하거나 공감하거나 견뎌야 할 상대를 찾지 않아도 돼. 독립된 인간으로 삶다운 삶을 살 수 있다고. 내 충고를 무시하지 마. 너에게 충고하는 것도 오늘이 마지막이야. 내 충고를 들으면 앞으로 무슨 일이 일어나든 이제 그 누구의 도움도 필요 없을 거야. 이 충고를 무시하고 지금처럼 욕망만 좇으며 징징거리고 게으르게 산다면, 아무리 나쁘고 극복할 수 없는 결과가 닥쳐도 벗어날 수 없어. 너의 어리석음이 바로 너를 덮칠 거야. 그게 얼마나 견디기 어려운 일일지는 아무도 몰라. 그러니 분명히 말할게, 잘 들어. 지금부터 하는 말은 두 번 다시 하지 않을 거야. 나는 내 계획대로 살아갈 거니까. 어머니가 돌아가시면, 나는 너와 끝이야. 어머니의 관이 게이츠헤드 교회 납골당으로 운구되는 날, 나는 너와 모르는 사이처럼 완전히 연을 끊을 거야. 우리가 우연히 같은 부모님에게 태어났다고 해서, 그 별거 아닌 인연을 억지로 묶어두리라고 기대하지 마. 내 말 잘 들어. 만일 우리를 제외한 모든 인류가 멸망하고 우리 두 사람만 남는다고 해도 나는 너를 옛 세상에 남겨두고 나 혼자 새로운 세상으로 도망갈 거니까."

그녀는 긴 충고를 끝냈다.

"수고스럽게 굳이 그런 충고까지 하고 그래." 조지아나는 무심하게 대꾸했다. "언니가 세상에서 가장 이기적이고 무정한 사람이라는 걸 모르는 사람도 없을걸. 그리고 언니가 날 미워한다는 것도 알아. 에드윈 베어 경의 일로 나는 알았지. 언니가 내게 얼마나 잔인한 짓을 했는지. 감히 내가 언니보다 더 높은 지위에 오르고, 더 높은 작위를 얻는 걸 언니는 견딜 수 없었잖아. 언니는 감히 얼굴도 내밀지 못하는 사교계에 내가 들어가는 걸 참을 수 없었잖아. 그래서 남몰래 감시하고 나를 밀고해서 내 앞날을 망쳤어.”

조지아나는 손수건을 꺼내 무려 한 시간이나 눈물을 흘렸다. 일라이자는 그동안 차가운 표정으로 관심도 주지 않고 바느질에 열중했다.

진정 관대한 마음이라는 긴, 이떤 사람들에게는 딱히 쓸모 없는 감정이다. 그러나 이 자리에 한 사람은 참을 수 없을 정도로 신랄했고, 상대방은 그녀를 지긋지긋하고 따분하게만 여겼다. 판단력이 부족하다는 건 참으로 싱거운 성품이다. 그러나 타인에게 관대하지 못한 이의 충고는 너무도 쓸쓸하고 신랄해서, 그것이 아무리 훌륭하다 하더라도 차마 쉽게 삼킬 수 없다.

비가 내리고 바람이 부는 오후였다. 조지아나는 소설을 읽다가 소파에서 잠들었고, 일라이자는 새로 연 교회에서 주최하는 성인의 날 예배에 참석하러 떠났다. 종교에 엄격한 철칙을 갖고 있던 그녀는 날씨가 아무리 궂어도 자신의 신앙을 저버리지 않았다. 그래서 그녀는 일요일에는 세 번이나 교회에 갔고, 평일에도 기도회가 열리면 무조건 참석했다.

나는 위층으로 가서 아무도 돌보지 않고 오직 죽음을 기다리며 누워 있는 여인을 살펴보기로 했다. 하녀들도 그녀에게 별 관심이 없었고, 돈을 주고 고용한 간병인도 틈만 나면 방에서 도망치곤 했다. 베시는 충실하게 할 일을 했지만, 아무래도 가족을 돌봐야 해서 자주 저택을 찾아올 수 없었다. 예상했던 대로, 침실에는 아무도 없었고, 환자는 무기력하게 누워 있었다. 희게 질린 얼굴로 베개에 파묻히듯 누워 있었으며 난롯불은 꺼져가고 있었다. 나는 난로에 땔감을 넣고 구겨진 이불을 정리하고, 나를 바라보지 않는 부인을 잠시 지켜보다가 창가로 걸어갔다.

비는 세차게 유리창을 때리고, 바람도 사나웠다. 나는 창문을 바라보며 생각했다.

'저기 누워 있는 사람은 머지않아 이 땅의 전쟁을 끝내겠지. 육체를 벗어나려 몸부림치는 저 영혼은 과연 어디로 가는 걸까?'

이 거대한 미스터리를 생각하며 자연스럽게 헬렌 번스를 떠올렸다. 그녀의 믿음에서는, 몸을 떠난 영혼은 모두 평등하다고 했다. 지금도 생생히 떠오르는 그녀의 말에 귀를 기울였다. 죽음의 자리에 누워 하늘에 계시는 주님의 품으로 돌아가고 싶다던 그녀의 갈망이 여전히 어제처럼 떠올랐다. 그렇게 헬렌을 생각하는데, 침대에서 희미한 목소리로 부인이 중얼거렸다.

"거기, 누구지?"

리드 부인은 지난 며칠간 말도 제대로 하지 못했다. 혹시 건강이 나아지려는 걸까? 나는 그녀에게 다가가 말했다.

"저예요, 외숙모."

"네가 누군데?" 그녀가 되물었다. "누구냐니까?" 놀라움과 경계심을 가지고 나를 바라보는 그녀의 눈빛이 의외로 매섭지는 않았다. "처음 보는 아이구나. 베시는 어디 있지?"

"오두막에 갔어요, 외숙모."

"외숙모라고." 부인이 내 말을 되뇌었다. "누가 나를 그렇게 부르지? 넌 깁슨가 아이가 아니구나. 하지만 네 얼굴은 알겠어. 그 눈이며 이마가 제법 눈에 익어. 너는 꼭 그 아이를 닮았어. 어째서…… 제인 에어를 닮은 게야!"

나는 아무 말도 하지 않았다. 나라는 걸 밝혀서 리드 부인에게 충격을 주고 싶지 않았다.

리드 부인은 계속 말했다. "착각이 아니라면 어쩜담. 잘못 생각한 거야. 제인이 보고 싶었거든. 그래서 닮지도 않은 아이를 닮았다고 착각한 거야. 더구나 8년이나 지났어. 아마 그 아이도 많이 달라졌을 거야."

결국 나는 그녀에게 내가 바로 당신이 그토록 찾았던 제인 에어라고 차분히 밝혔다. 나를 알아보고, 그녀의 의식이 완전히 회복된 것까지 확인한 다음, 베시가 남편을 손필드로 보내 나를 데리고 왔다고 말해주었다.

"내가 퍽 심각한 상태라는 걸 나도 안다. 방금도 돌아눕고 싶었지만, 몸이 뜻대로 움직이지 않는구나. 죽기 전에 마음이라도 편히 가져야 하는데 말이야. 건강할 때는 대수롭지 않게 생각했던 것들이 지금은 힘들어. 간병인은 어디 가고, 너밖에 없는 게야?"

나는 이 방에 우리 둘뿐이라고 그녀를 안심시켰다.

"글쎄다. 이미 살면서 너에게 두 번이나 후회할 짓을 저질렀다. 하나는 너를 내 자식처럼 키우겠다던 남편과의 약속을 어긴 것이고, 또 하나는……." 그녀는 잠시 말을 골랐다. "그건 그리 중요한 건 아니야." 그리고 혼잣말을 중얼거렸다. "아무튼 병세가 나아질지도 모르는데, 굳이 너에게 머리를 숙여야 한다니, 고통스러운 일이지."

그녀는 돌아누우려고 애를 썼지만, 뜻대로 되지 않는 것 같았다. 얼굴이 잔뜩 일그러졌다. 내면에 어떤 통증을, 아마도 마지막을 예감한 것 같았다.

"그래, 이제는 정리를 해야지. 영생이 내 앞에 있는데, 말해야지. 가서 내 옷장을 열어 화장 상자를 가져와서 열어보거라. 거기 편지가 한 통 있다."

나는 그녀의 말대로 편지를 꺼내왔다.

"편지를 읽어보려무나." 리드 부인이 조용히 지시했다.

짧고 간결한 글이었다.

부인, 제 조카인 제인 에어의 거처와 소식을 알려주시기 바랍니다. 가까운 장래에 편지를 보내 제가 살고 있는 마데이라로 데리고 오고자 합니다. 저는 미혼이고, 자식도 없으니, 살아 있는 동안 그 아이를 입양하고 나중에 제가 가진 모든 걸 유산으로 물려주고 싶습니다.

마데이라에서, 존 에어 드림.

발신 날짜는 3년 전이었다.

"왜 저는 이제껏 이 편지를 몰랐던 거죠?" 내가 물었다.

"왜냐하면 네가 너무 미웠거든. 네게 좋은 일이 생기는 걸

반기지도 않았고 도와주고 싶지도 않았어. 제인, 나는 네가 내게 한 짓, 내게 등을 보이고, 내게 화를 내고, 세상에서 나를 가장 혐오한다고 소리치던 그날을 잊지 못했다. 나를 생각만 해도 고통스럽다던 네 목소리며, 너를 비참하게 학대했다던 어린 시절의 네 표정도 잊을 수가 없어. 그렇게 마음의 독을 쏟아부었을 때 내 기분이 어땠는지 아느냐. 마치 내가 때리고 괴롭힌 짐승이 사람의 눈으로 나를 노려보며, 사람의 목소리로 나를 저주하는 것처럼 두려웠지……. 아이, 물, 물을 좀 다오! 어서!"

"리드 부인, 이제 그런 생각은 하지 마세요. 모든 걸 잊으세요." 나는 그녀에게 물을 먹이며 말했다. "불같은 성미로 패악질을 부리던 저를 용서해 주세요. 벌써 8, 9년 전이잖아요."

그녀는 내 말에 전혀 귀를 기울이지 않았다. 물을 삼키고 숨을 들이마신 그녀가 말했다.

"차마 잊을 수 없어. 그래서 너에게 복수했다. 네가 삼촌에게 입양돼 편안하고 안락한 삶을 산다면 견딜 수 없을 것 같았어. 그래서 나는 그에게 답장했다. 미안하지만 제인 에어는 죽었다고. 로우드 학교에서 티푸스가 전염되어 죽었다고 말이다. 그러나 이제는 너 하고 싶은 대로 해. 내가 거짓말을 했다고 알려. 너는 나를 괴롭히기 위해 태어난 아이야. 나의 마지막을, 내가 결코 하지 말았어야 할 행동을 떠올리게 해 또 나를 괴롭히지 않니. 너만 없었더라면 나는 이리 고통스럽지 않았어."

"더 이상 그런 생각 마시고, 그저 친절과 용서로 저를 받아주시면……"

"넌 참으로 나쁜 기질을 가졌어. 지금까지 나는 이해할 수 없다. 9년간 무슨 일이 있어도 참고 또 참던 네가, 대체 왜 10년 만에 그토록 울분에 차서 저주를 퍼부었는지 말이야."

"저는 외숙모가 생각하시는 것처럼 그렇게 나쁜 아이가 아니었어요. 성격이 불같아도 악의를 품지는 않아요. 어렸을 때도 외숙모가 허락만 해주셨다면 전 기꺼이 외숙모를 사랑했을 거예요. 지금이라도 화해하고 싶어요. 부디 입을 맞춰주세요."

나는 내 뺨을 그녀의 입가에 가져갔지만, 리드 부인은 미동도 없었다. 오히려 내가 몸을 기대는 바람에 무거워 숨이 막힌다며 다시 물을 달라고 했다. 나는 그녀에게 팔을 받쳐 물을 먹이고, 다시 눕혔다. 얼음처럼 차갑고 축축한 손을 감싸 쥐자 연약한 손가락이 움찔거리며 내 손에서 빠져나갔다. 흐리멍덩한 눈은 내 시선을 피했다.

"그럼, 저를 사랑하든 미워하든 마음대로 하세요." 결국 나는 포기했다. "저는 외숙모를 완전히 용서해요. 이제 주님에게 용서를 구하고 편히 쉬세요."

안타깝다. 고통에서 벗어나지 못하는 분이다! 고질적인 마음씨를 고쳐보려 노력하기에는 너무 늦었다. 그녀는 살아서도, 죽어가면서도 내내 나를 미워했다.

그때 간병인이 들어왔다. 베시와 함께였다. 그래도 나는 30분간 더 그 방에 머물며 조금의 친근감이라도 받아보고자 애썼지만, 그녀는 아무런 반응도 보이지 않았다. 금세 혼

수상태에 빠졌고 다시 정신이 돌아오지 않았다. 그녀는 그날 밤 열두 시에 숨을 거두었다. 나는 그녀의 임종을 지키지 못했고, 그건 사촌들도 마찬가지였다. 다음 날 아침 집안사람들이 리드 부인이 숨을 거뒀다고 알려줄 뿐이었다. 이미 시신도 입관한 후였다. 일라이자와 나는 그녀를 보러 갔다. 목 놓아 울기 시작한 조지아나는 어머니의 시신을 확인할 수 없다고 거부했다. 한때 강인하고, 활기 넘치던 사라 리드의 몸은 빳빳하게 굳어 있었다. 부싯돌 같던 눈은 싸늘하게 닫혀 있었지만, 강인한 이목구비는 여전히 생전의 인상이 고스란히 남아 있었다. 유해는 엄숙하고 불가사의한 사물 같았다. 나는 침울하고 고통스럽게 시신을 바라보았다. 부드럽지도, 달콤하지도, 불쌍하지도, 희망적이지도 않았고, 행복하지도 않았다. 오직 그녀의 비참한 최후가, 내가 겪은 상실감이 아니라 그저 그녀를 향한 안쓰러움 그리고 그녀가 맞이한 죽음, 그 두려움에 대한 허탈감만 가득했다. 눈물도 나오지 않는 침울함만 느껴졌다.

일라이자는 냉정한 눈빛으로 어머니를 바라보았다. 잠시 침묵을 지키던 그녀가 말했다.

"평소 어머니의 체질이라면 아마 오래 사셨을 거야. 마음 고생을 하니 이렇게 금방 가시지." 그리고 울컥한 듯 입을 닫았다. 한참 후 마음을 추스른 그녀는 돌아서서 방을 나섰고, 나도 그녀를 따랐다. 우리 둘 다 눈물은 한 방울도 흘리지 않았다.

제2권

Jane Eyre

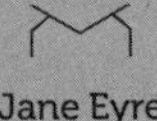

로체스터 씨는 일주일의 휴가를 허락했으나, 어느덧 게이츠헤드에 머문 지도 한 달이 지나고 있었다. 장례가 끝나자마자 떠나고 싶었지만, 조지아나가 장례를 치르고 가족 문제를 해결하기 위해 내려온 외삼촌의 초대로 런던에 가게 되었는데, 자기가 떠날 때까지 같이 있어 달라고 간청했다. 일라이자와 단둘이 남겨지는 게 무섭다고 했다. 일라이자는 슬퍼하는 동생을 동정하거나 두려움을 함께 나누거나 런던으로 떠나는 준비에 하나도 도움을 주지 않는다고 투정을 부렸다. 결국 내가 조지아나의 속상한 마음을 돌봐주고, 이기적인 애도를 최대한 견디며, 바느질을 하고 짐을 꾸리는 일을 도왔다.

'앞으로도 너와 같이 살아야 했다면 나도 이런 태도를 참고 견디지 않았을 거야. 나도 지금처럼 얌전히 받아주고 참지만은 않았을 거야. 너도 네가 할 일을 알아서 해나가야지. 무엇이든 해야 해. 그렇지 않으면 모든 건 제자리일 뿐이야. 내가 지금처럼 네 불평불만을 들어주고 참아주는 건, 우리가 함께 시간을 보내는 게 일시적이고 또 특별히 애도해야 하는 상황이라 그런 것뿐이야.' 나는 속으로 생각하며 그 시간을 비텼다.

마침내 조지아나를 떠나보내자 이번에는 일라이자가 일주일만 더 머물러 달라고 요청했다. 그녀는 앞으로의 계획에 모든 시간과 힘을 쏟아야 한다고 주장했다. 그녀는 곧 어딘가 알 수 없는 곳으로 떠나려는 참이었다. 온종일 자기 방에 틀어박혀 문을 걸어 잠근 채 짐을 꾸리고, 서랍을 비우고, 서류를 태웠다. 그녀는 내가 집을 돌보고, 찾아오는 손님을 맞이하고, 조의문에 답장해 주길 바랐다.

그러던 어느 날 아침, 일라이자가 내게 떠나도 좋다고 말했다. "여태 나를 대신해 이 집을 돌봐줘서 고마워. 정말 큰 빚을 졌어. 너는 여러모로 조지아나 같은 아이와는 달라. 맡은 일을 잘 처리하고, 누구에게도 폐를 끼치지 않으니까. 나는 내일 대륙으로 떠날 거야. 프랑스 릴에 있는 수도원으로 갈 예정이야. 수녀원이라고 해도 좋고. 한동안 조용히 간섭받지 않고 살다가, 로마가톨릭 교리를 공부하고 싶어. 교리 체계도 익히고 싶고. 만일 내가 예상한 대로 로마가톨릭이 체계적으로 올바르게 작동하는 교리라는 게 밝혀지면 그걸 받아들이고 귀의하려고 해."

나는 그녀의 결심에 별로 놀라지도 않았고, 그녀를 설득할 마음도 들지 않았다. 머리카락 한 올까지 일라이자에게 꼭 맞는 일이라고 생각할 뿐이었다.

헤어지는 순간, 일라이자가 내게 말했다. "잘 가, 나의 사촌 제인 에어. 앞으로 잘 지내길. 넌 내가 생각했던 것보다 분별력 있는 사람이었어."

그리고 나는 "나의 사촌 일라이자, 너도 그래. 앞으로 1년만 지나면 프랑스 수녀원에 갇혀 현실이라고는 다 잊어버리겠지만, 그건 내가 결정할 문제도 아니고, 너에게는 꽤 잘 어울릴 거야"라고 말해주었다.

"네 말이 맞아"라고 그녀는 대답했다. 우리는 이 대화를 끝으로 각자의 길을 걸어갔다. 나의 사촌들에 관해 다시 언급할 일이 없으므로 미리 밝히자면, 조지아나는 어느 부유한 상류 계급의 고리타분한 남자를 만나 결혼했고, 일라이자는 수녀가 되어 지금은 수습 기간이 끝나고 수녀원의 원장을 맡고 있다. 자신의 전 재산을 수녀원에 기부했다고 한다.

길든 짧든 휴가를 마치고 집으로 돌아가는 사람들이 어떤 기분을 느끼는지 나는 미처 알지 못했다. 그런 경험을 해본 적이 없었으므로. 어렸을 때 긴 산책을 마치고 게이츠헤드로 돌아오면 춥고 우울해 보인다고 꾸중을 들었다. 주말 예배에 갔다가 로우드로 돌아올 때면 풍족한 식사와 따뜻한 난롯불을 갈망했지만, 둘 다 얻지 못해 울적했다. 그 어떤 자석도 나를 특정한 곳으로 이끌지 못했고 가까이 갈수록 나를 강하게 끌어당기는 힘도 없었다. 손필드로 돌아갈 때, 대체 어떤 기분을 느낄지는 경험하지 않아 알 수 없었다.

여행은 지루하고 따분했다. 하루에 50마일을 움직여 첫날 밤은 여관에서 보냈고, 이튿날 50마일을 더 가야 손필드였다. 처음 열두 시간 동안, 나는 리드 부인의 마지막을 떠올렸다. 그녀의 일그러지고 어두운 얼굴과 거친 목소리가 머릿속에 맴돌았다. 장례식, 관, 관을 실은 마차, 검은 옷을 입은 소작인과 하인들의 행렬도. 막상 조문 온 친척의 수는 손에 꼽게 적었다. 입을 활짝 벌린 지하 묘지와 조용한 교회, 엄숙했던 예배도 떠올렸다. 그리고 일라이자와 조지아나를 생각했다. 한 사람은 무도회장의 꽃이었고, 한 사람은 수녀원의 수녀였다. 이 두 사람의 성품과 성격을 생각했고 또 분석했다. 이런 생각은 저녁이 되어 어느 큰 도시에 이르자 사르르 사라졌다. 밤이 되자 내 생각은 완전히 다른 곳으로 뻗어갔다. 여관 침대에 눕자마자 추억이 아니라 앞으로의 일들이 머리를 지배한 것이다.

나는 손필드로 돌아가는 중이다. 그러나 내가 그 저택에 얼마나 더 머물 수 있을까? 그리 길지는 않으리라. 저택을 떠나 있는 사이 페어팩스 부인에게서 소식을 들었다. 손님들은 모두 돌아갔고 로체스터 씨는 3주 전에 런던으로 떠났다가 2주 후에 돌아올 예정이라고 했다. 그가 새 마차를 사들였다는 소식과 함께. 페어팩스 부인은 아무래도 결혼식을 준비하러 간 것 같다고 했다. 잉그램 양이 주인님과 결혼한다는 게 아직은 낯설다면서도, 여러 사람의 이야기를 전해 듣고 또 자신이 목격한 것들을 종합하면 아마 곧 식이 거행되리라 의심하지 않는다고 덧붙였다. '아직도 의심을 거두지 못했다니, 부인도 참 의심이 많아요.' 나는 편지를 읽으며 생각했다. '전 두 사람의 결혼을 전혀 의심하지 않거든요.'

고민은 계속되었다. 나는 이제 어디로 가야 할까? 나는 밤새 잉그램 양이 등장하는 꿈을 꾸었다. 아침에 일어나기 직전 꾼 꿈은 너무나 생생했다. 그녀는 내 면전에 대고 손필드 저택의 대문을 닫아버렸다. 그리고 다른 길을 손가락질했는데 로체스터 씨는 팔짱을 끼고 비웃음을 머금은 채 우리 두 사람을 가만히 바라보기만 했다.

나는 페어팩스 부인에게 돌아갈 확실한 날짜를 알리지 않았다. 밀코트에서 마차가 나를 기다리는 걸 원치 않았기 때문이다. 저택까지 올라가는 길을 나 홀로 조용히 걷고 싶었다. 짐은 여관 마부에게 맡기고 6월의 저녁 여섯 시 무렵에 조지 여관을 떠나 손필드로 올라가는 옛길, 지금은 거의 사람이 다니지 않는 들판을 가로지르는 길을 택했다.

날씨는 맑고 온화했지만 여름 저녁이 어둑해지고 있었다. 들판에서 건초꾼이 풀을 베고 있었다. 하늘에 구름도 적당했고 내일의 화창한 날씨를 미리 약속하는 듯했다. 바람 한 점 불지 않았고, 듬성듬성 푸른 하늘은 온화하고 차분했으며, 옅은 구름이 높이 퍼져 있었다. 서쪽으로 넘어가는 해도 따뜻했고 옅은 노을이 아늑했다. 마치 대리석 모양의 구름 뒤로 붉은 제단이 타오르는 것 같았다. 구름 사이로 황금빛 황혼이 빛나고 있었다.

올라가야 할 길이 점점 더 짧아지는 게 기뻤다. 너무 기뻐서 대체 왜 내가 이토록 기쁜지 생각했다. 내가 가고자 하는 곳은 내 집도 아니고, 영원한 휴식처도 아니고, 또는 다정한 친구들이 나를 바라고 기다리는 곳도 아니라는 걸 떠올리며 마음을 가라앉혔다. '페어팩스 부인은 분명 따스한 미소로 맞이해 주실 거야. 아델도 손뼉 치며 나를 보려고 뛰어오겠지. 하지만 실은 두 사람이 보고 싶은 게 아니잖아. 그는 널 기다리지 않아. 너도 잘 알고 있잖아.'

그러나 젊음처럼 고집스러운 게 또 있을까? 미숙함만큼 맹목적인 것이 또 어디 있을까? 로체스터 씨가 나를 보든 안 보든 다시 그를 바라볼 수 있는 특권을 누리는 것만으로 나는 충분히 기뻤다. '서둘러, 서둘러! 최대한 그와 오랫동안 시간을 보내야 해! 기껏해야 며칠, 몇 주야. 그 시간이 지나면 넌 그와 영원히 헤어져야 해.' 나의 마음이 나를 재촉했다. 나는 다시는 내 것으로 만들고 싶지 않은, 키우고 싶지 않은 추잡하고도 새롭게 싹튼 고뇌의 목을 조르고, 열심히 내달리기 시작했다.

손필드의 들판에서도 건초 만드는 작업이 한창이었다. 아니, 한창이라기보다 마무리 단계로 보였다. 작업꾼들이 일을 끝내고 어깨에 갈퀴를 둘러메고 집으로 돌아가는 중이었다. 이제 들판 한두 개만 더 지나면 저택 대문에 이른다. 울타리에는 장미꽃이 가득했다! 하지만 장미를 꺾을 시간도 없이어서 저택으로 가고 싶었다. 잎이 무성하고 꽃이 흐드러지게 핀 가지가 길가에 뻗은 들장미 아래를 지났다. 돌계단으로 올라가는 좁은 계단이 보였다. 그리고 그곳에서 로체스터 씨가 수첩과 연필을 들고 무언가를 열심히 적고 있었다.

내가 만든 상상이 아니었다. 모든 긴장이 풀리며 순식간에 힘이 빠졌다. 순간 자제심을 잃었다. 도대체 어떻게 된 거지? 그를 본 순간 몸이 떨리고, 목소리도, 힘도 실리지 않았다. 이 정도로 떨릴 줄은 몰랐다. 다리에 힘이 좀 실리면 가야겠다. 굳이 그의 앞에서 어리석은 모습을 들키고 싶지는 않았다. 저택으로 가는 길은 많다. 그러나 집으로 가는 스무 가지의 길을 알았다고 하더라도, 그건 아무 소용이 없었다. 그가 고개를 들었고, 나를 발견했기 때문이었다.

"아하! 마침내 왔군! 어서 이리 와요!" 그가 나를 보며 큰 소리로 외치고 수첩과 연필을 높이 흔들었다.

아마 나도 모르게 그에게 다가간 것 같다. 어떻게 걸었는지, 내가 어떻게 움직였는지 기억도 나지 않는다. 그저 태연하게 움직이려고 노력했다. 무엇보다 내 표정을 감추려고 최대한 애썼다. 안타깝게도 내 얼굴은 내 의사를 무시하고 마음대로 씰룩였다. 하지만 나는 베일을 쓰고 있다. 이 베일이 애써 침착하고 태연한 척하는 나를 도와줄 것이다.

"과연 제인 에어가 맞나? 밀코트에서 여기까지 걸어 올라왔어? 그렇지, 그게 그대다운 행동이지. 남들처럼 마차를 불러 시골길을 달려오는 게 아니라, 꿈이나 그림자처럼 어둠과 함께 저택 근처로 몰래 숨어들어 오지. 도대체 한 달이나 걸린 이유가 뭡니까?"

"돌아가신 외숙모 댁에 머무를 수밖에 없었어요."

"정말 그대다운 답이군! 천사가 나를 지켜주시길! 제인이 저승에서 돌아왔습니다. 죽은 자들이 사는 저승에서 말입니다. 이 황혼에 홀로 있는 나를 만나자마자 건넨 인사가 고작 그거라니! 감히 그대를 만져보고, 실체인지 그림자인지 알아내고 싶지만. 이런 요정 같으니! 차라리 늪 속의 파란 도깨비불을 잡는 게 낫겠어. 대체 어떻게 한 달을! 무려 한 달을……." 잠시 멈칫하던 그가 덧붙였다. "어떻게 한 달이나 나를 잊을 수 있소. 대체 어떻게……."

로체스터 씨는 머지않아 나의 주인이 될 수 없는 남자가 될 것이다. 나는 그에게 아무것도 아니다. 그런 불안함과 속상함이 내 마음을 짓눌렀다. 그러나 로체스터 씨에게는 (적어도 내 생각에는) 행복을 전달하는 풍부한 힘과 능력이 있다. 나처럼 길을 잃고 헤매는 낯선 새에게는 그가 뿌려주는 부스러기조차 성대한 성찬이었다. 그의 마지막 말은 달콤한 향유처럼 향기로웠다. 정말 자기를 한 달이나 잊은 채 살았냐는 그의 힐난이 퍽 진심 같아서 기뻤다. 손필드를 마치 내 집처럼 말하는 그의 말투도 따뜻했다. 아, 이곳이 정말 내 집이라면 얼마나 좋을까!

그는 계단에서 비키지 않았고, 나도 지나가겠다는 말을 하고 싶지 않았다. 그래서 최근 런던에 다녀왔냐고 물었다.

"응, 대체 그건 어찌 알았을까?"

"페어팩스 부인이 편지로 말해줬어요."

"그렇다면 내가 무슨 일로 갔다 온 건지도 알겠군."

"아, 네! 들었어요. 모르는 사람이 없는걸요."

"그렇다면 제인, 그대가 새 마차를 검사해 줘야겠소. 나는 로체스터 부인에게 썩 어울리지 않는 것 같아. 그녀가 보라색 쿠션에 등을 기대고 있는 보아디시아* 여왕처럼 보이지는 않을지 말해줘요. 게다가 그대는 요정이니, 내게 무슨 마법을 부리거나 꽃가루라도 뿌려서 나를 미남으로 만들어줄 수는 없겠소?"

'그건 마법으로 할 수 없는 일이에요. 사랑하는 마음이 바로 해답이에요. 제게는 당신이 너무도 잘생겨 보이니까. 당신의 차가운 태도가 오히려 그 무엇보다 아름다워 보이니까요.' 나는 속으로 생각했다.

* 고대 브리튼의 여왕으로 로마 지배에 반기를 들었다가 참패하였다.

로체스터 씨는 가끔 내가 이해할 수 없는 통찰력으로 내 생각을 읽곤 했다. 그러나 지금은 내 생각을 전혀 알아차리지 못한 것 같았다. 그는 특유의 쏩쏠한 미소를 지으며 나를 바라보았는데, 퍽 드문 반응이었다. 아무래도 이 상황이 마음에 든다는 듯한 미소였다. 그 모습이 내게는 진정한 햇살처럼 밝고 환하게 보였다.

"지나가요, 제인." 그가 좁은 계단에서 몸을 틀며 내가 지나갈 자리를 만들어주었다. "집으로 올라가 지친 두 다리를 쉬도록 해요. 친구의 안식처에서 말입니다."

나는 말없이 그의 지시에 따랐다. 다른 말은 필요 없었다. 나는 계단을 올라가, 조용히 그의 곁을 떠날 작정이었다. 그런데 갑자기 무슨 충동이, 어떤 힘이 나를 돌아보게 했다. 나는, 아니 내 안의 무언가가 내 의지에 반해 입을 열었다.

"감사해요, 로체스터 씨. 과분한 친절이에요. 이상한 일이지만, 당신의 곁으로 돌아와 기뻐요. 당신이 어디에 있든 그곳이 제 집일 거예요. 제 유일한 집이요."

나는 있는 힘을 다해 빠르게 걸었다. 아마 그가 따라왔다고 해도, 도저히 나를 따라잡을 수 없었을 것이다. 어린 아델은 나를 보자마자 깜짝 놀란 듯 깡충거리며 뛰었다. 페어팩스 부인은 평소의 자상한 미소로 나를 맞이했다. 레아도 미소를 지었고, 소피도 환하게 웃으며 "좋은 저녁이에요" 하고 인사했다. 참 행복했다. 주위 사람들에게 사랑받고, 그들에게 내 존재가 편안하고 익숙하다는 느낌만큼 행복한 것도 없을 테니까.

그날 밤 나는 미래에 단호히 눈을 감기로 결심했다. 곧 다가올 이별과 슬픔을 경고하는 목소리에 귀를 막기로 했다. 차를 마신 다음 페어팩스 부인은 뜨개질을 시작했고, 나는 그녀 곁의 낮은 의자에 앉았다. 아델은 카펫에 무릎을 꿇고 내게 바짝 달라붙어 애정 어린 눈빛을 보냈다. 우리 사이의 사랑하는 마음이 평온한 황금 고리로 우리를 둘러쌌다. 나는 우리가 너무 멀리, 또 너무 빠르게 헤어지지 않기를 조용히 기도했다. 우리가 모여 서로를 다정하게 바라보던 그때, 로체스터 씨가 소리 없이 들어왔다. 예고도 없이 다가온 그는 화기애애한 이 광경을 바라보며 내색 없이 기뻐했다. 페어팩스 부인에게 그토록 아끼던 양딸이 돌아와 기쁘냐고 물었고, 아델에게는 한시도 떨어지지 않을 만큼 영국인 선생님이 좋으냐고 물었다. 그의 말을 들으며 어쩌면 그가 결혼한 후에도 우리를 그의 보호 아래 두지 않을까, 태양과 같은 그에게서 멀리 내쫓지 않고 우리를 지켜주려는 게 아닐까 하는 반쯤 허황된 꿈을 꾸었다.

손필드로 돌아온 후 2주간 묘한 평온이 이어졌다. 로체스터 씨의 결혼에 관해 그 누구도 말이 없었고, 결혼식 준비도 전혀 진행되지 않았다. 나는 매일 페어팩스 부인에게 결정된 것이 있느냐고 물었지만, 그녀의 대답은 늘 부정적이었다. 한번은 그녀가 로체스터 씨에게 신부를 언제 집으로 데려올 거냐고 단도직입적으로 물었다는데, 그는 농담과 묘한 표정으로 응수할 뿐이었다고 했다. 도무지 어떻게 해석해야 좋을지 모르겠다고 말이다.

더욱이 놀라운 건, 로체스터 씨는 잉그램 양을 한 번도 만나러 가지 않았다. 물론 그녀가 다른 주의 경계에, 무려 20마일이나 떨어진 곳에 있다지만, 열렬히 사랑하는 사이라면 그 정도 거리는 아무것도 아니지 않은가? 로체스터 씨처럼 자주, 지치지 않게 말을 타는 이라면 아침 한나절이면 갈 수 있는 거리였다. 나는 품어서는 안 될 희망을 품기 시작했다. 두 사람의 결혼이 깨졌다거나, 소문이 잘못되었다거나, 한쪽 또는 양쪽이 마음을 바꾼 건 아닐까 하는 것들이었다. 가끔 로체스터 씨의 얼굴에 슬픔이 지나가는지 확인해 볼 때도 있었는데, 지금처럼 맑갛고 사나운 기색이 없는 얼굴은 본 적이 없을 정도였다. 아델과 함께 시간을 보내다가 내가 유독 기운이 없어지고 우울해질 때면 오히려 그는 쾌활해졌다. 이토록 자주 나를 부르는 일도 없었고, 이토록 친절하게 대하는 것도 처음이었다. 그리고 안타깝게도, 그럴수록 그를 더욱 깊이 사랑할 수밖에 없었다.

23

찬란한 한여름의 태양이 영국의 대지 위로 작열했다. 하늘은 화창했고, 태양은 끊임없이 눈부시게 빛났다. 파도가 밀려오는 이 땅에서는 좀처럼 볼 수 없는 날씨였다. 마치 이탈리아의 따사로운 날씨가 영광스러운 철새 떼처럼 날아와 앨

비언*의 절벽에 내려앉은 것 같았다. 건초 수확은 끝났고, 손필드 근처 들판은 짧게 깎아 잔디로 푸르렀다. 오솔길은 밝은 흙길로 눈부셨고, 나무는 푸른 잎사귀와 짙은 줄기가 어우러졌다. 그사이 찬란한 초원의 맑은 색조가 조화로운 대비를 이루었다.

세례 요한 축일** 전날 밤, 헤이로 향하는 오솔길에서 반나절이나 산딸기를 따고 지쳐 돌아온 아델은 해가 지자마자 잠자리에 들었다. 나는 잠든 아델을 잠시 지켜보다가 정원으로 나갔다.

24시간 중 가장 달콤한 시간이었다. 한낮의 열렬한 불길이 모두 사그라드는 시간, 더위에 헐떡이던 평야와 그을린 산꼭대기에 시원한 이슬이 내리는 시간이었다. 화려한 구름 속에 소박한 모습으로 지는 태양이 붉은 보석과 용광로의 불꽃 같은 장엄한 보랏빛으로 타오르며 산봉우리 주위로 넓게 퍼져나가다가 이내 하늘 중간까지 옅게 퍼졌다. 동쪽은 그 자체로 매력적인 짙은 푸른색의 고즈넉한 빛을 퍼뜨리며 별 하나를 빛냈다. 이윽고 자랑스러운 달이 떠오를 테지만, 그 달도 아직은 지평선 아래에 몸을 숨기고 있었다.

나는 한참이나 길을 걸었다. 그러다가 어느 창문에서 은은하고 익숙한 담배 냄새가 새어 나왔다. 고개를 올려 서재 창문이 열려 있다는 걸 확인하고는 그곳에서 누군가가 나를 볼지도 모른다는 생각에 과수원으로 발길을 돌렸다. 이 저택에

* 옛 잉글랜드를 이르는 말.
** 6월 24일.

과수원만큼 아늑하고, 에덴동산처럼 황홀한 안식처는 없었다. 나무가 빽빽하고 꽃이 만발한 과수원 한쪽으로 높은 벽이 세워져 안뜰로부터 완전히 몸을 숨길 수 있었다. 다른 한쪽은 마로니에가 줄지어 서 있어서 잔디밭의 시야를 차단했다. 과수원 바닥에는 은장*이 둘러싸, 인기척 없는 목초지와 경계를 이루고 있었다. 양쪽으로 월계수가 늘어선 긴 오솔길이 은장 울타리 끝까지 이어졌다. 그 끝에 커다란 마로니에나무 한 그루가 서 있었고, 그 밑으로 벤치가 놓여 있었다. 여기라면 누군가의 눈을 피해 마음껏 산책할 수 있었다. 달콤한 수액이 떨어지고, 고요한 황혼이 다가오는 이 나무 그늘을 영원히 즐길 수 있을 것만 같은 기분이었다. 그러나 지금 막 떠오른 달빛이 과수원 위쪽의 꽃밭과 과실나무에 실을 꿰는 동안 산책을 즐기던 나는 문득 걸음을 멈추었다. 무슨 소리를 들었다거나 무언가를 발견해서가 아니었다. 익숙한 그 냄새가 다시 한번 코끝을 스치며 내게 위험을 알렸기 때문이었다.

들장미와 서던우드**, 재스민, 패랭이꽃, 장미는 벌써 오래전부터 각자의 향기를 뿜어내고 있었다. 그러나 새로운 향은 관목이나 꽃향기가 아니었다. 이건 로체스터 씨가 즐겨 피우는 담배였다. 나는 주위를 둘러보고 귀를 기울였다. 익어가는 과일이 탐스럽게 매달린 나무만 시야에 가득했다. 반 마일 떨어진 숲속에서 나이팅게일이 지저귀는 소리가 들렸다.

---

* 정원의 경관을 해치지 않도록 도랑을 파서 만든 울타리.
** 쑥의 일종.

움직이는 것은 아무것도 없었고, 다가오는 발걸음 소리도 들리지 않았다. 그러나 담배 향이 점점 더 짙어졌다. 나는 도망쳐야 했다. 관목으로 이어지는 쪽문으로 도망가려는 찰나, 그 문으로 로체스터 씨가 들어왔다. 나는 담쟁이덩굴이 무성한 곳으로 몸을 피했다. 아마 그는 오래 머물지 않을 것이다. 왔던 길로 곧 돌아갈 것이다. 가만히 몸을 숨기고 있으면, 아마 나를 발견하지 못할 것이다.

하지만 그게 아니라면 어떡할까. 이 고풍스러운 정원은 나만큼이나 그에게도 매력적일 것이다. 그는 느긋하게 과수원을 거닐며 구스베리 나뭇가지를 들어 올려 자두만큼 커다랗게 열린 열매를 구경하고, 담벼락에서 잘 익은 버찌를 따고, 무리 지어 핀 꽃의 향기를 맡고, 허리를 숙여 꽃잎에 맺힌 이슬을 감상하기도 했다. 커다란 나방 한 마리가 윙윙거리며 내 곁을 날아가 로체스터 씨의 발치에 있는 식물에 앉았다. 그는 몸을 숙여 나방을 구경했다.

'이제 내게 등을 돌렸고 꽃구경에 정신이 없으니까, 살금살금 나간다면 눈에 띄지 않고 빠져나갈 수 있을 거야.' 나는 속으로 생각했다.

조약돌을 밟아 소리를 내면 큰일이므로, 나는 잔디밭 끄트머리를 밟았다. 그는 내가 지나가야 할 곳에서 2야드 정도 떨어진 화단 한가운데 서 있었다. 아직도 나방을 보고 있는 모양이었다. 무사히 지나갈 수 있어. 나는 생각했다. 아직 하늘 높이 떠오르지 않은 달빛에 길게 늘어진 그의 그림자를 밟는 순간, 그는 돌아보지도 않은 채 나지막이 속삭였다.

"제인, 이리 와서 이것 좀 봐."

나는 아무 소리도 낼 수 없었다. 등 뒤에 눈이 있을 리 없고, 그림자에 감각이 있을 리 만무한데 어떻게 알았을까? 나는 소스라치게 놀란 마음을 다독이며, 그에게 다가갔다.

"날개가 꼭 서인도의 곤충 같아. 영국의 야행성 곤충이 저렇게 크고 화려하기 쉽지 않은데 말이야. 봐! 날아가네."

나방이 날아갔다. 나도 슬며시 뒷걸음질 치려는데, 로체스터 씨가 나를 따라왔다. 쪽문으로 도착하자 그는 이렇게 말했다.

"이리 와요. 이렇게 날이 좋은 밤을 즐기지 않고 집으로 돌아가다니, 아깝잖아. 일몰과 월출이 만나는 사이에 누가 잠에 들겠소."

나의 혀는 때로 재빠르게 대답할 때도 있었지만, 안타깝게도 즉각적인 변명이나 핑계를 대야 하는 상황에서는 영 어려웠다. 위기가 닥쳤을 때 그럴듯한 구실이나 핑계를 대며 당혹스러운 상황을 면피하지 못하고 꼭 실수를 연발하는 게 내 단점 중 하나였다. 나는 늦은 시간에 로체스터 씨와 그늘진 과수원을 걷고 싶지 않았다. 하지만 이렇다 할 핑곗거리가 떠오르지 않았다. 결국 느린 걸음으로 그를 뒤따르면서, 어떤 그럴듯한 이유를 대고 도망가야 할까 고민했다. 그러나 그는 의외로 침착하고 또 정중했다. 오히려 당황하고 허둥지둥했던 내가 더 부끄러울 지경이었다. 누군가의 의도에 악의가 실려 있었다면, 그건 그가 아니라 나에게 있었다. 오히려 그의 마음은 아무런 불편함이나 다른 의도 없이 평온했다.

"제인." 그가 월계수 오솔길로 들어가 은장 울타리와 침엽수가 있는 쪽으로 천천히 걸음을 옮기며 말을 걸었다. "손필드는 여름이 참 좋아, 그렇지 않소?"

"네, 맞아요."

"자연의 아름다움을 보는 눈도 있고 쉽게 애착을 갖는 사람이니, 그대도 손필드에 어느 정도 마음을 주지 않았을까?"

"맞아요, 마음이 많이 가요."

"어떻게 그럴 수 있는지 모르겠지만, 그대는 어린 아델이나 지루한 페어팩스 부인에게도 어느 정도 애정을 갖게 되었고 말이야."

"네, 저는 두 사람에게 나름대로 애정을 품고 있어요."

"그들과 헤어지면 섭섭하겠지."

"네."

"안타까운 일이겠군." 그가 잠시 한숨을 쉬며 말을 골랐다. "하지만 세상만사가 다 그렇소. 아늑한 안식처에 자리 잡기가 무섭게, 이제 안식의 시간은 끝났으니 다시 일어나 앞으로 나아가라는 명령이 떨어지지."

"그렇다면 저도 앞으로 나아가야 하는 건가요? 손필드를 떠나란 말씀이세요?" 내가 물었다.

"그렇소, 제인. 미안하지만 떠나야겠소."

머리를 한 대 맞은 것만 같은 커다란 충격이 울렸다. 그러나 나는 무릎 꿇지 않았다.

"알겠습니다. 그러면 앞으로 나아가라는 명령이 떨어지기 전까지 준비하고, 명령이 떨어지면 바로 출발할게요."

"지금 그 명령이 내려졌소. 오늘 밤 그 명령을 내려야만 해."

"그럼, 결혼하시는 건가요?"

"정확해, 바로 정확해. 역시 그대의 영민함이 정곡을 찌르는군."

"조만간이요?"

"이른 시일 내에 말이요. 에어 양, 아마 기억하고 있을 거요. 처음 내가 독신 생활을 청산하고 결혼이라는 성스러운 의식을 거행하고 싶다는 의사를 분명히 밝혔을 때 말이야. 잉그램 양을, 블랑슈 같은 아름다운 여인을 내 가슴에 품겠다고 했었지. 물론 블랑슈를 한 팔로 안는다는 게 가능할지는 모르겠지만. 그건 중요하지 않아. 아무래도 상관없어. 제인, 그러니까 내 말은, 제인, 내 말을 들어봐요. 고작 나방 따위에 정신이 팔려 내게 얼굴을 보여주지 않는 거요? 그건 무당벌레요. 집을 찾아 날아간다는 벌레요. 일단 내가 하고 싶은 말은, 그대가 먼저 내게 그랬잖소. 내가 존경해 마지않는 신중하고 책임감 있는 성격의 그대가, 통찰력과 겸손함을 담아 그랬잖습니까. 내가 만약 잉그램 양과 결혼한다면, 그대와 아델은 아무래도 집을 떠나는 게 좋겠다고. 내가 사랑하고자 마음먹은 여자를 은근히 깎아내리려고 했던 건 일단 접어두겠소. 그래요, 만약 그대가 떠난다면, 나 역시 잊으려고 노력해야지. 하지만 그대의 지혜로움은 잊을 수 없을 것이오. 나도 그대를 따라 지혜롭게 행동하려고 마음먹었거든. 아델은 학교에 가고, 그대는 새로운 자리를 찾아야겠지."

"네, 그러면 바로 광고를 낼게요. 그때까지는, 그러니까……." 나는 잠깐 말을 멈추었다.

'제가 다른 피난처를 찾을 때까지만 이 저택에 머무르게 해주세요.' 이렇게 말하고 싶었지만, 떨리는 목소리로 이렇게 긴 문장을 말했다가는 내 마음이 들통날 것만 같았다.

"앞으로 한 달 안에 결혼식을 올릴 작정이오." 로체스터 씨가 나 대신 대화를 이어나갔다. "그동안 내가 직접 일자리와 그대를 위한 새로운 피난처를 찾아보겠소."

"감사합니다. 저로 인해 그런 부담을……."

"아, 그럴 필요 없소! 그대처럼 자신의 임무를 충실히 이행하는 고용인이라면 나 역시 고용주답게 사소한 도움을 주는 건 일종의 권리이자 당연한 이치요. 장모가 될 부인께서 이미 그대에게 적합하다고 생각하는 일자리를 주선해 주셨소. 아일랜드의 코너트주 비터너트 로지의 디오니시오스 오갈 부인이 딸아이 다섯의 교육을 맡아줄 가정교사를 찾고 있답니다. 그대도 아일랜드를 좋아하게 될 거요. 아일랜드 사람들이 다정하다고들 하지 않소."

"너무 먼 곳이네요."

"상관없잖아요. 그대처럼 똑똑한 여인이 거리가 멀다거나 뱃길이 험하다고 불평할 것도 아니고."

"배를 타는 건 상관없지만, 거리는 좀…… 게다가 바다가 가로막고 있고……."

"바다가 무엇을 가로막는다는 거요, 제인?"

"저와 영국, 손필드 그리고……."

"그리고 또?"

"그리고 당신이요."

나도 모르게 말을 꺼내고 말았다. 입 밖으로 마음을 내비치는 순간, 나도 모르게 눈물이 차올랐다. 하지만 절대 울지 않았다. 볼썽사납게 흐느끼고 싶지 않았다. 오갈 부인과 비터너트 로지를 떠올리자 심장이 빳빳하게 굳어갔다. 나와 지금 나란히 오솔길을 걷고 있는 나의 주인 사이를 갈라놓는 광활한 바다와 필연적으로 따라붙는 부, 계층, 관습 따위를 떠올리자 심장이 내려앉는 기분이었다.

"너무 멀어요⋯⋯." 나는 또다시 중얼거렸다.

"물론이지. 그리고 그대가 비터너트 로지에 도착하는 순간, 아마 우리는 다시는 만나지 못할 거요. 그건 분명해요. 나는 절대 아일랜드에 가지 않을 테니까. 난 아일랜드에 별 관심도 없고 썩 좋아하지도 않거든. 우리는 그간 좋은 우정을 나누었소, 그렇지 않소?"

"그랬어요."

"친구는 이별을 앞두고 얼마 남지 않은 시간을 함께 보내고 싶어 하지 않습니까. 그러니 이리 오시오! 하늘의 별이 빛나는 동안, 30분 정도 조용히 항해와 이별에 관한 이야기를 합시다. 마로니에도 있고, 벤치도 있으니까. 이리 와요. 오늘 밤은 평온하게 앉아 대화합시다. 비록 다시는 함께 나란히 앉지 못힐 운명이지만."

그렇게 말한 그가 나를 벤치에 앉혔다.

"과연 아일랜드는 멀지. 그대처럼 자그마한 여인을 그토록 험한 길로 내몰게 되어 미안합니다. 하지만 그보다 더 나은 자리가 있을 거란 보장도 없지 않소? 그대는 나와 비슷하오, 그렇지 않소?"

나는 아무런 답도 할 수 없었다. 내 심장은 여전히 터질 것처럼 뛰었다.

"나는 가끔 그대를 보면 이상한 기분을 느껴. 특히 그대가 지금처럼 가까이에 있을 때면, 마치 왼쪽 갈비뼈 아래 어딘가에 끈이 하나 매여 있고, 그 끝은 마찬가지로 그대의 자그마한 몸에 매인 끈과 연결된 기분이야. 그런데 파도가 거세기로 악명 높은 아일랜드 해협과 200마일 정도의 땅이 우리 사이에 펼쳐지면, 그 끈이 툭 끊어질 것만 같아서 두렵소. 그럼 나는 상처 입고 피를 흘릴 것만 같은, 그런 불안한 마음이 들어. 그대는 곧 나를 잊겠지."

"절대요, 전 절대 잊을 수가…… 다 아시면서……." 나는 말을 제대로 맺을 수도 없었다.

"제인, 저 멀리 숲에서 나이팅게일이 지저귀는 소리가 들립니까? 들어봐요!"

새가 우는 소리에 귀를 기울였지만 결국 터지는 울음을 참지 못했다. 아무리 애써도 참을 수가 없었다. 결국 흐느낌에 몸을 맡겼다. 머리끝에서 발끝까지 온몸에 피가 식고 손발이 떨렸다. 간신히 입을 떼고 "차라리 이 세상에 태어나지 않았더라면 좋았을걸, 차라리 손필드에 오지 말았어야 했는데……"라고 중얼거렸다.

"떠나는 게 아쉽습니까?" 그가 물었다.

가슴을 온통 잠식한 슬픔과 사랑이 격렬하게 요동쳤다. 서로 싸워대고 몸부림치고 온 마음을 통제하겠노라 외쳐대기를 반복하다가, 나를 압도하고 생명력을 얻고 마침내 나를 이겼다. 그리하여 나는 온 마음을 쏟아내기에 이르렀다.

"손필드를 떠나는 게 슬퍼요. 손필드를 온 마음으로 사랑해요. 정말로 이곳이 좋아요. 왜냐하면 이곳에서 짧지만 충만하고 행복했거든요. 아무도 나를 짓밟지도 않았고, 겁먹지도 않았고, 비천한 자들 사이에 파묻혀 살지도 않았으니까요. 빛나고 힘차고 드높은 이상과 교감할 수 있었어요. 내가 존경하고 내가 좋아하는 사람들과 대화할 수 있었어요. 독창적이고 활기차고 너그러운 사람이요. 나는 당신도 알게 되었고요. 그래서 당신과 영원히 만날 수 없다는 생각이 들면 너무 무섭고 심장이 찢어질 것 같아요. 물론 떠나야 한다는 건 알아요. 마치 피할 수 없는 죽음을 맞이하는 기분일 뿐이에요."

"꼭 떠나야 할 필요가 있습니까?" 대뜸 그가 물었다.

"당연히 있죠. 이유를 직접 만드셨잖아요."

"내가? 어떻게?"

"잉그램 양이라는 이유요. 고귀하고 아름다운 그 여인이요. 당신의 신부요."

"나의 신부라! 무슨 신부를 말하는 것이오? 나는 신부가 없어."

"하지만 곧 신부를 맞이하신다고."

"그렇지. 맞아, 그럴 예정이지." 그가 이를 악물며 중얼거렸다.

"그러면 저는 떠나야 하고요."

"아니야, 떠나서는 안 돼! 맹세하리다. 무슨 일이 있어도 당신을 지키겠소."

"말씀드렸잖아요. 가야만 한다고요!" 나도 모르게 격정이 터졌다. "정말 내가 당신에게 아무것도 아닌 존재로 이곳에 남아 있을 수 있다고 생각해요? 나를 무슨 기계로 생각하시는 거예요? 감정 따위는 느끼지도 않는 기계인가요? 내 입술에서 빵 한 조각을 빼앗고, 내 잔에 남은 단 한 방울의 물마저 빼앗아도 견딜 수 있을 거라고 여기시냐고요! 내가 가난하고 미천하고 평범하고 보잘것없는 여자라서 영혼도 감정도 없다고 생각해요? 아니요, 잘못 생각하셨어요! 나도 당신만큼이나 영혼도, 감정도 풍부해요! 만일 주님께서 내게 아름다운 미모와 많은 재산을 허락하셨다면, 지금 내가 당신을 떠나는 게 힘든 것처럼 당신도 나를 떠나는 게 그리 쉽지는 않았을 거예요. 관습이나 통념 같은 걸 말하는 게 아니에요. 고작 한평생에 불과한 육신도 문제가 아니에요. 내 영혼이 당신의 영혼에게 말하는 거예요. 우리 두 사람이 죽음을 넘어 주님의 발밑에 엎드리는 순간, 우리는 결국 똑같이 평등하니까!"

"그래, 우리는 그래!" 로체스터 씨가 같은 말을 되풀이했다. "우리는 같아." 그가 나를 품에 안으며 속삭였다. 나를 두 팔로 힘껏 껴안으며 내 입술에 자신의 입술을 강하게 맞댄 그가 이를 악물며 힘주어 말했다. "당신 말이 맞아, 제인!"

"네, 그래요. 하지만 그렇지도 않아요." 나는 대답했다. "당신은 결혼했잖아요. 아니, 결혼한 것과 마찬가지인 몸이죠. 당신보다 훨씬 못한 여자와, 당신의 마음을 얻지 못한 여자와 결혼을 약속했어요. 당신이 그분을 경멸하는 걸 내 눈으로 보고, 또 듣기도 했어요. 그런 결혼은 정말이지 역겨워요. 그러니 내가 당신보다 더 나은 사람일 수도 있겠네요. 나는 가겠어요!"

"어디로, 제인? 아일랜드로?"

"네, 아일랜드로 가겠어요. 내 마음을 솔직하게 말했으니 이제 나는 어디로든 갈 수 있어요."

"제인, 잠깐만. 왜 이렇게 사나워. 절망에 빠져 필사적으로 깃털을 뽑는 새처럼 발버둥을 치지?"

"나는 새가 아니야. 나는 그물에 걸려든 것도 아니에요. 나는 자유로운 의지를 가진 자유로운 사람이고, 그 자유로 당신을 떠나려는 거예요!"

다시 한번 몸부림쳐서 그의 품에서 벗어난 내가 등을 꼿꼿이 펴고 당당히 섰다.

"맞아, 그대의 의지가 그대의 운명을 결정하는 거요. 그러니 내 손과 내 마음과 내가 가진 몫을 그대에게 내어주리다." 로체스터 씨가 말했다.

"그런 말도 안 되는 연극 따위는 그만두세요. 웃음도 나오시 않아요."

"제인, 내 곁에서 앞으로 남은 인생을 살아요. 나의 또 다른 나로, 내 인생에 가장 소중한 반려자가 되어주시오."

"반려자라면 이미 다른 사람으로 결정하셨잖아요. 그 결정을 따르세요!"

"제인, 잠깐 진정해요. 너무 격분했어요. 나도 마음을 좀 진정해야겠소."

바람이 월계수 길을 휩쓸고 지나가며 마로니에 가지 사이로 휘몰아쳤다. 그리고 저 멀리 날아가 그대로 사라졌다. 나이팅게일의 노랫소리만이 정적을 깼다. 새가 지저귀는 소리를 들으며 나는 다시 한번 흐느꼈다. 로체스터 씨는 조용히 내 곁을 지키며 부드럽고 진지한 눈빛으로 나를 살폈다. 한참이나 말이 없던 그가 마침내 나지막이 속삭였다.

"내 곁으로 와요, 제인. 마음을 터놓고 이야기합시다."

"저는 결코 당신 곁으로 가지 않을 거예요. 제 마음을 다 헤집어놓고! 다시 붙일 수 없어요."

"하지만 제인, 나는 그대를 아내로 맞이하고 싶소. 오직 그대만이 내가 결혼하고 싶은 사람이야."

나는 잠자코 침묵했다. 그가 나를 놀린다고 생각했다.

"제발, 제인. 이리 와요."

"우리 사이에는 당신의 신부가 있어요."

결국 그가 자리에서 일어나 한걸음에 내 곁으로 다가왔다.

"내 신부는 여기 있소." 그가 다시 한번 나를 끌어안으며 말했다. "나와 동등하고, 나와 꼭 닮은 존재. 제인, 나와 결혼해 주겠소?"

그러나 나는 계속 입을 다물었다. 그의 손길에서 벗어나려고 뒤척였다. 나는 여전히 그의 말을 믿을 수 없었다.

"나를 의심하시오, 제인?"

"전적으로."

"나를 더 이상 믿지 않습니까?"

"조금도요."

"그대 눈에 나는 거짓말쟁이입니까?" 그가 조금 다급하게 물었다. "아, 의심이 생겼군. 그대를 설득해야만 해. 잘 생각해 봐요, 내가 잉그램 양을 사랑합니까? 전혀. 그건 그대도 알지. 그녀는 나를 사랑할까? 아니, 그렇게 볼 하등의 근거가 없지. 나는 그녀에게 내 재산이 예상했던 것의 3분의 1도 되지 않는다는 소문을 퍼트렸고, 그 결과를 확인하기 위해 찾아갔소. 잉그램 양도, 그 댁 부인도 나를 냉대하더군. 나는 잉그램 양과 결혼하지 않을 것이오. 반면 그대는, 그대는 너무나 이상하고, 이 세상의 존재라고 여겨지지 않을 만큼 신기해! 그리고 나는 그대를 나만큼이나 아끼고 사랑해. 그래, 가난하고 미천하고 작고 평범하기 그지없는 제인, 부디 나를 그대의 남편으로 받아주지 않겠습니까?"

"정말, 저를!" 그의 진지함에 그리고 모난 말투에 오히려 믿음이 갔다. 나도 모르게 외쳤다. "정말 이 세상에 당신 외에 이렇다 할 친구 하나 없는 저를…… 물론 저를 친구라고 여기신다면 말이에요. 정말 저를, 당신에게 아무것도 드릴 게 없는 저를?"

"그래요, 당신을. 제인, 그대를 온전히 내 것으로 하고 싶소. 그러니 내 사람이 되어주겠소? 어서 그러겠다고 해요."

"로체스터 씨. 얼굴을 보여줘요. 달빛에 고개를 들어주세요."

"어째서?"

"표정을 읽고 싶으니까요, 어서요!"

"자! 구겨지고 휘갈겨 쓴 종이보다 읽기 힘들 테지만, 어디 읽어봐요. 다만 조금 서둘러주겠소? 속이 타들어 가는 기분이라."

그의 얼굴은 붉게 달아올랐고, 있는 대로 구겨진 데다가, 얼마나 긴장했는지 뻣뻣하게 굳어 있었다. 두 눈만이 형형하게 불타고 있었다.

"아, 제인, 나를 괴롭히지 마시오!" 그가 외쳤다. "그토록 성실하고 자상한 표정으로 나를 바라보기만 하다니, 어찌 나를 이렇게 괴롭히시오!"

"제가 어떻게 당신을 괴롭힐 수 있겠어요? 만약 그 말이 진심이라면, 제게 주신 손이 현실이라면, 저는 당신께 그저 감사와 헌신만 드릴 수 있는걸요. 그걸 어떻게 괴롭힘이라고 생각하세요."

"감사라!" 그가 서둘러 외쳤다. "제인, 어서 내 손을 잡겠다고 해요. 어서, 내 이름을 말해요. '에드워드, 당신과 결혼하겠어요'라고!"

"진심인가요? 정말 저를 사랑하세요? 정말 제가, 진심으로 당신의 아내이길 바라나요?"

"진심이오. 그리고 그대가 원한다면 기꺼이 맹세하지."

"그렇다면, 당신과 결혼하겠어요."

"에드워드라고 불러요. 나의 소중한 아내여!"

"에드워드!"

"내게 와요, 온전히 내게 와요." 그가 말했다. 그리고 그의 뺨이 내 뺨에 닿는 순간, 그는 내 귀에 깊고 나지막한 목소리로 속삭였다. "나를 행복하게 해줄 유일한 존재, 나도 당신을 행복하게 해주겠소."

"용서하소서!" 그가 곧이어 덧붙였다. "감히 아무도 나를 방해할 수 없을 겁니다. 이제 내 여자니까, 절대 놓치지 않을 거니까."

"누구도 방해할 수 없어요. 우리를 반대할 집안 이론이 제게는 없으니까요."

"아, 그게 가장 다행이야." 그가 속삭였다. 만약 내가 그를 조금이라도 덜 사랑했더라면, 그의 억양과 들뜬 표정을 조금 야만적이라 표현했을 것이다. 그러나 그와 함께 앉아 이별의 악몽에서 깨어나 환희의 결합을 약속한 나는 그저 앞으로 풍성하게 마시고 즐길 행복에 대해서만 생각했다. 그는 계속 "제인, 행복하오?" 하고 물었고, 나는 계속 "네, 행복해요"라고 대답했다. 그러면 그는 이렇게 중얼거렸다.

"죄는 곧 사해질 거야. 곧 사해질 거야. 친구도 없이 외롭고, 위로해 줄 사람 하나 없는 이 여자를 내가 찾았어. 앞으로는 이 여자만 보호하고, 소중히 여기고, 위로해 줄 거야. 내 마음에는 오직 애정만이 가득하고 굳은 결심뿐이니까. 주님의 심판대 앞에서 나의 모든 죄가 사해질 거야. 나의 조물주는 내 행동을 인정해 주실 테니까. 세상의 비난 같은 건 무시하면 그만이야. 남들이 뭐라 하든 상관없어."

그날 밤 대체 무슨 일이 있었던 걸까? 달이 아직 지지 않은 시간에 우리 두 사람은 어두운 그림자 속에 몸을 숨기고 있었다. 이토록 가까이 있는 내 주인의 얼굴도 거의 보이지 않을 정도였다. 마로니에는 왜 저리 고통스러워 울부짖을까? 마로니에가 바람에 몸부림치며 신음했다. 월계수 숲길을 헤친 바람이 우리 머리 위를 휘몰아쳤다.

"들어갑시다." 로체스터 씨가 말했다. "날씨가 이상하게 변하는군. 아침까지 그대와 여기 앉아 있고 싶었는데."

'저도요, 그럴 수만 있다면요.' 나는 속으로 생각했다. 물론 말할 수도 있었다. 그러나 때마침 구름 사이로 붉고 눈부신 섬광이 튀어 오르며 번쩍하고 빛났다. 그리고 곧 굉음과 함께 천둥번개가 하늘을 갈랐다. 갑자기 시야가 환해지자 놀란 나는 로체스터 씨의 어깨에 눈을 가렸다.

순간 빗줄기가 쏟아지기 시작했다. 그는 나를 채근하며 산책로를 지나 잔디밭을 가로지르며 집 안으로 뛰어들었다. 그러나 문을 넘기도 전에 우리는 홀딱 젖어버렸다. 로체스터 씨는 현관홀에 들어서기가 무섭게 내 숄을 벗기고 머리카락에 물기를 털어냈다. 그때 페어팩스 부인이 방에서 모습을 드러냈다. 처음에는 그녀의 인기척을 눈치채지 못했다. 그건 로체스터 씨도 마찬가지였다. 등불이 켜져 있었고 시계가 때마침 열두 시를 알렸다.

"젖은 옷은 빨리 갈아입어요." 그가 말했다. "그리고 잘 자요. 좋은 밤이길, 진심으로. 내 사랑."

그는 몇 번이고 내게 입을 맞추었다. 그의 품에서 벗어나 고개를 드는 순간, 깜짝 놀란 듯 창백하게 질린 얼굴의 페어팩스 부인과 눈이 마주쳤다. 나는 그녀에게 살며시 웃어 보이고는 2층으로 올라갔다. '설명은 나중에 해도 되겠지'라고 생각했다. 그러나 내 방에 도착한 순간, 부인이 방금 목격한 상황을 오해할 수도 있겠다 싶어서 마음이 불편해졌다. 그러나 기쁨은 곧 모든 감정을 지워버렸다. 바람이 아무리 요란하게 불고, 천둥이 치고 번개가 번쩍이고, 두 시간 넘도록 폭풍우가 몰아치며 세상을 흔들어도, 나는 두려움도 불안함도 느끼지 않았다. 로체스터 씨는 폭풍이 계속되는 내내 세 번이나 내 방을 찾아와 문을 두드렸다. 내가 안전한지, 무섭지 않은지 물었다. 내게 위안이었고 든든한 의지가 되어주었다.

다음 날 아침 잠에서 깨어나기도 전에 아델이 내게 달려왔다. 그리고 지난밤에 과수원 아래쪽에 심어놓았던 그 커다란 마로니에가 벼락에 맞아 절반으로 쪼개졌다고 조잘거렸다.

24

아침에 일어나 옷을 입으면서 지난밤을 떠올렸다. 전부 꿈은 아니었을까. 로체스터 씨를 다시 만나 그가 사랑과 약속의 말을 속삭여주기 전까지는 모든 게 현실이라 확신할 수 없었디.

머리를 정돈하며 거울에 비친 내 얼굴을 바라보았다. 이제 더 이상 평범하다는 생각이 들지 않았다. 내 얼굴에도 희망과 생기가 감돌았다. 눈은 결실의 샘을 바라보는 것 같았고 반짝이는 잔물결이 흐르듯 빛났다. 이전까지는 내 모습에 자신이 없어 그와 얼굴을 마주 보는 게 꺼려질 때도 많았다. 그러나 지금은 그와 마주 보고 앉아 있어도 내 미모 때문에 그의 애정이 식을 거란 불안감은 들지 않았다. 나는 서랍에서 깨끗하고 가벼운 여름용 드레스를 꺼내 입었다. 그 어떤 옷도 이렇게 알맞게 어울리지 않을 것 같았다. 이처럼 행복한 마음으로 옷을 갈아입은 적이 없었으니 말이다.

현관홀로 내려간 나는 간밤의 폭풍우를 뚫고 눈부신 6월의 아침이 왔음에 놀라지 않았다. 열린 유리문을 통해 불어오는 신선하고 향기로운 바람의 숨결을 느꼈다. 내가 이토록 행복하니 자연도 기뻐하는 게 분명했다. 구걸하는 거지와 그녀의 어린 아들이 누추하고 비루한 모습으로 오솔길을 걸어오고 있었다. 나는 그들에게 달려가 지갑 주머니에 있던 돈(3, 4실링 정도를)을 탈탈 털어 내밀었다. 좋든 싫든 그들도 나의 기쁨에 동조해야 한다. 까마귀가 울고 새들이 한목소리로 노래했다. 그러나 그 어느 것도 지금 내가 느끼는 환희와 기쁨에 비하면 더 경쾌하고 음악적일 수 없었다.

페어팩스 부인이 창밖을 향해 고개를 내밀고 울적하고도 차분한 표정으로 내게 말했다.

"에어 양, 나와 함께 아침을 들겠어요?"

식사하는 동안에도 그녀는 차갑고 조용했다. 그러나 나는 그녀에게 모든 걸 털어놓을 수 없었다. 나의 주인이 모든 걸 설명할 때까지 기다려야 했고, 그녀도 마찬가지였다. 나는 식사를 적당히 마치고 급히 2층으로 올라갔다. 그때 교실을 나서는 아델과 마주쳤다.

"공부 시간인데 어디 가니?"

"로체스터 씨가 아이 방으로 가라고 하셨어요."

"지금 어디 계시는데?"

"교실이요." 아이가 방금 나온 방을 가리켰다. 나는 교실 안으로 들어갔고, 그가 서서 나를 기다리고 있었다.

"이리 와서 내게 좋은 아침이라고 인사해 줘요." 그가 말했다. 나는 기꺼이 앞으로 나아갔고, 우리는 전처럼 단순한 인사나 악수가 아니라 포옹과 키스로 서로를 반겼다. 그에게 사랑받고, 애정을 듬뿍 받는 게 당연한 것처럼 느껴졌다.

"제인, 오늘따라 빛이 나는걸. 게다가 웃고 있잖아. 너무 예쁘게." 그가 말했다. "정말 오늘따라 유난히 예뻐. 이 모습이 진정 창백한 안색으로 돌아다니던 작은 요정이 맞단 말이야? 내 사랑이 맞아? 뺨에 보조개도 보이고, 붉은 입술에, 햇빛에 적당히 그을린 피부까지 말이야. 새틴처럼 매끈한 담갈색의 머리카락이며, 담갈색의 눈동자까지 말이지." (참고로 내 눈은 녹색이다. 그의 잘못을 이해해 주길. 아마 그에게는 새로운 색감처럼 보였을지도.)

"네, 제인 에어예요."

"아니, 머지않아 제인 로체스터가 되는 거지. 앞으로 4주만 지나면 말이야. 그 이상은 단 하루도 더 지체할 수 없어, 알겠소?"

나는 이해했다는 듯 고개를 끄덕거렸다. 그럼에도 완전히 이해하기는 어려웠다. 솔직히 머리가 핑 도는 기분이었다.

그 이상한 느낌이란. 단호하게 선언한 새로운 이름이 내 몸을 관통하며 기쁨과는 조금 다른 더 강력한 전율이 흘렀다. 큰 충격이자, 당장이라도 기절할 것만 같은 기분이었다. 공포에 가까웠다고 해야 좋을지도.

"얼굴이 붉어졌다가, 이제 창백해지는군. 제인, 무슨 일이오?"

"새로운, 새로운 이름을 주셨잖아요. 제인 로체스터라니. 너무 이상해요."

"당연한걸, 로체스터 부인. 젊은 로체스터 부인. 페어팩스 로체스터의 여자, 나의 신부." 그가 웃으며 말했다.

"하지만 도저히 있을 수 없는 일이에요. 인간이란 결코 완벽한 행복을 누릴 수 없다고요. 제가 남들과 다른 운명을 타고났을 리가 없잖아요. 그런 행운이 제게 찾아올 리 없어요. 공상이고, 동화 속 이야기라고요."

"그걸 내가 할 수 있고, 또 현실로 만들 거야. 당장 오늘부터 시작해야지. 오늘 아침, 이미 런던 은행에 편지를 보냈소. 은행에 보관 중인 보석 일부를 보내달라고 했지. 손필드의 안주인에게 대대로 내려오는 가보요. 하루나 이틀 사이에 그 보석들을 그대의 무릎 위에 온통 쏟아주고 싶어. 내가 귀족의 딸과 결혼하고 베풀었을 모든 특권과 애정을 그대에게 똑같이 해줄 거니까."

"아, 안 돼요! 보석은 절대 안 돼요! 사람들이 뭐라고 하겠어요. 제게 보석은 어울리지도 않고 부자연스럽고 이상해요. 차라리 받지 않을래요."

"그대의 목에 다이아몬드 목걸이를 걸어주고, 이마에는 장식을 씌워주지. 자연이 이 고귀한 이마에 증표를 찍어놓았으니, 그것마저 잘 어울릴 거요. 이 가느다란 손목에는 팔찌를 채워주고, 요정처럼 앙증맞은 손가락마다 반지를 끼워주겠소."

"안 돼요, 절대 안 돼요! 차라리 다른 생각을 하세요. 다른 표현을 다른 어조로 말해줘요. 부디 저를 미인이라 하지 말아요. 저는 그저 당신이 고용한 퀘이커교도 같은 가정교사일 뿐이에요."

"하지만 내 눈에는 너무도 아름다운걸. 내 마음의 욕망을 채워주는 아름다움이자 섬세한 천사 같아."

"작고 하찮다는 말씀이잖아요. 너무 꿈에 젖어 계시네요. 아니면 저를 비웃는 건가요? 세상에, 제발 그런 모순은 참아주세요!"

"온 세상으로부터 당신이 아름다운 여인이라는 인정을 받아내고 말테요." 그가 계속해서 말했다. 나는 그가 자신을 속이고 있거나, 아니면 나를 속이려 한다고 생각했다. 그의 말투에서 왠지 모를 불안감이 느껴졌기 때문이다. "그대에게 새틴과 레이스로 만든 드레스를 입히고, 머리에는 장미를 꽂아줄 거요. 그리고 내가 가장 사랑하는 머리에는 값을 감히 매길 수도 없는 섬세한 베일을 덮어주겠소."

"그러면 당신은 저를 알아보지 못할 거예요. 그렇게 되면 전 더 이상 당신의 제인이 아니라, 우스꽝스러운 옷을 입은 원숭이, 남의 깃털을 빌려 꽂은 바보가 된다고요. 저는 궁정 귀부인처럼 꾸며놓은 저를 보는 것보다 멋진 차림의 당신이 보고 싶어요. 제가 당신을 잘생겼다고 하지 않잖아요. 물론 마음 깊이 사랑해요. 그렇지만 사랑한다는 이유로 입에 발린 소리를 하고 싶지는 않아요. 그러니 당신도 날 그렇게 치켜세우지 말아요."

그런데도 그는 내 의도를 알아차리지 못한 듯 자기 말을 이어나갔다. "오늘은 마차를 타고 밀코트로 갑시다. 드레스부터 몇 벌 해 입어야겠소. 4주 후면 결혼식이라고. 결혼식은 저 아래에 있는 교회에서 조용히 치릅시다. 그리고 곧바로 그대를 데리고 런던으로 가야지. 런던에 잠시 머물렀다가 나의 소중한 보물을 데리고 햇살과 가장 가까운 곳, 프랑스의 포도밭과 이탈리아의 평원으로 갈 거요. 옛 역사와 현대의 기록에서 유명하다는 것들은 다 보여줘야지. 도시의 삶도 맛보고, 다른 이들을 견주어 그대가 얼마나 진가 있는 사람인지 깨닫게 해주어야지."

"제가 여행을요? 그것도 당신과 함께요?"

"파리, 로마, 나폴리도 가고, 피렌체, 베네치아, 빈도 밟게 될 거요. 내가 그간 방황했던 모든 땅에 데려가리다. 내 발자국이 닿은 곳은 모두 그대의 요정 같은 자그마한 날개로 직접 날아보길 바라. 10년 전, 나는 반쯤 미쳐 유럽을 헤집고 다녔소. 혐오와 증오, 분노만이 나의 동반자였지. 이제 나는 나만의 천사를 만나 깨끗이 치료받고 정화되었어. 그대와 함께 그곳을 다시 방문하고 싶어."

나는 그런 말을 아무렇지 않게 말하는 그를 보며 웃음을 터트렸다. "전 천사가 아니에요. 그리고 죽을 때까지 천사는 될 수 없어요. 전 그냥 저예요, 로체스터 씨. 제게 그 어떤 천상의 것도 기대하거나 요구하면 안 돼요. 얻을 수 없을 테니까요. 저도 당신에게서 그런 것을 얻을 수 없고요. 저는 기대도 하지 않아요."

"그렇다면 나에게 무엇을 기대하지?"

"당분간은 그냥 꾸미지 않은 당신을 바라요. 아주 잠깐이겠지만. 그런 다음에는 냉혹한 당신 그리고 변덕스러운 당신, 엄격한 당신도요. 아마 당신을 기쁘게 해드리려면 저는 엄청나게 노력해야 할걸요. 그러다가 내게 익숙해지면 그때 다시 저를 좋아하게 되겠죠. 네, 사랑이 아니라 호감이요. 지금 같은 애정은 고작해야 반년이나 갈까요, 더 짧을 수도 있고요. 남자들이 쓴 책에서 읽었는데, 남편의 열정은 그 정도가 끝이라고 하던걸요. 종국에 저는 당신의 친구이자 동반자로 남겠지요. 부디 나의 사랑하는 주인에게 결코 불쾌한 존재가 되지 않기만 바라요."

"불쾌하다고! 그리고 그대를 다시 좋아하게 될 거라고? 하, 그렇다면 나는 그대를 또 좋아하고, 다시 한번 좋아하겠지. 그리고 언젠가 그대가 진심으로 나에게 고백하게 만들 거야. 나를 좋아하는 게 아니라, 진심으로 사랑한다고."

"당신이 얼마나 변덕스러운 사람인지 잊었어요?"

"미모로 나를 기쁘게 하는 여인들에게 영혼도 마음도 없다는 걸 깨닫는 순간, 나는 악마로 돌변해. 그 평면적이고 하찮고, 어쩌면 멍청하기까지 한데다가 난폭하고 까탈스러운 본성을 드러낼 때면 말이야. 하지만 맑은 눈에 달변가, 불같은 영혼에 부드럽지만 절대로 부러지지 않는 성격, 그런 유연하고 안정적이고 일관된 성격의 소유자라면, 나는 그녀 앞에서 언제나 자상하고 진실하오."

"그런 상대를 만나본 적 있으세요? 사귀어본 적은요?"

"지금 사랑하고 있지."

"저 말고요. 저의 어떤 점이 그 까다로운 기준에 부합하나요?"

"그대 같은 사람은 살면서 한 번도 만난 적 없소, 제인. 그대는 나를 기쁘게 하고, 나를 지배해. 그대에게 복종하게 돼. 그대의 유연함이 마음에 들어. 그 유연하고 매끄러운 실타래를 손에 감고 있으면, 팔을 타고 심장으로 전율이 느껴져. 그대의 영향으로 달라지고 그대에게 정복당하는 기분이야. 그건 말로 표현할 수 없을 만큼 달콤하지. 그대에게 정복당했지만 그 어떤 승리보다 더욱 환상적이야. 왜 웃는 거지, 제인? 그 오묘하고 표현하기 어려운 표정은 뭐지?"

"생각 중이었어요. 어쩔 수 없는걸요. 마치 여자에게 유혹당한 헤라클레스와 삼손이 생각나요."

"이런, 이 깜찍한 요정 같은……!"

"잠깐만요! 그건 현명하지 못한 말투예요. 헤라클레스와 삼손처럼 굴지 마시라고요. 신화 속 두 남자가 결혼했더라면 구애할 때의 다정함은 버리고 남편으로서의 엄격한 체면만 차렸을걸요. 당신도 곧 그러겠지요, 슬프게도요. 만약 1년 후에 제가 당신에게 불편한 것이나 마음에 들지 않는 것을 청하면 그때는 어떻게 답하시려고요?"

"제인, 무엇이든 내게 부탁해요. 아주 사소한 것이라도 좋으니까. 그대에게 그런 청이라도 받아봤으면 좋겠어."

"그럴 거예요. 실은 정말 부탁드릴 게 있거든요."

"뭐든! 당신이 나와 눈을 마주하며 그 얼굴에 웃음까지 띠며 부탁하면, 뭐든 듣기도 전에 승낙할 것 같은데. 그렇게 되면 나는 세상에 웃음거리가 되는 건가?"

"전혀 아니에요. 제가 부탁드리고 싶은 건 간단해요. 보석은 주지 마세요. 제 머리에 장미 화관도 사양하겠어요. 그건 지금 가지고 계신 무늬 없는 평범한 손수건에 금실 레이스를 장식하는 것과 같은 짓이에요."

"내게는 순금 위에 도금하지 말라는 말로 들리는데. 무슨 말인지는 알았소. 부탁은 들어주지, 물론 당분간이야. 은행에 보낸 주문은 취소하겠소. 그런데 아직도 내게 부탁하지 않았어. 그냥 선물을 물러달라고 한 거지. 다시 잘 생각해봐요."

"그러면 제 호기심을 충족시켜 주시겠어요? 정말 궁금한 게 하나 있거든요."

그는 퍽 당황한 표정이었다. "뭐? 그게 뭔데?" 그가 다급하게 물었다. "호기심은 꽤 위험한데. 모든 부탁을 다 들어준다고 약속하지 않아서 다행인가……."

"하지만 별거 아닌 질문이에요."

"말해봐요, 제인. 하지만 비밀을 캐내는 게 아니라 차라리 내 재산의 절반을 달라는 바람이었으면 좋겠군."

"아하수에로 왕*인가요! 제가 재산의 절반을 받아 무엇하겠어요! 유대인 고리대금업자도 아니고, 좋은 땅에 투자해 돈을 벌고자 하는 것도 아닌걸요! 그보다는 당신의 믿음이 얻고 싶어요. 저를 진심으로 마음에 들이신다면 저에게 숨길 것도 없지 않겠어요?"

"제인, 그대라면 내가 가진 모든 비밀을 다 털어놓아도 상관없소. 하지만 그럴 만한 가치가 없는 일에 굳이 마음을 쓰다니! 굳이 독을 마시지는 마시오. 나를 배반하고 성경에 나오는 이브가 되려 합니까?"

"안 될 이유도 없지요. 방금까지만 해도 제게 정복당하는 것이, 제게 설득당하는 것이 좋다고 하셨잖아요. 그 마음을 이용해 당신에게 과시하고 설득하고 간청하고 또 필요하다면 울고 보채고. 그래도 괜찮지 않아요?"

"감히 실험을 해보고 싶다면 말리지 않지. 나를 파헤치고 마음대로 추측하면 그대로 그대가 이기는 게임이잖소."

"정말 그런가요? 그럼 곧 포기하시겠네요. 아, 어쩜 그리 엄한 눈으로 보세요! 눈썹이 제 손가락만큼 두껍고, 이마는 제가 어떤 책에서 읽은 '천둥을 품은 두꺼운 구름' 같아요. 결혼한 다음에는 늘 그런 얼굴일까요?"

"지금 그 얼굴이 그대의 결혼한 후의 얼굴이라면, 감히 기독교인으로 말하건대 나는 자그마한 요정이나 불도마뱀에게 감히 승리할 생각도 못 하겠지. 자, 이제 물어봐요, 대체 궁금한 것이 무엇이기에?"

* 고대 페르시아의 왕으로, 왕비인 에스더를 사랑해 나라의 절반을 주겠다고 약속했다.

"예의까지 벗어던지시네요. 하지만 저는 아첨보다 무례한 태도가 훨씬 마음에 들어요. 천사보다는 인간이 되고 싶거든요. 제가 궁금한 건, 왜 그렇게까지 제가 당신과 잉그램 양이 결혼한다고 믿게 만드신 거예요?"

"그것뿐이오? 내 걱정에 비하면 별거 아니었군." 이렇게 말한 그는 잔뜩 찡그렸던 짙은 눈썹을 펴고 미소를 지으며 내 머리를 쓰다듬었다. 위험이 빗나간 게 만족스럽다는 표정이었다. "고백하지. 당신이 약간 화가 날 수도 있지만. 그리고 어젯밤 화를 낼 때 얼마나 불같았던지……. 어젯밤 그대가 운명에 반항하고 나와 그대가 동등하다고 선언했을 때 말이오. 그대는 저 차가운 달빛 아래 불처럼 빛나고 있었어. 그렇지만 제인, 나로 하여 청혼하게 만든 건 바로 그대였잖소."

"네, 그랬지요. 하지만 그렇다고 해서 제 질문에 답이 된 건 아니에요. 잉그램 양 말이에요."

"글쎄, 나는 잉그램 양에게 구혼하는 척했을 뿐이지. 내가 그대를 이토록 사랑하는 것처럼, 그대도 나를 사랑하게 만들고 싶었거든. 질투가 내 목표를 달성하는 데 큰 도움이 될 거라는 걸 알았지."

"훌륭하시긴! 그러고 보면 당신도 속이 너무 좁아요. 어쩜 그렇게 부끄럽고 수치스러운 짓을! 잉그램 양의 감정은 전혀 생각하지 않았나요?"

"그녀의 마음은 단 하나, 오직 자존심뿐이지. 그런 건 창피를 배워야 고치는 법이오. 그래서 질투를 느꼈소, 제인?"

"신경 쓰지 마세요. 제 마음에는 전혀 흥미를 느끼지 못하실 테니까요. 다시 한번 진실하게 답해주세요, 잉그램 양이 당신의 진실하지 않았던 구애에 마음 아파하지 않을까요? 그분은 자신이 배신당했다고 생각하지 않겠어요?"

"전혀! 오히려 그녀가 나를 버렸다니까? 내게 빚이 있다는 이야기를 들은 순간 그 여자의 불꽃은 순식간에 꺼져버렸소."

"정말 이상하고 철두철미한 짓이에요. 몇 가지 원칙은 정말이지 괴짜 같다고요."

"내 원칙은 그렇게 훈련된 거지. 애정을 받아본 적이 없으니 비뚤어지게 자란 게 뭐 그리 이상하다고."

"부디 진지하게 답해주세요. 제가 얼마 전 맛보았던 괴로움을 다른 사람도 겪었다는 두려움을 느끼지 않고, 제가 이 커다란 행복을 마음껏 느껴도 되는 건가요?"

"당연하지, 나의 착한 아가씨. 그대같이 순결한 사랑을 바치는 이가 세상에 또 어디 있겠소. 나는 마치 향기로운 유약을 내 영혼에 바르는 기분인걸. 제인, 나를 향한 그대의 믿음이 그래."

나는 내 어깨에 놓인 그의 손에 입술을 가져다 댔다. 이보다 더 그를 사랑할 수 있을까. 나는 차마 입 밖으로 낼 수 없을 정도로, 말로 표현할 수 없을 정도로 그를 사랑했다.

"다른 청은 또 없소? 그대가 내게 부탁하고, 그걸 들어주는 게 너무도 기쁜걸."

나는 또 부탁할 일이 떠올랐다. "우리 상황을 페어팩스 부인에게 알려주세요. 어젯밤 현관에서 제가 당신과 함께 있는 걸 보고 크게 놀라셨어요. 제가 부인을 만나기 전에 먼저 부인에게 설명해 주세요. 부인처럼 훌륭한 분에게 오해받고 싶지 않아요."

"방으로 돌아가 보닛을 쓰고 나와요. 당장 밀코트로 갑시다. 마차를 준비할 동안 부인과 이야기해 보겠소. 그대가 사랑 때문에 세상에 등을 돌렸다고 생각하려나? 그래도 조금도 후회하지 않고 잘한 선택이라고 여길까?"

"제가 신분에 맞지 않게 행동한다고 생각할걸요. 당신도 마찬가지고요."

"신분, 신분! 그대에게 어울리는 신분은 내 마음속이고, 지금이나 앞으로나 그대에게 무례하게 구는 놈들의 목에는 칼을 들이밀 거요. 자, 가요."

곧 나는 옷을 갈아입었고 로체스터 씨가 페어팩스 부인의 응접실을 나서는 소리를 듣고는 부인에게 갔다. 부인은 아침 일과로 성경 구절을 읽고 있었다. 성경책을 펼쳐놓고 그 위에 돋보기가 올려져 있었는데, 로체스터 씨의 소식에 놀라 다시 성경을 읽어야 한다는 생각도 하지 못하는 것 같았다. 그녀는 맞은편의 텅 빈 벽을 바라보며, 뜻밖의 소식에 놀란 마음을 가라앉히려고 노력 중이었다. 나를 발견하고 겨우 정신 차린 그녀는 억지로 미소를 지으며 몇 마디 축하 인사를 건넸지만, 얼굴에 띤 미소는 금방 사라졌고 문장도 채 맺지 못했다. 그녀는 안경을 치우고 성경책을 덮은 다음 의자를 뒤로 밀어냈다.

"너무 놀라서요." 부인이 겨우 입을 뗐다. "선생님, 뭐라고 말해야 좋을지. 이게 꿈은 아니겠지요? 혼자 앉아 있다가도 깜빡 졸거나 한 번도 일어나지 않은 일을 꿈꾸기도 하니까요. 한번은 졸다가 15년 전 죽은 사랑하는 남편이 들어와 내 곁에 앉아 있는 기분이기도 했어요. 예전처럼 앨리스라고 내 이름을 부르면서요. 정말로 로체스터 님이 선생에게 청혼하셨단 말인가요? 아, 웃지 말아요. 그분이 5분 전 나를 찾아오셔서는 한 달 안에 선생을 아내로 맞이하겠다고 그러시는 거예요."

"저에게 분명 그렇게 말씀하셨어요." 내가 대답했다.

"정말! 그 말을 믿어요? 그렇게 하겠다고 하셨나요?"

"네."

부인은 당황한 표정으로 나를 바라보았다. "그럴 줄은 꿈에도 몰랐어요. 자존심이 강한 분이지요. 로체스터 가문 남자들은 모두 자존심이 강해요. 선친은 그렇게 돈을 밝히셨죠. 하긴 주인님도 돈 문제에 관해서는 신중하신 분이죠. 로체스터 님이 정말 선생과 결혼하겠답니까?"

"그렇게 말씀하셨어요."

그녀는 나를 샅샅이 살폈다. 그녀의 눈에 비친 나는 로체스터 씨의 마음을 가질 수 있을 만한 매력이 보이지 않는 것 같았다.

"대체 어떻게!" 부인이 탄식했다. "하지만 선생이 그렇다면 그런 거겠죠. 결말은 나도 모르겠지만. 정말 모르겠어요. 결혼이란 본디 신분이나 재산이 평등해야 알맞은 법인데. 게다가 선생과 주인님은 적어도 스무 살은 나이 차이가 나요!

아버지뻘이라고요!"

"아니에요, 페어팩스 부인!" 정곡을 찔려서일까 내가 소리치고 말았다. "아버지뻘은 아니에요! 우리를 본 사람들은 누구도 그렇게 생각하지 않아요. 로체스터 님은 그 나이대 남자들보다 훨씬 젊어 보이고, 실제로 스물다섯 살이라고 해도 믿을걸요."

"그분이 정말 선생님을 사랑해서 결혼하려는 걸까요?" 부인이 되물었다.

나는 부인의 차가운 눈초리와 부정적인 말투에 상처 입어 눈물이 샘솟았다.

"내가 말이 심했다면 미안해요. 하지만 선생은 아직 너무 어려요. 남자를 잘 모르잖아요. 경각심을 가졌으면 해서 하는 소리랍니다. 반짝이는 것이 모두 금은 아니라는 말도 있잖아요. 나중에 선생이나 내가 기대하는 것과 다른 결말이 찾아올까 봐 걱정되어서 그래요." 부인이 조심스럽게 말했다.

"왜요? 제가 무슨 괴물이라도 되나요? 로체스터 씨가 저에게 진심 어린 사랑을 가질 수 없다고 생각하시는 이유가 뭔가요?" 내가 물었다.

"아니요, 선생 문제가 아니랍니다. 요즘은 물이 올랐어요. 로체스터 님도 감히 선생에게 빠졌다고 해도 좋아요. 하지만 그분에게 선생은 늘 귀여운 동물 같은 존재였어요. 그래서 선생을 걱정했어요. 분에 넘치는 호의였고, 선생도 조심했으면 했지요. 하지만 잘못된 일이 벌어질지도 모른다는 이야기도 할 수 없었지요. 그런 말을 하는 것만으로도 선생의 기분을 상하게 할 수도 있고. 어쨌거나 선생은 신중하고, 겸손하고 이성적인 분이니 어쩌면 자기 자신을 보호할 분별력을 갖고 있다고 넘겨짚었지요. 어젯밤 온 집 안을 찾아다녔는데 선생도, 주인님도 보이지 않더군요. 그러다가 열두 시가 다 되어 두 분이 함께 들어오는걸 보고 얼마나 놀랐는지."

"그건 걱정하지 않으셔도 돼요." 나는 조급하게 끼어들었다. "모든 게 다 잘되었어요."

"그렇게 될 거라 믿어요, 하지만 로체스터 씨는 멀리하세요. 그분뿐만 아니라 선생 자신도 너무 믿지 마요. 높은 신분의 남자들은 보통 가정교사와 결혼하지 않는답니다."

나는 이제 짜증이 치솟았다. 그때 다행히 아델이 달려왔다.

"나도 갈래요! 나도 밀코트에 갈래요!" 아이가 울먹이며 매달렸다. "로체스터 씨는 안 된대요. 새 마차에 자리가 그렇게 많은 데도요. 선생님, 저도 데려가 달라고 부탁해 주세요."

"그래, 부탁해 볼게." 아이를 달랜 나는 울적한 기운만 던지는 부인의 눈초리에서 벗어날 수 있어 기뻤다. 마차가 저택 앞에 다가오고 있었고, 로체스터 씨는 진입로에 서 있었다. 파일럿이 그의 주변을 뛰어다녔다.

"아델도 데리고 가도 될까요?"

"안 됩니다. 난 아이가 싫소! 난 그대만 있으면 돼."

"로체스터 씨, 아델을 데려가요. 그게 훨씬 나을 거예요."

"싫소. 하루 종일 짐만 될 거요."

그는 단호한 표정과 목소리로 대답했다. 페어팩스 부인의 경고와 의심이 냉기처럼 나를 파고들었다. 무의미하고 불안한 미래가 나의 희망을 짓눌렀다. 그를 지배할 힘을 벌써 잃어가고 있었다. 더 이상 그에게 반박하지 못하고 기계적으로 그에게 복종하고 있었다. 그가 나를 마차에 태우며, 내 얼굴을 빤히 바라보더니 물었다.

"무슨 일이지? 얼굴에 햇살이 사라졌군. 정말 저 아이를 데리고 가고 싶어서 그러는 거요? 아이를 두고 가면 화를 낼 건가?"

"데리고 가면 좋겠어요."

"당장 가서 보닛을 쓰고 와. 번개처럼 빠르게 갔다 와야 한다!" 결국 그가 아델에게 소리쳤다. 아델은 신이 나서 뛰어갔다.

"아침 반나절 동안의 방해 정도는 이해해 주지." 그가 말했다. "앞으로 나는 평생 그대를 놓아주지 않을 거니까. 그대의 생각, 그대와의 대화, 그대와 함께하는 모든 시간까지 전부 다 내 손에 넣을 테니까."

아델은 마차 안으로 뛰어와 나의 배려에 감사하며 나에게 키스를 퍼부었다. 그러나 곧장 로체스터 씨의 옆 구석으로 밀려나고 말았다. 아델이 나를 맑간 눈으로 바라보며 눈치를 살폈다. 아이의 곁에 앉은 보호자는 너무 단호하고 냉철해서 감히 반항도 하지 못하고 질문도 할 수 없었다.

"제가 아이를 데리고 앉을게요." 그에게 간청해 보았다.

"귀찮게 굴지도 모르잖아요. 제 곁이 더 넓기도 하고요."

그는 마치 강아지를 넘기듯 아델을 내게 넘겼다. "조만간 학교에 보내야겠어." 그가 심술 맞게 중얼거리면서 씩 웃었다.

아델이 그의 말에 '선생님 없이' 학교에 가야 하냐고 물었다.

"그래, 선생님 없이 너 혼자 가야지. 왜냐하면 선생님은 나랑 달에 가야 하거든. 화산 꼭대기 어딘가 하얀 골짜기 동굴을 발견하면 선생님과 나만 거기서 영원히 살 거야."

"달에는 먹을 게 없잖아요. 선생님이 배고플 거예요." 아델이 중얼거렸다.

"아침저녁으로 만나*를 모을 텐데? 달의 평원과 언덕은 만나로 하얗게 덮여 있거든."

"선생님이 추우면 어떡해요? 불을 피워야 하잖아요."

"달의 산에서는 불이 솟아올라. 날씨가 추워지면 선생님을 산봉우리로 데려가 불이 솟는 분화구 곁에 앉혀야지."

"그럼 너무 불편해요! 옷이 다 타버릴 거라고요. 새 옷은 어떻게 구해요!"

로체스터 씨는 재미있다는 듯 아이를 놀렸다. "흠, 그럼 너는 어떻게 할 건데, 아델? 선생님을 위해 좋은 방법이 있어? 머리를 써보렴. 흰색이나 분홍색 구름으로 옷을 지어 입힐까? 무지개를 잘라 어여쁜 스카프라도 둘러줄까?"

"선생님은 지금이 훨씬 예뻐요." 아델이 잠시 생각한 후 결

* 옛 이스라엘인이 광야를 헤맬 때 신이 내려준 음식.

론 내렸다. "게다가 아저씨랑 단둘이 달에 살면 금방 지루해질걸요. 내가 선생님이라면 아저씨랑 둘이 달에 가겠다고 하지 않을 거예요."

"하지만 선생님도 동의했는걸. 나하고 약속했는데."

"그래도 달에 갈 수 없잖아요. 길이 없는데 어떻게 가요? 전부 공기뿐이고, 아저씨나 선생님은 하늘도 못 날잖아요."

"아델, 저 들판 좀 보렴." 우리는 손필드의 정문 밖을 지나고 있었다. 천둥번개가 지나간 후 민지는 깨끗하게 날아갔고, 밀코트로 가는 길 양쪽의 낮은 울타리와 높이 솟은 관목이 비에 씻겨 푸르게 빛나고 있었다.

"아델, 저 들판을 2주 전에 걷고 있었지. 네가 과수원 풀밭에서 건초를 베던 나를 도와줬잖니. 갈퀴질에 지쳐서 계단에 앉아 잠깐 쉬고 있었단다. 거기 앉아 작은 수첩이랑 연필을 꺼내 오래전에 겪은 불행과 앞으로의 행복에 대한 소망을 적었어. 햇빛이 나뭇잎 사이로 사라지는 시간이었는데, 무언가 길목에 모습을 드러냈지. 그리고 저 멀리서 걸음을 멈추더군. 그 사람을 한참 바라보았어. 머리에 거미줄 같은 베일을 두른 자그마한 사람이었어. 내 곁으로 오라고 손짓하자, 그 사람이 내 무릎 앞에 와서 서는 거야. 나는 그 사람에게 한마디도 안 했고 그 사람도 내게 마찬가지로 말을 걸지 않았어. 하지만 우리는 서로의 시선을 읽었단다. 한마디 말도 없이 서로 이야기를 나눴어.

요정이었어. 요정의 나라에서 왔다더군. 요정의 임무는 나를 행복하게 만드는 일이었지. 나와 요정은 이 세상에서 벗어나 달처럼 외로운 곳으로 가야 한다는 거야. 그 요정은 고개를 들어 언덕으로 솟아오르는 초승달을 바라보았어. 거기에 우리가 살 수 있는 석화, 석고의 동굴이나 은빛 계곡이 있다고 했지. 내가 그곳에 가보고 싶다고 했어. 하지만 네 말처럼 나에게는 날개가 없어서 날아갈 수가 없다고 했어.

그러자 요정이 이렇게 말했지. '아, 그거라면 걱정 마요! 여기 모든 문제를 해결해 줄 마법이 있거든요.' 그리고 요정은 예쁜 금반지를 내밀었어. '내 왼손 네 번째 손가락에 끼워주세요. 그러면 나는 당신의 것이 그리고 당신은 내 것이 되는 거랍니다. 우리는 이 땅을 떠나 저 너머 달에 우리만의 천국을 만들 거예요.' 그리고 요정은 다시 달을 향해 고개를 까딱였단다. 그 반지는 말이지, 지금 내 바지 주머니에 들어 있어. 1파운드짜리 금화의 모습으로 바꿔놓았지. 하지만 곧 반지로 되돌릴 거란다.”

“우리 선생님이랑 그 요정이 무슨 상관이 있어요? 전 요정은 싫어요. 아저씨가 달나라로 데려가는 건 우리 선생님이잖아요!”

“선생님이 요정이었던 거야.” 그는 여전히 진지한 얼굴로 아이를 놀렸다. 나는 아델에게 로체스터 씨의 농담을 다 믿지 말라고 타일렀다. 그러나 아델은 아델대로, 프랑스인 특유의 회의론을 드러냈다. 로체스터 씨는 '진짜 거짓말쟁이'이며, 그녀는 '요정 이야기'를 전혀 신경 쓰지 않는다고 말이다. 그러면서 '요정 같은 건 존재하지도 않고, 혹시 존재하더라도' 절대 그의 앞에 나타나지 않을뿐더러, 반지를 주거나 달나라에서 함께 살자는 이야기를 할 리가 없다고 했다.

밀코트에서 보낸 시간은 꽹장히 어리둥절했다. 로체스터 씨는 억지로 나를 어느 실크 의상실에 밀어 넣었다. 그곳에서 드레스 여섯 벌을 골라야 했다. 영 불편해서 나중에 고르겠다고 했지만 그는 고집을 부렸다. 그에게 겨우 간청하듯 속삭이며 여섯 벌을 두 벌로 줄였지만, 그 두 벌도 자신이 고르겠다고 난리였다. 나는 불안한 마음으로 즐겁게 의상실을 돌아다니는 그의 모습을 지켜보았다. 그는 밝은 자수정 색감의 실크와 눈부신 분홍 새틴에서 시선을 떼지 못했다. 나는 그에게 다시 한번 속삭였다. 이건 금으로 만든 드레스와 은으로 만든 보닛을 고르는 꼴이라고. 그러나 한번 고집을 부리면 좀처럼 꺾지 않는 남자였다. 결국 그를 설득한 나는 검은색과 진회색 실크 드레스를 골랐다. "지금은 여기서 만족하겠지만, 앞으로는 그대를 무조건 화려한 꽃밭처럼 만들 거야." 그가 이를 드러내며 말했다.

그가 의상실을 거쳐 보석상을 나오는 모습에 얼마나 기뻤는지 모른다. 더 많이 사들이면 사들일수록 민망함과 부끄러움에 얼굴이 화끈거렸다. 다시 마차에 오르고, 화끈거리는 얼굴과 지친 몸을 기댔다. 슬픈 기억과 즐거운 기억이 머리를 어지럽게 스쳐 지나가는 동안 잊었던 일 하나가 떠올랐다. 삼촌 존 에어의 편지였다. 그는 나를 양녀로 삼고 유산을 물려주겠다고 했다. '얼마 되지 않아도 독립해서 살아갈 수만 있을 만큼이면 안심할 것 같아'라고 생각했다. 로체스터 씨에게 인형처럼 매달려 그가 사주는 황금 치장을 하고 그리

CHARLOTTE·BRONTË

스 신화에 나오는 지하 감옥에 갇힌 제우스의 미인 다나에 취급을 받는 건 질색이었다. 저택에 돌아가면 곧 마데이라로 편지를 써야겠다. 삼촌에게 내 결혼과 남편이 될 로체스터 씨에 관한 내용을 알려야겠다. 장차 로체스터 씨에게 내가 상속받을 유산을 보탤 수만 있다면, 지금 그에게 신세 지는 것도 한결 마음이 편할 것 같았다. (나는 집으로 돌아가자마자 바로 실행에 옮겼다.) 이런 생각에 마음이 조금 편안해져서 다시 한 번 내 주인이자, 내 연인의 눈을 바라보았다. 그의 얼굴이며 시선을 끈질기게 회피하던 차였다. 그는 나와 눈이 마주치자 미소를 지었다. 그 미소가 황금이나 보석으로 장식한 노예를 애정으로 바라보는 술탄처럼 능글맞았다. 나의 손을 끊임없이 더듬던 그의 손을 힘껏 쥐었다가 밀쳤다.

"그런 눈으로 보지 마세요. 만약 그렇게 보시면 앞으로 로우드 때의 낡은 드레스만 고집하겠어요. 이 보랏빛 무명옷을 입고 결혼할 거예요. 아까 산 진회색 실크로 잠옷도 만들고 검정 새틴으로 조끼도 만들어서 직접 입으세요."

그가 낄낄거리더니 손바닥을 문질렀다. "그대를 마음껏 보고 그대와 마음껏 이야기를 나누니 너무 좋은데. 정말 별난 사람이야! 아니, 흥미로워! 나의 작은 영국 아가씨를 본 터키 왕이 자기의 아름다운 후궁과 바꾸자고 해도, 영양 같은 눈망울의 이슬람 최고 미녀와 바꾸자고 해도 절대 바꾸지 않을 거요."

다른 나라의 미녀까지 들먹이는 그에게 또다시 부아가 치밀었다. "후궁이며 미녀라니, 그런 소리는 하지 마세요. 그런 사람들과 저를 동등하게 보지 마시라고요. 그런 여자를 좋아하신다면 지금 당장 이스탄불로 가서 넘쳐나는 재산을 쓰시면 되겠어요."

"내가 넘치는 돈으로 검은 눈동자의 아름다운 여인을 찾는 동안 그대는 뭘 하려고?"

"저는 노예로 잡혀 있는 사람들, 특히 당신의 하렘*에 갇혀 있는 사람들에게 자유를 전할 선교사가 되겠어요. 당신처럼 오만한 왕은 얼마 안 가서 손에 설박이 채워질걸요. 역사상 그 어떤 전제 군주도 인정한 일이 없는 가장 너그러운 헌장에 서명을 남길 때까지, 절대 그 결박을 풀어주지 않을 거예요."

"그대의 자비에 내 목숨을 맡겨야겠군, 제인."

"로체스터 씨, 그런 눈으로 애원한다면 자비는 없을 거예요. 그런 얼굴을 하는 동안에는 당신이 우리가 만든 헌장에 억지로 서명하셔도, 분명 석방된 후에는 무조건 파기하실 게 분명하니까요."

"대체 그대가 원하는 게 뭔데, 제인? 혹시 교회 제단 앞에서 올리는 혼례 외에 또 다른 결혼식이라도 하자는 걸까 봐 걱정되는걸. 그대에게는 특별한 조건이 필요한 거 같소. 말해보시오, 대체 어떤 조건이오?"

"저는 그저 부담스러운 의무감에 짓눌리고 싶지 않아요. 감당하지도 못할 무거운 짐은 질색이에요. 셀린 바렝에게 주었다던 다이아몬드니 캐시미어, 기억해요? 저는 영국의 셀

---

* 이슬람 왕의 후궁들이 거처하는 내실.

린 바령이 되고 싶은 마음은 조금도 없어요. 저는 아델의 가정교사 일도 계속할 거예요. 그렇게 해서 숙식과 연간 30파운드를 얻겠어요. 그 돈으로 옷도 알아서 사 입을게요. 그러니 당신은 저에게 아무것도 주지 말고…….”

“주지 말고?”

“마음만 주세요. 저도 마음을 드릴게요. 그러면 우리는 서로 빚을 지지 않잖아요.”

“글쎄, 난 그대처럼 냉정하고 자부심 넘치는 사람은 정말이지 처음이오.” 그가 혀를 내둘렀다. “곧 손필드요. 저녁 식사 함께하겠소?” 정문을 지나는 사이 그가 말했다.

“아니요, 괜찮아요.”

“‘아니요, 괜찮아요’가 끝이오? 이유가 뭔데?”

“지금까지 함께 저녁 식사를 한 적도 없잖아요. 그런데 갑자기요? 그냥…….”

“‘그냥?’ 왜 매번 말을 끝맺지 못하지.”

“결혼을 하고 나면 무조건 같이해야 할 텐데.”

“혹시 내가 사람을 잡아먹는 괴물이나 악귀라고 생각해서 함께 먹기를 꺼리는 거요?”

“같이 저녁을 먹어야 한다는 생각은 안 해봤어요. 남은 한 달도 평소처럼 지낼게요.”

“가정교사 일도 당장 그만해야지.”

“죄송하지만 그건 안 돼요. 평소처럼 일할래요. 지금처럼 낮에는 당신을 방해하지 않을 거예요. 밤에 저를 만날 생각이 들면 사람을 보내세요. 그럼 찾아갈게요. 하지만 그 외 시간에는 안 돼요."

"담배라도 하나 피워야겠소, 제인. 하다못해 코담배 한 꼬집이라도 있으면 이 상황에서 좀 진정될 것 같은데. 아델이 이렇게 말하곤 했지. '나를 진정시킬 수 있는 걸 주세요.' 하지만 안타깝게도 담배 케이스도 코담배도 없군. 하지만 들어봐요." 그가 귀에 대고 속삭였다. "나의 여왕이여, 지금은 그대의 세상이지만, 이제 곧 나의 세상이 올 거요. 일단 그대를 잡으면 절대 놓지 않을 거야. 물론 이건 비유야. 그대를 이 회중시계 줄을 닮은 쇠사슬로 묶어둘 거거든. 그래, 이 꼬마 아가씨야, 나의 보석을 잃어버리지 않게 내 품에 숨길 거야."

그는 마차에서 나를 내려주며 이렇게 속삭였다. 다음으로 아델을 내려주었고, 나는 집으로 들어가 위층에 올라간 뒤 내려오지 않았다.

그날 저녁, 그는 제시간에 나를 불렀다. 나는 그를 위해 시간을 보낼 방법을 미리 생각해 두었다. 마주 앉아 이야기만 하고 싶지 않았다. 나는 그의 훌륭한 목소리가 떠올랐다. 그가 노래를 좋아한다는 건 알고 있었다. 좋은 가수는 대체로 노래를 좋아하는 법이다. 나는 노래를 못하고, 그의 까다로운 평가에 따르면 피아노도 서툴렀다. 그러나 좋은 연주를 듣는 귀는 가졌다. 사랑이 속삭이는 황혼 녘, 창살 위로 별을 뿌린 푸르른 노을이 격자창에 드리우기 시작하자, 나는 자리에서 일어나 피아노 뚜껑을 열고 그에게 노래를 한 곡 청했다. 그는 나를 변덕스러운 마녀라고 말하며 다음에 해주겠다고 물러섰지만, 나는 지금이 가장 좋은 때라고 고집부렸다.

"내 목소리가 마음에 들었나 보군." 그가 물었다.

"정말 좋았어요." 나는 그의 콧대 높은 허영심을 부추기고 싶지 않았다. 하지만 이번에는 노래를 듣기 위해서라도 그의 자존심을 세워주고 자극했다.

"그럼, 제인이 반주를 해야지."

"알았어요, 노력해 볼게요."

그러나 내가 건반을 제대로 두드리기도 전에, 그가 엉터리라며 핀잔을 주고 쫓아냈다. 나를 밀어낸 그가 내 곁에 앉았고, 건반을 치며 노래하기 시작했다. 나는 창문으로 물러나 조용한 숲과 어스름한 잔디밭을 바라보았다. 달콤한 선율과 부드러운 음색이 내 귀를 간지럽혔다.

그 어느 때보다
뜨겁게 불타오른 사랑이
온몸을 휘감고 솟구치며
파도를 만들어내내.

날마다 그녀를 기다렸고,
그녀가 떠나면 나는 괴로워서
발걸음이라도 더딘 날이면
온몸의 피가 식는 기분이라.
더할 나위 없을 행복이길 꿈꾸며,
사랑하고 사랑받길 바라는 나.
오직 내 행복을 위해

맹목적으로, 열정적으로 사랑하네.

우리를 갈라놓은 저 넓은 황야에,
우리의 삶마저 길을 잃으면,
거품 이는 푸른 대양에
사나운 파도가 위험하지만.

황야와 수풀을 가로지르는 도적 떼를 피해,
유령이 출몰하는 길을 헤쳐도,
열정과 정의, 비애와 분노가
우리의 영혼을 떼어놓는구나.

위험에 도전하고 장애물을 무시하며,
불길한 징조를 애써 모르는 척,
위협과 괴롭힘, 경고마저도
빠르게 스쳐 지나가는 나.

나의 무지개는 빛처럼 빠르게,
꿈을 꾸듯 나 역시 하늘을 날아가고,
내 눈앞에 핀 환희의 장미를 바라보니
그 아이가 나타나네.
고통의 구름 속에서 여전히
눈부시게 빛나는 부드럽고 엄숙한 기쁨이여.
이제는 두렵지 않으니,

그 짙고 어두운 재앙마저도.

달콤한 한때라 해도 상관없어.

내가 가진 모든 걸 쏟아붓더라도

독수리의 날개처럼 강하고 민첩하게

쓰디쓴 복수를 외쳐보네.

오만한 증오가 나를 쓰러뜨리고,

정의의 장벽이 내 앞에 세워져도,

분노로 일그러진 얼굴로, 힘으로,

나 끝없는 적의를 맹세하더라도.

나의 사랑, 그 작은 손이

고결한 믿음으로 내 손을 잡으면,

신성한 결혼을 맹세하면,

우리의 영혼은 함께 묶일 테니.

나의 사랑, 입맞춤과 함께한 맹세

나와 함께 영원토록 살고 죽자고.

나 마침내 이루 말할 수 없는 행복을 얻었네,

내가 사랑하고 또 사랑받으며.

그가 일어나 내게 다가왔다. 환한 안색에 커다란 눈이 형
형하게 빛나고, 사랑과 정열이 온 얼굴에 가득했다. 나는 순

간적으로 움츠러들었으나 다시 용기를 냈다. 달콤한 사랑도, 대담한 사랑도, 모두 피하고 싶었지만 맞서기로 마음먹었다. 방어 무기를 준비해야겠다 싶어서 말주변을 되찾았다. 그가 내게 다가왔을 때, 나는 일부러 무뚝뚝하게 물었다.

"당신이 이토록 결혼하고 싶은 이가 누구일까요?"

"사랑스러운 제인이 이상한 질문을 하는군."

"그런가요? 저는 이 질문이 매우 자연스럽고 꼭 필요한 것 인걸요. 미래에 함께 죽을 아내라니, 그런 이교도적인 생각 을 하시다니, 그건 무슨 뜻이었을까 생각했어요. 저는 같이 죽을 생각은 안 할래요. 그런 생각에 매이기 싫어요."

"아, 노래의 화자가 꿈꾼 건 오직 사랑하는 이와 함께 살기 를 바란 거요! 그대 같은 사람에게 죽음은 무의미해."

"그럴 리는 없어요. 저도 당신처럼 때가 오면 죽어야 하니 까요! 하지만 그때까지 참고 기다려야죠. 순사*는 싫어요."

"그렇다면 이기적인 생각을 한 나를 용서해 주는 의미로 입을 맞춰주겠소?"

"싫어요. 차라리 자리를 뜨겠어요."

그러자 그가 나를 '고집불통'이라며 힐난했다. 다른 여자 들이었다면 이렇게 찬양하는 노래에 뼛속까지 녹아내렸을 거라며 말이다.

나는 대어나길 고집이 세고, 앞으로도 나의 고집을 자주 보게 될 거라고 그를 놀렸다. 앞으로 4주 안에 나의 여러 성 격을 보게 될 거라고도 경고했다. 그리고 청혼을 물릴 수 있

---

* 죽은 남편을 기리며 아내가 따라 죽는 인도의 풍습.

을 때 곰곰이 고민해 보라고 조언했다.

"얌전하게 굴고 합리적으로 말하면 될까?"

"당신이 원하면 얌전하게 굴고, 당신이 원하면 합리적으로 굴게요. 하지만 지금도 저는 그런 편이라고 생각해요."

그가 초조한 듯 혀를 차며 콧방귀를 뀌었다. '잘됐어.' 나는 생각했다. '그가 화를 내고 애를 태우는 게 나아. 당신과 편하게 알아가려면 이게 가장 좋은 방법이야. 나는 사랑에 빠져 허우적거리지 않을 거야. 재치 있는 말솜씨로 그를 절벽 위에 세워놓고 매 순간 전전긍긍하게 할 거야. 날카롭게 굴어야 우리 사이에 가장 도움이 되는 거리를 유지할 수 있으니까.'

이런 식으로 조금씩 강도를 조절하며, 나는 그의 짜증을 세심하게 돋웠다. 결국 그가 진절머리를 치며 방 반대편으로 멀어졌고, 그때 나는 자리에서 일어나 평소처럼 정중하게 "안녕히 주무세요" 하고 인사하며 옆문으로 나왔다.

나는 이 방법으로 약혼 기간 내내 최선을 다해 그와의 거리를 유지했다. 물론 다소 퉁명스럽고 까칠한 면이 나오긴 했지만, 전반적으로 그는 내 태도를 즐겼다. 양처럼 순종하거나 비둘기처럼 자상한 감수성은 그의 폭군 같은 태도를 더욱 부추길 뿐, 그의 이성을 기쁘게 하거나 상식을 만족시키거나 심지어 그의 취향에도 맞지 않는 것 같았다.

다른 사람과 함께할 때면 나는 전과 다름없이 예의 바르고 조용하게 굴었다. 다른 태도는 굳이 취할 필요도 없었다. 그는 저녁 시간에만 나를 방해하고 괴롭혔다. 시계가 일곱 시를 알리기가 무섭게 나를 찾아댔다. 그의 곁에 다가가면 사랑이니 귀엽다느니 하는 달콤한 말도 떠들지 않았다. 나에게 주어진 가장 애정 어린 표현은 고작 '극성스러운 인형', '악의가 가득한 요정', '꼬마 도깨비', '요정의 화신'이 전부였다. 포옹 대신 얻은 건 찌푸린 얼굴이었고, 악수 대신 팔을 꼬집고, 뺨에 입을 맞추는 대신 귀를 잡아당겼다. 그걸로도 나는 충분했다. 자상하고 달콤한 말보다는 지금처럼 무뚝뚝한 표현이 더 좋았다. 페어팩스 부인도 내 방식에 동의하는 것처럼 보였다. 하지만 로체스터 씨는 나 때문에 뼈와 가죽만 남게 생겼다며 때가 오면 지금의 내 태도에 복수하겠다고 이를 갈았다. 나는 그의 협박에 속으로 웃음을 터트렸다.

'지금처럼만 하면 당신을 이길 수 있을 거 같아요. 앞으로도 틀림없이 내가 이길 거 같고요. 이 방법이 효과를 잃으면 그때는 다른 수단을 고안해 낼 테니까.'

그러나 이 방법이 늘 쉽지만은 않았다. 그를 초조하게 하는 것보다는 그를 기쁘게 해주고 싶었기 때문이다. 미래의 내 남편은 나에게 하나의 세계였다. 아니, 세계 그 이상이었고 천국과 같은 희망이었다. 그는 나와 신앙 사이에 끼어들어 모든 이성을 차단했다. 마치 일식이 인간과 거대한 태양 사이에 끼어들듯이, 나는 이제 주님 대신 주님이 만든 한 남자를 찬양하고 있었다.

25

구애의 한 달은 빠르게 지나갔다. 이제 결혼식까지 남은 날은 손에 꼽았다. 다가오는 그날을 미룰 수 없었다. 그리고 모든 준비가 하나씩 마무리되었다. 적어도 나는 이제 더 이상 할 일이 없었다. 짐을 싸고 자물쇠를 채우고 끈으로 묶어 방구석에 나란히 쌓아놓았다. 내일 이맘때쯤이면 짐은 런던으로 먼 길을 떠난다. 그건 나도 마찬가지였다. 아니, 이제 곧 제인 로체스터가 되겠지. 그건 아직 모르겠다. 로체스터 씨는 가방에 '로체스터 부인, ○○ 호텔, 런던'이라는 이름표를 붙여놓았다. 그 이름표를 달지 말라고 설득할 수도 없었다. 로체스터 부인이라! 그녀는 아직 존재하지 않는다. 적어도 내일 아침 여덟 시가 지나야 태어난다. 나는 그녀가 이 세상에 태어나 살아 있음을 내 눈으로 확인한 다음 인정하기로 마음먹었다. 방 한쪽에 있는 화장대 맞은편의 옷장에는 이미 많은 새 옷이 낡고 수수한 옷을 밀어내고 있었다. 나에게 어울리지 않는 웨딩드레스와 진주색 베일도 새 옷걸이에 걸려 있었다. 나는 그 기묘한 유령 같은 옷을 잘 숨겨두었다. 저녁 아홉 시, 웨딩드레스는 어슴푸레한 방 저편에서 희미하게 빛났다. "너를 남겨두고 가야겠어, 새하얀 꿈만 같아서." 나는 중얼거렸다. 얼굴이 달아올라서 안 되겠다. 창밖에 바람이 부는 소리가 들리니, 차라리 밖에 나가 바람을 쐬는 게 낫겠다고 생각했다.

서둘러 준비해야 한다는 생각에, 내일이면 새롭게 시작될 삶에 대한 기대감에 얼굴이 화끈거렸다. 이 두 가지 고민만으로도 나는 의심할 여지 없이 기분이 들떴고, 밤늦은 시간에도 안뜰로 나가고 싶었다. 그러나 내게는 고민이 하나 더 있었다. 실은 그 고민이 나를 더욱 밖으로 내몰았다.

내 마음에 이상하고 불안한 기운이 감돌았다. 이해할 수 없는 일이었다. 이유도, 목격자도 없는 이상한 사건이 바로 전날 일어났기 때문이다. 로체스터 씨는 전날 밤 집을 비웠고 아직도 돌아오지 않았다. 30마일 떨어진 곳에 그가 소유한 두세 개의 농장 딸린 영지가 있었고, 영국을 떠나기 전 그곳에 들러 미리 일을 처리해야 한다고 했다. 나는 그가 돌아오길 기다렸다. 내 불안감을 털어놓고, 나를 당혹스럽게 하는 수수께끼의 해결책을 함께 찾고 싶었다. (여러분도 마찬가지로, 그가 오기 전까지는 이 수수께끼가 무엇인지 알 수 없다. 그가 돌아와 내게 비밀을 밝혀야만 여러분도 알 수 있으니 말이다.)

나는 과수원으로 갔다. 불어오는 바람에 이끌리듯 내 마음의 피난처로 찾아갔다. 하루 종일 남풍이 불었지만 비는 내리지 않았다. 밤이 깊어질수록 바람은 더욱 세게 불어닥쳤다. 나무는 한 방향으로만 흔들리며 한 시간 내내 고개를 들지 못했다. 오직 북쪽으로만 고개를 숙였다. 구름은 하늘 끝에서 끝으로 뭉게뭉게 모여들며 빠르게 지나갔다. 7월의 어느 날 밤, 푸른 하늘은 구경조차 할 수 없었다.

마음을 휘젓는 거친 쾌락이었다. 나는 대기를 가르며 우렁차게 울려 퍼지는 천둥 같은 바람에 마음을 털어놓는 기분이었다. 월계수 길을 따라 내려가며 나는 마로니에 나무의 잔해를 마주했다. 나무는 검게 타고 갈라져 있었다. 줄기는 중앙에서 쪼개졌고, 끔찍한 몰골이었다. 갈라진 반쪽은 떨어지지 않고 굵은 줄기와 강인한 뿌리에 매달려 있었다. 그러나 생명력은 이미 사라진 지 오래였다. 수액도 흐르지 않았다. 양쪽의 큰 가지는 시들었고, 다음 겨울 폭풍우가 오면 한쪽, 또는 양쪽 가지 모두 쓰러질 것 같았다. 하지만 아직은 한 그루의 나무 형상을 이루고 있었다. 잔해라고는 하나, 모양을 갖춘 잔해였다.

"서로 굳건히 의지하길 잘했네." 내가 중얼거렸다. 마치 쪼개진 괴물 같은 나무에 생명이 남아 있어 내 말을 들을 수 있을 것만 같았다.

"상처투성이에 검게 그을렸지만, 그 속에 아직도 생명을 이어주는 무언가 살아 있는 것만 같아. 튼실한 뿌리에 의지해 단단히 서 있는 게. 두 번 다시 푸른 잎을 틔울 수 없고, 가지에 둥지를 틀어 한가로이 지저귀는 새도 볼 수 없겠지. 기쁨과 사랑의 날은 끝났어. 하지만 외롭지는 않아 보여. 함께 썩어가는 서로를 위로하니까."

쪼개진 줄기를 보고 있자니, 달이 쪼개진 틈을 메우고 있는 하늘로부터 고개를 내밀었다. 붉은 달이 구름에 반쯤 가렸다. 어리둥절하면서도 슬픈 표정이었다가 바로 깊은 구름 속으로 사라졌다. 바람이 잦아들자 손필드 주변이 잠시 고요해졌다. 멀리 숲과 냇가에서 바람이 흐느끼는 애절한 소리가 들려왔다. 그 소리가 서글퍼서 나는 뛰기 시작했다.

과수원 안을 여기저기 헤매며 사과나무 밑동 주변 풀밭에 떨어진 사과를 주워 모았다. 익은 것과 덜 익은 열매를 구별해 창고에 넣어두었다. 그리고 난롯불이 피어 있나 확인하려고 서재로 향했다. 여름이긴 하지만 우울한 저녁에 로체스터 씨가 돌아왔을 때, 주변이 훈훈하고 밝았으면 하는 마음이었다. 불은 피운 지 얼마 안 되었는지 잘 타고 있었다. 나는 그의 안락의자를 난로 옆에 갖다 놓고 그 옆으로 탁자도 옮겼다. 커튼을 내리고 바로 불을 켤 수 있도록 촛대를 가져오라 시켰다. 그 어느 때보다 불안한 마음이었던 나는 이 모든 준비를 마치고 나서도, 가만히 앉아 있지도 못하고 심지어 집에 있는 것도 견디지 못했다. 그때 방에 있는 작은 시계와 복도에 있는 오래된 시계가 동시에 열 시를 알렸다.

"너무 늦어지는데." 내가 중얼거렸다. 대문까지 달려가야지 생각했다. 달빛이 간간이 빛나고 밝은 구간도 군데군데 보였다. 그가 오고 있는 중일지도 모른다. 그를 만나면 긴장이 조금 나아질지도 모를 일이었다.

바람이 대문에 드리워진 큰 나무들을 헤치며 울어댔다. 그러나 양쪽으로 늘어선 길은 고요하고 적막했다. 달이 비추는 사이로 간간이 지나가는 구름 외에는 움직이는 점 하나 없어 길은 길고 창백한 하나의 선에 불과했다.

그 풍경을 바라보고 있자니, 나도 모르게 유치한 눈물이 차올랐다. 실망과 조바심으로 흘러내리는 창피한 눈물이어서 나는 얼른 눈가를 닦았다. 그러고도 몇 분을 더 서성였다. 달이 완전히 숨어, 짙은 구름이 커튼처럼 빛을 가렸다. 밤은 점점 어두워졌고 비는 강풍을 타고 빠르게 몰아쳤다.

"어서 돌아오셨으면 좋겠어! 빨리 집에 오셨으면!" 나는 불안감에 사로잡혀 외쳤다. 그가 저녁에 차 마시는 시간 전에는 돌아올 거라고 믿었다. 그러나 이미 너무 늦은 밤이었다. 무슨 일이 있는 걸까? 사고가 난 걸까? 나는 어젯밤 사건을 다시 떠올렸다. 그건 재앙의 경고였다. 내가 꿈꾼 희망이 너무 이상적이라, 현실로 이루어지지 않을 것만 같았다. 지금껏 누린 기쁨이 내게는 너무도 벅찬 것이라 이제 불행이 찾아올 차례가 된 것은 아닐까 두려웠다.

'이대로 집으로 돌아갈 수는 없어,' 나는 생각했다. '그가 이런 날씨를 뚫고 돌아오는데, 나는 따뜻한 벽난로 옆에 앉아 있을 수는 없잖아. 심장에 부담을 주느니 차라리 몸이 힘들고 말래. 조금 더 걸어 나가서 그를 마중해야지.'

그대로 나는 실천에 옮겼다. 걸음이 점점 빨라졌다. 그러나 멀리까지 가지도 못했다. 4분의 1마일도 가기 전에 말발굽 소리가 들렸다. 말을 탄 이는 전속력으로 달리고 개 한 마리가 그 곁을 함께 뛰고 있었다. 순식간에 불안감이 사그라졌다! 그 사람이다. 검은 말을 타고 파일럿을 거느리며 그 남자가 오고 있었다. 그가 나를 발견했다. 푸르스름한 하늘이 둘로 쪼개지며 그 사이로 달이 모습을 드러내 물 표면처럼 환히 빛을 뿜었다. 그는 모자를 벗어 들고 손을 흔들었다. 나는 그를 만나기 위해 달리기 시작했다.

"여기!" 안장 위에 앉은 그가 한 팔을 뻗어 내밀었다. "나 없이는 하루도 못 사는 게 분명해! 자, 내 발을 밟고 올라와요. 두 손을 이리 줘요, 어서!"

나는 그의 말을 따랐다. 너무 기뻐서 그런지 몸도 날렵했다. 불쑥 솟아오른 몸이 그의 품에 안겼다. 나는 환영하는 마음으로 열렬한 그의 키스를 받았다. 그의 의기양양한 기분을 기꺼이 반겼다. 그는 기뻐하며 나를 이리저리 살펴보고는 물었다.

"그런데 무슨 일이라도 있소, 제인? 이 시간에 나를 마중 나오다니? 무슨 일이라도 있었나?"

"아니요, 그렇지만 당신이 돌아오시 않을 것 같았어요. 비바람이 이렇게 몰아치니까 집에서 기다리기가 힘들었고요."

"비바람이 치니까? 그래, 이제 보니 인어처럼 흠뻑 젖었군. 여기, 내 망토를 덮어요. 뺨이며 손이며 불덩이야. 왜 그래요, 정말 무슨 일이라도 있소?"

"없어요. 이제는 두렵지도 않고 슬프지도 않아요."

"그럼 방금까지는 두렵고 슬펐소?"

"그건 아니지만, 나중에 말씀드릴게요. 아마 들으면 비웃으실지도 몰라요."

"내일이 지나면 진심으로 웃어주겠소. 그때까지는 못 웃어. 사냥감이 손에 들어올지 도망갈지 아직 안심되지 않으니까. 지난 한 달 동안 미꾸라지처럼 미끄러워 잡히지도 않고 가시나무처럼 뾰족했지. 손가락만 대도 가시에 찔렸거든. 그런데 이제 보니 길 잃은 새끼 양이 내 품에 안긴 기분이야. 양치기를 찾아 우리 밖으로 도망가려던 게 맞소?"

"당신이 너무 보고 싶었어요. 그렇게 득의양양하지는 마시고요. 이제 손필드예요, 내려주세요."

그가 나를 진입로에 내려주었다. 마부가 나와 말을 끌고 마구간으로 갔고, 로체스터 씨는 나를 따라 집으로 들어온 다음 서둘러 마른 옷으로 갈아입고 서재에서 만나자고 했다. 내가 계단으로 향하자, 그가 나를 불러 세워 최대한 서두르 겠다는 약속을 받아냈다. 5분 만에 다시 만난 그는 늦은 저녁 을 먹고 있었다.

"제인, 곁에 앉아 말벗을 해줘요. 이게 마지막 식사일 테 니까. 앞으로 오랫동안 손필드에서 저녁 식사를 할 일도 없 잖소."

나는 그의 곁에 앉았다. 하지만 식사는 하지 않겠다고 했다.

"여행을 앞두고 있어서 그런가? 런던에 갈 생각에 식욕도 잃었소?" 그가 물었다.

"오늘 밤 이후의 일은 예측할 수가 없네요. 제 머릿속에 무슨 고민이 담겼는지도 모르겠어요. 인생이 전부 꿈만 같 아요."

"나만 빼고. 나는 충분히 현실이니까. 모르겠으면 만져 봐요."

"당신이 가장 비현실적이에요. 그냥 꿈만 같아요."

그는 웃으며 손을 내밀었다. "이렇게 생생한 꿈도 있나?" 그가 내 눈앞에 손을 가까이 대고 흔들었다. 그는 힘이 넘치 는 손과 마찬가지로 길고 튼튼한 팔을 가졌다.

"네, 만져봐도 꿈 같아요." 내가 쏘아붙이며 그의 손을 치 웠다. "식사 다 하셨어요?"

"응, 제인."

나는 종을 울려 정리를 지시했다. 다시 둘만 남자, 나는 불쏘시개로 난롯불을 피우고 그의 무릎 가까이에 있는 낮은 의자에 앉았다.

"벌써 자정이 가까워요." 내가 말했다.

"그렇군, 하지만 기억합니까? 분명 결혼 전날 밤에 나와 함께 밤을 새우겠다고 약속했소."

"네, 기억해요. 약속은 지킬게요. 한두 시간은 가능해요, 아직 잠이 오지 않거든요."

"준비는 다 했고?"

"네."

"나도 다 했어요"라고 그가 대답했다. "중요한 건 모두 정리했으니 내일 아침 교회에서 돌아오는 대로 30분 안에 손필드를 떠납시다."

"좋아요."

"묘한 웃음을 삼키며 대답하네, 제인. 뺨도 붉어지고, 눈도 반짝이고. 괜찮은 거 맞아요?"

"네, 괜찮은 것 같아요."

"괜찮은 것 같다고? 무슨 일이지? 지금 기분이 어때?"

"말씀드릴 수 없어요. 지금의 기분을 말로 설명할 수 없어요. 그냥 이 순간이 영원히 끝나지 않았으면 좋겠어요. 저를 기다리고 있는 운명이 어떤 모습일지 아무도 모르니까요."

"과민해서 그래. 지나치게 흥분했거나 피곤한 거야."

"당신은요? 차분하고 행복해요?"

“차분? 아니, 전혀. 하지만 마음속 깊이 행복하지.”

나는 그의 얼굴에 행복의 징후가 깔려 있는지 살펴보았다. 생기가 넘치고 붉게 상기되어 있었다.

“숨기는 걸 털어놔요, 제인. 마음의 짐을 내게도 나누어주고 조금 편안해지란 뜻이지. 무엇이 두려운데? 내가 좋은 남편이 되지 못할 것 같아서?” 그가 내게 물었다.

“전혀요. 그건 제 고민과 가장 멀어요.”

“아니면 그대가 곧 발을 내디딜 새로운 삶의 모습? 아니면 그대가 보내게 될 새로운 생활이 두려운가?”

“아니요.”

“점점 더 미궁으로 빠지는걸. 표정과 슬픈 말투가 나까지 울적하게 해. 마음이 아파. 그냥 설명해 줘.”

“그렇다면, 들어주세요. 어젯밤에 집에 안 계셨잖아요.”

“그랬지. 아까 당신은 내가 집에 없는 동안 무슨 일이 일어난 것처럼 굴었어. 아마 대수롭지 않은 일이겠지만. 그게 왜 당신을 불안하게 만든 거지? 말해봐요, 페어팩스 부인이 뭐라고 했습니까? 아니면 하인들이 하는 말을 들었소? 당신의 민감한 자존심이 상처를 입었나?”

“아니요.” 그때 시계가 자정을 알렸다. 작은 시계의 은방울 같은 종소리가 끝나기를, 현관홀의 커다란 시계의 쇳소리가 다 울기만 기다렸다. 그리고 다시 설명을 이어나갔다.

“어제는 하루 종일 바빴어요. 끊임없이 할 일이 있었는데 차라리 몸이 바쁘니 행복하더라고요. 당신이 생각하는 것처럼 새로운 삶이니 생활이니 하는 건 두렵지 않아요. 오히려 당신 곁에 있을 수 있다니 이보다 기쁠 수 없어요. 당신을 사랑하니까. 아니, 지금은 안 돼요. 부디 내 이야기를 끝까지 들어줘요. 어제는 모든 걸 주님께 맡기고, 모든 일이 잘 풀리길 기도하고 그렇게 믿었어요. 떠올려 보세요, 어제는 날도 맑았어요. 고요하고 평온해서 우리의 안녕과 여행길도 걱정 없었죠. 차를 마신 다음, 당신을 떠올리며 잠시 산책했어요. 당신을 떠올려서 그런지 실제로 당신이 옆에 없어도 그리 외롭지 않았거든요. 내 앞날을, 아니 내 삶보다 훨씬 넓고 활기찰 당신의 앞날을 생각했어요. 시냇가의 좁고 얕은 시냇물이 졸졸 흐르다가 당신처럼 훨씬 넓고 깊은 해협을 만나는 기분이니까요. 학자들이 왜 이 세상을 황량한 황무지라고 부르는지 궁금해졌어요. 제게 이 세상은 장미처럼 활짝 피어 있으니까요. 해가 지니까 날씨가 조금 쌀쌀해지더군요. 날도 흐려지고요. 저는 집으로 돌아갔고, 소피가 드레스를 보라고 저를 위층으로 불렀어요. 그리고 상자 아래에 있던 당신의 선물도 발견했어요. 당신의 호화로운 취향을 반영한 런던에서 온 베일이었어요. 보석을 원하지 않으니까 그렇게라도 비싼 선물을 주고 싶었던 모양이죠? 베일을 펼치면서 웃음이 나더라고요. 그리고 당신의 귀족적인 취향을 놀리고 평민 신부를 귀족 신부로 바꾸려는 당신의 노고를 어떻게 놀릴까 고민했어요. 제 머리에 쓰려고 마련한 밋밋한 실크 레이스를, 단순하게 수도 놓지 않은 네모난 손수건을 어떻게 당신에게 줄까 고민했어요. 재산도, 미모도, 인맥도 줄 수 없는 여자라고 해도 정말 괜찮냐고 묻고 싶었어요. 그러니 당신 표정이 떠오르더라고요. 과격하고 파격적인 대답을 했겠죠. 부나 지위를 위해 돈이나 왕관을 가진 사람과 결혼하고 싶지 않다는 당신의 그 거만한 대답이 들리는 기분이랄까요.”

“어찌 그리 나를 잘 읽지, 이 마녀!” 로체스터 씨가 내 말을 자르며 외쳤다. “하지만 촘촘한 자수를 새긴 베일 말고 다른 것도 발견했소? 독이나 단검 같은? 지금 표정이 딱 그래 보이거든.”

“아니요, 섬세하고 풍성한 베일뿐이었죠. 페어팩스 로체스터의 자부심 말고 다른 건 발견하지 못했어요. 물론 당신의 악마적 속성을 모르는 바가 아니니 무섭지도 않았고요. 그런데 저녁이 깊어지면서 바람이 불기 시작하는 거예요. 어제 저녁 불던 바람은 지금처럼 거칠고 세차지도 않았어요. 으스스하고 음산하고, 꼭 신음처럼 울어대며 섬뜩했어요. 당신이 집에 있었으면 하고 바랐어요. 이 방에 들어와 텅 빈 의자와 꺼진 난로를 보니 식은땀마저 흐를 정도였어요. 잠자리에 들고도 얼마 동안은 잠을 잘 수가 없었어요. 불길한 마음에 괴로웠어요. 세차게 휘몰아치는 강풍이 음산하고, 아무도 모르는 소리를 품은 기분이랄까요. 바람이 잠잠해질 때마다 의심스러우면서도 불길한 소리가 이어졌어요. 저는 그 소리가 멀리서 개가 울부짖는 소리라고 생각했어요. 소리가 멈추니 마음이 편해지더라고요. 그대로 잠이 들었는데, 꿈에서 바람이 부는 어두운 밤이 이어졌어요. 당신이 내 옆에 있었으면 하고 계속 바랐죠. 우리를 갈라놓은 어떤 장벽과 같은 존재를 느끼고 묘한 회한에 젖었어요. 처음에는 앞이 보이지

않는 구불구불한 길을 걸었어요. 너무 어둡고, 비도 쏟아졌
죠. 저는 어린아이를 안고 있었어요. 너무 작고 어리고 연약
해서 걷지도 못하는 아이가 제 차가운 품에 안겨 덜덜 떨며
애처롭게 울었어요. 당신은 저보다 훨씬 앞에서 걷고 있는
줄 알았어요. 있는 힘을 다해 당신을 쫓아가려고 이름을 부
르고, 기다려달라고 애원했는데, 팔다리에 추가 달린 것처럼
무겁고 목소리도 나오지 않았어요. 그러는 동안 당신은 자꾸
만 멀어지는 느낌이었어요."

"제인, 그런 꿈 때문에 마음이 무거운 거요? 내가 이렇게
당신 곁에 있는데도? 신경이 불안할 수밖에! 그런 꿈은 잊어
요. 현실의 행복함만 떠올려요! 나를 사랑한다고 했잖소. 제
인, 난 절대 잊지 않습니다. 부정할 수 없을 거요. 분명 내게
말했으니까. 나는 또렷하게 기억해. 그대가 내게 속삭이던
그 말을. 가끔은 지나치게 격식을 차리는 말투였지만, 음악
처럼 부드러웠지. '나는 당신과 함께 살 수 있다는 희망을 갖
는 것만으로 영광이에요, 에드워드. 왜냐하면 나는 당신을
사랑하니까.' 분명 그랬소. 나를 사랑해요? 제인, 다시 말해
봐요."

"사랑해요, 제 온 마음을 다 바쳐서."

잠시 침묵을 지킨 그가 말했다. "그런데 이상하긴 하군. 그
말이 왜 이렇게 슬프게 가슴을 찌를까? 왜? 그대가 너무 경
건하게 열의를 담아 말해서 그런가? 나를 쳐다보는 눈빛에
숭고한 진심과 헌신이 가득한데, 마치 영혼만 남은 것처럼
슬프군. 제인, 심술궂은 표정을 지어봐요. 어떤 얼굴인지 알

겠소? 야생적이고, 수줍은 듯 나를 도발하는 미소 말이오. 나를 미워한다고 말해봐요. 나를 괴롭히고 짜증 나게 해봐요. 나를 슬프게 하지 않는다면 뭐든 좋아. 슬퍼하는 것보다 화를 내는 게 차라리 낫겠어."

"제 이야기가 끝나면 마음껏 놀리고 괴롭힐게요. 일단 제 이야기를 다 들어봐요."

"아, 이야기가 끝난 줄 알았지. 그대를 울적하게 만든 게 그 꿈 때문이라고 생각했소."

나는 고개를 저었다.

"더 있단 말이지! 그리 대단한 사건은 아닐 테지만, 어디 말해봐요. 미리 경고하는데 나는 쉽게 믿지 않을 거요. 계속해요."

그의 불안한 표정과 초조한 태도가 나를 조금 놀라게 했다. 나는 이야기를 계속했다.

"그러고 나서 또 다른 꿈을 꿨어요. 손필드 저택이 으스스한 폐허로 변하고 박쥐와 올빼미의 은신처가 되는 꿈이었어요. 웅장한 정면 외관은 다 무너지고, 껍데기 같은 벽만 남았죠. 높은 벽이 자칫 무너질 것처럼 위태로웠어요. 달이 밝은 밤에, 풀만 무성한 집터를 걸었어요. 대리석 난로에 발이 걸려 넘어지고, 처마 장식에 발을 헛디뎠어요. 숄 안으로 아까 그 아이를 안고 있었어요. 아무리 팔이 저리고 그 무게에 짓눌려도, 차마 아이를 내려놓을 수 없었어요. 그때 멀리서 말발굽 소리가 들렸어요. 나는 당신일 거라고 확신했죠. 당신은 오랜 세월 먼 나라를 돌아다녔어요. 나는 저 위에서, 당신을 한 번이라도 보고 싶어서 미친 듯이 벽을 타고 올라갔어요. 발밑으로 돌이 굴러떨어지고, 손에 쥔 담쟁이덩굴이 뜯어지고, 아이는 무섭다며 내 목에 매달려 숨을 막히게 했죠. 간신히 그렇게 꼭대기까지 올라갔어요. 당신의 모습이 하얀 길 위에 하나의 점처럼 계속해서 작아지고 있었어요. 그때 강한 돌풍이 불어서 더 이상 서 있을 수가 없더라고요. 좁은 난간에 앉아 아이를 무릎에 올려놓고 달랬어요. 당신은 모퉁이를 돌고 있었죠. 마지막으로 당신을 한 번만 더 보고 싶어서 몸을 조금 숙이는 순간, 벽이 무너졌어요. 균형을 잃고 흔들리면서 아이는 무릎에서 굴러떨어졌고, 저는 넘어졌어요. 그렇게 하염없이 떨어지다가 잠에서 깼어요."

"제인, 그뿐이야?"

"아니, 이제 겨우 시작인걸요. 눈을 뜨니 빛나는 무언가가 시야를 가렸어요. 저는 '아, 낮이구나!' 하고 생각했어요. 하지만 그건 촛불이었어요. 틀림없이 소피가 들어왔다고 생각했지만, 착각이었어요. 화장대 위에 촛대가 놓여 있었어요. 웨딩드레스와 베일을 걸어두었던 옷장 문이 열려 있더라고요. 옷이 스치는 소리가 들렸어요. 저는 '소피, 거기서 뭐 해?' 하고 물었어요. 하지만 답이 없었죠. 그때 벽장에서 사람 같은 그림자가 나타나 촛대를 높이 들고, 옷걸이에 걸린 옷을 자세히 살펴보는 거예요. '소피!' 저는 다시 외쳤죠. 하지만 그건 아무 말도 없었어요. 저는 침대에서 일어나 고개를 들었어요. 처음에는 놀랐고, 그다음에는 당혹스럽더라고요. 그리고 피가 식었어요. 로체스터 씨, 그건 소피가 아니었어요. 레아도, 페어팩스 부인도 아니었어요. 제가 똑똑히 봤어요. 지금도 확실해요. 그 이상한 여자는 그레이스 풀도 아니었어요."

"아마 그 셋 중 하나였을 거야." 나의 주인이 내 말을 끊었다.

"아니요, 절대 아니에요. 장담해요. 제 앞에 서 있던 그 형상은 지금껏 손필드에서 본 적 없는 사람이었어요. 키와 실루엣이 정말 처음 보는 사람이었어요."

"어땠는지 설명해 봐. 제인."

"여자였어요. 키가 크고 몸집도 있고, 숱이 많은 검은 머리를 어깨 너머로 길게 늘어뜨렸어요. 무슨 옷인지는 모르겠지만 하얗고 무늬 없는 옷을 입었어요. 잠옷인지, 침대 시트인지, 아니면 수의였는지."

"얼굴은 봤소?"

"처음에는 못 봤어요. 그녀가 제 베일을 꺼내 들었어요. 높이 들더니 한참 보다가 자기 머리에 걸치고 거울을 보더라고요. 어두운 방이었지만, 그 순간 타원형 거울에 비친 그 여자의 얼굴과 몸을 똑똑히 봤어요."

"어떻게 생겼는데?"

"무섭고, 끔찍했어요. 오, 그런 얼굴은 태어나 본 적이 없어요! 안색이 꼭 야만인 같았어요. 붉게 충혈된 눈동자와 검게 부푼 얼굴! 잊을 수가 없어요."

"유령은 보통 창백한데, 제인."

"보라색이었어요. 입술은 두툼하고 거무죽죽했어요. 이마

에는 주름이 가득하고, 검은 눈썹은 충혈된 눈 위로 치켜 올
라간 모습이었어요. 그걸 보니 무엇이 떠올랐는지 아세요?"

"뭐지?"

"독일의 사악한 존재인 흡혈귀요."

"아! 그게 무슨 짓을 했지?"

"그 여자가 제 베일을 벗더니 두 갈래로 찢어서 마룻바닥
에 던지고 발로 마구 짓밟았어요."

"그런 다음?"

"창문을 열고 밖을 내다봤어요. 아마 동이 트는 걸 본 모양
이죠. 그녀는 촛불을 들고 문으로 되돌아갔어요. 그러다가
내 침대 곁에서 발을 멈추고 불처럼 이글거리는 붉은 눈으로
나를 노려봤어요. 촛불을 내 얼굴 가까이에 들이밀고 내 눈
앞에서 촛불을 껐어요. 그 무서운 얼굴이 제 얼굴 위로 번뜩
이는 걸 보고 그대로 기절했어요. 내 인생에 두 번째 기절이
었어요. 너무 무서워서 그랬나 봐요."

"깨어났을 때 누가 곁에 있었소?"

"아무도 없었어요. 이미 한낮이더라고요. 자리에서 일어
나 머리를 감고 얼굴을 씻고 물도 마셨어요. 마음이 불안하
지만 몸이 아픈 건 아니었거든요. 이 꿈을 당신에게 꼭 이야
기해야겠다고 생각했어요. 이제 그 여자가 누구인지, 어떤
사람인지 말해줘요."

"과도하게 자극된 뇌의 산물이지. 확실해. 조심해요, 나의
보물. 그런 신경성 쇠약은 함부로 다룰 수도 없으니까."

"하지만 제 신경은 아무 문제도 없어요. 그건 현실이에요.

정말 있었던 일이라고요."

"그전에 꾸었다던 꿈도 현실이었소? 손필드 저택이 무너지는 꿈? 내가 극복할 수 없는 사건으로 당신과 헤어졌단 뜻인가? 눈물 한 방울 없이, 키스도 없이, 말 한마디 않고 당신을 두고 떠났다고?"

"아직은 아니죠."

"내가 그럴 것 같소? 우리를 결코 떼어놓을 수 없을 결혼이 오늘이오. 우리가 결혼하면 그런 무서운 꿈은 다시는 꾸지 않을 거요. 그건 내가 보장하지."

"무서운 꿈이라뇨! 그렇게 생각할 수만 있다면 좋겠어요. 지금은 차라리 그게 낫겠네요. 왜냐하면 당신도 그 무서운 손님의 비밀을 제게 설명하지 않으니까요."

"나도 설명할 수 없는 일이니까. 제인, 하지만 그건 현실이 아니야."

"오늘 아침 일어났을 때, 저도 그렇게 생각했어요. 익숙한 물건을 햇빛 아래에서 확인하며 용기와 위로를 얻으려고 방 안을 둘러보았죠. 그때 제 가설은 완전히 무너졌어요. 카펫 위에 나뒹구는 둘로 찢어진 베일을 발견했으니까요!"

순간 로체스터 씨가 깜짝 놀라 몸을 떨었다. 그는 다급하게 나를 끌어안았다. "오, 천만다행이야!" 그가 외쳤다. "지난밤 악한 것이 그대에게 가까이 다가갔는데 고작 베일만 찢고 갔다니, 무슨 일이 일어났더라면!" 그는 숨을 헐떡이며 나를 끌어안았다. 어찌나 힘껏 끌어안았는지 숨이 갑갑해질 정도였다. 몇 분이나 아무 말 없던 그가 조금 나아진 말투로 내게

CHARLOTTE BRONTË

말했다.

"제인, 모든 걸 설명하겠소. 그건 반은 꿈이고 반은 현실이오. 그 여자가 그대 방에 들어간 건 맞아. 아마 그레이스 풀이겠지. 그대도 그 여자가 이상한 존재라고 했잖소. 그대가 아는 바로는 그럴 만한 이유가 있었잖아. 그 여자가 내게 무슨 짓을 했지? 메이슨에게 무슨 짓을 했지? 선잠에 든 그대가 그 여자의 인기척을 느낀 거야. 하지만 몹시 들뜬 그대는 그 여자의 평소와 다른 모습을 본 거요. 등으로 길게 늘어뜨린 긴 머리며, 부어오른 검은 얼굴과 말도 안 되게 큰 키는 모두 상상이 만들어낸 모습일 뿐이야. 악몽이지. 베일을 찢은 건 사실일 거야. 그 여자가 할 법한 짓이니까. 그렇다면 그런 여자를 왜 집에 두느냐고 내게 묻고 싶겠지. 우리가 결혼해서 1년 하고 하루가 지나는 날, 모든 걸 털어놓겠소. 하지만 지금은 아니야. 어때? 만족합니까? 내 대답을 믿어주겠소?"

나는 곰곰이 생각했다. 그게 유일한 해결책 같았다. 썩 만족스럽지는 않지만 그를 기쁘게 하고 싶었다. 그리고 안도감도 느꼈다. 그래서 만족의 미소를 지어 보였다. 벌써 한 시가 넘은 시각이었다. 그의 곁을 떠나야 했다.

"소피는 아이 방에서 아델과 함께 자고 있겠지?" 초에 불을 붙이는 내게 그가 물었다.

"네."

"아델의 침대는 당신이 누워도 충분하잖아. 오늘은 아이와 같이 자는 게 좋겠소. 그런 일을 겪었으니 긴장하는 것도 당연해. 혼자 자는 걸 권하고 싶지 않아. 아이 방으로 가서 자겠다고 약속해요."

"저도 그게 좋겠어요."

"문은 안쪽에서 단단히 잠가요. 올라갈 때 소피를 깨워 내일 아침 일찍 깨워달라고 부탁하는 척이라도 해요. 여덟 시 전에는 옷을 다 입고 아침도 먹어야 하니까. 자, 이제 우울한 생각은 그만해요. 그런 쓸데없는 걱정은 털어내요. 바람이 무척 부드럽게 불고 있지 않습니까? 봐요, 더 이상 비도 내리지 않고!" 그가 커튼을 젖히며 말했다. "참 아름다운 밤이야!"

과연 그의 말이 맞았다. 천국처럼 순수하고 바다처럼 맑은 밤이었다. 서쪽으로 부는 바람 앞에 뭉쳐 있던 구름이 긴 꼬리를 늘어뜨리며 은빛으로 흘렀다. 달은 고즈넉하게 빛났다.

"음, 제인, 지금은 어때요?" 그가 내 눈을 가만히 바라보며 물었다.

"밤은 고요하네요. 저도 그렇고요." 내가 대답했다.

"오늘 밤은 이별하는 그런 슬픈 꿈은 꾸지 않을 거요. 대신 행복한 사랑과 결혼에 관한 꿈을 꿀 거야."

그의 예언은 절반만 맞았다. 슬픈 꿈은 꾸지 않았지만 그렇다고 기쁜 꿈도 꾸지 않았다. 한숨도 못 잤기 때문이다. 작은 아델을 품에 안고, 나는 어린아이가 자는 모습을 내내 지켜보았다. 너무도 고요하고, 무력하고, 순수하게 자는 아이를 보며 다가올 아침을 기다렸다. 온몸이 깨어 있었고, 설레서 잠이 오지 않았다. 해가 뜨자마자 나는 자리에서 일어났다. 내가 몸을 일으키자 아델이 내게 꼭 달라붙었다. 내 목을 끌어안은 그 아이의 조그만 팔을 떼어내고, 아이에게 입을 맞춰주던 것이 생생하다. 이상한 감정에 사로잡혀 눈물이 터졌다. 내 눈물에 아이가 깰 것이 두려워 소리를 삼키며 방을 떠났다. 아델은 내 과거의 상징과도 같았다. 이제 나는 옷을 차려입고, 두려우면서도 사랑스러운 미지의 미래를 상징할 남자를 만나러 가야 했다. 조금은 불안하지만, 내가 너무도 동경하는 나의 미래였다.

26

오전 일곱 시, 소피가 옷을 입혀주려고 찾아왔다. 어찌나 치장에 공을 들이는지 하염없이 시간만 보냈다. 결국 조급함에 지친 로체스터 씨가 왜 아직도 내려오지 않느냐며 위층으로 올라와 문을 두드렸다. 소피는 수도 놓지 않은 하얀 레이스에 브로치를 달아 베일에 고정하는 중이었다. 나는 급히 소피의 손에서 벗어났다.

"잠시만요!" 소피가 프랑스어로 외쳤다. "거울은 보셔야죠. 확인도 안 하시면 어떡해요."

나는 급히 문을 등지고 섰다. 내 평소 모습과는 너무도 다른 옷을 입고, 베일까지 쓴 모습이 마치 낯선 사람 같았다. "제인!" 또다시 나를 채근하는 목소리에 서둘러 아래층으로 내려갔다. 로체스터 씨가 계단 아래에서 나를 맞이했다.

"게으름뱅이!" 그가 힐난했다. "내 머리는 초조함으로 타

들어 가는 중인데, 그대는 이리 늦장을 부리다니!"

그는 나를 식당으로 데려가 머리부터 발끝까지 샅샅이 훑었다. 그리고 내게 "백합처럼 곱군. 내 인생의 자랑일 뿐 아니라, 내 눈이 바라던 모습이야!"라며 아침을 먹을 시간이 10분밖에 없다고 투덜거렸다. 그가 종을 울리자 최근에 고용한 하인이 다가왔다.

"존이 마차를 준비했나?"

"네, 주인님."

"짐은 다 내렸고?"

"지금 위층에서 내리고 있습니다."

"자네는 지금 교회로 가. 목사님인 우드 씨와 서기가 와 있는지 확인하고 오게."

492

알다시피 교회는 손필드 대문 바로 너머였다. 하인이 금세 돌아와 답했다.

"목사님은 교회 성찬실에서 예배용 의복을 입고 계십니다."

"마차는?"

"말에 마구를 차고 있습니다."

"교회까지는 걸어가도 되지만, 우리가 돌아왔을 때는 마차 준비가 끝나야 해. 상자며 짐이며 다 싣고, 마부는 마차에 앉아 있어야 한다고."

"네, 주인님."

"제인, 준비됐소?"

나는 일어났다. 우리를 안내해 줄 신랑 들러리도, 신부 들러리도, 친척도 없었다. 로체스터 씨와 나, 둘뿐이었다. 페어팩스 부인이 우리가 지나갈 복도를 지키고 서 있었다. 나는 그녀에게 말을 걸고 싶었지만 강철처럼 억센 손이 내 손을 쥐고 놓아주지 않았다. 좀처럼 좁혀지지 않는 보폭으로 뛰듯이 그를 따랐다. 로체스터 씨의 얼굴에는 단 1초도 낭비하지 않겠다는 단단한 의지가 서려 있었다. 나는 문득 다른 신랑도 그처럼 단호한 결의에 차서 굳은 눈썹과 불타오르는 눈빛을 보내는지 궁금했다. 오직 단 하나의 목적만 보며 내달리는 신랑이 또 있을까?

그날은 맑았는지 흐렸는지도 기억나지 않는다. 진입로를 달리며 나는 하늘도, 땅도 보지 않았다. 내 마음과 눈은 오로지 로체스터 씨만을 향했다. 그에게 빨려 들어가는 기분이었다. 사납고 무서운 시선으로 그가 바라보는 어떤 곳을 나도 바라보고 싶었다. 그가 대담하게 맞서 저항하는 무언가를 나도 함께 생각하고 느끼고 싶었다.

마침내 교회의 작은 문 앞에서 그가 멈춰 섰다. 그제야 숨이 모자라 헐떡이는 나를 발견한 모양이었다. "내가 너무 잔인했나?" 그가 중얼거렸다. "잠깐 숨을 쉴래요, 제인? 내게 기대요."

내 눈앞에 고요히 모습을 드러낸 주님의 집, 첨탑을 빙빙 도는 까마귀, 그 너머의 붉은 아침 하늘이 아름다웠다. 그리고 푸른 풀로 덮인 무덤도 아직 눈에 훤하다. 낮은 언덕 사이로 헤매는 두 명의 낯선 이도 보였다. 그들은 이끼 낀 묘비에 새겨진 추모의 글을 읽다가 우리를 보자마자 교회 뒤쪽으로 돌아갔다. 아마 옆문으로 들어와 의식에 참석하려는 모양이라고 나는 생각했다. 로체스터 씨는 그 사람들을 못 본 모양이었다. 그는 진지한 눈빛으로 나를 바라보고 있었다. 순간 얼굴이 백지장처럼 하얗게 변하는 기분이었다. 이마에 땀이 맺히고, 뺨과 입술이 차가워졌다. 내가 숨을 가다듬자, 그는 나를 데리고 교회 앞까지 천천히 오르기 시작했다.

우리는 간소하고 조용한 교회로 들어섰다. 조촐한 제단 앞에 흰 예복을 입은 목사가 서 있고, 그 옆에 서기가 기다리고 있었다. 모든 게 고요했다. 두 개의 그림자만이 멀리 떨어진 구석에서 움직였다. 내 추측이 옳았다. 그들이 먼저 교회에 들어왔고, 지금은 로체스터 씨의 집안 묘소를 바라보며 우리에게 등을 지고 있었다. 난간 너머로 오랜 세월이 고스란히 느껴지는 대리석 무덤이 보였다. 무덤에는 무릎을 꿇은 천사가 내전이 한창이던 시절에 마스턴 무어 황야에서 사망했다는 데이머 드 로체스터와 그의 부인 엘리자베스의 유해를 지키고 있었다.

우리 자리는 제단 앞에 난간으로 막힌 곳이었다. 뒤로 조심스럽게 걸어오는 발걸음 소리가 들려 나도 모르게 돌아보았다. 낯선 이들 중 한 사람—분명 신사였다—이 우리 쪽으로 다가오고 있었다. 예배가 시작되고, 결혼의 목적을 설교한 목사가 한 걸음 더 앞으로 다가오더니 로체스터 씨에게 살짝 몸을 숙이고 이렇게 말했다.

"여기 두 사람에게 명하노니, 신랑과 신부 중 누구든 혼인을 합법적으로 행할 수 없는 결함이 있거나, 그럴 수 없는 합당한 이유가 있다면 이를 숨기지 말고 심판의 날에 만인에게 고백하듯 지금 고해야 합니다. 주님의 말씀이 허락하지 않은 혼인은 주님의 뜻을 따르지 아니한 것이니 그 결혼은 결코 합법이 아닙니다."

목사는 관례대로 잠시 멈추었다. 그 문장 뒤에 누군가 솔직히 대답해서 결혼이 더 이상 진행되지 않는 일도 있을까? 아마 백 년에 한 번도 없을 것이다. 성경에서 눈을 떼지 않고 잠시 기다린 성직자가 계속해서 말을 이어나갔다. 그의 손은 이미 로체스터 씨에게 뻗어 있었고, 입술은 살며시 벌어져 '이 여자를 형제님의 아내로 맞이하겠습니까?'라고 묻기 직전이었다. 그때 뚜렷하고 커다란 목소리가 들렸다.

"이 결혼은 더 이상 진행할 수 없습니다! 심각한 결함이 있습니다!"

목사가 목소리를 향해 고개를 들었다. 서기도 마찬가지였다. 누구도 입을 열 수 없었다. 로체스터 씨는 마치 발밑에 지진이 일어난 것처럼 비틀거렸다. 그러다가 단단히 균형을 잡고 고개를 돌리지도, 시선을 피하지도 않으며 이렇게 고집했다. "계속 진행하시오."

낮고 단호한 목소리와 함께 무거운 침묵이 흘렀다. 잠시 후 목사는 "저 사람이 주장하는 내용에 진실이나 거짓이 있는지 증거를 확인하지 않고서는 진행할 수 없소"라고 말했다.

"이 결혼은 중지해야 합니다." 등 뒤에서 또 목소리가 들리며 우리를 방해했다. "저는 이 진술을 입증할 용의가 있습니다. 이 결혼에는 심각한 결함이 있습니다!"

로체스터 씨는 그 말을 듣고도 들리지 않는 척했다. 완고하고 굳건하게 선 채로, 내 손을 잡고 미동도 없이 서 있었다. 얼마나 뜨겁고 강한 손인지! 그의 창백하고 단단한 얼굴은 마치 대리석처럼 굳어 있었다. 번들거리는 눈동자 아래에 사나운 빛이 감돌았다.

우드 목사는 할 말을 잃은 듯했다. "대체 그 결함이 무엇입니까?" 그가 물었다. "결함을 없애거나 설명만으로 해결할 수 있는 것이 아닙니까?"

"불가능합니다." 상대는 말했다. "절대 극복할 수 없는 것이라 심사숙고하고 말씀드립니다."

말을 마친 발언자가 난간에 몸을 내밀었다. 그는 계속해서 말했다. 한마디, 한마디가 분명하고 침착하지만 귀에 쏙쏙 박혔다.

"로체스터 씨의 과거 혼인이 아직 존속되고 있다는 단순한 점 때문입니다. 그에게는 현재 살아 있는 부인이 있습니다."

그 나지막한 목소리에 내 신경은 천둥을 만난 듯 전율했고, 온몸의 피는 서리나 불길을 느껴본 적 없는 것처럼 식었다. 그러나 나는 침착했고 정신은 또렷했다. 나는 로체스터 씨를 바라보았다. 그의 얼굴은 파리하게 굳어 있었다. 눈은 부싯돌과 불꽃처럼 형형했다. 아무런 부인도 하지 않았고, 아무 말도 들리지 않는 사람처럼 굴었다. 말도 안 하고 웃지도 않고, 마치 내가 인간이라는 걸 인정하지도 않는 것처럼 굴었다. 그저 한 팔로 내 허리를 감싸고 나를 자기 곁에 힘껏 끌어당길 뿐이었다.

"누구요?" 그가 침입자에게 물었다.

"저는 런던 ○○스트리트의 변호사 브릭스라고 합니다."

"그리고 나에게 아내가 있다?"

"당신에게 부인이 있다는 사실을 떠올리기 바랍니다. 아무리 부정해도 법률이 인정한 혼인입니다."

"그 여자에 대해 설명해 보시오. 이름, 출생, 주소가 뭡니까?"

"그러겠습니다." 브릭스 씨가 침착하게 주머니에서 한 장의 종이를 꺼내고, 변호사답게 목청을 울리며 읽기 시작했다.

"서기 ○○○○년 10월 20일(15년 전이었다), 영국 ○○카운티에 위치한 손필드 저택 및 ○○주의 펀딘 저택의 소유주 에드워드 페어팩스 로체스터는 상인 조너스 메이슨과 서인도제도 혼혈의 부인 앙투아네타의 딸이자 나의 여동생인 버사 앙투아네타 메이슨과 자메이카 스패니시 타운 ○○교회에서 결혼하였음을 확인하고 여기 증명한다. 이 결혼 기록은 교회 등록부에 기록되었다. 서류 원본에 리처드 메이슨이 서명하고 날인하였다."

"그 문서가 진짜라면 내가 결혼한 적이 있었음은 증명할 수 있어도, 아내로 언급된 여성이 아직 살아 있다는 걸 증명할 수는 없소."

"그녀는 3개월 전까지 살아 있었습니다." 변호사가 말했다.

"어떻게 압니까?"

"그 사실을 증언할 수 있는 증인이 있습니다. 그 증인의 증언은 심지어 당신도 반박할 수 없을 겁니다."

"그 증인을 데려오시오, 아니면 지옥에 가버리던가."

"증인을 데려올 수 있습니다. 실은 바로 이 자리에 있습니다. 메이슨 씨, 앞으로 나와주시오."

로체스터 씨가 그 이름을 듣고 이를 악물었다. 순간 몸이 바르르 떨렸다. 곁에 있던 나는 그게 분노인지, 절망인지 알 수 없었지만, 분명한 건 그 전율이 순식간에 온몸을 타고 경련을 일으켰다는 점이었다. 지금까지 뒤에서 서성대던 두 번째 낯선 이가 다가왔다. 변호사의 어깨 너머로 창백한 얼굴이 보였다. 그렇다, 메이슨 씨였다. 로체스터 씨가 돌아서서 그를 노려보았다. 로체스터 씨를 처음 알아차렸던, 바로 그 검은 눈동자였다. 지금은 그 어두운 눈동자에 황갈색, 아니 핏빛이 감돌고 있었다. 얼굴도 붉게 달아올랐다. 올리브색 뺨과 창백한 이마는 타오르는 심장의 불꽃에서 태어난 것 같은 빛이 스며 있었다. 로체스터 씨가 몸을 틀고 두툼한 팔을 들어 올렸다. 메이슨 씨를 때릴 수도 있었고, 교회 바닥에 내동댕이칠 수도 있는 팔이었다. 가차 없는 일격으로 메이슨 씨의 숨통을 단박에 끊을 수도 있었다. 그의 몸짓에 메이슨이 움츠러들며 가냘픈 목소리로 "제발!" 하고 외쳤다. 모멸감이 로체스터 씨를 사로잡았고, 분노는 역병에 시달리다 죽은 것처럼 사그라졌다. 그는 조용히 물었다. "감히 자네가 할 말이 있나?"

메이슨의 핏기 없는 입술 끝에서 알아들을 수 없는 대답이 어룽거렸다.

"똑똑히 대답도 하지 못하는 걸 보면 악마가 깃든 모양이지. 다시 한번 묻겠네. 자네가 할 말이 있어?"

"잠시만, 잠시만!" 목사가 외쳤다. "여기는 신성한 교회요." 그리고 메이슨에게 친절하게 물었다. "이 신사의 부인이 아직 살아 있소?"

"용기를 내서 말하세요!" 변호사가 채근했다.

"그녀는 지금도 손필드 저택에 살고 있습니다." 메이슨이 훨씬 또렷한 목소리로 증언했다. "지난 4월, 그곳에서 동생을 만났습니다. 제가 오빠입니다."

"손필드 저택에!" 목사가 놀라 외쳤다. "불가능한 일입니다. 나는 이 마을에 오래 살았소. 하지만 손필드 저택에 로체스터 부인이 살고 있다는 이야기는 들어본 적이 없습니다."

로체스터 씨의 입술이 뒤틀리며 차가운 미소가 흘러나왔다. 그가 중얼거렸다.

"아니, 아니야! 나는 그녀에 관해서는, 그 이름도, 그 누구도 알지 못하게 잘 숨겼어. 그 이름을 얼마나 잘 숨겨놨는데." 그리고 한참이나 말이 없던 로체스터 씨가 10분 정도 심사숙고한 끝에 단호하게 외쳤다.

"그만! 다들 나가시오, 당장 신속히 교회에서 나갑시다. 우드, 성경을 덮고 예복을 벗으시오. 서기, 그만 돌아가게. 오늘 결혼은 없으니까." 서기가 그의 말을 따랐다.

로체스터 씨는 거침없이 말을 이어나갔다. "이중 결혼은 참으로 추악한 단어요! 그러나 나는 분명 중혼을 하려는 의도를 가졌소. 결국 운명이 나를 조종했거나, 섭리가 나를 막아 세운 셈이오. 아, 아무래도 후자겠지. 지금 이 순간, 나는 아마 악마와 다를 바 없는 존재일 거요. 그리고 목사님이 말씀하셨듯 의심할 여지 없이 가장 준엄한 심판을 앞둔 사람처럼 모든 걸 털어놓겠소. 영원한 불길과 죽지 않는 구더기가 들끓는 지옥 불에 떨어져야 마땅하겠지. 여러분, 내 계획은 이렇게 무산되었소! 여기 변호사와 그의 의뢰인 말이 사실이오. 나는 결혼했고, 내가 결혼한 여자는 살아 있소! 목사님은 저 집에 로체스터 부인이 산다는 이야기를 들어본 적이 없다고 하지만, 아마 수수께끼의 미치광이가 산다는 이야기는 들어봤을 거요. 그 여자가 내 이복누이라고 말하는 사람도 있고, 내 정부라는 소문도 있었지. 이제 솔직히 말하겠소, 그녀가 바로 15년 전 나와 결혼한 내 아내요. 이름은 버사 메이슨. 지금도 떨리는 팔다리와 하얗게 질린 얼굴로 의지를 꺾지 않는 이자의 누이지. 이보게, 날 두려워 말게! 지금도 나는 자네만큼이나 그 여자를 해치고 싶어. 버사 메이슨은 미쳤소. 미친 집안 출신이오. 3대에 걸쳐 백치와 광인이 태어나는 집안에서 나고 자랐지. 어머니는 크리올 혼혈로 정신병자에다 알코올 중독이었소! 내가 그녀와 결혼한 후에야 그 사실을 알았지. 그 가족들이 입을 다물었거든. 버사는 부모를 본받아 두 가지 모두를 철저하게 물려받았지. 내가 훌륭한 부인을 얻었소, 순수하고 현명하고 겸손한 여자였지. 내가 얼마나 행복한 남자였는지 상상하겠소? 정말 대단한 경험이었어! 아, 그야말로 천국과 같았지. 여러분 모두 그 광경을 봤어야 했는데! 그러나 아무도 상상할 수 없을 거요, 더 이상 설명할 수도 없지. 브릭스, 우드, 메이슨, 모두 우리 집으로 갑시다. 그리고 풀 부인이 돌보는 환자, 나의 아내를 만나보는 걸로 하지. 내가 어떤 비열한 거짓말에 속아 어떤 여자를 아내로 맞았는지 직접 보고, 옛 계약을 저버리고 최소한의 인간다움을 구힐 권리기 있는지 판단하시오!" 그는 나를 가리켰다.

"이 아가씨는 역겨운 비밀 따위는 자네들보다도 몰라. 우드 목사, 자네처럼 말이야. 옳고 적법하다고 생각했지. 야수처럼 미쳐버린 괴물과 결혼한 자가 작정한 속임수와 가짜 결혼에 휘말릴 거라고는 꿈에도 몰랐어! 자, 다들 따라오시오."

여전히 나를 품에 안은 채, 그는 교회를 빠져나왔다. 세 신사가 그 뒤를 따랐다. 현관 앞에 우리의 여행을 위한 마차가 기다리고 있었다.

"말을 마구간에 매어놓게, 존. 오늘은 더 이상 필요 없어." 로체스터 씨가 차갑게 쏘아붙였다.

입구에서 페어팩스 부인과 아델, 소피 그리고 레아가 우리를 맞이하려고 다가왔다.

"축하 인사 따위는 집어치워! 누가 그런 걸 원하냐는 말이야! 나는 아니야! 무려 15년이나 늦었어, 다들!" 로체스터 씨가 으름장을 놓았다.

그는 성큼성큼 지나가며 신사들에게 따라오라는 듯 손짓

했다. 여전히 내 손을 부여잡은 채, 계단을 올라갔고 사람들이 뒤따랐다. 우리는 첫 번째 계단을 올라 복도를 지났고 곧 3층으로 향했다. 로체스터 씨의 열쇠로 작고 검은 문이 열렸고, 우리는 태피스트리가 걸린 커다란 침대와 옷장이 있는 방으로 들어갔다.

"자네는 이 방이 익숙하지, 메이슨." 우리를 이끈 그가 외쳤다. "그 여자가 여기서 자네를 물어뜯고 찔렀으니까."

그가 벽에 걸린 태피스트리를 뜯어내고 두 번째 문을 열었다. 창문도 없는 방은 천장이 높았고 튼튼한 창살로 막은 벽난로에서는 불이 타고 있었다. 등불은 천장에 쇠사슬로 매달려 있었다. 그레이스 풀은 몸을 숙이고 냄비에 무언가를 끓이고 있었다. 방 안쪽 끝, 그늘진 곳에서 한 사람이 앞뒤로 뛰어다녔다. 짐승인지 사람인지 한눈에 알 수 없을 몰골이었다. 마치 네 발로 기어다니는 것처럼 보였고, 으르렁 소리를 내며 덤벼들었다. 옷은 입고 있었지만, 갈기처럼 덥수룩한 머리카락이 온 얼굴을 덮고 있었다.

"좋은 아침이야, 풀 부인!" 로체스터 씨가 말했다. "오늘은 좀 어떤가? 무슨 일이 있었지?"

"그럭저럭요, 감사합니다." 그레이스가 대답하며 끓고 있는 음식을 조리대 위로 조심스럽게 옮겼다. "짜증은 냈지만 크게 날뛰지는 않네요."

그때 맹수 같은 울부짖음이 그레이스의 보고를 반박했다. 옷을 입은 짐승이 뒷발로 일어나 우뚝 섰다.

"아, 주인님. 주인님을 봐요! 여기 계시면 안 돼요." 그레이스가 외쳤다.

"잠깐만, 그레이스. 잠깐이면 돼."

"그러면 조심하세요. 세상에, 조심하시라고요!"

미치광이가 고함을 질러댔다. 얼굴 위로 헝클어진 머리카락을 마구잡이로 쓸어 넘기고 방문객을 노려보았다. 그 보라색 얼굴이 익숙했다. 통통 부은 얼굴이었다. 풀 부인이 앞으로 나섰다.

"방해하지 말게." 로체스터 씨가 그녀를 밀었다. "지금은 칼도 없고, 나도 경계를 늦추지 않으니까."

"뭘 갖고 있을지 아무도 몰라요. 얼마나 교활한지, 그 속셈을 아무도 헤아릴 수 없답니다."

"당장 나갑시다." 메이슨이 속삭였다.

"그냥 지옥에나 가버리는 건 어때!" 그의 처남인 로체스터 씨가 날카롭게 외쳤다.

"조심하세요!" 그레이스가 외쳤다. 세 명의 신사가 동시에 물러섰다. 로체스터 씨는 나를 등 뒤로 숨겼다. 그 미친 여자가 튀어나와 그의 목을 사납게 조르고 뺨에 이를 박아 넣었다. 두 사람은 몸싸움을 벌였다. 그녀는 키가 로체스터 씨와 비슷할 정도로 컸고, 몸집도 만만치 않았다. 남자가 낼 법한 힘을 구사했다. 늠름한 로체스터 씨도 여러 번 목이 졸릴 뻔했다. 물론 그가 제대로 공격했다면 금세 제압했겠지만, 로체스터 씨는 그녀를 때리지 않았다. 그저 공격을 막는 데 급급했다. 간신히 두 팔을 제압한 그가 그레이스 풀이 내준 끈으로 손목을 뒤로 묶는 데 성공했다. 가까이 있던 밧줄로 그녀를 의자에 간신히 결박하자, 귀가 찢어질 듯한 비명을 내지르며 격렬히 저항했다. 로체스터 씨는 구경꾼들을 돌아보고 쓸쓸하고 울적한 미소를 보이며 말했다.

"이게 내 아내요. 내 평생 처음으로 느낀 부부간의 포옹이었고, 이게 내가 이 여자를 위로하는 애정의 표현이지! 그리고 여기, 이 여자가 바로 내가 바라던 여자요. (그가 내 어깨를 힘껏 끌어안았다.) 이 젊은 여자, 지옥의 입구에 서서 악마의 장난질을 차분하게 바라보는 이 어린 여자가! 나는 고약한 요리를 먹고 난 입가심으로 이 여자를 원한 거요. 우드, 브릭스, 이 두 사람이 보입니까? 이 모습과 저 몰골을 비교해 보시오. 이 맑은 눈과 저 핏빛 어린 눈을 보란 말이오! 이 말간 얼굴과 저 무서운 가면을, 이 모습과 저 꼴을 모두 보고 심판해 주시오. 복음을 전하는 목사와 법률가잖소, 안 그렇소? '너희가 판단하는 대로 너희도 판단받을 것이다'*라고 했던가? 자, 그럼 돌아갑시다. 나는 내 비밀을 다시 감추어야 하니까!"

우리는 모두 방에서 나왔다. 로체스터 씨는 그레이스 풀에게 몇 가지 지시를 내리기 위해 잠시 머물렀다. 변호사가 계단을 내려오며 나에게 말했다.

"아가씨는 모든 혐의에서 벗어났소. 메이슨 씨가 마데이라로 돌아가면 당신 삼촌도 기뻐할 거요. 삼촌이 아직 살아 있다면 말입니다."

"삼촌이요? 그게 무슨 말이죠? 제 삼촌을 아세요?"

---

* 「마태복음」 7장 2절.

"메이슨 씨가 알고 있어요. 에어 씨와 몇 년간 푼샬*에서 거래했으니까요. 아가씨의 삼촌이 로체스터 씨와 결혼할 거라는 아가씨의 편지를 받으셨을 때, 자메이카로 돌아가는 길에 휴양차 마데이라에서 머물던 메이슨 씨가 우연히 함께 있었답니다. 에어 씨는 편지 내용을 메이슨 씨에게 전했지요. 나의 의뢰인인 메이슨 씨가 로체스터라는 이름의 신사와 아는 사이라는 걸 아가씨의 삼촌도 알고 계셨거든요. 놀란 메이슨 씨가 심사숙고 끝에 진실을 밝힌 겁니다. 유감이지만 아가씨의 삼촌은 현재 병석에 누워 계십니다. 병명은 따로 없고 노환입니다만, 아무래도 다시 건강을 되찾으실 가능성은 적습니다. 아가씨를 덫에서 구하기 위해 직접 영국으로 오실 수 없던 까닭으로 메이슨 씨에게 거짓 결혼을 막기 위해 시간을 낭비하지 말라고 간청하셨다더군요. 그리고 저에게도 도움을 요청하셨습니다. 전부 급행으로 이루어져 다행히 때를 놓치지 않았습니다. 아가씨도 틀림없이 감사한 마음이겠지요. 아가씨가 마데이라에 도착할 때까지 에어 씨가 돌아가시지 않는다면, 나는 아가씨가 메이슨 씨와 함께 마데이라로 가는 것을 추천합니다. 그러나 현재 상황이라면 이대로 영국에 머물며 에어 씨의 연락이나 소식을 기다리는 것이 현명할 듯합니다. 아직도 볼일이 남았소?" 그가 마지막으로 메이슨 씨에게 물었다.

"오, 아니요, 아니. 돌아갑시다." 아직도 두려운 듯, 메이슨은 떨리는 목소리로 대답하고 로체스터 씨에게 작별 인사

* 마데이라섬 동남부의 항구 도시.

CHARLOTTE BRONTË

도 없이 저택을 떠났다. 성직자는 오만하고 무례한 신자에게 훈계와 질책을 하기 위해 남아 있다가 볼일을 마치고 돌아갔다.

반쯤 열린 문으로 손님들이 나가는 소리가 들렸다. 모두 떠나고 나서야, 나는 방문을 잠그고 틀어박혔다. 눈물을 쏟을 수도, 흐느낄 수도 없었다. 그러기에는 지나치게 침착했다. 그저 손이 저절로 움직였다. 나는 웨딩드레스를 벗고 전날 입었던 모직 드레스로 갈아입었다. 분명 어제 그 옷을 입으며, 이제 이 옷을 입는 것도 마지막이라고 생각했는데. 옷을 갈아입고 앉으니, 그제야 몸에 기운이 빠지며 피곤이 몰려왔다. 탁자에 팔을 뻗은 다음, 그 위에 고개를 묻었다. 그러자 겨우 머리가 돌아가기 시작했다. 그전까지는 듣는 대로 듣고, 보이는 대로 보고, 움직이는 대로 움직였을 뿐이다. 이끌리고 끌려가고 따라갔다. 그리고 여러 가지 뜻하지 않은 일을 목격하고, 연달아 밝혀지는 비밀을 응시할 뿐이었다. 그러나 마침내 생각이라는 걸 할 시간이 주어졌다.

유난히 조용한 아침이었다. 미친 여자를 만난 것만 빼면 말이다. 교회에서도 그리 시끄럽지 않았다. 열정적인 폭발도, 큰 소리로 다투는 일도, 몸싸움도, 이의 제기나 도전도, 눈물이나 흐느낌도 없었다. 그저 몇 마디 말이 오갔고, 결혼을 반대하는 의견도 차분했다. 몇 가지 단호하고 짧은 질문이 오고 갔다. 로체스터 씨는 답했고 설명했고 증거도 제시했다. 그가 공개적으로 중혼을 인정했다. 그리고 살아 있는 증거를 모두가 목격했다. 침입자들은 조용히 사라졌다. 그게 끝이었다.

 나는 평소처럼 내 방에 있었다. 겉으로 봐서는 달라진 건 아무것도 없었다. 아무도 나를 때리거나, 상처를 입히거나, 불구로 만들지 않았다. 그런데 어제의 제인 에어는 어디로 갔을까? 그녀의 삶은 어디로 사라진 걸까? 그녀의 미래는 이제 어떻게 되는 걸까?

 열정에 부풀고 설렜던 새 신부 제인 에어는 다시 춥고 고독한 아이가 되었다. 색을 잃고 황량해졌다. 한여름에도 크리스마스처럼 서리가 내리고 12월의 폭풍이 6월에 몰아쳤다. 얼음이 잘 익은 사과를 얼렸고, 눈보라가 이제 막 흐드러진 장미를 부수었다. 들판과 옥수수밭에도 서리가 내렸다. 꽃이 알록달록 피어 있던 어젯밤의 오솔길 위로 아무도 밟지 않은 하얀 눈이 덮였다. 열대지방의 숲처럼 잎이 무성하고 화려하게 흔들리던 수풀이 열두 시간 만에 한겨울 노르웨이 소나무 숲처럼 헐벗고 황량하게 눈을 맞았다. 내 희망은 모두 사라졌다. 마치 이집트 땅의 모든 맏아들에게 하룻밤 사이 닥친 미묘한 파멸과 같은 운명이었다. 어제만 해도 활짝 피어 있던 소중한 소망이 이제 차갑고, 검붉게 죽어버린 시체처럼 되살아날 수 없게 굳어버렸다. 나는 내 사랑을 바라보았다. 그의 것이었던 나의 애정도. 실은 모두 그가 내게서 빚어낸 것이다. 그것이 지금은 차가운 요람에 누워 고통받는 아이처럼 내 마음속에서 떨고 있었다. 이제 다시는 그의 품에 안길 수 없다. 그의 따뜻한 체온을 얻을 수도 없다. 아, 나는 두 번 다시 그의 도움을 청할 수 없는 것이다. 우리의 믿음은 시들었다. 신뢰는 파괴되었다! 로체스터 씨는 어제까지의 그가 아니다. 내가 생각하던 남자가 아니었다. 하지만 부도덕하다는 오명을 씌울 수는 없었다. 나는 그가 배신했다고 말하지 않기로 했다. 그러나 그가 티 없이 맑은 진실만 말한다는 건 이제 있을 수 없는 일이다. 그를 떠나야 했다. 이건 분명했다. 언제, 어떻게, 어디로 떠나야 하는지는 아직 결정할 수 없었다. 그러나 그는 분명 나를 손필드에서 쫓아내고 싶을 거라고 생각했다. 애정이라는 건 애초에 없었다. 그저 잠깐의 열정이었고, 그마저도 사라졌다. 그는 더 이상 나를 원하지 않을 것이다. 모든 게 좌절된 지금, 나는 그의 앞을 지나가는 것조차 두렵다. 그에게 나는 얼마나 쳐다보기도 싫은 존재가 되었을까. 아, 나는 정녕 바보였다! 나는 얼마나 순진했던가!

내 두 눈은 가려졌고, 나는 눈을 감은 채 바보처럼 굴었다. 소용돌이치는 어둠이 내 주위를 맴돌았고, 후회가 새까만 흙탕물처럼 밀려왔다. 마치 삶을 포기하고 편안한 마음으로 느긋하게, 넓은 강의 메마른 바닥을 향해 몸을 내던지는 기분이었다. 멀리 떨어진 산골짜기에서 밀려 내려오는 홍수의 물살이 금방이라도 나를 덮칠 것 같았다. 의지할 힘도, 도망칠힘도 없었다. 그저 죽고 싶다는 생각에 헐떡이며 힘없이 누워 있었다. 단 한 가지 생각이 내 안에 남은 생명처럼 미약하게 꿈틀거렸다. 바로 주님이었다. 그것이 내 안에 무언의 기도로 되살아났다. 기도의 말이 어두운 마음속을 떠돌았지만, 차마 입에 담을 힘이 없었다.

'저를 밀어내지 마옵소서, 곤경이 눈앞에 있나이다. 제게

도움을 주세요.'

곤경이 가까이 있었다. 하지만 곤경을 피하고자 하늘에 간청하거나 손을 모으거나 무릎을 꿇지도 않았다. 소리 내 기도하지 않아서일까, 곤경은 금세 나를 덮쳤다. 급류가 내게 쏟아졌다. 내 삶의 모든 의식이, 내 사랑이, 내 희망이 꺼지고 사라졌다. 내 믿음은 죽은 듯 흔들리며 하나의 덩어리가 되어 나의 머리 위에서 소용돌이쳤다. 나는 그 괴로움을 어떻게 표현해야 할지 모르겠다. '물이 내 영혼으로 흘러 들어왔나이다. 내가 설 곳이 없는 깊은 수렁에 빠져 깊은 물로 흘러가니, 물이 내게 넘치나이다'*와 같았다.

27

그날 오후, 고개를 들어 주위를 둘러보니 서쪽으로 기운 태양 주변이 금빛으로 물들었다. 나는 '이제 어떻게 해야 하지?'라고 생각했다.

그 순간 나의 머릿속에 든 생각이 너무 쉽고 재빨라서 귀를 막고 말았다. '당장 손필드를 떠나.' 지금은 그런 말을 견딜 수 없었다. '내가 페어팩스 로체스터의 신부가 아니라는 사실은 내 인생의 시련 중 별거 아닌 부분이야'라고 되뇌었다. '이 세상에서 가장 눈부셨던 꿈에서 깨어나 모든 게 공허하고 허망하다는 걸 깨달은 건, 내가 이겨낼 수 있는 공포야.

* 「시편」 69편 1~2절.

하지만 그를 바로 완전히 떠나야 한다는 건 견디기 힘들어. 아직은 그럴 수 없어.'

그러나 내 마음의 소리는 그럴 수 있다고, 그렇게 해야만 한다고 떠들었다. 나는 결심을 내리지 못하고 씨름했다. 앞으로 내가 겪게 될 고통의 끔찍한 과정을 피할 수만 있다면 어떻게든 나약해져도 상관없었다. 폭군처럼 변한 마음은 열정을 목 졸라 죽이며 조롱했다. 아직 그 고운 발은 진흙탕에 닿지도 않았다며 무쇠 같은 팔로 나를 한없이 깊은 고통의 심연으로 밀어 넣겠다고 아우성쳤다.

'차라리 누가 나를 떠나보냈으면 좋겠어. 누가 좀 도와줘요.' 내가 속으로 외쳤다. 그러나 마음은 이렇게 답했다. '아니, 네가 해야 해. 아무도 너를 도와주지 않아. 너 스스로 오른쪽 눈을 뽑고, 너 혼자 오른손을 잘라야 해. 네 마음을 희생양으로 삼고, 네가 직접 희생양의 피를 보고, 제사를 올려야 해.'

나는 자리에서 벌떡 일어났다. 무자비하게 쫓아오는 마음이 쓸쓸했다. 이토록 가혹한 목소리가 메아리치는데도 주변이 고요해 무서웠다. 똑바로 서자마자 머리가 핑 돌았다. 지나치게 놀라고, 속이 비어 그런 듯했다. 생각해 보니 아침부터 먹은 게 없었다. 그런데도 하루 종일 이 방에 갇혀 있다시피 했다. 아무도 나를 보러 오거나 아래층으로 내려오라고 하지 않았다는 걸 깨닫자, 갑자기 가슴이 아려왔다. 아델도 내 방문을 두드리지 않았고, 페어팩스 부인도 나를 찾지 않았다. '운명이 나를 버리면 친구도 나를 버리는구나.' 나는 속으로 중얼거리며 방문을 열고 밖으로 나왔다. 그 순간 무언가 발에 채며 그대로 넘어졌다. 머리는 여전히 어지럽고, 시야는 흐릿하고, 팔다리에 힘이 하나도 실리지 않았다. 그렇게 쓰러지는데, 무언가 나를 단단히 받쳤다. 고개를 들었다. 로체스터 씨였다. 내 방문 앞에 의자를 가져다 놓고 하루 종일 나를 기다리고 있던 모양이었다.

"드디어 나왔군." 그가 말했다.

"하루 종일 여기서 그대를 기다리면서 귀를 기울였소. 그런데 아무 소리도 들리지 않더군. 하다못해 울지도 않았어. 딱 5분만 더 그렇게 조용히 있었으면 바로 자물쇠를 부수었을 거요. 이렇게…… 나를 피하는 겁니까? 혼자 틀어박혀 혼자 슬퍼하고 말 겁니까! 차라리 밖으로 나와 내게 한바탕 화를 내고 나를 비난하지 그랬습니까? 당신이 누구보다 열정적인 사람이라는 걸 내가 아는데. 무슨 일이라도 기꺼이 받아줄 작정이었는데. 뜨거운 눈물을 흘릴 준비도 되어 있었는데. 그저 내 품에 안겨 울어주길 바랐는데. 아니면 젖은 손수건이라도 내어줄 준비가 되어 있었는데. 하지만 내 생각이 완전히 틀렸군. 전혀 울지 않았어. 하얗게 질린 얼굴과 흐릿한 시선이지만, 눈물의 흔적은 보이지 않는군. 그렇다면 마음으로 피눈물을 쏟고 있는 겁니까?

제인! 뭐라고 한마디라도 해요! 혹독하게 비난하거나 나를 욕할 생각도 없습니까? 가슴을 찢고 분노를 터트리고 싶지 않아요? 어떻게 그렇게 멍하니 앉아서 피곤하고 무기력한 눈으로 나를 바라보기만 하는 거요?

제인, 그대에게 상처 줄 생각은 전혀 없었소. 제인, 자기 빵을 먹이고, 자기 그릇의 물을 내어주고, 자기 가슴에 안고 딸처럼 귀여워했던 어린 양을 실수로 죽인 사내가 있다손 치더라도, 지금의 나처럼 후회하고 가슴을 치지는 않을 겁니다. 제인, 제발 나를 용서해 줄 수 있겠습니까?”

독자들이여, 나는 그 순간 그 자리에서 그를 용서했다. 그의 눈에는 깊은 후회가, 그의 말에는 진심 어린 반성이, 그의 태도에는 남자다운 매너가 깃들어 있었다. 그 표정과 태도에 나를 향한 변함없는 사랑이 담겨 있었다. 아, 나는 그를 모두 용서했다. 말로만, 겉으로만 그런 것이 아니라, 내 마음 깊이 그를 용서했다.

“제인, 내가 나빴소.” 얼마 지나지 않아 그가 깊은 한숨과 함께 입을 열었다. 아마도 나의 계속되는 침묵과 미동 없는 태도에 속이 타들어 가는 모양이었다. 그러나 내 의지가 아니라 몸에 기운이 없었다.

“네.”

“그럼 솔직하고 날카롭게 쏘아붙이기라도 해요. 봐주지 말고.”

“못 하겠어요. 너무 피곤하고 어지러워요. 물을 좀 마시고 싶어요.” 내 말에 그는 떨리는 숨을 터트리며 나를 품에 안고 계단을 내려갔다. 처음에는 그가 나를 어디로 데려가는지 알지 못했다. 눈앞이 온통 흐렸다. 곧 따뜻한 벽난로의 기운이 느껴졌다. 여름이었지만 방이 너무 추웠다. 그는 포도주를 내 입가에 대주었다. 포도주를 마시니 기운이 조금 돌아왔다. 그가 떠 주는 음식을 먹자, 시야도 맑아졌다. 서재였다.

나는 그의 의자에 앉아 있었고, 그는 지나치게 가까웠다.

'지금 당장 큰 고통 없이 죽어도 괜찮을 것 같아.' 나는 생각했다.

'그러면 굳이 로체스터 씨를 마음에서 억지로 잘라버리지 않아도 돼. 떠나야만 해. 하지만 떠나기 싫어. 떠날 수 없어.'

"제인, 좀 어때요?"

"훨씬 나아요, 금방 나아질 거예요."

"제인, 포도주를 조금 더 마셔요."

나는 그의 말에 따랐다. 그는 탁자 위에 잔을 내려놓고 내 앞에 서서 나를 한참이나 살폈다. 그는 어떤 열정적인 감정에 휩싸인 사람처럼 알아들을 수 없는 탄식을 내뱉고 뒤돌았다. 방을 빠르게 휘젓다가 훌쩍 다가왔다. 마치 입을 맞추려는 듯 몸을 숙였다. 그러나 결혼 전까지 그런 접촉은 금지였다. 나는 고개를 돌리고 그를 밀어냈다.

"어째서! 무슨 뜻이지?" 그가 다급하게 외쳤다.

"아, 그렇군! 버사 메이슨의 남편과는 입을 맞출 수 없다는 뜻이오? 내 품은 이미 다른 이의 것이라, 포옹도 부적절하다고 생각해?"

"무엇도 제 자리가 아니고 제 것이라 주장할 수도 없어요."

"제인, 왜? 답은 하지 말아요. 내가 할 테니까. 왜냐하면 내게 이미 아내가 있으니까. 내 말이 맞소?"

"네."

"만약 그렇다면 그대는 나를 이상한 눈으로 보고 있겠군. 흉계를 꾸미는 방탕한 놈, 마음에도 없는 애정을 이용해 계

획적으로 그대를 함정에 빠뜨리고 명예와 자존심을 갈취한
비천하고 비열한 놈이겠군. 정말 그렇게 생각합니까? 그대
가 내게 그 어떤 말도 하지 않으리라는 거 알아요. 우선 그대
는 아직도 지쳐 있고, 호흡마저 거칠 정도니까. 둘째, 나를 비
난하고 욕하는 것이 익숙하지 않은 사람이고. 셋째, 무슨 말
이라도 하려는 순간 눈물이 쏟아지겠지. 남을 타이르거나,
비난하거나 소란을 피우는 것에 능한 사람도 아니야. 이제
어떻게 행동해야 좋을지 고민 중이겠지. 이야기해도 소용없
다고 생각하겠지. 그래, 나는 이제 정말 그대를 알아. 그래서
더 조심하고 있잖습니까."

"당신과 싸우고 싶지 않아요." 내가 속삭였다. 목소리가 아
직도 불안정해서, 짧게 말하는 게 좋을 것 같았다.

"당신은 그렇게 말하지만, 내가 보기에는 나를 무참히 파
괴하려는 속셈이야. 단지 내가 결혼을 한 몸이라 나를 피한
다고 말한 것만 봐도 그래. 내가 결혼한 몸이라 나를 피하고,
내게서 벗어나려 하지. 내 입맞춤도 거절했어. 이제 나와는
아예 모르는 사이처럼 굴겠다는 뜻이지. 이 집에서 아델의
가정교사로만 살겠다는 뜻이야. 내가 그대에게 조금이라도
친절한 말을 하거나 다정한 감정을 품는다면, 그대는 이렇게
말하겠지. '저 남자는 나를 정부로 삼으려고 했어. 차갑고 딱
딱하게 굴어야 해.' 그리고 아마 그대로 실천할 거요."

나는 목소리를 가다듬고 또박또박 힘주어 말했다. "모든
게 변했어요. 저도 변해야 해요. 의심의 여지가 없어요. 변덕
스러운 감정과 추억이 끊임없이 나를 괴롭힐 테니까. 피할

방법은 하나뿐이에요. 아델에게 새로운 가정교사를 구해주세요."

"아델은 학교에 갈 거요. 이미 그렇게 결정했지. 손필드 저택의 혐오스러운 기억이나 추억으로 그대를 괴롭히고 싶지 않아. 저주받은 집, 아간의 천막*에 감춰놓았던 살아 있는 시체의 섬뜩한 그림자와 무자비한 감옥, 우리가 상상할 수 있는 악귀보다 더 질 낮은 악마가 사는 좁은 돌담 지옥을 떠올리게 할 수 없지. 여기서 살게 할 생각은 없소. 나도 여기서 살고 싶은 마음은 조금도 없어. 유령의 집이라는 걸 알면서도 애초에 손필드에 그대를 데려온 게 잘못이었소. 그대를 만나기 전, 이 집에 떠도는 저주를 숨기라고 지시했소. 단지 아델이 사는 집에 어떤 괴물이 숨어 사는지 알면 아무도 가정교사로 지원하지 않을 거라 생각했을 뿐이오. 그렇다고 저 미친 여자를 다른 곳으로 옮길 생각도 없었어. 여기보다 더 오래된 저택이 하나 있어요, 펀딘 장원이라는. 거기라면 남의 눈에 띄지 않았겠지. 하지만 사방이 숲으로 둘러싸여 건강에 좋지 않을 거란 판단이 들었습니다. 알량한 양심 때문에 그 여자를 옮기지 못했소. 그 습기 찬 벽에 둘러싸여 산다면, 내 평생의 짐이 금세 지옥으로 돌아가겠지만 악마에게도 나름의 법이 있어. 내 악행은 간접적 살인이 아니거든. 그게 내가 가장 혐오하는 상대라 해도 말이야.

하지만 미친 여자가 사는 방을 그대에게 감추는 건, 어린 아이를 망토로 싸서 독이 있는 우파스 나무 아래 눕혀놓는

---

* 「여호수아」 7장, 아간은 여리고를 정복하여 얻은 재물을 자신의 천막에 숨겼다.

것과 비슷했지. 그 악마의 주위에는 언제나 독기가 가득하거든. 늘 퍼져 있지. 손필드 저택은 이제 영원히 문을 닫을 거요. 문이며 창문에 전부 판자를 대고 못을 박아야지. 당신이 내 아내라고 부르는 그 미친 마녀와 함께 있는 조건으로 풀 부인에게 1년에 200파운드라도 줄 수 있소. 그녀는 돈이라면 뭐든 하니까. 그림스비 요양원에서 간호사로 일한다는 그녀의 아들도 오라고 해서 그 여자의 이야기 상대도 되어 주고, 발작을 일으키면 가까이에서 처리를 맡길 작정이오. 내 아내는 유독 익숙한 사람만 보면 침대에 불을 붙이고, 칼로 쑤시고, 살을 물어뜯어 뼈를 보기도 하고, 그 밖에도 온갖 짓을……."

"잠시만요." 나는 그의 말을 잘랐다.

"그 불쌍한 분에게 왜 그렇게 무자비하세요. 증오와 복수심에 가득 차서 말씀하시잖아요. 너무 잔인해요. 그분이 원해서 그렇게 된 것도 아니잖아요."

"제인, 아, 나의 작은 사랑. (아니, 이렇게 부를 겁니다. 그대는 그런 사람이니까.) 그대는 아무것도 몰라. 또 나를 잘못 판단한 거요. 내가 그 여자를 미워하는 건 그 여자가 미쳐서가 아니야. 설마 그대가 미친다고 해서 내가 그대를 미워할 것 같소?"

"네."

"그렇다면 오해한 거요. 나에 대해 아무것도 모르는 거야. 내가 그대를 얼마나 사랑하는지도 모르는 거야. 그대의 모든 세포 하나하나가 내 것처럼 소중해. 그대가 고통에 힘들어하고 병에 걸려도 그건 마찬가지야. 그대의 마음은 내게는 보물이고, 아무리 망가져도 내게는 가장 소중해. 그대가 날뛰면 나의 팔이 그대를 감싸야지. 구속복 같은 것의 도움은 빌리지 않을 거요. 오늘 아침의 그 여자처럼 미쳐서 난동을 부리며 나에게 덤벼들면, 나는 그대를 안아서 달랠 거요. 적어도 그 여자에게 그랬듯 혐오하며 물러서지 않아. 당신이 조용한 순간이 오면 나 말고는 아무도 그대를 지켜보거나 간호하게 두지 않을 겁니다. 그대가 미소를 보내지 않더라도 나는 지치지 않고 영원히 다정하게 그대를 지켜볼 거요. 그대의 눈이 나를 알아볼 수 없어도 나는 절대 포기하지 않아. 대체 내가 왜 이런 생각을 하는 거지? 일단 손필드에서 나갑시다. 출발 준비는 이미 다 해놨잖습니까. 내일 떠나요, 제인. 이 지붕 아래에서 딱 하룻밤만 더 견딥시다. 그러고 나서 이 불행과 공포에서 영원히 벗어나요! 증오로 얼룩진 기억과 타인의 침입, 거짓과 중상모략으로부터 안전한 은신처도 찾아놓았소."

"그렇다면 아델도 데리고 가세요." 내가 끼어들었다. "아이가 좋은 말벗이 될 거예요."

"제인, 무슨 소리지? 내가 말했잖소. 아델은 학교에 보낼 거라고. 게다가 내 아이도 아닌, 프랑스 무용수의 사생아가 대체 나와 무슨 상관이오? 그 아이가 좋은 벗이 될 거라니?"

"은신처를 찾으셨다면서요. 거기서 조용하고 고독하게 은신하신다면서요. 홀로 지내기에는 너무 지루할 거예요."

"고독이라! 고독!" 그가 화를 주체하지 못하고 소리쳤다.

"아무래도 제대로 설명해야겠어. 그대의 얼굴을 보니 아무엇도 이해하지 못한 것 같으니 말이야. 내가 말하는 은신처는 우리가 같이 갈 은신처요. 나와 함께 고독하자는 뜻이야. 이해했습니까?"

나는 고개를 저었다. 그가 지나치게 흥분한 상태여서, 조금의 부정적인 반응도 큰 위험을 감수할 만큼의 용기가 필요했다. 그는 빠른 발걸음으로 방을 휘젓다가 문득 한곳에 뿌리내린 듯 멈춰 섰다. 그리고 한참이나 나를 뚫어지게 바라보았다. 나는 그의 시선을 피하며 벽난로를 응시했다. 최대한 침착하고 차분하고 싶었다.

"이제야 제인의 성격이 드러나는군." 그가 조용히 혀를 내둘렀다. 얼굴에 떠오른 표정은 생각보다 훨씬 차분하고 나긋했다.

"실타래에 감긴 명주실이 매끄러워 보여도 언제나 매듭과 수수께끼가 매여 있다는 걸 알지. 이제야 튀어나오는군. 짜증과 분노 그리고 끊이지 않는 고민! 제기랄! 나는 삼손의 힘을 빌려서라도 그 얽힌 실타래를 끊어버리고 싶어!"

그가 다시 방 안을 서성이다가 내 앞에서 우뚝 멈춰 섰다.

"제인! 부디 내 말을 들어봐요! (그는 몸을 숙이고 내 귀에 속삭였다.) 내 말을 들어주지 않으면 폭력도 불사하고 싶은 마음이니까."

그의 목소리에 쉿소리가 섞여 있었다. 마치 참을 수 없는 속박을 깨고 방탕한 생활로 돌아가려는 마음을 먹은 듯 얼굴이 야만적이었다. 또다시 그가 흥분한다면 이번에는 그를 말릴 수 없을지도 모르겠다. 지금도 계속해서 흐르고 있는 이 시간과 이 순간이 그를 말리거나 통제할 마지막 순간이었다. 거부하거나 도망가고 무서워하는 태도를 보이면, 이대로 그와 나는 달라진 운명을 걸어야 할지도 모른다. 그러나 나는 그가 두렵지 않았다. 아주 조금도. 오히려 내면에 힘이 차올랐다. 그를 통제하고 지배하는 힘이 나를 지탱해 주었다. 위기의 순간이었으나 조금은 설레기도 했다. 마치 카누를 조종하는 인디언이 급류를 탈 때 느끼는 짜릿함 같았다. 나는 굳게 주먹 쥔 그의 손을 살며시 잡고, 힘이 잔뜩 실린 손가락을 하나씩 펴주면서 다정하게 속삭였다.

"앉으세요. 원하는 만큼 이야기하고, 원하는 대로 들어드릴게요. 그게 합리적이든 비합리적이든."

그는 천천히 자리에 앉았지만 그렇다고 바로 이야기를 시작하지는 못했다. 그사이 나는 쏟아질 것 같은 눈물을 참고 있었다. 그는 내가 우는 모습에 마음이 아플 것이다. 그런 생각에 필사적으로 눈물을 참았다. 그러다가 문득 차라리 마음껏 우는 게 나을지도 모르겠다는 생각이 들었다. 한바탕 눈물을 쏟으면 그가 진정할 테니까. 그래서 마음 놓고 눈물을 흘리기 시작했다.

이내 나를 달래며 진정시키는 차분하고 다정한 목소리가 귓가에 맴돌았다. 이렇게 화를 내면 나도 도저히 마음을 달랠 수 없다고 털어놓았다.

"나는 화가 난 게 아니야, 제인. 그냥 그대를 너무 사랑해서 그래. 당신이 그토록 핏기 없는 얼굴로, 아무 표정도 없이 멍하니 앉아 있는 걸 견딜 수가 없었어. 쉿, 눈물을 멈춰요."

그의 다정한 목소리로 보아, 그가 진정했다는 걸 알 수 있었다. 그래서 나도 조금씩 마음을 다독였다. 그는 내 어깨에 고개를 떨구었지만 나는 허락하지 않았다. 내게 조금 더 가까이 다가오는 그를 밀어냈다.

"제인, 제인." 그가 쓰디쓴 목소리로 슬픔을 담아 내 이름을 불렀다. 그러자 온 신경이 그 목소리에 쏠렸다.

"이제 나를 사랑하지 않아요? 오직 내 지위와 내 아내라는 신분과 내 재산뿐이었소? 내가 그대의 남편이 될 자격이 없다고 생각해서, 내 손길만 닿아도 마치 두꺼비나 원숭이에게 닿은 듯 그렇게 움찔거리는 거요?"

그의 비난에 온몸이 난도질당하는 기분이었다. 하지만 내가 어떻게 해야 좋을까? 무슨 말을 해야 좋을까? 아무것도 하지 않고, 아무 말도 하지 말았어야 했다. 그러나 그의 상처 입은 마음이 아팠고, 그 마음을 치료해 주고 싶은 욕망을 통제할 수 없었다.

"저도 사랑해요. 그 어느 때보다 훨씬 더. 하지만 제 마음을 드러내거나 탐해서는 안 돼요. 제 마음을 표현하는 것도 이게 마지막이에요."

"마지막이라니! 제인! 그게 무슨! 나와 함께 살며 매일 나를 볼 생각을 하지 않았소? 여전히 나를 사랑한다면서 나를 차갑게 밀어내다니?"

"아니요, 결코 그렇게는 안 돼요. 방법은 하나뿐이에요. 물론 제 방법을 말씀드리면 화를 내시겠죠."

"아, 말해요! 내가 화를 내면 그대는 눈물을 쏟으면 되잖아.”

“로체스터 씨. 제가 떠나야 해요.”

“얼마나 오래, 제인? 몇 분이면 될까? 흐트러진 머리를 정리하고 열이 오른 얼굴을 좀 식히고 오겠소?”

“아델과 손필드를 떠나야 해요. 평생 다시는 당신을 만나지 않아야 해요. 낯선 얼굴과 낯선 풍경에서 새로운 삶을 시작해야만 해요.”

“물론이오. 그래야 한다고 내가 말했잖소. 평생 나와 만나지 않는다는 그런 말도 안 되는 소리는 넘어갑시다. 나의 일부가 되어야 한다는 뜻이겠지. 새로운 존재가 되자는 소리잖소. 그건 합당한 말이오. 내 아내가 되어야 해. 정신적으로도, 법적으로도, 로체스터 부인이 되어야 한다는 뜻이지. 내가 살아 있는 한, 나는 이제 한 사람만 지킬 거요. 우리 프랑스 남부로 갑시다. 거기 집이 있어요. 지중해 연안에 있는 하얀 별장입니다. 거기서 행복하게, 내 보호를 받으며, 소박하게 삽시다. 내가 당신을 잘못된 길로 이끌거나, 혹시 그대를 정부로 삼으려는 건 아닐까 걱정하지 마요. 왜 고개를 흔들지, 제인? 그대가 이성적인 판단을 하지 않으면 나는 다시 화가 날 것만 같아.”

그의 목소리에 다시 광기가 어려 떨리기 시작했다. 확장된 콧구멍으로 깊은 숨이 들고 나갔다. 눈이 번들거렸다. 그러나 나는 목소리를 쥐어짜야만 했다.

“부인이 살아 있잖아요. 오늘 아침에 직접 인정하셨잖아요. 당신이 원하는 대로 살기 위해서는 나는 당신의 정부밖에 될 수 없어요. 그게 아니라는 말은 그저 교묘한 거짓말일 뿐이에요."

"제인, 내 불같은 성격을 잊지 마시오. 이미 인내심의 한계를 느끼니까. 나는 차분할 수도 없고 자제력을 발휘하기도 힘들어. 나와 그대에게 동정을 느낀다면, 자, 여기 내 맥박을 짚어봐요. 얼마나 참고 있는지 느껴집니까?"

그가 손목을 드러내 내게 내밀었다. 뺨과 입술에 혈색이 없어지고 낯빛이 점차 어두워졌다. 나는 더 이상 견딜 수 없을 정도로 괴로웠다. 그가 혐오하는 반항심을 어디까지 계속해야 할지, 그를 어디까지 자극해야 할지, 여러모로 서로에게 못할 행동이었다. 그러나 항복은 있을 수 없었다. 인간이 극한 상황에 처했을 때 튀어나오는 본능적인 행동이 뒤따랐다. 나보다 높은 존재에게 도움을 요청하는 일이었다. "신이시여, 우리를 도와주소서!"라는 기도가 저절로 입에서 튀어나왔다.

"아, 내가 멍청했군!" 로체스터 씨가 불현듯 외쳤다.

"그대에게 내가 결혼하지 않았다고만 주장했지, 정작 그 이유는 설명하지 않았어! 그 여자의 성격이나 그녀와의 지옥 같은 결혼에 숨겨진 이야기를 그대에게 하나도 하지 않았다는 걸 잊었소. 오, 제인. 내가 아는 걸 그대도 알게 된다면 분명 나와 뜻을 같이할 거라 믿소. 제인, 내 손을 잡아요. 내 곁에 있는 그대에게 내가 경험한 모든 걸 생생하게, 눈에 그린 것처럼 알려주겠소. 들어줄 수 있어요?"

"원하신다면 몇 시간이라도요."

"정말 몇 분이면 됩니다. 제인, 내가 우리 가문의 장남이 아니라는 걸 들어본 적 있소? 내게 형님이 하나 있었다는 것 말이오."

"페어팩스 부인이 알려주셨어요."

"그리고 우리 아버지가 욕심 많고 탐욕스러운 인간이었다는 건?"

"그것도 들었어요."

"제인, 그런 인간이 우리 아버지였소. 재산을 쪼개고 싶지 않으셨지. 두 형제에게 골고루 분배하고 싶지 않으셨던 거요. 모든 재산이 내 형님인 롤런드에게 갔지. 그러나 차남이 가난뱅이로 전락하는 꼴은 또 보고 싶지 않으셨던 겁니다. 결국 나는 부잣집 딸과의 혼인으로 아버지의 뜻을 이어야 했지. 서인도제도의 농장주이자 상인이었던 메이슨 씨는 아버지와 오래 알고 지낸 사이였소. 아버지는 메이슨가의 재산이 진짜인지, 정말 부유한지 확인했지. 메이슨 씨에게는 아들과 딸이 하나씩 있었고, 딸에게 3만 파운드의 재산을 물려줄 계획이라는 것도 알아냈어. 우리 아버지에게 그 정도면 충분했지. 대학을 졸업한 후에 나는 자메이카로 갔소. 아버지가 결정한 내 약혼녀를 데리러 갔지. 아버지는 신부의 재산에 관해서는 일언반구도 없으셨고, 그저 스패니시 타운에서 이름난 미녀라고만 했소. 거짓말이 아니었어. 잉그램 양과 비슷한 여자였지. 키가 크고 다갈색 피부에 품위가 넘쳤소. 메이슨가에서도 내 지위와 신분이 마음에 들었던 모양이야. 그 여자도 마찬가지였소. 그 집에서 나서서 그 여자를 화려하게 꾸미고 여러 파티에 참석시켰소. 나와 그 여자가 자연스럽게 만날 수 있도록 주선했지. 나와 단둘이 만날 일도 별로 없었소. 그 여자는 만날 때마다 나를 치켜세우고 자신의 매력과 재능을 아낌없이 발휘하며 내 마음을 사로잡았소. 솔직히 말하면, 주변 신사들부터 그녀에게 빠져들었지. 그럴수록 그들은 나를 부러워했고 나도 빠져들었소. 자극되었지. 온 감각이 무뎌지고, 미숙하고 경험 없던 나는 그녀를 사랑한다고 착각했지. 어리석은 경쟁과 음란한 속삭임, 치기 어린 맹목이 사람을 그르치고 잘못된 길로 빠뜨리는 법이잖소. 그녀의 친척들이 나를 부추기고, 경쟁자들은 나를 자극하고, 그녀는 나를 유혹했소. 정신을 차려보니 이미 결혼식이 끝나버렸지. 아, 그때를 생각하면 지금도 내가 너무 한심해. 나를 아무리 경멸해도 벗어날 수 없어. 그녀를 사랑한 적도, 존경한 적도, 제대로 알지도 못한 채 그런 결정을 내려버린 거야. 그녀의 마음이나 태도에는 겸손함, 자비심, 솔직함, 세련됨 같은 건 찾아볼 수 없었소. 그리고 나는 그런 여자와 결혼했지. 내가 얼마나 멍청하고 천박하고 무지했는지! 내게 죄가 있다면 아마도…… 아니야, 내가 누구에게 이야기하고 있는 건지 잊지 말아야지.

신부의 어머니는 한 번도 만나지 못했소. 돌아가셨다고 짐작했지. 신혼여행이 끝나고 나서야 내 실수를 깨달았소. 장모가 된 이는 이미 착란 증세로 정신병원에 갇혀 있었던 거요. 하나 있는 오빠는 세상 멍청한 놈이었지. 그대도 만났던 적 있는 그자도 언젠가 같은 상태가 될 거요. 그 여자의 일가

친척이라면 모두 진절머리가 나지만, 이상하게도 그자는 미워할 수가 없어. 비참한 누이동생에게 그자가 베푸는 관심과 애정 때문인지, 그 옛날 강아지처럼 나를 졸졸 쫓아다니던 때가 기억나서인지 몰라도, 저 나약한 정신머리에도 조금의 애정이 살아 있는 것 같단 말이야. 그리고 내 아버지와 형님은 이 모든 걸 알고 있었소. 고작 3만 파운드에 넘어가 나를 팔아넘기는 계략을 공모한 거지.

끔찍한 깨달음이었소. 하지만 나를 속였다는 사실을 제외하더라도 문제는 여전했소. 그 여자의 성격이 나와 정반대라는 것, 그 여자의 취향이 내게는 불쾌했다는 것, 그 여자의 사고방식이 천박하고, 편협하고, 더 높은 차원으로 혹은 더 넓은 범위로 확대될 능력이 모자란다는 것을 알게 되었거든. 저녁 한번 마음 편히 함께 먹을 수 없다는 것을 알고 나니, 그 여자와는 하루 중 단 한 시간도 편히 보낼 수가 없었소. 친절한 대화는 아예 불가능했지. 내가 어떤 주제로 대화를 시작하든, 그 여자는 야비하고 진부하고 비뚤어지고 어리석은 대꾸를 퍼부었어. 나는 조용하고 안정된 가정을 꾸리기란 불가능하다는 걸 깨달았소. 집안의 어떤 사용인도 그 여자의 난폭하고 불합리하고 터무니없고 모순적이며 까탈스럽기만 한 명령을 견디지 못할 게 분명했으니까. 그래도 나를 최대한 억눌렀소. 그 여자를 비난하거나 꾸짖는 것도 피했어. 내 죄를 내가 삼키고, 그 여자를 향한 혐오감도 억눌렀소. 내가 느낀 깊은 반감마저도 꾸역꾸역 밀어냈지.

제인, 끔찍했던 그때의 기억을 하나하나 꺼내며 그대를 괴룹히지는 않겠소. 그냥 몇 마디 거친 표현으로 내 감정을 표현하고 말지. 3층에 있는 그 여자와 4년을 살았소. 그 시간이 내게는 지옥과도 같았소. 그 여자는 무서울 정도로 빠르게 악화되었소. 악행은 점점 맹렬하게 치달았고, 어찌나 가혹하던지, 더욱 잔인하게 굴지 않으면 막을 수 없을 정도였어. 그래도 잔인하게 굴지는 않았소. 지능이 떨어지는 여자였거든. 그럼에도 그 혐오스러운 성품과 패악질은 날개 돋친 듯 커졌습니다! 수치스러운 여인의 딸 버사 메이슨은 온갖 폭력과 주색에 빠졌고, 자신에게 매여버린 남편에게는 비참하고 굴욕적인 고통을 수도 없이 안겨주었소.

그러는 동안 형이 죽었소. 4년이 가까워질 무렵 아버지도 돌아가셨지. 내게는 충분한 재산이 넘어왔지만, 가난보다 더욱 궁핍하고 처절한 삶이 이어졌소. 내가 본 것 중 가장 추하고, 불결하고, 타락한 본성을 맛보았지. 그런 여자가 나 같은 인간에게 달라붙었고, 법과 사회는 그것을 내게 매듭으로 엮어놓았소. 어떤 법적 절차로도 그것을 떼어놓을 수 없었소. 의사들은 내 아내가 미쳤다고 했소. 그 여자의 난잡하고 광폭한 행동이 광기의 이유라고 했지. 아, 제인, 이런 이야기가 혐오스럽겠지. 안색이 좋지 않아. 나머지 이야기는 다음으로 미룰까?"

"아니, 지금 다 해주세요. 당신이 너무 안쓰러워요. 진심으로 안쓰러워요."

"안쓰럽다니, 제인. 그런 말이 누군가에게는 불쾌하고 모욕적으로 다가오기도 해. 그런 취급을 받으면 언젠가 상대에게 돌려주기 마련이오. 그런 것은 무정하고 이기적인 사람들의 본성에서 피어난 동정이야. 타인의 고민이나 괴로움, 그런 고민을 견디는 상대방을 이해하지 못하고 그저 경멸할 때 나오는 감정이지. 그대가 느끼는 건 고작 안쓰러움이 아니야. 지금 그대의 눈에 눈물이 얼마나 가득한데. 금방이라도 떨어질 것 같아. 숨을 헐떡이고, 맞잡은 손이 덜덜 떨리잖아. 그대가 내게 느끼는 안쓰러움은 곧 나를 향한 사랑이오. 그 마음이 곧 나를 향한 사랑이 되는 거야, 그러니 제인, 부디 마음 놓고 나를 안쓰러워해요. 나도 두 팔 벌려 그대의 동정으로 비롯된 사랑을 맞이할 테니."

"계속 이야기해 주세요. 그래서 그 여자가 미쳤다는 걸 알게 된 다음에 어떻게 하셨나요?"

"제인, 그리하여 나는 절망의 벼랑 끝에 다다랐소. 찌꺼기만 남은 자존심이 깊은 바닥에서 일렁였지. 세상의 눈에 나는 의심할 여지 없이 더럽고 수치스러운 자였소. 그러나 나는 결심했지. 적어도 내 눈에 부끄러운 사람은 되지 말자고. 마지막까지 그 여자가 저지른 악행을 거부하고, 마음의 병과 맺은 인연을 끊어냈소. 그래도 사회는 나의 이름과 인격을 그 여자와 연관시켰지. 나는 매일 그 여자를 보고, 그녀의 더러운 숨결이 섞인 공기를 마셨소. 게다가 한때 내가 그 여자의 남편이었다는 걸 잊지 않으려 했지. 그 기억은 그때도, 지금도, 말로 표현할 수 없을 만큼 끔찍하오. 그 여자가 살아 있는 한, 나는 두 번 다시 다른 여자의, 훨씬 더 좋은 여자의 남편이 될 수 없지. 나보다 다섯 살이나 연상이었고 (그 여자의 가족도, 내 아버지도, 그 여자의 나이를 속였소) 정신은 나가버렸지만 몸은 지나치게 건장한 그 여자는 내가 살아 숨 쉬는 마지막 날까지도 나와 함께 살겠구나 싶었지. 내 나이 스물아홉에 나는 이미 절망의 바닥을 맛보았던 거요.

어느 날 밤, 나는 그 여자의 비명을 듣고 잠에서 깼소. 의사가 미쳤다는 진단을 내린 후로 그녀는 언어 능력까지 상실했지. 서인도제도의 어느 더운 밤이었소. 그 지역 기후가 그래, 허리케인이 오기 전에는 그토록 무덥지. 나는 잠을 이룰 수 없어 자리에서 일어나 창문을 열었소. 공기가 텁텁한 유황 증기 같았어. 상쾌함 같은 건 찾아볼 수도 없었어. 모기는 윙윙거리며 방 안을 날아다니고, 파도치는 소리마저 지진이 난 것처럼 시끄럽게 귀를 때리고, 검은 구름이 바다 위로 가득했지. 달은 마치 뜨거운 포탄처럼 커다랗고 붉게 빛나며 파도 위로 떨어지고 있었소. 곧 불어닥칠 폭풍우를 붉은 달이 일렁거리며 노려보는 것 같았지. 그 분위기에 떨고 있는데, 그 미치광이는 내 이름을 악마의 이름이라도 된 듯 증오를 담아 외치며 욕설을 퍼부었어. 감히 몸을 파는 사람이라도 그보다 심한 욕설을 내뱉지는 못할 거요. 나와 그 여자 사이에 두 개의 방이 더 있었지만, 그 여자의 늑대 같은 울부짖음이 고스란히 들릴 정도였지. 서인도제도 주택의 얇은 벽이 그 여자의 외침을 모두 막아줄 수는 없었던 거야.

나는 마침내 생각했지. '아, 이 삶은 지옥이구나. 이 공기는 지옥의 유황불이고, 저 울부짖음은 지옥에서 울리는 소리구나! 그렇다면 이 지옥에서 벗어날 권리가 나에게 있지. 끝없는 괴로움과 나의 영혼을 짓누르는 무거운 육신에서 벗어나자. 광신도들이 말하는 억겁의 지옥 불도 두렵지 않다. 지금보다 더 나쁜 미래란 존재하지 않아. 나를 벗어나자, 주님의 곁으로 가자!' 무릎을 꿇은 채 빌던 나는 총알이 장전된 권총 두 자루가 들어 있는 상자의 자물쇠를 풀었어. 스스로 생을 끝낼 작정이었지. 그러나 그 마음도 잠깐이었소. 나는 미치지 않았거든. 절망의 절정에 이르렀을 때 들었던 자기 파괴적 살의도 순식간에 사라졌지.

열린 창문으로 유럽에서 불어온 신선한 바람이 밀려 들어왔소. 갑자기 폭풍우가 몰아치고, 비가 쏟아지고, 천둥과 번개가 무섭게 내리치더니 순식간에 숨 막히던 공기가 신선해졌지. 그때 나는 결심했소. 비에 젖은 정원, 물방울이 똑똑 떨어지는 석류와 파인애플 그리고 열대지방의 오색빛깔 새벽빛이 나를 비추는 동안……. 제인, 나는 이런 생각을 했습니다. 그때 나를 위로하고 내가 가야 하는 올바른 길을 제시해 준 건 바로 참된 지혜였소.

유럽에서 불어온 시원한 바람이 싱그러운 나뭇잎을 들썩이고, 대서양은 장엄한 자유의 함성을 힘차게 울어댔소. 오랫동안 말라붙고 타들어 가던 내 마음이 그 울음에 부풀었고, 그 자리를 살아 있는 피로 가득 채웠지. 내 존재는 새롭게 태어나길 갈망했고, 내 영혼은 순수한 생기를 염원했소. 희망이 되살아났고, 다시 살아갈 용기를 얻었지. 정원 안쪽, 한창 꽃이 핀 아치 아래에서 나는 하늘보다 푸른 바다를 응시했소. 저 너머에는 과거의 세계가 펼쳐져 있었고, 내 앞에는 눈부신 미래가 보이는 것만 같았지.

　가자, 희망이 속삭였소. '유럽으로 가서 다시 살아보자. 유럽은 네 이름에 덕지덕지 붙은 더러움도, 구역질 나는 명예도 모른다. 저 미치광이를 영국으로 데려가자. 적당한 사람을 붙여 사고를 미리 방지하고, 저 여자를 손필드에 가둬버리자. 그리고 너는 네가 좋아하는 곳을 자유롭게 여행하며 새로운 사람들을 만나자. 그 여자는 너의 인내심을 오랫동안 가학적으로 시험했고, 너의 이름을 더럽혔고, 너의 명예를 모욕했고, 너의 젊은 날을 망쳤다. 저 여자는 네 아내가 아니다. 나는 저 여자의 남편이 아니다. 그저 저 여자가 보이는 증상에 따라 알맞게 조처하면 그만이다. 그 정도면 너는 너와 주님의 뜻에 따라 할 일을 하는 거다. 저 여자가 어떤 인간인지, 너에게 어떤 존재인지는 잊자. 누구에게도 그 사실을 털어놓지 말자. 저 여자를 안전하고 편안한 곳에, 정신적인 문제까지 꼭꼭 숨기고, 그냥 저 여자에게서 도망치자!'

　나는 희망이 속삭이는 달콤한 유혹을 따랐지. 아버지와 형님은 내 결혼 사실을 주변인에게 알리지 않았거든. 왜냐하면 내가 결혼 후 쓴 첫 편지에서 결혼 사실을 함구해 달라고 부탁했었거든. 이미 극도의 혐오감을 느끼는 상태였고, 메이슨가 사람들의 상태로 보아, 앞으로 다가올 끔찍한 미래가 눈에 훤했으니까. 아버지도 당신이 선택한 며느리의 불미스러운 상태가 예상보다 훨씬 끔찍하다는 것에 부끄러움을 느꼈지. 당연히 누구에게도 내보일 수 없는 여자이니 나만큼이나 그 사실을 숨기려 애썼소.

그리하여 나는 그 여자를 영국으로 데려왔소. 그 끔찍한 괴물과 같은 배에 탔다는 것 자체가 소름 끼치는 일이었지. 마침내 그 여자를 손필드에 내려놓는 순간 얼마나 해방감을 느꼈는지 모릅니다. 3층의 안전한 방에 그 여자를 가두고, 괴물의 소굴이자 도깨비의 감옥을 비밀스럽게 꾸몄소. 그 여자를 돌볼 간병인으로 충성심 있고 믿을 만한 사람을 구하는 게 여간 까다로운 일이 아니었지. 정신 이상 증세가 완연한 그 여자가 분명 나와의 관계를 누설할 게 분명했거든. 게다가 며칠에서 몇 주가량 온전한 상태가 이어지면 그 여자는 나를 미친 듯이 괴롭혔소. 그러다가 마침내, 그림스비 요양원에서 그레이스 풀을 찾아 고용할 수 있었지. 그레이스와 카터는 내가 유일하게 비밀을 털어놓은 두 사람이오. 아, 카터는 메이슨이 칼에 찔린 날 왔던 의사요. 페어팩스 부인도 심상치 않은 분위기를 감지했을 수는 있어. 하지만 정확하게 무엇을 감추는지는 모를 거요. 그레이스는 대체로 훌륭하게 업무를 수행했지. 하지만 그녀에게도 단점은 있었고, 선천적으로 그런 성격을 가졌기에 아예 단점을 고칠 수는 없었소. 그레이스의 경계가 느슨한 틈을 타 사건이 생기기도 했지. 그 미친 여자는 교활하고 악행을 서슴지 않거든. 가끔 그레이스가 한눈을 파는 날이면 영락없이 그 틈을 파고들었지. 한번은 칼을 감추고 있다가 자신의 오빠를 찌르기도 했고, 방 열쇠를 몰래 훔쳐 방에서 빠져나오는 일도 두 번 있었소. 한번은 자고 있던 나를 태워 죽이려고 불을 질렀지. 두 번째는 그대의 침실로 가서 그대를 괴롭혔고. 그때 제인을 지켜주신 주님께 얼마나 감사했는지. 그 여자는 웨딩드레스에 분풀이했어. 아마 자기의 결혼식이 떠올랐는지도 몰라. 무슨 일이 생겼을지도 모른다고 상상하면 지금도 너무 두려워. 오늘 아침에도 내 목을 노리며 달려들던 그 여자의 검고 붉은 얼굴이, 그날 밤 내가 사랑하는 여자의 침대에 올라가 괴롭히는 모습을 상상하면 피가 얼어붙습니다."

"그래서요? 그 여자를 이곳에 감추고 어떻게 하셨어요? 어디로 가셨어요?" 그가 잠시 숨을 고르는 사이 내가 물었다.

"내가 어떻게 했냐고? 나는 도깨비불로 변신했지. 늪지대의 정령처럼 거칠고 무모하게 방황했어. 대륙의 모든 땅을 밟았지. 어떻게 해서든 내가 사랑할 수 있는 착하고 똑똑한 여자를 찾고 싶었어. 손필드를 떠나며 느꼈던 분노의 상대와 정확히 정반대의……."

"하지만 결혼을 또 할 수 없잖아요."

"결혼을 다시 할 수 있고, 또 그래야만 한다고 나 자신에게 단언했지. 그대를 속인 건 맞지만, 처음부터 속일 생각은 없었소. 내 이야기를 솔직히 털어놓고, 당당하게 청혼하고 싶었어. 나도 누군가를 사랑하고, 사랑받는 게 잘못은 아니잖소. 분명 누군가는 내가 짊어진 저주를 이해하고, 나를 흔쾌히 받아주리라 믿어 의심치 않았지."

"그래서요?"

"이렇게 캐묻는 그대를 볼 때면 늘 웃음이 새어 나와. 욕심 부리는 새처럼 눈을 동그랗게 뜨고, 기다리는 답이 빨리 돌아오지 않으면 답답한 마음에 안절부절못하거든. 그래, 내 대답을 기다리기가 초조해서, 어떻게든 내 마음을 읽어보겠다는 심산이지. 하지만 이야기를 계속하기 전에 부탁이 있어. '그래서요?'라고 자꾸만 물어봤으면 해. 그대가 자주 쓰는 말투거든. 그리고 그 말을 들으면 나도 모르게 내 이야기를 풀어놓게 돼. 이유는 나도 모르겠지만."

"그러니까, 제 말은…… 그다음요, 어떻게 됐어요? 그래서?"

"그래, 바로 그렇게 말이야! 그대가 궁금한 게 무엇인데?"

"좋아하는 사람을 찾았는지, 그 사람에게 청혼했는지, 상대는 답했는지……."

"내 마음에 들어온 사람을 만났는지, 청혼했는지 전부 말해줄 수 있지. 하지만 상대방의 대답이 어땠는지는 이제 운명의 여신이 알려줄 거요. 10년이란 긴 세월을 나는 여러 곳을 방랑하며 보냈소. 이 나라의 수도에서 저 나라의 수도로, 가끔은 상트페테르부르크였고, 주로 파리에 머물렀지. 이따금 로마, 나폴리, 피렌체에 가기도 했어. 돈은 넉넉했고 내 이름의 여권이면 어디든 갈 수 있으니까. 내가 교류하고 싶은 사람들을 고를 수 있었고, 나를 거부하는 곳은 없었지. 영국의 숙녀, 프랑스의 백작 부인, 이탈리아의 아가씨들, 독일의 귀부인 속에서 나만의 이상적인 여인을 찾았소. 하지만 내 마음을 빼앗은 이는 없었지. 때로는 찰나의 순간, 내 꿈을 이루어줄 여인의 시선이나 어투, 모습을 발견할 때도 있었어. 하지만 그건 모두 허상에 불과했지. 내가 성품과 외모, 모든 면에서 완벽한 사람을 찾은 게 아니냐고 반문할 수 없을 거요. 왜냐하면 나는 그저 크리올 혼혈과 정반대인 사람을 찾을 뿐이었어. 그게 얼마나 허황된 꿈이었는지. 그 모든 여인 중에서도 내가 자유의 몸이었다고 해도 청혼하고 싶은 사람은 없었소. 어울리지 않는 결합에 대한 혐오감이나 공포를 이미 너무 깊이 체득했기 때문일까. 실망감이 찾아오자, 나는 무모해졌지. 하지만 사치스러운 낭비를 일삼았어도 방탕하게 살지는 않았소. 그건 내 체질과 맞지 않아. 내가 혐오하는 인간상이었고, 그렇게 살 수도 없어. 서인도제도에서 만난 끔찍한 악녀 메살리나의 현신이 그렇게 살았으니까. 그걸 곁에서 지켜본 나는 뿌리 깊은 혐오감을 느꼈고, 그 혐오감으로 인해 방탕함과는 거리가 먼 삶을 살 수밖에 없었던 거지. 방탕하게 산다는 건, 내게는 곧 그 여자의 악행과 비슷해진다는 걸 의미했어. 당연히 피할 수밖에.

그러나 혼자 살 수는 없는 노릇이었지. 그래서 여러 정부를 두었소. 내가 선택한 첫 정부는 셀린 바렝이었지. 어리석기 짝이 없는 선택이었지. 그녀가 어떤 여자였는지, 그녀와의 관계가 어떤 결말을 가져왔는지를 떠올리면 말이야. 그대도 그 이야기는 알고 있지. 그다음에 두 사람을 더 만났지. 이탈리아 사람인 지아신타와 독일 사람인 클라라였어. 둘 다 아름다웠지. 그러나 두 사람의 아름다움도 몇 주가 지나자 내게는 의미 없는 것이 되었소. 지아신타는 부도덕하고 폭력적이었어. 석 달 만에 관계를 끝냈지. 클라라는 정직하고 조용했지만, 너무 진지하고 분별없고 감흥이 없었어. 내 취향과 전혀 맞지 않은 여인이었지. 나는 그녀가 좋은 직업을 가질 수 있도록 충분한 돈을 주고 관계를 정리했어. 제대로 끝을 맺어서 오히려 기뻤지. 아, 제인, 그대의 표정을 보니 지금 나는 엄청난 불한당인가 보군. 내가 무정하고, 부도덕한 바람둥이라고 생각하는 거야, 그렇지?"

"처음 같은 감정으로 당신을 볼 수는 없어요. 이 여자, 저 여자를 바꿔가며 만나는 게 조금도 잘못된 일이 아니라는 듯 말씀하시잖아요. 그렇게 사는 게 정말 옳다고 생각하세요?"

"그냥 그렇게 살 수밖에 없었어. 물론 나도 그게 좋지는 않았지. 비굴하게 생존하는 법이었어. 절대 그런 삶으로 돌아가고 싶지 않아. 정부를 두는 건, 노예를 사는 것 다음으로 나쁜 짓이야. 둘 다 나보다 열등하고 지위가 낮은 사람을 돈으로 부리는 짓이니까. 그런 삶을 살다 보면 나도 함께 열등해지지. 지금은 셀린, 지아신타, 클라라와 함께 보낸 시간을 떠올리는 것도 싫어."

그의 진심이 느껴졌다. 그리고 확실한 결론을 끌어냈다. 만약 내가 나를 잊고, 지금껏 살아오면서 배운 모든 것을 잊고, 어떤 구실을 정당화하고 유혹에 넘어가 버린다면, 그리하여 이 불쌍한 여인들의 다음 순서가 되고자 한다면, 로체스터 씨는 지금 그의 마음을 더럽히는 기억을 되새기듯, 나를 떠올리면서도 비슷한 감정을 느끼리라는 것이었다. 그러나 이 확신을 굳이 입 밖으로 꺼내지는 않았다. 그저 내가 깨달은 것만으로 충분했다. 내 깨달음을 가슴속에 굳게 새길 뿐이었다. 시련이 닥치면, 내 결심이 큰 도움이 되리라.

"제인, 왜 '그래서요?'라고 묻지 않지? 아직 이야기가 끝나지 않았는데, 표정이 퍽 진지해. 아직도 나를 못마땅한 놈이라 여기는군. 알겠소, 본론으로 넘어갑시다. 지난 1월, 나는 의미 없고 고독하고 방랑한 삶의 결과로 생긴 모든 관계를 끊었소. 쓸쓸하고 괴로운 심정이었고, 모든 인간관계가 부질없다는 생각에 빠져 영국으로 돌아왔어. 특히 내가 꿈꾸던 똑똑하고 정직하고, 애정이 넘치는 여인은 결코 만날 수 없는 이상향이라는 사실을 깨달았지.

서리가 내리던 겨울 오후, 나는 손필드 저택을 바라보며 말을 몰았소. 아, 구역질 나는 이 집! 내게 평화도, 기쁨도 주지 않는 곳이지. 그런데 헤이 마을로 통하는 오솔길에서 나무 울타리에 조용히 앉아 있는 한 여자를 발견했지. 처음에는 가지 친 버드나무 앞을 지날 때처럼 크게 시선을 두지 않고 그 곁을 스쳐 갔어. 그 순간, 그 모습이 내게 커다란 의미가 되리라고는 전혀 느끼지 못했어. 내 인생의 심판자이자, 선과 악을 가르는 존재가 그렇게 자그마한 모습으로 나를 기다리고 있을 거라고는 조금도 예상할 수 없었거든. 말이 넘어지면서 사고가 났고, 그 존재가 내게 다가와 진지한 말투로 나를 도와주고 싶다고 했을 때도 나는 몰랐어. 그토록 어리숙하고 가냘픈 존재라니! 마치 작은 새 한 마리가 내게 날아와 내 발에 올라타고는 그 작디작은 날개로 내 온몸을 품어주겠노라 종알대는 기분이랄까! 솔직히 일부러 심술궂게 대했지. 그래도 그 작은 새는 물러나지 않고 이상하게 끈기를 보였어. 그 모습이 기이하게도 권위와 위엄이 가득했지. 결국 나는 그 작은 새의 도움을 받아야 하는 처지였던 거야. 어쩔 수 없는 노릇이었지.

그렇게 그 가냘픈 어깨에 슬쩍 기대는 순간, 새로운 무언가가, 신선한 기운과 감각이 내 몸에 스며드는 기분이었소. 이 요정은 반드시 내게 와야만 한다는 계시랄까. 그 존재가 내 집, 내 지붕 아래에 산다는 걸 아니까 내 손을 놓고 소박한 울타리 너머로 사라져도 아쉽지 않았어. 제인, 그대는 몰랐겠지만, 그날 밤 나는 그대가 돌아오는 소리를 들었소. 그대는 아마 내가 그대를 생각하거나 지켜본다는 사실도 몰랐겠지. 다음 날도 나는 숨어서 그대를 30분 정도 지켜봤어. 복도에서 아델과 놀아주는 모습이었지. 기억하기로 눈이 많이 내려서 아델을 데리고 밖에 나갈 수가 없었던 것 같아. 방에 있었는데, 문을 살짝 열어두었지. 그래서 목소리를 듣고 모습도 지켜볼 수 있었어. 아델이 순간순간 그대의 관심을 끌어도, 그대는 어딘가 모르게 생각에 잠겨 있었어. 하지만 나의 제인, 그대는 아델에게 시선을 떼지 않고 아주 오랫동안 아이의 말벗이 되어주고, 놀이 친구도 되어주었지. 마침내 아이가 떠나자, 그대는 단박에 깊은 생각 속으로 잠겨 들어갔어. 천천히 복도를 거닐고, 때로 창문을 지날 때면 창밖으로 무겁게 쌓이는 눈을 지켜보았지. 흐느끼는 바람에 귀를 기울이고 다시 발걸음을 옮기면서도 무슨 생각을 그리 곰곰이 하던지. 그날 그대가 빠져 있던 몽상은 그리 어두운 그림은 아니었던 모양이야. 때때로 눈빛이 즐겁게 빛났고, 부드러운 설렘이 얼굴에 비쳤거든. 괴롭거나 비관적이거나 우울한 사람은 아니라는 뜻이지. 그대의 표정은 희망의 날개를 펼쳐 이상향의 천국으로 날아오르는 청춘의 달콤함이었어. 그때 복도에서 하인을 부르는 페어팩스 부인의 목소리가 그대를 깨웠어. 그리고 혼자 배시시 웃고 마는데……. 아, 제인! 그 미소가 얼마나 의미심장하면서도 개운하던지. 그대는 마치 이렇게 말하는 것 같았소. '내 몽상은 근사하고 환상적이지만, 비현실적이라는 걸 잊어서는 안 돼. 장밋빛 하늘과 푸른 꽃이 만발한 에덴동산이 내 머릿속에 살아 숨 쉬고 있지만, 나는 현실에서 나아가야 할 자갈길과 곧 불어닥칠 폭풍우를 잊어서는 안 돼.' 그리고 그대는 아래층으로 내려갔지. 페어팩스 부인에게 도와드릴 일이 없느냐고 물었어. 아마 가계부 정리 같은 것이었던 것 같아. 그대가 그렇게 사라지자, 왠지 모르게 속이 타더군.

초조하게 저녁이 오기만 기다렸지. 그때 그대를 부를 수 있으니까. 내게는 너무나 생소하고 완벽하게 새로운 인물이 었거든. 더 알고 싶어졌어. 더 깊이 탐구하고 싶었어. 그대는 수줍어하면서도 당당한 표정과 태도로 응접실에 들어왔소. 지금처럼 유난스러운 옷차림으로 말이야. 그대와 몇 마디 나 눠보니 이상하게 겉모습과 내면이 달랐어. 옷차림이나 태도 는 수수하고 엄격한데 하는 행동이나 말은 영 쑥스럽고 본질 적으로 기품이 느껴졌어. 자칫 실수하거나 사람들 눈에 띄 는 게 두려운 모양인지 사람을 대할 때도 어색해서 어쩔 줄 모르는 게 보였어. 하지만 대화하다 보면 느껴져. 그대는 대 담하고 열정적인 눈빛으로 상대를 바라보곤 해. 나를 응시하는 눈빛 한 번에 내 모든 걸 꿰뚫어보는 힘이 대단했지. 아슬 아슬한 질문을 쏟아부어도 그대는 솔직한 태도로 마치 준비 했던 것처럼 막힘없이 답했어. 금방 나라는 인간에게 익숙해 진 느낌이었어. 까탈스럽고 무뚝뚝한 주인과 그대 사이에 어 떤 공감대가 존재한다는 걸 느낀 것처럼 말이야. 제인, 그대 의 태도가 그토록 편안하고 유쾌하게 바뀌는 모습을 지켜보 는 건 내게는 너무도 놀라운 순간이었지. 내가 아무리 성질 을 부려도, 놀라움, 두려움, 짜증, 불만이 뒤섞인 내 변덕스러 운 태도를 전혀 개의치 않아 하더군. 나를 그저 지켜보고, 때 로는 내가 설명할 수 없는 단순하면서도 우아한 태도로 그냥 미소를 지어 보였어. 그 모습이 어찌나 설레던지. 더 보고 싶 을 정도였지. 하지만 그 후로 한참이나 그대는 나를 멀리했 고, 나도 그대를 거의 찾지 않았어. 나는 지적 쾌락주의자였 고, 새롭고 흥미로운 인연이 찾아온 느낌을 오래도록 누리 고 싶었어. 게다가 꽃을 함부로 다루면 금방 시들어 버릴지 도 모른다는 두려움에 시달리던 차였어. 신선하고 향기로운 매력이 나로 인해 금방 사라지면 어떡하나 하는 마음으로. 그때는 그대가 잠깐 피는 꽃이 아니라, 파괴할 수 없는 보석 에 새겨진 꽃이라는 걸 몰랐던 거지. 게다가 궁금하기도 했 어. 만약 내가 그대를 피하면 그대가 먼저 나를 찾아올까? 하 지만 그러지 않았지. 그대는 책상이나 이젤처럼 교실에서 꼼 짝도 하지 않더군. 우연히 마주치면 최소한의 인사만 건네고 사라지는 거야. 그때 그대는 늘 사색에 잠긴 표정이었어. 병 약한 모습은 아니었지만, 희망도 없고 즐거움도 설렘도 보이지 않았지. 나는 그대가 나를 어떻게 생각하는지, 혹시 내 생각을 한 적은 없는지 궁금했어. 결국 직접 알아내는 수밖에 없었어. 그래서 그대에게 다시 관심을 기울였지. 이야기를 나눌 때면 그대의 눈빛에는 알 수 없는 기쁨이 서렸고, 나를 향한 태도는 다정하기 그지없었어. 내게 호감을 품었다는 걸 바로 알아차렸지. 그대는 그저 지루한 일상과 좁고 고독한 교실에 틀어박힌 삶이 슬펐던 거야. 나는 그대에게 자상하게 대하며 즐거움을 만끽했지. 상냥하게 대하면 상대도 상냥해지니까. 그대의 표정도 한결 부드러워지고, 말투도 다정해지더군. 그대의 입술이 내 이름을 다정하게 불러주면 가슴이 벅찼어. 그 무렵 그대를 우연히 만나는 게 얼마나 기뻤는지. 하지만 그대의 태도에는 묘한 망설임이 있었어. 약간은 곤란하다는 표정으로 나를 힐끗거렸지. 내 변덕이 어디서 기인한 것인지 궁금해하는 눈치랄까. 내가 주인처럼 엄격하게 굴지, 친구처럼 다정하게 굴지 좀처럼 종잡을 수 없으니 답답했던 것 같아. 나는 그냥 그대가 좋았어. 그래서 유독 변덕스럽게 굴었던 것 같기도 해. 내가 진심으로 손을 내밀면, 그대의 앳되고 처연한 얼굴에 꽃이 피고 빛이 번지고 행복이 물들었어. 그럴 때마다 그대가 내 마음에 들어오는 걸 막으려고 얼마나 애를 썼는지……."

"그때의 이야기는 그만해요." 내가 눈물을 닦으며 그의 입을 막았다. 그의 고백은 고문과도 같았다. 앞으로 어떻게 해야 할지를 알기에, 곧 통보해야 할 이별이 생각나서 더욱 힘들었다. 그의 절절한 마음과 회상과 고백은 내 결심을 더욱 어렵게 만들 뿐이었다.

"그래요, 제인." 그가 고개를 저었다. "과거보다 지금이 이렇게 확고하고, 지금보다 미래가 이렇게 밝으니 굳이 과거에 집착할 필요는 없겠지?"

열정이 가득한 그의 무지에 나는 몸서리치며 물러섰다.

"이제 좀 알겠소?" 그가 다시 물었다. "내 청춘과 젊음의 절반은 말할 수 없는 비참함과 음침한 고독이었어. 이제야 마침내 내가 진정으로 사랑하는 사람을 만난 거요. 바로 그대를 찾은 거야. 그대는 나의 동정심이자, 더 나은 자아이자, 선한 천사야. 우리는 강력한 운명처럼 서로에게 얽매였지. 그대는 선하고, 재능 있고, 사랑스러워. 열렬하고 진심 어린 사랑이 내 마음을 가득 채우고 있소. 그 마음이 그대에게 기울고, 내 삶의 중심을 세우고, 활기를 틔우고, 내 존재로 그대를 감싸고, 순수하고 강력한 불꽃을 틔우며 그대와 나를 하나로 만들어주는 거야.

이런 마음으로 그대와 결혼을 결심한 거야. 말했다시피 그여자는 그저 의미 없는 조롱에 불과해. 그대는 내가 끔찍한 남자라는 걸 알잖소. 물론 그대를 속이려고 한 건 잘못이라는 걸 알아. 하지만 그대가 엄격하고 완고한 성격이라는 걸 아니까 털어놓을 수가 없었소. 처음부터 나에 대한 편견이 생길까 봐 두려웠어. 나는 그대를 안전하게 지키고 싶었던 것뿐이야. 비겁했다는 거 압니다. 처음부터 그대의 고결하고 관대한 성품에 호소했어야 해. 고통스러웠던 내 삶을 솔직히 털어놓고, 더 가치 있고 더 의미 있는 삶을 추구하고 싶은 나의 동경을 설명했어야 해. 결심이 아니야. (결심으로는 부족해.) 내 마음은 그대에게 충실하고, 한결같이 사랑하고 사랑받고 싶은 이 마음은 어떤 갈증이자 목적이야. 그걸 처음부터 설명했어야 해. 그리고 내 충성의 맹세를 받아달라고, 그리하여 그대도 나와 같은 맹세를 해주길 바랐어야 해. 그러니 제인, 이제 내게 말해주겠어?"

무서운 침묵이 흘렀다.

"제인, 왜 아무 말이 없어?"

나는 참담한 마음으로 고뇌했다. 뜨겁고 강철처럼 단단한 손이 내 생명줄을 옥죄는 기분이었다. 끔찍한 순간이었다. 투쟁과 어둠, 불타는 것들이 가득한 순간이었다! 지금까지 그 어떤 인간도 나보다 사랑을 갈구하는 이는 없었을 것이다. 나는 나를 사랑해 준 그를 절대적으로 숭배했다. 그러나 그 사랑도, 나의 숭배도 거부할 수밖에 없다. 도저히 받아들일 수 없는 의무가 외마디 비명처럼 내 마음에 울려 퍼졌다. '떠나야 해!'

"제인, 내가 원하는 게 무엇인지 이제 이해합니까? 약속만 해주시오, '전 영원히 당신 것이에요, 로체스터 씨'라고."

"로체스터 씨, 저는 당신 것이 될 수 없어요."

다시 한번 물러나지 않는 침묵이 이어졌다.

"제인." 마침내 그는 입을 열고 내 이름을 속삭였다. 너무도 절절한 목소리였다. 나를 슬픔으로 주저앉히고, 불길한 두려움으로 감싸는 목소리였다. 온몸이 돌처럼 굳어버릴 것 같은 목소리였다. 사자의 숨소리와 같은 절절함이었다. "제인, 나와 다른 길을 가겠다는 겁니까?”

“네.”

그가 허리를 숙이고 나를 끌어안았다. “제인, 이래도 갈 겁니까?”

“네.”

“이래도?” 그가 내 이마와 뺨에 부드럽게 입을 맞췄다.

“네.” 나는 그의 품을 밀치고 재빨리 뒤로 물러났다.

“아, 제인. 내게 이런 고통을! 이런, 이런 아픔이라니, 나를 사랑하는 게 불의라도 되는 것처럼.”

“당신을 따르는 건 부정한 짓이에요.”

그가 다시 한번 눈살을 찌푸렸다가 잔인한 눈빛으로 돌변했다. 당당하게 허리를 세우고 일어났지만 끝내 분노를 억눌렀다. 나는 의자 등받이에 손을 짚고 떨리는 몸을 지탱했다. 몸이 사정없이 떨리고 두려웠지만 의지를 굳게 다잡았다.

“잠깐만, 제인. 떠나기 전에 한 번만, 앞으로 내게 닥칠 끔찍한 삶을 상상해 봐요. 내게 남은 모든 행복이 당신과 함께 사라지는 거요. 내게 남은 건? 위층에 있는 그 미치광이 여자만이 내게 남은 전부요. 차라리 교회 묘지의 시체라도 내게 던져주고 가요. 내가 대체 어떻게 해야 하지? 제인, 어디 가서 친구와 희망을 찾으란 말이야?”

“저처럼 버티세요. 주님과 자신을 믿어요. 천국을 믿어요. 그곳에서 우리가 다시 만나길 기도해요.”

“이렇게 가버리겠다고?”

“가야 해요.”

“나더러 비참하게 살다가 죽어버리라는 뜻인가?” 그의 목소리가 높아졌다.

“흠결 없는 삶을 살다가 평온하게 잠드시길 바랄게요.”

“내게서 사랑과 순수함마저 빼앗아 간다면서? 나를 정열뿐인 욕망과 악행으로 가득한 삶에 던져버리고!”

“로체스터 씨, 운명을 당신의 어깨에 싣는 것도, 운명을 억지로 제 것으로 만들려고도 하지 않을래요. 사람은 모두 치열하게 싸우고 인내해요. 저도, 당신도요. 아마 제가 당신을 잊기 전에, 당신이 먼저 저를 잊을 거예요.”

“그런 말로 나를 거짓말쟁이로 만들지 마. 그대가 내 명예를 더럽히는군. 난 절대 변하지 않으리라 다짐했어. 그런데도 나를 똑바로 보면서 내가 금방 변할 거라고 말해. 그대의 판단이 얼마나 잘못되었는지, 그대의 생각이 얼마나 틀렸는지, 그 행동으로 말해주는군. 법을 어기는 것보다 사랑하는 나를 절망에 빠뜨리는 게 더 낫다고 봅니까? 법 좀 어긴다고 누가 다치기라도 해? 나와 함께한다고 반대하거나 득달같이 달려올 친척도, 지인도 없잖아!”

그의 말이 맞았다. 그가 내 양심과 이성을 찔러대는 동안, 내 양심과 이성은 나를 배신하고 그를 밀어내는 게 죄악이라 외쳐댔다. 격렬한 외침이었다. ‘그를 버리지 마! 그의 처절함을 생각해. 혼자 남은 그가 얼마나 위태로울지 상상해. 무모한 사람이야. 절망에 빠지면 더욱 무모해질 거야. 잘 달래고, 구해주자. 사랑해 주자. 그를 사랑하고, 영원히 그의 것이 되고 싶다고 말해. 이 세상에 이 남자 말고 누가 널 사랑해 주겠

어? 그를 사랑한다고 누가 상처받겠어?'

그러나 동시에 뜻을 굽히지 않는 목소리가 들려왔다. '내가 나를 사랑한다. 친구 하나 없이 고독하고 외롭고 의지할 곳 하나 없는 상태일수록, 나는 나를 더 존중한다. 나는 주님의 법을 지켜야 한다. 인간이 만든 법을 지키며 살아야 한다. 지금처럼 정신이 온전할 때 나 자신과 약속한 원칙을 따라야 한다. 법과 원칙은 유혹이 없을 때 지키라고 만든 것이 아니다. 지금처럼 몸과 마음이 이성에 반항하고 감정적으로 굴 때를 대비해 세우는 것이다. 엄격하게 조건 없이 따라야 하는 것이다. 내 마음에 따라, 상황을 보면서 깨고 붙일 것이었다면, 법과 원칙이 애초에 무슨 가치가 있단 말인가? 법과 원칙의 가치를 떠올리자. 그렇게 늘 믿고 살아왔으니까. 지금 믿음이 부족한 이유는 내가 미쳤기 때문이다. 내가 제정신이 아니기 때문이다. 온몸의 피가 끓고 심장이 터질 듯 뛰기 때문이다. 그러므로 내 결심과 판단을 따라야 한다. 지금 이 순간, 내가 믿고 의지해야 하는 것이다. 이제 움직여야 한다.'

나는 내 의지를 따랐다. 내 얼굴을 뚫어져라 노려보던 로체스터 씨가 내 마음을 눈치챘다. 그의 격정이 최고조에 다다랐다. 그가 찰나의 감정을 이기지 못하고 뒤따르는 감정에 굴복했다. 성큼성큼 내게 다가와 힘껏 내 팔을 붙잡고 허리를 강하게 끌어안았다. 이글거리는 눈빛이 나를 집어삼킬 듯 노려보았다. 그의 품은 마치 용광로처럼 불타오르고, 나는 한낱 힘없고 말라비틀어진 지푸라기처럼 무력하게 이끌렸다. 그러나 아직 나의 영혼이 숨 쉬고, 나의 영혼이 존재하는 한 나는 안전했다. 다행히도 나의 영혼은 내 의지를 전할 능력을 갖추고 있었다. 의식하지 않아도 내 눈을 통해 내 뜻을 진실하게 전달했다. 나는 고개를 들어 그와 시선을 맞추었다. 붉게 달아오른 그의 얼굴을 천천히 살피자 나도 모르게 한숨이 새어 나왔다. 나를 끌어안은 그의 몸이 나를 아프게 짓눌렀고, 이미 가진 힘을 다 쏟은 나는 기절할 듯 피곤했다.

그는 이를 악물며 중얼거렸다. "이렇게 연약하면서도 이렇게 꺾이지 않아. 내 손아귀에 쥔 그대는 고작 한 줄기 갈대처럼 연약한데!" 그가 나를 힘껏 잡았다. 나는 그의 손길에 하염없이 흔들렸다. "고작 이 정도로, 손가락 두 개로도 꺾일 것 같아. 차라리 내가 꺾어버리면, 내가 부숴버리면, 내가 짓이겨 버리면 될까? 눈은 또 어떻고. 결연하고 사납고 자유로운 눈은 또 어떻고. 아, 용기보다 더한 결심으로 내게 반항하겠다네. 진정 승리했노라 말하는군. 이 영혼을 가둔 육신을 내 멋대로 부숴도 절대 가질 수 없구나. 야생의 아름다운 존재여! 아무리 이 연약한 감옥을 부숴도, 오직 그 안에 갇혀 있던 그대를 자유롭게 풀어줄 뿐이니. 흙으로 무덤을 만들어 영원히 가두고 싶어도, 내가 주인이라 외치기도 전에 그대는 이미 천국으로 도망가겠지. 정작 내가 원하는 건 그대인데, 의지와 생명력, 가치와 순수함을 지닌 그대인데. 그대의 연약한 껍데기가 아니라, 그 안에 살아 숨 쉬는 영혼까지 원하는데. 제인, 그대가 진심으로 원해야 부드럽게 날아와 내 품에 안기겠지. 내가 억지로 붙잡는다면 그대는 늘 그렇듯 내 손을 피해 사라지겠지. 내가 그대의 향기를 맡기도 전에 모래알처럼 흩어지겠지. 제발, 제인!"

그가 한참을 중얼거리다가 문득 손에 힘을 풀고 나를 바라보았다. 격렬하게 화를 내고, 잔뜩 굳어 있던 눈빛보다 훨씬 견디기 힘든 시선이었다. 그러나 바보처럼 이제 와 굴복할 수는 없다. 나는 용기를 내 맞섰고, 그의 분노를 꺾었으며 이제는 그의 애절함을 외면해야 한다. 그렇게 나는 조금씩 문을 향해 물러섰다.

"떠날 겁니까, 제인?"

"네, 떠날 거예요."

"나는 여기 버려두고?"

"네."

"돌아오지 않을 겁니까? 나를 위로하고 나의 구원자가 되어주지 않을 겁니까? 내 진심이 담긴 사랑과 찢어지는 고통과 필사적인 기도도 그대에게는 아무것도 아닌 겁니까?"

그의 목소리에는 말로 표현할 수 없는 절절함이 끓고 있었다.

"가야 해요."

"제인!"

"로체스터 님."

"그럼 가요……. 보내주겠소. 하지만 기억해요, 그대는 나를 고통 속에 남겨두고 간다는 걸. 방으로 올라가 내 말을 한 번만 다시 생각해요. 제인, 내 고통을 한 번만 다시 바라봐요. 나를……나를 생각해요."

그가 돌아섰다. 그리고 소파에 무너지듯 쓰러져 고개를 파묻었다. "아, 제인. 나의 희망. 나의 사랑. 나의 삶!" 그의 입술 끝에서 고통스러운 목소리가 흘러나왔다. 그의 중얼거림은 금세 깊고 벅찬 흐느낌으로 바뀌었다.

나는 이미 문에 다다랐다. 그러나 독자여, 나는 돌아갈 수밖에 없었다. 도망칠 때처럼 굳은 의지로 그에게 걸어갔다. 나는 그의 곁에 무릎을 꿇고, 그의 얼굴을 들어 올렸다. 그의 뺨에 입을 맞추고, 그의 헝클어진 머리카락을 부드럽게 쓸어 올렸다.

"주님이 당신 곁에 머무시길, 나의 사랑하는 주인님!" 내가 속삭였다. "부디 위험과 잘못으로부터 당신을 보호하시옵고, 당신을 바른길로 인도해 위로하시고, 내게 베푼 친절에 보답을 내려주시기를."

"제인의 사랑만이 최고의 보답인걸." 그가 거친 목소리로 대답했다. "그대의 사랑이 없으면 내 심장은 갈기갈기 찢어지고 말겠지. 그러니 제인, 부디 사랑을. 그 고귀하고 관대한 사랑을……."

그의 안색이 순식간에 붉게 물들었다. 두 눈에 다시 한번 광채가 이글거렸다. 그는 벌떡 일어나 나를 향해 팔을 뻗었다. 순식간에 몸을 틀어 그의 손길을 피한 나는 급히 뛰쳐나오고 말았다.

하지만 그를 떠나며 나는 진심을 담아 마음속으로 외쳤다. '안녕히!' 절망스러운 작별이었다. '부디, 영원토록, 안녕히.'

*

그날 밤, 잠에 들 생각은 없었으나 침대에 눕는 순간 나도 모르게 깊은 잠에 빠졌다. 어린 시절이 꿈속에서 펼쳐졌다. 나는 게이츠헤드의 붉은 방에서 자고 있었다. 어두운 밤, 내 마음은 기이한 두려움으로 두근거렸다. 오래전 그 방의 빛이 다시 떠올랐고, 빛은 벽을 타고 오르며 천장 가운데에 잠시 멈춰 흔들렸다. 나는 고개를 들어 그 빛을 바라보았다. 빛은 곧 사라질 흐릿한 구름 속을 헤치고 드러날 달빛처럼 빛났다. 나는 달이 모습을 드러내기를 기다렸다. 불길한 예감이 찾아올 것만 같은 기분이었다. 달은 새벽에 이르러서야 구름 사이로 모습을 드러냈다. 손 하나가 검은 주름을 뚫고 나와 주변 달무리를 이루던 구름을 쫓아냈다. 그리고 달이 아니라 하얗게 빛나는 인간의 형체가 푸른 하늘에 모습을 드러내 거룩한 이마를 지상으로 숙였다. 그것이 나를 바라보고, 또 바라보았다. 그리고 내 영혼에 말을 걸어왔다. 그 목소리는 헤아릴 수 없을 만큼 멀었지만, 내 마음속에서 울려 퍼지듯 가까웠다.

"내 딸아, 유혹을 피하거라."

"네, 어머니. 그럴게요."

환상과도 같은 꿈에서 깨어나며, 나는 입 밖으로 소리 내 중얼거렸다. 아직 어둠이 남은 시간이었지만, 7월의 밤은 짧다. 자정이 지나면 금세 새벽이었다. '해야 할 일을 실천하기에 그리 이른 시간은 아니야.' 나는 속으로 생각했다. 그렇게 자리에서 일어났다. 옷은 입고 있었으므로 신발만 신었다.

서랍에서 리넨 속옷과 목걸이, 반지를 찾아 챙겼다. 그러다 문득 얼마 전 로체스터 씨가 내게 억지로 안겨준 진주 목걸이를 발견했다. 목걸이는 그대로 남겨두었다. 그건 내 것이 아니었으므로. 그건 허공에서 녹아내린 환상 속 신부의 것이다. 내 짐만 작은 가방에 따로 꾸렸다. 내가 가진 전 재산이라곤 20실링이 전부였지만 지갑도 꼼꼼하게 챙겼다. 밀짚모자 끈을 단단히 묶고, 숄을 핀으로 고정한 다음, 구두를 챙겨 조용히 방을 빠져나왔다.

"안녕히 계세요, 다정한 페어팩스 부인!" 그녀의 방을 지나며 나는 속삭였다. "잘 크렴, 소중한 아델!" 역시 아이 방을 바라보며 속삭였다. 차마 방에 들어가 아이를 안을 수 없었다. 귀가 밝은 아이라서 이렇게 인사하는 것도 위험했다. 아마 지금도 내 속삭임을 듣고 있을지 모른다.

로체스터 씨의 침실은 멈추지 않고 지나칠 계획이었다. 그러나 방문을 바라보는 순간, 심장이 덜컥 내려앉는 바람에 발걸음도 멈춰야 했다. 문 너머로 누군가 자는 기색은 없었다. 하염없이 방을 서성이는 발소리가 들렸다. 귀를 기울이니, 그는 몇 번이나 무거운 한숨을 내쉬고 있었다. 이 방 너머에 나만의 천국이 있다. 물론 잠깐의 천국이겠지만, 내가 마음만 먹으면 가질 수 있는 천국이다.

'로체스터, 당신을 사랑하겠어요. 죽을 때까지 당신과 함께하겠어요.' 그 말 한마디면 기쁨의 샘이 내 입술에 넘칠 것이다. 나는 잠자코 상상해 보았다.

밤새 한숨도 이루지 못한 나의 주인은 그렇게 초조하게 날이 새길 기다린다. 아침이 되자마자 나를 불러내겠지. 그러나 그때쯤이면 나는 이미 떠나고 없을 것이다. 온 사방으로 나를 찾을 테지만, 이미 늦은 일이겠지. 아마 자신이 버림받았다고 느낄 것이다. 사랑이 자신을 버렸다고 느끼겠지. 고통에 아파하고 절망에 빠질지도 모른다. 그런 생각이 들자, 나도 모르게 손잡이를 잡았다. 깜짝 놀란 내가 얼른 손을 뒤로 물리고, 다시 계단을 향해 걸어갔다.

천천히 계단을 내려왔다. 해야 할 일은 모두 머릿속에 정리해 둔 상태여서 기계적으로 움직였다. 부엌에서 쪽문 열쇠를 찾은 다음, 기름병과 깃털을 가져왔다. 열쇠와 자물쇠에 기름을 발랐다. 물과 빵도 조금 먹었다. 어쩌면 먼 길을 가야 할지도 모르니까. 이틀 새 몸이 약해졌지만 기운을 내야 했다. 이 모든 걸 소리 없이 해낸 나는 문을 열고 밖으로 나가서 살며시 문을 닫았다. 어스름한 새벽빛이 뒤뜰을 비추고 있었다. 대문은 잠겨 있었지만, 쪽문에는 자물쇠만 걸려 있었다. 그 문을 통해 걸어 나왔다. 다시 소리 내지 않고 문을 닫았다. 그렇게 손필드를 떠났다.

저 멀리 1마일 정도 떨어진 들판 너머로, 밀코트와 반대 방향으로 갈라지는 길이 있다. 그 길을 한 번도 걸어본 적은 없지만, 그 길이 어디로 이어지는지 늘 궁금했다. 그래서 나는 그 길로 걸음을 옮겼다. 이제 돌이킬 수도, 앞을 볼 수도 없다. 과거도 미래도 전혀 생각하지 않았다. 과거는 그야말로 달콤했다. 달고 썼다. 첫 한 줄만 되짚어도 금세 용기가 사라지고 무릎이 꺾일 것만 같았다. 미래는 그야말로 텅 빈 공백이었다. 대홍수가 휩쓸고 지나간 세상처럼 아무것도 없었다.

　해가 뜬 후로도 나는 들판과 울타리, 오솔길을 따라 걸었다. 정말 아름답고 화창한 여름날 아침이었다. 집을 나서면서 신었던 신발이 곧 이슬에 축축하게 젖었던 기억이 난다. 그러나 나는 떠오르는 태양도, 화창한 하늘도, 잠에서 깨어나는 자연도 보지 못했다. 그저 아름다운 경치 속을 헤치고 단두대를 향해 걸어가는 사람처럼, 길가에 핀 가련한 꽃이 아니라 단두대의 도끼날과 날이 내려오는 순간에 튀는 뼈와 핏줄 그리고 입을 크게 벌리고 나를 기다리는 무덤 따위를 떠올리듯 멍하게 걸었다. 쓸쓸한 도피와 머물 곳 없는 방황이다. 아아, 내가 남기고 온 것을 고통스럽게 떠올렸다. 어쩔 수 없는 일이었다. 지금 그의 방에서 일출을 바라보는 그를 떠올렸다. 그는 자신을 찾아와 앞으로도 함께하자고 고백할 나를 기다린다. 나도 그의 아내가 되고 싶었다. 돌아가고 싶어서 숨도 쉬어지지 않았다. 아직 늦지 않았다. 지금이라도 고통 속에서 헤매는 그의 슬픔을 덜어줄 수 있었다. 아직은 내가 도망쳤다는 걸 모를 것이다. 돌아가서 그의 위안이 될 수 있었다. 그의 자부심이 될 수 있었다. 슬픔에 빠진 그를, 파멸을 맞이할 그를 구원할 수 있었다. 아, 그가 혹시라도 자신을 내던지면 어쩌나 하는 두려움이 몰려왔다. 그건 내가 나를 포기하는 것보다 훨씬 두려운 일이었다. 그게 내 발목을 계속해서 붙잡는다! 내 가슴에 박힌 날카로운 화살촉처럼 가슴을 갈기갈기 찢고, 그를 떠올릴 때마다 나는 하염없이 무너져 내렸다. 새가 풀숲과 덤불 속에서 울기 시작했다.

새마저도 자기 짝에게 헌신한다. 새는 사랑의 상징 아닌가. 그렇다면 나는 무엇인가? 원칙을 지키기 위해 필사적으로 버티는 사이사이에도 나는 내가 미워졌다. 나를 칭찬할 수도 없었고, 자부심도 느껴지지 않았다. 나를 위로해 줄 게 없었다. 나는 상처 입었고, 나의 주인에게도 상처를 주고 그를 떠났다. 내가 증오스러웠다. 그러나 한 걸음도 돌아설 수는 없었다. 주님이 분명 이 길로 인도하셨다. 나의 의지나 양심은 격렬한 슬픔에 짓밟히고 숨도 쉬지 못했다. 나는 외따로이 떨어진 길을 빠르게 달렸다. 고열에 시달리는 사람처럼 거친 숨을 몰아쉬며 달리고 또 달렸다. 결국 사지가 굳어갔다. 그대로 무너져버린 나는 하염없이 눈물만 쏟았다. 몇 분 동안 땅바닥에 누워 젖은 잔디에 얼굴을 비볐다. 여기서 죽을지도 모른다는 두려움과 차라리 그것을 원하는 희망이 동시에 나를 잠식했다. 그러나 나는 곧 일어났다. 손과 무릎으로 땅을 짚으며 기었고, 앞으로 나아갔고, 다시 일어섰다. 그 어느 때보다 열정적으로, 단호한 걸음으로, 내 길을 향해 나아가고 싶었다.

길 끝에 다다른 나는 울타리 아래에 앉아 잠시 쉬었다. 얼마간 앉아 있는데, 멀리서 수레바퀴 소리와 함께 마차가 다가왔다. 나는 자리에서 일어나 손을 흔들었다. 어디로 가느냐고 물었더니 마부는 한참이나 멀리 떨어진 어딘가라고 답했다. 그곳이라면 로체스터 씨와 연이 닿지 않을 것 같았다. 값이 얼마냐고 물었더니, 마부는 30실링을 불렀다. 20실링이 전부라고 답했더니, 그는 선뜻 타라고 해주었다. 마차 안

은 텅 비어 있었다. 마차에 오르고 문을 닫자, 곧 달리기 시작
했다.

친애하는 독자들이여, 부디 내가 겪은 고통을 겪지 않기
를! 내 눈에서 흐르던 격렬하고 뜨겁고 고통스러운 눈물을
여러분은 부디 흘리지 않기를. 내 입에서 흘러나오던 절망적
이고 괴로운 기도로 하늘에 호소하는 일이 없기를. 나처럼
사랑하는 이에게 고통을 안겨주고 도망치며 두려움에 떠는
일이 없기를.

28

이틀이 지났다. 그 여름 저녁에 마부는 위트크로스라는 마
을에 나를 내려주었다. 20실링으로는 더 이상 갈 수 없다고
했다. 주머니에는 1실링도 남아 있지 않았다. 마차는 나를 두
고 떠났다. 아마 지금쯤 1마일은 더 갔을 것이다. 나는 철저
히 혼자였다. 순간, 마차 짐칸에 실어두었던 짐가방을 내리
지 않았다는 사실이 떠올랐다. 짐은 짐칸에 그대로 실려 있
을 것이다. 아, 이제 나는 정말로 빈털터리가 되었다.

위트크로스는 마을도 시골도 아니었다. 그저 네 갈래 길이
만나는 곳에 돌이 세워진 하나의 이정표, 길목에 불과했다.
흰 칠을 해둔 걸로 보아 멀리서도, 어둠 속에서도 잘 보이라
고 그렇게 만들어둔 것 같았다. 돌기둥 꼭대기에 네 개의 갈
래가 뻗어 있었는데, 표지판에 따르면 여기서 가장 가까운

소도시는 10마일, 가장 먼 곳은 20마일 이상 떨어져 있었다. 가장 잘 알려진 그 이름으로 미루어 이곳이 ○○주라는 걸 알 수 있었다. 내륙의 북쪽으로 치우친 곳, 황폐한 황야와 연이은 산골짜기가 눈에 들어왔다. 내 뒤로도, 양옆으로도 너른 황야가 가득했다. 발아래 깊은 골짜기 멀리에는 온통 산이었다. 근처에 사는 사람도 적어 보였다. 어느 길로 발걸음을 떼어도 지나가는 사람은 보이지 않았다. 길은 동서남북으로 뻗어 있었다. 가장 하얗고 넓고 쓸쓸한 길이 남쪽이었다. 어느 길을 택해도 황야를 지나야 했으며 히스 관목이 길 가장자리까지 무성하게 자라 있었다. 그래도 우연히 누군가 지나갈지도 모른다. 지금은 아무도 나를 발견하지 않기를 바랐다. 낯선 사람이 정처 없이 헤맨 듯한 몰골로 이정표 앞에서 우물쭈물하는 나를 발견하면 의심쩍게 여길 것이다. 무슨 일이 있느냐고 물어볼지도 모른다. 지금 나를 이 사회와 묶어둘 연결고리는 아무것도 없다. 친구들이 있는 곳으로 가도록 도와줄 마법도 희망도 없다. 지금 나에게 친절한 마음이나 호의를 보이는 사람도 없다. 친척이라고는 만물의 어머니인 자연뿐이다. 그렇다면 자연의 품에서 안식을 얻을 수밖에.

　나는 관목 수풀 속으로 걸어 들어갔다. 갈색 황무지 비탈에 깊게 파인 구덩이를 향해 가니 거무스름한 식물 사이로 무릎까지 땅이 푹푹 패었다. 구덩이를 따라 돌자, 이끼가 거뭇하게 핀 화강암 바위가 숨어 있었다. 나는 그 아래에 몸을 숨기고 앉았다. 황야의 높은 둑이 나를 둘러싸고, 바위는 내 머리를 보호하고, 하늘은 나를 내려다보았다.

얼마나 시간이 지났을까, 이렇게 몸을 숨겨도 좀처럼 안정은 찾아오지 않았다. 들소가 근처에 있지는 않을까, 사냥꾼이나 밀렵꾼에게 발각되지 않을까 하는 두려움이 몰려왔다. 바람이 불어 황무지를 휩쓸면, 혹시 황소 떼가 지나가는 건 아닐까 싶어 고개를 들었다. 물떼새가 울면 사람의 휘파람이 아닐까 착각했다. 그러나 이런 불안도 기우였다. 저녁이 되어 해가 지고 깊은 고요가 찾아오자, 근거 없는 두려움은 사라지고 마음이 한결 차분해졌다. 나는 지금까지 그저 귀를 기울여 듣고, 눈을 떠 지켜보고, 두려워했다. 이제 다시 생각할 힘이 생겼다.

이제 어떻게 해야 할까? 어디로 가야 할까? 참으로 지독한 질문이다. 아무것도 할 수 없고, 아무 데도 갈 수 없는데! 인간이 사는 마을에 닿기 위해 지치고 떨리는 팔다리를 움직여 정처 없이 걸어야만 하는 상황인데! 숙소를 얻으려면 남의 동정 어린 차가운 시선을 견뎌야 하고, 내 이야기를 들려주고 나에게 없는 것을 얻으려면 끈질기게 조르고 마지못해 얻어내거나 차가운 거절을 당해야만 한다!

나는 관목을 만져보았다. 거칠게 말라 있었지만, 한낮 햇빛을 받아 따뜻했다. 나는 하늘을 향해 고개를 들었다. 맑은 밤이었다. 다정한 별이 구덩이 위로 깜박였다. 밤이슬이 내렸지만, 적당하게 물기가 느껴져 기분이 좋았다. 바람도 불지 않았다. 자연은 늘 내게 선하고 좋은 존재였다. 자연은 나를 사랑했다. 인간에게는 불신과 거절과 모욕밖에 받지 못한 나는 어린아이처럼 자연에 매달려 애착을 품었다. 적어도 오늘 밤은 내가 자연의 손님이자 딸이 될 것이다. 자연이라는 어머니는 돈을 받지 않아도 나를 머물게 해주리라. 내게는 아직 빵 한 조각이 남아 있었다. 정오쯤 지나가던 마을에서 지갑에 남은 마지막 잔돈으로 산 빵이었다. 무르익은 빌베리(월귤) 나무의 까만 열매가 과목 사이에서 구슬처럼 반짝였다. 나는 열매를 한 줌 따서 빵과 함께 먹었다. 지독했던 허기를 채울 수는 없었지만, 소박한 식사 덕분에 기분이 한결 나아졌다. 식사를 끝내고는 저녁 기도를 마치고 잠자리를 만들었다.

바위 옆에 관목이 무성한 지점이 있었다. 거기 눕자, 다리가 관목 속에 파묻혔다. 양옆으로 높이 자라 한기가 들 걱정도 없었다. 나는 숄을 접어 덮고, 이끼 낀 낮은 언덕을 베개 삼아 베었다. 이렇게 누워 밤을 보내기로 했다. 다행히도 춥지 않았다.

슬픔이 마음을 찢어놓지 않았더라면 충분히 쉬었을지 모르겠다. 마음은 헤집어져 벌어진 상처를, 그 안을 흐르는 피를, 끊어진 줄을 고스란히 드러냈다. 로체스터 씨와 그의 운명을 생각하자 다시금 덜덜 떨려왔다. 그를 가엾게 여기고, 한탄하는 마음이 지칠 줄 모르고 그를 갈망하고 끊임없이 불러댔다. 양쪽 날개가 부러진 새처럼, 그를 찾기 위해 헛되이 부러진 날개를 흔드는 새처럼 나는 무력하게 흔들렸다.

고문과도 같은 생각에 결국 포기하고 일어나 앉았다. 밤은 깊었고 별들이 빛났다. 안전하고 고요한 밤이었다. 두려움을 떠올리기에는 너무도 고요했다. 주님은 어디에나 계신다. 그러나 주님의 존재를 가장 절실하게 느낄 때는 그분의 업적이 우리 눈앞에 광활하게 펼쳐질 때다. 구름 하나 없는 밤하늘이 거기에 있었다. 주님의 세계가 엄숙히 공전하는 맑은 밤하늘에서 그분의 무한한 전능함과, 어디에나 계신 주님을 느꼈다. 나는 무릎을 꿇고 로체스터 씨를 위해 기도했다. 고개를 들어 눈물을 머금은 채로 힘차게 흐르는 은하수를 보았다. 은하수가 무엇인가 생각해 보았다. 무한한 우주가 부드러운 빛을 흔적처럼 남기며 광활한 공간에 퍼져 있음을 깨달았다. 그러자 다시 한번 주님의 전능하신 힘을 느꼈다. 전능하신 주님은 손수 창조하신 모든 것을 구원해 주시리라. 지상의 모든 것이 멸망하지 아니하고, 그 땅의 영혼은 결코 소멸하지 않으리라. 나의 기도는 감사의 기도로 바뀌었다. 생명의 창조주이자 영혼의 구세주를 향한 기도였다. 로체스터 씨는 무사할 것이다. 그 또한 주님의 것이며, 주님께서 그를 지켜주실 것이다. 나는 다시 언덕의 품에 안겼고, 얼마 지나지 않아 슬픔을 잊고 잠들었다.

다음 날이 되자 다시 창백하고 헐벗은 굶주림이 찾아왔다. 작은 새가 둥지를 떠나고 이슬이 채 마르기도 전이었지만 꿀벌이 꿀을 따러 히스를 찾아온 지 오래였다. 아침의 긴 그림자는 짧아지고, 태양이 온 세상을 밝게 비출 무렵, 나는 잠에서 깨 주변을 둘러보았다.

어쩜 이리도 덥고 고요하며 맑은 날인지! 눈앞으로 펼쳐진 황야는 황금빛으로 빛났다. 사방이 햇빛이었다. 그 품에 안겨 살고 있었다. 바위틈을 기어다니는 도마뱀도, 달콤한 빌베리 나무 사이를 부지런히 날아다니는 꿀벌도 보았다. 지금 당장 벌이나 도마뱀이 되어 영원한 보금자리와 먹이를 구하고 싶었다. 그러나 나는 인간이며, 인간에게는 욕구가 있는 법이다. 내가 원하는 것을 채워줄 수 없는 땅이라면, 더 이상 하릴없이 머물 수도 없는 노릇이다. 나는 자리에서 일어섰다. 내가 잠들었던 자리를 돌아보았다. 미래에 관한 희망은 바라지도 않았다. 차라리 창조주가 나를 거두어 가셨더라면 얼마나 좋았을까. 나는 그것을 바랐다. 그리고 지친 육체가 죽음으로 말미암아 더 이상 운명과 싸우지 않아도 된다는 면벌부를 받고, 조용히 썩어 황야의 흙과 평화롭게 섞이기만을 바랐다. 그러나 나는 아직 살아 있다. 무거운 짐이지만 책임져야 한다. 욕구를 채우고 고난을 견디고 책임을 다하지 않으면 안 된다. 그리하여 나는 다시 일어나 걷기 시작했다.

다시 위트크로스로 돌아가서 하늘 높이 빛나는 태양을 등지고 걷기 시작했다. 해를 정면으로 마주 보는 것은 피해야겠다는 생각뿐이었다. 나는 오랫동안 걸었다. 그리고 더 이상 걷지 못하겠다고 생각한 순간, 힘이 스르르 풀렸다. 주변 바위에 걸터앉은 나는 무기력하게 몸을 지탱한 채, 더 이상 움직이지 못하겠다고 아우성치는 심장과 팔다리를 무력하게 방치했다. 그때 종소리가 들렸다. 교회의 종소리였다.

소리가 나는 곳으로 몸을 틀었다. 한 시간 전에는 발견할 수도, 감히 쳐다볼 수도 없던 아름다운 언덕 사이로 작은 마을과 교회 첨탑이 보였다. 오른쪽으로 계곡과 목초밭, 수풀이 가득했다. 반짝이는 개울물이 짙고 옅은 푸른빛과 무르익은 곡물의 노란빛 그리고 어두운 숲과 맑고 햇볕이 잘 드는 땅을 가로지르며 흘렀다. 그때 바퀴 소리가 땅을 울리며 다가와 정신이 번쩍 들었다. 무거운 짐을 실은 수레가 힘겹게 언덕을 오르고 있었고, 그 뒤로 멀지 않은 곳에 소 두 마리를 몰고 가는 가축 상인이 보였다. 인간의 삶과 노동이 이토록 가까이 있었다. 나도 계속 살아가야 한다. 남들처럼 열심히 살아가기 위해 노력하고, 고된 노동에 몸을 맡겨야 한다.

두 시가 다 될 무렵에야 마을에 들어섰다. 마을 끝에는 작은 상점이 있었는데, 창문 너머로 빵이 몇 개 진열되어 있었다. 그 빵 한 조각이 너무 먹고 싶었다. 한 조각만 먹으면 금방 힘이 생길 것 같았다. 그 한 조각이 없으면 더 이상 걸을 수도 없었다. 사람들이 사는 마을에 들어서자마자, 체력과 기력을 회복하고 싶은 생각이 샘솟았다. 마을 한가운데에서 굶주림으로 기절하는 건 그야말로 수치스러운 일이었다. 빵과 바꿀 만한 물건이 없을까? 목에 감은 작은 실크 손수건과 장갑이 있었다. 그러나 빈털터리가 되어본 적이 없으니 이걸로 뭘 할 수 있을지 알 수 없었다. 이 물건이라도 받아줄지 모르겠지만 시도는 해야 했다.

나는 가게로 들어갔다. 한 여인이 주인인 듯 보였다. 다행스럽게도 내 단정한 옷차림을 보더니 차갑게 쫓아내지는 않았다. 그녀는 나에게 예의를 갖추어 인사했다. "무엇을 도와드릴까요?" 차마 입이 떨어지지 않았다. 준비한 말이 나오지 않았다. 반쯤 닳은 장갑이나 구겨진 손수건을 꺼낼 수가 없었다. 어리석고 말도 안 되는 시도 같았다. 나는 그녀에게 너무 지쳐서 그러는데, 잠시만 앉아 있다가 갈 수 있겠냐고 물었다. 손님인 줄 알았던 모양인지, 그녀는 그러라는 듯 쌀쌀맞은 태도로 의자를 가리켰다. 나는 털썩 주저앉았다. 눈물이 나올 것 같았지만, 우는 꼴을 보이면 더욱 수치스러울 것만 같아 꾹 참았다. 대신 나는 그녀에게 마을에 재봉이나 간단한 바느질로 돈을 버는 사람이 있는지 물었다.

"네, 두세 사람 있지요. 일거리가 그 정도인 마을이니."

나는 생각했다. 지금 나는 막다른 길이다. 당장 먹고 누울 곳도 없다. 의지할 데도 없고 친구도 없는 무일푼이다. 어떻게든 돌파구가 필요했다. 어디에서라도 일을 해야 했다. 하지만 어디로 가야 한단 말인가?

"혹시 주변에 하녀가 필요한 댁이 있나요?"

"없을걸요."

"마을 사람들은 주로 무엇으로 돈을 버나요? 다들 어떻게 생활하나요?"

"농사도 조금 짓고, 올리버 씨의 바늘 공장과 주물 공장에서 일하는 사람도 꽤 있죠."

"올리버 씨가 여자도 고용하시나요?"

"아니요, 공장에서는 남자들이 일해요."

"그러면 여자들은 어떻게 생활해요?"

"모르겠어요"라는 무뚝뚝한 답이 돌아왔다. "뭐 이것저것 해요. 가난하면 닥치는 대로 해야지. 별수 있나."

주인은 내 질문이 귀찮은 모양이었다. 그녀를 이렇게 성가시게 할 권리가 내게 있을까? 그때 이웃 사람들이 두어 명 가게로 들어섰다. 내가 앉아 있던 의자가 필요한 눈치여서, 나는 서둘러 가게를 빠져나왔다.

거리를 걸으며 좌우로 늘어선 집을 살펴보았다. 그러나 문을 두드리고 들어갈 만한 구실을 찾을 수 없었다. 결국 한 시간 정도 마을을 서성이며, 조금 떨어진 곳까지 갔다가 다시 돌아오기를 반복했다. 너무 지치고 배가 고파서 골목으로 조금 들어가 울타리 아래에 주저앉고 말았다. 그리고 조금 쉬다가 다시 일어났다. 내게 무엇이든 도움이 되어줄 사람을, 어떻게 하면 좋을지 지혜를 나눠줄 사람을 찾아 나섰다. 골목 끝 막다른 곳에 아담한 집이 한 채 있었다. 손질이 잘 된 정원에는 아름다운 꽃이 피어 있었다. 나는 걸음을 멈추었다. 하지만 어떤 구실을 대고 저 하얀 문에 다가가 반짝반짝 빛나는 문고리를 두드릴 수 있을까? 그 집 사람들이 내게 친절을 보여준들 무슨 소용이 있을까? 고민하던 나는 용기를 냈다. 천천히 다가가 문을 두드렸다. 얼마 후, 단정한 차림의 젊은 여자가 문을 열었다. 절망에 빠져 실신할 것처럼 힘없는 목소리로, 희망을 잃은 마음과 피로에 지친 몸에 어울리는 목소리로 그녀에게 물었다. "혹시 하녀를 구하지 않으시나요?"

"아니요, 우리는 하녀를 쓰지 않아요." 그녀가 대답했다.

"혹시 주변에 아무 일이라도 좋으니 일자리를 구할 만한 곳이 있을까요?" 내가 다시 물어보았다. "이 마을에 연고가 하나도 없어서요. 어떤 일이든 괜찮아요. 일을 구하고 있어요."

그러나 그녀가 나를 위해 고민하고 일자리를 구해줄 이유는 없다. 게다가 그녀의 눈에는 나라는 사람의 인격이나 지위, 속사정이 얼마나 수상해 보일지 말하지 않아도 알 수 있지 않은가. 그녀는 고개를 저으며 "알려드릴 게 없어서 죄송하네요"라고 말하더니, 하얀 문을 정중하고 부드럽게 닫아걸었다. 나는 쫓겨났다. 그러나 그 문을 조금만 더 오래 열어주었더라면 나는 아마 빵이라도 한 조각 얻을 수 없겠냐며 구걸했을 것이다. 그만큼 나는 지쳐 있었다.

저 가난한 마을로 돌아갈 수는 없었다. 그곳에서는 나를 도와줄 이를 찾을 수 없을 것 같았다. 그리 멀지 않은 숲으로 다시 돌아가고 싶었다. 울창한 숲이라면 기분 좋은 은신처를 찾을 수 있을지도 모른다. 그러나 몸이 부서질 것처럼 아프고, 기력도 없어 본능적으로 먹을 게 좀 있을지 모를 마을 근처를 서성였다. 굶주림이라는 것은 마치 독수리처럼 내 옆구리를 부리와 발톱으로 계속 쪼아대는 기분이었다. 고독은 고독이 아니었고, 휴식은 휴식이 아니었다.

나는 주택이 늘어선 골목으로 갔다가 멀어지고, 다가갔다가 멀어지기를 반복하며 서성거렸다. 당연하게 요구할 권리가 없다는 생각과 고립된 내 상황에 관심 가져줄 이가 없다는 마음이 나를 불편하게 괴롭혔다. 오후가 지날 무렵까지 나는 길 잃은 개처럼 배고픔에 허덕이며 방황했다. 들판을 가로지르다 보니, 저 앞에 교회 첨탑이 보였다. 나는 그곳을 향해 발걸음을 옮겼다. 교회 묘지 근처, 정원 한가운데 작지만 소담한 집이 한 채 보였다. 분명 목사관일 것이다. 아는 사람이라고는 없는 마을이라면 일자리를 구하고 싶을 때 목사의 소개를 받거나 도움을 요청할 수 있겠다는 생각이 들었다. 스스로를 도우려는 사람을 목사는 밀어내지 않는 법이다. 적어도 조언은 해줄 것 같았다. 용기를 내 힘든 몸을 추스른 다음 목사관을 향해 걸었다. 집에 다다른 내가 부엌문을 두드렸다. 한 노파가 문을 열어주었고, 나는 여기가 목사관이 맞느냐고 물었다.

"그렇소만."

"목사님이 계시나요?"

"아니요."

"곧 오시나요?"

"아니요, 외출하셨소."

"멀리 가셨나요?"

"그다지 멀지는 않지. 3마일쯤 떨어진 곳에 아버님이 갑자기 돌아가셨다는 연락을 받고 가셨거든요. 마시 엔드라고, 거기 계시오. 아마 2주는 있다가 돌아오실 텐데."

"댁에 부인은 안 계시나요?"

"아유, 안 계셔요. 내가 살림만 도와드리지."

아, 독자여. 나는 굶주림으로 쓰러질 지경이었지만 차마 그녀에게 애원할 수는 없었다. 아직 구걸은 힘든 일이었으므로 비틀거리며 돌아섰다.

그렇게 다시 한번 나는 손수건을 꺼냈다. 아까 작은 가게에서 빵이라도 얻을 수 있다면 바랄 게 없었다. 아, 단 한 조각이라도 좋았다! 이 괴로운 허기를 잊을 수만 있다면! 나는 본능적으로 다시 마을을 향해 걸었다. 그 가게를 찾아내 안으로 들어갔다. 주인 말고 다른 사람도 있었지만, 나는 용기를 내어 말문을 열었다.

"저, 이 손수건으로 빵 한 조각만 얻을 수 있을까요?"

그녀는 귀찮다는 듯 나를 바라보았다. "안 돼요, 그런 장사 안 해요."

필사적으로 매달리며, 반쪽이라도 좋다고 사정했지만 주인은 매몰찼다. "대체 그 손수건을 어디서 구했는지, 내가 알 게 뭐요?"

"그럼, 장갑도 받으시면 어떨까요?"

"됐어요! 대체 그걸 어디다 써요!"

독자들이여, 이런 비참한 이야기를 풀어놓는 것이 나에게도 썩 유쾌한 일은 아니다. 어떤 이들은 고통스러운 과거를 되돌아보는 것이 즐겁다고도 한다. 그러나 내가 지금 말하는 이야기는 지금도 견디기 힘들다. 육체적 괴로움과 정신적 무너짐이 한데 어우러진 그 시절은 너무나 고통스러운 기억으로, 다시는 돌아보고 싶지도 않다. 나는 나를 쫓아낸 사람들을 비난할 수 없다. 예상했던 일이고, 어쩔 수 없는 노릇 아닌가. 평범한 거지도 의심받는데, 하물며 잘 차려입은 거지라면? 나는 일자리를 구걸했지만 누가 나에게 일을 주선하겠는가? 나를 처음 본 사람들이, 내 성격도 능력도 모르는 사람들이, 어떻게 그럴 수 있단 말인가. 빵과 손수건을 바꿀 수 있겠느냐 묻는 내 부탁을 거절한 주인의 입장에서 보더라도, 그 손수건이 그만큼의 가치가 없다면, 내가 그저 귀찮은 존재라면, 그녀가 옳은 것이다. 아, 나도 이제 이 이야기는 그만

하고 싶다.

해가 지기 전, 나는 한 농가 앞을 지났다. 문 앞에 앉아 있던 농부가 빵과 치즈로 저녁 식사를 먹고 있었다. 나는 걸음을 멈추고 그에게 물었다.

"그 빵 한 조각만 주실 수 없을까요? 제가 너무 배가 고파서요."

그는 황당하다는 표정으로 나를 보더니 빵을 뚝 떼어 내밀었다. 아마 거지라고는 생각하지 못한 것 같았고, 그저 검은 빵을 먹어보고 싶어 하는 이상한 여자라고 여겼던 모양이다. 그의 집이 보이지 않는 곳까지 걸어간 나는 길가에 주저앉아 허겁지겁 빵을 먹었다.

지붕 밑에서 잠잘 수 있으리란 희망이 보이지 않았으므로, 나는 조금 전에 봐두었던 숲속에서 잘 만한 곳을 찾았다. 그러나 비참한 밤이었으므로 편안하게 잘 수 없었다. 땅은 축축하게 젖어 있었고, 밤공기는 차가웠다. 게다가 몇 번이나 누군가 근처를 지나가는 바람에 계속 자리를 옮겨야 했다. 여기서는 안전하다는 기분도, 편안함도 찾을 수 없었다. 새벽이 되자 설상가상으로 비가 내리기 시작했다. 비는 다음 날 하루 종일 이어졌다. 독자들이여, 그날의 자세한 이야기는 피하고 싶은 마음이다. 전날과 마찬가지로 일을 찾았고, 전날과 마찬가지로 계속 거절당했다. 배는 계속 고팠지만 딱 한 번 무언가를 먹을 수 있었다. 오두막 옆을 지나는데, 한 소녀가 차가운 포리지*를 돼지우리에 던지려는 찰나였다. 나

* 오트밀을 물이나 우유로 끓인 죽.

는 얼른 아이에게 물었다.

"얘, 그거 나 줄래?"

아이가 깜짝 놀라 나를 쳐다보고는 "엄마!" 하고 외쳤다. "밖에 어떤 여자가 돼지죽 달래!"

"그래?" 집 안에서 소리가 들렸다. "거지가 달라고 하면 주렴. 돼지도 잘 안 먹더라."

아이는 내게 굳어버린 오트밀 한 덩이를 내밀었고, 나는 그걸 받아 게걸스럽게 먹었다.

비가 오는 하루도 완전히 저문 저녁, 나는 한 시간쯤 걷다 말고 외딴 길목에 멈춰 섰다.

"이제 더 이상 걸을 힘도 없어." 나는 힘없이 중얼거렸다.

"더 이상 못 가겠어. 오늘 밤은 어디서 자야 할까? 비가 이렇게 내리니 차가운 바닥에 누울 수는 없을 텐데. 하지만 방법이 없어. 나를 누가 받아주겠어? 아, 너무 배고프고 쓰러질 것 같아. 춥고, 쓸쓸해. 희망이 없는 이런 기분으로 노숙까지 해야 한다니. 틀림없이 해가 뜨기 전에 죽고 말 거야. 그런데 왜 나는 이 몸을 죽음에 맡기지 않으려 하지? 무의미한 삶을 굳이 이어나가야 할 이유라도 있어? 아, 로체스터 씨 때문이야. 그가 살아 있으니까. 아니, 살아 있을 거라 믿으니까. 게다가 굶주림과 추위로 죽는 건 너무 비참하니까. 아, 주여! 조금만 더 저를 지켜주세요! 도와주세요, 저를 인도해 주세요!"

나의 흐린 눈이 어슴푸레한 풍경을 헤맸다. 마을에서 멀리 떨어져 있었다. 마을은 이제 잘 보이지도 않았다. 그 주위의 밭조차도 멀어졌다. 나는 갈림길과 샛길을 따라 다시 황무지 근처로 밀려나 있었다. 나와 어두운 언덕 사이에는 경작도 되지 않은 것 같은 황폐한 밭만 군데군데 펼쳐져 있었다. 마치 히스 관목의 너른 들판 같았다.

'사람이 지나다니는 길가에 쓰러져 죽느니, 차라리 여기서 죽는 게 낫겠어.' 나는 생각했다. '만약 근처에 까마귀와 갈까마귀가 있다면, 새가 내 살을 뜯어 먹는 게 나아. 빈민구호소의 공동묘지에 묻히는 것보다는 그게 훨씬 좋겠어.'

나는 언덕으로 향했다. 언덕 끝에 이르러 이제 몸을 눕힐 구덩이를 찾았다. 비록 안전하지는 않아도 몸을 숨길 곳이 필요했다. 그러나 황야는 평평했다. 습지대에는 갈대와 이끼가 무성하게 자라 있었고, 오르내림이 잔잔한 언덕만 있을 뿐, 다른 건 빛깔뿐이었다. 높이 자란 풀이나 이끼가 있는 늪지는 녹색이었고, 마른 땅에 히스 관목만 듬성듬성 나 있는 곳은 검게 보였다. 날이 어두워지는데도 색은 아직 구별할 수 있었다. 물론 해가 지면, 빛도 희미해지고, 그러면 이내 빛과 그림자로 모든 색이 날아갈 것이다.

내 눈은 여전히 어두운 황야와 황량한 풍경 속으로 사라지는 수풀 근처를 헤매고 있었다. 그러던 중 습지와 산등성이 가장 안쪽, 어두운 곳에서 빛이 솟아올랐다. '도깨비불이다.' 처음에는 그렇게 생각했다. 금방 사라지겠지 싶었는데 계속해서 타오르며 그 자리에 있었다. '누군가 피운 모닥불일까?' 나는 궁금증이 피어올랐다. 혹시 널리 퍼지는지 지켜보았지만, 빛은 작아지지도, 커지지도 않았다. '집 안에서 켠 촛불일까? 하지만 너무 멀어. 저곳까지 갈 수 없어. 게다가 저 불빛이 가까이 있다고 해도, 그게 무슨 소용이겠어? 문을 두드려도 면전에서 닫아버릴 텐데.'

나는 그 자리에 주저앉아 얼굴을 땅에 파묻듯 고개를 숙였다. 그대로 한참이나 꼼짝하지 않았다. 밤바람이 언덕을 넘어가며 내 몸을 스치고 지나 음산한 소리를 내고는 사라졌다. 비가 세차게 내리기 시작하며 나는 다시 흠뻑 젖고 말았다. 이대로 단단하게 얼음이 되어버리면, 그리하여 고통도 없이 죽을 수 있다면. 그러나 아직 살아 있는 나의 몸은 추위에 떨리고 있었다. 나는 결국 자리에서 일어났다.

빛은 아직도 그 자리에서 빛나고 있었다. 비가 내리는 가운데 희미하지만 계속 타올랐다. 나는 다시 걷기 시작했다. 지친 팔다리를 천천히 끌면서 그 빛을 향해 나아갔다. 빛은 언덕을 넘고, 넓은 늪지대 너머로 나를 이끌었다. 겨울에도 지나가기 힘든 넓은 습지대를 지나려니, 한여름에는 발이 푹푹 패고 질퍽거렸으며 금방이라도 빠질 것처럼 불안했다. 나는 두 번이나 넘어졌지만, 온 힘을 다해 일어났다. 그리고 정신을 똑바로 차리려 애썼다. 이 빛이 나의 유일한 희망이었다. 반드시 그 빛에 도달해야만 했다.

늪을 건너자 황야 위로 하얀 길이 보였다. 나는 그곳으로 갔다. 한적한 샛길 같았다. 그 길은 곧장 빛이 비치는 곳으로 이어졌다. 빛은 숲으로 둘러싸인 작은 산등성이에서 빛났다. 어둠 속에 드러난 모습이나 잎으로 보아 전나무 숲 같았다. 가까이 가는 사이, 나의 빛이 사라졌다. 무언가 장애물이 나

와 빛 사이를 가로막은 모양이었다. 나는 손을 내밀어 더듬
거렸다. 낮고 거친 돌담이었다. 그 위로 울타리 같은 것이 늘
어져 있고, 안쪽은 가시가 뾰족하게 돋은 산울타리였다. 나
는 더듬거리며 걸어갔다. 또다시 하얀 빛을 발견할 수 있었
다. 문이라고 할 수는 없고, 경첩이 달린 쪽문이었다. 그 옆으
로 사철나무처럼 보이는 주목인지, 서양호랑가시나무인지
가 우뚝 솟아 있었다.

대문을 들어서서 관목 숲을 지나자, 눈앞으로 검고 길쭉하
고 낮은 건물이 보였다. 나를 이끈 빛은 어디에도 보이지 않
았고 그저 어둠뿐이었다. 다들 잠든 걸까? 그런 것 같았다.
문을 찾으려고 건물을 빙 둘러 걸었다. 그때 땅에서 조금 올
라온 아주 작은 창살이 달린 마름모 모양의 격자창에서 부드
러운 빛을 발견할 수 있었다. 창이 달린 벽은 담쟁이덩굴로
가려져 있어 창문이 유독 더 작아 보였다. 그러니 커튼이나
덧문도 필요 없었을 것이다. 몸을 숙이고 창을 덮은 이파리
를 손으로 걷자 실내가 보였다. 모래 빛깔의 마루와 깨끗하
게 청소한 방이었다. 호두나무로 만든 찬장에는 백랍 접시가
줄지어 놓여 있었고, 힘차게 타오르는 토탄 난로에서 따스한
빛이 흘렀다. 시계와 하얀 전나무로 만든 식탁과 의자도 몇
개 놓여 있었다. 나를 인도한 촛불은 식탁 위에 놓여 있었다.
보기에는 거친 느낌이지만 자세히 살필수록 세심한 인상의
한 노파가 그 빛을 받으며 앉아 양말을 뜨고 있었다.

나는 대충 눈으로만 실내를 훑었다. 특별히 눈길을 끌 만
한 구석이 없었다. 그보다 흥미를 끈 것은 난롯가 주위로 따

스한 빛과 온기를 쬐며 조용히 앉아 있는 사람들이었다. 젊고 우아하며 누가 보아도 숙녀 같은 두 여성이 있었다. 한 명은 낮은 흔들의자에 앉았고, 다른 한 명은 그보다 더 낮은 의자에 앉아 있었다. 두 사람 모두 상복에 쓰이는 크레이프와 봄버진* 천으로 만든 옷을 입고 있었다. 검은 옷은 아름다운 목덜미와 얼굴을 유난히 돋보이게 했다. 한 숙녀의 무릎에는 크고 나이 든 포인트 종 개가 무거운 고개를 받치고 있었고, 다른 숙녀의 무릎에는 검은 고양이가 누워 있었다.

이 수수한 부엌과 이상한 사람들이라니! 대체 이들은 누구일까? 식탁에 앉아 있는 노파의 딸은 아니었다. 노파는 시골 사람처럼 보였지만, 숙녀들은 모두 교양 있고 세련된 사람들이었다. 생전 처음 보는 얼굴들이었다. 그러나 보면 볼수록 이목구비 하나하나에 친밀감이 느껴졌다. 물론 아주 어여쁜 얼굴은 아니었다. 둘 다 미인이라기에는 너무 창백했고 엄숙한 인상이었다. 두 사람 모두 책을 읽는 모습이 진지하고 또 경건했다. 두 사람 사이에 놓인 탁자 위에 또 하나의 촛불과 두꺼운 책이 올려져 있었는데, 두 사람은 가끔 그 두꺼운 책을 넘기기도 했다. 마치 번역을 위해 사전을 뒤적이는 것처럼 손에 든 작은 책과 두꺼운 책을 번갈아 보는 모양새였다. 그 모습과 모든 인물이 그림자처럼 차분했고, 난롯불에 비친 방은 마치 한 폭의 그림 같았다. 너무나 조용해서 난로에서 석탄재가 떨어지는 소리나 벽 구석에 시계 초침 소리까지 들릴 정도였다. 사각거리는 노파의 뜨개바늘 소리도 들

---

* 비단, 무명, 털실 등으로 짠 능직.

리는 기분이었다. 그래서 사람의 목소리가 이 정적을 깨뜨리는 순간, 그 대화 내용이 너무도 명확히 귀에 들어왔다.

"들어봐, 다이애나." 책에 열중하던 두 숙녀 중 하나가 말문을 열었다. "어느 밤, 프란츠와 늙은 대니얼이 함께 있었어. 프란츠는 방금 꾼 무서운 꿈을 이야기해. 아, 잘 들어봐!" 이렇게 말하며 그녀는 조용한 목소리로 무엇인가를 읽기 시작했다. 그러나 나는 한마디도 이해할 수 없었다. 내가 알지 못하는 언어였다. 프랑스어나 라틴어도 아니었다. 그리스어인지, 독일어인지도 구분할 수 없었다.

"너무 강렬하지." 그녀가 낭독을 마치며 말했다. "너무 마음에 드는 구절이야."

언니의 말에 귀를 기울이던 동생이 난롯불을 응시하며 방금 들은 구절을 되뇌었다. 나중에야 두 사람이 쓰던 말과 책이 무엇인지 알았다. 그러므로 그 구절을 여기에 남기고자 한다. 처음 들었을 때는 아무런 뜻도 없는, 마치 금관악기 소리와도 비슷했다.

그때 한 사람이 앞으로 나서며, 별이 가득한 밤하늘을 보았다.*

"너무 좋은걸!" 그녀가 까만 눈을 반짝이며 감탄했다.

"여기서 위대한 천사가 모습을 드러내는 기분이야! 이 한 쪽이 백 쪽짜리 미사여구보다 좋아."

* 독일의 극작가, 쉴러의 희곡 「군도」 제5막.

나는 분노를 하늘의 천칭에 담고, 그 저주를 분노의 무게로 달아보겠다.

"근사하지."

다시 두 사람은 말없이 책을 읽었다.

"어디서 그런 말을 쓴담?" 그때 뜨개질을 하던 노파가 고개를 들며 물었다.

"있어, 해나. 영국보다 훨씬 더 큰 나라야. 거기서는 모두 이런 말을 해."

"나는 그런 말을 하나도 모르니 무슨 말을 하는지도 모르겠구먼. 아가씨 두 분 중 한 분이라도 거기 가면 무슨 말을 하는지 다 알아듣고, 그러겠소?"

"무슨 말을 하는지 조금은 이해하겠지만 전부는 아니야. 우리는 할멈이 생각하는 만큼 똑똑한 편은 아니거든. 독일어로 말할 줄도 모르고, 사전 없이는 책도 못 읽어."

"그렇다면 무슨 소용이 있다고?"

"언젠가 독일어를 가르치고 싶으니까. 적어도 초보만이라도. 그러면 지금보다 돈도 많이 받을 수 있고 말이야."

"좋은 생각이요. 그래도 오늘은 이만해요. 충분히 읽었어요."

"맞아, 너무 피곤해. 메리, 넌 어때?"

"너무나도. 선생님도 없이 사전 하나로 공부하는 게 이렇게 힘들 줄이야."

"특히 독일어는 너무 어려워. 오빠는 언제 오려나?"

"거의 도착할 때가 됐어. 겨우 열 시네. (그녀가 허리에서 작은 금시계를 확인하고 말했다.) 비가 제법 와, 해나. 침실 불을 확인해 줄래?"

노파가 일어났다. 문을 열자, 저 멀리 희미한 통로가 보였다. 곧이어 그녀가 안쪽 방에 불을 피우는 소리가 들렸고, 곧 돌아왔다.

"아이, 아가씨들! 저쪽 방에 들어가기가 영 찝찝해. 적적하고 주인 없는 의자가 덜렁 구석에 놓여 있고 말이오."

그녀가 앞치마로 눈을 닦았다. 여태껏 깐깐한 표정이던 두 숙녀의 얼굴이 급격하게 어두워졌다.

"좋은 곳으로 가셨을 거라 생각하면서도, 다시 돌아오시길 바라서는 안 되겠지. 게다가 그렇게 평안하게 돌아가시는 것도 복은 복이니까는." 해나가 소곤거렸다.

"아버지는 우리 이야기를 하나도 안 하셨어?" 두 자매 중 하나가 물었다.

"아이, 그럴 시간도 없으셨다니까요. 아버님이 갑자기 돌아가신걸. 전날처럼 좀 편찮으시긴 했지만서도 별로 위독하시지는 않았는데. 세인트 존 도련님이 '두 아가씨 중 하나라도 불러올까요?' 하고 여쭤봐도 그냥 웃기만 하시더라니까. 그다음 날, 그러니까 2주 전에 머리가 좀 무겁다고 하시더니 일찍 누우시더라고. 그리고 잠드셨는데 그렇게 가셨소. 도련님이 방 안에 들어갔을 때는 이미 굳어 있더랍니다. 아이고, 아가씨들, 돌아가신 주인 양반은 오랜 집안의 마지막 혈통이셨는데. 아가씨하고 도련님은 돌아가신 주인 양반하고는 많이 달라요, 아무튼. 아가씨들은 어머님을 닮았지. 공부도 좋아하고, 메리 아가씨는 특히 안주인하고 판박이고. 다이애나 아가씨는 아버님을 더 닮았고."

내 눈에는 두 사람이 똑같아 보였다. 그래서 저 늙은 하녀가 (이미 나는 그녀가 하녀라고 짐작해 버렸다.) 가리키는 두 사람의 차이점을 알 수 없었다. 두 사람 다 얼굴이 하얗고 늘씬했다. 기품과 지성이 넘치는 얼굴이었다. 한 사람이 다른 자매보다 머리카락이 조금 쉴었고, 머리를 빗은 방식도 각각 달랐다. 메리는 밝은 갈색 머리를 양쪽으로 가르마를 타 땋았고, 다이애나는 검은 고수머리를 목덜미까지 늘어뜨렸다. 그때 시계가 열 시를 알렸다.

"허기지지 않아요?" 해나가 물었다. "도련님도 곧 오실 텐데."

그리고 노파는 식사를 준비했다. 두 자매는 자리에서 일어나 응접실로 돌아갔다. 나는 지금껏 그들을 염탐하는 데 온 신경을 쏟았다. 두 사람의 외모와 대화에서 느껴지는 흥미로운 분위기에 취해 지금 내 처지가 얼마나 비참한지 잊은 것이다. 이제야 내 비루한 처지가 떠올랐다. 이들과 대비되는 상황이 그 어느 때보다도 절망적이었다. 게다가 이 집 사람들을 설득해 내 상황을 알리기란 불가능할 것만 같았다. 나의 굶주림을 설명하고, 나의 슬픔을 알리고, 방황하는 내게 하룻밤의 휴식을 베풀어 달라고는 부탁할 수도 없었고, 이들이 내 부탁을 들어줄 리도 만무했다. 문을 더듬어 찾은 다음 한참 망설이다가 결국 두드리고 말았지만, 이들의 도움을 얻으리라는 건 환상 속에서나 가능하다고 생각했다. 해나가 문을 열고 나를 발견했다.

"무슨 일이오?" 그녀가 깜짝 놀란 목소리로 물으며 손에 든 촛불로 나를 이리저리 살폈다.

"주인분들과 이야기를 좀 할 수 있을까요?" 내가 물었다.

"할 말이 있으면 나한테 하시오. 어디서 왔소?"

"멀리서 왔어요."

"이 시간에 여기서 뭘 하는 거요?"

"창고든 어디든 상관없으니, 하룻밤만 신세질 수 있을까요? 빵도 한 조각만 주셨으면 해요."

분명 내가 두려워하던 바로 그 표정, 의심이 해나의 얼굴에 피어났다. "빵은 드리리다." 그녀가 한참 만에 대꾸했다. "하지만 방랑자를 재워줄 수는 없소. 그건 안 될 소리지."

"제발 아가씨들께 직접 말씀드릴 수 있게 해주세요."

"아니, 안 된다니까. 우리 주인 아씨들도 댁한테 내어줄 게 없어요. 이 시간에 이렇게 떠돌아다니는 걸 보면 수상하기 짝이 없구먼."

"하지만 이렇게 절 쫓아내시면 저는 갈 곳도 없어요, 어떻게 해야 하죠?"

"그야 어디로 가서 뭘 하든 댁이 알아서 할 일이지. 나쁜 짓을 하지 말아야 한다는 것만 잊지 마시오. 여기 남은 동전을 줄 테니, 그만……."

"동전으로는 밥도 먹을 수 없어요. 더 걸을 힘도 없고요. 제발 문을 닫지 마세요……. 아, 제발! 부탁이에요!"

"아니, 비가 이렇게 들이닥치는데!"

"아가씨들께 여쭤만 주세요, 제발 제가 직접 만나서⋯⋯."

"안 된다니까 그래! 정말 수상하네, 왜 이렇게 소란을 피워요. 저리 썩 가요!"

"하지만 이렇게 내치시면 저는 당장 죽을지도 몰라요."

"죽기는! 어디 한밤중에 남의 집에 침입해서 나쁜 짓이라도 꾸밀까 싶어서 그래요! 혹시 도적 패거리랑 같이 다니는 거면 똑똑히 전해요. 이 집에는 우리만 사는 게 아니야! 우리 집에는 신사 하나랑 개 그리고 총도 있다고!"

정직하지만 융통성이라고는 없는 가정부는 문을 쾅 닫고 걸쇠까지 걸어버렸다.

아, 이렇게 끝이었다. 고통의 파동과 진정한 절망의 정점이 내 심장을 찢고 뒤흔들었다. 더 이상 힘이 나지 않았다. 한 발짝도 움직일 수 없었다. 나는 비에 젖은 문턱에 그대로 쓰러졌다. 신음을 흘리고, 양손을 비틀며 괴로움에 흐느꼈다. 아, 죽음의 사자여! 이 마지막 한 시간이 얼마나 무서웠던지. 아! 이렇게 같은 인간에게 내쳐지며 외롭게 죽어가는구나! 희망의 닻은 물론, 용기의 발판마저 사라졌다. 잠시 나는 그렇게 몸부림쳤다. 그러다가 다시 힘을 내기 위해 애썼다.

"이렇게 죽을 수는 없어. 나는 주님을 믿어. 조용히 주님의 뜻을 기다리자."

나는 생각을 입 밖으로 내뱉었다. 그러다가 온갖 슬픔이 밀려오면 어떻게든 밀어내려 애쓰며 버텼다.

"누구나 죽습니다." 그때 바로 옆에서 누군가 말했다. "그러나 세상 모든 이가 굶주림으로 잔혹하고 불필요한 죽음을 맞이하는 건 아닙니다.”

“누구세요, 누가 말씀하세요?” 예상치 못한 목소리에 겁에 질린 내가 물었다. 이제 어떤 상황이라도 도움을 받을 수 있을 거란 희망은 없었다. 어둠이 짙게 깔린 밤, 시야마저 흐린 탓에 누구인지 구별할 수도 없었다. 그리고 내 곁에 등장한 이는 소란스럽게 문을 두드렸다.

“세인트 존 도련님이요?” 해나가 소리쳤다.

“응, 나야. 어서 문을 열어!”

“아이고, 얼마나 젖고 추우면 이러실까. 세상에 이런 밤이 있어! 어서 들어와요. 아가씨들도 걱정이 이만저만이 아니었어요. 게다가 집 주변에 나쁜 놈들이 있는 거 같아요, 아까 웬 거지가…… 아니, 아직도 여기 누워 있네! 썩 일어나요! 창피한 줄 모르고! 얼른 가라니까!”

“그만해, 해나! 이 여자와 이야기를 좀 해봐야겠어. 아주머니는 아주머니 사명대로 이 여자를 내쫓았고, 나는 내 사명대로 이 여자를 집에 들일 거야. 이런 일이 자주 있는 것도 아니고, 적어도 사정이 있겠지. 자, 아가씨, 일어나시오. 어서 집으로 들어갑시다.”

나는 힘겹게 그의 말을 따랐다. 깨끗하고 밝은 부엌으로 들어간 뒤 창문 너머로 보았던 난롯가 옆에 서서 메스꺼움을 참으며 덜덜 떨었다. 비바람에 지쳐 죽기 직전의 비참한 몰골로. 두 여인과 그들의 오빠 그리고 나이 든 가정부 해나가 나를 쳐다보고 있었다.

“세인트 존, 이 여자는 누구야?” 두 자매 중 하나가 물었다.

"모르겠어, 문 앞에 있더라고." 그가 말했다.

"너무 핼쑥해서 원." 해나가 거들었다.

"당장이라도 죽을 것처럼 얼굴이 하얘. 곧 쓰러지겠어. 어서 앉히자." 누군가 말했다.

그리고 나는 정말로 머리가 핑 돌았다. 그대로 주저앉으려는 나를 의자가 겨우 지탱해 주었다. 정신은 있었지만, 말은 할 수 없었다.

"물을 좀 마시면 기운이 날 거야. 해나, 가서 물을 좀 떠 와요. 너무 지쳤나 봐. 어쩜 이렇게 마르고 핏기가 없지?"

"유령 같아!"

"혹시 아픈가? 굶주렸나?"

"굶어서 그래. 해나, 우유가 있나? 조금 가져와요, 빵도."

다이애나가 빵을 떼어 우유에 담갔다가 내 입가에 대었다. (긴 고수머리로 그녀를 알아보았다. 내게 허리를 숙이자, 긴 머리가 흘러내렸던 까닭이다.) 그녀의 얼굴이 내 코앞에서 어룽거렸다. 그녀의 눈에 연민이 떠올랐고, 가쁜 호흡에는 동정이 들어 있었다. 짧은 말에도 따뜻한 연민이 깃들어 있었다. "좀 드셔보세요."

"맞아요, 먹어봐요." 메리도 자상하게 거들었다. 메리의 손이 비에 젖은 내 보닛을 벗기고, 내 고개를 받쳐 들었다. 나는 그들이 내민 빵을 먹었다. 처음에는 먹을 힘도 없었지만 이내 열심히 씹어 삼켰다.

"너무 많이 주지는 마. 이제 그만 줘." 두 자매의 오빠가 끼어들었다. "충분해, 그 정도면." 그가 우유가 든 컵과 빵 접시를 치웠다.

“조금만 더 주자, 오빠. 눈빛이 더 달라고 하잖아.”

“지금은 안 돼. 말을 할 수 있는지 물어봐. 이름부터.”

나는 말할 기운이 생겨서 이렇게 대답했다. “제 이름은 제인 엘리엇이에요.” 내 정체를 숨기기 위해 가명을 쓰기로 결심했다.

“그래, 어디 살아요? 친구나 아는 사람은?”

나는 대답하지 못했다.

“아는 사람에게 연락해 줄까요?”

나는 고개를 저었다.

“어떤 사정인지 설명을 해주겠소?”

어떤 사연이든, 이 집 문턱을 넘고 주인과 대면했으니, 더 이상 사람들로부터 버림받은 떠돌이나 낙오자가 아니었다. 나는 용기를 내어 거지꼴에서 벗어나 본디 나의 말투와 몸가짐을 되찾고 싶었다. 다시 나로 돌아가고 싶었다. 그러나 세인트 존 씨가 자상한 말투로 내게 설명을 요구하는 사이, 나는 다시 맥이 풀리고 힘이 빠졌다. 그래서 잠깐 숨을 고르다가 이렇게 대답했다.

“오늘 밤에는 설명드릴 수가 없을 것 같아요.”

“그렇다면 우리가 이제 무얼 해드리면 되겠소?”

“아무것도……” 쇠약한 기력으로는 이 정도 답밖에 할 수 없었다. 다이애나가 끼어들어 나 대신 설명을 해주었다.

“혹시 이만큼 도와드렸으니 괜찮다는 뜻인가요? 다시 이 밤에, 비 내리는 황야로 내쫓아도 상관없다는 말씀이세요?”

나는 그녀를 바라보았다. 그녀는 강인함과 선함이 넘치

는 인상이었다. 나는 갑자기 용기를 얻었다. 그녀의 동정 어린 눈길을 미소로 받으며 이렇게 대답했다. "여러분을 믿어요. 비록 제가 주인 없는 개라고 해도, 오늘 밤 저를 이 집에서 내쫓지는 않으실 거라 생각해요. 그래서 여러분이 무섭지 않아요. 저를 어떻게 하시든 상관없어요. 다만 자세한 설명은…… 아직, 숨이 모자라서요……. 이야기를…… 길게 할 수 없어요."

세 사람은 나를 가만히 지켜보았다.

"해나." 마침내 세인트 존 씨가 입을 열었다. "아무것도 묻지 말고 10분 후에 다시 남은 빵과 우유를 내드리게. 메리와 다이애나는 나를 따라 응접실로. 함께 논의를 해보자."

그렇게 그들은 사라졌다. 이윽고 한 아가씨가 돌아왔다. 누구였는지는 보지 못했다. 그저 따뜻한 난롯가에 앉아 있으니 기분 좋은 마비 상태에 빠져들었다. 그녀는 나지막한 목소리로 해나에게 무언가를 지시했다. 이윽고 나는 노파의 부축을 받으며 간신히 2층으로 올라갔다. 그녀는 홀딱 젖어버린 옷을 벗기고, 따뜻하고 마른 침대에 눕혀주었다. 나는 주님께 감사했다. 어떻게 설명할 수 없는 피곤함에 빠져 감사함과 기쁨을 맛보았고, 그대로 기절하듯 잠들었다.

그 후 사흘간의 기억은 그저 흐릿할 뿐이다. 사이사이 느긴 감각은 기억나지만, 생각을 정리하거나 어떤 행동을 한 기억은 거의 없다. 나는 작은 방의 좁은 침대에 누워 있었다. 그 침대에 뿌리를 내리고 그대로 자란 기분이었다. 억지로 나를 침대에서 벗어나게 했다면, 아마 나를 뿌리째 뽑아 죽이는 것과 마찬가지였으리라. 나는 시간의 흐름도 전혀 의식하지 못했다. 아침에서 정오로, 정오에서 저녁으로 변하는 시간도 인지하지 못했다. 누군가 방으로 들어오거나 나가는 모습만 기억했다. 심지어 그들이 누구인지도 알지 못했고, 가까이 다가와 건네는 말도 이해할 수는 있었지만, 대답할 수는 없었다. 입을 열거나 팔다리를 움직이는 것도 불가능했다. 해나는 가장 자주 찾아오는 이였다. 그녀가 오면 나는 불안해졌다. 언제든 나를 쫓아낼 것 같았기 때문이었다. 그녀는 나를 불편하게 여겼고, 나에게 이유 없는 편견을 갖고 있는 것 같았다. 다이애나와 메리도 하루에 한두 번씩 나를 찾아와 머리맡에서 속삭였다.

"들이길 잘한 것 같아."

"맞아, 밤새도록 밖에 두었으면 아침에 죽은 채 발견되었을 거야. 대체 무슨 일을 겪은 걸까?"

"가난하고, 건강도 잃고, 방랑했겠지. 힘든 일을 겪었을 거야."

"그래도 교육을 못 받은 것 같지 않아. 말투도 점잖고, 젖은 옷은 낡고 얇지만 좋은 옷이었어."

"얼굴도 독특해. 너무 마르고 창백하지만, 어쩐지 마음에 들어. 건강하고 생기 넘치면 더 근사할 것 같아."

그들의 대화에서 그들이 내게 베푼 환대를 후회하거나 의심하거나 혐오하는 말은 한마디도 듣지 못했다. 나는 크게 위로받았다.

세인트 존 씨는 딱 한 번 나를 찾아왔다. 그는 나를 빤히 관찰하더니, 나의 무기력한 상태는 장기간 이어진 과도한 피로 때문이라고 결론 내렸다. 그는 의사를 부를 필요는 없을 것 같다고 했다. 자연이 최선을 다해 나를 치료하리라 생각했다. 모든 면에서 나는 과도하게 긴장했고, 신체 기능이 돌아올 때까지는 푹 자게 두는 게 나을 거라고도 했다. 아픈 건 아니니까, 회복되면 금세 건강을 되찾을 거라고도 했다. 그는 아주 낮고 조용하게 말했다. 말이 많은 편은 아닌지 영 쑥스러워했다.

"아주 평범한 생김새는 아니군. 저속하거나 못생기지도 않았고."

"전혀 아니야." 다이애나가 답했다. "솔직히 말하면, 불쌍한 영혼을 구했다는 사실에 마음이 따뜻해져. 우리가 이분을 계속 도와드릴 수 있으면 좋겠어."

"그럴 가능성은 없어. 친지와 오해가 생겼거나 충동적으로 집을 떠난 숙녀일 거야. 고집을 부리지 않는다면 가족의 품으로 돌려보낼 수 있겠지. 얼굴만 봐서는 강인한 성격 같아, 유순할 것 같지도 않고." 그는 한참이나 나를 관찰하다가 이렇게 덧붙였다. "이성적인 사람 같아. 물론 아주 아름답다고 할 수는 없지만."

"아프잖아."

"아프든 건강하든 얼굴에 미모와 우아함은 없잖아."

셋째 날에는 상태가 훨씬 좋아졌고, 넷째 날에는 말도 하고 움직일 수도 있었다. 침대에서 일어나거나 몸을 틀기도 했다. 해나가 묽은 죽과 토스트도 가져다주었다. 아마 늦은 오후의 식사 시간쯤 된 모양이었다. 나는 맛있게 먹었다. 지금까지는 입이 깔깔하고 열감이 돌아서 무엇을 먹어도 맛이 느껴지지 않았는데, 이제 맛이 느껴졌다. 해나가 떠나자, 나는 훨씬 힘도 나고 활기를 찾은 기분이 들었다. 얼마 지나지 않아 휴식의 포만감이 나를 움직이게 했다. 일어나고 싶었지만, 입을 옷이 있을지 궁금했다. 내게는 젖고 진흙투성이인 옷뿐이었다. 그 옷을 입고 길에서 자고 늪을 굴렀다. 그렇게 입고 은인 앞에 나서는 건 생각만 해도 부끄러웠다. 그러나 다행히도 그런 굴욕은 면했다.

침대 곁 의자에 깨끗하게 세탁을 마친 내 물건들이 정리되어 있었다. 검은 실크 프록코트도 벽에 걸려 있었다. 진흙은 모두 씻겨 나갔고, 비에 젖어 생긴 주름도 모두 펴진 상태였다. 신발과 스타킹도 모두 깨끗하게 말라 있었다. 방에는 얼굴을 씻을 세면대도 있었고, 머리를 손질할 수 있는 빗도 있었다. 5분 정도 천천히 쉬면서 단장을 마쳤다. 살이 많이 빠져 옷은 헐렁했지만, 보기 싫은 곳은 숄로 가렸다. 품위 없는 진흙이나 오물을 씻어내고 걱정했던 것보다 훨씬 나은 상태로, 다시 깨끗하고 개운하게 단장한 나는 천천히 난간을 부여잡고 계단을 내려왔다. 천장이 낮고 좁은 복도를 지나 마침내 부엌에 다다랐다.

갓 구운 빵과 따뜻한 온기가 가득한 부엌이었다. 해나가 빵을 굽고 있었다. 편견은 그렇다. 비료를 준 적 없는 마음의 흙에 한번 뿌리를 내리는 순간, 그 무엇으로도 씻어내기 힘든 법이다. 편견은 땅 위에 자라고 돌 사이에 뿌리내리는 잡초처럼 뽑아내기 힘들다. 해나도 처음에는 무뚝뚝하고 차가웠다. 그러나 최근에는 마음이 조금씩 열렸고, 내가 단정하고 깨끗한 옷차림으로 나타나자, 미소까지 지어 보였다.

"일어나셨소! 훨씬 낫구먼. 나로 옆 의자에 좀 앉아요." 그녀가 흔들의자를 가리켰다. 나는 의자를 끌어와 앉았다. 그녀는 이리저리 바쁘게 움직이면서도 가끔 나를 곁눈질로 살폈다. 오븐에서 빵을 꺼낸 그녀가 내게 돌아서서 불쑥 물었다.

"여기 오기 전에도 구걸하고 다녔소?"

나는 순간 화가 치밀었으나, 화를 내기에도 퍽 이상한 일이었다. 분명 이 사람 눈에 나는 구걸이나 하는 거지꼴이었으니까. 그래서 생각을 고치고 차분히 대답했다. 물론 말투는 내 예상보다 딱딱했다.

"저를 거지로 봤다니 오해예요. 저는 거지가 아니에요. 아주머니나 이 댁 아가씨들도 거지는 아니잖아요?"

잠깐 말이 없던 그녀가 이렇게 대꾸했다. "그런 사정은 나야 모르지. 그렇지만 아가씨는 집도 뭣도 없어 보이는데?"

"집도 뭣도 없어도(아마 돈을 이야기하겠지), 아주머니가 생각하는 의미의 거지는 아니에요."

"많이 배웠소?" 그녀가 내게 물었다.

"네, 공부도 했어요."

"그래도 기숙학교 이런 데는 못 가봤지?"

"8년이나 있었어요."

해나의 눈이 휘둥그레졌다. "그런데 왜 그러고 살아요?"

"혼자 잘 살았어요. 앞으로도 잘 살 생각이고요. 그런데 그 구스베리로 뭘 하려고요?" 그녀가 과일 바구니를 꺼내기에 내가 물었다.

"파이나 구우려고."

"주세요, 제가 딸게요."

"아유, 아직 일은 하지 말아요."

"주세요, 제가 도와드리고 싶어서 그래요."

결국 노파도 물러섰다. 깨끗한 수건을 가져와 내 무릎에 펴주고는 "옷을 더럽히지는 말아야지" 하고 물러났다.

"부엌일을 많이 안 해봤구먼, 손을 딱 보니." 그녀가 덧붙였다. "혹시 재봉사는 아니었나 몰라?"

"아니요, 아니었어요. 제가 무슨 일을 했는지 궁금해하지 말고, 제가 어떤 사람인지 너무 고민도 하지 말고, 그저 이 집이 어디인지만 말씀해 주세요."

"누구는 마시 엔드라고도 하고, 누구는 무어 하우스라고도 하고, 그래요."

"이 댁 주인이 세인트 존 씨 맞고요?"

"아, 도련님은 여기 살지는 않으셔. 잠깐 왔다 갔다 하시지. 따로 계시는 곳이 있어요. 모튼에 교구가 있거든."

"몇 마일 떨어진 마을 말씀이죠?"

"그렇다오."

"그럼 하시는 일은?"

"목사님이시지."

나는 목사관에 들러 늙은 가정부에게 목사님을 만나고 싶다고 했던 기억이 떠올랐다. "아, 이곳이 선친이 살던 댁이었군요?"

"그렇지. 리버스 씨도 사셨고, 그 아버지도, 그 할아버지며 승조할아버시까지 대대로 사셨지."

"그렇다면 그 신사분 성함은 세인트 존 리버스 씨겠네요?"

"그렇지. 세인트 존이 세례명이라오."

"그리고 두 동생분은 다이애나와 메리 리버스 양이고요?"

"그래요."

"부친은 돌아가셨고요."

"3주 전에 뇌졸중으로 돌아가셨지."

"모친은 안 계세요?"

"마님은 오래전에 돌아가셨소."

"아주머니는 이 댁에 오래 계셨어요?"

"나야 30년 넘게 있었지. 세 양반을 다 키웠어."

"그 말인즉슨, 아주머니는 정직하고 충실한 사용인이네요. 그건 인정해 드려야겠어요. 물론 저를 거지 취급했지만 말이에요."

그녀가 깜짝 놀란 눈으로 나를 바라보았다. "그랬지. 정말 아가씨가 거지인 줄 알았지, 뭐요. 원체 이 주변에 질 낮은 놈들이 많아서 그랬소. 실례가 많았어요."

"저를 쫓아내기까지 했어요. 그런 밤이면 개도 쫓아내지 않을 텐데." 나는 다소 엄한 말투로 덧붙였다.

"그거야 나도 괴로웠지만 어쩌겠소? 나야 우리 아가씨들이 더 걱정이지! 딱하기도 하고. 나 말고는 돌봐줄 사람이 없소. 내가 신경을 더 써야지 어떡해."

나는 한동안 침묵을 지켰다.

"너무 심했다고 생각해요. 고깝게 여기지는 말아요." 노파가 쭈뼛거리며 말했다.

"하지만 저는 그럴 수밖에 없어요. 저에게 잘 곳을 내어주지 않아서도 아니고, 저를 사기꾼으로 몰아가서 그런 것도 아니에요. 조금 전에 저를 집도 없고 뭣도 없다고 비난하는 듯한 말을 해서 그래요. 아무리 훌륭하고 청빈하게 산 사람이라도 가난한 경우가 있어요. 만일 주님을 굳게 믿는다면, 가난을 죄악으로 삼아서는 안 돼요."

"이제 안 그래요. 세인트 존 도련님도 나한테 그랬소. 내가 잘못했소. 이제는 아가씨가 달리 보여. 정말 많이 배우고 얌전한 아가씨로 보인다니까."

"그렇다면 저도 용서해 드릴게요. 그러면 우리 악수해요."

그녀가 밀가루 반죽이 덕지덕지 붙은 긴 손으로 내 손을 맞잡았다. 조금 더 따스한 미소가 그녀의 거친 얼굴에 피어났다. 그 순간 우리는 친구였다.

해나는 의외로 이야기를 즐겼다. 내가 구스베리 열매를 따고, 그녀는 파이를 반죽하면서 돌아가신 집주인 부부의 이야기며, 두 자매와 아들 이야기까지 늘어놓았다. 특히 '젊은이들'이라고 부르는 동네 젊은 사람들 이야기에 열을 올렸다.

그녀의 말에 따르면 돌아가신 리버스 씨는 꽤 검소한 신사로, 아주 옛날부터 이어져온 가문 출신이라고 했다. 마시 엔드에 집을 지은 후로 이곳은 늘 리버스가의 소유였다. 그리고 해나는 이렇게 덧붙였다. "근 200년은 된 집이오. 작고 조촐하고, 모튼 골짜기에 있는 올리버 씨의 훌륭한 저택에 비하면야 소박한 집이지만. 빌 올리버의 부친이 바늘을 만드는 직공이었다지. 그래도 니는 똑똑히 기억하오. 리버스 집안은 헨리 왕 시절에는 지주였어. 모튼 교회 기록 보관실에 있는 등록기록부만 봐도 알 수 있지." 그녀는 설명을 이어나갔다. "돌아가신 주인님은 꼭 평민처럼 소탈하셨소. 평민처럼 일도 하셨고. 사냥 나가면 총도 쏘고, 밭일도 대단히 잘하시고. 그런 일을 참 좋아하셨지."

그러나 안주인은 달랐다고 했다. 독서광에 공부도 많이 한 여자였다. 이 댁 자녀들은 모두 어머니를 닮았다. 이 근방에 누구도 이 댁 자제들 같은 젊은이는 한 사람도 없다고 했다. 세 사람 모두 말이 트이기 시작했을 때부터 공부를 즐겼고, 혼자서도 열심히 공부했다고 했다. 세인트 존은 성인이 되자 대학에 들어가 목사가 되길 희망했고, 딸들은 학교를 졸업하자 곧 가정교사 자리를 찾았다. 몇 년 전 부친이 믿고 거래하던 사람이 파산하면서 막대한 빚을 진 바람에 재산을 많이 잃었다고 했다. 세 자녀 모두에게 재산을 물려줄 만큼 넉넉하지 못했으므로, 셋 다 일찌감치 경제 활동에 나서게 된 것이다. 세 사람 모두 집에 돌아오는 일은 좀처럼 드물었고, 아버지가 돌아가시는 바람에 몇 주일 집에 머물고 있다는 이야 기였다. 세 사람 모두 런던이나 그 밖의 여러 대도시를 거치 며 살았지만, 고향처럼 좋은 곳은 없다고 입을 모아 말한다 고 했다. 게다가 남매는 우애도 깊었다. 싸우거나 말다툼도 하지 않는다고 했다. 이렇게 서로 단합이 잘되는 가족도 보 기 힘들다고 해나는 설명했다.

구스베리를 다 딴 나는 해나에게 세 남매 모두 외출했냐고 물었다.

"모튼으로 산책 나갔소. 곧 차 마실 시간이니 30분 내로 돌 아올 거요."

세 사람은 정확히 해나가 말한 시간에 부엌문을 열고 돌아 왔다. 세인트 존 씨는 나를 보고는 고개만 숙이고 지나갔다. 두 자매는 우뚝 멈춰 서서 내게 인사를 건넸다. 메리는 친절 하고 다정하게, 내가 아래층으로 내려올 만큼 건강을 회복해 서 기쁘다고 했고, 다이애나는 내 손을 맞잡으며 고개를 저 어댔다.

"아직 내려오면 안 된다고 말할 걸 그랬어요. 안색도 너무 창백하고 말랐어요! 어쩜 좋아요, 정말!"

다이애나의 목소리는 마치 귀여운 비둘기가 노래하는 것 처럼 귀여웠다. 다정한 눈이 나를 쳐다보면 기쁜 감정이 샘 솟았다. 그녀의 얼굴에는 매력이 흘렀다. 메리도 마찬가지로 지적인 분위기를 풍겼다. 이목구비도 아름다웠다. 그러나 표 정이 다이애나보다 얌전했다. 태도도 상냥했지만, 조금 거리 감이 느껴졌다. 다이애나는 화법이나 표정에 권위가 느껴졌고, 강한 고집도 보였다. 나는 성격상 내 양심과 자존심이 허락하는 선에서 이런 강한 힘을 가진 인물을 따르고 허리를 숙이는 편이었다.

"부엌에서 뭘 했어요?" 다이애나가 물었다. "당신이 할 일은 없어요. 메리와 저도 가끔 부엌에 앉아 있긴 하지만 그건 우리가 집에서 자유롭게 지내는 걸 좋아해서 그런 거예요. 하지만 당신은 손님이잖아요. 어서 응접실로 가요."

"저는 여기도 좋아요."

"그럴 수는 없어요! 해나가 바지런히 돌아다니면서 당신에게 밀가루를 뿌려대는 걸요."

"게다가 불도 너무 뜨거워요." 메리가 끼어들었다.

"맞아요." 다이애나가 덧붙였다. "어서 이리 오세요. 우리 말 들어요." 그녀는 내 손을 잡고 일으켜 세우더니, 안쪽에 있는 방으로 안내했다.

"여기 앉으세요." 그녀가 소파에 나를 앉혔다. "우리는 옷을 갈아입고 차를 준비할게요. 작은 황야의 집에서 우리가 누리는 또 다른 특권이랍니다. 언제든 우리가 원할 때, 아니면 해나가 빵을 굽고 술을 빚고 빨래할 때는 우리 손으로 간식을 준비하거든요."

그녀가 문을 닫고 나가고 나는 세인트 존과 단둘이 남겨졌다. 그는 내 맞은편에 앉아서 신문인지, 책인지 모를 것을 들고 있었다. 나는 우선 응접실을 돌아보고, 그를 조금 관찰했다.

아주 작은 방이지만 소박하게 꾸며져 있었고 깨끗하고 깔끔해서 편안했다. 고풍스러운 의자는 반짝반짝 빛나고, 호두나무로 만든 탁자는 마치 거울 같았다. 옛 시대 남녀를 그린 색다르고 낡은 초상화가 벽을 장식하고 있었고, 유리문이 달린 찬장에는 책과 오래된 도자기 세트가 들어 있었다. 방에는 불필요한 장식이 하나도 없었다. 탁자 위에 놓인 작업용 상자 두 개와 로즈우드 소재의 여성용 책상 하나만 빼고는 현대식 가구는 하나도 없었다. 카펫과 커튼을 포함한 모든 게 한눈에 보기에도 낡았지만, 잘 보존된 느낌이었다.

벽에 걸린 먼지 쌓인 그림처럼 가만히 앉아 뚫어지게 책을 읽으며 묵묵히 입술을 다문 세인트 존 씨는 쉽게 관찰할 수 있었다. 그가 사람이 아니라 조각상이었다면 더 쉬웠을 테다. 아마 스물여덟에서 서른 정도로 보였다. 키가 크고 늘씬했고, 얼굴은 시선을 사로잡을 만큼 준수했다. 그리스인의 얼굴처럼 윤곽이 남달랐다. 아주 곧고 고전적인 코, 아테네인 같은 입과 턱이 조화로웠다. 영국인치고 이렇게 옛 그리스인을 닮은 외모는 정말 드물었다. 이렇게 균형 잡힌 외모라면 내 불균형적인 이목구비에 놀랐다고 해도 그리 이상할 일은 아니었다. 눈은 크고, 눈동자는 파란색이었으며 갈색 속눈썹이 짙었다. 매끄러운 이마는 상아처럼 희고 황금색 머리카락이 늘어져 있었다.

독자들이여, 이렇게만 묘사하면 그가 온화한 인물이라고 상상할 수밖에 없지 않은가? 그러나 그는 부드럽거나 온화하거나 섬세하다는 인상은 전혀 주지 않았다. 말없이 앉아 있는데도, 코와 눈썹 근처에 불안하고 차갑고, 냉철한 인상이 짙었다. 책에 집중하는 기색이 역력했다. 그는 두 자매가 돌아올 때까지 한마디도 하지 않았고, 심지어 나를 쳐다보지도 않았다. 다이애나가 차를 준비하는 동안 응접실을 오가다가 오븐에서 구운 작은 케이크를 나에게 가져다주었다.

"지금 요기하세요. 배고프실 것 같아서요. 해나가 그러는데 아침에도 묽은 죽만 드셨다면서요." 그녀가 말했다.

나는 거절하지 않았다. 식욕이 되살아났기 때문이었다. 리버스 씨는 책을 덮고 탁자로 다가와 의자에 앉으면서 그림 같은 파란 눈으로 나를 응시했다. 그의 시선에는 지금까지 그 의도를 숨기고 있었을 뿐, 낯선 사람에 대한 거리감을 유지하는 것이 아니라, 오히려 확고한 의지 같은 것이 느껴졌다. 직접적이고, 나를 탐색하는 듯 무언가 알아내려는 눈초리였다.

"많이 시장하셨군요." 그가 말했다.

"네, 맞아요." 나는 본능적으로 간결하고 직설적으로 대답했다. 그게 내 방식이었다. 간단한 말에는 간결하게, 단도직입적인 물음에는 솔직하게 답하는 편이었다.

"지난 사흘간 열이 올라 아무것도 먹을 수 없어 다행이었습니다. 처음부터 식욕이 일었더라면 오히려 위험했을 겁니다. 이제 드셔도 좋습니다. 하지만 과식은 안 됩니다."

"언제까지 이렇게 폐를 끼칠 수는 없는데요." 나도 모르게 어설프고 조잡한 대답이 튀어나왔다.

"그렇지요. 친지분의 주소를 알려주시면 편지를 보내드리겠습니다. 그러면 집으로 돌아가실 수 있겠지요."

"솔직히 말씀드리면 그렇게는 힘들어요. 저는 집도, 친지도 없거든요."

세 사람은 동시에 나를 쳐다보았지만, 의심하는 눈빛은 아니었다. 의심보다는 호기심이 더 컸다. 특히 젊은 자매들이 유독 눈을 반짝였다. 세인트 존 씨의 눈은 말 그대로 밝았지만, 비유적일 뿐 내면을 파악하기는 힘들었다. 그는 생각을 드러내는 도구로 눈을 사용하는 게 아니라 다른 사람의 생각을 탐색하는 도구로 사용하는 것처럼 보였다. 예민하고 내성적인 성격의 조합은 나의 용기를 북돋는 게 아니라, 오히려 당혹스럽게 만들었다.

"그럼, 모든 연결고리라고는 없이 고립된 상태라는 말씀입니까?" 그가 물었다.

"네, 그 어떤 분과도 연고가 없어요. 영국의 어느 집이라도 제가 갈 곳이 없거든요."

"그 나이에 참으로 독특한 상황이군요!"

그때 나는 그의 시선이 내 손으로 향하는 것을 보았다. 내 손은 탁자 위에 올려져 있었다. 나는 그가 무엇을 찾고 있는지 궁금했다. 그의 말은 곧 설명을 동반했다.

"결혼을 안 하셨군요, 미혼입니까?"

다이애나가 웃음을 터트렸다.

"고작 열일곱 살이나 열여덟 살 정도로 보이는걸." 그녀가 말했다.

"이제 곧 열아홉 살이고, 결혼은 아직이에요."

결혼을 묻는 질문에 씁쓸하고 격정적인 기억이 되살아나

면서, 얼굴에 뜨거운 열기가 솟구쳤다. 내 반응에 다들 당황한 눈치였다. 다이애나와 메리는 내 얼굴이 붉어지자 고개를 돌리며 나를 안심시켰다. 그러나 냉정하고 엄격한 남자는 나를 빤히 바라보았다. 마침내 그가 상기시킨 고뇌로 나는 얼굴을 붉혔고 눈물까지 맺히고 말았다.

"마지막으로 어디에 거주했습니까?" 그가 물었다.

"너무 호기심이 많아, 오빠." 메리가 나지막이 중얼거렸다. 그러나 그는 탁자에 몸을 기울이며 단호하고 날카로운 눈빛으로 답을 요구했다.

"제가 살던 곳과 그곳의 이름은 비밀입니다." 나는 간결하게 대답했다.

"만약 원하신다면 세인트 존이든 다른 어떤 사람에게든 비밀로 할 권리가 있다고 생각해요." 다이애나가 나를 거들었다.

"그렇지만 당신에 관한 정보나 과거에 관해 아무것도 모른다면 도움을 드릴 수 없습니다." 그가 응수했다. "게다가 제 도움이 필요하신 상황 아닙니까?"

"필요해요. 구하고 있죠. 어떤 진실한 박애주의자가 나타나 제가 할 수 있는 일자리를 구해주신다면, 거기서 받는 보수로 살아갈 생각을 하고 있습니다."

"내가 박애주의자인지 아닌지는 모르겠지만, 진지하게 일자리를 찾는 중이라면 힘이 닿는 한 도와드리겠습니다. 그러면 지금까지 어떤 일을 하셨고, 또 어떤 능력을 갖추고 있는지 설명해 주시겠습니까?"

차를 다 마신 덕분인지 마치 포도주를 마신 거인처럼 기분이 상쾌해졌다. 긴장된 신경에 새로운 활력을 불어넣었고, 날카로운 젊은 판사에게도 차분하게 말할 수 있는 용기가 샘솟았다.

"리버스 씨." 나는 그를 바라보며 당당하게 말했다. 그도 나를 거리낌 없이 쳐다보았다. "당신과 두 자매가 저에게는 큰 도움이 되었어요. 가장 위대한 사람만이 할 수 있는 가장 위대한 도움이었습니다. 여러분의 감사한 환대로 저는 죽음에서 벗어날 수 있었어요. 그래서 저에 대해 조금이라도 말씀드리는 것이 도리라고 생각합니다. 여러분이 기꺼이 받아주신 방랑자의 역사에 관하여, 제 마음의 평화를 깨뜨리지 않는 선에서, 저와 타인의 도덕적 안전과 신체적 안전을 해치지 않는 선에서 최대한 말씀드리려고 합니다.

저는 고아입니다. 목사의 딸이었습니다. 양친은 제가 기억도 하기 전에 돌아가셨어요. 그 후 친척의 손에 맡겨졌다가 자선 학교에서 교육받았습니다. 학생으로 6년간, 이후 교사로 2년간 머문 학교의 이름은 알려드리겠어요. 그곳은 ○○주의 로우드 자선 학교입니다. 들어보신 적이 있을 겁니다, 리버스 씨. 로버트 브로클허스트 목사가 담당하셨지요."

"브로클허스트 씨에 관해서는 들어본 적도 있고 그 학교에 가본 적도 있습니다."

"1년 전, 가정교사가 되기 위해 로우드를 떠났습니다. 좋은 일자리를 얻어 다행이었어요. 그러다가 이곳에 다다르기 4일 전에 그 집을 떠날 수밖에 없는 상황이 벌어졌습니다. 그 이유는 설명해 드릴 수 없고, 설명해 드려서도 안 됩니다. 위험하기도 하고, 도저히 믿어주시지도 않을 내용이라서요. 다만 저의 잘못은 아니었습니다. 여기 계시는 세 분과 마찬가지로, 저는 아무런 죄를 짓지 않았습니다. 하지만 비참했어요. 당분간은 비참한 생각에 빠져서는 안 되겠지만 제가 천국으로 여겼던 그 집을 떠날 수밖에 없던 파탄의 이유는 정말 기괴하고, 비참한 이유였습니다. 저는 떠나기에 앞서 두 가지 결심을 했습니다. 가능한 한 빨리 아무도 모르게 떠나기로 한 것입니다. 그러기 위해서 작은 꾸러미 외에는 모든 소지품을 놓고 올 수밖에 없었어요. 그 짐은 황당하게도 위트크로스까지 타고 온 마차에 두고 내렸습니다. 그래서 무일푼으로 이곳까지 오게 된 것이지요. 이틀 밤은 길에서 노숙했고 이틀간은 어느 집에도 들어갈 수 없어 거리를 헤맸습니다. 그동안 식사는 두 번뿐이었어요. 너무 배고프고 피곤하고 절망한 끝에, 이제 숨이 끊어지려나 하는 순간을 버티는데 당신이, 리버스 씨가 현관에서 굶어 죽을 일은 없다고 하시며 저를 이 댁으로 들여주신 겁니다. 두 누이동생께서도 저를 극진하게 대해주신 것도 압니다. 두 분이 보여주신 자발적이고 진심 어린 온정에 진심으로 감사하고, 리버스 목사님의 자선과 마찬가지로 큰 은혜를 느끼고 있습니다."

"이제 말을 그만하게 해, 오빠." 내가 잠시 숨을 고르자 다이애나가 말했다. "아직 흥분하게 해서는 안 돼. 소파에 가서 앉아요, 엘리엇 양."

내 거짓 이름에 나도 모르게 몸이 움찔거렸다. 빈틈없는 리버스 씨가 내 거짓말을 눈치채고 말았다.

"제인 엘리엇 양이라고 하셨지요?" 그가 물었다.

"네, 그랬어요. 당분간은 그 이름으로 불러주십사 바랐거든요. 그렇지만 본명은 아니라, 저도 모르게 어색하게 굴었습니다."

"진짜 이름은 알려줄 수 없습니까?"

"안 됩니다. 무엇보다 들키고 싶지 않아요. 그게 무엇이든, 들킬 이야기는 하고 싶지 않습니다."

"그래요, 맞아요. 이제 오빠도 그만해요. 잠깐 쉬게 두어요."

리버스 씨는 잠시 생각에 잠겼다가 침착한 태도로, 조금 전과 마찬가지로 날카롭게 물었다.

"언제까지고 우리의 호의에 기댈 생각은 아니라고 믿습니다. 아마 될 수 있는 한 빨리 두 동생의 온정에서 벗어나고 싶다고, 특히 나의 자선에서 벗어나고 싶을 겁니다. 온정과 자선은 잘 구별하리라 믿습니다. 불쾌하게 생각하는 것도 아니고요. 그냥 사실이 그렇지 않습니까? 우리에게 의지하지 않고 하루라도 빨리 자립하고 싶은 것 맞나요?"

"맞아요. 이미 그렇게 말씀드렸고요. 일하는 법이나 일자리를 찾을 수 있게 도와주세요. 그거면 됩니다. 가장 초라한 오두막이라도 상관없으니 머물 곳이 필요해요. 그때까지는 부디 저를 이 집에 머물게 허락해 주세요. 노숙자로 전락해 황야를 전전하는 일은 끔찍했습니다."

"좋아요, 이 집에 머물러요." 다이애나가 하얀 손을 내 머리에 얹으며 말했다.

"맞아요, 있으세요." 메리 역시 천성인 듯 조용하고 나긋한 어조로 덧붙였다.

"보다시피 동생들은 당신을 돌보는 일이 흡족한 것 같군요." 리버스 씨가 말했다. "마치 얼어 죽어가는 새가 추운 겨울바람에 쫓겨 창문으로 날아 들어온 것을 거두고 돌보는 일처럼 말입니다. 나도 당신이 스스로 살아갈 수 있는 길을 찾아주고 싶습니다. 노력해 보지요. 그러나 아시다시피 나는 활동 영역이 그리 넓지는 않습니다. 가난한 시골 교구 목사에 불과해요. 제대로 도와드리기는 힘들 겁니다. 만약 '보잘것없는 생활'을 경멸하신다면, 저보다 더 효율적인 도움을 구해야 할 겁니다."

"이분은 이미 할 수 있는 건 무엇이든 정직하게 하겠다고 했어." 다이애나가 말했다. "그리고 알다시피, 세인트 존, 선택의 여지도 많지 않아. 오빠처럼 무뚝뚝한 사람이라도 견디실 거야."

"양장사도 좋고, 바느질도 좋아요. 평범하게 돈을 벌 수만 있으면 됩니다. 더 나은 직업이 어렵다면 하녀나 간병인도 괜찮습니다." 나는 대답했다.

"좋습니다." 그는 냉정하게 대꾸했다. "그렇게 생각하신다면 제 시간과 방식으로 당신을 돕겠습니다."

그는 이제 차를 마시기 전에 읽던 책에 집중했다. 나는 금방 자리를 떴다. 내 체력이 허락하는 선에서 충분히 이야기했고, 그만큼 오래 앉아 있었기 때문이다.

무어 하우스의 사람들을 알면 알수록, 그들이 더 좋아졌다. 며칠 만에 건강이 회복되어 하루 종일 앉아서 지낼 수 있었고, 가끔은 걸을 수도 있었다. 다이애나와 메리의 모든 일에 동참할 수 있었고, 그들이 원하는 만큼 그들과 대화를 나눌 수 있었고, 그들이 허락하는 시간과 장소에서 그들을 도울 수 있었다. 이 교류를 통해 나는 처음으로 기쁨을 맛보았다. 취향, 감정, 원칙의 완벽한 조화로 인해 태어난 기쁨이었다.

나는 그들이 좋아하는 책을 읽고 싶었다. 그들이 즐기는 것, 기뻐하는 것, 그들이 찬성하는 것을 선망했다. 그들은 그 고즈넉하고 외딴집을 사랑했다. 나 또한 고풍스러운 회색의 작은 집에 낮은 지붕과 격자 창문, 무너지는 담, 늙은 전나무, 주목과 호랑가시나무, 튼튼한 식물밖에 꽃을 틔우지 않는 그 집이 좋았다. 전나무는 산에서 불어 내려오는 바람에 한쪽으로 모두 기울어 자랐다. 이 작고 고즈넉한 집은 싫증 나지 않는 강력한 매력이 있었다. 집 뒤나 주위에 퍼진 보랏빛 황야도, 대문부터 자갈 깔린 마찻길과 이어지는 골짜기도 마찬가지였다. 마찻길은 고사리가 무성한 둑과 둑 사이를 지나 히스의 황야와 경계를 이루며 서식하는 양 떼 그리고 순하고 작은 양이 풀을 뜯는 몇 개의 들판을 지난다. 자매들은 이 모든 것에 큰 애착을 느꼈다. 그 느낌을 이해할 수 있었고, 그 강력한 힘과 진정한 매력이 느껴졌다. 나는 금세 이곳에 사로

잡혔다. 고독이 주는 자유로움을 만끽했다. 완만하게 물결치는 언덕을 즐기고, 이끼와 황금빛 꽃이 만발한 잔디, 고사리, 부드러운 화강암 바위 등 야생의 색채가 주는 기쁨을 즐겼다. 자연은 나에게도, 두 자매에게도 달콤하고 순수한 즐거움의 원천이었다. 강한 돌풍과 부드러운 산바람도, 거친 날씨와 평온한 날씨도, 일출과 일몰도, 달빛과 어두운 밤마저도 자매들이 느낀 것처럼 나도 똑같이 느꼈다. 그녀들을 매료시킨 것처럼 나도 마찬가지로 마음을 빼앗겼다.

집 안에서도 우리는 잘 지냈다. 그들은 나보다 더 많은 것을 성취했고, 더 많은 책을 읽었다. 나는 그들이 걸어온 지식의 길을 열심히 따라갔다. 그들은 나에게 책을 빌려주었고, 나는 그 책을 하나도 빼놓지 않고 전부 읽었다. 저녁이면 그날 읽은 내용을 토론하는 것이 큰 기쁨이었다. 생각은 생각과 맞물리고, 의견은 의견과 만났다. 우리는 완벽하게 일치했다.

우리 셋 중에 우두머리이자 리더가 있다면, 그건 말할 필요도 없이 다이애나였다. 육체적으로도 그녀는 나보다 훨씬 뛰어났다. 그녀는 아름다웠고, 활기찼고, 동물적인 기질이 넘쳐흐를 정도로 생기 있었다. 그 모습은 나에게는 놀라움을 불러일으켰고 동시에 이해할 수 없는 특징이기도 했다. 초저녁이면 잠깐 이야기에 참여하다가도, 의욕이 시들고 혀도 둔감해지면, 나는 다이애나의 발치에 있는 의자에 앉아 머리를 무릎에 기대고 내가 궁금했던 문제를 자세히 논의하고 있는 두 사람의 이야기에 귀를 기울였다. 다이애나는 내게 독일어를 가르쳐주겠다고 제안했다. 나는 다이애나에게 배우는 게 좋았다. 그녀는 교사의 역할을 즐겼고, 잘 어울렸다. 동시에 학생으로서의 나도 잘 어울리고 즐거웠다. 우리는 성격이 잘 맞았다. 우리 세 사람 사이에 정말 강한 상호작용이 싹텄다. 내가 그림을 잘 그린다는 걸 알게 된 두 사람은 연필과 그림물감을 자유롭게 공유해 주었다. 두 사람보다 딱 하나, 내가 유일하게 잘하는 게 바로 그림이었다. 이 재능이 두 사람을 놀라게 했고, 두 사람의 마음을 사로잡았다. 메리는 내가 그림을 그리는 동안 줄곧 곁에서 지켜보았는데, 나에게 그림을 배우고 싶다고 했다. 온순하고 똑똑하고 끈기 넘치는 학생이었다. 이렇게 충실한 나날을 보내고 즐거운 시간을 나누는 사이 하루가 몇 시간처럼, 몇 주일이 며칠처럼 빠르게 지나갔다.

세인트 존은 나와 그의 누이동생들이 나누는 자연스럽고 빠른 친밀감까지 공유하지는 못했다. 우리 사이에는 늘 거리감이 있었고, 그건 그가 집을 비우는 날이 많았기 때문이었다. 그는 하루 대부분을 교구 안에 흩어져 사는 환자를 만나거나, 가난한 사람들을 방문하는 데 썼다.

어떤 날씨도 그의 목사로서의 사명감을 방해하지 못했다. 비가 오든, 날이 맑든, 아침 공부가 끝나면 그는 모자를 쓰고, 아버지가 귀여워했다던 포인트 종의 늙은 개 카를로를 데리고, 사랑인지 의무인지 모를 어떤 사명감을 위해 나섰다. 때로 날씨가 궂으면 동생들이 오빠를 말리기도 했지만, 그는 쾌활하기보다는 엄숙하고 진지한 미소로 이렇게 말했다.

"바람이 불거나 비가 온다고 편한 것만 좇고 태만하게 군다면, 과연 내 미래나 계획에 어떤 도움이 되겠어?"

다이애나와 메리는 오빠의 굳은 의지 앞에서 그저 한숨만 쉬고, 슬픈 얼굴로 입을 다물었다.

그러나 그가 자주 자리를 비우는 것 외에도 그와 친해지기에는 또 다른 장벽이 있었다. 그는 내성적이고 냉담하고, 심지어는 우울한 성격을 가진 것처럼 보였다. 그는 일에 열정적이고, 생활과 습관 면에서 흠잡을 데가 없었지만, 모든 진실한 기독교인과 실천적인 박애주의자에게 주어지는 정신적 평온과 내적 만족을 누리지 못하는 것처럼 보였다. 저녁이면 창가에 앉아 책상과 종이를 앞에 둔 채 무언가를 읽거나 쓰다 말고, 턱을 손에 얹고는 알 수 없는 공상에 빠져들곤 했다. 눈이 반짝이고 변화무쌍하게 치켜뜨는 걸 보면, 마음이 흐트러지거나 흥분한 상태라는 걸 눈치챌 수 있었다.

또한 나는 자연이 누이동생들이 느끼는 기쁨을 그에게는 내어주지 못한다고도 여겼다. 그는 한 번 나에게 자연에 관해 이야기했다. 집 주변을 감싸는 산의 거친 매력에 대한 강한 인상과 그가 집이라고 부르는 검은 지붕과 흰 벽에 애정을 표현했다. 그러나 그 감정이 드러나는 어조와 말투에는 즐거움보다는 우울한 감정이 감돌았고, 그는 황야가 주는 무수한 평화와 기쁨을 추구하거나, 그것에 푹 빠지는 일도 좀처럼 없었다.

이처럼 말 없는 사람과 마음의 깊이를 짐작할 기회를 얻기란 쉽지 않은 일이었다. 그의 기량을 처음으로 알게 된 건 모튼의 교회에서 그의 설교를 듣고 난 후였다. 그 설교를 꼼꼼히 재현하고 싶지만, 그건 내 능력 밖의 일이다. 또 그 설교가 내게 미친 감명도 완벽히 담아내지 못할 것이다.

설교는 조용히 시작되었다. 발성이나 어조도 마지막까지 차분했다. 진지하면서도 엄격하게 억제된 열정이 뚜렷한 억양을 통해 숨 쉬고, 긴장감을 불러일으켰다. 말은 기세를 가해 압축되고, 응축되고, 억제되며 힘을 얻었다. 설교자의 힘에 마음이 설레고 놀라움에 휩싸였지만, 그 어느 것도 누그러지지 않았다. 설교는 신랄한 비판으로 이어졌으며 마음에 위안이 될 부드러움은 없었다. 칼뱅주의의 교리, 즉 섭리와 예정설, 영원한 정죄에 관해 날카로운 통찰이 이어졌고, 가끔 그런 대목이 인용되면 마치 최후의 심판의 날에 내려지는 영원한 단죄처럼 들렸다. 설교가 끝나도 그의 설교로 깨달음을 얻거나 기분이 나아지거나 차분해지거나 배움을 얻는 대신 말할 수 없는 슬픔을 느꼈다. 다른 사람들도 그랬는지 모르겠지만, 나는 그 설교가 절망이 고이고 가라앉은 심연에서 솟아난 외침처럼 다가왔다. 만족할 줄 모르는 갈망과 불안한 열망이 충동 속에서 꿈틀거리는 기분이었다. 순수하고, 성실하고, 열정적인 세인트 존 리버스도 '모든 지각에 뛰어난 주님의 평화'를 얻지 못했다고 판단했다. 파괴된 우상과 잃어버린 낙원에 관한 격렬하고 쓰라린 후회가 아직도 이야기를 털어놓지 못하는 나처럼 주님의 평화를 영원히 갈망하는 것이다.

그렇게 한 달이 지났다. 다이애나와 메리는 곧 집을 떠나 그들을 기다리고 있는 전혀 다른 삶과 풍경 속으로 돌아갈 예정이었다. 그들은 영국 남부의 큰 도시에서 가정교사로 생활할 예정이었다. 부유하고 거만한 가족들은 자매를 겸손한 하인으로만 여기고, 그들의 타고난 재능을 알지도, 찾지도 않았으며, 마치 요리 솜씨나 하녀의 취미를 평가하듯 그녀들을 평가했다. 리버스 씨는 나를 위해 구해보겠다던 일자리를 구하지 못하고 있었다. 나는 어떤 일이든 시작해야 한다는 마음이 절박해졌다. 어느 날 아침, 응접실에 그와 단둘이 남겨졌을 때 그의 책상으로 다가갔다. 창가 옆에 둔 책상과 의자가 일종의 서재 역할을 했다. 어떻게 말을 꺼내야 좋을지 모르겠지만, 어쨌거나 그와 대화하고 싶었다. 물론 그의 성격상 얼음처럼 굳은 분위기를 깨고 그의 자제심까지 파괴하는 것이 쉬운 일은 아니었다. 그러나 그가 먼저 말문을 열어 수고를 덜 수 있었다.

내가 가까이 다가가자, 그가 고개를 들고 내게 물었다. "궁금한 게 있습니까?"

"네, 제가 할 수 있는 일자리를 혹시 찾으셨는지 궁금해서요."

"3주 전 당신에게 어울릴 만한 일을 발견했다고 할까, 고안했다고 할까 그랬습니다. 하지만 이 집에서 잘 지내고 있고, 게다가 행복한 것 같고, 누이들도 당신을 좋아하고, 당신과 시간을 보내는 게 즐거운 눈치라 말하지 않았습니다. 두 동생이 마시 엔드를 떠나고 당신이 꼭 일을 해야 할 시기가 왔다고 판단할 때까지, 세 사람의 즐거움을 방해하는 것이 적절치 않다고 판단되어서……."

"하지만 두 분은 사흘 후면 떠나시잖아요." 내가 말했다.

"그렇지요. 갈 겁니다. 나도 모튼의 목사관으로 돌아가고 해나도 나와 함께 가지요. 그럼 이 낡은 집은 아무도 살지 않는 겁니다."

나는 그가 처음 꺼낸 주제를 계속 설명할 것이라고 기대하며 잠시 기다렸다. 그러나 그는 다른 생각에 빠져 있는 듯했다. 그는 나나 내 일자리에 관심이 없어 보였다. 내게는 다급한 문제였으므로, 나는 다시 재촉할 수밖에 없었다.

"말씀하신 일자리가 어떤 일인가요, 리버스 씨? 이렇게 머뭇거리는 사이 다른 사람에게 빼앗기는 건 아닐까 걱정되어서요."

"아, 그 일자리는 전적으로 내가 제공하는 것이고, 당신은 받아들일지만 결정하면 됩니다."

그는 다시 입을 다물었다. 아무래도 계속 설명하는 걸 꺼리는 눈치였다. 나는 인내심이 바닥나고 있었다. 안절부절못하며 몇 번이나 몸을 움직였다. 한결같은 시선으로 나를 빤히 바라보는 그에게 말보다 효과적인 방식으로 내 초조함을 드러낸 것이다.

"왜 그렇게 초조해합니까? 그럴 필요는 없습니다. 솔직히 말씀드리지요. 제가 제안할 일은 자격이나 수익성이 뛰어나지 않습니다. 제가 이전에 한 이야기를 다시 떠올려보십시오. 제가 힘이 된다고 해도, 그건 장님이 절름발이를 돕는 일처럼 큰 도움이 되지 않을 거라고 했습니다. 저는 넉넉하지 않은 형편입니다. 선친의 빚을 다 갚으면 남은 재산이라고는 쓰러져 가는 이 집과 뒤뜰에 늘어선 벌레 먹은 전나무 숲 그리고 주목과 호랑가시나무 숲이 우거진 얼마 안 되는 집 앞의 황폐한 땅뿐입니다. 나는 비천하고, 리버스가는 오래된 가문이지만 이 가문의 유일한 자손인 세 사람 중 두 사람은 전혀 알지도 못하는 남의 집에서 생계를 꾸리고 있습니다. 세 번째는 그냥 모국을 버린 이방인이라고 생각합시다. 살아 있는 동안에도, 죽을 때까지도 그럴 겁니다. 나는 그런 운명에 선택받았다고 생각하고 그렇게 여기고 삽니다. 육신의 속박에서 해방되어, 십자가가 어깨에 놓이는 날을 기다리고, 미천한 종으로 교회의 지도자 그리스도께서 '일어나 나를 따르라!'라고 명하시는 그날만을 기다리는 겁니다."

그의 말투는 마치 설교하듯 조용하고 깊었다. 얼굴을 붉히지는 않았지만 눈빛은 빛났다.

"저는 가난하고 보잘것없는 사람이라, 당신에게 가난하고 보잘것없는 일자리만 제공할 수 있습니다. 이게 모욕적이라고 생각해도 괜찮습니다. 왜냐하면 당신의 일상생활은 어쩌면 고귀한 생활이었던 것 같으니까요. 취향은 이상에 가깝고, 어울리던 사회는 최소한 교육받은 사람들 사이에서 이루어졌던 것 같습니다. 그러나 나는 인류를 더 나은 방향으로 이끌 수 있는 일이라면 어떤 것이든 모욕적이지 않다고 생각합니다. 나는 기독교인 노동자라면 경작해야 할 땅이 더 건조하고 개간되지 않은 땅일수록, 그의 노고가 가져오는 보상이 더 적을수록 주어지는 명예는 더 높다고 생각합니다. 그런 상황에서 그는 개척자의 운명을 타고난 겁니다. 그리고 복음의 첫 번째 개척자는 사도였습니다. 그들의 지도자는 우리 주 예수님이셨고요."

"그래서요? 계속하세요." 그가 말을 멈추자, 내가 재촉했다.

그는 설명을 잇기 전 나를 바라보았다. 마치 내 얼굴의 특징과 선을, 책의 글자를 읽듯 천천히 읽어내리는 기분이었다. 그 결과 끌어낸 결론을 그는 다음과 같이 설명했다.

"당신을 위해 준비한 일을 받아들이리라 생각합니다. 얼마간은 말입니다. 영원히는 아니겠지요. 이 가난하고, 더욱 가난해질 일을. 마치 영국의 외딴 시골 교회에서 영원히 목사로 살 마음은 없는 나처럼 말입니다. 왜냐하면 당신은 성격상 나와 마찬가지로 안식에 만족하지 않으니까."

"제발 설명해 주세요." 그가 다시 입을 다물어서 나는 또다시 그를 채근했다.

"그럴 겁니다. 이게 얼마나 형편없고, 사소하고, 답답한지 곧 깨닫겠지요. 아버지가 돌아가시고 내가 주인이 되었으니 모튼에 오래 머물지는 않을 겁니다. 아마 1년 안에 떠나겠지요. 그러나 내가 머무는 동안에는 그곳을 개선하기 위해 최선을 다할 겁니다. 2년 전 이곳에 왔을 때는 모튼에 학교가 없었습니다. 가난한 아이들은 교육받을 수 있는 모든 희망에서 소외되어 있었습니다. 나는 남학생을 위한 학교를 세웠습니다. 이제 여학생을 위한 두 번째 학교를 세울 예정입니다. 작은 건물을 하나 빌렸고, 교사가 쓸 별채도 마련했습니다.

봉급은 연봉으로 30파운드입니다. 가구는 간소하지만 올리버 양의 도움으로 충분히 갖추었습니다. 우리 교구의 유일한 재력가이자 바늘 공장과 철 주조 공장을 소유한 올리버 씨의 유일한 딸인 올리버 양의 친절로 마련한 것입니다. 이 여성이 학교의 교육비와 의복비를 지급할 겁니다. 그러나 직접 학생들을 가르치거나 학교 잡무를 도울 시간적 여건은 되지 않습니다. 그런 이유로 그분을 도와 학교에서 선생님을 채용하고자 합니다. 혹시 그 일을 맡아주지 않겠습니까?"

그는 조금 서두르며 물었다. 아무래도 내가 그 제안에 분개하거나 적어도 경멸하는 반응을 보일 거라 예상한 모양이었다. 내 생각과 감정을 전부 알지는 못하지만 일부는 짐작했고, 그 제안을 내가 어떻게 받아들일지 전혀 알 수 없기 때문이었다. 분명 하찮은 일이었다. 그러나 남의 눈에 띄지 않고 비바람을 피할 수 있는 일이다. 내가 원하던 안전한 도피처였다. 꾸준히 노력해야 하는 고된 일이지만, 부잣집 가정교사로 일하는 것에 비하면 훨씬 독립적이었다. 남을 섬긴다는 두려움이 나의 마음에 철처럼 박혀 있었다. 그런 것에 비하면 이 일은 비열하지도, 가치 없는 일도 아니었고 정신적으로 타락한 일도 아니었다. 나는 결정했다.

"제안을 주셔서 감사합니다, 리버스 씨. 그리고 진심을 담아 그 일을 수락하겠습니다."

"내 말을 제대로 이해한 게 맞습니까? 가난한 시골 학교입니다. 학생들도 가난한 아이들이고요. 시골 아이들이지요. 가르쳐야 할 일이라고는 고작 뜨개질, 바느질, 읽기, 쓰기, 더

CHARLOTTE BRONTË

하기 정도일 겁니다. 당신의 세련된 취향은 어쩌고요? 마음의 가장 큰 부분인 당신의 감수성과 취향은 어떻게 채우려고요?"

"필요할 때까지 간직해 두면 됩니다. 없어지는 게 아니니까요."

"어떤 일을 맡는지 이해했다는 뜻입니까?"

"네, 이해했어요."

그는 이제 웃고 있었다. 씁쓸하거나 슬픈 미소가 아니었고, 진심으로 감사하고 만족스러운 미소였다.

"언제부터 시작할 수 있겠습니까?"

"내일 제가 살 집으로 가겠어요. 원하시면 다음 주라도 학교를 시작하겠습니다."

"좋습니다, 그렇게 하시죠."

그는 의자에서 일어나 방을 가로질러 걸었다. 그러다가 문득 걸음을 멈추고 나를 돌아보았다. 그가 고개를 내저었다.

"무엇 때문에 고개를 저으세요?"

"당신은 모튼에 그리 오래 머물지 않을 겁니다, 절대로."

"왜요? 그렇게 말씀하시는 이유는요?"

"눈빛을 읽을 수 있어요. 단조로운 삶을 살고 싶은 눈빛이 아니니까."

"저는 야심이 없어요."

그는 '야심'이라는 말에 놀란 듯했다. 그가 내 말을 되뇌었다. "아니지. 대체 야심가라는 말은 누가 만들었을까? 누가 야심가일까. 그래요, 나는 야심가입니다. 그걸 당신은 어떻게 알았을까요?”

“저는 제 이야기를 한 것뿐이에요.”

“그래요? 야심가가 아니라면 당신은…….” 그는 다시 입을 다물었다.

“저는 뭔데요?”

“열정가라고 할까. 하지만 내 말을 오해하거나 불쾌하게 여길지도 모르지요. 제 말은, 당신은 인간의 애정과 동정심에 강력하게 끌린다는 겁니다. 혼자 여가를 보내고, 일하는 시간을 자극이 전혀 없는 단조로운 노동에 바치는 것에 결코 만족할 수 없을 겁니다. 나 역시 산에 둘러싸여 이 땅에 묻히는 삶에 만족하지 못해요. 주님께서 내게 주신 본성이 나를 거스르고, 하늘이 주신 능력이 마비되어 제 기능을 잃어갑니다. 이제 내가 얼마나 모순된 사람인지 알겠습니까? 검소한 운명에 만족하라고 설교하고, 주님에게 봉사하는 일이라면 나무를 패고 물을 긷는 일도 천직이라고 설교하는 내가, 주님이 정해주신 목사인 내가 그런 헛소리를 하는 겁니다. 하지만 성향과 원칙은 어떤 방법으로든 타협해야 합니다.”

그는 방을 나갔다. 짧은 시간 동안, 나는 그에 관해 지난 한 달간 안 것보다 훨씬 많은 것을 알게 되었다. 그래도 그는 여전히 모를 인물이다.

다이애나와 메리는 집과 오빠 곁을 떠날 날이 다가오자 울적해하고, 말수도 적어졌다. 두 사람은 평소와 다름없이 행동하려고 노력했지만, 두 사람이 억누르는 슬픔은 완전히 극복할 수 없는 것이었고, 감출 수도 없었다. 다이애나는 이번 작별은 지난날 나누던 작별과는 완전히 다르다고 했다. 아무래도 오빠와 관련해서는 이번이 꽤 오랜 작별이 될지도 모른다고 말이다. 어쩌면 평생의 이별이 될지도 모른다고 했다.

"오빠는 오랫동안 품어온 결심을 위해 모든 걸 희생할 거예요. 타고난 애정이나 감정이 풍부하지요. 겉보기에는 온화한 사람처럼 보여요. 하지만 오빠의 마음에는 열병이 숨어 있어요. 부드러운 사람처럼 보이지만 어떤 면에서는 죽음만큼 냉혹하죠. 난처하게도 오빠의 굳은 결의를 반대하는 건 나의 양심이 허락하지 않아요. 물론 오빠의 결심을 비난할 수도 없어요. 옳고 고귀하며 독실한 길이지만, 마음이 아파요!" 그녀의 고운 눈에 눈물이 흘렀다. 메리는 고개를 숙인 채 일에 집중했다.

"이제 아버지도 안 계시고, 집도 형제도 모두 떠나겠죠." 그녀가 중얼거렸다.

그때 어떤 사건이 일어나, 마치 '불행은 이어지는 것'이라는 속담이 진리라는 걸 증명이라도 하듯, 두 자매의 슬픔에 더 괴로운 일이 벌어졌다. 세인트 존이 편지를 읽으며 창밖을 지나갔다가 다시 방으로 들어왔다.

"존 외삼촌이 돌아가셨어." 그가 말했다.

두 자매 모두 놀란 눈치였다. 그러나 몹시 충격적이고 예기치 않았던 소식은 아닌 듯했다. 이 소식은 슬픈 통지라기보다는 무언가 중요한 소식 같았다.

"돌아가셨대?" 다이애나가 물었다.

"응."

다이애나는 오빠의 표정을 읽고 눈치를 살폈다. "어떻게 됐대?" 그녀가 낮은 목소리로 물었다.

"어떻게 되긴." 그는 표정을 굳힌 채 말했다. "어떻게 되었냐고? 아무 일도 없어. 읽어봐."

그는 편지를 다이애나의 무릎에 떨어뜨렸다. 그녀는 편지를 빠르게 읽고 메리에게 건넸다. 메리 역시 조용히 훑어보고는 다시 오빠에게 건넸다. 세 사람은 서로를 바라보았고, 모두 미소를 지었다. 씁쓸하고 울적한 미소였다.

"아멘. 그래도 우리는 살아갈 수 있어." 다이애나가 말했다.

"지금보다 나빠지지는 않을 테니까." 메리도 거들었다.

"다만 그렇게 되었을지도 모른다는 상상을 나도 모르게 했던 거지. 그리고 현실은 달랐고." 그가 말했다.

그는 편지를 접어 책상 서랍에 넣고 자물쇠를 채운 다음 방을 나갔다.

잠시, 아무도 말하지 않았다. 그리고 다이애나가 나를 돌아보았다.

"제인, 방금 전 우리가 꽤 수상해 보였을 거예요. 외삼촌이라는 가까운 분이 돌아가셨는데, 아무도 슬퍼하지 않는 무정한 사람들이라고 생각했을지도 몰라요. 사실 우리는 한 번도 외삼촌을 본 적이 없어요. 알지도 못해요. 그분은 어머니의 동생이셨어요. 그런데 오래전 아버지와 외삼촌이 싸우고 절연하셨어요. 외삼촌의 권유로 아버지가 거의 모든 재산을 투자했다가 파산하셨거든요. 두 사람은 서로 비난을 주고받

은 끝에 절연했어요. 다시는 화해하지 않으셨죠. 그 후 외삼
촌은 번창하는 사업에 손을 대 크게 성공하셨대요. 한 2만 파
운드의 재산을 모으셨나 봐요. 결혼하지 않으셨고, 우리 외
에 가까운 친척도 별로 없어요. 다만 한 사람, 우리와 비슷하
게 가까운 친척이 하나 있대요. 아버지께서는 외삼촌이 우리
에게 재산을 남겨 자신의 잘못을 보상해 주리라 여기셨어요.
그 편지에서는 외삼촌이 전 재산을 다른 친척에게 넘긴다고
하셨어요. 다만 30기니를 제외하고요. 우리에게는 그 돈으
로 애도 반지를 사라고 하시더라고요. 물론 외삼촌 재산이니
상속도 외삼촌 뜻대로 하셔야 하지만, 그 소식을 들으니 실
망감에 젖었어요. 메리나 나도 1천 파운드만 받아도 큰 부자
가 될 것 같았으니까요. 게다가 오빠만 보아도 그 돈은 정말
가치 있었을 거예요. 남을 위해 자기가 하고 싶은 일을 다 할
수 있었을 테니까요."

설명이 끝났고, 그 이야기는 그것으로 끝이었다. 세 남매
모두 더 이상 그 이야기는 하지 않았다. 다음 날 나는 마시 엔
드를 떠나 모튼으로 갔다. 그다음 날 다이애나와 메리도 먼
도시로 떠났다. 일주일 후, 세인트 존과 해나는 목사관으로
돌아갔다. 그리하여 낡은 집은 영영 문을 닫았다.

내 집. 마침내 얻은 내 집은 작은 오두막이었다. 하얗게 칠

한 벽에 모래색 바닥으로 마무리했고, 의자 네 개와 책상, 시계, 찬장이 있었다. 찬장에는 접시와 그릇 두어 개 그리고 델프트 도자기로 만든 찻주전자 세트가 있었다. 이층에는 부엌과 같은 크기의 방이 있었다. 전나무로 만든 침대와 몇 안 되는 옷을 넣기에 넉넉한 옷장도 포함이었다. 마음씨 좋고 너그러운 친구들 덕택으로 옷이 꽤 늘었다.

그날 저녁, 나는 심부름을 도와주는 하녀이자 어린 고아에게 심부름값으로 오렌지를 하나 주어 돌려보냈다. 그리고 난롯가에 홀로 앉았다. 오늘 아침, 처음으로 학교 문을 열었다. 학생은 총 스무 명이나, 그중에 글자를 읽을 줄 아는 아이는 셋이었다. 글을 쓰거나 셈을 할 줄 아는 아이는 한 명도 없었다. 뜨개질을 할 수 있는 아이가 몇 명, 바느질을 조금 할 줄 아는 아이도 몇 명 있었다. 다들 사투리를 써서, 지금은 학생이나 나나 서로의 말을 완전히 이해하기 어려웠다. 태도도 난폭하고 다루기 힘든 데다가 무지한 아이도 있었다. 그러나 다들 배우려는 의지도 있고, 소질도 있어 나쁘지 않았다. 소박한 옷을 입은 농부의 아이들도 고귀한 혈통의 자제들과 똑같이 피와 살로 이루어진 사람이라는 걸 잊지 않으려 했다. 그리고 그 아이들의 마음에 이미 타고난 소질과 품성, 지성과 배려 같은 것이 부잣집 아이들과 똑같이 자라고 있음을 잊지 않아야 했다. 내 임무는 이런 싹을 가꾸는 일이다. 분명 나는 내 일에 사명을 가지고 최선을 다하며 어느 정도의 행복을 느끼게 될 것이다. 앞으로 시작되는 생활에 큰 즐거움이 있으리라고 생각지는 않지만, 마음을 가다듬고 힘을 쏟다

보면 분명 하루하루 살아갈 만큼의 충분한 보람을 느낄 수 있을 것이다.

오전, 오후에 걸쳐 저 텅 빈 소박한 교실에서 보낸 시간은 과연 내게는 더할 나위 없는 기쁨이었고, 마음이 편안해지는 충만한 시간이었을까? 나를 속이지 않고 말한다면, 아니다. 어쩐지 비참했다. 그래, 어리석은 나는 어딘가 바닥으로 추락한 기분이었다. 사회생활의 계단을 오르는 것이 아니라 내려가는 길에 발을 디딘 건 아닐까 하는 기분이었다. 내 주위에 보고 듣는 것이 모두 무지하고 가난하고 난잡하다는 사실에 약간 실망감을 느꼈다. 그렇다고 해서 나를 미워하거나 경멸하지 않으리라. 그 마음이 잘못된 것임을 나는 알고 있으니까. 그것만으로 큰 진전이었다. 나는 이 기분을 극복하려고 노력할 것이다. 내일도 조금씩 이겨낼 것이다. 그리고 몇 주가 흐르면 완전히 이겨낼 수 있을 것이다. 학생들이 나아진 모습과 향상된 변화를 지켜보다 보면, 몇 달 안에 내 안의 혐오감이 만족으로 변할 것이다.

그러나 한편 나는 스스로에게 한 가지 질문을 던져본다. 유혹에 굴복하고 열정에 귀 기울이고 고통스러운 노력을 들이지 않고 고뇌와 싸우지 않고 비단옷으로 만든 덫에 빠져, 꽃으로 뒤덮인 침대에서 잠들었다가 남쪽 어딘가 사치스러운 별장에서 호화로운 생활을 즐기는 삶에서 깨어나는 것이 과연 지금보다 나은 삶일까? 로체스터 씨의 정부가 되어, 프랑스에서 살며 내 시간의 절반을 그의 애정에 도취되는 삶이 좋은 삶일까? 그래, 틀림없이 그는 얼마간 나에게 푹 빠질 것이다. 그는 나를 사랑해 주었다. 그토록 나를 사랑해 준 사람은 다시 없을 것이다. 아름다움과 젊음 그리고 우아함에 대한 그토록 달콤한 찬사는 다시는 듣지 못할 것이다. 나에게 그런 매력이 있다고 생각할 사람이 또 있을 리 없지 않은가. 그는 나를 사랑했고, 나를 자부심으로 여겼다. 그를 빼고 나를 그렇게 사랑할 사람이 또 있을 리 없다. 그런데 나는 대체 어디를 헤매고 있을까? 도대체 무슨 소리를 하는 걸까? 아니, 나는 무엇을 구하고 있는가? 어느 편이 더 좋을까 고민하고 마는 것이다. 마르세유의 어리석은 낙원에서 노예가 되는 것과 영국 중부의 건실하고 신선한 산속 시골에서 아무 구속도 없이 독실한 여교사로 살아가는 것 중 어느 것이 더 나은지, 나에게 묻는 것이다.

그렇다. 나는 법과 원칙을 고수하고, 미친 듯이 치받치던 충동을 무시하고 짓밟은 내가 옳았다고 느낀다. 주님은 내가 올바른 길을 택할 수 있게 도와주셨다. 아, 주님에게 감사를!

저녁의 생각은 이쯤에서 마무리하고, 나는 의자에서 일어나 문을 열고 밖으로 나갔다. 그리고 수확기의 일몰을 바라보고, 마을에서 반 마일 떨어진 곳에 있는 내 학교와 오두막 앞 조용한 들판을 구경했다. 새들이 황혼을 배경 삼아 노래를 지저귀고 있었다.

'대기는 부드럽고, 이슬은 향유와 같으니.'*

그 풍경을 바라보며, 나는 행복하다고 생각했다. 그러나 어느샌가 흐르는 눈물을 알아차리고 깜짝 놀랐다. 내가 왜

---

* 월터 스콧의 시 「호수의 처녀」 중 인용.

울지? 로체스터 씨와 이별한 나의 운명을 생각하고, 이제 만날 수 없는 그를 생각하고, 내가 떠나는 바람에 절망과 슬픔에 잠겨 어두운 분노를 곱씹으며 두 번 다시 올바른 길을 되찾지 못할 그를 떠올리며 눈물이 났다. 여기까지 생각하자, 나는 이 아름다운 석양이 펼쳐진 하늘과 모튼의 쓸쓸한 골짜기에서 시선을 돌렸다. 감히 쓸쓸하다고 표현한다. 나에게 보이는 것이라고는 구부러진 골짜기와 나뭇잎 사이로 보이는 교회와 목사관, 그보다 더 떨어진 곳에 산다는 돈 많은 올리버 씨와 그의 딸이 사는 베일 저택의 지붕뿐이다. 나는 눈을 가리고 돌로 된 문틀에 머리를 기댔다. 그러다가 문득 건너편 들판과 나의 작은 정원 사이 쪽문 근처에서 희미한 울음소리가 들려 고개를 돌렸다. 리버스 씨의 늙은 카를로가 코로 문을 밀고 있었다. 리버스 씨는 팔짱을 끼고 문에 기대서 있었다. 이마를 잔뜩 구기고, 언짢아 보이는 눈초리로 나를 빤히 바라보고 있었다. 나는 그를 안으로 초대했다.

"아니요, 그럴 시간은 없습니다. 두 동생이 당신에게 남기고 간 소포를 가져왔습니다. 색연필이랑 연필, 종이가 들어 있답니다."

나는 그에게 다가갔다. 반가운 선물이었다. 내가 가까이 다가가자, 그가 말간 눈으로 나를 샅샅이 살피는 듯했다. 아마 얼굴에 눈물자국이 남았으리라.

"첫날이 생각보다 힘들었던 모양입니다." 그가 말했다.

"아, 아니요! 오히려 반대로, 시간이 지나면 훨씬 잘 지낼 수 있을 것 같아요."

"그렇다면 이 집이…… 오두막이 생각보다 영 변변치 않았을 수도…… 가구가 기대에 못 미쳤을 수도 있습니다. 빈약한 것들이지요. 하지만……."

그때 내가 그의 말을 잘랐다.

"집은 깨끗하고 비바람도 잘 막아줘요. 가구도 충분하고 편리해요. 눈에 띄는 모든 것에 다 감사할 뿐이에요. 카펫, 소파, 은식기가 없다고 슬퍼하는 그런 어리석고 감성적인 사람이 아니랍니다. 게다가 5주 전만 해도 저는 무일푼이었어요. 버림받고 떠도는 거지였어요. 지금은 아는 사람도 생겼고, 집도 있고, 일도 있잖아요. 주님의 선하심과 친구들의 관대함, 제 운명에 감탄하고 살아요. 실망이라니, 당치도 않아요."

"혹시 쓸쓸하거나 외롭지는 않습니까? 집이 영 어둡고 텅 비어서."

"아직 고독을 즐길 여유도 없어요. 더구나 외로움을 견디지 못하고 조바심을 내는 편은 더더욱 아니니까요."

"그럼 됐습니다. 당신 말대로 만족한다고 생각하겠습니다. 혹시라도 등 뒤를 돌아보는 우매한 행동은 아직 일러요. 성경 속 롯의 아내처럼 말입니다. 나를 만나기 전 당신이 무엇을 남기고 왔는지는 모르지만, 과거를 돌아보라는 유혹은 단호히 물리치길. 적어도 앞으로 몇 달 동안은 지금 맡은 일을 꾸준하게 충실히 해내길 바랍니다."

"저도 그럴 생각이에요." 나는 대답했다.

"하고 싶은 활동을 억누르거나, 마음의 자세를 바꾼다는 건 힘든 일입니다. 하지만 제 경험상, 불가능하지는 않습니다. 주님은 우리에게 어느 정도 자신의 운명을 결정할 힘을 주셨습니다. 그리고 우리가 얻을 수 없는 힘을 구하고, 우리의 의지가 걸어갈 수 없는 길을 가려고 몸부림칠 때도 우리는 굶주림에 죽거나 절망에 빠지지 않습니다. 우리는 다른 마음의 양식을 찾아야 합니다. 맛보고 싶어 견딜 수 없는 금단의 양식보다 맛도, 향도 강렬하고 더 깨끗한 양식을 구할 수 있을 겁니다. 운명이 가로막은 곧고 넓은 길을 개척하면, 설사 그것이 험한 길이라 할지라도 모험을 즐기는 두 다리로 열심히 나아가면 됩니다.

1년 전, 나는 비참했습니다. 목사가 된 것이 실수라고 생각했습니다. 이 세상에는 활동적인 것들이 많고, 그걸 동경했습니다. 문학가, 화가, 작가, 연설가처럼 더 흥미진진한 직업을 동경했습니다. 목사만 아니라면 무엇이든 좋았습니다. 그렇지요, 정치가의 마음, 군인의 마음, 명성을 따르고 사랑하고, 권력을 갈망하는 마음이 나의 목사 예복 아래에서 피어났습니다. 나는 생각했습니다. 내 삶이 비참하다, 바꾸지 않을 수 없다, 바꾸지 않으면 그냥 죽어야겠다. 어둠과 고뇌의 1년이 지나고, 빛이 비치며 안도감이 찾아왔습니다. 나의 비좁은 생활이 한 번에 끝없이 펼쳐진 평원으로 나아가고, 온몸의 힘이 '일어나라, 힘을 모아 그 날개를 펴고 미지의 세상으로 날아가라'라는 목소리를 들었습니다. 주님께서 저에게 사명을 주셨습니다. 멀리까지 가져가 잘 전달하기 위해서는 숙련된 노력과 힘, 용기와 웅변, 즉 군인과 정치가, 연설가의 자질이 전부 필요했던 겁니다. 이 모든 것이 실은 좋은 선교사의 자질이었던 거죠.

저는 그렇게 선교사가 되기로 결심했습니다. 그 순간부터 마음의 자세도 고쳤습니다. 모든 기능을 속박하던 것이 풀어지고, 속박이 남긴 고통만 남았습니다. 고통은 시간이 고쳐줄 겁니다. 아버지도 제 결심에 반대하셨지만, 아버지가 돌아가셨으니 걸림돌은 모두 사라졌습니다. 몇 가지 문제를 처리하고 모튼 교회의 후임자도 결정했고, 몇 가지 감정의 갈등도 풀었습니다. 이제 저의 약점과 마지막으로 싸우는 중입니다. 장차 극복할 겁니다. 그렇게 맹세했으니 이제 저는 유럽을 떠나 동쪽으로 향합니다."

그는 독특하고 부드러우면서도 강조하는 듯한 목소리로 말했다. 그가 말을 멈추고는 나를 보지 않고 함께 석양을 바라보았다. 우리는 밭으로 이어지는 길을 등지고 있었다. 풀이 무성한 그 길에서 발걸음 소리는 들리지 않았다. 계곡에 흐르는 물소리가 시간과 풍경을 알리는 유일하고 달콤한 소리였다. 그래서 은방울처럼 달콤한 목소리가 외치는 순간, 우리는 놀라지 않을 수 없었다.

"좋은 저녁이에요, 리버스 씨. 안녕, 카를로. 당신 개는 당신보다 친구를 더 빨리 알아본다니까요. 제가 들판에서 올라올 때부터 귀를 쫑긋 세우고 꼬리를 흔들던데 당신은 날 등지고 있네요."

맞는 말이었다. 음악처럼 달콤한 목소리를 듣는 순간, 리버스 씨는 천둥이 머리 위의 구름을 갈라놓은 듯 놀랐지만,

상대방의 인사가 다 끝났을 때도 깜짝 놀랐을 때와 마찬가지로 같은 자세로 서 있었다. 팔은 문에 기대고 얼굴은 서쪽을 향하고 있었다. 이윽고 그가 천천히 뒤돌았다. 환상이라고 여길 법한 존재가 그에게서 조금 떨어진 곳에 새하얀 옷을 입고 서 있었다. 그녀는 젊고 우아했다. 풍만하면서도 날씬한 체형이었다. 카를로를 쓰다듬어 주려고 허리를 구부렸다가 긴 베일을 젖히며 고개를 드는 순간, 완벽한 아름다움을 갖춘 얼굴이 꽃처럼 피어났다. 완벽한 아름다움이라는 게 조금 과장된 표현이긴 해도 절대 취소하거나 고칠 생각은 없다. 온화한 기후가 빚어낸 달콤한 얼굴이었다. 습한 바람과 안개가 만든 장밋빛과 백합의 순수한 색채가 어울렸다. 부족한 매력이 없고, 부족한 단점도 없었다. 젊은 아가씨는 이목구비가 단정하고 우아했다. 아름다운 그림에서나 볼 법한 어둡고 커다란 눈동자, 아름다운 눈을 둘러싼 부드럽고 빽빽한 속눈썹이 섬세했다. 산뜻한 눈썹과 싱그러운 아름다움에 조화로운 매끄럽고 하얀 이마, 포동포동한 볼은 살결마저 부드러워 보였다. 빨간 입술도 생기 넘쳤다. 하얗게 빛나는 치아도, 턱에 작은 보조개마저도. 풍성한 머리카락까지 어우러지니 아름다움이라고 부를 것은 모두 갖춘 얼굴이었다. 이렇게 아름다운 사람도 있구나 싶어서 깜짝 놀랐다. 그리고 마음속으로 감탄을 금치 못했다. 분명히 조화의 여신은 이 사람을 기준으로 만들었으리라. 자연은 그녀를 만들었다. 계모가 만든 것처럼 인색하지 않았다. 사랑하는 손녀를 위해 할머니가 빚은 것처럼 기분 좋은 선물이었다.

리버스 씨는 지상의 천사를 보며 어떤 생각을 할까? 그가 뒤돌아 그녀를 바라보는 사이, 나는 생각했다. 그리고 당연하지만 그 질문에 대한 답은 그의 얼굴에서 찾을 수 있었다. 그는 이미 이 아름다운 요정에게서 눈을 돌리고 쪽문 옆에 듬성듬성 난 들국화를 바라보고 있었다.

"석양이 아름답지만 이렇게 늦은 시간 혼자 다니면 안 됩니다." 그는 발아래 눈처럼 흰 꽃봉오리를 밟으며 말했다.

"아, 오늘 오후에야 돌아온 걸요, S시에서요. (그녀는 20마일 정도 떨어진 큰 마을을 언급했다.) 아빠가 말하길 학교가 문을 열었다는 거예요. 그래서 차를 마시자마자 곧 모자를 쓰고 계곡을 올라왔지요. 이분이 그 선생님이세요?" 그녀가 나를 가리키며 물었다.

"네." 리버스 씨가 대답했다.

"모튼은 마음에 드세요?" 그녀는 솔직하고 상냥하고 천진난만한 말투로 물었다. 어린아이를 보고 느끼는 듯한 호감이 피어났다.

"좋아질 것 같아요. 그럴 만한 이유가 많은 곳이에요."

"학생들도 기대했던 것만큼 열심히 하나요?"

"네, 어느 정도는요."

"집은 마음에 드세요?"

"너무 좋아요."

"제가 꾸몄는데 괜찮나요?"

"굉장히 좋아요, 감사해요."

"앨리스 우드는 열심히 공부해요?"

"정말 좋은 아이예요. 가르치기 편해요." 나는 이 여자가 그 부잣집 상속자라는 올리버 양이구나 생각했다. 재산과 자연의 선물을 모두 거머쥔 이 여자는 도대체 어떤 행운의 별을 안고 태어났을까?

"언제 한번 와서 수업을 도와드려야겠어요." 그녀가 말했다. "가끔 방문하는 것도 제게는 기분 전환이 될 거예요. 저는 변화를 좋아하거든요. 리버스 씨, S시에 머무는 동안 너무 즐거웠어요. 어제, 아니 오늘 이른 새벽 두 시까지 춤을 추었답니다. 폭동 이후로 ○○연대가 계속 주둔 중이거든요. 아, 장교는 정말이지 재미있어요. 거리의 칼을 가는 사람들이나 가위 장수란 사람들은 비교도 안 될 정도로요."

리버스 씨의 아랫입술이 비죽 튀어나오고 윗입술이 슬쩍 말렸다. 그녀가 깔깔거리며 말하는 동안, 그의 입은 굳게 다물어지고, 턱에 강한 힘이 실렸다. 그는 들국화에서 시선을 들어 그녀를 바라보았다. 웃지도 않고 무언가를 탐색하는 의미심장한 시선이었다. 상대는 다시 배시시 웃으며 응했다. 그 웃음소리는 그녀의 젊음과 장밋빛 얼굴, 보조개, 빛나는 눈동자와 잘 어울렸다.

그가 말없이 퉁명한 얼굴로 서 있는 동안 그녀는 다시 몸을 숙여 카를로를 쓰다듬었다. "불쌍한 카를로, 나를 너무 사랑하네." 그녀가 말했다. "너는 친구들에게 엄격하지도 않고 밀어내지도 않아. 말도 할 수 있다면 얼마나 수다스러울까!"

까칠한 주인 앞에서 그녀가 우아한 동작으로 몸을 숙여 개의 머리를 쓰다듬는 동안, 주인의 얼굴은 붉게 물들었다. 고

지식한 눈에 갑자기 타오른 열정이 하릴없이 흔들렸다. 얼굴을 붉히고 눈을 빛내는 그는 그녀가 아름다운 것처럼 남자로서 감히 아름다웠다. 그의 가슴이 한차례 크게 부풀었요. 마치 가슴을 벅차게 만드는 압박이 견디기 힘든 것처럼, 심장이 자기 의지와 상관없이 부풀었다가 세차게 튕기는 듯한 몸짓이었다. 그는 늠름한 기수가 초조해하는 말을 달래는 것처럼 욕망을 억눌렀다. 그를 향한 상냥한 말투와 유혹, 몸짓에도 절대 넘어가지 않겠다는 의지였다.

"요즘은 왜 집에 오지 않으세요? 아빠가 기다리시는데." 올리버 양이 고개를 들며 물었다. "유독 베일 저택을 멀리하시더라. 아빠가 혼자 계세요. 몸도 불편하다고 해요. 저와 같이 병문안 가지 않으실래요?"

"올리버 씨를 찾아뵙기에는 조금 늦은 시간 같습니다." 리버스 씨가 답했다.

"늦었다니요! 이 정도면 딱 적당해요. 아빠가 손님을 가장 그리워하는 시간이거든요. 일도 끝나고 할 일도 없고, 좋지요. 리버스 씨, 지금 가요. 왜 그렇게 주저하고 침울한 표정이세요?" 그녀가 침묵을 메우려고 열심히 말을 걸었다.

"어머! 내 정신 좀 봐." 갑자기 그녀가 곱슬거리는 머리를 흔들며 외쳤다. "너무 정신이 없어서 깜빡했네! 죄송해요, 그런데 마침 이야기 나누기에 딱 좋은 주제도 있었는걸요? 다이애나와 메리도 떠나고 무어 하우스는 아무도 없고, 당신은 외롭고. 정말 안됐어요. 그러니까 가서 아빠를 만나요."

"오늘 밤은 안 되겠습니다, 로저먼드 양. 오늘은 안 돼요."

존은 마치 인형처럼 대답했다. 거절에 얼마나 큰 노력이 필요한지, 말하지 않아도 느낄 수 있었다.

"음, 너무 고집이 세. 그럼 저는 가볼게요. 더 이상 머무를 용기가 없네요. 아, 이슬이 내려요. 그럼 안녕히!"

그녀는 손을 내밀었다. 그는 그저 그 손을 맞잡을 뿐이었다. "조심히 가시오." 그가 메아리처럼 낮은 목소리로 중얼거렸다. 그녀가 돌아서서 걷다가 다시 돌아왔다.

"혹시 어디 아파요?" 그녀가 물었다. 그런 질문을 할 법도 했다. 그의 얼굴이 그녀의 옷처럼 하얗게 질려 있었으므로.

"아니요, 괜찮습니다." 그는 단호하게 대답하고 까딱 고개를 숙인 다음 문에서 멀어졌다. 그녀는 아래로, 그는 위로 걷기 시작했다. 그녀는 요정처럼 들판을 뛰어 내려갔고, 그는 침착하게 성큼성큼 들판을 가로질렀지만 한 번도 돌아보지 않았다.

타인의 고뇌와 희생정신을 구경하는 사이, 나는 고민을 까마득히 잊어버렸다. 다이애나 리버스가 자기 오빠를 '죽음만큼이나 차가운 존재'라고 일컬었던가. 과연 그 말이 과장은 아니었다.

32

나는 마을 학교에 힘을 다해 충실히 종사했다. 처음에는 힘에 부쳤다. 학생들의 말이나 성격을 이해하기까지도 시간이 걸렸다. 교육을 받은 적도 없고, 능력도 아직 드러나지 않은 아이들을 데리고 어디서부터 어떻게 손을 대야 할지 모를 정도였다. 처음 만났을 때는 다들 너무 무지했다. 그러나 곧 내가 잘못 생각하고 있다는 걸 깨달았다. 교육을 받은 사람도 각기 다른 점이 있는 것처럼, 이 학생들도 차이가 있었다. 내가 학생들을 이해하고, 학생들도 나를 이해하자 그 차이는 눈에 띄게 달라졌다. 내 말투, 내 규율, 내 수업 방식을 향한 놀라움이 가라앉자, 멍허니 입만 벌리던 아이들 중에서 재능이 뛰어난 아이들이 눈을 떴다. 그 아이들은 대체로 온순하고 내 말을 잘 따라주었다.

나는 그중에서도 재주가 뛰어나고 예의 바르고 자존심을 갖춘 아이들이 적지 않다는 걸 발견했다. 우선 그런 아이들에게는 칭찬을 아끼지 않았다. 얼마 안 가 이 학생들은 먼저 나서서 과제를 성실히 수행하고, 옷차림을 깨끗하게 유지했고, 규칙을 잘 지키고 깔끔한 예절을 몸에 지니게 되었다. 어떤 아이들의 진보는 놀라울 정도여서 새삼 보람찼다. 게다가 성적 좋은 몇몇은 내 마음에 쏙 들었고, 아이들도 나를 잘 따랐다. 그중 성숙한 아가씨라고 해도 좋을 농부의 딸이 몇 명 있었다. 그 아이들은 이미 읽고 쓰고 바느질도 할 줄 알았다. 나는 그 아이들에게 문법과 지리, 역사를 가르치고 손이 많이 가는 자수도 가르쳤다. 그 가운데 감탄할 만큼 지식에 대한 욕구나 배움에 의지가 높은 아이들은 가정방문도 자주 가졌다. 그럴 때는 농부와 그의 아내가 극진한 대접을 해주었다. 그들의 순박한 친절과 온정을 겸허히 받아들이고, 그들에게 경의를 표하면서 세심한 배려를 잊지 않았다. 이런 대접에 익숙하지 않은 사람들이라서 더욱 서로가 기쁜 시간을 보낼 수 있었고, 또 유익한 가정 학습 효과도 일궈냈다. 내가 대접받는 사이 자기들의 품격이 올라간다고 믿었고, 내가 보인 경의에 화답하며 아이들도 더욱 노력하는 결과를 가져온 것이다.

　나는 곧 이 근방의 인기를 한 몸에 받는 인사가 되었다. 밖에 나가면 여기저기 정중한 인사를 받았고 친절한 미소도 이어졌다. 노동자이기는 하지만, 그런 사람들의 존경을 받는다는 건 빛이 닿는 아늑한 곳에 앉아 있는 기분이었고, 온화한 감정이 빛을 받아 싹트고 꽃을 피웠다. 이 시기에 나는 실의에 빠지지 않고 감사한 마음이 가득했다. 그러나 독자들이여, 숨김없이 말하겠다. 이 평온하고 따뜻한 생활 속에서 학생들을 가르치고 보람 있는 하루를 보내고 저녁이면 혼자 충만한 마음으로 그림을 그리고 독서하며 시간을 보냈지만, 밤이면 이상한 꿈에 시달렸다. 다채롭고, 마음을 교란하고, 환상에 찬, 폭풍우처럼 격렬하게 마음을 뒤흔드는 꿈이 모험이나 아슬아슬한 위험, 가슴을 설레게 하는 사건 등 다양한 장면으로 이어지고, 절박한 위기가 찾아오는 순간 영락없이 나는 로체스터 씨를 만났다. 그의 품에 안겨 그의 목소리를 듣고, 그의 눈을 바라보고, 그의 손과 뺨에 닿고, 그를 사랑하고, 그에게 사랑받는 꿈을 꾸었다. 그 감각이, 평생 함께하고 싶은 소원이 한때의 강한 힘과 열정으로 되살아나곤 했다. 그 순간 나는 눈을 뜬다. 그리고 내가 어디에 있는가, 어떤 처지인가를 생각한다. 커튼도 없는 침대에서 덜덜 떨면서 일어나면 고요하기 짝이 없는 어두운 밤이 나의 절망과 흐느낌을 지켜보고, 울분 섞인 눈물을 구경하는 것이다. 그러나 이튿날 아침 아홉 시가 되면, 나는 어김없이 학교를 열고 차분하게 그날 정한 나의 의무를 다하기 위해 마음을 다잡았다.

로저먼드 올리버는 약속을 지켰다. 학교에는 대개 아침 승마를 하다가 찾아왔다. 철따라 달라지는 옷을 입은 하인이 말을 타고 나타나면, 그 뒤로 올리버 양이 망아지를 탄 채 학교 입구까지 천천히 달려왔다. 보랏빛 승마복에 검은 벨벳 승마 모자를 쓴 그녀는 뺨을 스쳐 어깨에 넘실거리는 머리카락까지 너무도 우아했고 그보다 아름다운 건 세상에 존재하지 않았다.

그녀는 초라한 건물 안에 들어와 눈부신 듯 바라보는 아이들 사이를 미끄러지듯 걸었다. 주로 리버스 씨가 진행하는 교리 시간에 찾아왔다. 그녀의 눈은 과연 젊은 목사의 심장을 예리하게 꿰뚫는 것이 목적이었을까? 그는 모습이 보이지 않을 때도, 본능처럼 그녀의 방문을 알아차리는 것 같았다. 문을 바라보지 않을 때도 그녀의 모습이 나타나면 뺨에 붉은 기가 떠오르고, 대리석 같은 얼굴은 표정을 짓지 않으려 애쓰지만 거기에는 말로 표현할 수 없는 변화가 나타났다. 늘 차갑고 냉철한 얼굴에 억누른 열정이 근육의 움직임이나 재빠른 시선 등으로는 전달할 수 없을 정도로 분명하게 배어났다.

물론 그녀도 알고 있었다. 그리고 그도 굳이 감추지 않았다. 감출 수도 없었으리라. 기독교인으로서 금욕주의로 몸을 통제하면서도, 그녀가 와서 말을 걸고 명랑하게 인사하고 격려를 담은 미소를 보내면, 그의 손은 떨리고 눈은 불타올랐다. 비록 입술은 움직이지 않아도, 애수에 차 굳은 의지를 감춘 눈이 이렇게 호소했다.

'나는 당신을 사랑합니다. 당신도 나를 사랑한다는 걸 압니다. 내가 침묵하는 것은 우리에게 가망이 없어서 체념하는 것이 아닙니다. 내가 이 심장을 바치면 당신도 받아들일 것임을 알기 때문입니다. 그러나 내 심장은 이미 성스러운 제단에 바쳤습니다. 제단에 이미 불이 타오릅니다. 이윽고 내 심장은 제물이 되어 한 줌 재로 변할 겁니다.'

그러면 그녀는 실망한 어린아이처럼 입술을 내민다. 맑고 화창한 구름처럼 빛나던 얼굴이 눈에 띄게 흐려진다. 그에게 맡긴 손을 급히 거두고, 마치 영웅처럼, 순교자처럼, 굳은 그에게서 등을 돌린다. 그녀가 떠나면 리버스 씨는 그녀를 쫓아가 불러 세우고 다시 그녀를 되돌리기 위해 그 어떤 희생도 마다하지 않을 것 같지만, 그는 사랑의 낙원을 얻기 위해 천국으로 가는 길을 단념할 생각이 없다. 영원한 낙원에 이르기 위한 소망 한 조각조차 체념할 생각이 없는 것이다. 게다가 그는 본인이 갖춘 방랑자, 야심가, 시인, 목사의 소질을 단 하나의 열정으로 가둘 수 없는 사람이었다. 그는 베일 저택의 응접실이나 평온을 바라보며 선교사라는 꿈을 버릴 수도 없었다. 그럴 생각조차 하지 않았을 것이다. 내가 이토록 많은 것을 알아낸 까닭은 어느 날 과감한 태도로 그의 소심한 입을 열어 비밀을 털어놓게 했기 때문이었다.

올리버 양은 몇 번이나 나의 오두막집을 방문했다. 그래서 나는 그녀의 성격도 완전히 알고 있었다. 숨기거나 속이는 일 따위 없는 진솔한 사람이었다. 애교를 부릴 때도 있었지만 정이 많았다. 곧은 마음도 있지만 쓸데없는 고집을 피우지 않았다. 워낙 응석받이로 자랐지만, 안하무인으로 버릇이 나쁘지도 않았다. 성급해도 밝았고, 자만심이 강해도 새침하지 않았나. (거울을 볼 때마다 빛나는 미모를 보면 그런 자만심을 갖는 것도 무리는 아니리라.) 물건을 아끼지 않았지만 부를 과시하지 않았고 겉치레하지도 않았다. 제 상황에 어울리게 총명하고 맑고 활발하지만, 분별력이 모자랄 때도 있었다. 내가 봐도 매력 있는 사람이었다. 그러나 깊은 관심을 자아내거나 강렬한 인상을 심지는 못했다. 리버스 자매와는 완전히 달랐다. 하지만 나는 아델을 좋아한 것처럼 올리버 양도 좋아했다. 단, 내가 돌보고 가르친 아이에게는 똑같은 매력을 가진 어른에게서 느끼는 애정보다 훨씬 더 친밀한 애정이 생기는 법이었다.

그녀는 천진난만하게 나를 대했다. 내가 리버스 씨와 닮았다고도 했다. (이렇게 말할 때도 있었다. "아름다움으로 말하자면 그분의 10분의 1에도 미치지 않지만, 당신도 훌륭한 분이에요. 다만 그분이 천사 같아서 그렇죠.") 나 역시 그와 마찬가지로 선량하고 현명하고 침착하고 빈틈없는 사람이라고 했다. 마을 선생님이라기에는 어딘가 '조화롭지 못한' 면이 있지만, 나의 과거는 분명 흥미로운 낭만으로 가득할 거라면서 말이다.

어느 날 저녁, 그녀는 평소와 다름없이 아이처럼 활동적으로, 무심하지만 불쾌하지 않은 호기심으로 부엌 찬장과 서랍을 뒤지다가 프랑스어 책 두 권과 쉴러의 책 한 권, 독일어 문법책과 사전 그리고 내 그림 도구와 스케치 몇 장을 발견했다. 그림 중에는 학생 하나, 천사처럼 귀여운 소녀의 얼굴을 그린 연필화, 모든 골짜기와 주변 황야를 그린 다양한 풍경화도 포함되어 있었다. 그녀는 깜짝 놀라 넋을 잃었고, 곧 환하게 웃으며 그림을 칭찬했다.

"직접 그렸어요? 프랑스어와 독일어도 읽을 줄 알아요? 정말 멋있어요! S시에서 제일 좋은 학교 선생님보다 실력이 뛰어난걸요? 혹시 내 초상화를 그려줄 수 있어요? 아빠에게 보여드리고 싶어요!"

"물론이죠." 나는 대답했다. 그리고 눈부시게 아름답고 완벽한 초상화를 그릴 수 있다는 생각에 예술가로서 기쁨을 만끽했다. 그녀는 진한 파란색 실크 드레스를 입고 있었다. 팔과 목이 드러났고, 유일한 장식이라곤 어깨 위로 넘실거리는 자연스러운 밤색 곱슬머리뿐이었다. 나는 고급 종이를 가져와 윤곽부터 세심하게 스케치했다. 색칠하는 것도 상상 이상의 즐거움이 될 것 같았다. 이미 날이 저물어서 다음 날 또 그리자고 약속했다.

그녀가 이 이야기를 올리버 씨에게 한 모양이다. 다음 날 저녁, 올리버 씨가 딸과 함께 내 오두막을 방문했다. 큰 키에 이목구비가 뚜렷하고 흰머리가 섞인 중년 남성이었다. 그 곁에 서 있는 아름다운 딸은 마치 낡은 탑에 핀 아름다운 꽃 같았다. 그는 말수가 적었고 어쩌면 오만할지도 모르겠지만,

내게는 친절했다. 올리버 양의 초상화가 그를 기쁘게 한 모양이었다. 그는 꼭 그림을 완성해 달라고 부탁했다. 그리고 다음 날 저녁 베일 저택의 저녁 식사에 나를 초대했다.

크고 아름다운 저택이었다. 집주인이 대단한 부자라는 게 고스란히 드러나는 저택이었다. 올리버 양은 내가 머무는 내내 말이 많았다. 올리버 씨도 호감 가는 사람이었다. 차를 마신 후 이런저런 이야기를 주고받았고, 내가 모튼 학교에서 이룬 일을 칭찬하며, 자기가 보고 들은 바로 미루어볼 때 내가 이 마을에 분에 넘치는 존재라서, 곧 좀 더 나은 곳으로 이직하지 않을까 우려스럽다고 했다.

"정말로요!" 로저먼드가 말했다. "너무 똑똑하시니까, 곧 부잣집의 가정교사도 될 것 같아요."

나는 이 나라 그 어떤 고귀한 가문의 가정교사가 되더라도, 이렇게 시골에 있는 편이 훨씬 마음이 편하다고 생각했다. 올리버 씨는 세인트 존 씨나 리버스가에 관하여 매우 높이 평가했다. 이 근방에서 오래된 집안으로 그 저택을 대대로 이어온 사람들은 모두 부유했다고 했다. 모튼의 토지는 모두 그 집안 소유였다고 말이다. 저택의 후계자가 마음만 먹으면 더 상류층과 연을 맺을 수도 있는데, 그토록 훌륭하고 유능한 청년이 선교사로 해외에 나갈 계획을 세우다니 유감이라고 했다. 귀중한 삶을 버리는 것과 마찬가지라고도 했다. 올리버 씨는 로저먼드와 세인트 존의 결혼에 아무런 반대도 하지 않을 것 같았다. 그는 좋은 혈통과 집안, 신성한 직업이 재산이 하나도 없다는 단점을 모두 상쇄한다고 보는 것 같았다.

11월 5일은 휴일이었다. 나의 어린 하녀는 청소를 도와주고 1페니의 품삯을 받은 다음 기뻐하며 떠났다. 주위를 둘러보니 먼지 하나 없이 반들반들했다. 깨끗한 바닥, 닦아서 윤이 나는 창살, 깨끗한 의자까지. 나도 깔끔한 옷차림으로 느긋하게 보낼 작정이었다.

독일어 번역을 몇 쪽 끝내니 한 시간 정도가 흘렀다. 팔레트와 연필을 꺼낸 다음, 로저먼드의 초상화 작업을 시작했다. 훨씬 편안하고 즐거운 일이었다. 머리는 이미 완성했다. 배경을 옅은 색으로 칠하고 옷자락에 음영을 넣고, 부드러운 입술에 붉은색을 덧그렸다. 풍성한 머리카락에 부드러운 곱슬머리를 조금 추가해 손보았다. 옅은 청색의 눈썹은 다시 짙게 그렸다. 세밀한 작업에 푹 빠져 있는데 누군가 문을 한 번 두드렸다. 그리고 리버스 씨가 집 안으로 들어왔다.

"휴일을 잘 지내고 계시는지 확인차 왔습니다." 그가 말했다. "생각에 잠기는 일 같은 걸로 시간을 보내지는 않겠지요? 아, 잘됐습니다. 그림을 그릴 때는 쓸쓸하지 않을 테니까요. 그래요, 나는 아직도 당신을 믿지 않습니다. 지금까지는 잘 버티는 것 같지만. 저녁에 위안 삼아 읽으라고 책을 한 권 가져왔습니다."

그는 새로 나온 책을 탁자 위에 올려놓았다. 시집이었다. 근대 문학의 황금시대라고 알려지던 당시 대중에게 널리 사랑받았던 작품이었다. 아, 슬프게도 우리 시대 독자들은 이런 혜택을 누리지 못한다. 그러나 용기를 내자! 나는 그 사실을 비난하거나, 한탄하기를 멈추지 않을 것이다. 시는 아직 죽지 않았고, 천재는 아직 사라지지 않았다. 악마가 그 둘을 묶어 죽이고 승리를 거둔 것도 아니다. 언젠가는 이 둘을, 시와 천재의 목숨을, 그 존재를, 그 자유를, 그 힘을 다시 주장하게 될 것이다. 아, 강력한 천사들이여! 천국에서 안녕히 지내시길! 사악한 영혼이 승리를 자랑하고 연약한 영혼이 파멸을 한탄할 때 천사는 미소 짓는 법이다. 시가 파괴되었는가? 천재가 추방당했는가? 아니다. 평범한 자들이여, 시기심으로 얼룩진 마음으로 살아가지 말라. 시와 천재는 살아 있을 뿐만 아니라, 이 세상을 군림하고 구제할 것이다. 그리고 그 신성한 힘이 골고루 미치지 않는다면, 우리는 지옥에 살게 될 것이다. 우리 자신이라는 비열한 지옥에서.

내가 『마미온』*의 눈부신 책장을 한 장씩 넘기며 읽는 동안 (그렇다. 그가 가져온 책이 바로 『마미온』이었다), 리버스 씨는 허리를 숙인 채 내 그림을 들여다보았다. 그는 깜짝 놀란 듯 몸을 일으켰지만 아무 말도 하지 않았다. 나는 그를 바라보았지만, 그는 내 눈을 피했다. 나는 그의 생각을 알 것만 같았다. 그의 마음도 분명히 읽을 수 있었다. 그 순간, 나는 그보다 훨씬 더 침착하고 냉정했다. 잠시였지만, 그의 우위에 있었다. 그리고 내가 할 수 있는 일이 있다면, 그를 도와주고 싶었다.

나는 생각했다. '확고한 의지와 절제력이 있다지만 너무 몰아붙이는 경향이 있어. 모든 감정을 억누르고 괴로워하잖아. 한마디도 털어놓지 않고, 표현도 안 해. 사랑스러운 로저

* 19세기 초에 출간한 월터 스콧의 서사시.

먼드와 결혼해서는 안 된다고 결심했겠지. 그 여인에 관해 몇 마디 이야기는 해도 좋을 것 같아.'

내가 먼저 말했다. "앉으세요, 리버스 씨." 그는 입버릇처럼 오래 있을 수 없다고 했다. 나는 속으로 생각했다. '좋아요, 그럼 서 계세요. 하지만 바로 돌아가게 할 수는 없답니다. 혼자 있는 건 나도, 당신에게도 그리 좋은 습관이 아니니까요. 비밀의 샘을 터트릴 수 없다면, 그 대리석 같은 가슴에 틈을 벌려 공감이라는 향유를 한 방울 떨어뜨리자고요.'

"닮았죠, 초상화랑?" 내가 대뜸 물었다.

"닮다니? 누구와? 자세히 보지 못했습니다만."

"보셨잖아요, 리버스 씨."

그는 나의 퉁명스러운 반응에 당황한 것 같았다. 그가 깜짝 놀란 눈으로 나를 바라보았다. '아직 시작도 안 했어요. 당신의 완고한 성격이 무서워서 도망칠 생각은 없답니다. 차분하게 상대해야겠어.'

나는 말을 이어나갔다. "가까이서 유심히 보셨잖아요. 다시 보실래요?" 나는 일어서서 그의 손에 그림을 전해주었다.

"참 잘 그렸습니다. 부드러운 선에 색감이 선명해요. 우아하고 정확한 필치군요."

"네, 네. 그건 알아요. 그런데 누구와 닮지 않았나요? 어떻게 생각하세요?"

그는 한참의 망설임 끝에 대답했다. "올리버 양을 닮은 것 같군요."

"네, 맞아요. 아주 잘 맞히셨으니, 상으로 똑같은 그림을 정성껏 그려 선물로 드릴게요. 받아준다고 말씀하시면요. 하지만 그럴 필요 없다고 한다면 가치 없는 일에 제 시간과 노력을 낭비하지는 않을래요."

그는 여전히 그림을 바라보았다. 시간이 흐를수록 그림을 든 손에 힘이 실렸고, 더욱 탐냈다. "정말 닮았군요!" 그가 중얼거렸다. "눈이 정말 똑같습니다. 색이며 빛, 표정도 완벽해요. 웃고 있군!"

"비슷한 그림을 드리면 위안이 될까요? 혹시 불쾌하지는 않으실까요? 말씀해 주세요. 목사님이 마다가스카르나 희망봉이나, 인도에 계실 때 이 추억의 물건을 가지고 가면 위안이 될까요? 혹시 그림을 보고 기운을 잃거나 괴롭지는 않을까요?"

그가 눈을 치켜뜨고 나를 바라보았다. 불안한 시선이 흔들리고, 그는 다시 그림을 응시했다.

"갖고 싶은 생각이 듭니다. 그것이 분별력 있는 행동인지, 현명한 행동인지는 생각해 봐야 할 문제겠지만……."

로저먼드가 그를 좋아한다는 것, 그녀의 부친이 두 사람의 결혼을 반대하지 않을 것 같다는 확신이 있었고, 리버스 씨만큼 결단력이 확고하지 않은 나는, 두 사람의 결혼을 도와주고 싶었다. 그가 올리버 씨의 막대한 재산까지 물려받는다면, 남쪽으로 가서 열대의 태양 아래 그의 재능을 발휘하고 선교 활동에 매진하는 것에 못지않을 정도의 선행을 세상에 베풀 수 있으리라. 나는 이렇게 설득의 포문을 열었다.

"제 생각에는 당장 그 그림의 모델을 자기 것으로 만드는 것이 훨씬 더 현명한 행동 아닐까 싶어요."

그는 이미 의자에 앉은 채, 탁자에 그림을 올려놓고 두 손으로 이마를 짚고 있었다. 나는 그가 나의 대담한 말에 화가 치밀었다거나 충격받은 게 아니라는 걸 알았다. 도저히 말하기 어려운 문제를 솔직하게 꺼냈다는 것, 이렇게 털어놓자 자신도 몰랐던 새로운 기쁨과 뜻하지 않은 안도를 느꼈다는 사실에 놀란 모양이었다. 내성적인 사람은 자신의 감정과 슬픔을 솔직하게 털어놓을 상대가 필요한 법이다. 엄격한 금욕주의자도 결국은 인간이었다. 선의를 가지고 '침묵의 바다로 뛰어든다'*는 것은 결국 그들을 위한 행위였다.

"그녀는 목사님을 좋아해요." 내가 그의 의자 뒤에 서서 말했다. "올리버 양의 부친도 목사님을 존경하고요. 게다가 조금 경솔한 면은 있지만 정말 귀여운 아가씨잖아요. 그리고 목사님이 두 사람 몫의 분별력을 가지고 계시니까 그분과 결혼하세요."

"그녀가 나를 좋아한다는 겁니까?" 그가 되물었다.

"당연히요. 그 누구보다 목사님을 좋아해요. 언제나 목사님 이야기만 해요. 항상 기뻐하며 화제로 삼는답니다."

"듣기 좋은 말이네요." 그가 말했다. "상당히. 한 15분 정도 자세히 이야기해 주겠소?" 그가 시간을 재려는 듯 주머니에서 회중시계를 꺼내 탁자 위에 올려놓았다.

"이 이상 이야기할 필요가 있을까요? 아마 목사님께서는 거절이라는 철퇴와 마음을 속박할 새로운 쇠사슬을 꺼내고

---

* 콜리지의 시 「늙은 수부의 노래」의 한 구절을 인용.

있을 텐데요."

"그런 지나친 상상은 하지 마시오. 나는 지금 마음이 녹을 대로 녹아서 하고 싶은 대로 다 하고 싶은 심정이니까. 내 마음속에 새로운 우물처럼 애정이 샘솟아 지금껏 내가 정성껏 갈고 뿌린 선의와 절제의 씨앗에 물이 넘쳐흐르고 있소. 그 밭이 지금 술처럼 달콤한 물에 섞여 새싹은 진흙에 가라앉고, 달콤한 독이 뿌리를 썩히는 중이란 말이오. 베일 저택 거실에서 나의 신부 로저먼드 올리버의 발치에 있는 오토만 의자에 길게 누워 있는 내가 보입니다. 그녀가 달콤한 목소리로 나에게 말을 걸어요. 당신이 훌륭하게 그린 저 눈동자로 나를 바라봅니다. 산홋빛 입술로 내게 미소를 던집니다. 그녀는 내 것이고, 나는 그녀의 것이지. 현세와 지나가는 세상도 이 정도면 충분하다고 해요. 쉿, 아무 말도 하지 마시오. 내 마음은 지금 기쁨으로 가득해요. 황홀합니다. 부디 내가 이 시간을 조용히 누리게 해주시오."

나는 그가 하자는 대로 따랐다. 시계가 똑딱거렸고 시간이 흘렀다. 그는 가쁜 숨을 조용히 내쉬었다. 나도 가만히 자리를 지켰다. 정적 속에 15분은 빠르게 흘러갔다. 그가 다시 시계를 주머니에 넣고 그림을 내려놓은 후 의자에서 일어나 벽난로로 다가갔다.

"이토록 짧은 시간은 망상처럼 흐르는군요. 나는 유혹의 가슴에 이마를 대고, 꽃의 멍에를 내 손으로 목에 걸었습니다. 그녀의 잔을 맛보았습니다. 베개가 불타고 화관에는 독사가 숨어 있었어요. 포도주는 쓰고, 맹세는 헛되지요. 그녀의 약속은 공허해요. 모든 게 한눈에 보였습니다. 이제 모든 걸 알아요."

나는 깜짝 놀라 그를 바라보았다.

"이상한 일입니다. 나는 그녀를 열렬히 사랑하는데, 그야말로 첫사랑의 열정으로 사랑하는데도, 동시에 그녀가 나에게 좋은 아내가 되지 않을 것이라는 걸, 나에게는 어울리지 않는 여자라는 걸, 결혼한 지 1년도 채 되지 않아 알아차리고 열두 달의 환희를 즐긴 후에 죽을 때까지 후회로 가득한 삶을 살 거라는 사실을 냉정하고 명쾌하게 인식하고 있으니까요. 그건 확실히 알겠군요."

"정말 이상한 분이시군요!" 나는 할 말을 잃었다.

"내 안의 어떤 부분은 분명 그녀의 매력에 민감하게 반응하지만, 다른 부분은 그녀의 결점에 깊이 공감합니다. 그녀는 내가 열망하는 그 어떤 것도 공감하지 못합니다. 내가 맡은 일에 함께 협력할 수 없을 만큼 결점이 많습니다. 수난을 짊어지고, 노동하고, 주님의 사도로 일하는 로저먼드를 그릴 수 있소? 선교사의 아내 로저먼드를? 아니, 절대!"

"하지만 당신이 꼭 선교사가 될 필요는 없잖아요. 그 계획을 단념하면 되잖아요."

"단념이라니! 무슨 그런! 나의 사명이오! 내 원대한 임무요! 천국에 거처를 짓고자 지상에 마련된 주춧돌이오! 인류를 위하고 무지의 영역에 지식을 나르고, 전쟁을 평화로, 구속을 자유로, 미신을 종교로, 지옥의 두려움을 천국의 희망으로 바꾸는 영광스러운 일에 모든 야욕을 집중시킨 집단의 일원이 되고자 하는 나의 염원을 단념하라는 말입니까? 그것이야말로 나의 혈관에 흐르는 피보다 소중한 가치요, 내 삶의 목표이며, 내가 살아가는 이유입니다."

한참이나 말을 꺼내지 못하다가 내가 물었다. "그럼 올리버 양은요? 그분의 실망이나 슬픔이 당신에게는 아무렇지도 않나요?"

"올리버 양의 주변에는 구혼자와 아첨꾼이 많습니다. 한 달이 채 되기도 전에 나 같은 건 그녀의 마음에서 사라질 거요. 그녀는 나를 잊고 나보다 훨씬 그녀를 행복하게 해줄 남자와 결혼할 겁니다."

"너무 차가워요. 그래도 마음은 늘 갈등으로 고통스럽잖아요. 얼굴이 너무 야위었어요!"

"아니, 조금 야위었더라도 그건 내 불안한 미래 때문이지. 상황이 좋지 않고 출발이 계속 미뤄지고 있습니다. 오늘 아침에야, 내가 오랫동안 기다린 후임자가 석 달의 시간이 필요하다고 연락했어요. 아마 그 석 달이 여섯 달로 늘어날 수도 있겠지만요."

"올리버 양이 교실에 들어올 때마다, 몸을 떠시고 얼굴이 붉어지시잖아요."

다시 그의 얼굴에 놀라움이 스쳐 지나갔다. 감히 내가 이렇게 대담하고 직설적으로 이야기할 줄 몰랐다는 눈치였다. 나는 이런 대화가 편했다. 상대방이 남자건, 여자건, 의지력 있고 사려 깊고 품위 있는 사람들을 대할 때는 세속적인 예의범절에 갇혀 믿음이라는 문턱을 지나 상대의 마음에 이를 때까지 좀처럼 만족할 수 없었다.

"참 특이하군요. 게다가 겁도 없고. 정신이 맑고 곧은 건 알았지만, 이렇게 사람을 꿰뚫어볼 줄은 몰랐습니다. 하지만 아무래도 내 마음을 오해하고 있는 것 같습니다. 실제보다 더 격렬한 감정이라고 착각한 것 같습니다. 나에게 지나친 동정을 베푸는 것 같기도 하고요. 올리버 양 앞에서 얼굴을 붉히고 손을 떠는 나를 가엽게 여기지 않습니다. 나는 그 나약함이 싫습니다. 그게 나의 결점이라는 걸 압니다. 단순한 육체의 열병이지 영혼이 동요하는 건 아닙니다. 영혼은 파도 치는 바다 깊이 뿌리 박은 바위와 같아야 합니다. 있는 그대로, 나를 완고하고 냉철한 사람이라고 여기세요."

나는 믿을 수 없다는 듯 웃고 말았다.

"당신이 내 비밀을 파고들다니. 하지만 이다음은 마음대로 하세요. 나는 본디 나의 모습을 버리지 않을 겁니다. 인간의 추함을 덮어 감추는 '새끼 양의 피로 씻어 하얗게 된 옷'을 벗어버린 냉철한 야심가로 봐주시오. 모든 감정 중 하나, 자연스러운 애착일 뿐입니다. 감정이 아니라 이성이 나를 이끌 겁니다. 야심은 끝이 없습니다. 내 욕망은 남보다 많이 일하려고 하고, 싫증을 모르고 높게 올라가고자 합니다. 나는 인내와 노력, 성실함, 재능을 존중합니다. 거대한 목적을 이루고 더 높은 곳으로 올라가기 위한 수단이니까요. 당신이 사는 방식이 흥미로웠습니다. 부지런하고 규칙이 철저하고 활기찬 여성의 표본이니까. 당신이 고난을 견뎠고, 또 아직도 괴로워하는 일에 깊은 연민을 느껴서가 아닙니다." 그가 말했다.

"마치 이교도 철학자처럼 말씀하시네요." 내가 비꼬듯 말했다.

"아니, 나와 이교도 철학자 사이에는 큰 차이가 있습니다. 나는 기독교 철학자이고 예수님의 종파를 따릅니다. 그분의 제자로 그분의 순수하고 자비로우며 선한 교리를 믿습니다. 나는 그 교리를 따릅니다. 그걸 전파하겠다고 맹세했습니다. 어렸을 때부터 종교를 접했고 내 본질이 자랐습니다. 자연스러운 애착이라는 작은 싹을, 가지를 크게 키우는 나무로 길렀습니다. 인간의 정의라는 들판에, 작은 뿌리에서 틔워낸 신성한 정의를 크게 키우고 있는 겁니다. 비루했던 나를 위해 권력과 명성을 얻고 싶었던 야심을, 주님의 나라를 넓혀 십자가의 깃발에 승리를 가져다주겠다는 야심으로 바꾼 겁니다. 종교는 나에게 많은 것을 주었습니다. 그러나 종교가 태어날 때부터 갖고 있던 자질까지 바꿀 수는 없습니다. 그러므로 '죽을 것이, 죽지 아니함을 입을 때'*까지 뿌리를 뽑는 일은 없을 겁니다."

이야기를 끝낸 그가 팔레트 옆에 놓아두었던 모자를 집어 들었다. 그리고 그 초상화를 다시 살펴보았다.

"정말 아름다운 여자야. 세상의 장미라는 이름의 여자라니. 과연 이름과 어울려."

"똑같은 그림을 그려드릴까요?"

"무엇 때문에? 됐습니다."

* 「고린도 전서」 15장 33절.

그는 내가 그림을 그릴 때 종이에 얼룩이 묻지 않게 손에 대는 얇은 종이를 초상화 위에 덮었다. 이 백지에서 그가 무엇을 보았는지는 나도 모르겠다. 그러나 무언가가 갑자기 그의 시선을 사로잡았다. 그는 종이 가장자리를 물끄러미 바라보다가 나를 힐끗 보았다. 좀처럼 이해할 수 없는 표정이었다. 오묘한 시선이었다. 나의 모습이나 얼굴, 옷 구석구석을 놓치지 않으려는 시선이었다. 번개처럼 빠르고 예리하게 나를 훑고 지나갔다. 무엇인가 말하려는 듯, 입을 우물거리던 그는 끝내 말을 삼켰다.

"무슨 하실 말씀이라도?" 내가 물었다.

"아니, 아무것도 아닙니다." 그는 대답했다. 그리고 종이를 다시 덮으며 종이 끝을 조금 찢어갔다. 종이 끝이 장갑 속으로 사라지고, 그는 다급하게 작별 인사를 건네며 떠났다.

"아니, 뭐야!" 나는 이 마을의 사투리를 흉내 내며 외쳤다. "이게 다 무슨 일이야!"

나는 천천히 종이를 살폈지만, 색이 묻어난 몇 군데 얼룩 말고는 아무것도 알아낼 수 없었다. 몇 분간 고민해 보았지만 풀리지 않았다. 어쩌면 그리 중요하지 않을 수도 있겠다는 생각이 들어 무시하기로 마음먹었고 금방 잊고 말았다.

33

리버스 씨가 돌아갈 무렵부터 눈이 내리기 시작했다. 눈보라는 밤새도록 이어졌고 이튿날은 차가운 강풍에 또다시 폭설이 내렸다. 저녁 무렵, 모든 골짜기에 눈이 쌓여 아무도 들어오고 나갈 수가 없었다. 나는 덧문을 닫고 눈이 스며들지 않도록 문틈을 덮개로 막은 다음 불을 땠다. 그리고 난로에 앉아 격렬한 눈보라 소리를 한 시간쯤 듣다가, 촛불을 켜고 『마미온』을 꺼내 읽기 시작했다.

> 노램 성체를 빛내는 한낮의 해양이
> 트위드의 넓고 깊고 아름다운 강 위를 지나
> 채비엇의 외로운 산등성이 너머로 지네.
> 높이 솟은 탑과 성 망루로,
> 굽이굽이 둘러싼 성벽을 지나며
> 금빛으로 빛나는구나.

나는 곧 음률 따위는 잊어버렸다.

거친 소음이었다. 처음에는 바람에 문이 흔들리는 줄로만 알았다. 그러나 아니었다. 리버스 씨가 문을 두드리고 있었다. 그는 빗장을 들어 올리고, 얼어붙은 폭풍설을 뚫고 울부짖는 어둠 속에 모습을 드러냈다. 키가 큰 그를 덮은 망토가 빙하처럼 새하얗게 빛났다. 그날 밤, 아무도 지나갈 수 없는 골짜기를 넘어 누군가 올 거라고 예상하지 못했기에 너무도 깜짝 놀라고 말았다.

"무슨 일이라도 생겼어요? 누가 아픈가요?" 내가 놀라 물었다.

"아니요, 당신은 참 잘 놀라는군요?" 그가 대답하며 망토를 벗어 문에 걸었다. 문틈에서 밀려난 덮개를 다시 힘주어 막고, 부츠에 묻은 눈을 털었다.

"바닥이 더러워졌군요." 그가 말했다. "하지만 한 번 정도는 용서해 주세요." 그리고 그는 벽난로로 다가가 불을 쬐었다. "여기까지 오느라 어찌나 힘들었는지. 눈이 허리까지 쌓였소. 다행히 아직은 부드러운 눈입니다만."

"그런데 무슨 일로 오셨어요?" 내가 답답한 마음에 물었다.

"손님인데 좀 퉁명스럽군요. 기왕 물어보셨으니, 대화를 위해 간단히 대답해 드리겠습니다. 말이 없는 책도 텅 빈 방도 지긋지긋해서요. 어제 이후로 이야기를 절반밖에 못 들었고, 그다음이 궁금해서 미칠 지경이더군요."

그는 의자에 앉았다. 나는 어제 그의 이상했던 행동을 기억하고, 혹시 그에게 상처를 준 게 아닐까 걱정스러웠다. 그러나 제정신이 아니라고 해도, 그는 매우 침착하고 냉정했다. 단정한 얼굴이 대리석처럼 차갑게 굳었다. 처음 보는 표정이었다. 눈에 젖은 머리카락을 이마 위로 쓸어 올린 그가 매끄러운 이마와 파리한 뺨을 벽난로에 녹였다. 마음고생과 괴로움으로 핼쑥해진 모양이지, 그런 생각이 들자 유독 안쓰러웠다. 적어도 내가 알아듣게 설명해 주겠거니 하는 마음으로 잠자코 기다렸다. 그러나 한 손으로 턱을 괴고 손가락을 입술에 댄 채, 그는 생각에 잠겼다. 그 손이 얼굴만큼이나 야윈 것을 보자 속상해 견딜 수가 없었다. 어쩌면 쓸데없는 동정이겠지만 가슴이 미어졌다. 나는 침묵을 깨고 말했다.

"다이애나나 메리와 함께 사는 게 좋을 텐데요. 혼자 계시는 건 정말 건강에 좋지 않아요. 너무 방치하지 마세요."

"아니, 그런 게 아닙니다. 필요할 때는 관리합니다. 지금은 건강하고. 그렇게 나빠 보입니까?" 그가 물었다.

아무렇지도 않게, 성의 없이 대꾸하는 말투였다. 마치 내 걱정은 쓸데없다는 투였다. 나는 더 이상 말하지 않았다.

그는 손가락으로 천천히 윗입술을 쓸었다. 눈은 불길을 받아 빨갛게 빛났다. 그는 난로 바닥을 멍하니 응시했다. 무슨 말이라도 해야 할 것 같아서 그의 뒤 문틈에서 찬 바람이 스며들어 춥지는 않는지 물었다.

"아니, 괜찮아요." 그는 간단하게, 어딘가 초조한 사람처럼 대답했다.

'이야기하는 게 싫으면 가만히 있는 게 좋지. 나도 그냥 시집을 읽어야겠다.' 이렇게 생각했다.

나는 촛불의 심지를 자르고 『마미온』을 다시 읽기 시작했다. 얼마 안 가서 그는 몸을 움직였다. 나는 자연스럽게 그를 눈으로 쫓았다. 그는 모로코가죽으로 된 지갑을 꺼냈고, 그 속에서 한 통의 편지를 꺼내 소리 없이 읽은 다음, 다시 접어 지갑 속에 넣었다. 그리고 또다시 한참이나 생각에 잠겼다. 눈앞에서 사람이 저런 행동을 하는데, 다시 책을 읽는 것도 무리였다. 이 상황을 잠자코 지켜볼 수도 없었다. 나는 거절하려면 해라, 라는 심정으로, 어떻게든 말을 걸었다.

"최근 다이애나나 메리에게서 소식이 있었나요?"

"일주일 전에 보여드린 편지가 전부입니다."

"혹시 선교 활동에 무슨 문제가 생겼나요? 예정보다 빨리 영국을 떠나야 한다든가, 그런 거요?"

"유감스럽지만 아닙니다. 물론 그런 기회는 자주 찾아오지도 않고."

첫 화제가 영 별로라서 나는 주제를 바꾸었다. 학교와 학생들 이야기를 해야겠다고 마음먹었다.

"메리 개럿이 어머니가 건강해지셔서 오늘 아침부터 학교에 오게 되었어요. 이번 주에는 주물 공장이 있는 마을에서 신입생 네 명도 들어오고요. 눈만 오지 않았더라면 오늘 왔을 텐데."

"잘됐군요."

"올리버 씨가 두 사람 몫의 학비를 부담해 주시기로 했어요."

"그래요?"

"크리스마스에는 학생들에게 간식을 보내주신대요."

"그렇다더군요."

"목사님이 제안하셨나요?"

"아니요."

"그럼 누가……?"

"따님이시겠죠."

"그분다운 행동이에요. 착한 분이시고요."

다시 침묵이 흘렀다. 시계가 여덟 시를 알렸다. 그는 그 소리에 눈을 뜬 것처럼 다리를 바로 펴고 앉아, 내게 고개를 돌렸다.

"잠깐 책은 내려놓고, 이쪽으로 오시오."

의아한 생각이 들었지만, 나는 그의 지시를 따랐다.

"30분 전에 뒷이야기가 궁금해서 초조하다고 그랬던 것 기억합니까? 잘 생각해 보니까 아무래도 이번에는 내가 이야기해야 할 것 같소. 당신이 들어줘요. 미리 이야기하지만, 이 이야기는 당신에게는 재미없는 이야기일지도 모릅니다. 그러나 하찮은 이야기라도 다른 사람이 말하면 신선한 법이잖아요? 아무튼 아는 이야기라고 하더라도 상관없어요. 이야기는 짧으니까.

20년 전, 한 가난한 부목사가 있었습니다. 그의 이름은 중요하지 않습니다. 그는 어느 부잣집 딸과 사랑에 빠졌습니다. 그녀도 그를 사랑했어요. 결국 가족들의 반대에도 불구하고 그 사람과 결혼했습니다. 친척들은 결혼한 그녀와 연을 끊었지요. 그러나 2년이 되기도 전에 두 사람은 세상을 떠나 나란히 한 무덤에 잠들었습니다. 그 무덤을 찾아간 적도 있어요. 어느 공업도시에 있는데, 그을음으로 거무스름하지만 고풍스러운 대성당 주위로 넓은 묘지가 있고, 비석이 하나 세워져 있더군요. 두 사람에게는 딸이 하나 있었습니다. 곧 자비로운 친척의 품으로 보내졌지요. 오늘 밤, 내가 마주친 오가지도 못할 눈처럼 차가운 자비였습니다. 의지할 곳 없는 그 아이는 부유한 외가의 손에 맡겨졌어요. 외숙모가—아, 이름을 말해도 되겠군요—게이츠헤드의 리드 부인이 키워주게 되었습니다. 뭘 그리 놀랍니까? 무슨 소리라도 들었소? 아마 옆 교실 서까래에 쥐가 돌아다니나 봅니다. 내가 수리해서 교실로 쓰기 전까지는 창고였거든요. 그런 곳은 쥐가 들끓는 법이지요. 이야기를 계속하자면, 리드 부인이 그 고아를 10년간 키웠답니다. 그 10년이 고아에게 어떤 시간이었는지, 행복했는지는 모르겠지만 어쨌거나 결국 그 아이는 당신도 아는 시설로 옮겨졌습니다. 로우드 자선 학교였지요. 바로 당신이 오랫동안 있었던 곳입니다. 아마 훌륭한 교육을 받은 모양이지요? 당신처럼 그녀도 학생에서 선생이 되었습니다. 그녀의 경력과 당신의 경력이 여러모로 비슷해서 놀라울 지경입니다. 그녀는 가정교사가 되기 위해 학교를 떠났습니다. 그것도 당신과 똑같군요. 후견인이 있는 한 아이의 선생님이 되어 그 아이의 교육을 맡게 되었다더군요. 바로 로체스터 씨라는 남자의 저택이었습니다.”

“리버스 씨!” 내가 소리쳤다.

“당신이 무슨 말을 하고 싶은지 압니다. 그러나 잠깐만 참아봐요. 곧 이야기가 끝나니까요. 끝까지 들어봐요. 로체스터 씨의 인품은 잘 모르지만, 그는 이 젊은 처녀에게 정식으로 청혼했고, 결혼 당일 교회에서 로체스터 씨에게 살아 있는 아내가 있다는 사실이 탄로 났다더군요. 그 후로 그의 행동이나 조치는 어땠는지 알 수 없지만, 그 가정교사는 행방불명되었습니다. 그것도 그녀의 행방이 꼭 필요한 시점에 말입니다. 언제, 어디로, 어떻게 모습을 감추었는지 아는 사람이 한 명도 없다더군요. 한밤중에 손필드 저택을 빠져나간 모양이었습니다. 그녀를 찾기 위해 수색이 이루어졌지만 결국 밝혀진 건 아무것도 없었습니다. 여기저기 안 찾은 곳이 없다는데, 감감무소식이었지요. 그런데 어떻게 해서든 그녀를 찾아야만 하는 긴박한 사태가 벌어진 겁니다. 그래서 모든 신문에 광고가 실렸습니다. 나도 변호사인 브릭스 씨로부터 편지를 받아 이 사정을 전부 듣게 된 겁니다. 이상한 이야기 아닙니까?"

"잠깐만요, 하나만 알려주세요. 당신은 모든 사정을 아시니까 알려주실 수 있을 거예요. 로체스터 씨는 어떻게 되셨나요? 지금 어디에서 어떻게 지내고 계시나요? 지금 어디에서, 어떻게, 뭘 하면서 지내시나요? 건강하신가요?"

"로체스터 씨에 관해서는 아는 게 없습니다. 변호사의 편지에는 그분에 대한 언급이 없었고, 다만 방금 말한 사기행각에 관한 이야기만 있었습니다. 당신은 오히려 그 가정교사의 이름이 무엇인지 물어야 하는 거 아닙니까? 그녀를 꼭 찾아야 한다는 사정이 무엇인지 궁금하지 않아요?"

"그러면 아무도 손필드 저택에 가지 않은 건가요? 로체스터 씨를 만난 사람은 없어요?"

"없을 겁니다."

"하지만 그분에게도 편지를 보냈겠죠?"

"물론입니다."

"그분의 답장은요? 그 편지는 누가 갖고 있는데요?"

"브릭스 씨의 말에 의하면, 신분 조회 회신은 로체스터 씨가 아니라 어떤 부인이 보냈답니다. '앨리스 페어팩스'라는 서명을 남겼더군요."

나는 온몸에 소름이 돋았다. 그렇다면 내가 가장 두려워하던 일이 현실이 된 것일까? 그가 자포자기 상태로 영국을 떠나 방황하던 시절에 머물렀다던 대륙 어딘가를 헤매고 있는 걸까? 그의 고뇌를 달래주고 그의 격렬한 열정을 받아줄 누군가를 벌써 찾았을까? 그 질문에 대답할 용기는 나지 않았다. 아, 나의 가엾은 주인, 한때 나의 남편이 되고자 했던 남자, 그리운 에드워드라 부르고 싶은!

"나쁜 남자였던 모양이지요." 리버스 씨가 말했다.

"그분이 어떤 분인지도 모르면서 그렇게 말씀하지 마세요." 나는 차갑게 대꾸했다.

"그러겠습니다." 리버스 씨가 조용히 대답했다. "그런데 실은 내 머리는 그보다 다른 일로 가득합니다. 알려드리지 않으면 안 될 일입니다. 잠깐, 여기 있는데…… 중요한 사안은 늘 종이에 옮겨서 적는 게 좋아서요."

그는 지갑을 꺼내 천천히 살펴보았다. 어떤 칸에서 바래고 찢어지기 직전인 종이를 꺼냈다. 종이의 재질, 군청색, 붉은색, 주황색 얼룩을 보고 그것이 초상화를 덮었던 얇은 종이를 찢은 조각이라는 걸 한눈에 알았다. 그는 의자에서 일어나 내게 그 종이를 내밀었다. 잉크로 새긴 내 글씨였다. 내가 남긴 '제인 에어'라는 서명이었다. 아, 무심결에 나도 모르게 서명을 남긴 것이리라.

"브릭스가 제인 에어라는 이름의 인물을 찾고 있습니다. 광고에서 제인 에어라는 사람을 찾고 있었어요. 나는 제인 엘리엇은 알지요. 사실을 말하자면, 이제까지는 의심만 했어요. 그런데 바로 어제 오후에 확신을 얻었습니다. 가짜 이름은 버리고, 이제 진짜 이름을 인정합니까?"

"네, 맞아요. 그런데 브릭스 씨는 어디 계세요? 아마 그분이라면 목사님보다 로체스터 씨에 관해 더 자세히 아실 텐데."

"브릭스 씨는 런던에 있습니다. 그가 로체스터 씨에 관해 잘 알고 있으리라 생각하지는 않습니다. 그가 관심을 두고 있는 건 로체스터 씨가 아니니까요. 그건 그렇고, 왜 이렇게 별거 아닌 걸 자꾸 묻습니까? 브릭스 씨가 당신을 왜 찾고 있는지는 궁금하지 않소? 그가 당신에게 무슨 용건이 있는지 말입니다."

"아, 그래요. 대체 왜 저를?"

"당신의 삼촌인 마데이라의 에어 씨가 돌아가셨습니다. 그분이 전 재산을 당신에게 남겼소. 이제 당신은 부자가 되었습니다. 그게 브릭스 씨의 용건입니다. 그게 전부입니다."

"제가, 제가 부자라고요?"

"그래요. 그것도 대단한 유산을 받는 상속인이 되셨습니다."

침묵이 흘렀다.

"물론 그것도 당신이 제인 에어라는 걸 증명해야만 가능하지요." 리버스 씨가 다시 설명을 이어나갔다. "절차에 어려운 일은 없을 겁니다. 당장 재산권을 얻는 절차를 밟아야겠지요. 재산은 영국 채권에서 보호 중이랍니다. 브릭스 씨가 유서와 필요한 서류를 보관하고 있고요."

이제야 모든 퍼즐이 맞춰졌다! 독자들이여, 가난했던 사람이 단숨에 부자가 되다니, 좋은 일이다, 신나는 일이다. 그러나 당장 실감이 나지 않으니 즐길 마음도 생기지 않았다. 삶을 살다 보면 더 신나는 일이나 마음이 부푸는 일이 얼마든지 일어난다. 확실히 현실에서 벌어진 일이었고 허무맹랑한 공상이 아니었다. 이제 모든 게 확실하고 현실적이다. 상속도 마찬가지였다. 재산이 손에 들어왔다고 기뻐 날뛰거나 만세를 부르는 사람은 없다. 오히려 그 돈에 얽힌 수십 가지 책임이 신경 쓰이고, 어떻게 재산을 관리하면 좋을지 고민하게 된다. 만족하던 마음의 바닥에서 불안감이 피어오른다. 그렇게 다들 자아를 억제하고 심각한 표정으로 남은 행복에 관해 생각한다.

게다가 유산을 상속한다는 건 곧 누군가 죽었다는 뜻이다. 나의 삼촌, 내게 하나뿐인 혈육이 죽었다. 삼촌의 존재를 알게 된 이후 언젠가는 만날 수 있으리란 희망을 품고 살았다. 그러나 이제는 만날 수도 없다. 그리고 그의 재산만이 내게 왔다. 나와 기쁨을 나누는 식구들에게 보내진 것도 아니고 오직 나에게만 남겨진 것이다. 물론 감사한 일이었다. 자립할 수 있다니, 얼마나 신나는 일인가. 그래, 그것도 이제 실감이 좀 난다. 그렇게 생각하니 가슴이 터질 것만 같았다.

"이제야 구겨진 이마가 좀 펴지는군요." 리버스 씨가 말했다. "메두사와 눈이 마주쳐서 돌이 된 줄 알았습니다. 이제 얼마나 상속받았는지 물어보겠습니까?"

"아, 얼마나?"

"별거 아닙니다. 뭐, 큰 금액도 아니고. 2만 파운드라고 하는데, 푼돈이지요."

"2만 파운드요?"

나는 또다시 놀라고 말았다. 기껏해야 4, 5천 파운드 정도려니 했던 것이다. 이 새로운 사실을 알고 또다시 말문이 막혔다. 지금껏 한 번도 웃지 않았던 리버스 씨가 웃음을 터트렸다.

"아니, 당신이 살인을 저지르고 그 죄가 발각되었다고 해도 이렇게 놀라지는 않겠습니다."

"너무 큰 돈이라서요, 혹시 무슨 착오가 있는 게 아닐까요?"

"착오가 아닙니다."

"그럼 숫자를 잘못 읽었거나요. 2천 파운드겠죠!"

"숫자가 아니라 글로 쓰여 있었습니다. '이만 파운드'라고."

나는 평범한 식욕을 가지고 100명은 족히 먹을 수 있는 거대한 식탁 앞에 앉은 기분이었다. 리버스 씨가 일어나 외투를 입었다.

"이렇게 험악한 눈보라가 아니었다면 해나라도 데려와야 할 것 같습니다. 너무 혼란스러워 보여서 혼자 두고 가려니까 마음이 안 좋네요. 유감스럽게도 해나는 키가 작은 노인이라 깊은 눈을 헤치고 올라올 수 없을 겁니다. 혼란스러운 당신을 혼자 두고 가야겠네요. 그럼, 좋은 밤 되시오."

그가 걸쇠를 올렸다. 문득 생각이 하나 떠올랐다.

"잠시만요!" 내가 외쳤다.

"네."

"왜 브릭스 씨가 이 일을 목사님께 물어본 거예요? 어떻게 그분이 목사님을 알게 되었고, 이런 시골에 사는 목사님께서 나를 찾을 수 있다고 생각하셨나요?"

"아, 나는 목사니까요! 원래 목사는 이런저런 이상한 부탁을 많이 받습니다." 그가 대답했다. 걸쇠가 다시 딸깍 소리를 내며 열렸다.

"아니요! 그걸로는 설명이 안 돼요!" 나는 다시 그를 막았다. 분명 서두르는 행동에 말도 안 되는 변명이다. 나의 호기심은 더욱 불타올랐다.

"정말 이상한 이야기잖아요. 들어보고 싶어요."

"다음에 합시다."

"아니요! 오늘 밤에 꼭 들어야겠어요!"

그가 문을 향해 돌아서는 바람에 나는 굳이 그와 문 사이를 막아섰다. 그는 난처한 기색이 역력했다.

"말씀해 주시기 전까지는 절대 못 가요!"

"지금은 별로 이야기하고 싶지 않습니다."

"아니요, 들어야겠다고요!"

"차라리 다이애나나 메리에게 전하라고 하겠습니다."

물론 그의 거절은 내 궁금증을 부채질했다. 궁금증은 당장 풀어야 한다. 나는 그에게 고집부렸다.

"늘 말씀드립니다만, 저는 쉽게 설득당하지 않는 사람입니다."

"저도 고집이 세요. 절대 넘어가지 않아요."

"하, 나는 냉정한 사람이오. 아무리 뜨거워도 상관없지."

CHARLOTTE BRONTË

"저는 반대로 불같은 성격이에요. 불은 얼음을 녹이죠. 그 불길이 당신 망토에 쌓인 눈도 녹이고요. 내 집 바닥에도 흘러내려서 엉망이 되었잖아요. 부엌 바닥을 더럽힌 죄를 용서하길 바라신다면, 빨리 제가 궁금한 걸 말씀해 주세요."

"그렇다면 이번에는 내가 한 수 물리겠소. 당신의 열기에, 아니 끈기에 졌습니다. 끊임없이 떨어지는 낙수가 결국 돌에 구멍을 낸다더니, 어차피 곧 알게 될 이야기이기도 하니까. 그럼, 당신이 제인 에어가 맞습니까?"

"네, 다 알고 계시잖아요."

"그렇다면, 내 이름도 에어라는 걸 몰랐습니까? 내 이름이 세인트 존 에어 리버스라는 걸."

"뭐라고요? 아, 빌려주신 책의 서명에서 'E'라는 머리글자를 봤던 기억이 나요. 하지만 그게 무엇을 의미하는지는 몰랐어요. 잠깐만, 그럼 어떻게 되는 거죠?"

나는 입을 다물었다. 갑자기 떠오른 생각이 구체적인 모양으로 뭉쳐지며 부정할 수 없는 하나의 가능성을 만들었다. 그러나 그 생각을 받아들이는 것도, 입 밖으로 내뱉기도 쉽지 않았다. 여러 정황이 하나로 합쳐지고, 하나의 모습을 드러냈다. 이제까지는 모양이 채 갖춰지지 않은 하나의 고리에 지나지 않았던 것들이다. 그게 전부 연결되었다. 어느 고리니 완벽하고 빈틈이 없었다. 여러분은 나와 똑같은 생각을 떠올린 게 아니므로 설명이 좀 필요할 것이다.

"어머니의 성이 에어였습니다. 어머니에게 두 동생이 있었고요. 한 분이 게이츠헤드의 제인 리드 양과 결혼하신 목사님, 다른 한 분이 최근 마데이라 푼샬에서 돌아가신 존 에어 씨입니다. 에어 씨의 변호사인 브릭스 씨가 8월에 숙부의 임종을 알리는 편지를 보내셨습니다. 숙부의 재산은 목사였던 형의 딸에게 남긴다고 하셨습니다. 숙부와 제 아버지의 사이가 좋지 않아 평생 화해하지 못한 채 돌아가셨으므로, 우리를 상속인에서 제외한다는 내용이었지요. 그로부터 몇 주 후에 그는 상속인이 행방불명인데, 아는 것이 없느냐며 물어왔습니다. 그리고 종이 한 장에 무심코 적은 이름이 단서가 된 겁니다. 나머지는 들은 바와 같습니다."

그는 다시 가려고 했지만 나는 문을 등지고 막아섰다.

"잠깐, 제게도 말할 기회를 주세요. 한숨 돌리고 잠깐 생각할 시간은 주셔야죠." 나는 입을 다물었다. 그가 모자를 손에 든 채, 침착한 표정으로 나를 바라보았다. 나는 말을 이어나갔다.

"그러니까 어머님께서 제 아버지의 누님이셨다고요?"

"네."

"그럼, 제 고모시네요?"

그가 고개를 끄덕였다.

"제 삼촌이 목사님의 외숙부였다는 거죠? 그러니까 리버스 씨와 다이애나, 메리도 제 삼촌의 조카들이네요. 누나가 낳은 아이들이요. 그리고 저는 삼촌의 형이 낳은 딸이고요."

"그렇지요."

"그럼, 세 분은 제 사촌이네요. 우리 피의 절반은 같은 핏줄이라고요."

"우리는 사촌이 맞습니다."

나는 그를 유심히 바라보았다. 마치 오빠를 찾은 기분이었다. 게다가 자랑스럽고 사랑해 마지않는 오빠였다. 내게 사촌 언니도 생겼다. 그것도 그 인품과 다정함에 끌려 존경해 마지않았던 언니들이었다. 축축한 땅바닥에 무릎을 꿇고, 무어 하우스의 낮은 격자창 너머를 호기심과 절망이 뒤섞인 쓰라린 마음으로 훔쳐보던 그날, 그때 내가 바라본 두 사람이 내 혈연이었다니. 그리고 그 집 문 앞에서 배고픔에 쓰러져 죽어가던 나를 발견해 도와준 젊고 기품 있는 신사가 나와 피를 나눈 친척이라니! 불쌍한 고아에게 이런 영광이 찾아오다니! 이것이야말로 참된 부유함이요, 순수하고 따뜻한 애정의 광산이었다. 축복이었다. 밝고 생생하면서도 활기찬 축복이었다. 묵직한 금과는 차원이 달랐다. 금도 나름대로 감사하고 반가운 일이었지만, 그 무게로 마음이 무거웠다. 나는 기쁨에 겨워 두 손을 맞잡았다. 심장이 두근거리고 피가 솟구치는 기분이었다.

"세상에! 너무 기뻐요! 너무 기쁘다고요!" 내가 소리쳤다.

세인트 존이 피식 웃었다. "내가 당신이 사소한 일로 중요한 것을 소홀히 하는 버릇이 있다고 하지 않았던가요? 재산이 생겼다고 했을 때는 그렇게 진지하더니, 지금은 별거 아닌 일로 이렇게 좋아해요?"

"무슨 뜻이에요? 당신에게는 별거 아닐지 몰라요. 당신은 누이도 있고 사촌은 관심도 없으니까요! 하지만 저는 달라요, 아무도 없었다고요. 그런데 지금은 세 명의 친척이 생겼

CHARLOTTE BRONTË

잖아요. 당신을 거기에 넣지 말라고 하신다면 둘이요! 친척이 두 사람이나 어른스러운 모습으로 제 세상에 나타났다고요! 너무 기뻐요!"

나는 초조한 걸음으로 방 안을 서성였다. 그리고 숨이 막힐 것 같아 멈췄다. 생각이 나를 짓누르고 그것을 받아들이고 이해하고 정리하는 데 온 힘을 쏟아 넣었다. 이제 어떻게 되는 거지? 무엇을 할 수 있지? 무엇을 하고 싶지? 어떻게 해야 하지? 그것도 가까운 시일 내에? 나는 빈 벽을 바라보았다. 떠오르는 별들이 눈부시게 빛나는 하늘과 같았다. 반짝이는 별 하나하나가 목적과 환희로 나를 인도하는 느낌이었다. 나의 목숨을 구해준 사람들, 지금까지 오직 사랑하기에 급급했던 이 세 사람을 위해 내가 무엇인가 은혜를 갚을 수 있을 것이다. 이 사람들은 빛의 멍에에 매여 고생하고 있었다. 이 사람들을 내가 자유롭게 해줄 수 있다. 지금은 뿔뿔이 흩어진 이 사람들을 한곳에 모을 수 있다. 그리고 독립심과 재산도 나눠줄 수 있다. 우리는 네 사람이 아닌가? 2만 파운드를 똑같이 나누면 5천 파운드씩 돌아간다. 공평하게 나누면 각자가 행복할 수 있는 충분한 금액이다. 이렇게 생각하자 엄청난 재산도 무겁지 않았다. 지금 내게 재산은 단순한 유산이 아니라, 생명과 희망과 기쁨의 유산이었다.

이런 생각이 내 머리에 폭풍우처럼 스쳐 지나가는 사이, 내 표정이 어떠했을까. 세인트 존이 내게 의자를 가져다주며 부드럽게 나를 앉히는 손길이 느껴졌다. 그는 내게 마음을 차분히 가라앉히라고 했는데, 마치 내가 볼썽사납게 당황한 것처럼 여겨져서 불쾌해졌다. 나는 그의 손을 뿌리치고 방 안을 다시 서성였다.

"내일 다이애나와 메리에게 편지를 써주세요." 내가 말했다. "당장 집으로 돌아오라고요. 다이애나는 1천 파운드만 있어도 부자가 된 것 같은 기분이라고 했어요. 그러니까 5천 파운드라면 여유 있게 살 수 있을 거예요."

"물은 어디서 가져와야 합니까?" 세인트 존이 물었다. "지금 제정신이 아닌 것처럼 헛소리를 하는군요."

"말도 안 되는 소리 마세요! 이 유산이 목사님께 얼마나 힘이 되겠어요? 영국에 남아 올리버 양과 결혼하셔도 돼요!"

"열이 나는 모양인데, 머리가 어지러워요? 너무 많은 걸 한 번에 알려주는 게 아니었는데. 지금 너무 흥분했어요."

"리버스 씨! 제발 제 인내심을 시험하지 마세요. 지금 충분히 이성적이니까. 그리고 이해하지 못하고 혼란스러워하는 건 당신이에요."

"아니면 설명을 조금 해주겠소? 내가 이해가 잘 안 되는데."

"설명이라고요? 대체 무슨 설명이 필요해요. 그 2만 파운드를 삼촌의 조카인 우리가 똑같이 나누어 가지면 각자 5천 파운드씩 물려받는 거라고요. 두 사람에게 편지를 보내서 당연히 그들에게 돌아갈 재산에 대해 알려주라고요."

"그러니까 당신이 물려받은 재산이라고요."

"이 문제에 관해 제 생각은 변함없어요. 달리 생각할 여지도 없고요. 나는 지독한 이기주의자도 아니고 악마같이 배은망덕하지도 않아요. 부당한 짓도 저지르지 않을 거예요. 게

다가 저는 집과 친척들이 생기는 거잖아요. 저는 무어 하우스를 좋아하니까 거기서 살래요. 다이애나와 메리가 너무 좋아요. 평생 두 사람 곁을 떠나지 않을 거예요. 5천 파운드도 너무 감사한 돈이에요. 2만 파운드는 제게 고생의 씨앗이거나 무거운 짐밖에 되지 않아요. 게다가 2만 파운드가 법률상으로는 제 돈일지 몰라도, 원래 제 돈도 아니잖아요. 그러니까 다 같이 나눠야 옳아요. 반대도 논의도 필요 없어요. 우리끼리 합의해서 결론을 내요."

"충동적으로 일을 결정하면 안 됩니다! 당신의 말이 법적 효력을 갖기 전에 시간을 들여 신중하게 고민해야 해요."

"아, 당신이 의심하는 게 저의 진심이라면 그건 너무 쉬워요. 이렇게 하는 게 정의롭고 옳은 길이잖아요."

"나도 어느 정도 그렇다는 건 압니다. 하지만 이건 관습상 말이 안 되는 일이오. 게다가 이 재산은 모두 당신이 권리를 갖고 있어요. 숙부께서 노력해서 버신 거니까요. 그걸 남기고 싶은 사람에게 남기는 것도 그분 자유입니다. 그걸 당신에게 남겼어요. 결국 당신이 다 받는 게 좋다는 겁니다. 양심의 가책을 느끼지 말고 당신이 물려받아도 문제가 없어요."

"저에게 이건 양심과 달라요. 감정의 문제예요. 제가 하고 싶은 대로 할 거예요. 이제까지 이런 기회가 없었잖아요. 당신이 1년 내내 반대하고 괴롭힌다고 해도, 저는 이제 와 처음 맛본 이런 달콤함을 버리지 않을 거예요. 큰 은혜를 조금이라도 갚고, 내 평생의 친지를 얻는다니!"

리버스 씨가 말했다. "지금은 물론 그렇게 생각하겠죠. 하지만 재산을 갖는다는 게 어떤 의미인지 아직 몰라서 그래요. 그 돈을 즐기는 법도 모르죠. 2만 파운드가 당신에게 주는 무게가, 그게 당신에게 어떤 사회적 지위를 가져오는지, 그로 인해 어떤 앞날이 펼쳐질지도 모르는데, 당신은……."

"그러는 당신은요? 형제자매의 애정에 굶주린 저의 감정은 상상도 못 하실 거예요. 저는 지금까지 가족이 없었어요. 오빠도, 언니도 없었어요. 지금이야말로 가족이 생기는 거라고요. 꼭 그렇게 할 거예요. 딩신은 저를 가족으로 인정하고 받아들이고 싶지 않은 거예요?"

"제인, 기꺼이 오빠가 되어주겠소. 누이동생들도 언니가 되어줄 거요. 당신이 정당한 권리를 희생하지 않더라도 말입니다."

"오빠라고요? 그래요, 몇천 마일이나 떨어져 사는 오빠요! 언니요? 네, 낯선 사람들 사이에서 고생만 하며 일하는 언니들이요! 저는 넉넉해졌어요, 스스로 일해서 얻은 것도 아니고 받을 권리도 없던 돈이 갑자기 생겼어요! 그리고 여러분은 아니죠! 대단한 평등과 우애예요, 그렇죠? 굳건한 유대감과 깊은 애착이 잘도 생기겠어요!"

"그러나 제인, 가족의 유대나 행복을 동경하는 마음은 꼭 그런 방법이 아니더라도 실현시킬 수 있어요. 결혼을 하면 돼요."

"또 말도 안 되는 소리를! 결혼이라니! 난 결혼 안 해요. 평생 안 할 거고요."

"그건 조금 지나친데요. 그렇게 무턱대고 단정하는 게 당신이 너무 흥분했다는 증거입니다!"

"지나치지 않아요. 나는 내 마음을 알아요. 결혼은 생각만 해도 지긋지긋해요. 애정을 갖고 나와 결혼할 사람은 없어요. 다만 재산을 노리고 청혼받는 건 싫어요. 게다가 남도 싫고요. 아무런 공감도 느끼지 못하고 동떨어진 남은 싫어요. 나와 핏줄이 통하는 사람을 원해요. 그런 사람이라면 공감할 수 있어요. 제 오빠가 되어주시겠다고 다시 한번 말씀해 주세요. 당신이 그 말을 하니까 마음이 너무 행복했어요. 가능하면 다시 한번 말씀해 주세요."

"좋아요. 나는 내 동생들을 늘 사랑했어요. 그 애정이 어디서 생기는지도 알아요. 동생들이 지닌 가치와 재능을 높이 사는 마음에서 비롯되니까요. 당신에게도 믿음과 지성이 있어요. 취향도, 습관도 다이애나나 메리와 비슷하죠. 당신의 존재는 늘 편안해요. 이야기만 나누어도 이미 위안이 됩니다. 그러니까 내 셋째 동생으로 쉽게 받아들일 수 있을 겁니다."

"감사해요. 오늘 밤은 그걸로 만족해요. 그럼, 이제 돌아가시는 게 좋겠어요. 여기 계속 계시면 분명 무언가 의심스러운 면모를 보여서 저를 또 초조하게 만들 테니까요."

"학교는? 폐쇄해야 하지 않겠습니까?"

"아니요, 대신 일할 선생님을 구할 때까지는 계속 가르칠래요."

그가 마침내 웃으며 동의했다. 우리는 악수를 나누고 그는 밖으로 나갔다.

CHARLOTTE BRONTË

유산에 관한 여러 가지 문제를 내 희망대로 실행한 일은 굳이 자세히 적지 않겠다. 나는 백방으로 뛰고, 그들을 설득하기 위해 고군분투했다. 확실히 어려운 일이기는 했지만, 내 결심이 워낙 확고해서 사촌들도 마침내 재산을 평등하게 분배하겠다는 내 의사가 진심이고, 절대 변하지 않는다는 사실을 인정했다. 그들도 마음속으로는 내 방식이 옳다고 느꼈을 것이다. 그리고 나와 같은 상황이었다면, 분명 똑같이 했으리라. 판사는 올리버 씨와 유능한 변호사가 맡았다. 두 사람 모두 내 의견에 동의해 주었다. 나는 목적을 이뤘다. 양도 증서가 작성되었다. 세인트 존, 다이애나, 메리 그리고 나는 각자 큰 재산을 갖게 되었다.

34

모든 일이 처리된 건 크리스마스 무렵이 다 되어서였다. 누구에게나 즐거운 휴일이 다가오고 있었다. 나는 모든 학교의 문을 닫으면서도 이것이 헛된 이별이 되지 않기를 애썼다. 행운은 마음뿐 아니라 손도 관대하게 열어주는 법이다. 많은 것을 얻었다면 그중 얼마만큼이라도 내어주어야 부풀어 오른 마음을 조금이라도 가라앉힐 수 있다. 시골에 사는 어린 학생들이 나를 좋아한다는 게 언제나 기뻤지만, 우리의 헤어짐이 확실해지자 내 마음은 더욱더 확신이 생겼다. 아이들은 나를 향한 애정을 감추지 않고 마음껏 드러냈다. 그들의 자그마한 마음에 내가 있다는 걸 알고 나니 더욱 보람차고 기뻤다. 앞으로 일주일에 한 번은 꼭 학교를 찾아와 아이들에게 한 시간은 수업하겠다고 약속해 주었다.

리버스 씨가 찾아온 것은 줄을 지어 하교하는 60명의 학생을 배웅하고, 문을 잠그고 손에 열쇠를 든 채, 내 최고의 우등생인 여섯 명의 학생과 나머지 인사를 나누고 있을 때였다. 영국의 농민층에서 만날 수 있는 가장 품위 있고 우수하며 총명한 아가씨들이었다. 이 아이들이 우리에게 많은 것을 시사해 준다. 영국 농민들은 유럽에서도 가장 교육을 많이 받았고, 기품 있고 자존심이 강한 사람들이다. 나는 나중에 프랑스나 독일의 농민층 자녀들도 많이 만날 수 있었으나, 그중 가장 뛰어나다고 여겨지는 숙녀들도 모튼의 학생들에 비하면 무지하고 거칠고 형편없었다.

"한 학기를 돌아보니 어때요? 가르친 보람이 있었습니까?" 아이들이 돌아가자, 리버스 씨가 내게 물었다. "살면서 무언가 정말 좋은 일을 했다고 생각하니 마음이 뿌듯하지 않아요?"

"굉장히요."

"그것도 불과 몇 달 정도 노력했을 뿐인데 말이오. 평생 여성 교육을 위해 헌신하는 삶이야말로 뜻깊은 삶이 아니겠습니까?"

"네, 맞아요. 하지만 영원히 이렇게 살 수는 없어요. 그들의 능력을 길러주는 것만큼 제 능력을 키우는 것도 소홀히 하고 싶지 않거든요. 이제 미래를 즐기고 싶어요. 부디 제 몸과 마음을 학교에 매어놓지 마세요. 학교를 떠나 휴가를 즐기고 싶거든요."

그가 심각하게 나를 바라보았다. "이제 어쩔 겁니까? 왜 그렇게 갑자기 열의가 넘치지요? 앞으로 뭘 하고 싶기에?"

"부지런히 살 거예요. 최선을 다해. 우선 해나를 제게 보내고 집안일을 도와줄 사람을 따로 찾으세요."

"해나가 필요합니까?"

"네, 저와 무어 하우스로 놀아가야죠. 다이애나와 메리도 일주일 안에 집으로 돌아올 거예요. 저는 두 언니가 돌아오기 전에 집을 깨끗이 정리해 놓고 싶거든요."

"그렇군요. 나는 당신이 어디 여행이라도 떠날 줄 알았는데. 그래요, 해나를 데리고 무어 하우스로 가요, 그게 낫겠습니다."

"내일까지 짐을 싸라고 말씀해 주세요. 교실 열쇠는 지금 드릴게요. 오두막 열쇠는 내일 아침에 드리고요."

그는 내가 건넨 열쇠를 받았다. "기쁜 마음으로 물러서는 듯하군요. 앞으로 학교 일을 그만두고 무엇을 할 작정인지 전혀 짐작할 수 없어서 이해할 수 없군요. 이제 어떤 목표와 목적, 어떤 인생의 야망을 품을 겁니까?"

"우선 대청소를 할 거예요. 제가 말하는 대청소의 의미를 아시겠어요? 무어 하우스의 침실부터 지하실까지 전부 꺼내고 뒤집고 청소할 거랍니다. 그다음에는 밀랍과 기름, 마른 천으로 모든 걸 윤이 나게 닦을 거예요. 그리고 모든 의자와 탁자, 침대, 카펫을 정확한 위치에 각 잡아 배치할 거예요.

그 후 당신이 파산할 만큼 숯과 이탄을 써서 모든 방에 항상 따뜻한 불을 피울 거예요. 마지막으로는 언니들이 도착하기 이틀 전에 해나와 부엌에 틀어박힐 거예요. 흰자를 거품 치고, 건포도를 분류하고, 향신료를 갈고, 크리스마스 케이크 재료를 반죽하고, 민스 파이 재료를 자르고, 다양한 만찬을 준비할 거랍니다. 요리를 해보지 않은 당신은 모르겠지만요. 아무튼 제 목표는 다음 주 목요일까지 다이애나와 메리를 위해 모든 걸 완벽하게 준비하는 거예요. 제 야망은 두 사람에게 환상적인 환영 인사를 만들어주는 거니까요."

"듣기에는 참 좋은데, 조금만 진지하게요. 들뜬 기분이 사라지고 난 후에는 집을 향한 애착이나 가사일의 즐거움 말고 더 이상적인 목표를 세워야 해요." 그가 말했다.

"하지만 그게 세상에서 가장 좋은 일인 걸요!" 내가 외쳤다.

"아니, 제인. 아니에요. 이 세상은 결실의 장이 아니에요. 그렇게 생각하지 말아요. 그냥 안주하지 말아요. 부지런한 사람이 되어요."

"오히려 저는 아주 바쁠 예정인데요?"

"제인, 지금은 괜찮아요. 앞으로 두 달 정도는 새로운 환경을 충분히 누려도 괜찮을 거예요. 그리고 새롭게 얻은 가족과 겨우 찾은 즐거움을 만끽하는 것도 좋습니다. 그러나 그 뒤에는 무어 하우스와 모튼, 형제자매와의 우애, 여유로움이 가져오는 평온함과 관능적 안락함 너머의 이상향을 바라봐야 해요. 그때가 되면, 당신의 힘과 활력이 당신을 괴롭힐 겁니다."

나는 놀란 눈으로 그를 바라보았다. 그리고 이렇게 말했다.

"세인트 존, 그런 말씀을 하다니 너무하세요. 저는 여왕처럼 삶을 만끽하고 싶은 마음인데, 당신은 나를 불안하게 만들잖아요! 왜 그러는 거죠?"

"주님이 당신의 손에 맡긴 재능을 이 세상에 유익한 것으로 바꾸려는 노력을 게을리하지 말라는 뜻입니다. 주님이 주신 재능을 유익하게 쓰지 않으면 주님께서 언젠가 분명 책임을 물을 겁니다. 제인, 나는 당신을 유심히 지켜볼 겁니다. 평범한 삶에 지나치게 안주하지 말아요. 육체의 안락함에 집착하지 말아요. 더 큰 대의를 위해 끈기와 열정을 아껴둬요. 진부하고 덧없는 목적을 위해 낭비하지 말아요. 내 말 이해합니까?"

"네, 그리스어 같은 외국어로 들리지만. 아무튼 저는 행복할 이유가 충분해요. 그리고 행복해질 거고요! 그럼, 좋은 저녁 되세요!"

그리고 무어 하우스에서 나는 행복했고, 열심히 노동했다. 해나도 마찬가지였다. 그녀는 집 안을 헤집고 난리 피우며 팔을 걷어붙이고 일하는 나에게 진심으로 감탄했다. 내가 바닥을 닦고 먼지를 털고 요리하는 모습에 놀랐다. 하루, 이틀 사이 혼잡하던 집이 차차 정리되고 우리가 만들어낸 혼돈이 질서를 되찾는 모습에 보람을 느꼈다. 나는 S시에 가서 새로운 가구를 사들였다. 사촌들은 나에게 마음껏 가구를 바꿀 수 있도록 모든 권한을 위임했다. 가구를 마련할 돈은 따로 빼두었다. 나는 요즘 유행하는 가구도 좋지만, 다이애나와 메리가 낡고 검소한 식탁과 의자, 침대를 더 좋아하리라 생각해 응접실과 침실 가구는 그대로 두었다. 대신 두 사람이 돌아왔을 때 뭔가 새로운 분위기를 주고 싶은 마음이 있었다. 그래서 진한 색깔의 아름다운 카펫과 커튼, 세심하게 고른 도자기와 청동 장식품 한 쌍을 배치하고 새로운 벽지와 거울, 화장대 위에 두는 화장품 상자 등을 장만했다. 내가 구입한 물건들은 바로 눈에 띄지는 않지만 새로운 분위기를 자아냈다. 여분의 응접실과 침실은 완전히 새롭게 개조했다. 고풍스러운 마호가니 가구와 진홍색 커튼으로 말이다. 복도에는 캔버스 천을, 계단에는 카펫을 깔았다. 모든 작업이 끝났을 때, 무어 하우스는 더욱 밝고 아늑했다. 완벽한 집이었다. 물론 외부는 여전히 겨울 황무지의 쓸쓸함을 품고 있었지만 말이다.

마침내 기다리고 기다리던 목요일이 찾아왔다. 해가 지기 전 가족들이 돌아올 것 같아서 미리 모든 방에 불을 피웠다. 주방은 완벽하게 청소해 두었고, 해나와 나도 옷을 갈아입고 모든 준비를 마쳤다.

제일 먼저 도착한 사람은 역시 세인트 존이었다. 나는 모든 게 정리될 때까지 집 근처에는 얼씬도 하지 말라고 신신당부했다. 집 안에서 벌어지는 시끄럽고 하찮은 소동이 끔찍하다고 생각했는지 그는 며칠이나 집에 오지 않았다. 그는 부엌에서 차를 끓이고 케이크가 잘 구워지는지 지켜보는 나를 발견했다. 난로를 향해 걸어오며 그가 물었다.

"마침내 집안일에 만족하기로 한 거요?"

나는 내 작업의 결과를 둘러보고 평가해 달라고 부탁했다. 주저하는 그를 어렵게 설득해 집 안을 둘러보았다. 그는 내가 열어놓은 문 너머를 그냥 슥 둘러보는 정도였다. 위아래 층을 돌아다니더니, 이렇게 짧은 시간에 집을 꾸미느라 수고가 많았다고 했다. 그러나 개선된 집이 얼마나 좋은지 칭찬하는 말은 한마디도 하지 않았다.

그의 침묵에 나는 기분이 한풀 꺾였다. 가족들이 소중하게 여기는 것을 내가 마음대로 바꿔버렸구나 생각했다. 나는 조금 울적한 목소리로 집을 마음대로 바꿔서 기분이 상했냐고 물어보았다.

"아니, 전혀요. 오히려 우리 가족을 배려하고 꼼꼼하게 잘 꾸몄습니다. 물론 사소한 것까지 고려할 만한 가치가 있는지는 모르겠지만. 가령 이 방의 배치를 연구하는 데 몇 분이나 썼습니까? 그런데 그 책은 어디 있습니까?"

나는 그를 책장으로 데려가, 그가 원하던 책을 가리켰다. 그는 책을 꺼내고는 언제나 앉는 자리로 가서 책을 읽기 시작했다.

여러분, 나는 그의 반응이 썩 만족스럽지 않았다. 세인트 존은 좋은 사람이었지만, 언젠가 그가 말했던 것처럼 그는 너무 무뚝뚝하고 차가운 사람이었다. 생활의 안온함이나 쾌적함 따위가 그에게는 전혀 중요하지 않은 요소였다. 평화가 주는 매력이 그에게는 중요하지 않았다. 말 그대로, 그는 선의와 대의만을 추구하며 살았다. 결코 쉬지 않았고 주변 사람들이 쉬는 것도 인정하지 않았다. 나는 그의 동그란 이마를 바라보았다. 흰 돌처럼 고요하고 창백한 이마. 학문에 몰두한 그의 단정한 이목구비를 바라보며, 그가 좋은 남편이 될 수 없다는 걸 단박에 깨달았다. 그의 아내가 되는 일은 참으로 괴로운 일일 것이다. 그가 올리버 양을 향해 품은 애정이 어떤 것인지 깨달았다. 감각에서 비롯된 애정에 지나지 않았다. 그가 자신에게 미친 열병과 같은 감정을 얼마나 경멸하고, 그것을 어떻게 억압하고 파괴할지 고뇌하는 것을 알 수 있었다. 그 감정이 자신이나 그녀의 행복을 영구적으로 좌우한다는 것을 절대 신뢰할 수 없다는 그의 믿음을 이해했다. 나는 그가 자연이 만들어낸 영웅, 즉 기독교인과 이교도, 법조인, 정치가, 정복자라는 걸 이해했다. 그는 위대한 주님의 사업을 추구하는 데는 의지할 만한 확고한 손이었으나, 한 가정의 난롯가에서는 너무 차갑고 무겁고, 자리에 어울리지 않은 존재였다.

'이 응접실은 그에게 어울리지 않아'라고 나는 생각했다. '히말라야산맥이나 카프리 밀림, 심지어 전염병이 도는 기니 해안의 늪지대가 차라리 어울릴 남자야.' 그는 가정의 평온함을 밀어냈다. 가정에서는 그의 진면목이 드러나지 않는다. 오히려 정체되고, 발전하지 않고, 도움도 되지 않는다. 그는 투쟁이 펼쳐지는 위험한 현장이나 용기를 증명하고 힘을 발휘하고 인내를 요하는 현장에서 말하고 행동해야 한다. 지도자이자, 우월한 사람으로 말이다. 이 난롯가에는 쾌활한 아이가 더 어울린다. 그는 선교사라는 길을 택했고, 그게 옳았다는 걸 이제 나는 확실히 알 수 있었다.

"저기 오는군요! 저기 온다고요!" 해나가 응접실 문을 활짝 열며 외쳤다. 그때 늙은 개 카를로가 기쁜 마음으로 짖었다. 나는 밖으로 달려 나갔다. 어둠이 깔렸지만, 바퀴가 덜컹거리는 소리가 들렸다. 해나가 불을 켰다. 마차가 대문 앞에서 멈추고, 마부가 먼저 내려 문을 열었다. 먼저 한 사람이, 뒤따라 다른 사람이 내렸다. 나는 보닛 아래로 드러난 두 사람의 얼굴을 확인하고 달려가 껴안았다. 먼저 메리의 부드러운 뺨이 그리고 다이애나의 흐트러진 곱슬머리가 내게 닿았다. 두 사람이 웃음을 터트리며 내게 입을 맞추었고, 해나에게도 입맞춤을 건넸다. 흥분해서 펄쩍거리는 카를로를 쓰다듬으며 그동안 집에 별일 없었는지 물었다. 우리가 그렇다고 하자, 두 자매는 서둘러 집 안으로 들어갔다.

두 사람 모두 위트크로스에서 올라오는 힘든 여정에 몸이 뻣뻣했다. 서리가 내린 밤공기는 차가웠지만, 난롯불이 안락한 집으로 돌아왔다는 기쁨으로 환히 웃었다. 마부와 해나가 짐을 내리는 동안, 두 사람은 내게 세인트 존이 왔냐고 물었다. 그 순간 그가 응접실에서 나왔다. 두 사람은 동시에 그의 목에 팔을 두르고, 조용히 입을 맞추며 나지막하게 몇 마디 환영 인사를 건넸다. 잠시 이야기를 나누던 그는 곧 응접실에서 보자고 인사하고는 다시 사라졌다.

나는 초에 불을 붙이고 두 사람을 이층으로 안내했지만, 다이애나는 먼저 마부를 격려하고 감사 인사를 전했다. 마부가 떠나고 나서야 두 사람이 나를 따랐다. 두 사람 모두 새로 꾸민 방과 장식에 기뻐했다. 새 커튼과 깨끗한 카펫, 짙은 색감의 도자기 화병에 만족했다. 나는 두 사람이 원하는 방향으로 집을 꾸몄고, 그리하여 두 사람이 더욱 설레는 마음으로 집에 돌아왔음에 흡족했다.

참으로 행복한 저녁이었다. 기쁨에 들뜬 두 사촌 언니는 쉬지 않고 떠들었다. 과묵한 세인트 존의 분위기를 압도할 정도였다. 그는 진심으로 동생들을 다시 만나 기뻐했지만, 두 사람의 열정이나 기쁨에는 완전히 녹아들지 못했다. 다이애나와 메리의 귀향은 기뻤지만, 들뜬 분위기나 한껏 기분 낸 저녁 식사, 수다스러운 환대 따위에 짜증을 느끼는 모양이었다. 다음 날은 조금 더 차분하기를 바라는 눈치였다. 즐거운 저녁 식사가 절정에 오르고 차를 마신 지 한 시간 정도 지났을 무렵, 누군가 현관문을 두드렸다. 해나가 들어와 말했다.

"이 늦은 시간에 한 사내아이가 병석에 누운 자기 어머니를 만나달라고 목사님을 찾습니다."

"그 아이 어머니가 어디 산다고 하지?"

"위트크로스 브로우에서 4마일 정도 더 들어간 마을이랍니다. 가는 길이 온통 황무지에 늪지대래요."

"지금 간다고 전해줘요."

"도련님, 가지 마세요. 이렇게 어두운데 어떻게 가려고요. 늪지대에는 길도 없잖아요. 게다가 너무 춥고, 바람도 견디기 힘들 정도로 불어올 거예요. 내일 아침에 가겠다고 전하는 게 어떨까요?"

하지만 그는 이미 복도에 나가 있었고, 망토를 걸치고 있었다. 그는 아무런 대꾸도 하지 않고 불평도 없이 떠났다. 이미 아홉 시였다. 그러고는 자정까지 돌아오지 않았다. 배고프고 피곤한 상태로 돌아온 그는, 출발했을 때보다 더 행복해 보였다. 자기 의무를 다했고, 노력했고, 자기 마음을 극복하고 이겨냈으며 내면의 힘을 느꼈다. 그게 바로 세인트 존이었다.

그 후로 일주일 동안 그의 인내심이 나날이 줄어들까 봐 두려웠다. 크리스마스 주간이었고 우리는 딱히 할 일 없이 안락한 실내 생활에 젖어들었다. 황야의 공기, 자유로운 실내 분위기, 여유로운 주머니 사정까지 다이애나와 메리의 영혼은 하루가 다르게 배불렀다. 두 사람은 아침부터 정오까지 그리고 정오부터 밤까지 유유자적한 생활을 즐겼다. 쉬지 않고 이야기를 나눴다. 재치 있고 단출하고 독창적인 이야기에 언제든 마음이 빼앗겼다. 나는 두 사람의 이야기를 경청하고 때로 끼어들며 어울렸다. 세인트 존도 우리의 활발한 수다를 꾸짖지 않았다. 다만 벗어나고 싶어 했다. 그는 늘 집을 비웠다. 담당하는 교구가 넓고 사람들이 널리 퍼져 살아서 매일같이 다른 지역의 병자나 가난한 사람들을 방문하느라 바빴다.

어느 날 아침, 식사 시간에 다이애나가 한참이나 고민하던 끝에 심각한 표정으로 말문을 뗐다.

"오빠의 계획은 아직도 변하지 않았어?"

CHARLOTTE BRONTË

"변하지도 않았고 변할 일도 없지." 그가 대답했다. 그리고 내년에 영국을 떠나는 일정이 확정되었다고 말했다.

"로저먼드 올리버 양은 어떻게 되는 거야?" 메리가 무심코 물었다. 그 말을 내뱉는 순간, 그녀는 실수를 했다는 듯 손을 내저었다. 세인트 존은 책을 들고 있었다. 식사 시간에 책을 읽는 비사교적 습관이 있던 그가 책을 덮고 고개를 들었다.

"올리버 양은 S시에서 가장 유력한 인맥을 가진 존경받는 그랜비 씨와 곧 결혼할 예정이야. 프레더릭 그랜비 씨의 손자이자 후계자지. 어제 그녀의 아버지가 말해주더군."

두 자매가 소스라치게 놀란 눈으로 세인트 존을 그리고 나를 바라보았다. 우리의 시선이 그에게 꽂혔다. 그러나 세인트 존은 유리처럼 맑고 투명한 표정이었다.

"결혼이 너무 성급한 거 아닌가. 서로 알게 된 시간이 짧을 텐데." 다이애나가 조용히 물었다.

"두 달이면 충분하지. S시의 무도회에서 만났다더군. 하지만 두 사람의 결혼에 장애물이 없고 모든 면에서 바람직한 관계이니 지체할 이유도 없지. 두 사람은 프레더릭 경이 물려준 S시의 저택에서 결혼식을 올릴 예정이란다. 지금 수리가 한창이라더라."

이 소식을 듣고 다시 세인트 존과 마주쳤을 때, 나는 정말 그녀의 결혼이 아무렇지도 않냐고 묻고 싶었다. 그러나 그는 나의 동정이 필요 없을 정도로 평온해 보였다. 그에게 더 이상 질문을 퍼붓는 것이 필요 없는 일이라는 걸, 얼마 전 나의 오지랖마저도 쓸데없는 일이었다는 걸 깨달았다. 게다가 나는 그와 대화하는 게 아직도 편안하지 않았다. 그의 내성적인 성격이 유독 분위기를 차갑게 만들었고, 내 솔직함도 그의 앞에서는 자유롭게 펼쳐지지 못했다. 그는 나를 동생처럼 대하겠다는 약속마저 지키지 않았다. 우리 사이에는 언제나 약간의 거리감이 있어서 친밀감이 깊어질 리가 없었다. 가령 내가 그의 친척이라는 걸 인정하고 그와 같은 지붕 아래에서 살게 되었음에도 불구하고, 그와 나의 거리는 학교 교사로 일했을 때보다 멀었다. 한때 그가 나를 믿고, 자기의 비밀을 털어놓았던 일을 떠올리면 지금 우리의 거리감을 도저히 이해할 수 없었다.

그런 상황이 이어지던 어느 날, 그가 책상에 파묻었던 고개를 들고 갑자기 내게 말을 걸었다.

"제인, 전쟁이 끝나고 승리를 거두었습니다."

깜짝 놀란 나는 곧바로 대답하지 못했다. 한참이나 고민하던 내가 답했다.

"승리를 위해 너무 많은 대가를 치른 정복자가 된 건 아닌가요? 또다시 파멸이 당신을 망치지 않을까요?"

"그렇지 않을 겁니다. 만약 그렇다고 해도, 별로 중요하지 않습니다. 저는 그런 것과 싸워야 할 필요가 없습니다. 갈등의 결과가 결정적이었지요. 이제 제 길은 분명해졌습니다. 주님께 감사드릴 뿐입니다!" 그렇게 말하고 그는 다시 읽고 있던 책과 침묵 속으로 빠져들었다.

우리 모두의 들뜬 마음—즉, 다이애나, 메리 그리고 나의 설렘—이 다시 차분하게 가라앉는 사이, 일상과 규칙적인 공부가 돌아왔다. 그러자 세인트 존도 점점 더 집에 머무는 시간이 길어졌다. 그는 우리와 같은 방에 머물렀으며 때로는 몇 시간이나 함께 있기도 했다. 메리가 그림을 그리는 동안, 다이애나는 계획했던 백과사전 읽기에 전념했다. (이건 나도 놀랄 지경이었다.) 나 역시 독일어 공부에 매진하는 사이, 세인트 존은 자기의 계획에 필요했던 신비로운 동양 언어를 연구하고 공부했다.

동양의 언어에 몰두하는 그의 모습은 겉보기에는 평온하고 진지했지만, 그의 파란 눈은 문법 책을 떠나 다른 곳을 바라보곤 했다. 이따금 우리가 흥미롭다는 듯 빤히 주시할 때도 있었다. 시선이 마주치면 즉시 눈을 피했지만, 때로는 다시 우리를 향해 시선을 돌리곤 했다. 나는 그게 무슨 의미인지 궁금했다. 내가 사소하게 여기는 행동도 그는 만족스러워했다. 가령 일주일에 한 번 모튼 학교를 방문하는 일 말이다. 날씨가 궂거나 눈, 비가 세차게 내리는 날 혹은 강풍이 부는 날, 언니들이 내게 외출을 삼가라고 만류해도, 그는 언제나 두 동생의 걱정을 가볍게 여기며 학교를 찾아가 보라고 나를 격려했다.

"제인은 너희들이 생각하는 것처럼 약하지 않아." 그는 이렇게 말했다. "제인도 바람이나 소나기, 눈보라를 견딜 수 있어. 우리 모두 그런 것처럼. 제인의 몸은 튼튼하고 건강하지. 오히려 건강한 사람보다 날씨 변화를 더 잘 견디는 그런 체질이야."

그래서 가끔 비바람이나 날씨에 시달리며 피곤한 몸을 이끌고 돌아와도, 나는 도저히 불평할 수 없었다. 내가 불평하면 그가 화를 낼 것 같았다. 어떤 상황에서나 그는 인내심 많은 사람을 반겼다. 반대로 인내하지 못한 사람에게는 쉽게 화를 냈다.

그러던 어느 날 오후, 나는 지독한 감기에 걸려 외출이 어려웠다. 두 언니가 나 대신 모튼에 갔다. 나는 쉴러의 책을 읽으며 앉아 있었고, 그는 까다로운 동양의 두루마리를 해석했다. 독일어 번역은 그만하고 회회를 연습하려는데, 그와 눈이 마주쳤다. 그리고 여느 때처럼 그의 파란 눈이 한참이나 나를 지켜보았다는 느낌을 받았다. 예리하면서도 차가운 시선에 나는 잠시 전율했다. 내가 알던 그가 아닌 것 같았다.

"제인, 뭐 하고 있습니까?"

"독일어를 공부했어요."

"독일어 대신 힌디어를 배우는 건 어떻습니까?"

"진심이세요?"

"진심이지. 왜 그래야 하는지 이유를 알려줄까요?"

그러고 나서 그는 자신도 힌디어를 공부한다고 말했다. 공부하다 보면 초반에 익힌 내용을 점점 잊어버리게 된다며, 그가 반복해서 검토하고 완전히 익힐 수 있도록 제자가 필요하다고 했다. 한동안 나와 두 동생 중 누구에게 부탁할까 고민하던 차였는데, 내가 세 사람 중 가장 오랫동안 집중할 수 있다는 이유로 나를 선택했다는 것이다. 그에게 도움을 주려면 줄 수도 있을 것이다. 그리 오래 고생할 필요도 없었던 게, 그의 출국이 어느덧 석 달밖에 남지 않았기 때문이었다.

세인트 존은 쉽게 거절할 수 있는 사람이 아니었다. 고통이든 기쁨이든, 그에게는 깊고 오래 새겨진다는 압박감을 주었다. 나는 동의하고 말았다. 다이애나와 메리가 돌아왔을 때, 다이애나는 자기 학생이 오빠의 학생이 되었다며 웃었다. 두 사람이었다면 세인트 존이 이렇게 설득하지도 않았을 거라며 말이다. 그는 "나도 알아"라며 차분히 대답했다.

그는 예상대로 끈기 있고 참을성도 많고 엄격한 선생님이었다. 내게 많은 걸 기대했고, 그 기대에 부응하면 자기만의 방식으로 칭찬했다. 점차 그는 내게 영향력을 행사하며 내 마음의 자유를 앗아갔다. 그의 칭찬과 관심이 무관심보다 더 내 자유를 침해했다. 그가 곁에 있을 때는 더 이상 자유롭게 말하거나 웃을 수 없었다. 그의 본능적인 관심이 지겹게도 끈질기게 따라붙으며 (최소한 내 마음속으로 생각하는 나의) 쾌활한 성격이 그의 취향과 맞지 않다는 걸 계속해서 상기시켜 주었기 때문이다. 진지하고 차분한 공부만이 그에게 적절한 태도라는 걸 아는 나로서는 다른 행동을 보이기가 어려웠다. 나는 얼어붙었다. 그가 가라고 하면 갔고, 오라고 하면 왔으며, 이것을 하라고 하면 그대로 했다. 그러나 나는 그게 싫었다. 그가 차라리 예전처럼 나를 무시해 주면 좋겠다고 생각했다.

어느 날 저녁, 잠자리에 들기 전에 그의 누이동생들과 내가 그를 둘러싸고 잘 자라는 인사를 건네고 있었다. 그는 평소대로 동생들의 입에 가볍게 입맞춤을 해주었고, 나도 평소처럼 손등을 내밀었다. 그때 다이애나가 장난기 가득한 기분을 주체하지 못하고 이렇게 말했다. (참고로 다이애나는 오빠의 분위

기에 압박감을 느끼는 사람이 아니었다. 어떻게 보면 그녀도 고집과 의지가 오빠만큼

이나 센 편이다.)

　"세인트 존! 제인을 셋째 여동생이라 여긴다면서 왜 우리
와 똑같이 대하지 않아? 어서 제인에게도 입을 맞춰줘요."

　그녀가 내 등을 그의 앞으로 떠밀었다. 그 대담한 행동에
나는 조금 불편하고 혼란스러웠다. 내가 그런 생각을 하는
사이, 세인트 존은 고개를 기울였다. 조각같이 생긴 얼굴이
나와 눈높이를 맞추고, 그의 눈이 나를 빠히 바라보았다. 그
리고 내 입술에 가볍게 입을 맞추었다. 대리석이나 얼음에
입을 맞추지는 않겠지만, 성직자의 마음이 충만한 그의 입맞
춤이 딱 그런 느낌이었다. 마치 시험 삼아 해보는 입맞춤이
랄까. 그의 입맞춤은 딱 그랬다. 그가 내게 입을 맞추는 순간,
나는 그 결과를 정확히 알 수 있었다. 나는 얼굴을 붉히지 않
았다. 어쩌면 조금 창백해졌을 수는 있다. 이 키스가 가족이
라는 족쇄에 인장까지 찍어버린 기분이었다. 그날 이후로 그
는 밤 인사에 나를 빼놓지 않았다. 오히려 내가 그것을 진지
하고 태연한 태도로 받아들이는 것에 어떤 매력을 느끼는 눈
치였다.

　나는 매일 그를 기쁘게 해주고 싶었다. 그러나 그럴수록
내 본성의 절반을 부정하고, 내 능력의 절반을 억누르고, 내
본래의 성향에서 벗어나 내 취향을 바꾸고 내 천성이 아닌
것을 추구해야만 한다는 압박감에 짓눌렸다. 그는 내가 결
코 도달할 수 없는 높은 곳까지 올라가도록 나를 훈련시키려
했다. 그의 기준에 도달하기 위해 매일 몇 시간이고 나를 채

찍질했다. 그러나 나의 노력은 균형 잡히지 않은 이목구비를 그의 조각 같은 외모에 비교하고, 푸른빛이나 엄숙한 바다색을 띠는 그의 눈동자에 맞추어 내 녹색 눈동자를 바꾸려 하는 것만큼 불가능한 시도였다.

나를 속박하는 건 그의 우월함만이 아니었다. 최근 내가 자주 슬픈 표정을 짓는 것도 우연이 아니었다. 서서히 나를 좀먹는 불안이라는 나쁜 병이 내 가슴속에 자리 잡고 내 행복의 근원을 송두리째 빨아들였기 때문이었다.

독자여, 내가 새로운 환경과 변화에 로체스터 씨를 완전히 잊어버렸다고 여겼는가? 아니, 전혀 그렇지 않았다. 그는 늘 내 마음속에 있었다. 나에게 있어 그 사람은 햇빛에 사라지는 안개도, 비바람에 씻겨 내려가는 모래 그림도 아니었다. 그는 비석에 새긴 이름이었으며, 대리석처럼 시간이 흘러 닳아 없어지지 않는 한 내 마음속에 오래도록 남을 운명이었다. 그에게 무슨 일이 일어났는지 알고 싶은 갈망이 어디든 나를 쫓아다녔다. 모튼에 있을 때는 매일 저녁 오두막에 틀어박혀 그를 생각했다. 무어 하우스로 옮겨온 후에도 나는 매일 밤 침대에 누워 그를 생각했다.

브릭스 씨와 유언장에 관한 연락을 주고받으면서, 나는 로체스터 씨의 현재 거주지와 건강 상태에 관해 알고 있는지 물었다. 그러나 세인트 존의 예상대로, 브릭스 씨는 로체스터 씨에 관해서는 아무것도 아는 게 없었다. 그래서 나는 페어팩스 부인에게 편지를 보냈다. 분명 그녀라면 아는 게 있으리라. 그러나 2주가 지나도 답장은 오지 않았다. 그렇게 두 달이 지났다. 매일 우편함은 편지로 넘쳐났지만 페어팩스 부인에게서는 아무런 연락도 오지 않았다. 나는 극심한 불안감에 메말라갔다.

나는 다시 한번 편지를 보냈다. 첫 번째 편지가 중간에 길을 잃었을지도 모르니까. 희망을 품고 다시 기다렸다. 몇 주간은 예전처럼 희망이 샘솟았다. 그러나 시간이 흐를수록 나의 희망도 빛을 잃고 바랬다. 단 한 줄도, 단 한마디도 돌아오는 건 없었다. 반년간 헛된 희망을 품고 히비한 후에야 희망이 사라졌다는 걸 인정했다. 그제야 비로소 진정한 절망이었다.

따스한 봄볕이 나를 감쌌지만, 나는 햇살을 즐길 수 없었다. 여름이 다가오자, 다이애나는 내 기분을 북돋으려 애썼다. 내 안색이 좋지 않다는 핑계로 나와 함께 해변에 가고 싶다고 했지만 세인트 존이 반대했다. 나에게 방종은 어울리지 않는다며, 나는 공부를 해야 한다고 주장했다. 내 생활이 너무 목적 없이 흘러가서 그런 거라며 목적을 가지라고 했다. 부족한 부분을 채우기 위해 힌디어 수업을 늘렸고, 학업적 성취를 더욱 강하게 요구했다. 나는 바보처럼 그에게 저항할 수도 없었다. 그에게 도저히 반항할 수 없었다.

어느 날, 나는 마찬가지로 더욱 가라앉은 기분으로 공부에 전념하고 있었다. 가슴이 에이는 실망감이 나를 덮쳐왔다. 그날 아침, 해나가 내 앞으로 편지가 왔다고 말해주었고, 나는 그토록 기다리던 편지일 거라 확신하며 달려갔다. 그러나 그 편지는 상속과 관련된 브릭스 씨의 편지였다. 부풀었던 희망이 쓰디쓴 결과로 돌아오자, 눈물을 참을 수가 없었다. 인도인이 필사한 읽기 어려운 문자와 화려한 미사여구를 읽으면서도 눈에 투명한 액체가 차올랐다.

세인트 존은 나를 그의 곁으로 부르고, 소리 내어 읽어보라고 했지만 차마 목소리가 나오지 않았다. 말은 목구멍에 걸리고 입 밖으로 새어 나오는 거라곤 흐느낌뿐이었다. 응접실에는 그와 나, 단둘이었다. 다이애나는 응접실에서 피아노를 연습하고 있었고, 메리는 정원을 가꾸고 있었다. 맑고 화창한 바람이 부는 5월이었다. 세인트 존은 내 눈물을 보고도 놀라지 않았고, 이유를 묻지도 않았다. 다만 이렇게 말했다.

"잠깐 마음을 가라앉혀요, 제인. 침착해질 때까지." 그리고 내가 눈물을 삼키는 동안, 그는 침착한 자세로 인내심을 가지고 책상에 기대앉았다. 마치 의사가 환자의 질병을 예상하고 완전히 치료되기를 기다리는 것처럼 진지하고 느긋했다. 나는 새어 나오는 흐느낌을 억누르고 눈물을 닦았다. 아침부터 몸이 좋지 않다는 변명을 대고는, 한참 만에야 그가 시키는 대로 소리 내어 책을 읽는 데 성공했다. 세인트 존은 책을 모두 정리하고 책상 선반을 위로 올려 닫은 다음 말했다.

"제인, 나가서 잠깐 걷겠습니까?"

"다이애나와 메리를 불러올게요."

"아니, 오늘은 우리 둘만 걸읍시다. 옷을 입고 부엌문으로 나가요. 마시 글렌으로 가는 길을 따라 걷고 있어요. 금방 따라갈 테니."

나는 중간이 없는 사람이었다. 살면서 지금껏 절대적 복종 아니면 목숨을 건 반항이 전부였다. 나와 상반되는 성격의 현실적이고 강한 사람들만 만나서 더욱 그랬다. 나는 항상 폭발 직전까지 충실하게 따르고, 때가 오면 화산처럼 폭발했다. 지금도 반항할 이유가 없었다. 반항이 내키는 기분도 아니었다. 나는 그의 지시를 따랐다. 그리고 10분 후, 그와 나는 나란히 계곡을 향하는 거친 오솔길을 걸었다.

서쪽에서 바람이 불어왔다. 언덕 너머로 불어오는 바람은 황야와 히스 관목 향으로 가득했다. 하늘은 맑고 푸르게 빛나고, 계곡을 따라 내려오는 시냇물은 지난 봄비로 불어나 있었다. 맑은 물이 풍부하게 넘쳐흐르며 태양의 황금빛과 하늘의 사파이어 빛을 반사했다. 오솔길을 벗어나자 부드러운 잔디와 이끼 낀 언덕이 나왔다. 투명한 초록색 잔디 위로 작고 하얀 들꽃과 별 모양의 노란 꽃이 흐드러지게 핀 언덕이었다. 우리는 언덕에 둘러싸였다. 골짜기가 언덕 중심으로 굽이치며 협곡을 이루었다.

"잠시만 쉬었다 갈까요." 세인트 존이 말했다. 우리는 무리 지어 늘어선 바위에서 홀로 떨어진 바위 하나에 자리를 잡았다. 바위 너머 골짜기에서 흐르는 물이 폭포가 되어 떨어졌다. 그곳에서 좀 더 올라가면 잔디도, 꽃도 떨쳐낸 산이 품은 거라곤 히스 관목뿐이었다. 옷감 대신 황야만 남고 보석 대신 바위만 남은 형상이었다. 그곳은 말 그대로 야생이었다. 살벌한 대지와 찡그린 위압감이 희망과 고독의 마지막 피난처를 지키고 있었다.

나는 바위에 앉고 세인트 존은 내 곁에 섰다. 그는 고개를 들어 오르막길을 살펴보고, 고개를 숙여 굽이치는 골짜기를 바라보았다. 그러고는 맑은 하늘을 휙 둘러보았다. 모자를 벗어 머리카락이 바람에 이마를 스치도록 내버려두었다. 마치 자연의 정령과 교감하는 모습이었다. 그는 눈을 감고, 이 땅의 무언가에 작별을 고했다.

"곧 다시 보게 될 테다." 그가 소리 내어 외쳤다. "갠지스강 가에서 잠을 청할 때면 꿈으로 보고, 무수한 시간이 흘러 마지막으로 깊은 잠에 이르는 순간에 어두운 강가의 해안에서 만날 것이다."

이상한 애정을 품은 이상한 기도였다! 조국의 땅을 향한 애정 어린 기도였다! 그는 내 곁에 앉았고, 우리는 30분 정도 말없이 풍경을 바라보았다. 그도 나도 아무 말도 하지 않았다. 한참이나 말이 없던 그가 정적을 깼다.

"제인, 6주 후면 나는 떠납니다. 6월 20일에 출항하는 동인도회사 선박에 오릅니다."

"주님께서 당신을 보호하실 거예요. 주님의 일을 직접 행하는 분이시니."

"네, 나의 영광과 기쁨입니다. 나는 과오를 저지르지 않으시는 주님의 종입니다. 인간의 길로 가 불완전한 법과 나약한 인간의 그릇된 지시를 따르지 않습니다. 나의 왕, 나의 율법, 나의 지휘관은 온전하신 분입니다. 내 주변의 모든 것이 같은 깃발 아래에 모여들고자 안달하지 않는 것이 이상합니다. 같은 계획을 따르려 하지 않는 게 참으로 이상합니다."

"모두가 당신 같은 힘을 갖고 있는 건 아니니까요. 약한 자와 강한 자가 함께 행진하기를 바라는 건 어리석은 일이에요."

"저는 약한 자와 강한 자를 말하는 게 아닙니다. 그들은 생각하지도 않습니다. 나는 그 일에 합당하고 그것을 성취할 수 있는 사람을 말하는 겁니다."

"아마 손에 꼽게 적을 거예요. 찾기도 힘들 거고요."

"맞는 말입니다. 그러나 그런 사람을 발견한다면, 그를 자극하고 노력하라고 재촉하고, 그의 재능이 무엇인지, 왜 그 재능이 주어졌는지를 가르치고, 주님의 말씀을 그 귀에 전하고, 주님으로부터 직접 받은 지위를 행하도록 독려해야 옳지 않겠습니까."

"정말 그 일을 하기에 합당한 사람이라면, 그의 마음이 먼저 깨닫지 않을까요?"

마치 끔찍한 마력이 나를 감싸는 기분이 들었다. 무언가 나를 단단히 옥죌 돌이킬 수 없는 말이 그에게서 들려올까 봐 나는 몸을 떨었다.

"그렇다면 당신의 마음은 뭐라고 말합니까?" 세인트 존이 물었다.

"제 마음은 침묵해요. 아무 말도 하지 않아요." 나는 심장이 뚝 떨어지는 심정으로 전율하며 대답했다.

"그렇다면 내가 대신 말하리다." 깊고 잔인한 목소리가 답했다. "제인, 나와 함께 인도로 갑시다. 나의 반려이자 동료로."

골짜기와 하늘이 빙빙 돌았다. 언덕이 들썩였다. 마치 하늘의 소환을 받은 기분이었다. 마케도니아 사람들의 환상이 일어나 "여기로 건너와 우리를 도우소서!"*라고 외치는 것만 같았다. 그러나 나는 사도가 아니었다. 나는 전령을 볼 수 없었다. 나는 그의 부름을 받을 수 없었다.

"아, 세인트 존! 제발 그러지 마세요." 나는 그에게 빌었다. 의무라고 믿고 수행하는 일에는 자비심도 후회도 모르는 이에게 간청했다. 그는 아랑곳하지 않았다.

"주님과 자연은 당신을 선교사의 아내로 삼고자 합니다. 당신에게 내려준 건 아름다운 외모가 아니라 정신적인 자질입니다. 당신은 사랑이 아니라 주님의 노역을 위해 만들어졌습니다. 선교사의 아내가 될 몸으로 말입니다. 반드시 내 사람이 되어야 합니다. 그러니 제인, 나의 즐거움이 아니라 나의 주님을 위해 봉사하는 삶을 살아야 합니다."

"저는 그런 일에 적합하지 않아요. 소질도 없어요." 내가 거절했다.

그러나 그는 나의 거절까지도 계산한 모양이었다. 전혀 얼굴을 붉히지 않았으니까. 등 뒤의 바위에 등을 기대고 팔짱을 낀 채 단호한 표정을 짓는 것으로 보아 그는 길고 힘든 반대에 대비하고 있었다. 그리고 끝까지 고집하겠다는 마음을 먹은 모양이었다. 그 끝은 반드시 자신의 승리로 매듭지으리라 결심한 눈치였다.

"제인, 겸손이란 기독교의 덕목 중에서도 가장 기본입니다. 당신이 그 일에 적합하지 않다는 말이 옳습니다. 그러나

---

* 「사도행전」 16장 9절.

누가 적합하겠습니까? 누가 진정으로 부름을 받고 그 부름에 합당하다 하겠습니까? 나도 먼지와 재에 불과합니다. 사도 바울과 함께 나는 '죄인 중에 내가 괴수니라.'*라고 인정합니다. 그러나 내가 추하더라도 나는 겁먹지 않습니다. 나를 인도하시는 분을 알기 때문입니다. 그분은 전능하시고 옳은 분입니다. 주는 위대한 대의를 수행할 연약한 도구로 나를 택하셨고, 그분의 무한한 섭리를 위하여 부족한 것은 내어주십니다. 나처럼 생각하고 나처럼 믿어봐요. 나에게 의지해요. '영원한 반석'**에 의지하시오. 그분은 당신의 인간적인 약점마저 품어주십니다."

"저는 선교사의 삶을 이해하지 못해요. 선교사의 노동을 공부한 적도 없어요."

"미천한 내가 당신에게 도움을 드리리다. 매시간 당신이 할 일을 정해주고, 늘 당신의 곁에서 도와주겠습니다. 시작은 내가 같이할 수 있습니다. 나는 당신의 능력을 알아요. 곧 나만큼 강해지고 능숙해져서 내 도움은 필요 없을 거요."

"하지만 저의 힘이, 그런 일을 수행할 힘이 어디 있는데요? 저는 느낄 수 없어요. 당신이 말하는 동안에도, 저는 아무런 목소리도, 움직임도 느끼지 못했어요. 한 줄기 빛도, 생명의 힘도, 저에게 조언하거나 응원하는 목소리도 들리지 않았어요. 아, 지금 내 마음이 얼마나 어둡고 두려움에 휩싸여 있는지 당신이 아신다면! 제 마음에 족쇄를 보신다면! 저는 제가

* 「디모데전서」 1장 15절.
** 「이사야」 26장 4절.

할 수 없는 일을 하라는 설득에 넘어갈까 봐 너무나 두려워요. 너무 겁이 나요!”

“내가 당신에게 답을 줄 테니 들어봐요. 우리가 처음 만난 이후로 나는 줄곧 당신을 지켜봤습니다. 10개월이나 연구했어요. 그동안 다양한 시험을 통해 당신을 증명했습니다. 그리고 내가 끌어낸 결론이 무엇인지 아십니까? 학교에서 당신은 교사로서 좋은 덕목을 입증했소. 당신은 시간을 잘 지키고 정직했으며 습관이나 성향에 맞지 않는 일도 해냈습니다. 재치와 능력은 말할 것도 없고요. 자제심을 갖고 성취했습니다. 갑자기 부자가 되었다는 걸 알았을 때 보인 침착한 태도에서 나는 ‘데마의 죄’*에 물들지 않은 당신의 마음을 읽었습니다. 물질적 욕심도 당신의 마음에 힘을 행사하지 못했습니다. 당신은 재산을 4분의 1만 가져가고 나머지 세 명의 몫은 심오한 뜻에 따라 포기했지요. 그 단호한 태도에서 나는 희생의 불꽃과 흥분에 빠진 한 영혼을 보았습니다. 내가 원했을 때, 당신은 흥미가 있던 공부를 포기하고 내가 제안한 공부를 택했습니다. 유연한 성품입니다. 그 후로도 꾸준히 지칠 줄 모르고 부지런히 공부에 매진했습니다. 어려움을 극복해 온 지치지 않는 힘과 흔들리지 않는 기질에서 내가 추구하는 자질을 발견했습니다. 제인, 당신은 온순하고 부지런하고 이타적이며 충실하고 변함없고 용감한 사람입니다. 당신을 의심하지 말아요. 나는 당신을 깊이 신뢰합니다. 인도의 학교에서 교사로 일하며 인도 여성을 이끌 조력자로 나

---

* 「디모데후서」 4장 10절로, 데마는 세상을 사랑하여 사도 바울을 저버렸다.

를 도와주세요. 나는 당신의 도움이 꼭 필요합니다."

철로 만든 수의가 나를 옥죄어 오는 기분이었다. 설득은 느리고 확실하게, 차근차근 나를 압박했다. 눈을 감아도 그의 마지막 말이 꽉 막힌 나의 고민에 분명한 길을 뚫었다. 막연하고, 희망이라곤 없이 산재하던 나의 앞날이 그의 말 한마디에 응축되고 그의 손에 명확한 형태를 갖추기 시작했다. 그는 대답을 기다렸다. 나는 15분만 생각할 시간을 달라고 부탁했다.

"물론입니다." 그가 대답했다. 그리고 바위에서 일어나 언덕을 조금 올랐다. 황야의 언덕에 몸을 던진 그가 가만히 누워 바람을 느꼈다.

나는 고민에 빠졌다. '나는 그가 내게 원하는 것을 할 수 있어. 억지로 보았고 억지로 인정했지만 가능한 일이기는 해. 숨이 내게 붙어 있는 한, 가능한 일이야. 하지만 인도의 뜨거운 태양 아래에서 오래 살 수 있을까? 그건 불가능한 일이야. 그때는 어떻게 될까. 하지만 세인트 존은 그런 건 전혀 개의치 않아. 오히려 내가 죽을 때가 되면 그는 온유하고 신실한 마음으로 나를 주님께 맡길 거야. 그건 분명해. 영국을 떠나는 건, 내가 사랑하는 나라를 떠나는 일이야. 하지만 이 땅은 내게 텅 빈 나라야. 로체스터 씨가 없잖아. 그리고 로체스터 씨가 영국에 있다고 해도 무슨 의미가 있겠어? 나는 이제 그 사람 없이 살아야 해. 그 사람을 다시 만날 수 있을지 없을지도 모르는 불가능한 상황을 기다리면서 그저 하루하루를 살아가는 것처럼 어리석은 일도 없어. 세인트 존의 말처럼, 나는 내가 잃어버린 걸 대체할 삶의 새로운 목표를 구해야 해. 그가 내게 제안한 일이야말로 인간이 고를 수 있는, 주님이 주신 직무 중 가장 영광스러운 것이야. 고귀한 책임과 숭고한 성취의 결과가 다시 없을 사랑과 무너진 희망만 남은 내 마음의 공백을 채운다면, 그야말로 가장 좋은 방법이 아닐까? 그렇다면 나는 그의 청혼을 받아들여야 해. 하지만 어려운 일이야. 아! 내가 만약 세인트 존과 결혼한다면, 그건 내 자신을 반으로 쪼개 포기하는 짓일 거야. 내가 만약 인도로 간다면, 나는 아마 오래 살지 못할 거야. 영국을 떠나 인도로 가는 시간과 인도에서 또 무덤까지 가는 시간을 나는 어떻게 채우게 될까? 아, 그건 너무 명확해. 눈으로 보듯 훤해. 세인트 존을 만족시키기 위해 나는 온몸을 다 바쳐 노력해야 할 거야. 점점 커지는 그의 기대에 부응하기 위해 무슨 일이든 해내야 할 거야. 내가 만약 그와 함께 간다면 그리고 그가 내게 희생을 강요한다면, 나는 끝도 없이 희생해야 할 거야. 그가 쌓아 올리는 제단 위에 내 마음과 생명, 희생을 내 손으로 바쳐야 할 거야. 게다가 그는 날 절대 사랑하지 않겠지. 나를 인정하겠지만. 그가 아직 보지 못한 힘과 그가 결코 의심하지 않았던 나의 재능까지 다 드러내야 할 거야. 맞아, 나는 세인트 존만큼이나 열심히 일하고, 또 기꺼이 해낼 거야.

그렇다면 그의 요구를 받아들여야 한다. 그러나 단 하나, 너무나 두려운 단 하나만 없다면 바로 대답했을 거야. 그건, 그가 내게 아내가 되어달라고 했다는 거야. 그는 저 멀리 협곡에서 거품을 일으키며 흐르는 시냇물과 얼굴을 잔뜩 찡그린 바위와 같아. 나는 그를 전혀 남자로 보지 않아. 그는 군인이 좋은 무기를 소중히 여기는 것처럼 나를 소중히 대해. 그게 전부야, 그건 사랑이 아니야.

그와 결혼할 수 없다는 게 전혀 슬프지 않아. 그런데도 세인트 존이 자기 뜻대로 계획하고, 차분히 실행하고, 결혼식을 올리게 허락해야 할까? 그에게 결혼반지를 받고, 그가 율법을 지키듯 나를 지켜줄 거라 믿어 의심치 않는다는 이유로, 과연 모든 형태의 사랑을 견딜 수 있을까? 거기에 내 영혼이 전혀 움직이지 않는데도? 그가 주는 모든 애정이 원칙에 따른 희생이라는 걸 감수할 수 있을까? 아니, 그런 순교는 끔찍해. 나는 그런 일을 겪고 싶지 않아. 그의 아내가 아니라 여동생이라면 오히려 그와 함께할 수 있어. 그에게 이렇게 말하자.'

나는 언덕을 바라보았다. 거기에서 그는 쓰러진 기둥처럼 엎드려 누워 있었다. 그가 고개를 돌려 나를 바라보았다. 예리하고 냉철한 눈빛이었다. 그가 벌떡 일어나 내게 다가왔다.

"인도로 갈 준비는 됐어요. 대신 자유로운 몸으로요."

"대답이 썩 명확하지 않군요. 무슨 뜻이지?"

"오늘까지도 당신은 내게 새로 생긴 오빠였어요. 나는 당신의 사촌 동생이고요. 지금 같은 관계를 유지하고 싶어요. 당신과 저는 결혼하지 않는 편이 나아요."

그는 고개를 저었다. "뒤늦게 찾은 사촌으로 이 문제를 해결할 수는 없습니다. 만약 내 친동생이었다면 문제는 달랐을 겁니다. 아내를 구하지 않고서도 당신과 인도로 갈 수 있겠지요. 하지만 지금 상황이라면 우리 둘을 결혼으로 묶고, 법으로 인정받아야만 합니다. 다른 계획을 세우더라도 이 경우 현실적인 장애물에 부딪칠지도 모릅니다. 제인, 모르겠습니까? 잠깐 생각해 봐요. 당신의 굳건한 결단력이 당신을 인도해 줄 겁니다."

그의 말을 다시 곰곰이 생각해 보았다. 그러나 여전히 우리가 서로 사랑하지 않는다는 사실이 내 마음에 걸렸다. 우리는 결혼해서는 안 되는 사이다. 나는 그에게 말했다.

"세인트 존, 나는 당신을 오빠처럼, 당신은 나를 여동생처럼 생각해요. 그러니 이 관계를 깨서는 안 돼요."

"그럴 수는 없습니다. 그럴 수는 없어요." 그는 짧고 날카롭게 되받아쳤다. "그렇게는 안 돼요. 당신은 인도에 나와 함께 가겠다고 했잖습니까. 분명 그렇게 말했잖아요."

"단, 조건이 있다고도 했어요."

"좋습니다, 좋아요. 그렇다면 일단 요점만 말해봐요. 나와 함께 영국을 떠나 내가 앞으로 하고자 하는 일을 함께하겠다는 뜻은 굽히지 않겠다는 겁니다. 그렇지요? 이미 쟁기에 손을 댄 이상 이제 무를 수는 없어요. 땅을 갈아야지. 그렇다면 하나의 목표, 당신에게 주어진 일을 잘 해내는 방법도 생각해야 하지 않겠소? 당신의 복잡한 관심사와 감정, 생각, 소망, 목표를 단순하게 만들어요. 모든 고려 사항을 하나의 목적, 즉 위대한 주님의 사명을 효과적으로 성취하는 데 집중하라고요. 그러기 위해서 당신에게는 조력자가 필요해요. 남매 말고. 사촌 오빠는 때에 따라 느슨해지기 쉬운 관계입니다. 하지만 남편은 달라요. 나는 여동생을 원하지 않습니다. 여동생은 언제든 빼앗길 수 있는 존재 아닙니까? 나는 아내를 원합니다. 내 인생에 효율적으로 영향을 미칠 수 있고, 죽을 때까지 내 곁에 머무를 유일한 존재, 배우자 말입니다."

그가 말하는 내내 점점 소름이 돋았다. 그의 영향력이 내 골수에 스며들고, 그가 내 사지를 붙잡고 늘어지는 기분이었다.

"저 말고 다른 사람을 찾아봐요, 세인트 존. 당신에게 어울리는 여자요."

"내 목적에 맞는 사람, 내 소명에 맞는 사람을 찾으라는 겁니까? 다시 말하지만 내가 원하는 배우자는 그저 그런 이기적인 인간이 아닙니다. 나는 선교사가 될 수 있는 사람을 찾아요."

"그렇다면 선교사의 일에 제 모든 걸 바칠게요. 당신이 바라는 건 같은 선교사지 제가 아니잖아요. 당신에게 나를 바칠 수는 없어요. 알맹이가 선교사라면 저는 껍질과 껍데기일 뿐이에요. 중요한 건 알맹이지, 껍데기는 당신에게 쓸모가 없어요. 저 자신을 있는 그대로 지키고 싶어요."

"그렇게는 안 됩니다. 그럴 수 없어요. 주님께서 과연 반쪽짜리 공헌을 받아주실 것 같습니까? 팔다리가 잘린 제물을 기꺼이 받아주실 것 같습니까? 내가 대변하는 것은 주님의 대의요, 나는 당신을 주님의 깃발 아래 데려가고자 하는 겁니다. 그런데 주님께 분열된 충성을 바칠 수는 없습니다, 내가 용납할 수 없어요. 나는 온전한 우리를 바칠 겁니다.”

“아! 제 마음을 주님께 바칠게요. 당신이 원하는 건 제 마음이 아니잖아요.” 내가 되받아쳤다.

독자들이여, 나의 말에, 나의 어조에, 조금의 조롱도 담겨 있지 않았다고 맹세할 수는 없다. 나는 그때까지도 세인트 존의 요구를 이해할 수 없었다. 지금도 마찬가지다. 나는 그가 두려웠다. 그를 경외했던 건 그가 좀처럼 알 수 없는 사람이었기 때문이다. 그가 얼마나 신실한 성자인지, 그가 얼마나 인간적인지, 지금도 완벽히 알 수는 없다. 그러나 이제껏 나눈 대화로 미루어 그가 어떤 사람인지 조금은 파악할 수 있었다. 그의 본성이 내 눈앞에 완전한 모습으로 펼쳐졌다. 나는 그의 결점을 보았다. 그가 어떤 사람인지 조금은 이해할 수 있었다. 나는 지금껏 바위에 걸터앉아 잘생긴 그의 얼굴을 바라보고 있었다. 그리고 깨달았다. 나는 지금껏 나와 마찬가지로 죄를 저지른 사람의 발치에 앉아 있었던 것이다. 그의 완고함과 독재적인 면모가 고스란히 드러났다. 그의 불완전하고 인간적인 면을 처음으로 확인하며 오히려 용기를 얻었다. 그는 나와 같은 인간이었다. 논쟁을 벌일 수 있는 사람, 내가 옳다고 생각하는 일에는 저항할 수 있는, 그저 나와 같은 인간이었다.

내 마음이 필요 없지 않냐는 말에 그는 침묵에 잠겼다. 나는 고개를 들어 그의 표정을 살폈다.

나를 바라보는 두 눈에 놀라움과 예민함이 동시에 깃들었다. ‘비꼬는 거야, 나를 비꼬고 있는 거야!’라고 외치는 느낌이었다. '이게 무슨 의미지?' 그는 혼란스러워했다.

이윽고 그가 입을 열었다. "엄숙하게 행동해요. 경솔한 생각을 말로 내뱉는 것도 죄를 짓는 일입니다. 제인, 나는 당신을 믿어요. 당신이 진심으로 주님 앞에 마음을 바치겠다고 말했다고 생각합니다. 그게 내가 원하는 전부입니다. 마음을 사람이 아니라 우리 창조주에게 돌리면, 이 땅 위에 주님의 왕국이 발전하는 일만으로도 큰 즐거움을 느끼고, 또 다른 목표를 세우게 될 겁니다. 그 목적에 이르는 길로 나아가기 위해 무엇이든 할 마음이 생길 겁니다. 결혼이라는 육체적 결합과 정신적 결합을 통해 당신과 나의 노력이 어떤 결실을 볼지 똑똑히 보게 될 겁니다. 결혼이라는 결합만이 인간의 운명과 앞으로의 설계에 영구적 정당성과 적합성을 부여합니다. 사소한 어려움이나 미묘한 감정 같은 소모적인 것이나 성향의 차이, 정도, 종류와 같은 망설임은 버려요. 지금 당장 주님을 위한 결합에 당신을 바치란 말이오."

"제가 왜요?" 나는 짧게 되물었다. 그리고 그의 얼굴을 바라보았다. 조화롭고 잘생긴 이목구비는 아름다웠지만, 여전히 차가운 인상이었고 위압감이 비쳤다. 그의 이마는 위엄이 넘치지만 넓지 않았고, 두 눈은 밝고 깊고 날카롭지만, 하나도 부드럽지 않았다. 키가 크고 당당한 그의 모습을 보며 내가 그의 아내가 되는 모습을 상상해 보았다. 아! 결코 나는 그의 아내가 될 수 없다! 그의 조수로서, 그의 보좌관이자 동료로 남아야만 했다. 그와 함께 주님의 일을 수행하기 위해 바다를 건널 수는 있었다. 동양의 태양 아래에서 아시아의 사막을 견딜 것이다. 그의 용기와 헌신, 활기에 감탄하고 그를 따를 것이다. 그의 주인 정신을 반항 없이 받아들이고 감내할 것이다. 사그라지지 않는 그의 야망을 지지하고 미소 지어줄 것이다. 주님의 종인 그와 인간적인 그를 구분할 것이다. 주님의 종은 마음 깊이 받들고, 인간적인 그의 결점은 너그러이 용서할 수도 있다. 오로지 그의 능력만 믿고 그를 따르다 보면 분명히 고통스러운 순간이 찾아오리라. 내 몸은 엄격한 굴레에 얽매이게 될 것이다. 그러나 내 마음과 정신은 자유로울 것이다. 나의 마음속 메마르지 않은 자아에 의지할 수 있을 것이다. 고독할 때도 마음껏 소통할 수 있는 내 안의 자연스럽고 얽매이지 않은 감정을 지킬 수 있을 것이다. 나의 마음속에는 그가 절대 들어올 수 없는 나만의 은신처가 있고, 나의 감정은 새로 살이 돋을 것이다. 신선하고 누구도 침범할 수 없는 나만의 감정이 무럭무럭 자라나며, 그의 엄격함도 절대 내 감정을 해치지 못할 것이다. 전사처럼 나아가는 그의 보폭에 맞추더라도, 그는 나의 감정을 짓밟지 못한다. 그러나 그의 아내가 되면 나는 언제나 그의 곁에서 늘 절제하고 늘 경계해야 한다. 내면의 불을 지피지 못하고, 내면에서 타오르는 소리를 결코 입 밖으로 낼 수 없을 것이다. 그런 억압은 견딜 수 없다. 내 마음속에 갇힌 불꽃이 나의 생명력을 좀먹고 태워도 비명 하나 지를 수 없을 것이다.

"세인트 존!"

이런 생각에 이르자 나도 모르게 큰 소리로 외쳤다.

"뭐요?" 그가 차갑게 대꾸했다.

"다시 말씀드리지만, 당신과 함께 선교사가 되어 떠날 수는 있어요. 하지만 당신의 아내가 될 수는 없어요. 당신과 결혼해서 당신의 일부가 될 수 없습니다."

"아니, 당신은 내 일부가 되어야 합니다." 그가 단호하게 대답했다. "그렇지 않으면 모든 제안은 무효로 하겠습니다. 아직 서른도 안 된 내가 어떻게 결혼도 하지 않은 열아홉 살 숙녀를 인도까지 데려갈 수 있겠습니까? 어떻게 우리가 평생 함께할 수 있겠습니까? 때로는 고독 속에서, 때로는 야만적인 사람들 속에서, 결혼도 하지 않은 상태로 어떻게 함께할 수 있단 말입니까?"

"좋아요. 하지만 그런 경우가 찾아온다면 저는 당신의 친동생으로 혹은 당신과 같은 남자로, 성직자로 대우받겠어요." 나도 주장을 굽히지 않았다.

"당신이 내 친동생이 아니라는 건 당신도 나도 잘 알고 있지 않습니까. 우리 사이를 그렇게 소개할 수는 없습니다. 남들이 우리를 뭐라고 생각하겠습니까. 후자도 마찬가지입니다. 물론 당신에게는 남성처럼 뛰어난 재능이 있습니다. 그걸 부정할 수 없지만 내면은 여성이 아닙니까. 통할 방법이 아닙니다."

"왜 안 된다고 생각하세요." 나는 경멸 섞인 눈빛으로 되받아쳤다. "완벽하게 통할 거예요. 저는 여자의 마음을 가지고 있지만, 당신에게는 아니에요. 나는 당신을 그저 동료로 느껴요. 변함없는 충성심과 동료를 향한 의리가 느껴져요. 형제처럼요. 갓 선교사가 된 나는 지도자에게 존경과 복종만 느낄 거예요. 그 이상은 아니죠. 그러니 두려워하지 말아요."

"내가 바라는 게 바로 그겁니다." 그가 자조적인 말투로 대답했다. "그게 바로 내가 원하는 겁니다. 하지만 우리 사이에는 여러 걸림돌이 있어요. 그걸 뛰어넘어야만 합니다, 제인. 나와 결혼하는 것을 후회하지 않을 거예요. 장담합니다. 우리는 반드시 결혼해야만 해요. 다시 말하지만, 다른 방법은 없습니다. 우리가 결혼하면 분명 충만한 사랑도 뒤따를 겁니다. 그리고 틀림없이 우리의 결합이 옳은 결정이었다는 걸 느끼게 될 겁니다."

"나는 사랑에 관한 당신의 그런 생각이 끔찍해요." 내가 자리에서 벌떡 일어나 바위에 등을 기대고 외쳤다. "당신이 말하는 가짜 감정이 소름 끼쳐요. 세인트 존, 그런 말도 안 되는 애정을 말하는 당신을 경멸하게 돼요."

그가 나를 물끄러미 바라보며 매끈한 입매를 잔뜩 오므렸다. 그가 화가 났는지, 놀랐는지, 아니면 다른 감정을 느끼는지 파악하기 어려웠다. 그는 표정을 완벽히 다스리는 사람이었다.

"당신에게서 그런 말을 들을 줄은 몰랐습니다." 그가 나지막이 중얼거렸다. "내가 경멸받을 만한 일을 저질렀다거나 그런 말을 했다고 생각하지 않아요."

한결 부드러워진 말투와 어조에 나는 마음이 조금 누그러졌다. 다만 끝까지 품위를 잃지 않고 차분함을 유지하는 태도에 위압감을 느꼈다.

"방금 말씀은 죄송해요. 용서해 주세요. 하지만 이렇게 무분별한 말씀을 드린 건 전부 당신 때문이에요. 왜 우리가 서로 용납할 수 없는 주제를 꺼냈나요? 우리 사이에 절대 논의해서는 안 될 주제 아닐까요? 사랑이라는 감정 자체가 우리 사이에 불화를 가져오는 씨앗이라고요. 만약 정말 우리가 사랑에 빠져야 한다면, 어떻게 그게 가능할까요? 우리가 어떤 감정을 느껴야 옳은 건가요? 사랑하는 사촌, 제발 결혼은 포기해요. 잊어버려요."

"아니, 이건 오래도록 간직한 계획이고, 나의 위대한 목적을 달성할 수 있는 유일한 방법이오. 하지만 지금은 더 이상 강요하지 않겠습니다. 내일 나는 케임브리지에 갈 겁니다. 그곳에 작별 인사를 건네야 할 친구들이 제법 있습니다. 2주 정도 집을 비울 겁니다. 그동안 내 제안을 심사숙고해 주길 바라오. 만일 당신이 나를 거부한다면, 그건 나를 거부하는 게 아니라 주님을 거부한다는 것도 잊지 마시오. 주님은 나를 수단으로 써서 당신에게 고귀한 앞날을 열어주시려는 겁니다. 오직 나의 아내가 되어야만 그 길을 걸을 수 있어요. 나의 아내가 되길 거부한다는 건, 이기적인 안락함과 이름도 없는 불모지를 영원히 걷겠다고 선언하는 것과 같소. 신앙을 버린 자, 불신자보다 더 나쁜 자가 되지 마시오!"

그는 그렇게 하고 싶은 말을 마쳤다. 그리고 나를 다시 돌아보고는 이렇게 말했다.

"강가를 바라보고, 언덕을 바라보네."*

그러나 그의 감정은 마음 깊이 갇힌 채 새어 나오지 못했

---

* 월터 스콧의 시 「최후의 음유시인의 노래」 중 인용.

다. 그리고 나는 그 감정을 들을 자격이 없었다. 그의 곁을 나란히 걸으며 집으로 돌아오는 길에도, 그가 내게 느끼는 모든 감정을 느낄 수 있었다. 비록 그는 침묵을 지켰지만 말이다. 엄격하고 독재적인 성격 때문에 느낀 실망감, 복종하리라 예상했던 나의 반항, 냉정하고 융통성 없는 사람이 맞닥뜨린 공감할 수 없는 감정과 견해 그리고 비난받는 기분까지도. 다시 말해 그는 남자로서, 나를 힘으로 굴복시키고자 했다. 고집 세고 완고한 나를 그저 견디고 신실한 기독교인으로서 내게 반성과 회개의 시간을 내어준 것에 지나지 않았다.

그날 밤 그는 두 언니에게 평소처럼 입을 맞추었다. 그러나 내게는 악수조차 하지 않고 조용히 응접실을 떠났다. 그를 남자로 사랑하지는 않았지만 좋은 우애를 쌓았다고 믿은 나는 그가 나를 무시하고 외면했다는 사실에 큰 상처를 받고 눈물이 났다.

"제인, 아까 오빠와 산책하던 도중 말싸움이라도 한 모양이지?" 다이애나가 내게 물었다. "어서 쫓아가 봐. 아마 제인을 기다리며 복도에 서성이고 있을 거야. 가서 화해해."

나는 이런 상황에서 굳이 자존심을 챙기는 사람이 아니었다. 굳이 아닌 척 구는 것보다는 마음이 편한 쪽을 택하는 편이었다. 그래서 나는 그를 쫓아갔다. 과연 그는 계단 아래를 서성이고 있었다.

"잘 자요, 세인트 존." 내가 인사했다.

"잘 자요, 제인." 그가 나지막이 대답했다.

"악수도요." 나는 그에게 다가갔다.

어찌나 무뚝뚝하고 힘없는 손인지! 그는 오늘 일이 너무도 불쾌했던 모양이다. 친절하게 내민 손도 그의 마음을 풀 수 없었고 내 눈물도 그를 감동시킬 수 없었다. 행복한 화해는 이루어질 수 없다. 환한 미소나 다정한 인사도 그에게는 소용없었다. 그러나 신실한 기독교인이었기에 그는 여전히 인내했고 차분했다. 그에게 용서를 빌자, 그는 괴롭고 불쾌한 일을 굳이 다시 떠올리고 싶지 않다고 했다. 용서를 구할 일이 아니므로 감정이 상하지도 않았다는 식이었다.

그 말과 함께 그는 침실로 사라졌다. 나는 차라리 그가 내 뺨이라도 내리치고 떠났으면 하고 바랐다.

다음 날 그는 케임브리지로 떠나지 않았다. 일주일이나 출발을 미룬 것이다. 그리고 그사이 그는 선하지만 엄격하게, 고집 센 사람이 부릴 수 있는 가혹한 처벌이 얼마나 매서운 것인지를 톡톡히 가르쳤다. 그를 화나게 한 나에게 말이다. 그는 적대적인 눈빛이나 말 한마디 없이, 그가 내민 호의의 한계를 내가 어떻게 넘어섰는지 매 순간 일깨워주었다.

그렇다고 해서 그가 기독교인이라면 품지 말아야 할 복수심을 품은 건 아니다. 그는 나를 해칠 힘을 가지고도 내 머리카락 한 올 건드리지 않았다. 세인트 존은 본질적으로나 원칙적으로나 복수심이 가져오는 비열한 만족감을 즐기지 않는 선한 사람이었다. 그와 그의 사랑을 경멸한다고 말한 나를 용서했지만, 절대 잊지 않았다. 아마 살아가는 내내 잊지 않을 것이다. 그가 나를 바라볼 때면 나와 그 사이에 내가 한 말이 떠다니는 기분이 들었다. 내가 말할 때마다 내 목소리를 통해 그때 나의 경멸이 들리고, 그가 대답하면 나의 경멸이 뒤섞여 메아리치는 형국이었다.

그렇다고 해서 그가 나와 대화하는 것을 외면한 것도 아니었다. 그는 매일 아침 평소처럼 나를 불러 책상에 함께 앉았다. 그러나 그의 내면에 타락한 자아가 살고 있어서 순수한 기독교인에게는 어울리지 않는 비열한 즐거움을 즐기는 게 아니었을까? 그는 평소처럼 말하고 평소처럼 행동했다. 그러나 그의 말과 행동에 내가 전에 느끼던 가식 없는 매력과 흥미, 경외감은 눈 녹듯 사라졌다. 그는 내게 더 이상 사람이 아닌 대리석 같았다. 그의 밝고 푸른 눈은 그저 차가운 보석에 불과했다. 그의 혀는 말하는 도구, 그 이상도 이하도 아니었다.

이 모든 게 내게는 고문 같았다. 세련되고 집요한 고문이었다. 분노의 불길과 요동치는 슬픔이 계속해서 나를 얽매었다. 아, 내가 만일 그의 아내였다면. 선량한 이 남자의, 너무 깊어 햇빛조차 들지 않는 깊은 샘과 같은 이 남자의 아내였다면, 그는 아마 내 혈관의 피를 모두 뽑지 않고도, 자신의 맑은 양심에 범죄라는 자그마한 얼룩조차 남기지 않고도 나를 무참히 죽일 수 있었으리라. 어떻게든 그의 마음을 달래려

할 때면 유독 그런 기분이 들었다. 내가 느끼는 슬픔이 와닿지 않는 느낌이었다. 그는 우리 사이가 소원해도 고통을 느끼지 않았고, 화해하고자 하는 마음도 느껴지지 않았다. 이따금 한 번씩 우리가 함께 머리를 맞대고 읽던 책에 내 눈물이 한 방울씩 떨어져도 그는 전혀 동요하지 않았다. 그의 마음은 돌이나 금속으로 만들어진 걸까? 한편 동생들에게는 평소보다 배로 친절하게 굴었다. 그의 차가운 태도만으로는 내가 이들에게서 완전히 떨어져 나가고 배제되었다는 걸 충분히 전달할 수 없다는 듯이 그는 더욱 선을 그었다. 하지만 이런 태도 역시 악의에서 비롯된 것이 아니라, 오로지 자신의 원칙을 따르고 있는 거라고 나는 확신했다.

케임브리지로 떠나기 전날 저녁 해가 지기 시작할 무렵에 정원을 걷고 있는 그를 우연히 발견했다. 그를 바라보며 지금은 사이가 멀어진 그가 한때는 나의 생명을 구해주고 지금은 가까운 가족이 되었다는 사실을 떠올리며 우리의 우정을 되돌리기 위해 마지막 시도를 해보자고 다짐했다. 나는 밖으로 나가 쪽문에 기대 있는 그에게 다가갔다. 그리고 단도직입적으로 말했다.

"세인트 존, 당신이 내게 화를 내서 너무나 불행해요. 우리 다시 친구가 될 수 없을까요?"

"지금도 충분히 친구이지 않습니까?" 그가 태연한 말투로 되물었다. 내가 조금씩 그의 곁으로 다가갔지만, 그는 서쪽 하늘 위로 떠오르는 달만 응시했다.

"아니요, 우리 사이는 예전 같지 않아요. 당신도 알고 있잖아요."

"예전 같지 않다고요? 그럴 리가 없습니다. 나는 당신에게 아픔 없이 좋은 일만 가득하길 빕니다."

"그 말씀은 믿겠어요. 당신이 다른 사람에게 나쁜 일이 일어나길 바라는 사람은 아니니까요. 하지만 저도 당신의 가족이잖아요. 낯선 사람에게 베푸는 자선 활동보다는 조금 더 따뜻한 태도를 바라는 게 제 욕심일까요?"

"그럴 리가요. 제인이 그렇게 바랄 수도 있지요. 그리고 나도 당신을 낯선 사람보다는 가깝게 여깁니다."

이토록 태연하고 유유자적한 말투가 너무나 모욕적이고 당혹스러웠다. 자존심과 분노만 생각했다면 당장 그 자리를 떠났을 것이다. 그러나 내 마음은 그런 일시적인 감정보다는 더 강한 무언가를 그렸다. 나는 사촌의 재능과 신념을 깊이 존경했다. 그와의 우정은 내게 소중한 것이었다. 그런 우애를 잃는다는 건 너무 힘든 일이었다. 우리 관계를 되돌리려는 시도를 쉽게 포기하기 어려웠다.

"이런 식으로 헤어져야 하는 거예요? 저를 두고 그 먼 인도로 떠나시면서, 제게 지금까지 했던 것보다 더 친절하고 따뜻한 말 한마디조차 하지 않을 작정이에요?"

그는 달을 등지고 나를 바라보았다.

"제인, 당신을 두고 인도로 떠난다니! 그게 무슨 소리입니까? 나와 함께 가지 않을 겁니까?"

"말씀드렸다시피, 결혼해야 한다면 저는 갈 수 없어요."

"정말 나와 결혼하지 않을 작정입니까? 그렇게 마음먹은 거요?"

독자들이여, 여러분은 이 냉철한 사람이 그 차가운 질문 속에 얼마나 뾰족한 의미를 심어놓았는지 알고 있는가? 눈사태가 일어나는 데 그의 분노가 얼마나 큰 영향을 끼치는지, 얼어붙은 바다를 깨뜨리는 데 그의 노여움이 얼마나 무시무시한 힘을 발휘하는지.

"네, 세인트 존. 저는 당신과 결혼하지 않아요. 제 결심은 확고해요."

눈이 쌓인 산봉우리가 흔들렸다. 그러나 아직 눈사태는 일어나지 않았다.

"다시 묻겠소. 거절하는 이유가 뭡니까?" 그가 물었다.

"처음과 같아요. 당신이 나를 사랑하지 않기 때문이에요. 지금은 당신이 저를 미워하기 때문이고요. 당신과 결혼한다면 저를 죽게 할 거예요. 지금도 저를 말라 죽게 하고 있고요."

그의 입술과 뺨이 창백하게 질렸다.

"내가 당신을 죽인다고, 내가 당신을 죽이고 있다고? 어떻게 감히 그런 말을. 폭력적이고 여성스럽지도 않으며, 사실도 아닌 말을! 비참한 기분은 잘 알겠습니다. 하지만 그런 말은 엄중히 비난받아 마땅합니다! 일흔 번씩 일곱 번이라도 용서하라는 주님의 말씀이 있다지만, 그런 말은 도저히 용서할 수 없는 말이오!"

나는 더 이상 그와 대화할 수 없었다. 과거의 내 잘못을 지우고 싶다는 간절한 마음으로 다가갔지만, 나는 오히려 그의 자존심에 또 다른, 훨씬 더 깊은 상처를 내고 만 것이다.

"이제 저를 정말 미워하겠죠." 내가 조용히 말했다. "당신을 설득하고 싶었는데, 실패했네요. 이제는 정말 영원히 저를 적대시하겠죠."

이 말은 또다시 그에게 상처를 주었다. 더 참혹한 진실로 그의 마음을 찔렀기 때문이었다. 그는 핏기 가신 입술을 바르르 떨었다. 그의 강철 같은 분노를 더욱 자극한 꼴이었다. 가슴이 에이듯 아팠다.

"하지만 제 말은 그런 뜻이 아니었어요." 나는 그의 손을 잡고 덧붙였다. "당신을 슬프게 하거나 고통스럽게 할 의도는 없었어요. 정말로요."

그는 씁쓸한 미소를 지으며 맞잡은 손을 거칠게 뿌리쳤다.

"그렇다면 나의 청혼은 거절하는 걸로 알겠소. 나와 함께 인도로 떠날 마음은 전혀 없겠군요." 그가 한참 만에 입을 열었다.

"가고 싶어요, 다만 당신의 조수가 될게요." 내가 얼른 대답했다.

아주 긴 침묵이 이어졌다. 그의 마음속 본능과 신념 사이에 어떤 논쟁이 벌어졌는지는 모르겠다. 그러나 희미한 빛이 눈동자에 번뜩이고, 그의 얼굴에는 뜻 모를 그림자가 덧씌워졌다. 그가 마침내 말했다.

"당신 나이의 미혼 여성이 나 같은 남성과 함께 외국으로 떠난다는 게 얼마나 말도 안 되는 일인지는 일전에도 설명하지 않았습니까. 두 번 다시 그런 말은 하지 말라는 뜻으로 단호히 말했건만, 또다시 그 소리를 하다니 참으로 유감입니다. 이건 당신을 위해서 하는 충고입니다."

나는 그의 말을 가로막았다. 어떤 유형의 비난이든 반박할 용기가 샘솟았다.

"상식적으로 생각해 보세요. 어리석은 말씀은 하지 말고요. 제 말에 놀란 척 그만하세요. 당신이 놀라지 않았다는 걸 저는 아니까요. 당신처럼 총명한 분이라면 제 말뜻을 오해할 정도로 아둔하지 않고, 자만하지도 않을 테니까요. 다시 말씀드리지만, 당신이 원한다면 저는 당신의 부목사가 될 거예요. 하지만 아내는 절대 될 수 없어요."

그의 얼굴은 다시 창백하게 질렸다. 하지만 이전처럼 그는 자신의 분노를 완벽하게 억눌렀다. 그가 단호하면서도 침착한 말투로 말했다.

"아니, 아내가 아닌 부목사는 필요 없습니다. 나와 함께 갈 수 없을 겁니다. 하지만 진심으로 목사가 되길 바란다면 런던에 머무는 동안 부목사가 필요한 여성 선교사를 찾아보겠소. 당신 정도의 재산이라면 협회의 도움 없이도 얼마든지 선교사가 될 수 있을 겁니다. 그러면 함께하겠다던 동료와의 약속을 저버린 당신의 불명예도 어느 정도 회복되겠지요."

독자들이여, 여러분도 알다시피 나는 그에게 그 어떤 약속도, 맹세도 한 적이 없다. 이런 상황에서도 그의 언어는 너무나 독단적이고 또 차가웠다. 나는 대답했다.

"불명예나 약속 위반, 배신이라니, 말도 안 되는 소리예요. 특히 누군가와 함께 인도에 꼭 가야 한다는 의무를 진 적도 없고요. 하지만 당신과 함께라면 많은 모험을 할 수도 있었겠지요. 당신을 존경하고 신뢰하고, 가족으로 사랑하니까요. 하지만 언제, 누구와 함께 간다고 해도 그 기후에서 저는 오래 살지 못할 거예요."

"아! 이기적인 생각으로 자기 안위를 걱정했던 거로군요." 그가 입매를 삐죽이며 비웃었다.

"맞아요. 주님은 내던지라고 제게 생명을 주신 게 아니니까요. 그리고 당신이 원하는 대로 행동하는 건 자살이나 다름없다는 생각이 드는군요. 영국을 떠날 결심을 굳히기 전에, 영국에 남아 있는 게 더 중요하지는 않은지 하는 고민도 들기 시작해요."

"무슨 뜻이오?"

"설명하려고 해도 소용없는 일이에요. 오랫동안 고민하고 아파했던 일이 있어요. 그 고민을 해결할 때까지는 어디도 갈 수 없어요."

"당신의 마음이 어디를 향하고 무엇에 집착하는지는 잘 알고 있습니다. 하지만 당신의 그 마음은 법의 원칙과도 맞지 않고, 주님께 용서받을 수도 없는 일입니다. 오래전에 접었어야 하는 마음이오. 언급하는 것만으로도 부끄러운 일입니다. 로체스터 씨를 생각하는 그 마음 말입니다!"

그의 말이 전부 옳았다. 나는 침묵으로 대답했다.

"로체스터 씨를 찾을 작정입니까?"

"그의 행방을 알아야겠어요."

"그렇다면 내가 할 일은 그저 나의 기도에 당신의 이름을 잊지 않고 언급해 주님께 당신을 간구하는 것뿐이겠군요. 어린 양을 버리지 말라고 말입니다. 나는 당신에게서 주님이 선택하신 재능을 읽었다고 여겼소. 하지만 주님께서 보시는 것과 미약한 인간의 눈으로 보는 것은 다른 법이로군. 주님의 뜻은 이루어질 겁니다……."

그는 쪽문을 열고 골짜기를 따라 내려갔다. 곧 내 눈에서도 사라졌다.

응접실로 돌아가자, 다이애나가 창가에 서서 무언가를 골똘히 생각하고 있었다. 그녀는 나보다 키가 훨씬 컸다. 그녀가 내 어깨에 손을 얹고 고개를 기울여 안색을 살폈다.

"제인, 요즘 유독 불안해 보이고, 안색도 좋지 않아. 분명 무슨 일이 있는 게 분명해. 세인트 존과 제인 사이에 분명 무슨 일이 있는 거지? 30분 내내 창문으로 널 지켜봤어. 미안해, 용서해 줘. 하지만 나도 무슨 일인지 알아야겠어, 오빠가 왜 저렇게 이상하게 구는 건지……."

다이애나가 말끝을 흐렸다. 나는 아무 말도 할 수 없었다. 그러자 그녀가 말을 이어나갔다.

"오빠가 제인에 대해 무슨 고민이 있는 것 같아. 오랫동안 다른 누구에게도 보이지 않았던 관심을 보이고, 제인만 바라봐. 그게 무슨 일일까? 혹시 오빠가 제인에게 마음이 있는 걸까? 정말 그렇대, 제인?"

나는 그녀의 차가운 손을 열이 오른 내 이마에 갖다 댔다.

"아니요, 다이애나. 조금도 그렇지 않아요."

"그렇다면 왜 그렇게 제인을 졸졸 쫓고, 둘이서 속닥거리고, 계속 제인 곁을 떠나지 않는 거야? 실은 메리랑 이야기했거든. 우리 생각에는 오빠가 제인을 아내로 맞이하고 싶어 하는 것 같아."

"맞아요. 내게 아내가 되어달라고 청혼했어요."

다이애나가 활짝 웃으며 손뼉 쳤다. "그럴 줄 알았어! 정말 그러길 바랐거든! 제인, 네 생각은 어때? 오빠와 결혼할 거지? 그러면 오빠도 영국을 떠나지 않을 거야!"

"전혀 그렇지 않아요, 다이애나. 사실 세인트 존이 청혼한 이유는 인도로 떠나 함께 선교할 적당한 동료를 얻기 위함이에요."

"뭐라고? 오빠가 너와 함께 인도로 가고 싶어 한다고?"

"네."

"말도 안 돼! 제인은 거기서 석 달도 못 버텨! 절대 가지 마, 제인. 거절했지?" 그녀가 깜짝 놀라 소리를 높였다.

"결혼할 수 없다고는 했지만……."

"그래서 오빠가 기분이 상했던 거야?" 그녀가 되물었다.

"아주 많이. 오빠는 나를 절대 용서하지 않을 거예요. 저는 세인트 존에게 여동생으로 그와 함께하고 싶다고 했어요."

"하지만 그건 너무 어리석은 소리야. 제인이 떠맡아야 할 고생을 떠올려봐. 그런 고생도 없을 거야. 하물며 건강한 사람도 버티기 힘든 일을 제인처럼 연약한 사람은 버틸 수 없어. 잘 알겠지만, 오빠는 불가능한 일을 요구할 거야. 그 더운 나라에서 조금도 쉴 수 없을 거야. 안타깝지만 두 사람을 지켜보면서 느꼈어. 오빠가 무엇을 요구하든, 제인은 오빠 말을 거역할 수 없다는 걸 말이야. 그런데 제인이 오빠의 청혼을 거절했다니, 그건 놀라운걸? 그러면 오빠를 사랑하지 않는 거지, 제인?"

"남편으로는요."

"그래도 잘생기긴 했지."

"세인트 존에 비하면 저는 너무 평범해요. 알잖아요. 우리는 어울리지 않아요."

"평범하다니, 제인? 전혀 그렇지 않아. 제인도 충분히 예쁘고, 충분히 착해. 캘커타에서 타 죽기에는 너무 아까워." 그리고 그녀는 다시 한번 진지하게 세인트 존과 함께 인도로 가는 건 단념하라고 조언해 주었다.

"그래야만 하겠죠." 내가 중얼거렸다. "세인트 존을 섬겨 부목사로 일하고 싶다는 뜻을 전했더니, 마치 제가 해서는 안 될 말이라도 했다는 듯한 반응이더라고요. 미혼으로 그를 따라가겠다는 게 적절하지 않다고 했어요. 세인트 존이 제 오빠라는 걸 안 순간부터, 그를 친오빠처럼 따랐는데도요."

"그런데 왜 오빠가 제인을 사랑하지 않는다고 생각해?"

"그건 제가 말씀드릴 부분은 아니에요. 하지만 세인트 존은 처음부터 지금까지 내내 자기를 위해서가 아니라 선교 활동을 위한 동반자가 필요하기 때문에 저를 원한다고 했어요. 사랑해서가 아니라, 노동을 위한 반려자라고 여겨요. 물론 맞는 말이에요. 그렇다면 저는 그에게 사랑하는 존재가 아니라 결혼을 위한 존재가 되는 거잖아요. 그게 너무 이상하지 않아요? 나를 유용한 도구로 여기는 남자와 한평생 어떻게 살 수 있겠어요?"

"그건 말도 안 되는 소리야. 자연스럽지도 않고, 고려할 가치도 없어!"

"지금은 저도 그를 오빠처럼 여겨요. 하지만 결혼하게 된다면, 그에게 억눌려 시키는 대로 따를 뿐인 이상하고 뒤틀린 사랑을 하게 되겠지요. 그의 외모와 태도, 대화에 깃든 우아하고 권위 넘치는 모습에 빠지지 않을 리 없잖아요. 그렇게 되면 제 운명은 이루 말할 수 없이 비참해질 거예요. 세인트 존은 제가 그를 사랑하는 걸 바라지 않아요. 내 감정은 그에게 불필요하고 귀찮으니까요. 그런 감정이 저와 어울리지 않다고 여기겠지요. 틀림없이 그럴 사람이에요."

"하지만 오빠는 좋은 사람이야." 다이애나가 말했다.

"맞아요, 좋은 분이고 대단한 분이에요. 하지만 이따금 자신의 대의를 추구하느라 보잘것없는 감정이나 타인의 말을 무자비하게 잊어버리기도 해요. 그러니까 저처럼 평범한 사람은 그분의 길을 방해하지 않는 게 좋아요. 그렇지 않으면 그분은 그저 앞으로 나아가며 저를 짓밟을 테니까요. 아, 저기 오시네요! 먼저 올라갈게요, 다이애나." 그가 정원으로 들어오는 모습을 발견한 나는 황급히 대화를 마치고 위층으로 올라갔다.

하지만 식사 시간에는 그를 피할 도리가 없었다. 식사 내내, 그는 평소처럼 침착했다. 나는 그가 내게 말을 걸지 않으리라 확신했다. 그리고 지금쯤이면 나와의 결혼을 포기했으리라 생각했다. 그러나 그 후 이어진 일련의 일로, 나는 두 가지 모두 내가 착각했다는 걸 깨달았다. 그는 평소처럼, 또 근래와 다르지 않은 모습으로 정중하게 내게 말을 걸었다. 분명 내가 불러온 분노를 가라앉히기 위해 진심으로 기도했던 게 분명하다. 나는 그의 태도를 보고 내가 용서받았다고 믿었다.

저녁 기도 전, 우리는 성경을 읽곤 했다. 그는「요한계시록」21장을 골랐다. 그의 입에서 흘러나오는 성경 말씀은 언제나 귀가 즐거웠다. 그의 훌륭한 목소리가 이렇게 달콤하고 풍성한 적이 없었다. 주님의 말씀을 전할 때의 그는 거룩하고 우아했으며 그 설교는 가슴에 와닿았다. 그날 밤, 그의 목소리는 유독 더 엄숙했고 평소보다 더욱 감명 깊었다. 5월의 달빛이 커튼 없는 창문으로 비추어 탁자 위의 촛불이 필요 없을 만큼 밝게 빛나는 밤이었다. 그는 가족들과 동그랗게 모여 앉았다. 그리고 커다랗고 낡은 성경을 펼치고, 그 책장에 그려진 새로운 하늘과 땅의 모습을 말했다.

"주님이 그들과 함께 계시니, 모든 눈물을 그 눈에서 닦아주시며, 다시는 죽음이 없고 애통한 것이나 곡하는 것이나 고통이 다시 있지 않으리라."

그가 마지막 구절을 읽는 사이, 나는 온몸을 관통하는 전율에 몸을 떨었다. 말로 표현할 수 없는 미묘한 목소리의 변화로 분명 그가 나를 빤히 응시하고 있다는 걸 알았기 때문이었다.

"이기는 자는 이것들을 상속으로 받으리라. 나는 그의 하나님이 되고, 그는 내 아들이 되리라. 그러나 두려워하는 자

들과 믿지 아니하는 자들과 …… 불과 유황으로 타는 못에
던져질 것이니 이것이 둘째 사망이라.”

　이로써 나는 그가 어떤 의미로 이 구절을 골라 낭독했는지
이해하고 말았다.

　21장의 영광스러운 복음을 낭독하는 목소리에는 조용하
고 억눌린 승리감이 돋보였다. 낭독하는 이는 신부의 이름이
이미 ‘어린 양의 생명책에 기록되어 있다고 믿었고, 만국의
영광과 존귀를 가지고 성문에 들어갈 허락이 떨어지기를 고
대’하고 있었다. ‘그 성문은 도무지 닫지 아니하리니, 거기에
는 밤이 없음이라. 하나님의 영광을 밝히고 어린양이 그 등
불이 되심이라.’*

　이어지는 기도에 그는 온 힘을 쏟아부었다. 가혹한 열정이
눈을 뜬 것이다. 그는 주님 앞에 온 힘을 다 바쳐 기도하고 승
리를 다짐했다. 약한 자를 위해 힘을 달라고 기도하였고, 무
리를 떠나 헤매는 자를 인도하고 현세의 육신과 유혹에 이끌
려 길을 벗어난 자들을 위해 최후의 순간에라도 주님의 품으
로 돌아오기를 간구했다. 그는 ‘불붙은 가운데에서 빼낸 나
무 조각 같은’** 은총이 일어나길 바랐다. 진지한 기도는 언
제나 거룩했다. 처음에는 그의 기도를 들으며 그 의미가 궁
금했다. 마침내 그의 기도가 계속되고 열정적으로 변하면서,
나는 그의 열의에 감동과 함께 두려움을 느꼈다. 자신의 목

---

* 「요한계시록」 21장, 세인트 존이 읽은 구절은 8절로 9절의 내용은 다음과 같다. ‘마지막 일곱 재
　앙을 담은 일곱 천사 중 하나가 나아와서 내게 말하여 이르되 이리 오라 내가 신부 곧 어린 양의 아
　내를 네게 보이리라.’ 제인을 신부로 맞이하고 말겠다는 세인트 존의 의지가 담긴 낭독이다.
** 「아모스」 4장 11절, 주님께 잘못을 구하고 돌아오라는 의미.

적이 위대하고 옳다는 그의 마음이 절절하게 느껴졌다. 그의 간청을 들은 모두가 그렇게 느끼지 않을 수 없었다.

기도를 마친 그는 우리에게 작별 인사를 건넸다. 아침 일찍 케임브리지로 떠나는 일정이었다. 다이애나와 메리는 그에게 작별의 입맞춤을 하고 응접실을 떠났다. 그가 귓가에 속삭이던 게 아마 자리를 비켜달라는 의미였던 모양이었다. 나는 그에게 손을 내밀고 안전하고 즐거운 여행이 되길 빌었다.

"고맙습니다, 제인. 말했다시피 2주간 케임브리지에 있다가 돌아옵니다. 그때까지 숙고할 시간을 더 주겠습니다. 한낱 자존심만 고집했다면 나도 더 이상 청혼을 강요하지 않았을 겁니다. 그러나 나는 내 의무에 귀를 기울이고, 주님의 영광을 위해 전부를 바치겠다는 나의 첫 번째 목표를 늘 염두에 두고 있습니다. 주님의 인내심이 그리하시니 나도 그를 따라야 합니다. 당신을 '진노의 그릇'*에 빠뜨려 심판받게 할 수는 없습니다. 회개하세요. 아직 시간이 있으니 마음을 굳게 먹어요. '때가 아직 낮이매 나를 보내신 이의 일을 우리가 하여야 하리라. 밤이 오리니 그때는 아무도 일할 수 없느니라.'** 주님의 경고를 잊지 마세요. 살아 있는 동안 좋은 것을 누린 운명을 잊지 말고, 주님은 당신에게 '좋은 편을 택하였으니 빼앗기지 아니하리라'***라고 하셨습니다."

마지막 당부와 함께 그는 내 머리에 손을 얹었다. 그는 진

---

* 「로마서」 9장 22절.
** 「요한복음」 9장 4절.
*** 「누가복음」 10장 42절.

지하고 부드러운 목소리로 말했다. 비록 연인을 바라보는 눈빛은 아니었지만, 방황하는 어린 양을 바라보는 목사의 눈빛, 또는 자신이 책임지고 지켜야 하는 영혼을 내려보는 수호천사의 눈빛이었다. 감정이 풍부한 사람이든, 열정적인 사람이든, 야심가든, 독재자든, 신실한 신자라면 누구나 숭고한 순간에 복종하고 믿음을 바치는 법이다. 나는 세인트 존에게 경외심을 느꼈다. 그 감정이 너무도 강렬해서 오랫동안 회피하던 지점으로 단박에 떠밀리고 말았다. 나는 그와의 대립을 멈추고 싶었다. 그의 의지는 급류처럼 빠르게 밀어닥쳤다. 세인트 존이라는 존재의 틈에 빠져 나를 버리고 그에게 의지하고 싶은 마음마저 들었다. 한때 타인의 손에 사로잡히고 말았던 것처럼, 이번에는 세인트 존에 의해 꼼짝하지 못하고 사로잡힐 뻔했다. 언제나 나는 어리석었다. 그때 내 의지를 접었더라면 신념을 지키지 못하는 과오를 범했을 것이다. 이번에도 내 의지를 접는 순간, 나는 오판을 저지르고 말았을 것이다. 이렇게 한참 시간이 흐른 후에 그때를 돌이켜 보면 그런 생각이 든다. 그러나 당시의 나는 그게 어리석은 마음이라는 걸 인지하지 못했다.

나는 그의 손길을 받으며 꼼짝도 할 수 없었다. 청혼을 거절해야 한다는 사실을 잊었고, 그를 향한 두려움이 물러났고, 몸부림조차 칠 수 없는 마비 상태에 이르렀다. 그와의 결혼은 불가능하다는 생각이 갑자기 가능한 일처럼 느껴졌다. 모든 것이 휩쓸리고 전복되었다. 신앙심이 나를 부르고, 천사가 내게 손짓하고, 주님께서 내게 명령을 내리셨다. 삶은 두루마리처럼 말리고, 죽음의 문이 눈앞에 열리며 저 멀리 영생이 드러났다. 후세의 평온과 충복을 위해서라면 현세 따위는 당장 희생해도 상관없었다. 어두운 방이 환상으로 가득 차올랐다.

"지금 결정할 수 있겠습니까?" 선교사가 조용히 물었다. 그의 권유는 다정하기 그지없었다. 그가 나를 부드럽게 이끌었다. 아, 그 다정함이란! 강하게 잡아채는 힘보다 강력한 그 다정함이란! 나는 세인트 존의 분노도 견딜 수 있었지만 그의 친절에는 갈대처럼 흔들렸다. 그러나 나는 알고 있었다. 만일 여기서 굽히면 지난날의 반역을 두고두고 되갚게 될 거라는 걸. 그의 본성은 한 시간의 엄숙한 기도로 바뀌는 것이 아니다. 그는 단지 한때의 고양에 취했을 뿐이다.

"확신만 있다면 결정할 수 있어요. 당신과 결혼하는 것이 주님의 확고한 뜻이라면, 지금이라도 당장 결혼하겠다고 맹세하겠어요. 나중에 일어날 일은 그때 고민하겠어요!"

"아, 나의 기도가 주님께 닿았구나!" 세인트 존이 외쳤다. 그는 마치 나를 소유한 것처럼 내 머리를 더욱 깊이 눌렀다. 그는 팔로 나를 감싸안았다. 마치 나를 거의 사랑하는 것처럼 말이다. (그렇다. 사랑과 비슷하다고 굳이 구분한 건, 내가 그의 감정이 사랑이 아님을 알았기 때문이다. 그러나 나는 그와 마찬가지로, 사랑은 그리 중요하지 않다고 여겼다. 우리에게 중요한 건 오직 주님이 주신 사명뿐이었다.) 나는 안개가 자욱한 시야와 싸웠다. 내 앞으로 구름이 뭉게뭉게 피어올랐다. 나는 진심으로, 열과 성을 다해, 열렬하게, 옳은 일을 하고 싶었다. 내가 바라는 건 오직 그뿐이었다. '제가 걸어야 할 길을 인도하소서!' 나는 간절히 빌었다. 그 어느 때보다 기쁜 마음이었다. 그 뒤의 일들이 흥분의 결과인지 아닌지는 여러분이 판단할 몫이다.

집은 고요했다. 나와 세인트 존을 제외한 모두가 잠든 시간이었다. 촛불 하나마저 꺼져가고, 방은 달빛으로 가득했다. 심장이 두근거렸다. 귓가에 심장 뛰는 소리가 들릴 정도였다. 그러나 그 순간, 불현듯 심장이 뚝 박동을 멈추었다. 그 느낌이 온몸을 스치며 나는 머리부터 발끝까지 소름에 젖었다. 번개가 치는 느낌은 아니었지만, 매우 날카롭고, 기이하고 놀라운 충격이었다. 마치 있는 힘을 다해 활동하던 나의 감각이 마비 상태에서 억지로 깨어나는 기분이었다. 잠에서 깬 감각에 눈과 귀가 뜨였다. 뼈가 바르르 떨리며 살갗이 일어났다.

"무슨 소리를 들었습니까? 무엇을 보았습니까?" 세인트 존이 내게 물었다. 나는 아무것도 보지 못했다. 그러나 어디선가, 누군가가 나를 애타게 부르고 있었다. "제인! 제인! 제인!" 그뿐이었다.

"오, 주여! 이게 무슨……!" 나는 깜짝 놀라 숨을 들이마셨다.

'어디서 들리는 소리지?'라고 말했을지도 모르겠다. 그건 응접실에서, 집 안에서, 정원에서 들려오는 소리가 아니었다. 하늘에서, 땅 밑에서, 머리 위에서 들려오는 것도 아니었다. 그러나 나는 내 이름을 부르는 소리를 분명 들었다. 어디에서 들려오는지 도무지 알 수 없는 그 소리! 그리고 그 소리는 분명 사람의 목소리였다. 아, 너무도 익숙하고 너무도 사랑했으며, 영원히 잊을 수 없는 그 목소리. 에드워드 페어팩스 로체스터의 그 목소리! 그가 고통에 차서, 비통함에 젖어, 격렬하고 섬뜩한 목소리로 나를 절박하게 불렀다.

"여기 있어요!" 내가 외쳤다. "기다려요! 아아, 내가 금방 가요!"

나는 문을 열고 달려가 복도를 둘러보았다. 복도는 어둡기만 했다. 나는 정원으로 달려갔다. 그러나 정원에도 그는 없었다.

"어디 있어요?" 내가 소리쳐 그를 불렀다.

골짜기 너머 언덕 위에서 희미한 목소리가 들려왔다. "어디 있어요?" 나는 다시 귀를 기울였다. 전나무 숲에서 희미한 바람이 불어왔다. 황야의 고독과 한밤의 고요만이 정적을 메웠다.

"미신이라면 저리 사라져!" 문 옆에 있는 검은 주목 옆으로 검게 솟아오른 그림자를 보며 나는 큰 소리로 외쳤다. "이건 누군가 꾸민 속임수도, 마법도 아니야. 이건 자연의 힘이야. 자연이 깨어난 거야. 기적은 아니야. 자연이 최선을 다해 일깨운 것뿐이야."

나를 말리려 따라온 세인트 존의 손길을 거칠게 뿌리쳤다. 지금이야말로 내가 우위를 차지할 순간이었다. 나의 힘이 그의 속삭임을 물리쳤다. 나는 그에게 그 어떤 질문도, 설교도 하지 말라며 돌아섰다. 나를 내버려두라고 말이다. 나는 혼자이고 싶었다. 혼자여야만 했다. 그는 즉시 내 말을 따랐다.

명령하는 힘이 거세면 복종이 뒤따르는 법이다. 나는 방으로 올라가 문을 잠그고 무릎을 꿇은 다음, 나만의 기도를 올렸다. 세인트 존의 기도와는 다르지만 나름대로 효과가 있었다. 성령의 곁으로 바짝 다가서는 기분이 들었고, 내 영혼은 그분의 발치에 엎드려 감사를 올렸다. 눈을 뜨고 감사 기도를 올린 다음, 나만의 결의를 굳게 다졌다. 두려움 없이 깨달음을 얻었고, 어서 빨리 해가 뜨기를 기다렸다.

36

아침 해가 떠올랐다. 나는 새벽녘 자리에서 일어났다. 잠시 집을 비우는 동안 남기고 갈 것들을 정리하느라 한두 시간 정도 방과 서랍, 옷장의 물건을 정돈했다. 그러는 동안 세인트 존이 방을 나서는 인기척이 들렸다. 그는 내 방문 앞에 멈춰 섰다. 혹시 문을 두드리지 않을까 걱정했는데, 다행히 그러지는 않았다. 대신 문 아래로 종이쪽지 한 장이 밀려 들어왔다. 나는 쪽지를 들었다. 그가 남긴 짧은 편지였다.

어젯밤에 갑자기 자리를 뜨더군요. 조금만 더 나와 함께했더라면, 그리스도의 십자가와 천사의 면류관 위에 손을 얹었을 겁니다. 2주 후 돌아오면 당신의 보다 분명한 결정을 들을 수 있겠지요. 그동안 유혹에 빠지지 않도록 경계하고 기도하십시오. 주님은 "마음은 간절하나 몸이 말을 듣지 않는다"*라고 하셨습니다. 당신을 위해 늘 기도하겠습니다.

당신의 세인트 존으로부터

'내 영혼은 옳은 일을 하고 싶어요. 내 육신은 주님의 뜻이 확실히 나의 눈앞에 나타났을 때, 그 뜻을 이루기에 충분할 만큼 강해지길 바라요. 어쨌든 의심의 구름에서 출구를 찾고 확신이라는 밝은 아침을 맞이할 수 있게 홀로 일어설 거예요.' 나는 생각했다.

6월 1일 아침이었다. 아침은 흐리고 쌀쌀했다. 창문 밖으로 비가 세차게 내렸다. 그때 현관문이 열리고, 세인트 존이 집을 나서는 소리가 들렸다. 창문을 통해 내다보니, 그가 정원을 가로질러 걸어가는 모습이 보였다. 그는 안개가 자욱한 황야를 지나 위트크로스 방향으로 걸었다. 그곳에서 마차를 타려는 모양이었다.

'앞으로 몇 시간 후면 나도 그 길을 걸을 거예요, 사촌.' 나는 또 생각했다. '나도 위트크로스에서 마차를 탈 거랍니다. 영국을 떠나기 전에 꼭 만나야 하는 사람이 내게도 있어요.'

아침 식사 시간까지는 아직도 두 시간이 남아 있었다. 그 동안 나는 방 안을 천천히 걸으면서, 내 계획을 바꾼 어젯밤의 목소리를 떠올렸다. 그때 느낀 감각을 떠올렸다. 그 감각을 떠올리자 말로 표현할 수 없었던 기묘한 느낌이 다시 고스란히 전해졌다. 어젯밤 내 귓가에 울리던 그 목소리. 그 목

---

* 「마태복음」 26장 41절.

소리는 어디서 들린 걸까, 다시 궁금해졌다. 물론 여전히 답을 알 수 없는 헛된 질문이었다. 분명 그 목소리는 외부가 아니라, 나의 내면에서 들려왔다. 단순히 신경증적인 증상인지, 착각이었는지 고심했다. 그것이 내게는 영감에 가까웠던가? 너무나 큰 충격이었다. 마치 바울과 실라*가 갇혀 있던 감옥의 바닥을 뒤흔드는 지진과 같은 충격이었다. 나의 영혼을 가두었던 감옥 문이 열리고 족쇄가 풀리는 기분이었다. 잠들어 있던 영혼이 눈을 뜨고 바르르 떨며 귀를 기울이는 듯했다. 그리고 그의 목소리는 심장이 멎을 것처럼 놀란 나의 귀에 대고 세 번 이름을 외쳤다. 내 영혼은 두려워하지도 않고 떨지도 않았다. 번거로운 육신에서 벗어나 은총을 빌어 딱 한 번의 노력으로 원하는 바를 이룬 것처럼 기뻐하고 고취되었다.

"곧 어젯밤 나를 부르던 목소리의 주인공을 직접 찾아갈 거야." 나는 다짐하듯 중얼거렸다. "편지는 아무 소용도 없잖아. 직접 가서 찾아볼 거야."

그리고 마침내 아침 식사 시간, 다이애나와 메리에게 나도 며칠 집을 비울 예정이라고 알렸다. 최소 나흘 정도는 걸린다고 말해주었다.

"제인, 혼자 떠나겠다고?" 두 사람이 깜짝 놀라 물었다.

"네, 오랫동안 마음에 걸리던 친구를 찾아보려고요. 직접 만나든, 소식이라도 알아보든 해야겠어요."

두 사람은 내게 두 자매를 제외한 다른 친구가 있으리라

* 「사도행전」 속 인물로 로마 식민지의 이교도에게 선교하다가 감옥에 갇힌다.

믿지 않는 눈치였다. 왜냐하면 내가 그렇게 말하곤 했기 때문이었다. 그러나 두 사람은 섬세하고 다정한 성격답게 더 이상 질문하지 않았다. 다이애나는 그저 혼자 여행할 만큼 체력이 괜찮겠냐고만 물었다. 내 안색이 너무 좋지 않다고 말이다. 마음이 불안한 것만 제외하면 충분히 다녀올 수 있다고 답했다. 그리고 나의 불안도 곧 그 무게를 덜리라.

그 후의 일정은 쉽게 결정했다. 성가신 질문이나 추측 따위가 나를 방해하지 않았던 까닭이다. 나는 구체적인 계획을 밝힐 수 없다고 설명했고, 두 사람 모두 나를 믿고 묵묵히 내 뜻에 따라주었다. 물론 같은 입장이었다면, 나도 두 사람에게 자유를 선사했을 것이다.

오후 세 시, 나는 무어 하우스를 떠났다. 그리고 네 시가 될 무렵 위트크로스의 표지판 아래에 서서 저 멀리 손필드로 나를 데려다줄 마차를 기다렸다. 인적 없는 고요한 길과 황량한 언덕 사이로 멀리 마차의 수레바퀴 소리가 들려왔다. 바로 1년 전 여름 저녁, 내가 타고 내린 그 마차였다. 얼마나 황량하고 절망적이었으며 절박했던가! 내가 손짓하자, 마차가 멈춰 섰다. 나는 마차에 올라탔다. 지금은 차비로 전 재산을 내어줄 필요가 없다. 다시 한번 손필드로 돌아가는 길, 나는 마치 집으로 돌아가는 비둘기가 된 기분이었다.

꼬박 서른여섯 시간이 걸렸다. 화요일 오후 위트크로스에서 출발한 마차가 목요일 이른 아침에야 말에게 목을 축이려 인근 여관에 멈춰 섰다. 푸른 울타리와 널따란 밭, 낮은 들판 위 언덕이 이어지는 풍경이 펼쳐졌다. 아, 내륙 북부의 황량한 모튼에 비하면 이 얼마나 아늑하고 풍요로운 녹음인가! 한때 익숙했던 얼굴처럼 모든 풍경이 한눈에 들어왔다. 그래, 이 풍경이 내게는 너무나 익숙하다. 나는 목적지에 가까워졌다는 걸 단박에 알 수 있었다.

"여기서 손필드 저택이 얼마나 떨어져 있나요?" 나는 마구간지기에게 물었다.

"들판을 가로지르면 2마일 정도 됩니다요."

나는 '드디어 여행길이 끝났어'라고 생각했다. 마차에서 내리고는 마차에 실어둔 짐을 다시 찾으러 오겠노라, 그때까지 보관을 부탁한다고 말하고 삯을 챙겨주었다. 마부에게 팁도 얹어주었다. 그리고 걷기 시작했다. 밝아오는 아침 햇살이 여관 간판에 반사되어 반짝반짝 빛났다. '로체스터 암스'라는 이름이었다. 심장이 두근거렸다. 내가 주인님의 땅을 밟고 있다. 다시 심장이 뚝 떨어졌다. 머릿속에 떠오른 생각 때문이었다.

'네 주인은 이미 영국 해협 너머에 있을지도 몰라. 너도 아는 게 없잖아. 손필드 저택으로 달려간다고 해도 뭐가 달라지지? 그 저택에 누가 사는지 알고 있잖아. 정신 나간 그 여자가 살아. 이제 너와 로체스터 씨는 아무 사이도 아니야. 감히 그분에게 말을 걸거나, 그분의 흔적을 찾으려는 용기도 없잖아. 이럴 필요도 없는 일이야. 그냥 가지 말자.'

생각은 계속해서 꼬리를 물었다. '아니면 여관 사람에게 물어볼까? 답을 줄지도 몰라. 궁금한 걸 알려줄지도 모르고. 저 남자에게 가서 로체스터 씨가 저택에 머물고 있는지만 물

어보자.'

합리적인 제안이었지만, 나는 따르고 싶지 않았다. 절망적인 답이 들려올까 봐 두려웠다. 차라리 불안한 마음을 밀어내고 희망을 품고 싶었다. 다시 한번 희망에 들뜬 마음으로 저택을 바라보고 싶었다. 저기 눈앞에 그를 처음 만난 나무 계단이 보인다. 손필드에서 도망치던 날 아침, 원한과 분노에 쫓겨 눈도 보이지 않고 귀도 들리지 않은 채 미친 듯이 내달리던 들판이 보인다. 어느 길로 가야 할까 고민하기도 전에 나는 그 들판 한가운데에 서 있었다. 아, 얼마나 빨리 걸었는지! 얼마나 빨리 내달렸는지! 너무도 익숙한 그 숲길을 다시 보게 될 날을 얼마나 기다렸는지! 내게는 너무도 친밀한 숲을 어떤 마음으로 맞이했는지 모른다. 그리고 그 나무 사이로 보이는 초원과 언덕의 익숙한 풍경이란!

마침내 숲이 나타났다. 까마귀 떼가 어둠 속에 모여들었다. 아침의 고요함을 깨뜨리는 커다란 노랫소리였다. 이상한 기쁨에 한껏 들뜨기 시작했다. 나는 서둘러 앞으로 나아갔다. 또 다른 들판을 지나쳤고 오솔길이 이어졌다. 그리고 마침내 바깥뜰과 돌담이 보였다. 저택은 까마귀 둥지에 가려져 보이지 않았다. 나는 결심했다.

'저택 정면부터 봐야지. 위풍당당한 흉벽이 보일 거야. 거기서는 그의 침실 창문이 한눈에 보여. 어쩌면 그가 창문 앞에 서 있을지도 몰라. 일찍 일어나는 편이니까. 과수원을 산책하거나 저택 진입로를 걷고 있지는 않을까? 그의 모습을 볼 수만 있다면, 잠깐이라도 좋아! 멀리서라도 보고 싶어! 하지만 과연 내가 마음을 다잡고 그에게 달려가지 않을 수 있을까? 모르겠어, 그건 장담할 수 없어. 만약 나도 모르게 달려간다면 어쩌지? 아, 주님, 제가 어떻게 해야 할까요? 그분의 눈동자가 나를 바라본다면, 그리하여 다시 한번 내게 삶의 원동력을 잔뜩 채워준다면. 그렇다고 해서 누가 해를 입는 것도 아니잖아요.'

아, 나는 다시 한번 설렘으로 가득 찼다. 지금 이 순간, 그는 유럽을 가로지르는 피레네산맥 위로 솟아오르는 일출을 보고 있을지도 모르는데, 지중해의 잔잔한 바다를 즐기고 있을지도 모르는데.

나는 과수원의 낮은 담을 따라 걷다가 모퉁이를 돌았다. 들판으로 향하는 문이 두 개의 동그란 돌 장식이 올라간 돌기둥 사이로 열려 있었다. 높은 기둥에 몸을 숨기면 남몰래 저택을 훔쳐볼 수 있었다. 침실 창의 덧문이나 커튼이 아직 닫혀 있는지 확인하고 싶은 마음에 조심스럽게 고개를 기웃거렸다. 저택의 흙벽과 창문, 기다란 전면부를 한눈에 볼 수 있는 자리였다.

그때 내 머리 위를 날아다니는 까마귀 떼가 저택을 훔쳐보는 나를 놀려댔다. 까마귀는 나를 보며 무슨 생각을 할까. 신중하게 망을 보던 내가 갑자기 대담하고 무모한 짓을 벌인다고 여겼을까? 슬그머니 고개를 내밀어 저택을 바라보던 나는 숨겼던 몸을 드러내고 한참이나 멍하니 저택을 응시했다. 이내 돌기둥 사이에서 벗어나 드넓은 들판을 가로질러 성큼성큼 걸어 거대한 저택 앞에 서서 대놓고 그곳을 하염없이 바라보았다. '저럴 거였다면 처음에는 왜 그렇게 주저했담?' 까마귀는 이렇게 생각할 것이다. '그리고 지금은 왜 저렇게 겁도 없이 뚫어져라 쳐다본담?' 그랬을까?

독자들이여, 이런 상상을 해보라.

한 남자가 이끼 낀 푸른 둑에 몸을 기대고 잠든 연인을 발견한다. 남자는 곤히 잠든 그녀를 깨우고 싶지 않았지만 여자의 아름다운 얼굴을 조금 엿보고 싶어진다. 그는 소리를 죽이고, 한 걸음 한 걸음 조심스럽게 내디뎌 잔디 위를 걷는다. 그녀가 움찔거리며 뒤척이는 것만 같아 발걸음 내내 조심스럽고 그는 몇 번이나 걸음을 멈춘다. 잠시 뒤로 물러선다. 여전히 그녀를 깨우고 싶지 않은 마음이다. 다시 사방이 잠잠해진다. 그는 다시 다가간다. 그녀의 얼굴 위로 허리를 숙인다. 얼굴에는 얇은 베일이 덮여 있다. 조금 떨리는 손끝으로 그녀의 베일을 들어 올린 남자는 이제 다 되었다며 허리를 더 숙여본다. 그의 눈은 아름다운 그녀의 모습을 상상한다. 꽃처럼 활짝 피어나 사랑스럽게 잠든 모습. 아, 그녀를 처음 본 순간, 깜짝 놀라 돌리던 그 시절의 눈길은 얼마나 재빨랐던가! 지금은 용기를 내어 그녀의 얼굴을 물끄러미 바라볼 수 있다. 그러나 그 순간, 차마 손가락 하나 마음대로 닿지 못했던 마음은 어디로 갔는지, 남자는 감히 두 팔을 뻗어 그녀의 몸을 힘껏 껴안는다! 큰 소리로 그녀의 이름을 부르고, 힘없이 떨어지는 몸을 하염없이 흔들며 샅샅이 살핀다! 그가 여자에게 매달리고 울부짖는다. 아무리 소리를 질러도, 아무리 그녀를 안고 제 마음대로 흔들어도, 그녀의 단잠을 깨울 수 없음을 깨달았기 때문이리라. 잠이 들었다고 믿은 그녀는 숨을 거둔 지 오래였으니 말이다.

나는 자꾸만 움츠러드는 마음을 다독이며 위풍당당하게 우뚝 선 저택을 기웃거렸다. 그리고 보았다. 검게 불타 폐허가 된 손필드의 전경을.

돌기둥 뒤에 몸을 숨길 필요도 없었다! 저택에 난 격자창을 기웃거리며 그 너머의 인기척이 나를 발견할까 봐 걱정할 필요도 없었다! 문이 여닫히는 소리는 더 이상 들리지 않았다. 저택 진입로와 자갈길을 걷는 발소리에 귀를 기울일 필요도 없었다! 잔디도, 땅도 모두 무참히 망가진 지 오래였으니. 뻥 뚫린 현관은 거대한 아귀를 벌리고 서 있었다. 아주 오래전 꿈에서 보았던 저택처럼 깨진 유리만 널브러진 채 창문이었던 자리로 구멍이 휑하니 뚫려 있었고, 높이 솟은 벽은 조개껍데기로 만들어진 것처럼 당장이라도 무너질 기세였다. 지붕도, 흉벽도, 굴뚝도 없이 모든 게 그저 무너지기 직전의 폐허였다.

저택에는 침묵 어린 죽음만이 도사렸다. 외롭고 황폐한 고독. 이런 곳에 편지를 보냈으니, 답장이 오지 않는 게 당연했다. 교회 납골당으로 편지를 보낸 것과 다를 바 없었다. 석재에 그을린 자국이 저택의 마지막 운명을 고스란히 드러냈다. 화재였다. 하지만 어떻게 불이 났을까? 대체 무슨 이유로 저택이 이렇게까지 전소했단 말인가? 벽돌과 대리석, 목재 말고 또 무엇이 불에 탔을까? 혹시 저택에 살던 사람들의 생명이나 재산도 모두 불에 탔을까? 그렇다면 누가? 아, 끔찍한 질문이었다. 내 질문에 답해줄 사람은 아무도 없었다. 오직 무언과 침묵의 폐허뿐.

무너진 벽과 폐허가 되어버린 저택 내부를 걷기 시작했다. 그리고 화재가 최근에 발생한 것이 아니라는 증거를 몇 가지 발견했다. 겨울 눈이 빈 아치 너머로 소담하게 쌓였다가 녹았고, 겨울비가 속이 뻥 뚫린 창문으로 들이쳤던 모양이다. 흠뻑 젖은 잔해 더미 사이로 봄이 초목의 싹을 틔웠다. 돌무더기와 쓰러진 서까래 사이로 풀과 잡초가 여기저기 자라고 있었다. 아, 그렇다면 이 불운한 난파선의 주인은 어디로 갔단 말인가? 어디 갔을까? 혹시 누군가의 품 안에 영면하고 말았을까? 저택 정문 근처 회색 교회 탑으로 저절로 시선이 갔다. 나는 교회를 향해 걸으며 생각했다.

'그 남자, 먼 조상이었다던 데이머 드 로체스터와 함께 비좁은 대리석 이불을 덮고 누워 있는 걸까?'

어떤 물음에는 반드시 답이 필요한 법이다. 나는 그 답을 찾을 수 있을 만한 곳이 여관밖에 없다고 여겨서 그 길을 돌아왔다. 주인이 직접 나와 나를 응접실로 안내하고 아침 식사를 차려주었다. 나는 그에게 문을 닫고 앉아보라고 요청했다. 몇 가지 질문을 하고 싶었다. 그러나 정작 그가 내 말대로 따르자, 어떻게 말문을 열어야 할지 몰라 당혹스러웠다. 그 답이 얼마나 끔찍할지 직감했기 때문이다. 그러나 저택의 황량한 폐허를 보고 나니 아무리 비참한 대답이라도 들을 각오가 섰다. 여관 주인은 인상이 좋은 중년 남자였다.

"저, 손필드 저택을 잘 아시겠죠?" 마침내 내가 입을 뗐다.

"당연하지요. 한때 그곳에 머물기도 했으니까요."

"그러셨어요?" 내가 살던 시절에는 없었던 사람이었다. 내게는 초면이었으니까.

"제가 돌아가신 로체스터 씨의 집사였습니다." 그가 대답했다.

돌아가셨다고? 그의 대답이 내 뒤통수를 세차게 내리쳤다. 어떻게든 피하고만 싶었던 대답이 내게 정면으로 부딪쳐 왔다.

"정말로 그분이 돌아가셨어요?"

"현 주인이신 에드워드 도련님의 부친 말씀입니다." 그가 조금 풀어서 설명해 주었다. 나는 그제야 참았던 숨이 터졌다. 온몸에 피가 다시 도는 기분이었다. 현 주인이라면, 에드워드는…… 아, 나의 로체스터는 이 세상 어딘가에 아직 살아 있다는 뜻이구나! 최소한 살아 있기는 하구나. 그게 얼마나 위안이 되는지! 그렇다면 제아무리 참담한 이야기가 이어진다 해도 들을 수 있을 것만 같았다. 그가 살아만 있다면, 설령 지구 반대편에 있다고 해도 견딜 수 있을 것 같았다.

"그렇다면 로체스터 씨는 아직도 손필드 저택에 살고 계시나요?" 나는 돌아올 답을 알면서도 물었다. 그가 지금 어디에 있느냐는 질문은 최대한 미루고 싶었기 때문이었다.

"오, 그럴 수 없지요! 지금 저택에는 아무도 살지 않습니다. 이 마을에 처음 오신 모양이군요, 아니면 지난가을에 일어났던 사고를 듣지 못하셨거나요. 손필드 저택은 완전히 무너졌습니다. 추수가 한창이던 가을에 화재로 전소했습니다.

너무나 끔찍한 재앙이었지요! 그 많던 재산이 전부 불에 타버렸습니다. 가구는 하나도 못 건졌고, 실상 불씨를 피해 건질 만한 것도 없었습니다. 화재가 한밤중에 발생하는 바람에 밀코트에서 소방차가 도착하기도 전에 건물이 온통 불길에 잡아먹혔지요. 제가 직접 봤습니다."

"한밤중이라고요……." 나는 조용히 중얼거렸다. 그래, 그 시간쯤 손필드에서는 늘 사고가 있었다. "원인은 밝혀졌나요?" 내가 다시 물었다.

"소문은 무성하지요. 이런저런 이야기가 돌지만, 제 생각에는 확실한 이유가 있습니다. 아마 손님은 모르시겠지만……." 그가 잠시 뜸을 들였다. 탁자 가까이 의자를 붙인 그가 낮은 목소리로 속삭였다.

"그 저택에 그…… 정신이 좀…… 정신이 온전치 않은 여인이 한 명 살고 있었답니다, 아십니까?"

"네, 비슷한 이야기를 들어본 적 있어요."

"글쎄, 그런 여자가 아무도 드나들지 않는 방에 갇혀 있었다더군요. 몇 년이나요. 저택 사람들도 그 여인의 존재를 몰랐답니다. 본 사람도 없고요. 단지 저택 안 어딘가에 그런 여자가 살고 있다는 소문만 무성했다는데 그 여자가 누구인지, 어떤 사람인지도 추측할 수 없다고들 합디다. 누구는 에드워드 님이 해외에서 데리고 왔다고 하고, 또 누구는 그 여자가 에드워드 님의 정부라고도 하고 말이지요. 그러다가 1년 전, 아주 이상한 일이 있었어요. 참으로 이상한 일이었지요."

이 자리에서 남의 입을 통해 내 이야기를 듣게 될 줄은 몰

랐다. 나는 본래 하던 이야기로 그의 주위를 환기시키려고
노력했다.

"그 여자는요?"

"아, 그 여자요." 그가 다시 대답했다. "글쎄, 알고 보니 그
여자가 로체스터 씨의 아내였다지 뭡니까! 그런데 그게 밝
혀진 계기도 참으로 이상합니다. 로체스터 씨가 저택에서 가
정교사로 일하던 어린 아가씨와 사랑에 빠졌는데……."

"화재는 어떻게 난 거죠?" 나는 그를 채근했다.

"들어보시면 압니다, 손님. 글쎄, 에드워드 님이 사랑에 빠
졌다는 겁니다. 하인들이 말하기를 그분이 그렇게 누구에게
푹 빠진 모습을 본 적이 없다고들 하더랍니다. 세상에, 그렇
게 졸졸 쫓아다녔다지 뭡니까? 아시잖아요. 하인들은 주인
의 행적을 낱낱이 좇곤 하니까요. 여하튼 로체스터 님이 그
가정교사를 너무나 아꼈답니다. 누가 봐도 그리 예쁘장한 편
도 아닌 데다가 체구도 작고, 너무 앳된 얼굴이라던데. 저도
그 가정교사를 직접 본 적은 없습니다. 그 저택 하녀로 일하
던 레아에게 들었지요. 레아도 그 선생을 꽤 좋아했답니다.
그러나 로체스터 씨는 거의 마흔에 가까운 나이인데, 이 가
정교사는 이제 갓 스무 살이 되었으니 문제지요. 아시다시피
그 나이대 신사들은 사랑에 빠지면 간이고 쓸개고 다 줄 것
처럼 굴지 않습니까. 결국 로체스터 씨가 그 가정교사와 결
혼하겠다고 했답니다."

"아, 그 이야기는 다음에 기회가 되면 더 들려주세요. 지금
은 화재에 관한 이야기를 묻고 싶어서요. 그 정신이 온전치

않다던 로체스터 부인이 화재 사고와 무슨 관련이 있는 건가요?" 내가 다시 이야기를 주도했다.

"정확히 짚으셨어요. 그 여자가 아니라면 누가 그런 짓을 했겠습니까? 그 여자는 풀 부인이라는 하녀가 돌봐주었다고 합니다. 풀 부인은 간병을 잘하고 로체스터 씨도 그녀를 완전히 믿었다고 합니다. 하지만 간호사나 간병인에게 흔히 있는 결점이 하나 있었지요. 그녀가 술병을 몰래 숨겨두고 일하면서도 한 모금씩 목을 축이곤 했다는 겁니다. 물론 사는 게 얼마나 힘들면 그랬겠습니까. 이해는 합니다만, 위험한 행동이지요. 풀 부인이 진에 물을 타 마시고 잠이 든 그날 밤, 그 정신 나간 여자가 교활하게도 풀 부인의 주머니에서 열쇠를 꺼내 방에서 탈출한 다음 온 집 안을 돌아다녔답니다. 마녀처럼요. 그리고 미쳐버린 상태가 시키는 대로 온갖 미친 짓을 벌였던 겁니다. 그 댁 사용인들이 말하기를 한 번은 로체스터 씨의 침대에 불을 붙여 거의 죽일 뻔한 일도 있었다고 하더이다. 저는 잘 모르는 일이었지만요. 그날 밤, 그 여자는 자기가 갇혀 있던 옆방 커튼에 불을 붙이고 아래층으로 내려가, 가정교사가 묵던 방으로 들어갔습니다. 마치 무슨 일이 있었는지 다 안다는 표정으로요. 원한에 사무친 표정이었다지요. 그리고 침대에 불을 붙였답니다. 다행히 그 침대는 아무도 쓰지 않고 있었지만요. 그 가정교사가 이미 두 달 전 도망을 쳤고, 로체스터 씨는 세상에서 가장 소중한 걸 잃어버린 사람처럼 그녀를 찾아 헤맸거든요. 하지만 아무 소식도 없었지요. 마음을 크게 다친 로체스터 씨는 그 후로 굉장히 사나워지셨습니다. 원래는 그런 분이 아니었는데, 그녀를 잃은 후로는 매 순간이 위태로웠달까요. 가정부였던 페어팩스 부인마저도 멀리 있는 친구 집으로 보내버렸답니다. 그래도 평생 연금을 지급하기로 했대요. 마지막까지 신경 써주신 것이지요. 페어팩스 부인은 참 좋은 분이었거든요. 그 저택에는 아델 양이라고 로체스터 씨가 후견하던 아이가 있었는데 그 아이는 학교에 보냈답니다. 그 후로 로체스터 씨는 모든 귀족과 관계를 끊고 저택에 홀로 틀어박혔습니다."

"저택이요? 영국을 떠나지 않으셨어요?"

"떠나요? 아이고, 손님! 전혀요! 밤만 되면 유령처럼 이성을 잃고 집 안과 과수원을 하염없이 헤매셨답니다. 그 외에는 집 밖으로 절대 나오지 않으셨어요. 제 생각에는 정신을 반쯤 놓아버리신 것 같았지요. 실제로도 정신을 놓은 게 아닐까 싶은 정도였다니까요. 그 어린 가정교사가 그분의 마음을 헤집고 떠나기 전까지는 굉장히 용감하고 대담하고 열정적인 신사였잖습니까? 술이나 카드, 경마도 즐기지 않으셨고요. 뛰어나게 잘생긴 용모는 아니지만 그 누구와 비교해도 뒤지지 않을 용기와 굳건한 의지를 가진 분이셨지요. 저는 그분이 아주 어렸을 때부터 모셔서 잘 안답니다. 차라리 그에어 양이라는 여자가 손필드에 오기 전에 바닷물에 빠져버렸더라면 더 좋았을 것을."

"그러면 불이 난 날에 로체스터 씨는 저택에 계셨던 건가요?"

"그랬지요. 위층과 아래층 모두 불이 번지고 있는데 로체스터 님이 다락으로 올라가 자고 있던 하인들을 전부 깨워 일어나게 하고, 독방에 갇혀 있을 아내를 꺼내기 위해 3층까지 올라가셨답니다. 그런데 하인들이 밖에서 고래고래 외쳤답니다. 그 여자가 이미 흉벽 위에 서 있다고요. 두 팔을 하늘로 흔들며, 저 멀리서도 다 들릴 만큼 커다란 목소리로 알 수 없는 말을 외쳐댔어요. 저도 그걸 직접 보고 또 그 소리도 들었습니다. 풍채가 좋은 여인이었는데, 길게 자란 검은 머리카락을 풀어 헤치고 서 있었습니다. 그 머리카락이 마치 불길에 휩쓸릴 것처럼 흩날렸습니다. 저를 비롯하여 몇몇 사람들이 그 모습을 지켜봤지요. 그리고 로체스터 씨가 다락방 천창을 통해 지붕으로 올라가셨습니다. 그분이 아내에게 이렇게 외쳤습니다. '버사!' 그리고 천천히 부인에게 다가가셨지요. 그러나 그 순간, 손님…… 그 여자가 소리를 내지르며 저택 아래로 몸을 날려버렸습니다. 아, 그대로 저택의 돌길에 내동댕이쳐지고 말았습니다."

"죽었나요?"

"죽다마다요! 아이고, 살점이며 피가 사방으로 터졌어요."

"세상에!"

"그 정도가 아니라, 정말로, 참으로 끔찍했습니다!"

그가 아직도 눈에 훤하다는 듯 몸을 떨었다.

"그다음에는요?" 나는 상대를 재촉했다.

"뭐, 그다음에는 저택이 홀라당 타버렸지요. 지금은 벽 일부만 겨우 버티고 서 있습니다."

"돌아가신 분이 더 있나요?"

CHARLOTTE BRONTË

"아니요, 하지만 차라리 돌아가시는 게 더 나았을지도 모르지요."

"그게 무슨 말씀이세요?"

"안타까운 일이 벌어졌습니다, 에드워드 님이요……." 그가 한숨을 푹 내쉬었다. "그런 모습을 보게 될 줄은 상상도 하지 못했습니다. 어떤 사람들은 그가 첫 번째 결혼을 감추어서, 살아 있는 아내를 두고 다른 아내를 맞이하려 해서 벌을 받았다고 하지만, 저는 그저 그분이 안타깝습니다."

"그분이 살아계신다면서요!" 나는 깜짝 놀라 외쳤다.

"네, 네. 살아계시기는 하지요. 하지만 차라리 죽는 게 나았을 거라고들 말합니다."

"왜요? 어째서요?" 온몸의 피가 차갑게 식었다. "어디 계시는데요? 아직 영국에 계시나요?" 나는 다시 상대를 채근했다.

"네, 영국에 계시지요. 아마 다시는 이 땅을 벗어나실 수 없을 겁니다. 더 이상 오도 가도 못할 신세가 되어서요."

아, 이게 무슨 청천벽력이란 말인가! 상대는 더 이상 견딜 수 없다는 듯 남은 비보를 전부 털어놓았다.

"시력을 완전히 잃으셨습니다." 그리고 마침내 결말이었다. "에드워드 님이 아예 앞을 볼 수 없는 장님이 되셨단 말입니다!"

나는 그보다 더한 상황을 상상했다. 그가 정신을 아주 놔버린 건 아닐까 걱정했다. 나는 남은 용기를 끌어모아 대체 무슨 일이 있었는지 다시 한번 캐물었다.

"참으로 기개 넘치는 분이셨으니 그렇게 된 거라고들 말합니다. 자상한 분이셨으니까요. 하인들이 전부 대피하기까지 계속 저택에 계셨답니다. 로체스터 부인이 흉벽에서 몸을 던진 다음에야 계단을 통해 1층으로 내려오셨는데 말입니다. 그때 커다란 굉음이 들리며 저택이 와르르 무너지고 말았답니다. 잔해 더미에서 가까스로 그분을 구출했지만 안타깝게도 부상이 컸지요. 대들보가 그분의 머리 위로 떨어지면서 그분을 덮쳤는데, 그 바람에 한쪽 안구가 크게 돌출되었습니다. 손 한 짝은 완전히 짓눌렸고요. 마을 의사인 카터 씨가 곧바로 손을 절단하는 수술을 집도했습니다. 다른 쪽 눈에도 염증이 생기고 말았지요. 지금은 혼자서는 아무것도 할 수 없는 몸입니다. 앞도 보이지 않는 불구가 되셨으니까요."

"지금 어디 계시나요? 지금 어디 살고 계세요?"

"여기서 30마일 떨어진 펀딘 저택이요. 그곳에 농장이 있답니다. 너무나 황량한 곳이지요."

"누가 그분과 함께 살고 있나요?"

"나이 든 마부 존과 그의 아내가 거동을 돌봐준답니다. 두 내외 말고는 없어요. 게다가 상태가 썩 좋지 않답니다."

"혹시 거기까지 타고 갈 마차가 있나요?"

"이륜마차가 있습니다. 상태가 아주 좋은 고급 마차지만요."

"당장 마차를 준비해 주시겠어요? 오늘 어두워지기 전에 저를 펀딘으로 데려다준다면, 댁과 마부에게 평소 삯의 두 배를 치를게요."

37

펀딘 저택은 상당히 오래된 건물이었다. 적당한 크기에 건축학적으로 보아도 장식적인 군더더기 하나 없는 단출한 저택이었다. 게다가 산속 깊이 자리 잡고 있었다. 언젠가 그에게 이 저택과 농장에 관한 이야기를 들은 적이 있다. 로체스터 씨는 꽤 자주 이곳 이야기를 해주었다. 때로는 직접 방문한 적도 있었다. 돌아가신 아버지가 사냥터로 적합하기에 사들였다고 했다. 저택에 세를 놓으려 했지만, 너무 외따로 투박하게 서 있는 건물이라 누구도 들어오려 하지 않았다고 했다. 그 후 펀딘 저택은 쓸 만한 가구도 없이 방치되다시피 했다. 그저 주인이 사냥을 목적으로 방문할 경우에 대비해 침실 두어 개만 꾸며놓은 집이었다.

나는 시리고 흐린 저녁에 펀딘에 도착했다. 찬 바람이 불고 작은 빗방울이 점점이 떨어지는 저녁이었다. 약속한 두 배의 삯을 치르고 마차와 마부를 돌려보낸 다음, 남은 1마일을 걸었다. 저택은 아주 가까운 거리에서도 보이지 않을 정도로 빽빽한 나무에 둘러싸여 있었다. 사방이 어둡고 침침했다. 화강암 기둥 사이에 세워진 철문만이 이곳이 저택 입구임을 알려주었다. 그 문을 통과하자 곧바로 빽빽하게 늘어선 숲의 어스름한 그늘이 펼쳐졌다. 이끼와 나뭇결이 촘촘하게 얽힌 기둥 사이로 나 있는 숲길을 따라가다 보니 가지가 울창하게 뻗은 아치 모양의 수풀 아래로 풀이 무성하게 자란 길이 나왔다. 나는 그 길을 따라 걷다 보면 저택이 나오리라 예상했다. 그러나 아무리 걸어도 저택이나 정원이 나타나지 않았다.

혹시 방향을 잘못 들어선 건 아닐까 덜컥 겁이 났다. 어스름한 저녁에 깜깜한 숲을 헤쳐가야 할 상황이었다. 나는 다른 길을 찾아 주변을 둘러보았다. 그러나 사방이 어둡기만 했다. 서로 얽히고설킨 나뭇가지와 기둥처럼 우뚝 솟은 줄기, 빽빽한 여름 이파리가 한데 뒤엉겨 하늘을 가리는 바람에 탁 트인 길을 찾아보기란 좀처럼 힘들었다.

결국 나는 계속 앞으로 나아갔다. 그러자 빽빽하게 얽혀 있던 수풀이 조금씩 헐거워지며 전경이 드러났다. 울타리와 저택이었다. 손을 보지 않아 썩어 들어가는 벽은 축축하고 이끼가 잔뜩 끼어 푸르스름했다. 어스름한 저녁노을에 비쳐 숲과 벽이 구분되지 않을 정도였다. 걸쇠 하나로 닫아놓은 울타리 문을 열고 정원으로 들어서니, 반원형 모양의 정원 한가운데에 서 있었다. 꽃도, 나무도 없는 정원에는 풀밭을 둘러싼 넓은 자갈길만 덩그러니 있었다. 그 길을 빽빽하고 어두운 숲이 감싸안은 모습이었다. 정면으로 보이는 저택 위로 뾰족한 박공지붕 두 개가 우뚝 세워져 있었고, 좁은 창문은 전부 격자창이었다. 현관도 좁았고 그저 계단만 이곳이 현관임을 알리는 모습이었다. 여관 주인이 말한 대로, 이 저택은 휑하고 쓸쓸한 곳이었다. 마치 평일 교회처럼 한산했다. 울창한 잎사귀에서 떨어지는 빗방울 소리만이 유일하게 정적을 깨뜨렸다.

“이런 곳에서 사람이 살 수 있나……?” 나는 답이 있는 질문을 던졌다.

그렇다, 누군가는 살고 있었다. 분명 누군가의 인기척이 있었다. 좁은 현관문이 열리고, 누군가 저택에서 나오는 소리였다.

문은 천천히 열렸다. 한 남자가 황혼을 헤치고 모습을 드러냈다. 모자도 쓰지 않은 채로, 계단에 서 있었다. 그는 한 손을 뻗어 비가 내리고 있는지 확인했다. 사방에 빛이라고는 없었지만, 나는 한눈에 그를 알아볼 수 있었다. 나의 주인, 에드워드 페어팩스 로체스터, 그였다.

나는 걸음을 멈추고 숨죽인 채 그에게 조금 더 가까이 다가갔다. 그리고 그를 가만히 살폈다. 내 모습을 감추고 그를 바라보고 싶을 뿐이었다. 아, 그러나 확실히 알 수 있었다. 그는 나를 보지 못했다. 너무나 갑작스럽게 마주친 그를 앞에 두고, 나는 기쁨보다는 가슴이 무너져 내리는 고통을 맛보았다. 그를 놀라게 하고 싶지 않았으므로 소리를 겨우 삼키고는 그를 향해 발걸음을 재게 놀렸다.

겉으로 보기에 그는 언제나처럼 강인하고 튼튼해 보였다. 서 있는 자세는 꼿꼿했고, 머리카락도 까마귀처럼 검었다. 얼굴 살이 빠졌다거나 야위지도 않았다. 1년이라는 짧은 시간이, 그가 겪은 슬픔이, 늠름하고 강인한 체격을 갉아먹는다거나 한창 건강할 나이의 그를 꺾을 수는 없었다. 그러나 그는 달라졌다. 표정은 내가 알던 그가 아니었다. 절망과 비통함이 잔뜩 뒤엉긴 얼굴은 거친 학대 끝에 쇠사슬에 매여버린 야생의 짐승이나 새 같았다. 그토록 참담한 표정으로 가

까이 다가갈 수조차 없는 야수. 그가 그랬다. 우리에 갇힌 채
잔혹한 손길에 사로잡혀 오도 가도 못하는 남자. 금테를 두
른 눈동자는 한때의 광채를 잃은 채 눈이 먼 삼촌이 되어버
렸다.

독자들이여, 장님이 되어 광기에 사로잡힌 그를 보며 내가
겁에 질렸으리라 생각하는가? 만약 그렇다면 여러분은 아
직도 나를 잘 모른다. 나는 담담하게 차오른 슬픔과 따스한
희망으로, 저 바위 같은 이마와 그 아래로 굳게 다문 입술에
감히 입을 맞추고 싶었다. 그러나 아직은 아니었다. 아직은
그에게 말을 걸고 다가갈 수 없었다.

그가 계단에서 한 걸음 내려와 풀밭을 향해 천천히 더듬
거리며 나아갔다. 아, 성큼성큼 빠르게 걷던 그는 어디로 갔
을까? 그는 어디로 가야 할지 모르는 사람처럼 잠시 멈춰 섰
다. 천천히 손을 올리고 눈을 뜬 그가 하늘을 향해 고개를 들
었다. 그러나 소용없는 행동이었다. 숲으로 둘러싸인 광활한
잔디 위에서 그는 공허한 표정으로 주위를 휘적거렸다. 그에
게는 모든 게 그저 어둠뿐이다. 잘린 왼손은 내내 가슴팍에
품은 채, 그는 텅 빈 오른손을 뻗었다. 주변을 매만지며 무엇
이 있는지 파악하려는 듯했다. 그러나 손끝에 닿는 것이라고
는 그저 어둠과 바람뿐이리라. 그가 서 있는 곳에서 나무는
여전히 몇 야드나 멀었다. 이내 팔을 접은 그는 손을 떨군 채
멍하니 비를 맞으며 서 있었다. 그때 존이 어디에선가 나타
나 다가왔다.

"제 팔을 잡으시겠습니까?" 존이 물었다. "곧 폭우가 쏟아

질 것 같습니다. 안으로 드시는 게 낫지 않겠습니까?"

"날 내버려두게." 그의 답은 날카로웠다.

존은 나를 발견하지 못한 채 물러섰다. 로체스터 씨는 다시 걷기 시작했다. 그러나 모든 게 너무도 불안하고 공허한 걸음이었다. 천천히 집으로 돌아가는 길을 더듬거린 그가 마침내 저택 안으로 들어가 문을 닫았다.

그가 들어가고 나서야 나는 저택 현관문으로 다가가 문을 두드릴 수 있었다. 존의 아내가 문을 열어주었다.

"메리, 잘 지냈어요?" 내가 인사를 건넸다.

그녀는 마치 유령이라도 본 사람처럼 소스라치게 놀랐다. 나는 얼른 그녀를 진정시켰다.

"정말 제인 양이 맞아요? 대체 이 늦은 시간에, 어떻게 이 외딴곳까지 오셨어요?" 그녀가 재차 놀라 캐물었다. 나는 그녀의 손을 부여잡고 그간의 사정을 이야기했다. 그러고 나서 그녀를 따라 부엌으로 들어갔다. 존은 활활 타는 난롯가에 앉아 있었다. 나는 두 사람에게 간단히 사정을 설명했다. 손필드에서 무슨 일이 있었는지 전부 들었다고, 로체스터 씨를 만나러 왔다고도 덧붙였다. 나는 존에게 통행세를 지불하는 사무소 앞에서 하차했고, 그곳에 내 짐을 맡겨두었으니 내 짐을 찾아와줄 수 있겠느냐 물었다. 그다음 보닛과 숄을 벗으며 메리에게 이 집에서 묵을 수 있겠느냐 물었다. 메리는 당장 마련된 방은 없지만 얼른 준비하겠다고 대답했다. 바로 그때, 응접실에서 종이 울렸다.

"응접실에 들어가거든 주인님께 그를 만나러 손님이 왔다고만 전해줘요. 내 이름은 말하지 말고요." 내가 얼른 메리를 붙잡았다.

"아무도 만나려고 하지 않으시니 만나주실까 모르겠어요." 그녀가 대답했다.

로체스터 씨의 부름을 받고 갔다가 돌아온 메리가 내게 말했다. "손님의 이름과 하는 일을 알려달라고 하세요." 그녀가 잔에 물을 따라 쟁반에 올리고 촛불을 챙겼다.

"이걸 갖다 달라고 부르신 기예요?" 내가 쟁반을 가리키며 물었다.

"네, 눈이 보이지 않으셔도 늘 저녁이 되면 초를 켜달라고 하셔요."

"쟁반을 이리 주세요, 제가 가져갈게요."

나는 그녀의 손에서 쟁반을 옮겨 받았다. 메리가 응접실 문을 가리켰다. 파르르 손끝이 떨리는 통에 쟁반 위 물잔에서 물이 조금 흘러내렸다. 심장이 갈비뼈를 부러뜨릴 듯이 세차게 뛰었다. 메리가 문을 열어주었고, 내가 들어서자 등 뒤에서 문이 닫혔다.

응접실은 어두웠다. 아스라한 불씨가 난로에서 희미하게 타오르고 있었다. 높고 고풍스러운 벽난로에 머리를 기대고 서 있는 남자가 보였다. 그가 이 저택의 주인, 로체스터였다. 그의 곁에는 나이 든 그의 개 파일럿이 힘없이 누워 있었다. 실수라도 그에게 밟힐까 봐 두려운 듯 몸을 잔뜩 웅크리고 있었다. 내가 응접실로 들어서자, 파일럿이 귀를 쫑긋 세웠다. 이내 나를 알아본 듯 왕왕 짖으며 잽싸게 몸을 일으켜 내게 달려왔다. 그 바람에 손에서 쟁반을 놓칠 뻔했다. 나는 쟁반을 탁자 위에 올려놓은 다음, 파일럿을 부드럽게 쓰다듬으며 조용히 "앉아" 하고 말했다. 로체스터 씨가 무슨 일이냐는 듯 무의식적으로 우리를 향해 몸을 돌렸다. 그러나 아무것도 보이지 않는다는 걸 깨닫고는 깊게 숨을 내쉬며 돌아섰다.

"물을 이리 주게, 메리." 그가 말했다.

나는 그에게 다가가 반쯤 찬 물컵을 건네주었다. 파일럿이 여전히 새근거리며 내 곁을 맴돌았다.

"파일럿이 오늘따라 왜 이러지?" 그가 물었다.

"앉아, 파일럿!" 나는 다시 속삭였다. 그가 입으로 물잔을 가져가며 잠자코 귀를 기울였다. 물을 한 모금 마신 그가 잔을 내려놓으며 의아하다는 듯 물었다. "메리, 자네 맞지?"

"메리는 부엌에 있어요." 내가 조용히 대답했다.

그가 성급히 손을 뻗었다. 그러나 내가 서 있는 위치를 곧바로 짚지 못하고 허공을 매만졌다. "누구지? 누구야?" 앞이 보이지 않는 눈으로 어떻게든 사위를 살피려는 듯 눈살을 잔뜩 찡그린 그가 외쳤다. 아, 너무나 허망하고 안쓰러운 시도였다! "당장 대답해. 어서 누군지 말해!" 그가 목소리를 울리며 형형하게 외쳤다.

"물을 조금 더 가져다드릴까요? 실은 오다가 물을 절반이나 쏟았거든요." 내가 조용히 대답했다.

"거기 누구냐고! 무슨 소리를 하는 거야! 누구인지 정체를 밝히란 말이야!"

"파일럿은 저를 알아요. 존과 메리도 제가 왔다는 걸 알고요. 오늘 저녁에서야 도착했어요." 나는 나지막이 대답했다.

"아, 그렇군! 내가 망상에 사로잡힌 모양이야. 그것도 이렇게 달콤한 광기라니."

"망상이 아니에요. 광기도 아니고요. 망상과 광기에 빠지기에는 아직 너무나 건강한 정신을 갖고 계시는걸요."

"그렇다면 누가 말하는 거지? 오직 목소리만 들리는 건가? 아, 앞이 보이지 않으니 느껴야만 해. 그렇지 않으면 심장이 멈추고 뇌가 터질 것만 같아. 당신이 누구든 당장 내 손을 잡아. 그렇지 않으면 나는 숨이 멎고 말 테니!"

그가 손으로 허공을 더듬었다. 그에게 다가간 내가 이리저리 바람을 헤치는 그의 손을 건드리고는, 단단히 붙잡았다.

"그녀의 손가락이군!" 그가 탄식했다. "작고 가느다란 손가락이야. 그렇다면 이 손가락 말고 다른 것도 있겠지."

두툼한 손이 내 손아귀에서 빠져나갔다. 내 팔을 힘껏 잡고, 어깨와 목, 허리를 더듬었다. 나는 그의 품에 휘감기듯 안겼다.

"제인이오? 어떻게…… 분명 제인의 몸이고, 제인의 체구인데……."

"그리고 제인의 목소리도요." 내가 속삭였다. "제인이 왔어요. 마음도 여기 있어요. 아, 주님의 축복이 당신에게 닿기를. 당신을 이렇게 가까이서 볼 수 있을 줄이야."

"제인 에어! 제인 에어!" 그는 달리 할 말을 찾지 못한 채 내 이름만 속삭였다.

"나의 주인님." 내가 대답했다. "제인 에어가 왔어요. 제가 당신을 찾았어요. 제가 돌아왔어요.”

“정말이오? 정말 살아 있소? 숨을 쉬는 제인이오?”

“저를 안고 계시잖아요. 저를 이렇게 힘껏 안고 계시잖아요. 어디 제가 시체처럼 차갑거나 공기처럼 허전한가요?”

“아, 사랑하는 이여! 틀림없이 그녀의 손과 발이야, 내가 아는 제인의 몸이야. 참담한 고통을 겪고 나서야 드디어 행복을 만끽하라니, 그럴 리 없지. 이건 꿈이겠지. 밤이면 꾸는 꿈이겠지. 지금처럼 다시 한번 그녀를 품에 안고, 지금처럼 입을 맞추는 꿈. 그리고 그녀가 나를 다시 사랑하는 꿈, 다시는 나를 떠나지 않으리라 속삭이는 그런 꿈.”

“다시는 떠나지 않아요, 이제 두 번 다시는.”

“다시는 떠나지 않겠다? 환영은 늘 그렇게 말하곤 하지. 하지만 잠에서 깨어나면 그게 늘 공허한 조롱에 지나지 않는다는 걸 이제 알아. 쓸쓸하게 버림받았지. 내 삶은 이제 어둠뿐이야. 외롭고 절망적이지. 내 영혼은 제인을 목말라하지만, 절대 한 모금조차 마실 수 없소. 제인을 굶주리지만, 영원히 배부를 수 없지. 아, 부드럽고 포근한 꿈이오. 내 품에 안겨 있는 제인이라니. 그대도 곧 날아가겠지. 이전 날의 모든 제인처럼. 그러나 가기 전에 내게 입을 맞춰주오, 나를 안아다오.”

“네, 물론이에요!”

나는 한때 눈부시던 그의 눈동자에 입을 맞추었다. 이마에 내려앉은 머리카락을 부드럽게 쓸어 올리고 입을 맞추었다. 불현듯 그가 정신을 차린 것처럼 소스라치게 놀랐다. 이 모든 게 현실이라는 걸, 그제야 깨달은 듯했다.

"정말…… 정말, 제인? 내게 돌아온 겁니까?"

"맞아요."

"어느 시냇물 아래 도랑에 엎드려 숨이 멎은 게 아니었단 말이오? 낯선 사람들 사이를 허망하게 배회하고 있지 않았단 말이야?"

"그럴 리가요! 저는 이제 당당히 자립했어요."

"자립이라니! 그게 무슨 뜻이지?"

"마데이라에 계시던 삼촌이 돌아가시며 제게 5천 파운드의 유산을 남겨주셨어요."

"아! 지나치게 현실적인 말이군. 그렇다면 꿈이 아니라는 건데!" 그가 허탈한 목소리로 중얼거렸다. "이런 꿈은 꾼 적이 없는데. 게다가 제인 특유의 목소리가 들려. 활기차고 기분 좋고 다정한 목소리……, 내 시들어버린 마음을 감싸안는 목소리, 내게 생명을 불어넣는 목소리……. 잠깐, 제인! 자립했다는 게 무슨 소리지? 자산이 생겼다는 건가?"

"만일 당신 곁에 머물도록 허락하지 않으신다면, 이 저택 현관 옆에 저만의 집을 짓겠어요. 그리고 저녁마다 친구가 필요하시다면 언제든 제 응접실에 오시면 되겠네요."

"넉넉한 재산까지 가졌다면, 분명 그대를 돌봐주고 살펴줄 친구들이 많이 생겼을 텐데. 굳이 나처럼 불쌍한 장님을 거둘 필요가 없지 않겠소?"

"말씀드렸다시피, 저는 이제 자립했어요. 재산도 넉넉하고요. 저의 주인은 바로 저예요."

"그리고 내 곁에서 나와 함께하겠다고?"

"물론이요. 아, 당신이 반대하지 않는다면요. 당신의 이웃이 되고, 간병인이 되고, 가정부도 될 거예요. 외로우시잖아요. 당신에게 책도 읽어주고, 당신과 함께 걷고, 당신과 함께 앉고, 당신을 돌보고, 당신의 눈과 손이 되어드릴 거예요. 그런 우울한 표정은 거둬요, 나의 주인님. 제가 있는 한 당신은 결코 외롭지 않을 거예요."

그는 아무 말도 하지 않았다. 꽤 진지하게 무언가를 골몰히 생각했다. 한숨을 터트린 그가, 무엇인가 말하고 싶은 듯 입을 열었다가 다시 다물었다. 조금 당혹스러웠다. 어쩌면 그의 말 상대가 되어주고, 눈과 손이 되어주겠다고 나선 것이 너무 성급했을까? 혹시 로체스터 씨도 세인트 존처럼 내가 세상의 관습을 뛰어넘는 무례하고 경솔한 짓을 한다고, 내 태도가 무척이나 부적절하다고 생각해 언짢아진 걸까? 하지만 나는 그가 내게 청혼할 거라 예상하며 내 마음을 드러냈다. 그가 내게 아내가 되어달라 간청하리라 생각했고, 그래서 내 마음을 온전히 바친 것인데. 당장이라도 내게 청혼할 거란 기대가 내 마음을 들뜨게 한 것이었는데. 그런데 그의 입에서 청혼은커녕 아무런 대꾸조차 흘러나오지 않았다. 점점 어두워지는 표정을 보니 모든 게 나의 착각이었는지도 모르겠다. 어쩌면 나도 모르게 바보 같은 짓을 저지른 건 아닐까 하는 생각마저 들었다. 무안해진 나는 천천히 그의 품에서 바둥거리며 빠져나왔다. 그러자 그가 나를 힘껏 껴안았다.

"안 돼, 제인. 가지 마시오. 안 됩니다. 나는 그대를 만지고, 그대의 목소리를 듣고, 그대의 존재가 주는 위로를 한껏 느끼고 말았어. 그대의 달콤한 위로를 맛보았어. 이 기쁨을 포기할 수 없소. 내게 남은 거라고는 그뿐이야, 당신은 무슨 일이 있어도 내 것이어야만 해. 세상이 나를 비웃을지도 모르지. 나를 두고 비열하고 이기적인 자라 욕하겠지. 하지만 상관없어. 내 영혼이 그대를 원해. 그러니 그대라는 존재로 가득 채울 거요. 그렇지 않으면 육신마저 망가질 테니까."

"알아요, 절대 떠나지 않을 거예요. 그럴 거라고 말씀드렸잖아요."

"맞아, 그랬지. 하지만 내 곁에 있어도 우리는 다른 생각을 할지 몰라. 그대는 내 손이 되고, 말벗이 되고, 내가 의지할 수 있는 존재이자, 나의 작고 소중한 간병인으로 머물겠지. 그대의 넉넉한 동정심과 넓은 마음은 나같이 불쌍한 사람을 좀처럼 지나치질 못하니까. 그래, 그것만으로도 내게는 말도 안 되는 욕심이지. 나는 그저 후견인 같은 그런 감정으로만 그대를 대해야겠지. 제인, 그대도 그렇게 생각하는 게 맞소? 대답해 줘요."

"저는 당신이 바라는 대로 머물 거예요. 당신이 간병인을 원한다면 저는 그것으로도 만족해요."

"하지만 제인, 영원히 나의 간병인으로 살 수는 없어. 아직 너무 젊어요. 언젠가는 결혼도 해야 하고."

"저는 결혼 따위는 상관 안 해요."

"제인, 그럴 수는 없어요. 예전의 나였다면 어떻게든 그대

CHARLOTTE BRONTË

의 마음을 되돌리려 애썼겠지만, 지금은 달라. 나는 이제 앞이 보이지 않는 불구에 불과하니까.”

그는 다시 침울해졌다. 반대로 나는 더 밝아지고 새로운 용기도 얻었다. 그의 마지막 말이 내게 통찰력을 주었다. 우리의 문제가 무엇인지를 깨닫게 해준 것이다. 나에게 그건 전혀 문제가 아니었다. 지금까지 어리둥절하고 당혹스러웠던 마음도 눈 녹듯 사라졌다. 나는 기분이 한결 나아져 활기차게 대답했다.

“이제 당신을 다시 인간답게 만들 때가 왔어요.” 나는 제멋대로 헝클어지고 길게 자란 뻣뻣한 머리카락을 넘겼다.

“아무래도 사자나 엇비슷한 짐승으로 변하고 있는 것 같거든요. 「다니엘서」의 네부카드네자르 왕이 들판에 서서 ‘세상을 피하려고’ 회피하던 장면이 떠오르네요. 머리카락은 독수리의 깃털 같고 손톱은 새의 발톱으로 변하려는 게 아닐까요? 물론 아직 확인은 안 해봤지만요.”*

“이 팔에는 손도, 손톱도 없소.” 그가 가슴에 숨겨두었던 왼팔을 꺼내 보였다. “마치 잘려버린 나무 밑둥처럼 징그럽고 끔찍하지. 그렇지 않습니까, 제인?”

“물론 마음이 아파요. 당신의 눈도 마찬가지고요. 이마의 화상자국도 안쓰러워요. 하지만 그런 것보다 더 큰 문제가 있어요. 이런 모습을 보고도 누군가는 당신을 너무나 사랑하고, 너무나 소중하게 여긴다는 거예요.”

* 「다니엘서」 4장에 따르면, 바빌론의 왕 네부카드네자르는 교만으로 신을 노하게 하여 인간에서 짐승이 되는 벌을 받았다.

"제인, 그대가 내 팔과 흉터투성이인 얼굴을 보면 혐오스러워 몸서리치지 않을까 생각했소."

"그러셨나요? 그런 말은 하지 마세요. 당신의 판단력이 예전만 못하다고 생각하게 돼요. 잠시만 기다려줄래요? 불을 조금 더 피우고 난로도 쓸어야겠어요. 불이 더 잘 붙었는지 확인해 줄 수 있나요?"

"물론이지. 오른쪽 눈으로 보면 빛이 보이기는 하거든. 붉은 광원이 자욱하게나마."

"그럼, 촛불도 보이세요?"

"희미하지만. 마치 빛나는 구름처럼."

"저는 보이세요?"

"아니, 나의 요정. 하지만 그대의 목소리를 듣고 그대를 느낄 수 있는 것만으로도 감사할 일이지."

"저녁은 언제 드세요?"

"저녁은 먹지 않소."

"하지만 오늘 밤은 좀 드셔야 해요. 제가 배고프거든요. 그러니 당신도 배가 고플 거예요, 그저 자각하지 못할 뿐이에요."

나는 메리를 불러 방을 좀 더 안락하게 만들 수 있도록 정리를 부탁했다. 그리고 그를 위해 가벼운 식사도 준비하라고 지시했다. 좀처럼 마음이 진정되지 않아서 저녁을 먹는 동안에도, 식사가 끝난 후에도 한참이나 그에게 말을 걸었다. 대화 상대가 로체스터 씨라면, 나는 그 어떤 것도 신경 쓸 필요가 없었고, 기쁘고 쾌활한 기분도 억누를 필요가 없었다. 그와 함께라면 나는 온전히 마음을 놓을 수 있었다. 내가 그에게 어울린다는 걸 알기 때문이었다. 게다가 내 모든 말과 행동이 그를 위로하고, 그의 기분을 북돋아주는 느낌이었다. 아, 이토록 기쁜 감정이라니! 내 마음이 나의 본성을 되살아나게 하고, 빛나게 닦아주었다. 그의 존재로 나는 다시 생명을 얻은 기분이었다. 눈이 보이지 않아도 그는 자상하게 웃어주었고, 상처 입은 이마도 기쁨으로 밝게 물들었다. 표정은 한결 온화해졌고, 점차 따스한 성품도 되살아났다.

식사를 마치자, 그는 내게 엄청난 질문 공세를 퍼부었다. 그동안 어디 있었는지, 무슨 일을 했는지, 어떻게 그를 찾았는지 등등. 나는 그에게 꼭 필요한 부분만 답했다. 밤이 깊어 자세한 이야기를 할 시간이 모자랐기 때문이다. 게다가 그의 마음속에 새로운 감정의 우물을 파 걱정을 끼치고 싶지 않은 마음이기도 했다. 지금 나의 유일한 목표는 그에게 위안을 주는 것뿐이었다. 그는 이미 충분히 기운을 되찾았다. 그러나 오래 묵은 상처는 쉽게 사라지지 않고 마치 발작처럼 그를 일깨웠다. 이야기 도중 잠깐이라도 정적이 흐르면 그는 소스라치게 놀라며 나를 만지고, 내 이름을 불렀다.

"정말 인간의 모습으로 나와 함께 있는 게 맞소, 제인? 확실해요?"

"저를 믿으세요, 로체스터 님."

"그런데 어떻게 이 어둡고 쌀쌀한 저녁에, 나 혼자 머물던 외로운 난롯가에 별안간 나타날 수 있었던 거지? 내가 메리에게 컵을 받아 들려고 손을 내밀었는데, 어떻게 그대가 나

타나 내게 물을 주었을까? 메리가 대답하리라 생각했건만,
그대의 목소리가 들리다니."

"제가 메리 대신 쟁반을 들고 들어왔으니까요."

"그대와 함께 보내는 이 시간마저도 마치 마법이 일어난
것만 같아. 지난 몇 달 동안 어둡고 비참한 절망에 빠져 희망
도 보이지 않는 삶을 허우적거렸다는 걸 믿을 수가 없소. 아
무것도 하지 않았고, 아무것도 기대하지 않았어. 밤낮이 뒤
섞인 채로. 난롯불이 꺼지면 추웠고, 끼니를 거르면 배가 고
픈 삶이었어. 한없이 슬프고 때로는 나의 제인을 다시 한번
보고 싶은 욕망에 사로잡혀 정신이 혼탁해졌지. 아, 그대가
돌아오기만을 얼마나 간절히 바랐는지. 심지어 잃어버린 시
력보다도 그대를 더 간절히 원했소. 나의 제인이 내게 돌아
와서 나를 사랑한다고 말하는 그런 소망 말입니다. 그런데
혹시나…… 홀연히 나타난 것처럼 홀연히 사라지는 건 아니
겠지? 내일 아침이 되면 마치 찾아오지 않았던 것처럼 갑자
기 연기처럼 사라지는 건 아니겠지?"

나는 불안한 생각에 사로잡힌 그를 안심시키려면 오히려
현실적이고 평범한 이야깃거리로 화제를 돌리는 게 낫다고
생각했다. 나는 그의 눈썹을 손가락으로 쓸어내렸다. 눈썹이
그을렸으니 연고를 발라야겠다. 예전처럼 검고 수북하게 자
랄 수 있도록

"고작 나 같은 존재를 위해 그런 친절을 베풀 필요가 있소?
그러다가 돌이킬 수 없는 순간이 오면 그대는 나를 버리고
떠나겠지. 그림자처럼 사라지는 거야. 어디로, 어떻게 사라

지는지도 알려주지 않은 채, 나는 또다시 빈손으로 여기 남겨지겠지."

"혹시 주머니에 빗이 있으세요?"

"제인, 갑자기 빗은 왜?"

"덥수룩하게 자란 갈기를 좀 빗어드리려고요. 이렇게 가까이서 자세히 들여다보니 엉망진창이에요. 당신은 제게 요정이라고 하시지만, 장담컨대 당신은 요정이라기보다는 브라우니*에 가깝거든요."

"내 꼴이 그렇게 사납소?"

"안타깝지만 무척이나요. 게다가 늘 그러셨어요."

"흠! 당신이 그동안 어디에 있었는지는 몰라도 짓궂은 장난기는 사라지지 않았군."

"그래도 좋은 분들과 지냈어요. 당신보다 훨씬 좋은 분들이었는걸요? 백 배는 훌륭하고 백 배는 친절한 사람들이었죠. 당신은 평생 생각해 본 적 없을 생각과 인품을 가진 사람들이었어요. 훨씬 세련되고 고상한 분들이었죠."

"도대체 어떤 자들과 함께 지냈기에?"

"자꾸 그렇게 비꼬면 이 빗으로 머리카락을 뽑아버릴 거예요. 머리가 다 빠져야 제 실체를 의심하지 않으시려나."

"제인, 정말 누구와 함께 지냈습니까?"

"오늘 밤은 아무 말씀도 드리지 않을 거예요. 내일 아침까지 기다려주세요. 오늘 절반만 이야기하고 나머지를 내일로 미루면, 이야기를 하기 위해서라도 제가 아침 식사에 나타나

---

* 영국 북부와 스코틀랜드의 민가에 살면서 집안일을 도와준다는 꼬마 요정.

지 않겠어요? 내일 아침에는 물 한 컵만 가지고 이 난롯가에 나타나지 않을 거랍니다. 달걀 요리를 준비할게요. 구운 햄도 곁들이고요."

"아, 요정으로 태어나서 인간의 손에 자란 깜찍한 제인! 지난 1년간 좀처럼 느끼지 못한 감정을 새록새록 되살리다니. 사울이 다윗 대신 그대를 곁에 두었더라면, 하프를 연주하지 않고도 마귀를 쫓아낼 수 있었을 거요."

"자, 이제야 좀 밀끔해졌네요. 이제 저는 올라가야겠어요. 지난 사흘 동안 마차를 타고 왔더니 너무 피곤하거든요. 그럼 안녕히 주무세요."

"잠깐, 제인! 하나만! 그 집에 여자들만 있었던 게 맞지?"

나는 웃음을 터트리며 도망치듯 응접실을 빠져나왔다. 위층으로 올라가는 내내 새어 나오는 웃음을 참을 수 없었다.

'좋아, 이대로만 하면 그의 우울함도 조금씩 사라질 거야.' 나는 기쁜 마음으로 생각했다.

다음 날 이른 아침부터 그가 방에서 방을 돌아다니는 소리에 잠에서 깼다. 곧 메리가 내려왔고, 그는 메리에게 온갖 질문을 쏟아냈다.

"에어 양이 여기 있나?", "지금 어느 방에 묵고 있지?", "방이 눅눅하지는 않을까?", "혹시 깨어났을까?", "자네가 올라가서 필요한 게 있나 물어보고 오게. 언제 내려올 건지도" 등등.

아침 식사를 차릴 무렵, 나는 방에서 나와 아래층으로 내려왔다. 그가 내 존재를 알아차리지 못하게 소리를 죽이고 방에 들어가서 가만히 그를 지켜보았다. 그토록 활기찬 사람이 육체적 한계에 갇혀버린 모습이라니. 마음이 무너졌다. 그는 의자에 앉아 가만히 정면을 응시하고 있었다. 휴식을 취하는 게 아니었다. 분명 무언가를 기다리고 있었다. 그의 강인한 얼굴에는 습관처럼 남은 울적함이 있었다. 불이 꺼지고, 다시 불이 켜지기만을 기다리는 램프 같았다. 아! 지금 그 빛을 밝힐 사람은 그가 아니었다! 그는 누군가를 기다리고, 그가 오기만을 내내 기다리는 것이다! 나는 최대한 태연하고 명랑하게 굴고 싶었다. 그러나 내가 알던 그토록 강인한 남자가 이처럼 무력하게 가라앉은 모습을 보고 있자니 나 역시 무너지고 말았다. 나는 그에게 천천히 다가가 최대한 활기찬 목소리로 인사했다.

"……아침이 너무 화창해요. 비도 그쳤고요. 햇살이 너무 맑아요. 우리 식사하고 산책하러 나가요."

그가 내내 기다린 빛은 바로 나였다. 그의 안색이 환하게 빛났다.

"아, 정말 내게 왔군. 나의 종달새! 이리 와요. 사라지지 않았던 거야. 정말 사라지지 않았나? 한 시간 전쯤에 종달새 하나가 숲속 높이 날며 지저귀더군. 하지만 아무 느낌도 없었지. 그저 소리 없이 떠오르는 태양처럼 새가 지저귀는 소리는 내게는 음악이라고 할 수 없이 무의미했어. 이 땅의 모든 노래가 이제 제인의 혀끝에서만 울리는 기분이야. 나의 제인이 말수가 적지 않아 얼마나 다행인지 그대는 알까. 햇빛이라는 게 오직 그대의 곁에서만 느껴지는 기분을 알까."

온통 내게 의존하고야마는 그의 고백을 들으며 눈물이 고였다. 마치 횃대에 묶인 왕실의 독수리가 참새에게 먹이를 구걸하는 느낌이었다. 그러나 나는 눈물을 흘리지 않았다. 눈물을 힘껏 닦고 부지런히 아침을 준비했다.

오전 대부분은 야외에서 보냈다. 나는 축축한 야생 숲을 지나 밝고 환한 들판으로 그를 이끌었다. 그에게 들판이 얼마나 밝고 푸른지, 꽃과 울타리가 얼마나 아름답고 소담한지, 하늘이 얼마나 눈부시게 빛나는지를 설명했다. 그를 위해 안락하게 숨어 있던 포근하게 마른 나무 그루터기를 찾아주었고, 그를 앉힌 다음 그의 무릎 위에 앉았다. 우리는 왜 헤어져야만 했을까? 서로 함께하는 지금이 이렇게나 행복한데. 파일럿이 우리 곁에 배를 깔고 누웠다. 주변은 고요했다. 그는 나를 팔로 감싸안으며 입을 열었다.

"잔인하고 잔인한 도망자! 아, 제인, 그대가 손필드에서 도망쳤다는 걸 알게 된 내가 어떤 기분이었는지 압니까? 어디로 갔는지 아무리 찾아도 찾을 수 없었을 때 말이오. 그대의 방을 샅샅이 뒤져도 돈은커녕 돈이 될 만한 건 아무것도 챙기지 않고 사라져버렸다는 걸 알았을 때의 내 기분을 그대는 알까? 내가 선물로 준 진주 목걸이는 상자째 두고 가버렸지. 신혼여행을 위해 꾸린 트렁크 가방도 자물쇠도 풀지 않은 채 그대로 놓고 갔고. 아무것도 챙기지 않고 돈 한 푼 없이 내가 사랑하던 그녀는 대체 어디로 갔을까, 어떻게 되었을까, 걱정하느라 머리가 터질 것 같았지. 도대체 어떻게 살았지? 이제 말해줘요."

차마 그의 애원을 외면할 수 없던 나는, 지난 1년간 겪은 일을 이야기하기 시작했다. 물론 사흘이나 모르는 곳을 헤매고 굶주렸던 이야기는 최대한 완곡하게 설명했다. 불필요한 이야기로 굳이 그의 마음을 아프게 하고 싶지 않았다. 내가 어떻게 설명하든, 내 생각보다 더 다정하고 충만한 그의 마음은 분명 깊이 상처 입을 게 뻔했다.

어떻게 살아가야 할지 정하지도 않고 그렇게 떠나버리다니, 그건 너무 무모했다고 그는 말했다. 적어도 설명은 하고 떠났어야 한다고 말이다. 그때 내 마음과 결심을 그에게 전부 털어놓기라도 했어야 옳았다. 그는 내게 정부가 되어달라고 강요하지 않았을 것이다. 후회와 절망으로 광기에 사로잡히긴 했지만, 그는 나를 진심으로 사랑했다. 너무나 깊이, 너무도 열렬히 사랑하기에 나를 휘어잡고 지배할 폭군이 되지는 않았을 것이다. 오히려 넓은 세상에 의지할 곳 하나 없는 몸으로 도망갈 마음을 먹었다는 말을 들었더라면, 키스 한 번 요구하지 않고 자기 재산의 절반을 떼어놓았을 사람이다. "아마 내게 이야기하는 것보다 몇 배는 심하게 고생했겠지"라고 그가 확신에 찬 목소리로 중얼거렸다.

"글쎄요, 제가 어떤 일을 겪었든 간에 그리 길지는 않았어요." 나는 대답했다. 그리고 무어 하우스 식구들이 어떻게 나를 받아주었는지, 어떻게 마을 학교의 선생이 되어 아이들을 가르치게 되었는지를 설명했다. 재산이 늘어났고, 나도 모르던 사촌을 만나게 된 경위도 시간 순서에 따라 늘어놓았다. 물론 세인트 존 리버스라는 이름은 내 이야기의 시작부터 자주 등장했다. 내가 이야기를 마치자, 로체스터 씨는 그 이름을 곧바로 언급했다.

"그렇다면 그 세인트 존이라는 자가 그대의 사촌이란 말이야?"

"네."

"꽤 여러 번 언급하던데, 혹시 그를 좋아합니까?"

"좋은 사람이지요. 좋아할 수밖에 없는 사람이에요."

"아, 좋은 사람. 혹시 그 말이, 그가 50세 전후의 품행이 단정하고 존경할 만한 인품을 가진 어른이라는 뜻일까? 아니면 다른 의미일까?"

"세인트 존은 이제 스물아홉이에요."

"프랑스인들 말처럼 '좋은 시절'이군. 키가 작거나 나약하거나 평범한 외모겠지? 좋은 점이라고는 그저 한없이 착하고 나쁜 짓은 할 줄 모르는 사람인가?"

"아무리 바쁘게 살아도 지칠 줄 모르는 분이에요. 위대하고 고귀한 업적을 위해 살아가는 분이죠."

"그렇다면 머리는? 우둔한가? 의도는 그게 아니었겠지만, 그 사람이 무슨 말만 하면 그대도 모르게 동의할 수 없어 어깨만 으쓱한다거나."

"말수는 적은 편이에요. 하지만 요점에서 벗어나지 않고, 굉장히 똑똑해요. 감수성이 풍부하지는 않지만, 그래도 힘이 느껴져요."

"아, 유능한 사람이고?"

"정말 그래요."

"교육도 잘 받았겠군?"

"세인트 존은 대학을 우수하게 졸업한 학자예요."

"매너는? 아까 분명 그의 태도가 영 그대 취향은 아니었다고 했던 것 같은데? 너무 엄격하고 목사처럼 딱딱하다고."

"그분의 태도에 관해서는 말씀드린 적이 없는 것 같은걸요? 하지만 제 취향이 썩 나쁜 게 아니라면 다들 좋아할 거예요. 굉장히 고상하고 침착하고, 또 신사답거든요."

"그 외모는…… 뭐라고 했지? 금세 잊어버렸군. 아, 풋내기 목사처럼 생겼다고 했던가? 흰 목깃에 짧은 목은 반쯤 파묻혔고, 굽이 높고 두꺼운 신발을 신고 다니며 어떻게든 키라도 커 보이려고 애쓰는 그런 꼴이랬지, 응?"

"아니요, 세인트 존은 옷도 단정하게 잘 입어요. 사실 잘생긴 분이에요. 키도 크고 잘생긴 데다가 푸른 눈이에요. 옆에서 보면 꼭 그리스 조각상처럼 생겼어요."

로체스터 씨가 참다못해 고개를 돌리고 "쯧, 재수 없는 자식!" 하고 분노를 터트렸다. 그리고 내게 물었다. "그래서, 그를 좋아했다고?"

"네, 좋아했죠. 하지만 그건 아까도 물어보셨잖아요."

물론 나도 그의 마음을 고스란히 느끼고 있었다. 질투가 그를 사로잡은 것이다. 내가 마구 찌르는 대로 그는 푹푹 찔렸다. 하지만 그러는 편이 나았다. 우울한 마음을 갉아먹는 송곳니로부터 잠시나마 벗어났으니 말이다. 그래서 나는 질투에 사로잡힌 그를 곧장 달래주지 않겠다고 마음먹었다.

"아, 그렇다면 내 무릎 말고 다른 이의 무릎에 앉고 싶겠군,

에어 양?"

그러나 그의 반응은 내 예상과 조금 빗나갔다.

"왜, 왜요? 로체스터 님?"

"방금 묘사한 초상화는 너무나 강렬하고 대조적인걸. 그대의 말에 따르면 그는 아주 우아하기 짝이 없는 아폴로를 닮았잖소. 키는 멀대같이 크고 잘생긴 데다가 옆모습이 그리스 조각상 같다면서. 그런데 정작 그대가 의자 삼아 앉은 나는 길색 눈에 이께만 무식하게 넓은 대장장이의 신 불칸과 흡사하거든. 게다가 나는 장님에 손도 하나 없어."

"어머, 전에는 그런 생각을 안 해봤는데, 정말 불칸을 닮은 것도 같아요."

"그러면 이제 그만 일어나시오. 아, 잠깐. 일어나기 전에." 그가 어느 때보다 나를 힘껏 끌어안고 물었다. "기왕 물어본 김에 궁금한 게 한두 개 더 있는데, 답해주고 가겠소?"

"무엇이 궁금한가요? 로체스터 님?"

이번에는 조금 더 꼬치꼬치 캐묻는 말투였다.

"그자는 그대가 제 사촌이라는 걸 알기도 전에 모튼 여학교 교장으로 임명했다지?"

"그랬지요."

"그렇다면 자주 봤겠군? 오며 가며 학교를 방문했을 테니까?"

"매일 오셨어요."

"그렇다면 그자는 그대의 여러 가지 계획을 듣고 승인도 해주었겠군? 그대가 총명하다는 걸 분명 그자도 알았을 테니까!”

“네, 맞아요. 전부 허락해 주었어요.”

“그대에게서 생각지 못했던 재능도 마구 발견했을 거야. 보통 사람들은 가질 수 없는 특별한 재능이 엄청나게 많은 그대니까.”

“그건 저도 잘 모르겠어요.”

“학교 근처에 조그만 오두막을 내어주었다고 했지. 혹시 그자가 집에도 찾아오고 그랬소?”

“가끔 왔어요.”

“저녁에도?”

“한 번인가, 두 번 정도요.”

로체스터는 말이 없었다. 그러다가 이내 물었다.

“사촌이라는 걸 알고 나서 그 동생들과 함께 얼마나 같이 살았지?”

“다섯 달이요.”

“리버스라는 그자는 동생들과 시간을 자주 보내는 편인가?”

“네, 안쪽 응접실을 서재로 썼어요. 저희도 그곳에서 시간을 보냈고요. 그분은 창가에 앉아 있고 저희는 탁자에 둘러앉았지만.”

“그자는 공부를 즐기는 편인가?”

“네, 학업을 놓지 않았어요.”

“무슨 공부?”

“힌디어요.”

"그러는 동안 그대는 무얼 했소?"

"처음에는 독일어를 공부했어요."

"그자가 그대를 가르치고?"

"그분은 독일어를 못해요."

"아무것도 가르쳐주지 않았다고?"

"대신 힌디어를 조금 배웠어요."

"리버스가 그대에게 힌디어를 가르쳤다고?"

"네."

"그 여동생들이랑 같이?"

"아니요."

"그럼, 오직 그대에게만?"

"네, 저만 배웠어요."

"그대가 배우고 싶다고 부탁했나?"

"아니요."

"그럼, 리버스가 가르쳐주겠다고 한 거요?"

"네."

두 번째 침묵이었다.

"왜 공부를 가르쳤을까? 그대에게 힌디어가 무슨 도움이 된다고?"

"아, 저를 데리고 인도에 가고 싶다고 했어요."

"아하! 이제야 문제의 핵심에 도달했군. 그자가 그대에게 청혼했나?"

"청혼하기는 했죠."

"거짓말. 나를 괴롭히려고 전부 꾸며낸 소리군."

"죄송하지만 전부 사실인걸요? 제게 몇 번이나 물어보았어요. 두 번 이상이나요. 뜻과 의지를 절대 굽히지 않는 분이니까요."

"에어 양, 다시 한번 말하지만, 내 무릎에서 일어나도 좋습니다. 내가 몇 번이나 같은 말을 하게 만드는 거지? 그만 일어나도 괜찮다는데, 대체 왜 이렇게 내 무릎을 고집하는 겁니까?"

"그야 여기가 편하니까요."

"아니, 제인. 그대는 이 무릎이 편안하지 않아. 왜냐하면 그대의 마음이 내게 없으니까. 그대의 마음은 그 빌어먹을 사촌, 세인트 존에게 가 있으니까. 아, 이 순간까지도 나는 나의 자그마한 제인이 오로지 내 것인 줄로만 알았는데! 그대가 나를 떠났어도 나를 사랑한다고 굳게 믿었는데. 쓰디쓴 것 중 단 하나의 달콤한 위로였는데! 우리가 헤어져 있던 시간이 아무리 길었다고 해도 나는 우리의 이별을 되새기며 뜨거운 눈물을 흘렸어. 그럼에도 내가 그대를 그리워하던 그 긴 시간 동안 그대가 다른 사람을 사랑하게 되었을 거란 생각은 꿈에도 하지 못했지! 아, 이제 알겠소. 내 슬픔은 그저 허망하고 쓸모없는 낭비였군. 제인, 이제 나를 떠나시오. 가서 리버스 그 자식과 결혼해요."

"그럼, 저를 밀쳐내세요. 저를 직접 일으키세요. 저는 절대 제 의지로 일어날 생각이 없으니까요."

"제인, 그대의 목소리가 참 좋아. 희망이 가득하거든. 진실함이 느껴져. 그 목소리를 들으면 마치 시간이 1년 전으로 돌아간 것만 같아. 그대에게 새로운 사람이 생겼다는 사실도 잊어버릴 만큼. 하지만 나는 바보가 아니야, 그만 가요⋯⋯."

"제가 어디로 가야 하는데요?"

"그대의 길로. 그대가 선택한 남편에게로."

"그게 누구죠?"

"당연히, 세인트 존 리버스지."

"그는 제 남편이 아니에요. 앞으로도 그럴 일은 없어요. 그는 저를 사랑하지 않아요. 저도 그를 사랑하지 않아요. 그분은 로저먼드라는 이름의 아름다운 여인을 사랑했어요. 물론 그가 사랑할 수 있는 만큼만. 그 사랑이 당신이 생각하는 사랑은 아니에요. 그가 제게 청혼한 건, 제가 선교사의 아내로 어울리는 사람이기 때문이에요. 로저먼드는 그럴 수 없는 아가씨였거든요. 그분은 좋은 분이고 또 훌륭한 분이지만, 가혹한 분이기도 해요. 제게는 마치 얼음 빙산처럼 차갑고요. 그분은 당신과는 달라요. 그분 곁에서는 행복하지 않아요. 그분에게 가까이 있는 것도, 그분과 함께하는 것도, 조금도 기쁘지 않아요. 그분은 제게 너그럽지도 않고, 저를 좋아하지도 않아요. 제게 그 어떤 매력도 느끼지 못해요. 저의 젊음 마저도 그분에게는 아무런 매력이 없어요. 그분이 높이 산 건 오로지 선교사의 아내가 될 인내심과 끈기뿐이었어요. 그런데도 제가 당신을 떠나 그분에게 가야 하나요?"

말하다 보니, 나도 모르게 몸이 바르르 떨렸다. 나도 모르게 본능적으로 앞이 보이지 않는 내 주인의 목을 끌어안고 매달렸다. 그제야 그가 입꼬리를 끌어 올렸다.

"제인! 그게 정말이오? 그대와 리버스 사이는 고작 그게 전부란 말이지?"

"물론이에요! 질투하지 말아요! 그냥 당신이 조금 덜 슬프길 바라는 마음에 장난친 것뿐이에요. 슬픔보다는 화를 내는 게 더 나을 것 같았어요. 하지만 제가 당신을 사랑하길 원한다면, 제가 얼마나 당신을 사랑하는지 알게 된다면…… 분명 뿌듯하고 기쁠 거예요. 제 마음은 온통 당신만 생각해요. 모두 당신 것이에요. 운명이 우리를 갈라놓아도, 제 마음은 늘 당신 곁에 있을 거예요."

로체스터 씨가 내게 깊이 입을 맞추었다. 그러나 다시 한 번, 그의 안색이 눈에 띄게 어두워졌다. "불길이 앗아간 시력은 어쩌고! 아무것도 할 수 없는 나를!" 그는 도저히 받아들일 수 없다는 듯 고개를 저었다.

그를 꼭 안아 달래주었다. 그가 무슨 생각을 하는지 너무나 잘 알았다. 그에게 전부 다 괜찮다고 말해주고 싶었지만, 차마 그럴 수 없었다. 한참이나 말없이 고개를 들지 못하던 그가 고개를 들었다. 굳게 닫은 눈꺼풀 아래로 눈물이 흘렀다. 강인한 뺨과 턱으로 눈물이 흘러내렸다. 내 마음이 덩달아 울컥했다.

"나는 손필드 과수원에 번개로 죽어버린 마로니에 나무보다 나을 게 없소……." 얼마 지나지 않아 그가 입을 열었다.

"폐허가 되어버린 나무가, 이제 막 싹을 틔운 어린 담쟁이 덩굴에게 감히 생명력을 나눠달라고, 썩은 모습을 덮어달라고 할 수는 없어."

"아니요, 폐허가 아니에요. 번개로 죽어버린 고목이 아니에요. 당신은 여전히 푸르고 여전히 강인해요. 당신이 시키지 않아도 그 뿌리 주변에 늘 새로운 식물이 싹을 틔울 거예요. 왜냐하면 당신이 시원하고 울창한 그늘을 내어주니까. 그 새싹이 무럭무럭 자라 당신을 감싸안을 거예요. 당신의 강인한 존재감이 안전한 버팀목이 되어주니까요."

그가 다시 잔잔한 미소를 띠었다. 내가 그에게 위로가 되어준 것이다.

"친구가 되어주겠다는 거로군, 제인?" 그가 물었다.

"네……, 친구가 되어드릴게요." 나는 약간의 망설임 끝에 답했다. 그에게 내가 바라는 건, 친구 이상의 의미였으니까. 그러나 차마 내 입으로 다른 말을 할 수는 없었다. 내 망설임을 눈치챈 그가 먼저 손을 내밀었다.

"하지만 제인! 나는 그대가 내 아내가 되어주었으면 하는데?"

"정말로요?"

"그럼, 딱히 놀랄 일도 아니잖소?"

"당연해요! 한 번도 그런 말씀은 안 하셨잖아요."

"별로 반가운 기색이 아닌걸?"

"당신의 선택에 따라 달라질 거예요."

"그대가 선택해요, 제인. 나는 그대의 결정에 기꺼이 따를 테니까."

"그렇다면 골라주세요, 당신이 가장 사랑하는 사람을."

"아, 그렇다면 어쩔 수 없이 결정해야겠군. 내가 가장 사랑하는 사람으로. 제인, 나와 결혼해 주겠소?”

“물론이요.”

“앞도 보이지 않는 불쌍한 나와? 앞으로 평생 그대의 손을 붙잡고 걸어야 하는 나와?”

“물론이에요.”

“그대보다 스무 살이나 많고, 내내 그대에게 의지할 수밖에 없는 나라도?”

“네.”

“진심이오, 제인?”

“이 세상 그 무엇보다도.”

“아, 나의 사랑! 그대에게 신이 내린 모든 은총과 축복을!”

“지난날 제가 한 선행과 제가 품은 선한 생각과 진실하고 거짓 없는 기도와 의로운 소망이 이제야 보답받는 기분이에요. 당신의 아내가 된다는 건, 제게 이 세상에서 누릴 수 있는 가장 큰 행복이니까요.”

“그래, 그대는 기꺼이 희생할 사람이지.”

“희생이라고요? 제가 무엇을 희생하는데요? 굶주리던 제게 음식이 내려지고 기대하던 제게 기쁨이 내려졌는데요? 제게 가장 소중한 사람을 안을 수 있는 특권이, 제가 사랑하는 이에게 입 맞출 수 있는 특권이, 제가 믿고 의지하는 이에게 기대어 쉴 수 있는 특권이 과연 희생일까요? 그게 만약 희생이라면 저는 기꺼이 희생하겠어요.”

“나의 장애를 기꺼이 감내해야 하는 것도 희생이오, 제인. 내 하자를 간과하지 말아요.”

"제게 그건 아무런 문제가 되지 않아요. 오히려 이제야 제대로 당신을 사랑할 수 있게 되었어요. 당신에게 쓸모 있는 지금이 더 좋아요. 누구에게도 의지하지 않고, 자존심 강하고, 제게 그저 내어주고, 저를 보호하려고만 했던 지난날보다 지금이 훨씬 편안해요."

"지금껏 나는 남의 도움을 받는 게 싫었소. 남의 손에 끌려가는 게 싫었지. 그러나 이제는 달라졌소. 더 이상 그게 싫지 않아. 하인의 손을 붙잡고 다니는 꼴이 그렇게도 싫었는데, 그대의 자그마한 손가락이 내 손을 감싼다면 그보다 행복할 수 없을 테니까. 하인이 내게 달라붙어 끊임없이 시중드는 그 꼴이 너무도 싫어서 차라리 혼자 있기를 바랐지. 하지만 그대가 나를 돌봐준다면, 나는 영원히 기쁠 것 같아. 제인, 그대는 내게 완벽해. 하지만 과연 나는, 나는 그대에게 어울리는 사람일까?"

"제 모든 성격과 가장 섬세한 한 줄기의 감성마저 전부 다."

"그렇다면 우리는 이제 기다릴 게 없지 않나? 당장 결혼해야겠어."

그가 열정을 담아 힘차게 외쳤다. 예전의 조급한 성격이 다시 튀어나오고 있었다.

"하루도 미루지 말고 당장 하나가 되고 싶소. 제인, 공표 없이 허가증을 바로 신청합시다. 허가증이 나오는 대로 당장 식을 올려요."

"로체스터 님, 벌써 해가 넘어가려고 하는걸요? 파일럿도 이미 집에 간지 오래예요. 제게 시계를 보여주세요."

"이제 그대의 허리띠에 매시오. 앞으로는 그대가 가지고 있어요. 나는 시계가 필요 없는 사람이니까."

"벌써 오후 네 시가 다 되어가요. 배고프지는 않으세요?"

"사흘 후에 식을 올리는 겁니다, 제인. 좋은 옷이나 보석은 잊읍시다, 그런 건 아무런 가치도 없어."

"햇볕이 좋아서 어제 내린 빗방울도 다 말랐어요. 바람이 불지 않아서 그런지 꽤 더워요."

"제인, 지금 내가 크라바트* 안쪽에, 내 맨 목덜미에 그대가 두고 간 진주 목걸이를 하고 있다는 거 알고 있소? 이 목걸이는 내게 유일했던 보석을 잃어버린 후로 그녀를 추억하기 위해 항상 몸에서 떼지 않았지."

"우리 숲을 지나 집으로 가요. 그게 가장 그늘지고 시원할 것 같아요."

그는 내 말은 아랑곳하지도 않고 자기 마음을 열심히 토로했다.

"제인! 지금껏 나를 불경한 놈이라고 생각했겠지. 하지만 지금은 달라. 이 땅의 자비로운 주님을 향해 무한한 감사를 드리고 싶은 마음이야. 역시 주님은 인간의 눈으로 볼 수 없는 것까지 두루 보시는 분이셨소. 나약한 인간의 판단력은 주님의 그것을 따라갈 수 없지. 확실히 현명한 판단을 내리시는 분이야. 아, 나의 옳지 못한 선택으로 말미암아 하마터면 나의 순수한 꽃 한 송이의 순결을 더럽힐 뻔했소. 감히 더러운 숨결을 불어넣을 뻔했어. 그러니 전능하신 주께서 그대

---

* 넥타이처럼 매는 남성용 스카프.

를 내게서 앗아간 거요. 나는 오만하게도 주님의 섭리를 저주하고 그분에게 반항했지. 그분의 법에 굴복하는 게 아니라, 오히려 도전하려고 했어. 그러자 신성한 정의가 나를 단죄하고, 내게 재앙을 내렸지. 죽음의 그림자가 드리운 골짜기를 홀로 걷는 엄벌이 닥친 거요. 처벌은 피할 수 없는 힘으로 들이쳤소. 그리고 나의 오만함을 거두어 갔지. 내가 나의 힘을 지나치게 믿고 오만하게 굴었다는 걸 그대도 알고 있을 기요. 그러나 지금은 어떻지? 어린아이처럼 타인의 손에 의지할 수밖에 없는 처지가 되었지. 아, 제인. 늦었지만, 정말로 늦었지만, 나는 나의 운명이 타인의 손에 맡겨지는 꼴을 보고 나서야, 주님의 손길이 내게도 가해질 수 있다는 걸 깨달았소. 이제야 후회하고 회개하고, 주님과 화해하길 바란 거요. 그리고 때로는 기도를 올리기도 했소. 짧지만 정말 진지했어.

 며칠 전이었지. 아니, 분명히 기억해. 나흘 전이니까 지난 월요일 밤이었어. 갑자기 이상한 기분이 드는 겁니다. 슬픔이 광기를 압도하는 기분이었지. 그리고 슬픔은 우울로 변했소. 오랫동안 그대를 찾을 수 없었기에, 그대가 분명 어디선가 숨을 거두었다고 믿었지. 그날 밤 늦게, 아마 열한 시에서 열두 시 사이였을 겁니다. 나는 또 한 번, 지긋지긋한 휴식을 취하고 있었어. 쓸쓸한 잠자리에 들기 전에 간절히 바라고 또 바랐지. 주님께서 허락하신다면 부디 나를 거두시기를, 부디 제인을 만날 수 있는 희망이 있는 그곳으로 나를 데려가시기를.

나는 내 방에 있었소. 창문을 열어놓고 그 옆에 앉아 있었지. 상쾌한 밤공기를 맡으니, 마음이 조금 누그러지더군. 별은 보이지 않았지만, 희미한 빛 안개로 보아 달이 떴다는 걸 알 수 있었어. 그리고 나는 그대를 너무도 간절히 바랐어. 제인! 내 몸과 마음이 그대를 애달프게 바라고 또 바랐지. 괴로운 마음으로 겸손하게 그대를 간청했어. '주님, 저는 이제 충분히 황폐하고 충분히 고통스럽습니다, 제게 부디 행복과 평화를 주십시오' 하고 말이오. '제가 견뎌야 하는 고난은 제 죄로 인한 벌이지만, 더는 견딜 수가 없습니다.' 그리고 내 마음이 바라고 바라던 그 하나의 대상이 나도 모르게 입 밖으로 터져 나왔소. '제인! 제인! 제인!' 하고."

"설마 제 이름을 소리 내 외치셨나요?"

"응, 그랬소. 만일 누군가 내 목소리를 들었다면, 아마 내가 미쳤다고 여겼을 겁니다. 정말 미친 듯이 그대의 이름을 불러댔으니까."

"지난 월요일 밤 자정 무렵에요?"

"그래요. 하지만 시간은 중요하지 않소. 그다음 일어난 일이 더욱 기이했거든. 아마 내가 미신에 빠졌다고 생각할지도 모르지만, 어쨌든 내 몸에는 미신을 믿는 피가 흘러. 예전부터 그랬어, 이건 사실이야. 적어도 지금부터 이야기하는 건 전부 사실이오.

내가 그대의 이름을 '제인! 제인! 제인!' 하고 외치자, 알 수 없는 목소리가 희미하게 대답했어. '여기 있어요! 기다려요!' 잠시 후 바람이 불어오며 내게 속삭였소. '어디 있어요?'

내가 느낀 목소리에 담긴 뜻과 형상을 어떻게든 자세히 설명하고 싶지만, 말로 표현하기가 너무 어려워. 다만 그대도 알다시피 펀던 저택은 소리가 둔탁하게 울리고, 메아리도 치지 않는 울창한 숲으로 둘러싸여 있지 않소? '어디 있어요?'라는 목소리는 산맥 사이에서 새어 나오듯 희미했어. 언덕에서 들려오는 메아리가 그 말을 반복해서 흐느꼈거든. 바람이 내 이마를 스치는 순간, 시원하고 상쾌한 기분이 들었소. 마치 야생의 황량한 풍경을 바라보며 그대와 만나는 기분이랄까. 두 사람의 영혼이 만났던 게 틀림없어. 물론 그 시간, 그대는 꿈도 꾸지 않는 깊은 잠에 빠져 있었겠지만. 제인, 어쩌면 그대의 영혼이 육신이라는 감옥에서 벗어나 내 영혼을 위로하기 위해 찾아왔던 건 아닐까? 그 목소리는 틀림없이 그대의 목소리였거든."

독자여, 그날은 월요일 늦은 밤이었다. 자정 무렵이었고, 그날 분명히 나는 그 기이한 외침을 들었다. 내 이름을 부르는 그의 목소리에 내가 대답했다. 로체스터 씨의 이야기에 귀를 기울이면서도, 나는 내가 겪은 이야기는 하지 않기로 결심했다. 우연치고는 너무나 무섭고 기이한 일이었기에. 만일 그에게 내가 겪은 일을 털어놓았다면, 아마 그의 마음에도 깊은 감동을 주었을 것이다. 그러나 아직도 상처가 깊이 남아 쉽게 아파하고 울적해하는 그에게 굳이 초자연적인 현상을 고백해 깊은 그늘을 드리울 필요는 없지 않을까. 그 일은 그저 내 마음에 간직하고 홀로 묻어두는 게 낫다는 결론을 내렸다.

"그래서 그대가 어젯밤 갑자기 나를 찾아왔을 때도, 단순히 목소리나 환영이 아니라 정말 그대라는 걸 더더욱 믿을 수가 없었지. 그 늦은 밤 메아리처럼 다시 고요하게 가라앉으며 녹아 사라지는 게 아닐까 했거든. 하지만 지금은 주님께 깊이 감사드리는 마음뿐이오! 이제 나는 그대가 환상이 아니라는 걸 아니까. 아, 신이여, 감사합니다!"

그가 나를 무릎에서 내려놓고는 천천히 나무 그루터기에서 일어섰다. 모자를 벗고 보이지도 않는 눈을 바닥에 내리깔고 말없이 감사 기도를 올렸다. 기도의 마지막이 들렸다.

"주님, 감사합니다. 심판의 한가운데에서도 자비를 내려주신 주님, 우리 주 구세주, 부디 바랍니다. 지금보다 더 무구한 삶을 살아갈 수 있도록 저를 도와주소서."

그런 다음 그는 내게 손을 내밀었다. 마치 자신을 인도해달라는 듯. 나는 사랑해 마지않는 그의 손을 잡았고, 잠시 입을 맞춘 다음 내 어깨에 둘렀다. 나보다 훨씬 커다란 그를 위해 기꺼이 그의 버팀목이 되고 인도자가 되었다. 그렇게 우리는 숲길로, 우리의 집을 향해 걷기 시작했다.

38

독자여! 마침내 나는 그와 결혼했다. 참으로 소박하고 조용한 결혼이었다. 그와 나, 목사님과 서기, 딱 넷만 참석한 조촐한 식이었다. 교회에서 돌아온 나는 곧장 부엌으로 향했다. 메리는 저녁을 준비하고 있었고 존은 칼을 갈고 있었다. 나는 그들에게 말했다.

"메리, 저 오늘 아침 로체스터 씨와 결혼했어요."

가정부와 그녀의 남편 모두 놀랄 만한 소식을 전해도 쉽게 놀라지 않는 성격이었다. 장황하게 감탄하거나 뒤로 넘어갈 것처럼 호들갑을 떨지도 않았다. 메리는 고개를 들어 나를 빤히 바라보기만 했다. 굽고 있던 두 마리 닭에 기름을 끼얹던 국자가 허공에 3분 정도 멈춰 있던 게 전부였다. 같은 시간, 존이 열심히 갈던 칼도 미동도 없이 멈출 뿐이었다. 그렇게 국자를 든 채 맥없이 나를 바라보던 메리가 다시 익어가는 닭을 살피며 말했다.

"그러셨어요, 아가씨? 아, 그러셨군요!"

그리고 잠시 후, 그녀가 다시 입을 열었다. "오늘 아침 주인님과 외출하시는 모습을 보기는 했는데, 결혼하러 교회에 가시는 줄은 몰랐네요." 그리고 휙 자리를 떴다. 내가 존을 향해 돌아서자 그가 배시시 웃으며 말했다.

"아내에게 분명 이런 날이 올 거라고 했습니다. 에드워드 님의 마음을 분명히 알고 있었죠. (존은 이 집안을 오래 섬긴 하인으로, 그의 주인이 로체스터가의 차남일 때부터 집안일을 돌보았다. 그래서인지 가끔은 에드워드라는 이름으로 그를 부를 때도 많았다.) 당연히 이렇게 되리라는 걸 직감했습니다. 오래 끌지 않으실 줄 알았어요. 어쨌든 옳은 결정을 하신 겁니다. 축하드립니다, 아가씨!" 그가 허공에 모자를 짚는 시늉을 하며 고개를 숙였다.

"고마워요, 존. 로체스터 님이 이걸 당신 내외에게 주라고 하시더라고요." 내가 그에게 5파운드 지폐를 내밀었다. 그리고 아무 말 없이 부엌을 나섰다. 얼마 후 그 앞을 지나가는데 두 사람의 대화 소리가 들렸다.

"그 어떤 귀족 아가씨보다 주인님께 잘할 거야. 미모가 빼어나지는 않아도 착하고 자상하시니까. 게다가 주인님 눈에만 예뻐 보이면 그만이지. 아주 꿀이 떨어지더구먼, 뭘."

나는 무어 하우스와 케임브리지에도 곧장 소식을 알렸다. 그리고 왜 이렇게 성급하게 결혼할 수밖에 없었는지를 적었다. 다이애나와 메리는 내 결정을 온전히 이해하고 지지해 주었다. 신혼 기간이 어느 정도 지나면 나를 만나러 오겠다고도 답했다.

"그때까지 기다리지 않아도 돼, 제인." 내가 편지를 읽자 로체스터 씨가 말했다. "굳이 그렇게 오래 기다릴 필요가 있어? 우리 신혼은 영원히 끝나지 않을 텐데. 아마 그대와 내 무덤 흙이 덮여야 잠잠해지겠지."

세인트 존이 내 소식을 어떻게 받아들였는지는 나도 알 수 없다. 그는 내 편지에 따로 답장을 보내지 않았다. 무려 여섯 달이나 지난 후에야, 그는 내게 편지를 보냈다. 그 편지에는 로체스터의 이름이나 내 결혼에 관해서는 단 한마디도 적혀 있지 않았다. 차분하고 진지하지만, 또 자상한 편지였다. 그렇게 자주는 아니지만, 그는 이따금 내게 편지를 보냈다. 그는 내가 행복하기를 바라며, 주님을 잊지 않는 생활을 지속하기를 바란다고 적었다.

독자여, 혹시 어린 아델을 잊지는 않았는가? 나도 그 아이를 잊지 않았다. 얼마 후, 나는 로체스터 씨의 허락을 받고 그 아이가 다니는 학교에 방문했다. 나를 보고 너무 기뻐하는 아델을 보며 영 마음이 좋지 않았다. 얼굴빛이 창백하고 전보다 많이 야윈 모습으로 학교가 전혀 즐겁지 않다고 했다. 학교의 규칙이 너무 엄하고, 학습 과정은 그 나이대 아이에게 너무 가혹한 편이었다. 나는 아이를 집으로 데려왔다. 다시 아델의 가정교사가 되어주고 싶었다. 그러나 안타깝게도 그건 불가능한 일이라는 걸 얼마 지나지 않아 깨닫게 되었다. 내 시간과 관심을 다른 곳에 쏟아붓기에도 모자랄 지경이었기 때문이었다. 나의 남편에게 내 모든 걸 쏟아야 했다. 그래서 나는 조금 더 자유로운 분위기의 학교를 찾았다. 자주 찾아갈 수 있고, 원하는 만큼 자유롭게 집에 드나들 수 있는 학교였다. 나는 아델이 편안하게 지낼 수 있도록 필요한 모든 걸 내어주었다. 아델은 곧 새로운 학교에 잘 적응했고, 매우 행복해했으며 공부에도 상당한 발전을 보였다. 나이를 먹으면서 건전한 영어 교육을 받으니, 프랑스인이 갖는 약점을 모두 고칠 수 있었고, 졸업할 무렵에는 유순하고 다정하며, 규칙을 잘 지키는 친절한 말벗이 되어주었다. 아델은 나와 내 가족이 베푼 친절에 오래도록 감사한 마음을 표현하는 좋은 아이로 성장했다.

나의 이야기는 이렇게 끝을 맺는다. 결혼 생활에 관한 나의 경험과 소회 그리고 자주 등장했던 인물의 운명에 대한 간략한 설명만 남았다.

어느덧, 결혼한 지 10년이 지났다. 이제 나는 세상에서 가장 사랑하는 사람을 위해 산다는 것, 그 곁을 지키는 게 어떤 것인지 잘 안다. 나는 정말이지 가장 축복받은 사람이라 생각한다. 말로는 다 표현할 수 없을 만큼 행복한 삶이다. 나는 남편의 삶이고, 그는 나의 삶이 되어주었다. 나보다 반려와 가까이 지내는 여자도 없을 것이다. 그야말로 '뼈 중의 뼈요, 살 중의 살'*이다. 그와 함께 있으면, 반대로 그가 나와 함께 있으면, 우리는 아직도 싫증 따위 느끼지 못한다. 각자의 가슴에 뛰는 심장박동이 지겨울 수 없듯, 우리는 서로에게 그렇다. 그래서 우리는 늘 함께 있다. 같이 있어도 혼자 있을 때처럼 자유롭고, 함께 시간을 보내도 마찬가지로 즐겁다. 지금도 우리는 온종일 이야기를 주고받는다. 마치 서로의 생각을 생생하게 전달하고 전달받는 기분이랄까. 나는 그를 전적으로 신뢰하고, 그 역시 마찬가지로 나를 온전히 믿어준다. 서로에게 완벽하게 어울리는 성격이라 그런지, 우리는 함께하며 완벽한 조화를 이룰 수 있었다.

로체스터 씨는 우리가 결혼하고 첫 2년간은 아예 앞이 보이지 않았다. 그래서 더더욱 서로에게 의지하며 떨어지지 않았는지도 모르겠다. 그때 나는 그의 눈이었고, 여전히 그의 오른손을 자처하므로. 말 그대로 나는 그의 눈동자였다. (나를 곧잘 그렇게 부르곤 했다.) 그는 나를 통해 자연을 보고, 나를 통해 책을 읽었다. 아무래도 지치지 않았다. 그를 위해 들판과 나무, 마을과 강, 구름, 햇빛 등등 눈앞의 풍경이나 매일의 날씨를 말로 표현하고, 빛이 그의 눈에 각인시킬 수 없는 풍경을

* 「창세기」 2장 23절.

소리로 그의 귓가에 속삭이는 일이 즐겁기만 했다. 나는 그에게 책을 읽어주고, 그가 가고 싶은 곳으로 인도하고, 그가 원하는 일을 대신 해주는 게 즐거웠다. 정말이지 충만한 행복이었다. 물론 안쓰러운 마음이 들기도 했지만, 그는 수치스러워하지 않았고 굴욕감도 느끼지 않았다. 그가 나를 온 마음으로 사랑하기에, 내 손으로 그를 돌봐주는 것마저도 만족할 수 있었다. 내가 마음 깊이 그를 사랑한다는 걸 그도 느끼기에, 그를 돌봐주고 싶다는 나의 가장 행복하고 간절한 소원을 당연히 이뤄주고 싶은 마음이었으리라.

결혼하고 2년이 지날 무렵, 어느 날 아침이었다. 나는 그가 부르는 대로 편지를 쓰고 있었다. 그때 그가 내게 다가와 허리를 숙이며 속삭였다.

"제인, 혹시 반짝이는 목걸이를 하고 있어?"

나는 금색 시곗줄을 목에 걸고 있었다. 나는 "네" 하고 대답했다.

"그리고 연한 파란색 드레스를 입고 있나?" 그가 다시 물었다.

그의 말이 맞았다. 얼마 전부터 한쪽 눈의 희뿌연 안개가 조금씩 옅어진다는 느낌을 받았다고, 느낌만 있었는데 정말 나아지고 있다고 말이다.

우리는 곧장 런던으로 갔다. 저명한 안과의사의 진찰과 치료 끝에 그는 한쪽 눈의 시력을 회복할 수 있었다. 물론 완전히 회복하지는 못했다. 글을 많이 읽거나 쓸 수는 없지만, 그래도 누군가의 손을 잡지 않아도 길을 찾을 수 있을 정도로는 회복했다. 하늘은 더 이상 공허하지 않고 땅은 더 이상 텅 비어 있지 않다. 그의 첫아이를 품에 안았을 때, 그는 아이의 눈동자가 그의 눈을 닮은 검은색이라는 걸 확인했다. 아이의 눈은 그가 한때 가졌던 눈처럼 크고, 밝고, 짙었다. 그 순간, 그는 다시 한번 온 마음을 다해 주님이 자비를 가지고 심판하셨음을 인정했다.

나의 에드워드와 나는 그 후로도 행복하다. 우리가 사랑하는 사람들과 함께여서 더욱 그러하다. 다이애나와 메리는 모두 결혼했다. 1년에 한 번씩 번갈아 가며 우리를 찾아오고, 우리도 가끔 그들 부부를 만나러 가곤 한다. 다이애나의 남편은 해군 대령으로 용감한 장교이자 훌륭한 사람이다. 메리의 남편은 세인트 존의 대학 친구이자 성직자로, 그녀의 학식과 신념으로 미루어볼 때 그녀와 연을 맺을 자격이 충분한 사람이다. 피츠 제임스 대령과 워튼 씨 모두 아내를 사랑하고 또 아내에게 사랑받는다.

세인트 존 리버스는 영국을 떠나 인도로 갔다. 그는 자기가 가고자 한 길을 묵묵히 따랐으며 지금도 그 길을 걷고 있다. 여러 걸림돌과 위험을 단단하게 헤치고 걸으며 헌신을 따랐다. 신념을 지키며 활력과 열정, 진리로 가득한 삶을 살고 있다. 우리 인간을 위한 노고를 아끼지 않는다. 그는 고통으로 가득한 길을 묵묵히 닦고 있다. 그의 앞길을 막아서는 신념과 계급의 편견을 거대한 힘으로 무너뜨린다. 때로는 엄격하고 때로는 냉철하며 또 야심을 숨기지 않지만, 그의 엄격함은 「요한계시록」 속 사자(使者)의 공격으로부터 순례자를 지키는 『천로역정』의 위대한 전사 그레이트허트와 견줄 만하다. 그는 그리스도를 위해 설교하는 선교자로서 '나를 따르려는 사람은 누구든 자기를 부인하고 자기 십자가를 지고 나를 따르라'*라고 말한다. 그의 야심은 이 땅에서 구원받아 주님을 위한 첫 이삭이 되길 바라는 마음으로, 고결하고 위대하다. 그의 야심은 아무런 흠결 없이 주님의 보좌 앞에 서고, 어린 양의 마지막 승리를 나누고, 주님의 선택을 받은 신실한 자들의 맨 앞에 서기를 바라는 마음일 뿐이다.

세인트 존은 결혼하지 않았다. 앞으로도 결혼하지 않을 것이다. 이제까지 그는 홀로 견디며 노역했고 그 끝이 이제 가까워지고 있다. 찬란했던 태양이 이르게 지고 있다. 그에게 받은 마지막 편지를 읽고 나는 안타까운 눈물을 흘리지 않을 수 없었다. 그러나 내 마음은 거룩한 기쁨으로 충만했다. 그는 확실한 보답을, 불멸의 면류관을 기대하고 있었다. 머지 않아 도착할 그의 임종 소식은 아마 다른 이가 '선량하고 충실한 주님의 종이 마침내 그분의 부르심을 받아 기쁘게 떠났노라'라고 적을 것이다. 이 소식이 슬플 리 있을까? 죽음을 향한 두려움도 세인트 존의 마지막에 어둠을 드리우지 못할 것이다. 그의 마음은 한 점의 흐림도 없고, 조금의 두려움도 없을 것이다. 그에게는 분명한 희망과 흔들리지 않는 믿음만 가득하다. 그가 분명 내게 이렇게 말하며 서약하지 않았던가.

"나의 주님은 미리 경고하셨습니다. 매일 더 분명히 말씀

---

* 「마가복음」 8장 34절.

하십니다. '내가 속히 너에게 가겠다!' 그러면 매시간 나는 그분께 더 간절히 기도하곤 합니다. '아멘. 주 예수여, 어서 오소서.'*"

* 「요한계시록」 22장 20절.

1816년 4월 21일	요크셔 손턴에서 패트릭 브론테와 마리아 브론테 부부의 셋째 딸로 샬럿 브론테 출생.
1817년 6월 26일	동생 패트릭 브란웰 브론테 출생.
1818년 7월 30일	동생 에밀리 제인 브론테 출생.
1820년 1월 17일	동생 앤 브론테 출생. 같은 해 4월 아버지 패트릭 브론테가 종신 부목사로 임관되면서 손턴의 하워스 목사관으로 이사.
1821년 9월 15일	어머니 마리아 사망. 이모였던 엘리자베스 브란웰이 아이들을 돌봐주기 위해 하워스로 이주.
1824년	샬럿과 에밀리, 1813년 출생한 언니 마리아, 1815년 출생한 언니 엘리자베스 모두 랭커셔 코언 브리지의 성직자의 딸을 위한 여학교에 입학.
1825년 5월 6일	언니 마리아와 엘리자베스가 학교에서 결핵에 감염되어 사망. 그 일로 샬럿과 에밀리는 학교를 떠남.
1826년	동생 브란웰에게 열두 명의 나무 병정 장난감 상자를 선물한 것에서 영감을 얻어 샬럿과 에밀리는 가상의 아프리카 왕국 '글래스 타운'과 '앙그리아 제국'과 같은 상상의 나래를 펼침.

1831년 1월	샬럿, 허더즈필드 근처 머필드 외곽에 위치한 울러 선생님의 로 헤드 학교에 입학. 이후 평생의 친구 메리 테일러와 엘렌 누시를 만남.
1832년 6월	학교를 3년간 떠남. 집에서 동생들을 가르치며 집안일을 도왔고 이 시기 '글래스 타운'과 '앙그리아 제국'을 더욱 발전시킴.
1835년 7월	샬럿, 교사가 되어 로 헤드 학교로 돌아감. 에밀리, 그녀의 제자로 학교에 입학.
	같은 해 10월, 에밀리는 하워스로 돌아가고 막냇동생 앤이 로 헤드에 입학.
1836년 12월	샬럿, 당시 계관시인이었던 로버트 소디에게 시를 보내 문학 경력에 관한 조언을 구함. 그러나 이듬해 3월, 소디에는 "문학은 여성이 직업으로 삼을 수 있는 것이 아니며, 그래서도 안 된다"라고 회신.
1838년 12월	샬럿, 울러 선생님의 학교를 그만두고 더스베리무어로 이사.

1839년 3월   샬럿, 친구 엘렌의 오빠 헨리 누시의 청혼을 거절.

같은 해 5월에서 7월, 로더스데일 근처 스톤갭
저택에서 시드윅가의 가정교사로 일함.

1839년 7월   집으로 돌아온 샬럿에게 아일랜드의 젊은 부목
사 프라이스가 청혼하지만 거절.

1841년 3~12월   로든에 위치한 어퍼우드 저택의 화이트가에서
가정교사로 일함.

1842년 2월   샬럿과 에밀리, 어학 공부를 위해 브뤼셀의 에제
기숙학교로 떠남.

1842년 10월   이모 엘리자베스 브란웰이 하워스에서 사망.

1842년 11월   두 자매 귀국.

1843년 1월   샬럿, 홀로 브뤼셀로 출국해 에제 기숙학교로 돌
아감.

1844년 1월   샬럿, 집으로 돌아옴. 자매들과 함께 하워스 목사
관에 학교를 설립하려던 계획이 무산되자, 브뤼
셀의 에제 선생님에게 열정적으로 편지를 보냄.
그러나 회신이 왔다는 기록은 찾아볼 수 없음.

1845년 5월   아서 벨 니콜스 목사, 하워스에 부목사로 부임.

| 1845년 7월 | 동생 브란웰, 가정교사로 일하던 도중 불명예스럽게 해고당함.

같은 해 가을, 샬럿은 에밀리의 시를 읽고 두 자매에게 공동으로 시집을 출판하자고 설득. 에밀리와 앤은 가명을 사용하는 조건으로 동의. 커러, 엘리스, 액턴 벨이라는 성별이 모호한 이름을 쓰기로 함. |

| 1846년 4월 | 세 자매가 쓴 소설 『교수』, 『워더링 하이츠』 그리고 『아그네스 그레이』를 "서로 관련 없는 세 개의 독립적인 이야기"라는 소설집으로 출판시켜 줄 수 있는 출판사를 찾기 시작. |

| 1846년 5월 | 자매의 시집 『커러, 엘리스, 액턴 벨의 시』를 자비로 출판. 당시 영향력 있던 비평지 「아테네움」, 「크리틱스」로부터 호평을 얻었으나, 단 두 권만 판매. |

| 1846년 8월 | 샬럿, 아버지의 백내장 수술을 위해 맨체스터로 떠나고, 그곳에서 『제인 에어』 집필 시작. |

1847년 7월	토머스 뉴비에서 『워더링 하이츠』, 『아그네스 그레이』의 출판을 맡기로 함. 샬럿은 『교수』를 스미스, 엘더&컴퍼니에 송부하지만 출판은 거절당함. 대신 작가의 다른 작품에 관심을 표명.
1847년 9월	스미스, 엘더&컴퍼니에서 『제인 에어』 출판을 제안하고, 10월 19일, 『제인 에어: 자전적인 이야기 (커러 벨 집필)』 출판. 곧바로 큰 성공을 거둠.
1847년 12월	엘리스 벨의 『워더링 하이츠』, 액턴 벨의 『아그네스 그레이』 출판.
1848년 6월	토머스 뉴비에서 액턴 벨의 소설 『와일드펠 저택의 소작인』 출판.
1848년 7월	샬럿과 앤, 커러, 엘리스, 액턴 벨이 소문처럼 한 사람이 아니라 세 명의 작가라는 사실을 확인받기 위해 런던의 출판사로 떠남.
1848년 9월	9월 말, 『셜리』 1권 집필. 9월 24일, 동생 브란웰이 결핵 증세를 보이다가 섬망증을 앓으며 사망.
1848년 12월 19일	동생 에밀리 브론테, 결핵으로 사망.
1849년 5월 28일	동생 앤 역시 스카버러우에서 결핵으로 사망.

1849년 10월 26일   스미스, 엘더&컴퍼니에서『셜리』출판.

11월에서 12월, 편집장 조지 스미스의 손님으로 런던을 방문하고, 그곳에서 소설가 윌리엄 메이크피스 새커리와 여성운동가이자 작가 해리엇 마티노를 만남.

1850년   런던에 자주 방문함. 출판사를 방문하기도 했고, 작가 엘리자베스 개스켈을 만난 케이-셔틀워스가의 윈드미어 저택을 방문하거나 앰블사이드의 해리엇 마티노를 방문하기도 함.

1850년 12월 10일   샬럿이 직접 편집하고 '작가 소개'를 적은『워더링 하이츠』,『아그네스 그레이』가 한 권으로 묶여 출판.

1851년   런던을 방문해 대영전시회와 새커리의 강연에 참석. 맨체스터에서 엘리자베스 개스켈과도 시간을 보냄.『빌레트』집필을 시작하여 3월 말에 1권을 끝냄.

1851년 4월   스미스, 엘더&컴퍼니에서 만난 제임스 테일러의 청혼을 거절.

1852년 11월   계속되는 건강 악화에도 불구하고『빌레트』완필.

1852년 12월	아서 벨 니콜스가 청혼하지만, 아버지의 격렬한 반대에 부딪침.
1853년 1월 28일	스미스, 엘더&컴퍼니에서 커러 벨 이름으로 『빌레트』 출판.
1854년 6월 29일	샬럿, 니콜스와 결혼.
1855년 3월 31일	샬럿 브론테 니콜스, 임신 초기 합병증으로 38세의 나이에 하워스에서 사망.
1855년 4월 4일	샬럿 브론테 니콜스, 하워스의 가족 묘지에 안장.
1857년 3월	엘리자베스 개스켈의 『샬럿 브론테 전기』 출판.
1857년 6월	커러 벨의 『교수』 첫 출판.
1860년	샬럿의 미완결 유고작 『에마』, 「콘힐 매거진」에 수록.
1861년 6월 7일	아버지 패트릭 브론테 사망.

AWC

CHARLOTTE BRONTË
Jane Eyre

제인 에어

초판 1쇄 인쇄 2025년 11월 3일
초판 1쇄 발행 2025년 11월 10일

지은이 샬럿 브론테
옮긴이 김나연

펴낸이 한선화
책임편집 이미아
교정교열 김민영
디자인 ALL designgroup
홍보 김혜진 | 마케팅 김수진

펴낸곳 앤의서재
출판등록 제2022-000055호
주소 서울 서대문구 연희로 11가길 39, 4층
이메일 annesstudyroom@naver.com
인스타그램 @annes.library

ISBN 979-11-94877-07-3   04800
ISBN 979-11-90710-69-5   (SET)